जिन-सूत्र

भाग: दो

भगवान महावीर के 'समण-सुत्तं' पर प्रश्नोत्तर सहित पुणे में ओशो द्वारा पर दिए गए 62 अमृत प्रवचनों में से 15 (17 से 31) अमृत प्रवचनों का अनुपम संकलन।

Divyansh Publications

दिव्यांश पब्लिकेशन्स

OSHO

जिन-सूत्र

भागः दो

महावीर क्या आए जीवन में
हजारों-हजारों बहारें आ गईं

ओशो

Jin Sutra, Vol.2
Editing: Anand Satyarthi, Shanti Tyohar

Published by :
Divyansh Publications
MIG-222, Phase-1, LDA Tickait Rai Colony,
Lucknow - 226017 (INDIA)
Mobile : 09415185960, 08960250150
email : divyanshpublications@gmail.com
divyanshpublications@yahoo.co.in

First Edition 2013

The material in this book is a transcript of a series of original OSHO Talks 'Jin Sutra, Vol.2' given to a live audience. All of Osho's talks have been published in full as books, and are also available as original audio recordings. Audio recordings and the complete text archive can be found via the online OSHO Library at www.osho.com/library

Printed in India by Manipal Technologies Limited, Karnataka

ISBN - 978-93-80089-72-0 (HB)
ISBN - 978-93-80089-76-8 (PB)

भूमिका

महावीर कहते हैं, जीवन में दुख है तो तुम ठीक-ठीक कारण खोजो। दुख से तुम बचना चाहते हो, यह तो हमें मालूम है; लेकिन सिर्फ बचने की आकांक्षा से बच न सकोगे। और दुख से तुम बचना चाहते हो, इसलिए कोई भी कुछ बता देता है, वही करने लगते हो—इससे भी न बच सकोगे। हो सकता है बताने वाले की भी आकांक्षा शुभ हो; खोजने वाले की भी आकांक्षा शुभ हो; लेकिन आकांक्षाओं से थोड़े ही जीवन चलता है। जीवन चलता है सत्यों से, नियमों से। तो नियम को खोज लो। नियम के खोजते ही जीवन में क्रांति घटित होती है।

उस नियम की खोज को महावीर कहते हैं: मार्ग। वही मार्ग पकड़ में आ जाये तो फिर परिणाम के लिए प्रार्थना भी करनी जरूरी नहीं है, उतना भी समय खराब मत करना। क्योंकि जब तुमने आग जला दी और पानी गर्म होने लगा तो अब बैठकर प्रार्थना मत करना कि हे परमात्मा, इसको भाप बना! अब किसी परमात्मा को बीच में लाने की जरूरत नहीं है। अब तो पानी भाप बनेगा। ईंधन पूरा है, आग जल उठी है—पानी भाप बनेगा। अब इसे कोई रोक भी न सकेगा। इस नियम के विपरीत कुछ घट न सकेगा।

महावीर चमत्कार में नहीं मानते। कोई वैज्ञानिक बुद्धि का व्यक्ति नहीं मानता। चमत्कार कहीं न कहीं धोखा होगा, क्योंकि नियमों का कोई अपवाद नहीं होता। अगर कोई

आदमी हाथ से राख निकाल देता है तो कहीं न कहीं कोई मदारीगिरी होगी, क्योंकि जीवन के नियम किसी का अपवाद नहीं मानते। जीवन के नियम व्यक्तियों की चिंता नहीं करते—निर्वैयक्तिक हैं, सार्वभौम हैं। उनसे अन्यथा होने का उपाय नहीं।

अगर कोई आदमी साठ डिग्री पर पानी को भाप बना दे तो या तो थर्मामीटर से धोखा दे रहा है या किसी तरह का आयोजन कर रहा है, जिससे तुम्हें यह भ्रम पैदा होता है कि साठ डिग्री पर पानी भाप बन रहा है।

पानी तो सौ डिग्री पर ही भाप बनेगा। उसने किसी तरह का भ्रमजाल रचा है। लेकिन चमत्कार जगत में नहीं होते।

चमत्कार का तो अर्थ यह होता है कि जगत के नियम पक्षपात करते हैं। किसी एक आदमी की मानकर कुछ उलटा भी कर देते हैं। किसी दूसरे की मानकर नियम में शिथिलता कर देते हैं। किसी तीसरे पर नाराज हो जाते हैं। जिस पर प्रसन्न हैं, साठ डिग्री पर पानी भाप बन जाता है; जिस पर नाराज हैं, उसके लिए डेढ़ सौ डिग्री पर भी भाप नहीं बनता।

मगर महावीर कहते हैं, पानी सौ डिग्री पर भाप बनता है। नियम न नाराज होते, न प्रसन्न होते। नियम निर्वैयक्तिक है। इसको खयाल में लेना। परमात्मा व्यक्ति है।

तो जब भी हम परमात्मा की बात करते हैं, हमारे मन में संभावनाएं उठने लगती हैं कि अगर खूब प्रार्थना करें, खूब स्तुति करें, खूब समझा-बुझा लें, तो जो दूसरे के लिए नहीं हुआ है वह हमारे लिए हो जायेगा। क्योंकि व्यक्ति के आते ही लगता है फुसला लेंगे, राजी कर लेंगे, समझा लेंगे, रोयेंगे, गिड़गिड़ायेंगे, सहानुभूति पैदा कर लेंगे, करुणा मांगेंगे! आखिर परमात्मा दयालु है, तो खूब रोयेंगे तो दया उठेगी।

लेकिन महावीर कहते हैं, ऐसे तुम किसी और को धोखा नहीं दे रहे, अपने को ही धोखा दे रहे हो।

ऐसी चेष्टाएं व्यर्थ हैं और उनमें गंवाया गया समय तुमने व्यर्थ ही गंवाया। मार्ग को खोज लो!

महावीर का जोर मार्ग पर है; परमात्मा के सहारे पर नहीं; परमात्मा के आलंबन पर नहीं। यही तो सारे विज्ञान की दृष्टि है। विज्ञान कहता है, कहीं कुछ घट रहा है। हमें आज पता न हो क्यों घट रहा है; लेकिन जिस दिन पता चल जायेगा उस दिन फिर घटाने की शक्ति हमारे हाथ में आ जायेगी।

और जब तक हमें पता नहीं है तब तक बेहतर है कि हम कहें कि हमें मालूम नहीं।

तो महावीर के अधिक वचन तो मार्ग-सूचक हैं। और कुछ वचन फल-सूचक हैं। ऐसा पूरा जिन-शासन दो हिस्सों में विभाजित है।

ओशो

अनुक्रम

१७

आत्मा परम आधार है

सूत्र

आरुहवि अंतरप्पा, बहिरप्पो छंडिऊण तिविहेण।
झाइज्जइ परमप्पा, उवइट्ठं जिणवरिंदेहिं।।45।।

णिद्दण्डो णिद्दण्डो, णिम्ममो णिक्कलो णिरालंबो।
णीरागो णिद्दोसो, णिम्मूढो णिब्भयो अप्पा।।46।।

णिग्गंथो णीरागो, णिस्सल्लो सयलदोसणिम्मूक्को।
णिक्कामो णिस्कोहो, णिम्माणो णिम्मदो अप्पा।।47।।

आत्मा परम आधार है

अदम के तारीक रस्ते में
कोई मुसाफिर न राह भूले
मैं शमए-हस्ती बुझाके अपनी
चिरागे-तुरबत जला रहा हूं।

जीवन के रास्ते पर जिन्होंने अपने को परिपूर्ण मिटा दिया है, वे ही केवल ऐसा प्रकाश बन सके हैं जिनसे भूले-भटकों को राह मिल जाये। जिसने अपने को बचाने की कोशिश की है, वह दूसरों को भटकाने का कारण बना है। और जिसने अपने को मिटा लिया, वह स्वयं तो पहुंचा ही है; लेकिन सहज ही, साथ-साथ, उसके प्रकाश में बहुत और लोग भी पहुंच गये हैं।

महावीर किसी को पहुंचा नहीं सकते; लेकिन जो पहुंचने के लिए आतुर हो वह उनकी रोशनी में बड़ी दूर तक की यात्रा कर सकता है।

यात्री को स्वयं निर्णय लेना पड़े। जाना है, तो प्रकाश के साथ संबंध बनाने पड़े।

अभी हमने जीवन-जीवन, जन्मों-जन्मों अंधेरे के साथ संबंध बनाये हैं। धीरे-धीरे अंधेरे के साथ हमारे संबंध, संस्कार हो गये हैं, स्वभाव हो गए हैं। अंधेरा हमें सहज ही आकर्षित कर लेता है। एक तो रोशनी हमें दिखाई ही नहीं पड़ती, शायद अंधेरे में रहने के

कारण हमारी आंखें रोशनी में तिलमिला जाती हैं; या अगर दिखाई भी पड़ जाये तो भीतर बड़ा भय पैदा होता है। अपरिचित का भय। नये का भय। अनजान का भय।

तो हम तो बंधी लकीर में जीते हैं—कोल्हू के बैल की तरह जीते हैं। कोल्हू का बैल चलता बहुत है, दिनभर चलता है; पहुंचता कहीं भी नहीं।

वर्तुलाकार जो घूमेगा, वह पहुंचेगा कैसे?

इसलिए हमने जीवन को चक्र कहा है। गाड़ी के चाक की भांति, घूमता है, घूमता रहता है; कभी एक आरा ऊपर आता है, कभी दूसरा आरा नीचे चला जाता है—लेकिन वस्तुतः कोई भेद नहीं पड़ता। कभी क्रोध ऊपर आया, कभी मोह ऊपर आया; कभी प्रेम झलका, कभी घृणा उठी; कभी ईर्ष्या से भरे, कभी बड़ी करुणा छा गई; कभी बादल घिरे, कभी सूरज निकला—ऐसी धूप-छांव चलती रहती है। एक आरा ऊपर, दूसरा आरा नीचे होता रहता है, और हम चाक की भांति घूमते रहते हैं। लेकिन हम हैं वहीं, जहां हम थे। हमारे जीवन में यात्रा नहीं है। तीर्थयात्रा तो दूर, यात्रा ही नहीं है। बंद डबरे की भांति हैं, जो सागर की तरफ जाता नहीं।

डबरा डरता है। सागर में खो जाने का डर है। और डर सच है, क्योंकि डबरा खोयेगा सागर में। लेकिन उसे पता नहीं, उसके खोने में ही सागर का हो जाना भी उसे मिलने वाला है।

अदम के तारीक रस्ते में कोई मुसाफिर न राह भूले

आदमी का रास्ता बड़ा अंधेरा है!

अदम के तारीक रस्ते में कोई मुसाफिर न राह भूले
मैं शमए-हस्ती बुझाके अपनी चिरागे-तुरबत जला रहा हूं।

—तो मैंने अपने जीवन को, अपने होने को तो बुझा दिया है और अपनी मजार का दीया जला लिया है। चिरागे-तुरबत जला रहा हूं!

जिसे कवि ने चिरागे-तुरबत कहा है, उसी को महावीर निर्वाण कहते हैं।

जीवन को तो बुझा दिया है, मौत का दीया जला लिया है।

यह जरा कठिन लगेगा, क्योंकि हम तो जीवन और जीवन की आकांक्षा से भरे हैं। जीवेषणा! किसी भी कीमत पर, मरते हों, सड़ते हों, गलते हों; लेकिन फिर भी जीना चाहते हैं। चाहे सब छीन लिया जाये, अंधे हो जायें, सड़क पर भिखमंगे की तरह घिसटते रहें, कुछ भी जीवन में अर्थ न दिखाई पड़े, फिर भी जीवन को पकड़े रहते हैं। ऐसा लगता है, जैसे जीवन का कोई अपने आप में ही अर्थ है।

दुख ही दुख मिलता हो, पीड़ा ही पीड़ा मिलती हो, तो भी आदमी जीवन को पकड़े रहता है। सारे स्वाभिमान को बेचना पड़े, आत्मा को बेचना पड़े, सब भांति अपने को काट-काट कर बाजार में रख देना पड़े, तो भी आदमी जीवन को पकड़े रहता है।

महावीर का सारा शिक्षण जीवेषणा को बुझाने का शिक्षण है। जब तक, जिसे तुमने जीवन कहा है, तुम उसे न बुझाओगे; जब तक तुमने जिसे अब तक मृत्यु कहा है, उसे तुम अंगीकार न कर लोगे—तब तक महाजीवन का द्वार न खुलेगा। क्योंकि तुम जिसे जीवन

कहते हो, वह मृत्यु है। और जिसे महावीर मृत्यु कहते हैं, वह महाजीवन है।

श्री अरविंद ने कहा है: 'जब खोजता था तो जिसे मैंने दिन समझा था, प्रकाश समझा था—वह खोजने के बाद अंधेरा साबित हुआ, रात साबित हुई। और जिसे मैंने जीवन जाना था, वह मृत्यु सिद्ध हुई। और जिसे मैंने अमृत समझकर पीया था, वह जहर था।'

जागने के बाद जीवन में बड़ी गहरी उथल-पुथल हो जाती है; सारे मूल्य बदल जाते हैं—जैसे कोई आदमी सिर के बल खड़ा होकर देख रहा हो संसार को, और सारा संसार उसे उलटा मालूम पड़ता हो; और फिर वह पैर के बल खड़ा हो जाये, और तब सारा संसार उसे सीधा मालूम पड़े।

अभी जिसे हमने जीवन समझा है, वह हमारे चित्त की बड़ी विपरीत दशा है। टटोल-टटोल कर, अनुमान लगा-लगा कर, हमने कुछ सोच रखा है कि यह रहा जीवन। रोशनी आने पर, आंख खुलने पर, जीवन कुछ और ही सिद्ध होता है।

आज के सूत्रों में महावीर उस परम जीवन की तरफ इशारे कर रहे हैं। व्याख्या नहीं है यह, न ही परिभाषा है; यह सिर्फ वर्णन है। इसे भी समझ लेना, फिर हम सूत्रों में प्रवेश करें।

व्याख्या तो परम सत्य की हो नहीं सकती; क्योंकि व्याख्या उसी की हो सकती है जिसका विश्लेषण हो सके, जिसे तोड़ा जा सके, जिसे खंडों में बांटा जा सके। जैसे कि मकान है, इसकी व्याख्या हो सकती है कि यह ईंटों का संग्रह है। ईंटों को एक के ऊपर एक जमाया गया है, एक खास तरतीब में बिठाया गया है, तो मकान बन गया है। एक-एक ईंट को अलग कर लो, मकान खो जायेगा। तो ईंटों की एक तरतीब से जमाई गई व्यवस्था का नाम मकान है। लेकिन आत्मा के टुकड़े नहीं होते, खंड नहीं होते। जैसे मकान ईंटों से जमा है, ऐसा आत्मा किन्हीं अंशों से मिलकर नहीं बनी है।

सत्य का खंड नहीं होता, टुकड़े नहीं होते। सत्य तो बस है। तो उसकी व्याख्या नहीं हो सकती।

अगर वैज्ञानिक से पूछो, पानी की क्या व्याख्या है, वह कहता है, हाइड्रोजन आक्सीजन के मिलने से जो बनता है वह पानी है। लेकिन दो चीजों से मिलकर बनता है, इसलिए व्याख्या हो गई। उससे पूछो कि हाइड्रोजन की क्या व्याख्या है, तो वह कहता है, इलेक्ट्रान, न्यूट्रान, पाजिट्रान से मिलकर जो बनता है वह हाइड्रोजन है। लेकिन उससे पूछो, इलेक्ट्रान की क्या व्याख्या है, तब वह अटक जाता है; क्योंकि अब खंड समाप्त हो गये। वह कहता है, इलेक्ट्रान तो बस इलेक्ट्रान है। अब इसको समझाने का उपाय नहीं, क्योंकि दो से मिलकर बनता नहीं।

दो से जो मिलकर बनता है, उसकी व्याख्या हो सकती है। क्योंकि इन दो के सहारे पर हम इशारा कर सकते हैं।

लेकिन जहां एक ही स्वभाव हो, अखंड, वहां निर्वचन के बाहर हो जाता है।

इसलिए इन सूत्रों में महावीर आत्मा के संबंध में जो कहेंगे—पहली बात—वह व्याख्या नहीं है। व्याख्या तो हो नहीं सकती। इशारा है, इंगित है।

दूसरी बात—परिभाषा नहीं है। परिभाषा उस चीज की हो सकती है जिसकी सीमा हो। जिसकी सीमा न हो उसकी परिभाषा नहीं हो सकती। परिभाषा का अर्थ ही होता है: सीमा को खींचना।

तुमसे कोई पूछे, तुम्हारा मकान कहां है, तो परिभाषा हो सकती है; क्योंकि इस तरफ कोई पड़ोसी है, उस तरफ कोई पड़ोसी है; इधर भी सीमा है, उधर भी सीमा है; इधर रास्ता है, उधर नदी है। कुछ सीमा हो सकती है। जहां-जहां सीमा हो सकती है, वहां परिभाषा हो सकती है। हम कह सकते हैं, इन सीमाओं के भीतर जो है, वह मेरा मकान है।

लेकिन आत्मा की या सत्य की तो कोई सीमा नहीं है। आत्मा कहां है—यह कहना तो कठिन है; क्योंकि 'कहां' का तो मतलब होगा: स्थान-निर्देश। और आत्मा स्थान में नहीं है। आत्मा कब है—यह भी कहना संभव नहीं है; क्योंकि 'कब' का तो अर्थ होगा: समय में निर्देश। आत्मा समय में भी नहीं है। आत्मा कालातीत है, क्षेत्रातीत है। न वह समय के भीतर है न स्थान के भीतर है—और दो ही उपाय हैं जिसके द्वारा परिभाषा होती है।

जैसे अगर कोई पूछे कि तुम कब पैदा हुए, कहां पैदा हुए, तो परिभाषा हो जाती है। तुम कहते हो, फलां गांव में—स्थान बता दिया; फलां घर में, फलां परिवार में—स्थान बता दिया; फलां तारीख को, सुबह या सांझ या दुपहर, फलां घड़ी-मुहूर्त में—समय बता दिया। परिभाषा हो गई। समय और स्थान का ठीक-ठीक निर्देश कर दिया। तो जहां समय और स्थान एक-दूसरे को काटते हैं, दोनों की रेखायें जहां कटती हैं, वह बिंदु तुम्हारी परिभाषा हो गई।

लेकिन आत्मा का न तो कभी जन्म हुआ, न कभी अंत होता, न किसी स्थान में आत्मा को कभी पाया गया है, न वह स्थान में होती। टाइम-स्पेस, समय और स्थान दोनों के पार है, तो परिभाषा कैसे? आत्मा है—ऐसा कहा जा सकता है; लेकिन परिभाषा नहीं की जा सकती। वस्तुतः तो 'आत्मा है', ऐसा कहने में भी भूल हो जाती है; क्योंकि 'है' अलग से जोड़ना ठीक नहीं है। आत्मा के होने में ही सम्मिलित है 'है'।

जैसे हम कहें कुर्सी है, तो ठीक है; क्योंकि एक दिन कुर्सी नहीं थी और एक दिन फिर नहीं हो जायेगी। दो 'नहीं' के बीच में 'है' की सुविधा है। 'है' के होने के लिए दो 'नहीं' दोनों तरफ चाहिए। एक दिन कुर्सी नहीं थी, अब कुर्सी है; फिर एक दिन कुर्सी 'नहीं' हो जायेगी—तो 'है' कहने में कुछ अर्थ है।

आत्मा को 'है' कहने में क्या अर्थ है? सदा थी, सदा है, सदा रहेगी। जो कभी 'नहीं' हुई ही नहीं, उसे 'है' भी क्या कहना? तो आत्मा है, इसमें भी पुनरुक्ति है।

आत्मा में ही 'है' पन छिपा है। वह उसका स्वभाव ही है। उसे बाहर से रखने की जरूरत नहीं। कुर्सी में 'है' पन नहीं छिपा है। वह उसका स्वभाव नहीं है। एक बार शून्य से आई है, एक बार फिर शून्य में चली जायेगी। आत्मा न आई है न गई है, तो परिभाषा नहीं हो सकती।

फिर आत्मा के संबंध में क्या हो सकता है? महावीर कहते हैं, वर्णन हो सकता है। वर्णन बड़ी अलग बात है। डिसक्रिप्शन; डेफिनीशन नहीं।

वर्णन का अर्थ होता है: हम सिर्फ इशारे कर सकते हैं कि ऐसा है, ऐसा है, ऐसा है। जिन्होंने जाना है, वे ही वर्णन कर सकते हैं। जिन्होंने नहीं जाना है, वे जानने की यात्रा पर जा सकते हैं; लेकिन वर्णन को सुनकर ही उनकी समझ में कुछ भी न आयेगा। वर्णन से प्यास पैदा हो सकती है।

तुम अंधेरे में हो, तो प्रकाश का मैं वर्णन कर सकता हूं: उससे तुम्हारी समझ में नहीं आयेगा कि प्रकाश क्या है। इतना ही समझ में आयेगा—वह भी अगर तुम साहसी हो, दांव पर लगाने की हिम्मत रखते हो, जोखिम का बल है और अभियान पर निकलने की अभीप्सा है—तो इतना ही समझ में आयेगा कि कुछ है जो मैंने अब तक नहीं जाना; और यह आदमी जो इसे जान चुका है, बड़ा आनंदित मालूम होता है, प्रसन्न मालूम होता है; मैं भी जानूं। और निश्चित ही यह आदमी इस अंधेरे को भी जानता है, क्योंकि मेरे पास बैठा है; और इस आदमी ने कुछ और भी जाना है जो अंधेरे से ज्यादा है; भरोसा करूं।

इसलिए श्रद्धा का बड़ा मूल्य है। विज्ञान में श्रद्धा का कोई मूल्य नहीं है; क्योंकि विज्ञान वर्णन नहीं करता, परिभाषा करता है, व्याख्या करता है। तो विज्ञान में कोई श्रद्धा की जरूरत नहीं है। संदेह करो खूब, तो भी विज्ञान तुम्हें समझा देगा कि यह रही व्याख्या, यह रही परिभाषा, यह प्रयोगशाला—कर डालो।

धर्म के साथ कठिनाई है; प्रयोगशाला तो है, लेकिन भीतर है, बाहर नहीं है। मेरी प्रयोगशाला में मैं तुम्हें ले जा नहीं सकता। लाख चाहूं, लाख पुकारूं, लेकिन मेरी प्रयोगशाला में तुम न आ सकोगे। तुम्हारी प्रयोगशाला में मैं नहीं आ सकता। यह प्रयोगशाला अत्यंत निजी है।

विज्ञान की प्रयोगशालाएं सामूहिक हैं। विज्ञान की टेबल पर रखकर कोई चीज जांची-परखी जाये तो सभी देख सकते हैं। धर्म के जगत में तो जो प्रयोग करता है, केवल वही देख पाता है। कह सकता है, गीत गुनगुना सकता है, उस आनंद की खबर ला सकता है, नाच सकता है, या मौन खड़ा हो जाता है। या उसके जीवन की प्रभा को तुम पहचानो, उसके पास आओ, उसकी पुलक को छुओ, उसके पास शांति को अनुभव करो, उसके आनंद की थोड़ी किरणें तुम पर भी पड़ने दो—तो शायद तुम्हें एक बात भर खयाल में आ जाये कि जो मेरे जीवन में अब तक हुआ है उससे शांति नहीं मिली, यह आदमी शांत है; जो मेरे जीवन में हुआ है उससे भय नहीं मिटा, इस आदमी का भय मिट गया है; जो मेरे जीवन में हुआ है उससे अभी तक मृत्यु पर मेरी कोई विजय नहीं हुई, इस आदमी की मृत्यु पर विजय हो गई है; जो मैंने जीवन में जाना है उससे चिंताएं बढ़ी हैं, इस आदमी की तिरोहित हो गई हैं; शायद इसे कुछ मिला है जो मैं चूक रहा हूं। थोड़ा चलूं, हिम्मत करूं। थोड़ा मैं भी खोजूं; अपनी सीमा, अपने घेरे के बाहर उठूं।

अपनी सीमा और घेरे के बाहर उठना ही संन्यास है।

संसार तुम्हारी सीमा है। वहां सब तुम्हारा जाना-माना, परिचित है। संन्यास इस सीमा के जरा बाहर सिर उठाना है।

ये सूत्र वर्णन के सूत्र हैं। एक-एक शब्द बहुमूल्य है—और साथ ही साथ अर्थहीन भी।

जब मैं कहता हूं अर्थहीन, तो मेरा अर्थ है कि अर्थ तो तभी पैदा होगा जब तुम अनुभव करोगे। शब्द बड़े प्यारे हैं, बड़े अनूठे हैं! महावीर ने जब इनको कहा है तो सार्थक हैं, इसीलिए कहा है। मैं जब तुमसे कह रहा हूं तो सार्थक हैं, इसीलिए कह रहा हूं। लेकिन मेरे कहने से ही अर्थ तुम्हारी पकड़ में न आयेगा। अर्थ तो तुम्हें अपने अनुभव से डालना होगा। शब्द तुम्हें दे दूंगा, जैसे शब्द की प्यालियां तुम्हें दे दीं; लेकिन जो मदिरा तुम्हें ढालनी है वह तो तुम्हें भीतर ढालनी पड़े और इन प्यालियों में भरनी पड़े।

ये शब्द कोरे हैं; इनमें तुम प्राण डालोगे तो ये जीवंत हो उठेंगे। इन शब्दों को ही तुम अर्थ मत समझ लेना, जैसा कि पंडितों ने समझ रखा है। तो फिर शब्द को ही लोग दोहराये चले जाते हैं। फिर वे आत्मा का वर्णन सीख लेते हैं, कंठस्थ कर लेते हैं—तोतों की तरह। फिर उसी को दोहराते-दोहराते भूल ही जाते हैं कि हमने अभी जाना नहीं; यह तो हमने सुना था; यह तो श्रवण था; यह तो श्रुति थी। ज्यादा से ज्यादा स्मृति बन गई, लेकिन वेद का अभी जन्म नहीं हुआ। क्योंकि वेद का जन्म तो तुम्हारे ही ध्यान की प्रक्रिया में होगा।

तो शब्द ये सब बहुमूल्य हैं, महा गहन अर्थ से भरे हैं; लेकिन तुम्हारे पास पहुंचते-पहुंचते ये खाली कारतूसें रह जायेंगे। तुम इन्हें अगर फिर से जीवंत करना चाहो तो बड़े साहस, अदम्य साहस से और जोखिम उठाने की हिम्मत से ही यह हो सकेगा।

समझने की हम कोशिश करें।

आरुहवि अंतरप्पा, बहिरप्पो छंडिऊण तिविहेण।
झाइज्जइ परमप्पा, उवइट्ठं जिणवरिंदेहिं।।

'जिनेश्वर देव का यह कथन है कि तुम मन, वचन और काया से बहिरात्मा को छोड़कर, अंतरात्मा में आरोहण कर, परमात्मा का ध्यान करो।'

'मन, वचन, काया से...'

महावीर की साधना-प्रक्रिया में ये तीन बाधाएं हैं—मन, वचन, काया।

काया तो हमें दिखाई पड़ती है। काया के पीछे छिपी हुई विचारों की पर्तें हैं, सघन पर्तें हैं—उनका नाम वचन। तुम चाहे बोलो या न बोलो, तो भीतर तो बोलते ही रहते हो। चुप भी जो आदमी बैठा है, वह भी भीतर बोल रहा है। वचन जारी है।

तो शरीर की एक पर्त है—स्थूल; उसके भीतर छिपी हुई सूक्ष्म पर्त है विचार की, संस्कार की, धारणाओं की—वह घूम रही है। वह चौबीस घंटे तुम्हें घेरे हुए है। रात सपने में भी चल रही है। उठो, बैठो, चलो, कुछ भी करो, भीतर विचार की एक परिधि अपना घेरा बांधे रखती है।

उस विचार से भी गहरा मन है। अगर आधुनिक मनोविज्ञान की भाषा में कहें तो जिसको आधुनिक मनोविज्ञान 'कांशस मांइड' कहता है, उसी को महावीर वचन कहते हैं। और जिसको आधुनिक मनोविज्ञान 'अनकांशस मांइड' कहता है, उसको महावीर मन कहते हैं।

मन का जो हिस्सा तुम्हारी चेतना में प्रविष्ट हो गया है—वह है वचन। मन का जो हिस्सा विचार बन गया है और मन का जो हिस्सा अभी विचार नहीं बना है, विचार बनने की प्रक्रिया में है—वह है मन।

मन है बीज की भांति; विचार अंकुरित हो गये बीज हैं। और ये तीनों संयुक्त हैं। जो तुम्हारे मन में है, वह आज नहीं कल तुम्हारे विचार में होगा। और जो तुम्हारे विचार में है, वह आज नहीं कल तुम्हारे शरीर में होगा। जो तुम्हारे शरीर में है, वह आज नहीं कल तुम्हारे विचार में था। और जो तुम्हारे विचार में है, वह कल नहीं परसों तुम्हारे मन में था।

शरीर से ही जो छूटना चाहता है, वह छूट न पायेगा; क्योंकि शरीर के आधार तो विचार में पड़े हैं। विचार से ही जो छूटना चाहता है, वह भी न छूट पायेगा; क्योंकि विचार से भी गहरी एक पर्त है मन की।

बहुत-सी साधना-प्रक्रियाएं हैं जो सोचती हैं शरीर से ही छूटने से सब हो जायेगा। हठयोग है। हठयोग का सारा आग्रह शरीर पर है। शरीर को ही इस भांति जीत लेना है कि शरीर का हमारे ऊपर कोई बल न रह जाये। लेकिन महावीर कहते हैं: जो जीतने चला है, वह जो विचार का भीतर भाव उठा है, वह भी तो सूक्ष्म शरीर है। वह कोई शरीर से भिन्न नहीं है। उससे एक नये तरह का शरीर निर्मित हो जायेगा, लेकिन शरीर जारी रहेगा।

फिर मंत्रयोग है वह मानता है कि मन को ही बदल लेना, वाणी को, विचार को बदल लेना काफी है। मन के व्यक्त रूप को बदल लेना काफी है। तो मंत्रों का उच्चार करो। मंत्रों के गहन उच्चार से, मंत्र के छंद में बद्ध होकर विचार सो जाते हैं। जो अंकुरित हो गये थे वे भी गिरकर फिर बीज हो जाते हैं। लेकिन मन तो रहेगा। अभिव्यक्त मन समाप्त हो जायेगा; लेकिन छिपा हुआ गूढ़ मन, अनकांशस, अचेतन मन, वह तो बना रहेगा। वह फिर नये मन खड़े करेगा, फिर नये विचार उठायेगा। जब बीज बचा है तो कब तक उससे बचोगे? अंकुरित होगा। फिर वर्षा आयेगी, फिर जरा भूल-चूक हो जायेगी, फिर मंत्र याद न रहेगा—फिर अंकुरण हो जायेगा।

तो महावीर कहते हैं, जिसे आत्मा तक जाना हो, उसे तीनों—मन, वचन, काया—तीनों के पार उठना होता है।

इसे तुम थोड़ा समझो, क्योंकि यही हम सब हैं—इन तीन में हम खड़े हैं। आत्मा का तो हमें कोई पता नहीं है। आत्मा तो इन तीन के पार है। ऐसा श्रद्धा से हम स्वीकार करते हैं कि होगी। महावीर कहते, बुद्ध कहते, कृष्ण कहते, पतंजलि कहते—ठीक है, कहते हैं तो होगी। लेकिन हमने अब तक जो जाना है, वह ज्यादा से ज्यादा हमारी जानकारी शरीर तक है। तुम शरीर को ही मानते हो कि तुम हो। इसलिए शरीर को भूख लगती है तो तुम कहते हो, मुझे भूख लगी। और जब भी तुम दोहराते हो कि मुझे भूख लगी, तब तुम फिर शरीर-भाव को मजबूत करते हो, क्योंकि यह विचार शरीर-भाव को मजबूत करने वाला है। शरीर में एक कामवासना की तरंग उठती है, तुम कहते हो, मेरे मन में कामोत्तेजना उठी। तुम शरीर से अपना तादात्म्य कर रहे हो। और जब तुम तादात्म्य करते हो, इसी तादात्म्य के कारण तो यह शरीर निर्मित हुआ है और इसी तादात्म्य के कारण तुम

इसे सम्हाले हुए हो और इसी तादात्म्य के कारण तुम भविष्य में भी शरीर निर्मित करते रहोगे। जैसे ही तुमने शरीर को कहा, 'मैं', तुमने एक गहरा संबंध जोड़ लिया।

साधारणतः हम शरीर के तल पर ही जीते हैं। हम में से जो थोड़े जागरूक होते हैं, वे सोचना शुरू करते हैं कि शरीर मैं नहीं हो सकता। क्योंकि उनको साफ दिखाई पड़ने लगता है कि मैं जीता तो अंतर्विचारों में हूं। कभी ऐसा भी हो जाता है कि तुम भूखे बैठे हो और विचारों में तल्लीन हो तो भूख का पता नहीं चलता। कभी ऐसा हो जाता है कि शरीर थका हुआ है और तुम्हारा बेटा अचानक छत पर से गिर पड़ा; तुम विश्राम करने जा रहे थे, लेकिन अब शरीर में अचानक ऊर्जा आ जाती है। तुम भागे अस्पताल की तरफ, भूल ही गये विश्राम; भूल ही गये कि तुम थके थे, कि चार दिन से सोए नहीं थे, कि लंबी यात्रा से लौटे थे। विचार जब पकड़ लेता है तो शरीर दूर रह जाता है।

खिलाड़ी है, मैदान पर खेलता है, फुटबॉल या हाकी खेलता है, पैर में चोट लग जाती है खेलते वक्त, खून बहने लगता है; दर्शकों को दिखाई पड़ता है, उसे पता नहीं चलता। वह विचारों में तल्लीन है। वह खेलने की धुन में है। अभी फुरसत कहां! अभी ध्यान देने की सुविधा नहीं है उसे। अभी सारा ध्यान विचारों में जुड़ा है। अभी शरीर दूर पड़ गया, बड़ा दूर पड़ गया। खेल बंद हो जायेगा, अचानक वह शरीर में लौटेगा—खून बहता हुआ मालूम पड़ेगा। वह चकित होगा: इतनी देर तक मुझे पता कैसे न चला!

तुम्हें भी बहुत बार अनुभव हुआ होगा: जब तुम विचार में तल्लीन होते हो, शरीर से दूरी बढ़ जाती है। कभी-कभी विचार की तल्लीनता इतनी हो सकती है कि ऑपरेशन भी शरीर पर किया जाये और तुम्हें पता न चले।

काशी नरेश का ऐसा ही ऑपरेशन हुआ था। वे भक्त थे, गीता के प्रेमी थे और गीता को बड़ी तल्लीनता से गुनगुनाते थे। उन्होंने कहा कि मुझे कोई बेहोशी की दवा देने की जरूरत नहीं है। मुझे मेरी गीता गुनगुनाने दो, तुम ऑपरेशन कर लो। डॉक्टर राजी न थे; क्योंकि क्या भरोसा? लेकिन यह आदमी कोई बेहोशी की दवा लेने को राजी न था और ऑपरेशन एकदम जरूरी था, अन्यथा यह मरेगा। ऐसी हालत देखकर कि यह लेने को राजी नहीं है, मौत तो होने ही वाली है, प्रयोग कर लेना उचित है। डॉक्टरों ने आज्ञा दी कि तुम अपनी गीता गुनगुनाओ। घंटा भर ऑपरेशन में लगा। वे अपनी गीता गुनगुनाते रहे, ऑपरेशन हो गया और उन्हें पता भी न चला।

विचार में अगर तुम बहुत जोर से संयुक्त हो जाओ तो शरीर और तुम्हारे बीच संबंध दूर का हो जाता है।

तो जिन्होंने विचार के थोड़े-से प्रयोग किये हैं, वे इस निष्कर्ष पर पहुंच जाते हैं कि हम शरीर नहीं हैं, विचार हैं। लेकिन विचार भी एक पर्त है। शरीर से गहरी है, लेकिन शरीर की ही है। विचार भी पदार्थ हैं।

महावीर का सिद्धांत इस संबंध में बड़ा अजीब है। महावीर कहते हैं, विचार भी पदार्थ है, मैटीरियल है, पुदगल है। विचार के भी अणु होते हैं। शायद विज्ञान महावीर से जल्दी राजी हो जायेगा; क्योंकि महावीर का बोध बड़ा साफ है। वे कहते हैं, विचार

के भी अणु हैं। वह भी कोई अपार्थिव चीज नहीं है, वह भी पार्थिव है। बड़ी सूक्ष्म है, लेकिन पार्थिव है।

विचार से भी कुछ लोग नीचे उतरते हैं। ध्यान में वैसी घड़ी आती है, जब तुम विचारों को शांत कर लेते हो; जब विचारों की तरंगें कम होते-होते होते-होते खो जाती हैं, झील बिलकुल शांत हो जाती है, कोई विचार की तरंग नहीं होती, वचन नहीं होता, भीतर शब्द नहीं उठते, शब्दों में फल-फूल नहीं लगते, शब्द बिलकुल शांत हो गये होते हैं।

उस निःशब्द दशा में मन के साथ तादात्म्य हो जाता है। तब आदमी सोचता है, यही मैं हूं। यह बड़ा प्यारा क्षण है—बड़ा शांत, बड़ा मौन! और आदमी सोचता है, यही मैं हूं। लेकिन यह भी सूक्ष्मतम शरीर की दशा है।

आधुनिक मनोविज्ञान महावीर से राजी है। आधुनिक मनोविज्ञान कहता है, शरीर और मन दो चीजें नहीं हैं। शरीर और मन ऐसे दो शब्दों का प्रयोग भी आधुनिक मनोविज्ञान धीरे-धीरे बंद कर रहा है। उसने एक नया शब्द गढ़ा है: साइकोसोमेटिक, मनोशरीर। शरीर और मन, दो शब्द ठीक नहीं हैं; क्योंकि उससे भ्रांति होती है कि जैसे दो चीजें हैं—मन और शरीर।

मन और शरीर एक ही चीज है। शरीर स्थूलतम मन है; मन सूक्ष्मतम शरीर है। और दोनों के बीच में विचारों की तरंगों का जगत है। लेकिन यह इकट्ठा है। समाधि की दशा में आदमी मन के बाहर होता है। ध्यान की दशा में मन शांत हो जाता है; समाधि की दशा में मन के बाहर होता है। तब पहली दफे आत्मा का पता चलता है।

आरुहवि अंतरप्पा...।

'तुम मन, वचन और काया से बहिरात्मा को छोड़कर, अंतरात्मा में आरोहण कर, परमात्मा का ध्यान करो।'

बड़ा अनूठा सूत्र है। सारा योग इसमें आ गया।

गुरजिएफ के जीवन में एक उल्लेख है। वह अमरीका गया था। उसे अपनी ध्यान-विद्यापीठ को चलाने के लिए पैसों की जरूरत थी, तो उसने न्यूयार्क के सारे बड़े धनपतियों को निमंत्रित किया था। न्यूयार्क की जो सबसे ऊंची सोसाइटी, अभिजात वर्ग, उसके चुन्नदे प्रतिनिधि मौजूद थे। गुरजिएफ की खबर तो अमरीका में पहुंच गई थी। उस आदमी को देखने को लोग उत्सुक थे। कोई पचास-साठ मित्रों का समूह था; स्त्रियां थीं, पुरुष थे। जिस व्यक्ति ने गुरजिएफ के संस्मरण लिखे हैं, उसने लिखा है कि गुरजिएफ ने मुझे बुलाया इन लोगों से मिलने के पहले और मुझसे कहा कि तुम्हें जितने भी गंदे और अश्लील शब्द आते हों अंग्रेजी के, मुझे बता दो। वह आदमी थोड़ा चौंका। उसने कहा कि अश्लील शब्दों से क्या करना? क्योंकि गुरजिएफ अंग्रेजी ठीक से जानता नहीं था। उसने कहा, तुम फिक्र छोड़ो। तो जितने भी गंदे अश्लील शब्द उसे आते थे, उसने बता दिये। गुरजिएफ ने वे लिख लिये और याद कर लिये। फिर गुरजिएफ जब बोलने गया उन मित्रों के बीच, तो थोड़ी देर उसने बातें कीं, फिर इसके बाद उसने कामवासना की बात शुरू की। फिर धीरे-धीरे तो कामवासना की बात को ऐसा गहरा ले गया कि सिर्फ

अश्लील और अभद्र शब्दों का ही उपयोग करने लगा। और घड़ी भर में—जिसने संस्मरण लिखे हैं उसने लिखा है—ऐसी हालत आ गई कि सारे लोग कामोत्तेजित हो गये। भूल ही गये। स्त्रियां पुरुषों के साथ खेल में लग गईं, पुरुष स्त्रियों के साथ खेल में लग गये; यह भूल ही गये कि गुरजिएफ को मिलने आये हैं। गुरजिएफ चुप होकर बैठ गया और वह सारी रासलीला चलने लगी। तब ठीक जब वे रासलीला में बड़े डूबने के ही करीब थे, वह खड़ा हुआ। उसने कहा, 'सावधान! मेरी तरफ देखो! सिर्फ शब्दों के आधार पर मैंने तुम्हारी बेहोशी को प्रकट कर दिया है। सिर्फ कुछ शब्द बोलकर मैंने तुम्हारे मनों को तरंगित कर दिया है। यह स्थिति देखो अपनी। तुम शब्दों के इतने गुलाम हो! और मैंने सिर्फ तुम्हारी बेहोशी दिखाने के लिए ही यह प्रयोग किया है। और मैं एक संस्था बना रहा हूं, जहां मैं होश सिखाना चाहता हूं; उसके लिए रुपये चाहिए।'

उसने हजारों डालर इकट्ठे कर लिये उसी क्षण। यह बात तो इतनी साफ थी। लोग चौंककर बैठ गये एकदम घबड़ाकर कि वे यह क्या कर रहे थे! भूल ही गये थे—शिष्टाचार, समाज, नीति, धर्म। इस आदमी ने सिर्फ शब्दों के जाल पर...।

तुमने कभी खयाल किया? पर्दे पर फिल्म में कामोत्तेजना के चित्र आने शुरू होते हैं, तुम कामोत्तेजित हो जाते हो! तुमने कभी सोचा कि धूप-छाया का खेल है? लेकिन तुम इतने उद्विग्न हो जाते हो...!

शब्दों के आधार पर, वचनों के आधार पर हम जीते हैं। कोई तुमसे कह देता है, 'बड़े प्यारे हैं आप', फूल खिल जाते हैं! कोई जरा घृणा से देख देता है, नरक प्रकट हो जाता है। कोई जरा सम्मान से नहीं पूछता, मन उदास हो जाता है। कोई नमस्कार कर लेता है, उदास थे, उदासी खो जाती है।

तुमने कभी देखा कि तुम कितने शब्दों के हाथ में हो?

शब्द तुम्हारी बेहोशी हैं। इसको महावीर कहते हैं वचन। इससे जागना जरूरी है। ऐसी घड़ी लानी जरूरी है कि कोई प्रशंसा करे कि निंदा, बराबर हो जाये। ऐसी घड़ी लानी जरूरी है कि शब्द इतने बलशाली न रह जायें कि तुम्हारे प्राणों को आंदोलित कर दें, अन्यथा तुम्हारी आत्मा का क्या होगा?

विज्ञापन की कला में कुशल जो विशेषज्ञ हैं वे इस बात को समझ गये हैं कि आदमी शब्दों से जीता है, तो शब्दों को दोहराये चले जाते हैं। तुम्हारे मन पर पर्तें बना देते हैं। बिनाका टुथपेस्ट, बिनाका टुथपेस्ट दोहराये चले जाते हैं। तुम शायद सोचते भी नहीं कि तुम्हारा कुछ बिगड़ रहा है; लेकिन तुम्हें पता नहीं है, यह शब्द बैठता जाता है, यह बैठता जाता है। यह तुम्हारा वचन बन जाता है। फिर कल तुम जब बाजार में खरीदने जाते हो और दुकानदार पूछता है, कौन-सा टुथपेस्ट, तो तुम्हें याद भी नहीं रहता कि तुम होश में कह रहे हो कि बेहोशी में। तुम कहते हो, बिनाका टुथपेस्ट। और तुम यही सोचते हो कि तुमने स्वयं ही सोचकर तय किया है। तुमने सोचकर तय नहीं किया है; यह विज्ञापित है। अखबारों में पढ़ा, दीवालों पर लिखा देखा, रेडियो पर सुना, टेलीविजन पर देखा, सुंदर स्त्रियों की तस्वीरें देखीं, हंसते हुए मोतियों की तरह उनके चमकते हुए दांत

देखे—और बिनाका टुथपेस्ट, और बिनाका टुथपेस्ट, और हर जगह सुंदर स्त्रियों की तस्वीरें देखें विज्ञापनों में। उन्होंने कहा कि मेरे पति को कौन-सी दो चीजें पसंद हैं?—'मैं और बिनाका टुथपेस्ट!'

सब तरफ से शब्द की एक पर्त तुम्हारे भीतर बनायी जाती है। राजनीतिज्ञ वही करते हैं, दुकानदार वही करते हैं। एक शब्द बिठाया जाता है। बहुत बार दोहराने से तुम्हारे भीतर लकीरें खिंच जाती हैं। समाजवाद, समाजवाद, समाजवाद! धीरे-धीरे धीरे-धीरे यह लकीर बैठ जाती है। जब लकीर मजबूत होकर बैठ जाती है तो वही लकीर तुम्हें आंदोलित करने लगती है, तुम्हें गतिमान करने लगती है।

तुम समाज से बंधे हो शब्दों के कारण। जरा शब्दों को हिला-डुला कर देखो और तुम पाओगे, तुम समाज से मुक्त होने लगे। हिंदू हूं, मुसलमान हूं, ईसाई हूं—क्या हैं ये? ये सिर्फ शब्द हैं! जैन हूं, बौद्ध हूं—ये क्या हैं? सिर्फ शब्द हैं! लेकिन बचपन से दोहराया गया कि तुम जैन हो; इतनी बार दोहराया गया है कि अब तुम्हें याद भी नहीं आता कि कब शुरू किया गया था दोहराना। यह विज्ञापन, यह कंडीशनिंग, यह संस्कार ऐसा डाला गया है कि अब तुमसे कोई नींद में भी पूछे, तो भी तुम कहोगे, जैन हूं। शराब भी पीकर सड़क पर गिर पड़े होओ और कोई हिलाकर पूछे कि कौन हो, तुम कहोगे, जैन। इतना गहरा चला गया है!

मगर यही शब्द तुम्हें आंदोलित करता है। फिर अगर कोई कह देता है, 'इस्लाम खतरे में है', तो तुम मरने-मारने को उतारू हो जाते हो। 'इस्लाम' एक शब्द है। शब्द सत्य नहीं है। कोई शब्द सत्य नहीं है।

शब्द के साथ संबंध को शिथिल करो।

तो महावीर कहते हैं, शरीर के साथ संबंध को शिथिल करो, शब्द के साथ, वचन के साथ संबंध को शिथिल करो। और फिर धीरे-धीरे मन के साथ।

शरीर से शुरू करो, क्योंकि वह स्थूलतम है; उस पर प्रयोग करना आसान होगा। इसलिए महावीर की पूरी प्रक्रिया शरीर से शुरू होती है, मन पर पूरी होती है।

जब तुम शरीर से मुक्त होने लगोगे तब तुम्हें दिखाई पड़ेगा भीतर का बंधन—वचन का। जब तुम वचन से मुक्त होने लगोगे तब तुम्हारी आंखें इतनी साफ होंगी, पारदर्शी होंगी कि तुम्हें मन का बंधन दिखाई पड़ेगा। और इन तीनों के पार आत्मा है। और उस आत्मा में परमात्मा छिपा है।

'जिनेश्वर देव का यह कथन है कि तुम मन, वचन और काया से बहिरात्मा को छोड़कर, अंतरात्मा में आरोहण कर, परमात्मा का ध्यान करो।'

बाहर से भीतर और भीतर से और भीतर...शरीर हमारा सेतु है बाहर से। वचन भी हमारा सेतु है बाहर से। मन भी हमारा सेतु है बाहर से। जुड़े हैं हम इस तरह।

इसलिए तुमने देखा, गूंगा आदमी जो बोल नहीं सकता, वह समाज का हिस्सा नहीं हो पाता! जड़बुद्धि; जिसके पास मन की बहुत क्षमता नहीं है, वह अकेला रह जाता है। तुमने यह खयाल किया, इस समाज में वे ही लोग सर्वाधिक मूल्यवान हो जाते हैं जो शब्दों

का प्रयोग करने में सर्वाधिक कुशल होते हैं! नेता हों, धर्मगुरु हों, कवि हों, लेखक हों—जिन लोगों की भी क्षमता वचन पर गहरी है, वे इस जगत में सर्वाधिक महत्वपूर्ण हो जाते हैं। जिनकी वचन पर पकड़ गहरी नहीं है, वे पिछड़ जाते हैं।

मनुष्य का असली समाज भाषा में है। इसलिए जो बच्चा देर तक नहीं बोलता, मां-बाप चिंतित हो जाते हैं, घबड़ा जाते हैं कि अब बड़ा मुश्किल हुआ। क्योंकि यह बच्चा कभी सभ्य न बन सकेगा। यह समाज का हिस्सा न बन सकेगा। यह अधूरा पड़ेगा, अकेला पड़ा रह जायेगा। इसकी कोई जीवन की यात्रा, गति न होगी।

ये सेतु हैं जो हमें बाहर से जोड़े हुए हैं। इन सेतुओं से मुक्त हम होना सीखें तो हम भीतर से जुड़ेंगे। इसका यह अर्थ नहीं है कि महावीर कहते हैं, तुम बोलो मत। इसका यह भी अर्थ नहीं है कि महावीर कहते हैं, शरीर की आत्महत्या कर डालो। इसका यह भी अर्थ नहीं है कि महावीर कहते हैं, मन को मार डालो। न, महावीर कहते हैं, तुम अपने को शिथिल कर लो इनसे। जब इनकी जरूरत हो, उपयोग कर लो। लेकिन जब इनकी जरूरत न हो तो इनकी जकड़ न रहे। चलना है, कहीं जाना है, तो शरीर का उपयोग करना पड़ेगा। किसी से कुछ बोलना है, कहना है, तो वचन का उपयोग करना पड़ेगा। कुछ सोचना है, चिंतन करना है, तो मन का, मनन का उपयोग करना पड़ेगा। लेकिन यह उपयोग हो। ऐसा न हो कि तुम यह भूल ही जाओ कि तुम इनसे अलग हो। और जब इनका उपयोग नहीं करना है तो तुम इनको बांधकर एक कोने में रख सको। इतनी क्षमता बनी रहे।

तुमने देखा? लोग सिनेमा-घरों में बैठे हैं, होटलों में बैठे हैं और टांगें हिला रहे हैं! उनसे पूछो कि टांग किसलिए हिला रहे हो? चलते, तब सब ठीक था; चलने में टांग हिलनी चाहिए। मगर यहां कुर्सी पर बैठे-बैठे टांग क्यों हिला रहे हो? कहोगे तो वे चौंककर रोक लेंगे। वे कहेंगे, हमें कुछ याद न था। लेकिन इसका यह मतलब हुआ कि शरीर के साथ संबंध ऐसा हो गया है कि जब जरूरत नहीं होती तब भी टांगें हिलती जाती हैं।

नींद में लोग बड़बड़ाते हैं। पूछो, 'किससे बात कर रहे हो? अब तो यहां कोई भी नहीं, अब तो चुप हो जाओ!' तो वे नींद में बड़बड़ाते हैं। कोई न हो तो भी क्या हुआ; बोलने की आदत ऐसी पड़ गई है!

मनोवैज्ञानिक कहते हैं, अगर किसी आदमी को तीन महीने के लिए एकांत-गृह में छोड़ दिया जाये जहां सब सुविधा हो, उसे वक्त पर भोजन सरककर मिल जाये मशीन के द्वारा, कोई अड़चन न हो, लेकिन बोलने को कोई न हो—तो तीन सप्ताह के बाद उसके ओंठ हिलने लगेंगे। तीन सप्ताह तक वह भीतर-भीतर बात करेगा। तीन सप्ताह के बाद वह ओंठ हिलाकर बात करने लगेगा। छह सप्ताह के बाद वाणी बाहर आने लगेगी। नौ सप्ताह के बाद वह बड़े खुलकर बोलेगा। अकेले। और अब इस तरह बोलेगा कि जैसे किसी से बात कर रहा है और कोई मौजूद है। बारहवें सप्ताह होते-होते वह बिलकुल पागल हो जायेगा।

तुमने पागलखाने में लोग बैठे देखे हैं जो अपने से बातें कर रहे हैं? उनको हो क्या गया है? वाणी के साथ, वचन के साथ इतना ज्यादा तादात्म्य हो गया है कि अब दूसरे की

मौजूदगी भी जरूरी नहीं है। तुम्हें तो दूसरे को खोजना पड़ता है, क्योंकि तुम्हें अभी थोड़ासा होश बाकी है कि बिना दूसरे के कैसे बात करो! उठे, चलो मित्र के घर जायें, होटल जायें, क्लब-घर जायें। क्योंकि अभी तुम्हारी इतनी हिम्मत नहीं है कि अकेले ही बात करने लगो। हालांकि जब तुम दूसरे से भी बात करते हो, तो भी तुम अकेले ही बात कर रहे हो। वह दूसरा चाहे सुनने को राजी भी नहीं है। वह ऊबा हुआ है, जम्हाई लेता है, घड़ी देखता है। वह छिटकना चाहता है, लेकिन तुम उसको पकड़े हुए हो!

लोग हाथ तक पकड़कर बातें करते हैं कि कहीं निकल न जाओ! बिलकुल पास आ जाते हैं, बिलकुल चेहरे के पास चेहरा ले आते हैं कि कहीं छूटकर खिसक न जाओ! बामुश्किल तो मिले हो! वह तुम्हारी सुनना नहीं चाहता। वह हां-हूं करता है। वह कहता है, ठीक है, सब ठीक है; मगर तुम अपना कहे चले जा रहे हो!

और तुमने कभी यह खयाल किया है कि दो लोग जब बातें करते हैं, तुम जरा चुप होकर शांति से बैठकर उन दोनों की बातें सुनो तो तुम हैरान होओगे : वे दोनों एक-दूसरे से बात नहीं करते! एक को अपनी कहनी है, दूसरे को अपनी कहनी है। दोनों अपनी-अपनी कहते हैं। पति-पत्नी की बात सुनो तो बहुत साफ हो जायेगा, दोनों अपनी-अपनी कहते हैं। हां, इतना अभी होश है कि थोड़ा-थोड़ा एक-दूसरे की बातचीत में तार जोड़ते जाते हैं, ताकि ऐसा न लगे कि ये बिलकुल पागल हैं।

दो प्रोफेसर पागल हो गये थे। वे एक पागलखाने में थे। मनोवैज्ञानिक जो उनका अध्ययन कर रहा था, बड़ा हैरान हुआ; क्योंकि वे दोनों बात करते, तो जब एक बात करता तो दूसरा चुप हो जाता। दोनों प्रोफेसर थे, सुशिक्षित थे। फिर जब दूसरा करता तो पहला चुप हो जाता। लेकिन दोनों की बातों में कोई तार-तुक नहीं, कोई संगति नहीं। एक आकाश की हांक रहा है, दूसरा जमीन की हांक रहा है। उससे कोई लेना ही देना नहीं। कहीं तार जुड़ते ही नहीं; आसपास भी नहीं आते, जुड़ने की बात दूर। समानांतर चल रही हैं रेखाएं, कहीं मिलती नहीं। आखिर वह बड़ा हैरान हुआ कि इतने पागल हैं कि कुछ भी बकते हैं। लेकिन इतना खयाल रखते हैं, जब दूसरा बोलता है तो एक चुप हो जाता है। तो वह अंदर गया। उसने पूछा कि यह बड़े रहस्य की बात है! जब एक बोलता है, दूसरा चुप क्यों हो जाता है? उसने कहा, 'क्या तुमने समझा है हम पागल हैं? हमको कैसे वार्तालाप करना, आता है। क्या तुमने समझा हम पागल हैं? जब एक बोलता है, दूसरे को चुप हो ही जाना चाहिए।' लेकिन दूसरा जब चुप है, अपने भीतर गुनतारा बिठा रहा है; जब यह चुप हो जायेगा, तब वह अपना शुरू कर देगा। ये दोनों धाराएं अलग-अलग चल रही हैं, अपने-अपने भीतर चल रही हैं।

तुम थोड़ा वचन से जागो! वचन से जागे कि तुम समाज से छूटे—जंगल भागने से कोई समाज से मुक्त नहीं होता। भाषा से हट जाने से समाज से मुक्त होता है। इसलिए वास्तविक एकांत भाषा से मुक्ति है। हिमालय पर भी जाओगे तो भाषा से अगर मुक्त न हुए तो तुम पौधों से, वृक्षों से बात करने लगोगे, पक्षियों से बोलने लगोगे। बोलने के लिए कोई भी सहारा खोज लोगे। कुछ न होगा तो आकाश में बैठे भगवान से चर्चा शुरू कर दोगे।

देवी-देवता और अप्सरायें प्रकट होने लगेंगी। वे सब तुम्हारे कल्पना के जाल हैं। लेकिन तुम कुछ पैदा कर लोगे जिसके सहारे तुम बात कर सको।

भाषा से जो मुक्त हुआ, वही संन्यासी है। इसीलिए महावीर ने अपने संन्यासी को 'मुनि' कहा। मुनि का अर्थ है: भाषा से जो मुक्त; मौन को जो उपलब्ध। सोचकर कहा।

मुनि का अर्थ नहीं है, संसार से भाग गया। मुनि का अर्थ नहीं है, घर से भाग गया। बड़ी गहरी बात कही: भाषा से जाग गया; वचन का पुराना पागलपन न रहा। जरूरत होती है तो उपयोग कर लेता है, अन्यथा सरकाकर बगल में रख देता है। जैसे तुम कार का उपयोग कर लेते हो; जब जाना है बैठ गये, कार चलाई, वापस गैरेज में बंद कर दी। ऐसे ही वह वाणी के यंत्र का उपयोग कर लेता है, जब जरूरत हुई; फिर वापस गैरेज में बंद कर दी। ऐसे ज्यादातर वह मौन रहता है, मौन में डूबता है; जरूरत के वक्त भाषा में उतरता है। लेकिन भाषा उपकरण हो जाती है। अब यह भाषा का मालिक है।

जिस दिन भाषा उपकरण हो गई, उस दिन तुम मुनि हुए। तुमने घर छोड़ा या न छोड़ा, मुझे फिक्र नहीं है। लेकिन जिस दिन भाषा से तुम छूटे, भाषा का कारागृह तुम्हारे ऊपर वजनी न रहा, भारी न रहा, तुम समर्थ हुए जब चाहो तो बोलो, लेकिन बोलने की चाह तुम्हें पागल की तरह आंदोलित नहीं करती—तो तुम मुनि हो गये।

'मन, वचन और काया से बहिरात्मा को छोड़कर, अंतरात्मा में आरोहण कर, परमात्मा का ध्यान करो।'

ये बाहर जाने के मार्ग हैं। शरीर बाहर से जोड़ता है। स्वभावतः शरीर बाहर से आया है, मां से मिला, पिता से मिला। तुम इसे लेकर नहीं आये। यह बाहर के द्वारा दिया गया है, बाहर की भेट है। यह तुम्हारी मां का है, तुम्हारे पिता का है।

उनका भी है, कहना ठीक नहीं है; क्योंकि उनके पास भी जो शरीर था वह उनके माता-पिता का था। उनका भी था, यह भी कहना ठीक नहीं।

इसलिए अगर इसकी पूरी गहराई में जाओगे तो शरीर प्रकृति का है; बाहर से आया है; मिट्टी का है; जल का है; वायु का है; आकाश का है; पंच महाभूतों का है; तुम्हारा नहीं है। जो बाहर से आया है वह बाहर की गुलामी में है। स्वभावतः तुम्हारे भीतर भी जो जल है वह बाहर के जल के ही नियमों का पालन करता है, तुम्हारे नियमों का पालन नहीं करता। कैसे करेगा? तुमसे उसका कुछ लेना-देना नहीं है। तुम्हारे भीतर जो मिट्टी है, वह मिट्टी के नियमों का पालन करती है, तुम्हारे नियमों का पालन नहीं करती। उस पर गुरुत्वाकर्षण का काम होता है। तुम्हारे भीतर जहां से जो आया है, उसी नियम का पालन करता है। वायु वायु का पालन करती है। अग्नि अग्नि का पालन करती है। इसे तुम खयाल रखना।

इसलिए अगर तुमको चांद, पूर्णिमा के चांद को देखकर बड़ी उमंग उठती है, तो तुमने कभी सोचा न होगा, क्यों उठती है! यह वैसे ही उठती है उमंग, जैसे सागर में उमंग उठती है। क्योंकि सागर चांद से प्रभावित होता है, आंदोलित होता है, ज्वार उठता है, नाचने लगता है। बड़ी लहरें, उत्तंग लहरें उठती हैं, सागर पगला जाता है इसलिए चांद की

रात में ऐसा आदमी खोजना मुश्किल है जो थोड़ा पगला न जाता हो। जो बहुत संवेदनशील हैं, बहुत ज्यादा पगला जाते हैं। इसलिए पागलों के लिए अंग्रेजी में शब्द है: लूनाटिक। लूनाटिक का मतलब होता है चांदमारा; चांद ने मारा इसे। हिंदी में भी चांदमारा पागल के लिए उपयोग करते हैं।

आदमी के शरीर के भीतर कोई अस्सी प्रतिशत जल है, थोड़ा नहीं है। और यह जल ठीक वैसा ही जल है जैसा सागर का। उतने ही लवण इस शरीर के जल में भी हैं। हिंदू कहते हैं कि पहला अवतार मछली का। वैज्ञानिक भी कहते हैं कि मनुष्य का पहला अवतरण मछली में। और मछली के भीतर जो जल का ढंग है, वही आदमी के शरीर के भीतर भी है। अभी भी है। इसलिए जब सागर उत्तंगित हो जाता है, तरंगित हो जाता है, तो तुम भी तरंगित हो जाते हो। चांद को देखकर कौन मोहित नहीं हो जाता! लेकिन यह तुम नहीं हो जो मोहित हो रहे हो; यह तुम्हारे भीतर का जल है, अस्सी प्रतिशत, जिसमें तरंग उठी है बड़ी सूक्ष्म। अगर इसे तुम समझोगे तो चांद हो कि अमावस हो, सब बराबर हो गये। फिर कोई फर्क न रहा।

तुम जब एक स्त्री को देखकर आंदोलित हो जाते हो, किंकर्तव्य विमूढ़ हो जाते हो, कोई वासना का ज्वार तुम्हें घेर लेता है, तो तुम यह मत सोचना कि तुम प्रभावित हो गये हो; ये तुम्हारे शरीर के भीतर पड़े हुए स्त्री-हारमोन, ये तुम्हारे शरीर के भीतर पड़े हुए पुरुष-हारमोन, यह तुम्हारे शरीर की केमिस्ट्री है, रसायन है जो प्रभावित हो रही है। क्योंकि तुम्हारा आधा शरीर स्त्री का है, आधा पुरुष का है। सभी अर्धनारीश्वर हैं। आधा मां से मिला है, आधा पिता से मिला है।

तो जब भी तुम किसी स्त्री को देखकर प्रभावित होते हो, तो तुम यह मत सोचना कि मैं प्रभावित हुआ। वहां तुम भ्रांति कर रहे हो। वहां शरीर के साथ तुमने तादात्म्य कर लिया। ये तो तुम्हारे शरीर के भीतर के द्रव्य हैं जो आंदोलित हुए; क्योंकि ये उसी नियम को मानकर चलते हैं जो पदार्थों का नियम है।

यह कर्षण, यह आकर्षण, यह चुंबक पौदगलिक है, शारीरिक है। यह पदार्थगत है। यह होना भी चाहिए पदार्थगत।

इसलिए जैसे-जैसे व्यक्ति अनुभव करता है कि मैं शरीर नहीं हूं, वैसे-वैसे दूसरों के शरीर उसको कम प्रभावित करते हैं। जिस दिन व्यक्ति को यह पूरा अनुभव होने लगता है कि मैं शरीर हूं ही नहीं, उसी दिन स्त्री-पुरुष के शरीर के प्रभाव समाप्त हो जाते हैं। फिर कौन पास से निकल जाता है, इससे कोई फर्क नहीं पड़ता। तुम्हारे भीतर कोई तरंग नहीं उठती। फिर पूर्णिमा की रात हो कि अमावस की रात, सब बराबर हो जाता है। शरीर में तरंगें उठती रहेंगी, इससे तुम्हारा कुछ लेना-देना नहीं है। तुम दूर खड़े द्रष्टा हो जाते हो।

मन भी मन के ही नियमों को मानकर चलता है, तुम्हारे नियम मानकर नहीं चलता। इसलिए तुमने कई दफे देखा होगा कि अगर तुम दस आदमियों के पास गये मिलने और वे दसों प्रसन्न थे, आनंदित थे, तुम उदास थे; लेकिन क्षण भर में तुम भूल जाते हो कि तुम

उदास हो। उन दस आदमियों की प्रसन्न-चित्तता में तुम भी प्रसन्न हो जाते हो। तुम भी हंसने लगते हो। घड़ी भर पहले आंखें आंसुओं से भरी थीं, क्या हो गया इतनी जल्दी? वह जो मन के सूक्ष्म परमाणु हैं...दस आदमियों के परमाणु निश्चित ही तुमसे ज्यादा मजबूत हैं। तुम्हारा मन अल्पमत में हो गया, बहुमत ने हावी कर दिया तुम्हें, इसलिए उदास आदमियों के पास जाओगे, उदास होने लगोगे।

तुम कभी गये हो अस्पताल किसी मरीज को देखने? जल्दी भागने का मन होता है। बीमार लोग हैं, अस्वस्थ लोग हैं, उदास लोग हैं, जराजीर्ण लोग हैं—उनके पास तुम भी जराजीर्ण होने लगते हो। घबड़ाहट होती है, अकुलाहट होती है, भाग जाने का मन होता है।

तुमने कभी खयाल किया कि डॉक्टर कठोर हो जाता है! होना ही पड़े, नहीं तो वह मर जाये। अगर डॉक्टर कठोर न हो तो जीए कैसे? चौबीस घंटे उदास, बीमार, रुग्ण...। उसे धीरे-धीरे इतनी कठोरता भीतर बना लेनी पड़ती है कि उसे पता ही नहीं चलता, कि कौन उदास है, कौन मर रहा है। ये सब घटनाएं साधारण हो जाती हैं। कोई मरीज मर गया तो वह यह नहीं कहता कि कोई आदमी मर गया—कौन-सा बिस्तर खाली हो गया! कौन-सा नंबर मर गया! आदमी की बात उठानी ठीक नहीं है, नंबर ही मरते हैं अस्पताल में। और डॉक्टर को नंबर पर ही ध्यान रखना जरूरी होता है। उतनी कठोरता जरूरी है, नहीं तो वह मर जायेगा। वह जी न सकेगा। उसकी हंसी बिलकुल सूख जायेगी। उसके लिए जीने का कोई उपाय न रह जायेगा।

इसलिए अक्सर जब कभी कोई युवक मेरे पास आ जाते हैं, वे कहते हैं कि मैं अपनी एक डॉक्टर साथिन के साथ विवाह कर रहा हूं और युवक भी डॉक्टर तो मैं कहता हूं, थोड़े सावधान! एक ही डॉक्टर ठीक है। दोनों डॉक्टर इतने कठोर होंगे कि तुम पिघल न पाओगे; तुम एक-दूसरे से मिल न पाओगे। तो यह विवाह व्यावसायिक तो उपयोगी होगा, आर्थिक रूप से उपयोगी होगा; लेकिन जीवन से इसका कोई संबंध न होगा।

ध्यान रखना, तुम्हारा मन प्रतिक्षण दूसरे के मनों से आंदोलित हो रहा है। हिंदुओं की भीड़ चली जा रही है मुसलमानों की मस्जिद जलाने, या मुसलमानों की भीड़ चली आ रही है हिंदुओं का मंदिर तोड़ने—तब एक भला-अच्छा आदमी भी जो नमाज पढ़ता है, सादा-सीधा है, कभी किसी की हिंसा करने की नहीं सोची, किसी का मकान जलाने की नहीं सोची—वह भी उस भीड़ में चल पड़ता है!

तुमने कभी भीड़ में देखा कि अचानक तुममें गति आ जाती है! भीड़ अगर उत्साह से है, तो तुम उत्साह से भर जाते हो! भीड़ अगर तेजी से चल रही है तो तुम तेजी से दौड़ने लगते हो। भीड़ अगर मकान में आग लगा रही है तो तुम उसमें भी रस लेने लगते हो। बाद में अगर कोई तुमसे पूछेगा, तो तुम कहोगे, 'पता नहीं कैसे यह हो गया! मैंने क्यों साथ दिया!' अगर तुमसे कोई यह पूछे कि क्या अकेले तुम यह कर सकते थे, तो तुम निश्चित कहोगे कि नहीं कर सकता था। अकेले तो मैंने कभी ऐसा नहीं किया। यह भीड़ में हो गया। भीड़ में तुम्हारा उत्तरदायित्व क्षीण हो जाता है। बहुमत हावी हो जाता है। मन की तरंगें चारों तरफ से तुम्हें घेर लेती हैं, आंदोलित कर देती हैं।

जो आदमी भीड़ से प्रभावित नहीं होता, वह मन के बाहर हो गया। जो आदमी भीड़ से प्रभावित होता है, वह मन के भीतर है। इसलिए तो राजनेता रैली निकालते हैं—अपना-अपना प्रभाव दिखाने के लिए, कि कितने लाख आदमी उनकी रैली में सम्मिलित थे। उससे लोग प्रभावित होते हैं, निश्चित ही प्रभावित होते हैं। जिसकी रैली में लाख थे और जिसकी रैली में पांच लाख थे, वह जो जनता खड़ी देख रही है चारों तरफ वह पांच लाख वाले से प्रभावित होती है। इसमें कोई गणित नहीं बिठाना पड़ता। यह अनजान है। वह पांच लाख की भीड़ प्रभावित कर देती है।

अगर किसी राजनेता के चुनाव में हारने की अफवाह भी फैल जाये तो वह हार जाता है; जीतने की अफवाह फैल जाये तो वह जीत जाता है।

अंग्रेजी में कहावत है : नथिंग सक्सीड्स लाइक सक्सेस। सफलता से ज्यादा कोई चीज सफल नहीं होती। बड़ी ठीक है। क्योंकि जब तुम सफल हो रहे होते हो तो तुम चारों तरफ परमाणु फेंकते हो अपनी सफलता के। जब तुम असफल हो रहे होते हो तो तुम चारों तरफ परमाणु फेंकते हो अपनी असफलता के। असफलता में कौन साथ देता है! जीते के साथ सभी हो लेते हैं, हारे के साथ कौन होता है! ऊगते सूरज के सभी साथी हैं, डूबते सूरज का कौन साथी है!

लेकिन भीड़ का राज क्या है? तुम भीड़ से इतने आंदोलित क्यों होते हो? सारे दुनिया के धर्म अपनी भीड़ को बढ़ाने के लिए इतने पागल क्यों रहते हैं? क्योंकि भीड़ है तो और भीड़ को आकर्षित करने का उपाय है। जितनी बड़ी भीड़ है उतनी भीड़ को आकर्षित करने का उपाय है। हिंदू अगर बीस करोड़ हैं, मुसलमान अगर साठ करोड़ हैं या ईसाई अगर एक अरब हैं, तो स्वभावतः यह भीड़ सारे जगत के मन को आंदोलित करती है। यह भीड़ परमाणु फेंकती है।

ध्यान रखना, भीड़ से सावधान रहना। क्योंकि जब तुम भीड़ से प्रभावित होते हो, तब तुम अपने ही मन से प्रभावित हो रहे हो—और तुम्हारा मन तुम्हें तरंगित कर रहा है।

शरीर, वचन, मन—तीनों से पार साक्षीभाव में ठहरना है। और जो साक्षीभाव में ठहरता है, वही परमात्मा का अनुभव कर पाता है।

इलाही! वह नजर दे आशियां तक हो, कफस जिसको
न ऐसी कम निगाही, जो कफस को आशियां समझे।

हे प्रभु! ऐसी आंख दे कि घर भी जेलखाना मालूम पड़े। ऐसी ओछी आंख मत दे देना कि जेलखाना भी घर मालूम पड़ने लगे।

अभी तो जेलखाना घर मालूम पड़ता है। अभी तो तुम अपने शरीर को अपना जीवन समझे हो। यह तुम्हारा कारागृह है। अभी तो तुम अपनी भाषा की कुशलता को अपनी सामर्थ्य समझे हो। यह तुम्हारी गुलामी है। अभी तो तुमने मन को अपना बल समझा है।

मेरे पास लोग आते हैं, वे कहते हैं, मन की शक्ति कैसे बढ़े, यह बताएं! मन की शक्ति बढ़ानी है कि मन से मुक्त होना है? वे कहते हैं, संकल्प थोड़ा कम है। विल पावर चाहिए!

विल पावर, संकल्प की शक्ति तो मन को ही बढ़ायेगी।

मन से दूर होकर जो मिलता है वह आत्मबल है। मन से जो मिलता है वह कोई बल नहीं है; वह तो तुम्हारी निर्बलता है। वह तो धोखा है।

अर्श से आगे निकल जाएं हवाए-शौक में
कम-से-कम यह रफअते-परवाज होनी चाहिए।

आकाश से भी आगे जाना है!

अर्श से आगे निकल जाएं हवाए-शौक में
कम-से-कम यह रफअते-परवाज होनी चाहिए।

—उड़ान की ऐसी चाह, उड़ान की कम से कम ऐसी अभीप्सा, कि आकाश से भी पार हो जायें!

यह शरीर तो मिट्टी से बना है। इससे तो पार होना ही है। ये वचन, ये शब्द ये भी मिट्टी के ही सूक्ष्म अणु-परमाणु हैं, इनसे भी मुक्त होना है। यह मन, यह तो मन इस शरीर और वाणी का ही कोषागार है, संचित परमाणु हैं—इससे भी मुक्त होना है। वहीं अंतर्आकाश शुरू होता है। और आकाश से भी आगे निकल जायें, वहीं परमात्मा है—जहां यह भी पता नहीं रहता कि मैं आत्मा हूं, जहां सिर्फ आत्मा ही रह जाती है, मैं बिलकुल गिर जाता है...।

अब इसे थोड़ा समझना। हम कहते हैं, मेरा शरीर, मेरा मन, मेरे विचार—'मेरा'। पहले 'मेरा' को गिराना है। फिर हम कहेंगे, 'मैं', आत्मा। फिर 'मैं' को गिराना है। जब 'मेरा' गिरता है तो आत्मा प्रकट होती है। जब 'मैं' भी गिरता है तो परमात्मा प्रकट होता है।

'आत्मा; मन, वचन और कायारूप, त्रिदंड से रहित, निर्द्वंद्व—अकेला, निर्मम—ममत्वरहित, निष्कल—शरीर रहित, निरालंब—परद्रव्यआलंबन से रहित, वीतराग, निर्दोष, मोह-रहित तथा निर्भय है।'

वर्णन, यह कोई परिभाषा नहीं है। यह कोई व्याख्या नहीं है। ऐसा महावीर का अनुभव है। वे इसे कह देते हैं बड़े सूक्ष्म में।

'मन, वचन और कायारूप, त्रिदंड से रहित...।'

जहां न मन रह गया, न वचन रह गया, न काया रह गई। जहां शरीर बहुत दूर छूट गया, विचार की तरंगें बहुत दूर छूट गईं। जहां मन भी बहुत पीछे छूट गया। जहां इन सबसे तुम पार चले आये। जहां इन सबसे भीतर चले गये। जहां तुमने अंतरगृह में प्रवेश किया। मंदिर की दीवालें दूर छूट गईं। जिसमें तुम आवास बनाये हुए हो, वह सब दूर छूट गया। अब तुम वहां आ गये, जहां अंतर्तम है, जहां अंतर्तम का शून्य-गृह है, शून्याकाश है। तो निर्द्वंद्व। उस घड़ी में दो नहीं बचते, एक बचता है।

उपनिषदों में कथा है: एक जिज्ञासु ने याज्ञवल्क्य से पूछा, 'कितने देवता हैं?' याज्ञवल्क्य ने कहा, 'शास्त्र कहते हैं तैंतीस हजार।' उस जिज्ञासु ने कहा, 'यह थोड़ा बहुत ज्यादा हो गया। किस-किसकी पूजा करेंगे? थोड़ी हमारी सामर्थ्य पर ध्यान दो। तो मैं फिर से पूछता हूं, कितने देवता हैं?' तो याज्ञवल्क्य ने कहा कि ऐसा है कि मुख्य तो तीन सौ

तीस ही। उस आदमी ने कहा, 'मैं बहुत समर्थ नहीं हूं, तीन सौ तीस भी मुझे मुश्किल पड़ जायेंगे। तुम जरा और संक्षिप्त करो।' याज्ञवल्क्य ने कहा, 'तो फिर तीन।' उस आदमी ने कहा, 'तीन से भी बड़ी झंझट होगी। तीन तरफ खीचेंगे। किसकी सुनूंगा?' तो याज्ञवल्क्य ने कहा, 'अब तू बहुत गड़बड़ कर रहा है। डेढ़!' उस आदमी ने कहा कि अब चलो, अब तो आ ही गये करीब-करीब। अब सच्ची बात ही कह दो। अब सत्य ही कह दो। तो याज्ञवल्क्य ने कहा, 'सत्य तो एक है।'

सत्य तो एक, एक ही है सत्य। उसे एक कहना भी उचित नहीं है, क्योंकि एक कहते से दो का खयाल पैदा होता है। एक अकेला तो हो ही नहीं सकता दो के बिना। इसलिए भारत में सभी परम ज्ञानियों ने उसे एक भी नहीं कहा, क्योंकि एक कहने से दो का तत्क्षण खयाल होता है। एक होगा कैसे अगर दो नहीं हैं? एक गणित की संख्या निर्मित ही तब होती है जब दो और तीन, और सारी संख्याएं हों।

इसलिए वेदांत कहता हैः अद्वैत; दो नहीं। एक नहीं कहता। महावीर कहते हैंः निर्द्वंद्व; दो नहीं, द्वंद्व नहीं। और महावीर का निर्द्वंद्व अद्वैत से भी मधुर है।

क्योंकि अद्वैत का मतलब हैः दो नहीं हैं। महावीर का मतलब हैः द्वंद्व नहीं है। दो में तो ऐसा लगता है, चीजें ठहरी हैं; प्रक्रिया का बोध नहीं होता, थिरता का बोध होता है। निर्द्वंद्व में द्वंद्व नहीं है, संघर्षण नहीं है; गति का बोध है।

और महावीर का गति पर बड़ा जोर है। महावीर तो कहते हैंः जो गत्यात्मक है, वही सत्य है; जो निरंतर गतिमान है। महावीर कहते हैंः जहां गति नहीं है वहीं मृत्यु है। और जहां सतत गति है, ऊर्जा का सतत आरोहण है, वहीं जीवन है। इसलिए वे शब्द उपयोग करते हैंः निर्द्वंद्व, अकेला। अकेले से तुम खयाल रखनाः तुमने जो अकेलापन जाना है, वह महावीर का अर्थ नहीं हो सकता। क्योंकि महावीर ने जो अकेलापन जाना है उसका तो तुम्हें कोई पता ही नहीं है। तुमने भी बहुत बार अकेलापन जाना है। पत्नी मायके चली गई और तुम अकेले हो गये, कि बच्चे सब होस्टल चले गये और तुम अकेले हो गये।

तुम्हारा अकेलापन दूसरे की गैर-मौजूदगी है। इसलिए तुम्हारा अकेलापन वस्तुतः अकेलापन नहीं है। वहां तुम नहीं हो अकेलेपन में; दूसरा गैर-मौजूद है, इसकी प्रतीति है। पत्नी मायके चली गई, इसलिए अकेलापन लगता है। यह अकेलापन नकारात्मक है। यह पत्नी से जुड़ा है। इसमें पत्नी के वापस लौट आने की आकांक्षा छिपी है। यह पीड़ा है। इसलिए अकेलेपन शब्द में ही उदासी हो गई है। क्योंकि महावीर जैसा अकेलापन तो कभी-कभार किसी को मिलता है। तुम्हारा अकेलापन बहुत है, बहुमत को है।

कोई आदमी कहता है, बड़ा अकेलापन लगता है, तो तुम ऐसा नहीं मानते कि बड़ा प्रसन्न होकर कह रहा है; तो तुम समझते हो कि दुखी है, परेशान है, उदास है।

महावीर का अकेलापन दूसरे की अनुपस्थिति से नहीं बनता—अपनी उपस्थिति से बनता है।

इस फर्क को खयाल में रखना।

अंग्रेजी में दो शब्द हैं। अलोननेस, लोनलीनेस। वे शब्द बड़े अच्छे हैं। महावीर का जो अकेलापन है, वह अलोननेस। तुम्हारा जो अकेलापन है वह लोनलीनेस है। महावीर का जो अकेलापन है, वह एकांत; अकेलापन नहीं। तुम्हारा जो अकेलापन है, वह एकाकीपन है; अकेलापन; उदासी; कुछ खोया-खोया; कुछ कम-कम; कुछ अभाव; कुछ होना चाहिए था, नहीं है। कमरे में जाते हैं, पत्नी दिखाई नहीं पड़ती, बच्चे दिखाई नहीं पड़ते। तुम्हारी नजरें किसी दूसरे को खोज रही हैं और दूसरा मिलता नहीं। तुम्हारा अकेलापन यानी तन्हाई।

महावीर का अकेलापन: जहां तक नजर जाती है, खुद ही को पाते हैं। सारा कमरा अपने से भरा है; सारा आकाश अपने से भरा है! अपने को ही छूते हैं, अपने को ही गुनगुनाते हैं! अपना होना इतना गहन हुआ है कि अब दूसरे की कोई जरूरत नहीं है! दूसरे की याद भी नहीं आती! दूसरा है भी, इसका पता नहीं चलता! निर्द्वंद्व!

महावीर का अकेलापन बड़ा विधायक है, पाजिटिव है।

'निर्मम—ममत्व-रहित...।'

तुम्हारा 'निर्मम' अलग है। तुम्हारे निर्मम का अर्थ होता है: कठोर। तुम उस आदमी को निर्मम कहते हो जो बड़ा कठोर है, दुष्ट है। महावीर—और दुष्ट! नहीं, हम अलग-अलग भाषाओं के लोक में जी रहे हैं। महावीर के लिए निर्मम वह है जिसे ममत्व नहीं; जिसके पास से 'मेरा' समाप्त हो गया; जिसके लिए अब कोई चीज 'मेरी' नहीं, बस। तुम्हें तो दोनों बातें एक लगती हैं; जैसे—

एक घर में आग लगी। मालिक छाती पीटकर रोने लगा। किसी ने कहा, 'घबड़ाओ मत, चिल्लाओ मत, परेशान मत होओ। मैंने तुम्हारे बेटे को कल ही तो किसी से बात करते देखा था। मकान बेचने का सब तय हो गया है। पैसे भी दे दिये गये हैं। यह तो मकान बिक चुका, तुम्हारा नहीं है।'

उस आदमी के आंसू सूख गये। वह स्वस्थ हो गया। उसने कहा, 'अरे! मुझे इसका पता ही नहीं था।'

मकान जल रहा है। मकान वही का वही है, लेकिन 'मेरा' नहीं है तो अब क्या फिक्र! तभी बेटा आया घबड़ाया हुआ। उसने कहा कि ऐसे खड़े हो, क्या कर रहे हो? यह मकान जला जा रहा है! बात हुई थी, लेकिन पैसे लिये-दिये नहीं गये थे। मकान अपना ही जल रहा है।

फिर बाप रोने लगा, फिर छाती पीटने लगा। मकान वही का वही है; 'मेरे' से जुड़ जाता है तो दुख ले आता है; 'मेरे' से छूट जाता है तो बात खत्म हो गई।

जिस-जिसको तुमने 'मेरा' माना है, वहीं-वहीं से दुख आता है। जिस-जिस से तुम्हारा कोई संबंध नहीं है, वहां से कोई दुख नहीं आता। इसलिए जितना तुम्हारा 'मेरे' का जाल होगा, उतना ही तुम्हारा दुख होगा। जितना तुम्हारा मेरे का जाल टूट जायेगा, उतना ही तुम्हारा दुख समाप्त हो जायेगा।

जब महावीर कहते हैं 'निर्मम' तो वे कहते हैं, जिसका 'मेरा' भाव गिर गया। इसका

यह अर्थ नहीं कि वह कठोर हो गया। सच तो यह है कि ऐसा आदमी ही करुणावान होता है। 'मेरे' के कारण तुम कठोर हो। क्योंकि 'मेरे' के कारण तुम्हारी करुणा मुक्त नहीं हो पाती। अगर तुम्हारा बेटा गिरता है तो उठा लेते हो; दूसरे का बेटा गिरता है तो आंख बचाकर निकल जाते हो।

'मेरे' के कारण तुम कठोर हो। तुम्हारा बेटा भूखा मरता है तो तुम परेशान होते हो; दूसरे का बेटा भूखा मरता है, तुम्हें क्या लेना-देना! तुम 'मेरे' के कारण कठोर हो।

महावीर का 'मेरा' विसर्जित हो जाता है: करुणा मुक्त हो जाती है; अब मेरे की ही धाराओं में नहीं बहती; अब तो बाढ़ की तरह सब तरफ बहने लगती है; अब कोई कूल-किनारा नहीं रह जाता। तो महावीर की निर्ममता में करुणा है और हमारे ममत्व में भी कठोरता है।

'शरीर-रहित, निरालंब...।'

कोई आलंबन नहीं है आत्मा का। कोई आधार नहीं है आत्मा का। आत्मा परम आधार है। उसके आगे फिर कोई आधार नहीं है। होना अपने कारण है, स्वयंभू है।

तो जैसा उपनिषद ब्रह्म के लिए कहते हैं—परम आधार, निरालंब—वैसा ही महावीर आत्मा के लिए कहते हैं। जिसको उपनिषदों ने ब्रह्म कहा है, उसी को महावीर ने आत्मा कहा है। ब्रह्म या आत्मा कहने से फर्क नहीं होता।

एक हमें मानना पड़ेगा जो निरालंब है, जिसका कोई आधार नहीं; जो सबका आधार है, लेकिन जिसका कोई आधार नहीं। अन्यथा अस्तित्व बेबूझ हो जायेगा।

वैज्ञानिक कहता है: पानी बना है हाइड्रोजन-आक्सीजन से; आक्सीजन बनी है इलेक्ट्रान, न्यूट्रान, पोजिट्रान से; इलेक्ट्रान, न्यूट्रान, पोजिट्रान बने हैं विद्युत से, विद्युत-ऊर्जा से। विद्युत-ऊर्जा किससे बनी है? वे कहते हैं, बस विद्युत-ऊर्जा किसी से नहीं बनी है—तो विद्युत-ऊर्जा उनके लिए निरालंब हो गई। कहीं तो जाकर आधार खोज लेना होगा, जिसके पार कुछ भी नहीं है।

महावीर उस आधार को आत्मा में खोजते हैं। निश्चित ही विद्युत की बजाय आत्मा में खोजना ज्यादा गहरा है। क्योंकि विद्युत की खोज भी आत्मा ने की है। जब वैज्ञानिक कहता है, इलेक्ट्रान, न्यूट्रान और पोजिट्रान, और ये सब विद्युत से बने हैं, तो उसकी चेतना इस गहराई तक पहुंच जाती है। तो जिस गहराई तक हम पहुंचते हैं, उस गहराई से ज्यादा गहराई हमारी होनी ही चाहिए, अन्यथा हम उस गहराई तक नहीं पहुंच सकते।

वैज्ञानिक अपने को छोड़ देता है, बाहर रख लेता है। लेकिन कुछ भी हम खोज लेंगे, खोजने वाले से बड़ा वह नहीं होगा जो हम खोजेंगे। इसे थोड़ा खयाल में रखना। इसलिए महावीर परमात्मा से भी ज्यादा मूल्य आत्मा शब्द को देते हैं। वे कहते हैं, आत्मा ही तो खोजेगी न परमात्मा को! तो जो खोजने वाला है वह जिसे खोज लेगा उससे बड़ा है। मैं जिसे पा लूं, उससे मैं बड़ा हो गया। तुम जिसे पा लो, तुम उससे बड़े हो गये। अगर तुम गौरीशंकर पर खड़े हो गये तो तुम गौरीशंकर से बड़े हो गये।

तो महावीर का विश्लेषण बड़ा महत्वपूर्ण है। महावीर कहते हैं, आत्मा से बड़ा कुछ

भी नहीं है; क्योंकि सभी कुछ अंततः आत्मा ही पायेगी—मोक्ष, निर्वाण, ब्रह्म। तो जो पाने वाला है वही मालिक है, वही निरालंब, वही परम आधार है।

'परद्रव्य-आलंबन से रहित, वीतराग, निर्दोष, मोह-रहित तथा निर्भय है।'

और निर्भय समझने वाला तत्व है। हम भयभीत हैं। हम कंप रहे हैं, चौबीस घंटे भयभीत हैं। यह भय क्या है? बहाने कुछ भी हों। और हम अपने को किसी भी तरह समझा लेते हों, कुछ तरकीबें खोज लेते हों—कभी भय है कि प्रियजन न खो जाये; कभी भय है बीमार न हो जायें; कभी भय है वृद्ध न हो जायें, बूढ़े न हो जायें; कभी भय है, धन न खो जाये; कभी भय है, पद न खो जाये, प्रतिष्ठा न खो जाये, नाम-यश न खो जाये, कुल-परंपरा न खो जाये—हजार भय हैं, लेकिन सबके गहरे में अगर खोजेंगे तो मृत्यु का भय है: कहीं मैं न खो जाऊं!

धन को भी हम इसीलिए पकड़ते हैं कि धन के सहारे स्वयं के होने में सहायता मिलती है; अन्यथा धन के लिए कौन धन को पकड़ता है? कौन इतना पागल है? लेकिन धन हो तो थोड़ा बल होता है—बीमारी होगी, बुढ़ापा होगा तो धन रक्षा करेगा। कोई शत्रु होगा तो धन रक्षा करेगा। हम पद-प्रतिष्ठा को पकड़ते हैं, क्योंकि उससे भी आत्म-रक्षा होती है। यश को पकड़ते हैं, कुल को पकड़ते हैं, समाज के अंग बनते हैं, धर्म के अंग बनते हैं, राजनीति के अंग बनते हैं—उस सबमें बहुत गहरे में आत्मरक्षा की भावना है। सब तरफ से मौत हमें पीड़ित किये है: मरना होगा!

रोज कोई मरता है: हमारे पैर और हिल जाते हैं! रोज कोई मरता है: जड़ें और उखड़ जाती हैं! रोज कोई धक्के दे जाता है। ये तूफान रोज आते ही हैं मौत के। आज कोई गया, कल कोई गया—परसों हमें भी जाना होगा, यह घबड़ाहट है!

तो आदमी इस अवस्था में कभी अभय को उपलब्ध हो ही नहीं सकता। जिनको तुम बहादुर कहते हो, वे भी अभय को उपलब्ध नहीं होते। कायर नहीं हैं वे। इससे तुम यह मत समझना कि भयभीत नहीं हैं। कायर और बहादुर दोनों के भीतर भय है। कायर भय की मानकर भाग खड़ा होता है; बहादुर नहीं मानता, खड़ा रहता है—लेकिन भय दोनों के भीतर है। बहादुर भय के बावजूद भी चला जाता है युद्ध में; कायर भय अनुभव होते ही भाग खड़ा होता है। एक आगे जाता है, एक पीछे जाता है; लेकिन भय दोनों में है। भय से कोई बाहर नहीं है। भय से तो—महावीर कहते हैं—वही बाहर होता है, जो आत्मा को उपलब्ध हुआ; क्योंकि आत्मा अमरत्व है। वहां फिर कोई मृत्यु नहीं। वहां पहुंचते ही पता चलता है कि न तो यह मर सकती है चेतना, न कभी मरी है, न जन्मी है—अजन्मी, अनादि, अमृत। तब सारा भय शून्य हो जाता है। तब सारे भय गिर जाते हैं।

आत्मा को जाने बिना भय के बाहर जाने का कोई उपाय नहीं है। और भय के बाहर गये बिना कैसे दुख के बाहर जाओगे? कैसे भय के बाहर गये बिना चिंता के बाहर जाओगे, संताप के बाहर जाओगे? कंपते ही रहोगे।

आदमी का होना एक गहन कंपन है। आत्मा को जानते ही कंपन ठहर जाता है। स्थिति-प्रज्ञता पैदा होती है। ज्योति अकंप हो जाती है, निर्धूम जलती है; जैसे ऐसे किसी घर

में हो जहां हवा के झोंके न आते हों—अकंप जलती है। तब पहली दफा जीवन में वसंत आता है। उसके पहले जो वसंत जाने वे तो पतझड़ के ही आगमन के आने के उपाय थे। उसके पहले तो जवानी जो जानी वह बुढ़ापे का ही चरण था। उसके पहले तो जो जन्म मिला, वह मौत की ही शुरुआत थी। आत्मा में आकर, स्वयं में आकर, पहली दफे वसंत आता है—ऐसा वसंत, जिसके पीछे कोई पतझार नहीं।

> नहीं यह नग्मए-शोरे-सलासिल
> बहारे-नौ के कदमों की सदा है।
> नहीं यह नग्मए-शोरे-सलासिल
> बहारे-नौ के कदमों की सदा है।

अब बेड़ियों की झंकार नहीं मालूम होती है वसंत में। यह तो वसंत-आगमन की पगध्वनि है, बेड़ियों की झंकार नहीं। इसके पहले तो वसंत भी आया तो बांध गया था। इसके पहले तो प्रेम भी आया तो बंधन बन गया था। इसके पहले तो जो भी आया था, कारागृह ही सिद्ध हुआ था। अब पहली दफा वसंत आता है। ऐसे फूल खिलते हैं जो फिर कभी मुर्झाते नहीं। ऐसे फूल खिलते हैं जो मुर्झाने को नहीं खिलते।

'वह आत्मा निर्ग्रंथ है, निराग है, निशल्य है, सर्वदोषों से विमुक्त है, निष्काम है और निक्रोध, निर्मान और निर्मद है।'

'निराग, निर्ग्रंथ, निशल्य...।'

महावीर के अपने पारिभाषिक शब्द हैं। निर्ग्रंथ का अर्थ होता है: जहां अब कोई ग्रंथि न रही; कोई एढ़ा-टेढ़ापन न रहा; कोई गांठ न रही; जिसको मनोवैज्ञानिक काम्प्लेक्स कहते हैं—ग्रंथि। वैसी कोई ग्रंथि न रही; आदमी सरल हुआ; चेतना पर कोई बाधाएं, अवरोध न रहे; झरना बहने लगा, सब चट्टानें राह से हट गईं। अगर चट्टानें पूरी हट जायें तो झरने का शोर भी बंद हो जाता है। झरने के करण थोड़े ही शोर होता है; शोर तो चट्टानों के कारण होता है, बीच में पड़े पत्थरों के कारण होता है। सब चट्टानें हट जायें तो झरना एकदम शांत हो जाता है।

जीवन-ऊर्जा जब शांत बहने लगती है, कोई ग्रंथि नहीं होती...। अभी तो हमारे पास हजार-हजार ग्रंथियां हैं। अभी तो हम सीधे बह ही नहीं पाते। अभी तो हमारे सारे कदम ऐसे पड़ते हैं जैसे शराबी चलता है—लड़खड़ाते; हर घड़ी गिरने-गिरने को। एक पांव इधर पड़ता है, दूसरा कहीं और पड़ता है। कहीं रखना चाहते हैं, कहीं पड़ जाता है। अभी तो हम कहते कुछ हैं, मतलब कुछ होता है; करना कुछ चाहते थे, कर कुछ जाते हैं। अभी जीवन एक सरल घटना नहीं है। और अभी हम इस सरलता को पा भी न सकेंगे; क्योंकि हम तो अपनी जटिलता को ही सरलता समझे बैठे हैं। हम तो अपनी जटिलता के लिए बड़े तर्क खोजते हैं।

अगर तुम्हें क्रोध आ जाता है तो तुम सीधा-सीधा थोड़े ही कहते हो कि मैं क्रोधी आदमी हूं। तुम कहते हो, क्रोध की जरूरत थी; अगर क्रोध न करेंगे तो यह बेटा सुधरेगा कैसे? अब तुम ग्रंथि को तो स्वीकार कर ही नहीं रहे हो कि तुम क्रोधी हो। तुम यह कह रहे

हो कि यह तो बेटे को सुधारने के लिए करना पड़ रहा है। तुम बहाने में टाले दे रहे हो, तो यह ग्रंथि तो मजबूत होती चली जायेगी। यह ग्रंथि तो घनी होती चली जायेगी।

दूसरा करता है, तो तुम कहते हो, अहंकारी; तुम करते हो तो कहते हो, स्वाभिमान है। अगर तुम्हें कोई नई सूझ आती है तो तुम कहते हो, मौलिक चिंतन; अगर दूसरे को आती है, तुम कहते हो, झक्की है, दिमाग थोड़ा ढीला है, इस तरह की बातें इसके दिमाग में उठती हैं।

तुम करते हो तो तुम कुछ और शब्द देते हो; दूसरा करता है...।

अगर एक ईसाई हिंदू हो जाये तो ईसाई कहते हैं, गद्दार। अगर एक हिंदू ईसाई हो जाये, तो वे कहते हैं, सुमार्ग पर आ गया। वह हिंदू की बात है। हिंदू अगर ईसाई हो जाये तो वो कहते हैं, गद्दार। अगर ईसाई हिंदू हो जाये तो वे कहते हैं, सदबुद्धि का जन्म हुआ।

ग्रंथियों को हम छिपाते हैं। तो फिर जिसको हम छिपाते हैं, वह बढ़ेगा। ग्रंथियों को उघाड़ना पड़ेगा।

इसलिए तो महावीर नग्न हुए। वह 'नग्न' बड़ा प्रतीकात्मक है। उन्होंने कहा, जैसा हूं, जो हूं, अब कोई वस्त्र न रखूंगा, आवरण न रखूंगा, अब सब उघाड़े देता हूं। अब कोई ग्रंथि जैसी भी है, बुरी है, भली है, लोग स्वीकार करें, न स्वीकार करें...।

लोगों ने किस-किस तरह का व्यवहार महावीर से किया, हैरानी होती है!

कल रात मैं देख रहा था एक जैन-ग्रंथ। लोगों ने पत्थर मारे, लकड़ियों से पीटा, जंगली जानवर छोड़े, कुत्ते, खूंखार कुत्ते छोड़े, इतने से भी लोगों को न लगा तो लोग उठा उठाकर उनके शरीर के ऊपर फेंकते थे, वे नीचे गिरते थे—चट्टानों पर। लोग बहुत नाराज थे। इस नाराजगी में कारण था। कारण यह था कि हम हैं जटिल लोग। जब भी कोई सरल आदमी पैदा होता है, उसे हम बर्दाश्त नहीं कर पाते। वह बड़े गहरे में हमें अपमानजनक मालूम पड़ता है। उसकी मौजूदगी हमें चुभती है, शूल की तरह चुभती है। बेईमान चाहते हैं, बाकी भी लोग बेईमान हों। अगर ईमानदार आदमी बेईमानों के बीच में हो तो बेईमान उसे बर्दाश्त न करेंगे। उनके लिए खतरा है वह ईमानदार आदमी; क्योंकि उसकी ईमानदारी के कारण उनकी बेईमानी साफ हुई जाती है, उघड़ी जाती है। चोर चोर को पसंद करते हैं। झूठ बोलने वाले झूठ बोलने वाले को पसंद करते हैं। जैसे लोग होते हैं, वैसों को पसंद करते हैं। महावीर जैसा निर्ग्रंथ आदमी, जिसकी कोई ग्रंथि नहीं, कोई उलझाव नहीं, जैसा है सीधा-सरल नग्न खड़ा हो गया—लोगों को बड़ी कठिनाई हो गई। लोग इसे बर्दाश्त न कर सके। लोग उनको एक गांव से दूसरे गांव में खदेड़ने लगे। लेकिन यह आदमी भी खूब था। इसने सब स्वीकार कर लिया। इसने कहा कि यह भी हो रहा है तो होने दो। इसने कुछ बदलने की कोशिश न की। जिस गांव से इसे भगाया गया, अगर लोग खदेड़कर बाहर कर गये तो ये बाहर हो गये। लेकिन ऐसा भी नहीं कि दुबारा उस गांव में न आए हों। फिर राह में पड़ गया गांव तो फिर आ गये। जो सहज होने लगा वह होने दिया। सहज-स्फूर्त जीवन महावीर का मूलभूत स्वर है। उसमें जरा भी सजावट नहीं है, शृंगार नहीं है। उसमें जरा भी अन्यथा दिखाई पड़ने का कोई आग्रह नहीं है—जैसे हैं, जो हैं।

कहते हैं, महावीर ने वर्षों तक स्नान नहीं किया; क्योंकि उन्होंने कहा कि अब शरीर है और यह तो दुर्गंध-भरा है ही, अब इसको धो-धो कर, पोंछ-पोंछ कर भी क्या सार? किसको धोखा देना है? वर्षों तक उन्होंने दतौन नहीं की। क्योंकि उन्होंने कहा कि मुंह से तो बास आती ही है। अब किसको समझाना है कि बास नहीं आती?

तुमने कभी खयाल किया? तुम जो भी करते हो, दूसरों को दिखाने के लिए करते हो। अगर घर में बैठे हो तो कैसे ही उलटे-सीधे कपड़े पहने बैठे रहते हो। बाहर जाना है कि हुए तैयार! वैसे ही क्यों नहीं निकल आते? बाहर जा रहे हैं! बाहर जाने का मतलब है: अब लोगों की तरफ ध्यान रखना है; उनकी आंख को क्या ठीक लगेगा, क्या ठीक नहीं लगेगा—अपनी प्रतिष्ठा का सवाल है। कुछ दिखलाना है। जैसे तुम नहीं हो, वैसे दिखलाना है। व्यवसाय शुरू हो गया।

स्त्रियों को देखा, घर में कैसी बैठी रहती हैं! भैरवी के रूप में! इसलिए अगर उनके पति उनसे घबड़ा जाते हैं तो कुछ आश्चर्य नहीं। बाहर निकलीं तो सब अप्सरायें हो जाती हैं। इसलिए अगर दूसरे उन पर आकर्षित हो जाते हैं तो भी कुछ आश्चर्य नहीं। पतियों को तो भरोसा ही नहीं आता कि उनकी पत्नी को भी कोई रास्ते में धक्का दे गया।

मुल्ला नसरुद्दीन एक दिन पहुंचा पागलखाने। जाकर दस्तक दी। अधिकारी ने पूछा, कैसे आये आधी रात? उसने कहा, मेरी पत्नी भाग गई है। उसने कहा, यहां आने का क्या कारण? उसने कहा, मैं यह पूछने आया हूं, कोई पागल तो नहीं निकल भागा यहां से? क्योंकि मेरी पत्नी को कोई और ले भागे इस गांव में, यह तो संभव नहीं है। कोई पागल तो नहीं छूटा है आज, यह मैं पूछने आया हूं।

एक हमारे होने के ढंग हैं, एक हमारे दिखाने के ढंग हैं। एक हैं दांत हमारे खाने के, एक हैं दिखाने के।

महावीर ने बड़ा अनूठा प्रयोग किया! न दतौन, न स्नान। वर्षों तक पानी का उपयोग ही नहीं किया। वह तो भक्तों को दया आने लगी होगी। उनके प्रेमियों को दया आने लगी। इसलिए जैनियों में अभिषेक शुरू हुआ। साल में एक दिन वे बिठाकर महावीर को, उनके ऊपर पानी डाल देते हैं। अभी भी डालते हैं, मूर्ति पर डालते हैं अब वे। अभिषेक। भक्तों को भी घबड़ाहट होने लगी होगी कि इतना आदमी, इतना सरल हो जाना भी ठीक नहीं। इतना प्राकृतिक, जैसे पशु जीते हैं—निर्मल!

लेकिन तुमने खयाल किया? पशु गंदे मालूम होते हैं? एक आदमी ही कुछ अजीब है, इतनी व्यवस्था के बाद भी गंदा मालूम होता है! पशु सदा ताजे और स्वच्छ मालूम होते हैं। कहीं ऐसा तो नहीं है, ताजे स्वच्छ होने की चेष्टा में ही हमने अपने को गंदा कर लिया है? कहीं यह अति आग्रह, आरोपण, यह झूठ, अप्राकृतिक होने की चेष्टा, यह कृत्रिम जीवन—कहीं यही तो हमारी गंदगी का कारण नहीं? क्योंकि इस पूरी प्रकृति में चारों तरफ जरा गौर से देखो, पक्षी हैं, पशु हैं—कौन गंदा मालूम पड़ता है? कौन स्नान कर रहा है? कौन दतौन कर रहा है? लेकिन सब साफ-सुथरे मालूम होते हैं; सारी प्रकृति नहाई हुई मालूम होती है—एक आदमी को छोड़कर।

महावीर ने बड़ा अनूठा प्रयोग किया—प्राकृतिक होने का। रूसो ने जो बहुत बाद में कहा : बैक टू नेचर, चलो प्रकृति की ओर वापस। वह तो रूसो ने सिर्फ कहा है—महावीर ने किया। बड़ी दुर्धर्ष साधना थी। क्योंकि सब भांति यह आकांक्षा छोड़ देनी कि दूसरे मेरे संबंध में क्या सोचते हैं, बड़ी कठिन है।

अभी जैन मुनि हैं, वे भी वैसा ही कुछ करने की कोशिश करते हैं, लेकिन वह सच नहीं है। क्योंकि इस कोशिश में बुनियादी बात खो गई है। वह भी इस फिक्र में लगे हैं कि दूसरे क्या सोचते हैं। जैन मुनि है, वह देख रहा है कि जैन श्रमण की जो जीवन-धारा है, वह ऐसी होनी चाहिए, अनुशासन, यह व्यवस्था...। महावीर ने सारी व्यवस्था तोड़कर प्रकृति के हाथों में छोड़ दी; जैन मुनि ने महावीर ने जो किया उसको अपनी व्यवस्था बना लिया है। इन दोनों में बड़ा बुनियादी फर्क है। महावीर ने सारा अनुशासन छोड़ दिया; सारी संस्कृति, संस्कार, समाज, सभ्यता छोड़ दी; हो रहे प्रकृति के हाथ—जैसे पशु रहते हैं, ऐसे! जैन मुनि उसी में से अपनी व्यवस्था निकाल लिया।

महावीर दतौन नहीं करते तो जैन मुनि भी दतौन नहीं करता। कम से कम ऐसा पता तो नहीं चलने देता कि करता है। क्योंकि मैं जानता हूं, वे करते हैं। मैंने जैन साध्वियों के पास टुथपेस्ट भी छिपा हुआ देखा है।

एक जैन साध्वी मुझे मिलने आती थी। उसके मुंह से मुझे बड़ी बास आती थी। वह दतौन नहीं करती रही होगी। तो मैंने पूछा कि और साध्वियां भी आती हैं, उनके मुंह से बास नहीं आती। तो वह हंसने लगी। उसने कहा, आपसे क्या छिपाना! वे सब टुथपेस्ट छिपाये रहती हैं। वे सब टुथपेस्ट करती हैं। दुबारा जब वह खुद भी आई तो उसके मुंह से भी मुझे बास नहीं आ रही थी तो मैंने पूछा, मामला क्या है? तो उसने कहा कि जब आपने कहा तो मुझे भी लगा कि यह तो बात ठीक नहीं है, तो मैंने भी करना शुरू कर दिया; मगर किसी से आप कहना मत!

बाहर से तो यही दिखाना पड़ता है कि नहीं। बाहर से न भी दिखाओ, अगर तुम भीतर से भी पालन करो तो फर्क समझ में आया तुम्हें। महावीर ने सब चीजों का पालन छोड़ दिया। यह उनकी क्रांति थी। अब तुम महावीर को देख-देख कर पालन करने के लिए नियम बना रहे हो। यह कोई क्रांति न हुई, यह परंपरा हुई। और महावीर के संबंध में कहा जाता है कि धीरे-धीरे उनकी देह से पसीने की बदबू आनी बंद हो गई। जैन तो इसको और ढंग से समझाते हैं। वह ढंग मुझे ठीक नहीं मालूम पड़ता। वे तो कहते हैं, तीर्थंकर के पसीने में बास नहीं आती। यह बात तो बेतुकी मालूम होती है। पसीना तो पसीना है। इसमें तीर्थंकर को बीच में लाने की कोई जरूरत नहीं है। वे कहते हैं, तीर्थंकर को पसीना ही नहीं आता। यह बात भी मेरी समझ में नहीं आती। लेकिन पशु हैं, पक्षी हैं, प्रकृति की सहज धारा में जीते हैं—कौन-सी बास आ रही है? जंगली पशु-पक्षियों में कौन-सी बास आ रही है? नहीं, मेरी तो दृष्टि यही है कि महावीर इतने सरल हो गये कि फिर पशुवत हो गये। 'पशुवत' को मैं उपयोग कर रहा हूं—बड़े बहुमूल्य अर्थों में। इतने नैसर्गिक हो गये! जब दिखावे की आकांक्षा छूट गई तो शरीर में एक क्रांति घटित हुई। क्योंकि वह दिखावे की जो

आकांक्षा है, वह शरीर को एक स्थिति में रखती है; जब दिखावे की आकांक्षा छूट जाती है तो शरीर में एक क्रांति घटित होती है। किसी को प्रभावित करने का खयाल ही न रहा, पसीना आता रहा होगा, लेकिन पसीने का गुण-धर्म बदल गया।

इसे तुम ऐसा समझो—चित्त की दशायें बदलती हैं तो शरीर की दशायें भी बदलती हैं। जब कोई स्त्री कामातुर होती है तो उसके पसीने में एक अलग तरह की बास आने लगती है। इसलिए तो जानवर मादा को सूंघते हैं; इसके पहले कि वे संभोग करें, मादा को सूंघते हैं। क्योंकि पसीना मादा की खबर देता है, वह राजी है या नहीं।

आदमी के जीवन में भी ठीक वही नियम काम करते हैं; क्योंकि देह के नियम तो वही के वही हैं। जब कोई स्त्री कामातुर होती है, उसके पसीने में खास बदबू आनी शुरू होती है। और जब कोई व्यक्ति काम से परिपूर्ण मुक्त हो जाता है तब उसके पसीने की वह सारी बदबू जो कामातुरता से आती थी, विलीन हो जाती है। तब उसके पसीने में एक और ही तरह की बास आती है, एक और ही तरह की गंध होती है।

मुंह से हम बोलते हैं। बोलने की जो प्रक्रिया है, उससे मुंह में एक खास तरह की बास आनी शुरू होती है, क्योंकि घर्षण पैदा होता है। थूक में और मुंह के यंत्र में सतत घर्षण से एक तरह की बास आनी शुरू होती है।

अगर कोई मौन रह जाये, चुप रह जाये, बोले ही न, तो तुम पाओगे उसके मुंह से वह बास आनी बंद हो गई। क्योंकि वह तो केवल घर्षण की वजह से पैदा हो रही थी।

महावीर महीनों तक भोजन नहीं करते। जब तक उन्हें ऐसा नहीं हो जाता कि अब शरीर की बिलकुल अपरिहार्य जरूरत आ गई, तभी भोजन करते हैं। और बड़ा अल्प भोजन करते हैं। उतने भोजन से शरीर चलता है। बस वह पूरा का पूरा भोजन पचा जाते हैं।

अभी पश्चिम में चूंकि कारों के चलने से, कारों में जलने वाले पेट्रोल के धुएं के कारण वैज्ञानिक बड़े चिंतित हो गये हैं।

तो इस तरह की कारें निर्मित की जा रही हैं कि पेट्रोल पूरा का पूरा जल जाये, जरा भी बचे न; क्योंकि जो बच जाता है, गैर-जला, उसकी वजह से ही गंध और वायु-दूषण पैदा होता है। अगर पूरा जल जाये तो फिर कोई गंध पैदा नहीं होती, वायु-दूषण पैदा नहीं होता।

तो महावीर कभी महीने में एक दफा भोजन करते, कभी दो दफा भोजन करते। शरीर की जरूरत इतनी होती और भोजन इतना कम होता कि वह पूरा का पूरा पचा जाते।

जैन कहते हैं, महावीर मल-मूत्र का त्याग नहीं करते; क्योंकि तीर्थंकरों को मल-मूत्र नहीं होता। मैं यह नहीं कहता। मैं यह कहता हूं कि अगर तुम भी महीने में एकाध बार भोजन करोगे तो मल-मूत्र की जरूरत न रह जायेगी। शरीर पूरा पचा जायेगा। शरीर के पचाने की जरूरत इतनी होगी कि तुमने जो लिया है उसमें से कुछ भी छोड़ने का उपाय न होगा। महावीर ने बारह वर्षों की साधना में कहते हैं, मुश्किल से तीन सौ साठ दिन भोजन किया। तो हर बारह दिन में एक दिन भोजन पड़ता है। वह भोजन इतना कम था, और वह भी एक बार और वह भी महावीर खड़े-खड़े करते, बैठते भी न थे। क्योंकि महावीर कहते, बैठो तो थोड़ा ज्यादा भोजन आदमी कर लेता है। छोटी-छोटी चीजों से फर्क पड़ते हैं।

तुमने कभी खयाल किया? खड़े-खड़े भोजन करके देखो एक दफा। 'बफे' महावीर ने शुरू किया। ज्यादा मेहमान हों, भोजन कम हो, तो बफे। बिठालना मत, बिठालो तो फिर ज्यादा खाते हैं। खड़े-खड़े शरीर का आसन ऐसा होता है कि पेट तना होता है; बैठने से पेट शिथिल हो जाता है, ज्यादा जगह हो जाती है। अब किसी को कहो दौड़ते-दौड़ते भोजन करो तो और कम हो जायेगा, स्वभावतः।

महावीर खड़े-खड़े भोजन करते। पात्र में भोजन नहीं करते थे—करपात्री थे—हाथ में ही भोजन करते थे। अब हाथ में जरा भोजन करके देखो! दो-चार ग्रास के बाद ही तुम सोचोगे, अब बहुत हो गया। वह प्रक्रिया कोई ऐसी नहीं कि बहुत देर जारी रखने का सुख मालूम पड़े। धूप में, सड़क पर खड़े हुए, हाथ में, नग्न, जो थोड़ा-बहुत मिल गया, वे ले लेते। बैठते भी न। एक बार! वह भी दस-बारह दिन में एक बार। यह पूरा का पूरा भोजन पच जाता। यह पूरा का पूरा भोजन शरीर में लीन हो जाता। तो संभव है, मलमूत्र पैदा होने की जरूरत न रह जाये।

ऐसे नैसर्गिक ढंग से जीना उन्होंने शुरू किया कि मन से कोई बाधा न हो।

हम तो ऐसा उपाय करते हैं...तुमने देखा, जब बहुत मित्रों को बुला लो घर पर, तो ज्यादा खाना हो जाता है। रेडियो चला दो, गीत-संगीत बजा दो, तो ज्यादा खाना हो जाता है। हम तो ऐसे उपाय करते हैं जिससे ज्यादा हो जाये। महावीर ने ऐसे उपाय किये कि उतना ही हो जितना प्रकृति की जरूरत है। मन से कुछ भी न जोड़ा जाये। तो स्वभावतः धीरे-धीरे उनकी सारी ग्रंथियां खुलती गईं। वह छोटे बच्चे की भांति या पशु की भांति हो गये। उनमें सरलता का आविर्भाव हुआ। निर्ग्रंथ होने का यही अर्थ है। वे ऐसे सरल हो गये कि उनमें एक भी तिरछी लकीर न बची।

दो बिंदुओं के बीच जो निकटतम दूरी है, उसको कहते हैं सरल रेखा। और दो बिंदुओं के बीच जो इरछी-तिरछी यात्रा करनी पड़े, गोल, घुमावदार, वह है ग्रंथि।

महावीर सीधी सरल रेखा की भांति हैं। हम बड़े इरछे-तिरछे हैं। हम कहते कुछ, करते कुछ। हम करते कुछ और अपने को समझाते कुछ। हम दूसरे को ही धोखा देते हों, ऐसा नहीं है; हम अपने को भी धोखा देते हैं।

मैं मुल्ला नसरुद्दीन के साथ लखनऊ में ठहरा हुआ था। गर्मी के दिन और भरी दुपहरी में बिजली चली गई, तो वह बहुत झल्लाया। उसे जो भी चुनी हुई गालियां आती थीं, उसने दीं। फिर वह भागा, नीचे गया, होटल के नीचे से एक पंखा खरीद लाया। पंखा उसने किया नहीं कि टूटा नहीं। दो टुकड़े हो गये। फिर तो जो वह बहुत ही नाराज हुआ। फिर तो वह गालियां विशेष रूप से सुरक्षित रखता है, वे भी उसने दीं। फिर वह भागा, नीचे गया। यह सोचकर कि कहीं कोई झगड़ा-फसाद न हो, मैं भी उसके पीछे गया कि अब यह कुछ...। पर नीचे जो देखा, वह...। अच्छा हुआ कि गया। पंखे वाले ने उससे कहा कि इसमें क्या आश्चर्य की बात है, इसमें क्यों बौखलाये जा रहे हो? नसरुद्दीन ने कहा, एक ही बार किया और पंखा टूट गया, और तुम कहते हो आश्चर्य की बात नहीं! उस पंखे वाले ने लखनवी अंदाज में कहा, हुजूर! यह लखनऊ का नफासत, नजाकत का पंखा है। आपको

करना नहीं आता। आपने लट्टू की तरह घुमा दिया होगा। हुजूर! लखनऊ में तो पंखे को सामने रख लेते हैं और सिर को हिलाते हैं। फिर सिर भला टूट जाये, पंखा कभी नहीं टूटता। आप जरा लज्जत सीखिये। लखनऊ में आये हैं तो थोड़े लखनऊ का रिवाज भी सीखिये।

हम तरकीबें खोज लेते हैं। हम तर्क खोज लेते हैं। जीवन उलटा भी जा रहा हो तो भी हम उसे सीधा मानने के ढंग खोज लेते हैं।

तुम न जागो तो कोई तुम्हें जगा न सकेगा। तुम्हें ही देखना पड़ेगा कि तुमने कहां-कहां अपनी ग्रंथियों को मजबूत करने के लिए तर्क खोज रखे हैं। क्रोध करते हो तो तुम कहते हो, जरूरी है। मोह करते हो तो तुम कहते हो, जरूरी है। राग को तुम प्रेम कहते हो। अच्छा शब्द रख लेते हो, नीचे गंदगी छिप जाती है। भय के कारण किसी के साथ हो लेते हो; लेकिन कहते हो, मैत्री है। लोभ के कारण किसी के साथ हाथ में हाथ डाल लेते हो; लेकिन कहते हो, मैत्री है, मित्रता है। अहंकार के कारण त्याग करते हो; लेकिन कहते हो, दान है। ऐसे तो फिर तुम ग्रंथियों में उलझते चले जाओगे। फिर तो ग्रंथियों के जंगल में खो जाओगे।

महावीर कहते हैं, सरल हो रहो। जैसे हो वैसा ही अपने को जानो। धीरे-धीरे ग्रंथियां छूट जाती हैं और जीवन में एक अलग तरह की ऊर्जा का आविर्भाव होता है। एक सहजता! एक सरलता! एक भोलापन! एक बच्चे के जैसा भाव!

'निराग, निशल्य...।'

और निश्चित ही जिस आदमी के जीवन में कोई ग्रंथि नहीं है, उसके जीवन में कोई राग नहीं होता। उसके पास न बचाने को कुछ है, न छोड़ने को कुछ है। और जिस आदमी के जीवन में निर्ग्रंथि है, उसके जीवन में शल्य खो जाते हैं। शल्य यानी कांटे। जो चुभते हैं, वह खो जाते हैं।

किसी ने तुम्हें गाली दी। तुम कहते हो, इसकी गाली चुभी। गाली के कारण गाली नहीं चुभती—तुम्हारे अहंकार के कारण चुभती है। अहंकार को जाने दो, फिर कोई गाली देता रहे, कोई फर्क न पड़ेगा। फिर गाली में कोई शल्य न रह जायेगा।

'निशल्यता' महावीर का बड़ा प्यारा शब्द है। वे कहते हैं, भीतर से तुम कांटों को पकड़ने को तैयार हो, वही असली शल्य है। तुमने मान चाहा, इसलिए अपमान का कांटा चुभा। तुम मान ही न चाहते तो अपमान का कांटा न चुभता। तुमने सफलता चाही, इसलिए विफलता का विषाद आया। तुम सफलता ही न मांगते, विफलता का विषाद कभी न आता। तुमने प्रथम खड़े होना चाहा था, इसलिए तुम रो रहे हो कि तुम प्रथम खड़े न हो पाये। तुमने अंतिम ही खड़े होने की आकांक्षा की होती, तो तुम्हें कौन हरा पाता? फिर तुम्हारा जीवन निशल्य हो जाता।

'सर्वदोषों से विमुक्त, निष्काम, निक्रोध, निर्मान और निर्मद...।'

ये आत्मा की तरफ इशारे हैं। ये इशारे जो आत्मा को उपलब्ध हो जाता है, उसे उपलब्ध होते हैं। और जो आत्मा को उपलब्ध नहीं हुआ है, उसके लिए ये इशारे मार्ग के सूचक हैं। ये दो बातें हैं इसमें। यह आत्मा की दशा का वर्णन है और आत्मा की तरफ

पहुंचने की व्यवस्था, उपाय भी। तो अगर तुम्हें उसे पाना है—उस आत्मा को, जहां कोई मद नहीं है, जहां कोई बेहोशी नहीं है, न मान का मद है, न पद का, न धन का, कोई मद नहीं है—अगर तुम्हें उस दशा को पाना है, तो मदों को छोड़ना शुरू कर दो। अकड़ो मत! तो अपने को हटाने लगो मद से। उस आत्मा की दशा में कोई ग्रंथि नहीं है। तो अगर तुम्हें उसे पाना है तो ग्रंथियों को धीरे-धीरे छोड़ो; जितना बन सके उतना छोड़ो; जिस मात्रा में बन सके उतना छोड़ो। कभी-कभी सच होना शुरू करो, सरल होना शुरू करो। कभी-कभी तो सचाई को करके भी देखो, जोखिम भी हो तो भी करके देखो। कभी सच भी बोलकर देखो; चाहे कुछ खोता हो तो भी बोलकर देखो। दांव लगाओ।

अगर आत्मा निशल्य है तो तुम अपने कांटे जहां-जहां तुम्हें चुभते हैं उनको पहचानो। दूसरे को दोष मत दो। अपने भीतर घाव हैं, उनको भरो। जब तक तुम दूसरे को दोष देते रहोगे, वे घाव न भरेंगे। और तब तक तुम बार-बार कांटों से चुभते रहोगे और घाव को संजोते रहोगे।

अब कौन चाहता है कि गाली कोई दे! लेकिन तुम कैसे रोकोगे इस सारे संसार को कि कोई तुम्हें गाली न दे? उपाय एक है कि तुम भीतर से गाली जहां अटकती है, खटकती है, उस जगह को हटा दो। तुम उस घाव को भर लो, फिर सारा संसार गाली देता रहे तो भी तुम इसके बीच से गुजर जाओगे—निशल्य।

यह जो वर्णन है आत्मा का, यही पथ भी है पहुंचने का।

दिल में जौके-वस्लो-यादे-यार तक बाकी नहीं
आग इस घर को लगी ऐसी कि जो था जल गया।

ऐसी आग लगाओ इस घर को, इस बेहोशी को, कि जो भी है इसमें, जल जाये। ऐसी आग सुलगाओ कि ये सारी ग्रंथियां, ये सारे शल्य, ये सारे घाव, यह तादात्म्य—शरीर का, मन का, विचार का, यह अहंकार, यह मिट्टी के प्रति इतनी ज्यादा आकांक्षा, जल जाये!

दिल में जौके-वस्लो-यादे-यार तक बाकी नहीं!

—कि इनकी याद भी न रह जाये।

आग इस घर को लगी ऐसी कि जो था जल गया।

ऐसी जलाओ! उस जलने के बाद ही तुम्हारा कुंदन-रूप, तुम्हारा स्वर्ण शुद्ध होकर बाहर आयेगा।

तलाशे-यार में क्या ढूंढ़िए किसी का साथ
हमारा साया हमें नागवार राह में है।

और यह जो महावीर की अंतर्यात्रा है, इसमें कोई संगी-साथी न मिलेगा। यहां तो अपनी छाया भी भारी पड़ती है। यह अकेले का रास्ता है। यह एकाकी का रास्ता है। यह एकांत!

तो धीरे-धीरे हटो भीड़ से! धीरे-धीरे हटो दूसरे से। धीरे-धीरे दूसरे का खयाल, दूसरे की धारणा छोड़ो। धीरे-धीरे द्वंद्वों को हटाओ।

तलाशे-यार में क्या ढूंढ़िए किसी का साथ।
हमारा साया हमें नागवार राह में है।

एक ऐसी घड़ी आती है कि तुम्हारी छाया भी तुम्हारे साथ नहीं होती, क्योंकि छाया भी शरीर की बनती है, मन की बनती है, विचार की बनती है। छाया भी स्थूल की बनती है। आत्मा की कोई छाया नहीं बनती। अभी तो हालत ऐसी है कि आत्मा खो गई है, छाया ही रही है; फिर ऐसी हालत आती है, आत्मा बचती है, छाया तक खो जाती है।

महावीर को सुनकर, समझकर तुम कुछ कर पाओगे, ऐसा मैं नहीं सोचता। जब तक कि तुम अपने जीवन में भी महावीर जो कह रहे हैं, उसके आधार न खोज लोगे; जब तुम्हारे जीवन में भी तुम्हें ऐसा न दिखाई पड़ने लगेगा कि महावीर ठीक कहते हैं—तब तक तुमने अगर ऊपर-ऊपर से उनकी बातों का आरोपण भी कर लिया, जैसा कि जैन कर रहे हैं, तो कुछ लाभ न होगा। उससे तुम और उलझन में पड़ जाओगे। उससे जटिलता बढ़ेगी, ग्रंथियां और बढ़ जायेंगी। मेरे देखे कभी-कभी ऐसा हो जाता है कि सामान्य गृहस्थ कहीं ज्यादा निर्ग्रंथ मालूम होता है बजाय मुनि के। उसकी और ज्यादा ग्रंथियां हो गई होती हैं। वह और तिरछा हो गया। उसने और नियमों के जाल खड़े कर लिये। नैसर्गिक तो नहीं हुआ है। उसने और छोटी-छोटी बातों की इतनी व्यवस्था कर ली कि अब वो व्यवस्था ही जुटाने में उसका समय नष्ट होता है। चौबीस घंटे इसी में व्यतीत होते हैं।

होती नहीं कबूल दुआ तर्के-इश्क की
दिल चाहता न हो तो जबां में असर कहां।

और ध्यान रखना, अगर तुम्हारी अंतरात्मा में ही चाह न उठी हो तो ऐसा कोई व्रत-नियम ऊपर से मत ले लेना। नहीं तो व्रत-नियम तुम्हें और झूठा बनायेगा। लोग व्रत और नियम ले लेते हैं भीड़ के लिए। मंदिर में जाते हैं, इतने लोग देख रहे हैं: लोग व्रत ले लेते हैं, कि ब्रह्मचर्य का व्रत लेते हैं। यह ब्रह्मचर्य का व्रत उनके जीवन से नहीं आ रहा है। ये इतने लोग प्रशंसा करेंगे, ताली बजायेंगे और कहेंगे कि इस व्यक्ति ने ब्रह्मचर्य का व्रत धारण कर लिया है और हम अभागे, अभी तक ब्रह्मचर्य का व्रत धारण न कर पाये! इस कारण ब्रह्मचर्य का व्रत मत ले लेना, नहीं तो पछताओगे।

होती नहीं कबूल दुआ तर्के-इश्क की!

—अगर तुम प्रार्थना कर रहे हो कि हे प्रभु! मुझे राग से, मोह से ऊपर उठा...लेकिन यह कबूल न होगी, यह प्रार्थना स्वीकार न होगी।

दिल चाहता न हो तो जबां में असर कहां?

—और अगर तुम्हारा भीतर का दिल ही यह न चाहता हो तो कहने से क्या होगा? और अगर भीतर का दिल चाहता हो तो प्रार्थना की जरूरत ही नहीं। तुमने चाहा कि हुआ।

लोग ऐसे हैं कि दोनों संसार सम्हाले चले जाते हैं। इसी वजह से आदमी जटिल हो जाता है।

शब को मय खूब सी पी, सुबह को तौबा कर ली
रिंद के रिंद रहे, हाथ से जन्नत न गई।

रात शराब पी लेते हैं, सुबह पश्चात्ताप कर लेते हैं!

शब को मय खूब सी पी, सुबह को तौबा कर ली
रिंद के रिंद रहे, हाथ से जन्नत न गयी।

स्वर्ग भी सम्हाल लिया, संसार भी सम्हाल लिया। ऐसी बेईमानी में मत पड़ना। जिसने दोनों सम्हाले, उसके दोनों गये। जिसने एक को सम्हाला, उसका सब सम्हल जाता है। और वह एक तुम्हारे भीतर छिपा है। वह एक तुम हो। उसे महावीर तुम्हारी अंतरात्मा कहते हैं, तुम्हारा परमात्मा कहते हैं।

आज इतना ही।

१८

धर्म आविष्कार है—स्वयं का

प्रश्न-सार

कृष्ण कहते हैं कि मारो और महावीर कहते हैं कि हिंसा का विचारमात्र हिंसा है। दोनों में श्रेष्ठ कौन है?

बहुत समय से मैं आपके पास हूं और मैं बहुत अज्ञानी और निर्बुद्धि हूं—यह आप भलीभांति जानते हैं। आपकी कही अनेक बातें मेरे सिर पर से गुजर जाती हैं। परमात्मा की प्यास का मुझे कुछ पता नहीं। फिर मैं क्यों यहां हूं और यह ध्यान-साधना वगैरह क्या कर रही हूं?

जीवन व अस्तित्व के परम सत्यों की क्या निरपेक्ष अभिव्यक्ति संभव नहीं है?

किसी प्यासे को जब मैं आपके पास लाती हूं तो वह मुझसे दूर हो जाता है। मुझे एक तड़प-सी होती है। लेकिन 'तेरी जो मर्जी' कहकर गा पड़ती हूं: 'राम श्री राम जय जय राम।'

पहला प्रश्नः

ओशो, कृष्ण कहते हैं कि मारो और महावीर कहते हैं कि हिंसा का विचार-मात्र हिंसा है। कृपया बतायें कि दोनों में श्रेष्ठ कौन है?

श्रेष्ठ और अश्रेष्ठ के प्रश्न अत्यंत अज्ञान से भरे हुए हैं। उस ऊंचाई पर तुलना काम नहीं आती। और तुलना करने वाला मन न तो महावीर को समझ सकेगा और न कृष्ण को समझ सकेगा। क्योंकि तुलना करने वाला मन दुकानदार का मन है, समझदार का नहीं।

ऐसा ही समझो कि जैसे एक गिलास में आधा जल भरा हुआ रखा हो और कोई कहे कि आधा गिलास खाली है और कोई कहे कि आधा गिलास भरा है, और तुम मुझसे पूछो कि दोनों में श्रेष्ठ कौन है, तो तुम बात समझे ही नहीं। जो आधा खाली है वह आधा भरा भी है। जो आधा भरा है वह आधा खाली भी है। दोनों ने कहने के अलग-अलग ढंग चुने हैं। एक ने विधेय पर जोर दिया, एक ने निषेध पर जोर दिया। एक ने भरे हिस्से को देखा, एक ने खाली हिस्से को देखा। लेकिन दोनों ने ही सत्य की तरफ इशारा किया।

कृष्ण कहते हैं, कर्तृत्व तेरा नहीं है, परमात्मा का है। इसलिए मैं करने वाला हूं, यह भाव ही छोड़ दे। यह भाव ही हिंसा है। मैं निमित्त-मात्र हूं; वह जो करवायेगा, मैं करूंगा; मैं बीच में न खड़ा होऊंगा। मैं कोई बाधा न डालूंगा।

मैं बांस की पोंगरी की तरह हो जाऊंगा; वह जो गायेगा, जो गुनगुनायेगा, उसकी मर्जी!

अगर ठीक से समझो तो कृष्ण ने यह नहीं कहा है कि तू मार; कृष्ण ने तो इतना ही कहा है, वह तुझे निमित्त बनाये मारने में तो मार। कृष्ण की गीता को इस दृष्टि से कभी देखा नहीं गया। सोचो कि अर्जुन की जगह कोई दूसरा व्यक्ति होता तो अंततः यह निष्कर्ष भी ले सकता था कि मैं संन्यास लेता हूं क्योंकि उसकी मर्जी संन्यास की है। अपने को सब भांति छोड़ देता और फिर कृष्ण से कहता कि क्षमा करें, अपने को सब भांति छोड़ रहा हूं, तो एक ही भाव उठता है कि संन्यास ले लूं। तो जब उसकी मर्जी संन्यास की है तो मैं कैसे लड़ूं? जब एक ही भाव सब श्वासों में मेरे गूंज रहा है कि छोड़ दूं सब, चला जाऊं वन-प्रांत में, तो जाता हूं। तो कृष्ण इनकार न करते कि तूने गलत किया। कृष्ण कहते, जो वह करवाये वही कर।

अर्जुन युद्ध किया, क्योंकि अर्जुन का सारा व्यक्तित्व क्षत्रिय का था। अर्जुन जो संन्यास की बात कर रहा था, वह ऊपर-ऊपर थी, बौद्धिक थी; वह वास्तविक न थी। अगर वास्तविक होती तो कृष्ण की गीता से वह संन्यास का ही सार लेता।

कृष्ण की गीता में ठीक-ठीक निर्देश नहीं है कि क्या करो; कृष्ण की गीता में तो इतना ही निर्देश है कि तुम मत करो, उसे करने दो। फिर अगर उसने यही चुना है कि तुमसे हजारों लोगों को कटवा दे, तो उसकी मर्जी! तुम यह मत सोचना कि तुम कर रहे हो। तुम अपने को सब भांति समर्पित करो।

कृष्ण की भाषा समर्पण की भाषा है। तुम इस भांति शून्यवत खड़े हो जाओ कि जहां उसकी हवाएं ले जायें वहीं चले जाओ। तुम तैरो मत—बहो।

जब अर्जुन ने अपने को छोड़ा तो तत्क्षण उसका संन्यास का भाव विदा हो गया। वह युद्ध के लिए तत्पर हो गया। उसने गांडीव फिर उठा लिया। क्योंकि वह बांसुरी बनी ही उसके लिए थी। वही गीत अर्जुन गा सकता था। अर्जुन योद्धा था, क्षत्रिय था। वह परमात्मा का सैनिक ही हो सकता था, परमात्मा का संन्यासी नहीं हो सकता था। वह उसकी नियति थी।

इसलिए तुम...यह प्रश्न किसी जैन ने पूछा है, इसलिए वह कहता है, 'कृष्ण कहते हैं कि मारो।' कृष्ण कहते नहीं कि मारो। कृष्ण न कहते कि मत मारो। कृष्ण इतना ही कहते हैं, जो करवाये...! तुम निर्णय न लो, उसी को निर्णय दो। बागडोर उसके हाथ में दे दो। तुम शून्यवत खड़े हो जाओ। और जो अंतर्तम से उठे, जो उसकी आवाज आये उसी दिशा में चल पड़ो। कृष्ण का मार्ग समर्पण का है। अर्जुन युद्ध में गया, क्योंकि सब भांति अपने को शून्य करके उसने यही पाया कि यही आवाज आती है कि 'कर्तव्य को पूरा कर! अब फिर मैं क्या कर सकता हूं?'

महावीर कहते हैं, हिंसा का भाव-मात्र हिंसा है। कृष्ण भी यही कहते हैं अगर तुम

समझने की कोशिश करो। कृष्ण तो यह भी कहते हैं कि हिंसा का भाव तो हिंसा है ही, अहिंसा तक का भाव कि मैं अहिंसा करता हूं, हिंसा है। मैं करता हूं, इसमें हिंसा है। जोर कृत्य पर नहीं है, कर्ता पर है। मैं हूं, यही हिंसा है। 'मैं' को हटा लो, अहिंसा हो जाएगी।

अर्जुन युद्ध में लड़कर भी अहिंसक रहा, हिंसक नहीं है। क्योंकि जिसने अपना कर्तव्य ही हटा लिया, जिसने अपना कर्ता-भाव ही हटा लिया, उसको अब तुम कर्म के लिए दोषी न ठहरा सकोगे। दोनों एक ही बात कह रहे हैं। कृष्ण का जोर है कि कर्ता-भाव गिरा दो, और महावीर का जोर है कि कर्म को रूपांतरित कर दो।

अब थोड़ा समझना। अगर तुम हिंसक कर्मों को छोड़ते चले जाओ तो तुम्हारा 'मैं' गिरने लगेगा, क्योंकि 'मैं' बिना हिंसा के खड़ा नहीं रह सकता। 'मैं' के लिए हिंसा चाहिए—बड़ी सूक्ष्म हो, स्थूल हो, लेकिन हिंसा चाहिए।

पड़ोसी ने मकान बनाया, तुम बड़ा मकान बना लो—हिंसा हो गई। क्योंकि तुमने बड़ा मकान सिर्फ बनाया इसलिए कि अब पड़ोसी को नीचा दिखाना है। यह इसने इतनी हिम्मत कैसे की कि मेरे रहते इतना बड़ा मकान पड़ोस में खड़ा कर दिया। अब चाहे सारा जीवन दांव पर लग जाये, बड़ा मकान बनाकर दिखाना है। तो तुमने बड़ा मकान बनाया, 'मैं' को बड़ा किया—हिंसा हो गई।

तुम किसी आदमी के पास से अकड़कर निकल गये—हिंसा हो गई। हिंसा तुम्हारी जहां भी 'मैं' की धारा गहरी होती है, वहीं हो जाती है।

तो महावीर ने कहा, कर्मों को छोड़ो, जिनसे हिंसा होती है। जिनसे दूसरे को चोट लगती है, वह छोड़ो। जिनसे दूसरों को दुख होता है, वह छोड़ो। और तब तुम चकित होकर देखोगे कि जिससे दूसरे को चोट लगती है, उसी से तुम्हारा अहंकार मजबूत होता है, और कोई उपाय नहीं है। भोजन ही अहंकार का यही है कि दूसरे को चोट लगे। सांस्कृतिक, सभ्य ढंग से लगे कि असभ्य ढंग से लगे; तुम किसी को गाली दो कि किसी का व्यंग्य करो; तुम किसी को जिंदगी के युद्ध में पछाड़ दो, गिरा दो; या तुम त्याग के युद्ध में किसी को हरा दो कि तुम किसी को अपने से छोटा त्यागी करके सिद्ध कर दो—कोई फर्क नहीं पड़ता। तुम कोई भी माध्यम चुनो, जिस माध्यम से भी दूसरे को दुख हो सकता है, वह माध्यम हिंसा है। और हिंसा से 'मैं' मजबूत होता है।

तो महावीर कहते हैं, हिंसा के सारे कृत्य छोड़ दो। हिंसा का भाव तक छोड़ दो, कृत्य की तो बात अलग। क्योंकि भाव भी काफी है; वह भी भोजन बन जायेगा, वह भी अहंकार को मजबूत करेगा। जब तुमने हिंसा के सब भाव, कृत्य छोड़ दिये, तुम अचानक पाओगे तुम्हारा 'मैं' धूल-धूसरित हो गया, गिर पड़ा, समाप्त हो गया।

यह महावीर की प्रक्रिया है : कर्म के विसर्जन से कर्ता का विसर्जन! निश्चित ही यह प्रक्रिया क्रमिक होगी। एक-एक कर्म को ध्यान रखकर, साधना साधनी होगी, एक-एक कर्म का हिसाब रखकर चलना होगा, क्योंकि बड़े सूक्ष्म हैं कर्म...जरा-सी आंख का इशारा और हिंसा हो जाती है। तो बड़ी लंबी प्रक्रिया है, संकल्प का मार्ग है। इंच-इंच लड़ना होगा, पहाड़ चढ़ना होगा।

कृष्ण कहते हैं, ऐसा एक-एक कर्म को छोड़ोगे फुटकर-फुटकर, लंबा समय लग जायेगा। और फिर कृष्ण और अर्जुन के बीच समय था भी नहीं। कृष्ण की जो गीता है, वह एक विशेष परिस्थिति में कही गई है। महावीर अपने शिष्यों से बोल रहे थे चालीस साल तक। कृष्ण की गीता तो क्षणों में हो गई। ये कोई साधारण क्षण न थे, बड़े असाधारण क्षण थे। बड़ी संकट की स्थिति थी। यहां अगर एक-एक कर्म को छोड़ने के लिए कृष्ण कहें, समय ही न था। युद्ध द्वार पर खड़ा था। युद्ध सामने खड़ा था। शंख बज गये थे। युद्ध की घोषणा हो गई थी। योद्धा एक-दूसरे के सामने अड़े थे। अर्जुन ने भी कहा था, मेरे रथ को ले चलो बीच युद्ध में। और कृष्ण युद्ध के बीच में रथ को ले आये थे। ठीक उस क्षण में जब युद्ध सामने था, क्षण भर की देर न थी, शंख फूंके जा रहे थे, युद्ध शुरू होने के करीब था, जल्दी ही मार-धाड़ होगी—तभी अर्जुन को दिखाई पड़ा, रोमांचित हो आया, एक पुलक हुई। उसे लगा, यह तो व्यर्थ है। इतना युद्ध, इतनी हिंसा—क्या सार है? उसके हाथ ढीले पड़ गये, गात शिथिल हुए, गांडीव हाथ से छूट गया। वह थका-मांदा, डरा हुआ रथ में बैठ गया। उसने कृष्ण से कहा, मैं तो सोचता हूं कि सब छोड़कर चला जाऊं।

यह बड़े संकट का क्षण था। यहां कोई ऐसी प्रक्रिया जिसमें जन्मों-जन्मों लगते, साधना करनी पड़ती हो, काम की नहीं हो सकती थी। तो कृष्ण ने जो कहा, वह ऐसा था कि तत्क्षण हो सके, एक छलांग में हो सके।

संकल्प तो धीरे-धीरे होता है। संकल्प यात्रा है—सीढ़ी दर सीढ़ी, इंच-इंच, रत्ती-रत्ती। वह फुटकर काम है। समर्पण छलांग है—थोक, इकट्ठा। एक क्षण में भी हो सकता है।

महावीर जिन शिष्यों को बोल रहे थे, वे युद्ध के स्थल पर न थे। इस विशेष परिस्थिति को खयाल में रखना। तो कृष्ण यह तो कह नहीं सकते कि तू अपने कर्म बदल! कृष्ण यही कह सकते हैं कि अब ऐसी घड़ी में तू अपने कर्ता को ही रख दे। और कर्ता को रखने से भी वही हो जाता है। क्योंकि अंततः कर्मों को बदलने से कर्ता ही गिरेगा; तो जब कर्ता को ही गिराना है तो सीधा ही गिरा दो। कर्ता को ही छोड़ दो।

समर्पण भक्त का मार्ग है। वह कहता है, परमात्मा के चरणों में रख दो; कह दो कि मैं कुछ हूं नहीं, अब जो हो तेरी मर्जी! बुरा करवायेगा, बुरा करेंगे; अच्छा करवायेगा, अच्छा करेंगे। अब करना हमारा नहीं है।

लेकिन दोनों ही हालत में एक ही घटना घटती है। अंतिम परिणाम एक है। इसलिए जो ऐसा पूछता है कि दोनों में कौन श्रेष्ठ है, वह गलत पूछता है। वह दोनों में से किसी को भी नहीं समझा। तुम अगर महावीर को समझ लो, कृष्ण समझ में आने ही चाहिए। अगर तुम कृष्ण को समझ लो और महावीर समझ में न आयें, तो कृष्ण समझ में नहीं आये। मेरे देखे जिसने एक अनुभवी को समझ लिया, उसने सब अनुभवियों को समझ लिया। फिर उसे भाषा, ढंग, अभिव्यक्ति, अभिव्यंजना के प्रकार, उलझाव में न डाल सकेंगे। फिर कोई चीज उसकी आंखों को धुंधला न कर सकेगी। लेकिन मैं देखता हूं कि जो महावीर के पक्ष में हैं, वे कृष्ण के विपक्ष में हैं। जो कृष्ण के पक्ष में हैं, वे महावीर के विपक्ष में हैं। जो

महावीर के पक्ष में है, वह मोहम्मद के पक्ष में तो हो ही कैसे सकता है? जो मोहम्मद के पक्ष में है, वह कैसे महावीर की बात को बरदाश्त कर सकता है?

साफ है, इनमें से कोई भी समझा नहीं। इन्होंने शब्द पकड़ लिये हैं। ये लड़ रहे हैं एक-दूसरे से; क्योंकि एक कहता है गिलास आधा खाली है, और दूसरा कहता है गिलास आधा भरा है। ये सिर काटने-कटवाने को तैयार हैं। स्वभावतः भाषा में दोनों अलग-अलग मालूम पड़ते हैं। एक कहता है, आधा खाली है, तो जोर मालूम होता है खाली पर; एक कहता है आधा भरा है, तो जोर मालूम होता है भरे पर। अब खाली और भरा! विरोधाभासी हो गये। लेकिन जरा आधे का खयाल रखना। उस आधे में ही सारा सार है।

मेरे देखे दोनों की बातों में कोई गहरा अंतर नहीं है—हो नहीं सकता। तुम्हें न दिखाई पड़े तो अपनी आंखों पर थोड़े पानी के छींटे मारना। थोड़ा जागने की कोशिश करना।

जल्दी निर्णय मत लेना।

जब भी तुम्हें दो सत्पुरुषों में कोई विरोध दिखाई पड़े, तो पहली बात तो तुम यही सोचना कि मेरे देखने में कहीं भूल हुई जा रही है। इसे तुम गांठ में बांधकर रख लो। जब भी तुम्हें दो सत्पुरुषों में कोई विरोध दिखाई पड़े, तो पहली बात तो तुम यही सोचना कि मुझसे कहीं भूल हुई जा रही है; कहीं मेरे देखने, समझने में, कहीं मेरी चिंतना में, परिभाषा में, व्याख्या में, चूक हुई जा रही है। क्योंकि दो सत्पुरुष विपरीत बातें तो कह नहीं सकते—विपरीत कहें तो भी विपरीत कह नहीं सकते। उनकी विपरीतता में भी कहीं कोई तालमेल होगा। उनकी विपरीतता के बीच भी कोई सेतु होगा—होना ही चाहिए। इससे अन्यथा की कोई सुविधा नहीं है।

लेकिन तुम्हारा मन तो जैसे और संसार में चीजों के बाबत विचार करता है, तुलना करता है—कौन अच्छा, कौन बुरा, कौन सुंदर, कौन असुंदर, कौन ज्ञानी, कौन अज्ञानी—इन्हीं मूल्य-मापदंडों को लेकर तुम उस परम लोक में भी खड़े हो जाते हो। तो वहां भी कौन बड़ा, कौन छोटा, कौन आगे, कौन पीछे, किसने ज्यादा जाना, किसने कम जाना, किसका जानना ठीक, किसका गैर-ठीक—इस चिंतना में पड़ जाते हो। और इस सब चिंतना के भीतर एक बात तुम कभी सोचते ही नहीं कि मैंने अभी कुछ भी देखा नहीं है। तो जिन दो देखने वालों ने कुछ कहा है, मैं न देखने वाला, अंधा, कैसे तय करूं कि कौन ठीक कहता होगा? अगर तय ही करना हो तो देखकर ही तय करना—आंख खोलकर रोशनी से भरकर। तब तुम हंसोगे। ऐसा ही समझो कि इस बगीचे में एक कवि आ जाये और लौटकर तुम उससे पूछो, क्या देखा, और वह एक गीत गुनगुनाये। अब सभी तो गीत न गुनगुना सकेंगे। दूसरा भी कोई इस बगीचे में आये; उसको भी यही फूल मिलेंगे, यही वृक्ष होंगे, यही हवाएं होंगी, यही पक्षियों के गीत होंगे—लेकिन वह गीत गुनगुनाना नहीं जानता। वह भी जाकर कहेगा बाहर, क्या देखा। लेकिन स्वभावतः कवि के वक्तव्य में और उसके वक्तव्य में भेद हो जायेगा। कोई तीसरा आदमी, लकड़हारा आ जाये, तो वह यहां इस बगीचे में सिर्फ लकड़ियां देखेगा—कौन-कौन-सी लकड़ियां काटी जा सकती हैं। कौन आयेगा, कैसी भाषा लेकर आयेगा—इस पर निर्भर करेगा। फिर जब

वह जाकर अपना वक्तव्य देगा तो तुम यह मत सोच लेना कि ये अलग-अलग वक्तव्य, अलग-अलग बगीचों के संबंध में हैं। ये वक्तव्य बिलकुल अलग-अलग होंगे, फिर भी ये एक ही बगीचे के संबंध में हैं।

सत्य एक है; जाननेवालों ने उसे बहुत ढंग से कहा है। क्योंकि जानने वाला अपने ही ढंग से कहेगा। अब महावीर और मीरा के वक्तव्य में मेल नहीं हो सकता। मीरा है मदमस्त। मीरा है स्त्री, महावीर हैं पुरुष। मीरा कहेगी नाचकर, गुनगुनाकर। उसके पग के घूंघर बजेंगे। उस ढंग से कहेगी। महावीर न नाचेंगे, न पग में घूंघर होंगे, न गीत होगा। महावीर के वक्तव्य बिलकुल वैज्ञानिक होंगे, सूत्रबद्ध होंगे। जितना संक्षिप्त हो सकता है, उतना संक्षिप्त होगा। और इन दोनों के वक्तव्य की व्यवस्था अलग-अलग होगी, इससे तुम चिंता में पड़ जाओगे।

लेकिन तुमसे मैं एक बात कह देता हूं: तुम तब तक निर्णय मत लेना जब तक तुम न जान लो।

फिर तुम पूछोगे, 'हम करें क्या? जानें कहां से?'

मैं कहता हूं, किसी को भी चुन लो। श्रेष्ठ-अश्रेष्ठ का सवाल नहीं है। जो तुम्हें मौजू पड़ जाये, जो तुम्हें रास पड़ जाये, जिससे तुम्हारा मेल बैठ जाये—वही तुम्हारे लिए श्रेष्ठ है। नहीं तो तुम मुश्किल में पड़ जाओगे। अगर तुम यह सोचने लगे कि तय ही नहीं करना है कि कौन श्रेष्ठ है, तो फिर हम चलें किसके साथ! जब तुम तय करना चाहते हो कौन श्रेष्ठ है, तो कौन श्रेष्ठ है, यह तय करने के लिए मत करना। तुम तो इतना ही तय करना, मेरे लिए कौन! 'मेरे' का खयाल रखना। वह वक्तव्य तुम्हारी सापेक्षता में है। नहीं अगर तुम तय न कर पाये तो तुम मुश्किल में पड़ोगे—

काबे से दैर, दैर से काबा
मार डालेगी राह की गर्दिश।

फिर मंदिर से मस्जिद, मस्जिद से मंदिर—राह की धूल ही मार डालेगी। कुछ तो तय करना ही पड़ेगा—मंदिर या मस्जिद। कहीं तो बैठकर प्रार्थना करनी है! कहीं तो पूजा करनी है!

तो अगर तुम ऐसे डांवाडोल होने लगे तो मुश्किल हो जायेगा। अगर तुमने यह सवाल इसलिए पूछा है कि मेरे लिए कौन ठीक पड़ेगा, तब तो ठीक पूछा है। अगर महावीर और कृष्ण के बीच निर्णय करने को पूछा है, तो बिलकुल गलत पूछा है। हां, तुम्हारे लिए कोई एक ठीक पड़ेगा।

जिनको जीवन में संकल्प में रस है और जिनको समर्पण करना असंभव है, उनके लिए महावीर ठीक हैं। जिनके लिए समर्पण सुगम है और संकल्प कठिन है, उनके लिए कृष्ण ठीक हैं।

कृष्ण कहते हैं, मामेकं शरणं व्रजः। सब छोड़! सर्व धर्मान् परित्यज्य; छोड़-छाड़ सब धर्म! मेरी शरण आ जा! यही धर्म है, यही परम धर्म है।

महावीर कहते हैं, शरण भूलकर किसी की मत जाना। शरण गये कि उलझे। शरण

गये कि दास बने। शरण से कहीं मोक्ष उपलब्ध होगा? यह शरण तो गुलामी है।

अशरण-भावना—महावीर का सूत्र है। अशरण-भावना। कोई शरण नहीं! कहीं कोई शरण नहीं है—अपने ही पैर पर खड़े होना है।

दोनों ठीक हैं। मगर दोनों एक साथ तुम्हारे लिए ठीक नहीं हो सकते। दोनों एक साथ मेरे लिए ठीक हैं। तुम्हें दो में से कोई एक चुनना पड़ेगा। अन्यथा—

काबे से दैर, दैर से काबा
मार डालेगी राह की गर्दिश।

धुआं, धूल, राह की आपा-धापी में ही तुम नष्ट हो जाओगे: समय ही न बचेगा मंदिर में प्रवेश करने का कि मस्जिद में प्रवेश करने का। प्रार्थना करनी है तो कहीं तो चुनना ही होगा। लेकिन चुनाव का ध्यान रखना—'मेरे' कारण चुन रहा हूं; उनमें कौन श्रेष्ठ है, इस कारण नहीं। सापेक्षता अपनी तरफ रखना। यह मैं दोनों को साथ नहीं चुन सकता। इतना बड़ा मेरे पास हृदय नहीं। इतनी विराट मेरी दृष्टि नहीं कि दोनों को साथ-साथ सम्हालूं! इतना मेरे घर में स्थान नहीं कि दोनों को साथ-साथ मेहमान बना लूं! यह मजबूरी मानकर चुनना कि घर छोटा है और एक को ही बुला सकता हूं।

जिस दिन तुम जागोगे, उस दिन तो तुम पाओगे: दोनों एक ही सत्य के दो भिन्न चेहरे हैं। लेकिन तब तक तुम्हें निर्णय करना जरूरी है। और यह निर्णय बहुत जागरूक रहकर करना। यह निर्णय जन्म पर मत छोड़ देना कि तुम जैन घर में पैदा हुए तो महावीर तुम्हें श्रेष्ठ होने ही चाहिए। काश! चीजें इतनी आसान होतीं! कि तुम हिंदू घर में पैदा हुए, इसलिए कृष्ण तुम्हें श्रेष्ठ होने ही चाहिए। काश! जन्म ने इतना तय कर दिया होता तो मार्ग बड़ा सुगम हो जाता। लेकिन ऐसा कुछ भी तय नहीं होता। ऐसा कुछ भी तय होने का उपाय नहीं है।

जीसस यहूदी घर में पैदा हुए लेकिन यहूदियों का मार्ग न जमा। मोहम्मद मूर्ति-पूजक घर में पैदा हुए थे, लेकिन मूर्ति-पूजा का मार्ग न जमा। महावीर पैदा हुए थे तो राज-घर में, क्षत्रिय थे, युद्ध का ही शिक्षण मिला था; लेकिन युद्ध की भाषा, राजमहल, क्षत्रिय, राजनीति, न जमी। छोड़ सब, संन्यासी हो गये।

क्या तुम्हें जमेगा? जन्म से मत पूछना कि कहां हम पैदा हुए। वहां पूछा तो भटकाव का डर है। क्या तुम्हें जमेगा? थोड़ा सम्हलकर अपनी वृत्तियों का परीक्षण-निरीक्षण करना, विश्लेषण करना। अपने रस की धार को पहचानना। ज्यादा देर न लगेगी, थोड़े प्रयोग करने से साफ हो जायेगा कि कौन-सी बात जमती है। कौन-सा भोजन तुम्हें रास आता है, यह तुम्हें जल्दी ही पता चल जायेगा। जो भोजन रास आयेगा, उसे पाकर प्रफुल्लता मालूम होगी। जो भोजन रास न आयेगा, उसे ले लेने के बाद बोझ मालूम होगा; जैसे पेट पर पत्थर डाल दिये; मतली होगी। शरीर उसे बाहर फेंक देना चाहेगा। व्यवस्था उसे स्वीकार न करेगी।

ठीक ऐसा ही आत्मिक भोजन है। जब तुम्हें कोई मार्ग रास आ जाता है, तत्क्षण सब तरफ फूल खिलने लगते हैं। तुम प्रसन्न हो जाते हो। तुम प्रफुल्लित हो जाते हो। वह लक्षण है। अगर तुम सूख जाओ, उदास हो जाओ, दीन हो जाओ, तो बस बात खराब हो गई।

मैंने सुना है, एक पादरी, एक ईसाई धर्मगुरु, एक रास्ते से गुजर रहा था। अचानक बादल उठे, जोर की आंधी आई, बिजलियां चमकीं, वर्षा मूसलाधार होने लगी। तो वह भागकर पास के एक झाड़ के नीचे खड़ा हो गया। घनी छाया थी। झाड़ के नीचे एक बूढ़ा भी बैठा हुआ था। वह बूढ़ा प्रार्थना कर रहा था। उस धर्मगुरु ने खुद भी जिंदगीभर हजारों लोगों को प्रार्थना करवाई थी, खुद भी हजारों बार प्रार्थना की थी; लेकिन प्रार्थना में कभी रस न पाया था। करता था एक औपचारिक क्रिया-कांड। ईसाई घर में पैदा हुआ था, फिर ईसाई पादरी की तरह शिक्षित हो गया, तो दूसरों को भी करवाता था; लेकिन मन में कभी तरंग न उठी थी। इस बूढ़े को डोलते देखा। इस बूढ़े के टूटे-फूटे शब्द! लेकिन उसकी आंखों की मस्ती! उसके चेहरे पर एक आभामंडल! उसे पहली दफे लगा: अरे! तो प्रार्थना मैंने अब तक जानी नहीं! ऐसी शांत! ऐसी उपस्थिति! ऐसी पवित्र उपस्थिति उसने कभी अनुभव न की थी।

उस बूढ़े के चेहरे पर झुर्रियां पड़ गई थीं। बड़ा बूढ़ा था, काफी उम्र हो गई थी, नब्बे के करीब उम्र होगी। लकड़हारा था, लकड़ियों का ढेर बगल में रखा था। लौटता होगा शहर, वर्षा आ गई तो रुक गया। समय प्रार्थना का हो गया, तो प्रार्थना कर रहा था। जब प्रार्थना पूरी हो गई, तो पादरी ने बड़े अहोभाव से पूछा कि तुम्हारा ईश्वर से बड़ा प्रेम है! उस बूढ़े ने कहा, 'हां, उसका भी मेरे प्रति बड़ा प्रेम है! सच कहूं तो वह मुझे काफी चाहता है।'

उस पादरी का जीवन मैं पढ़ रहा था। उसने लिखा है, प्रार्थना के संबंध में इससे अदभुत वचन मैंने अपने जीवन में कभी नहीं सुने थे। उस बूढ़े ने कहा कि अगर सच कहूं, तो वह मुझे काफी चाहता है।

प्रार्थना रास आ जाये, तुम्हारे रुझान में बैठ जाये, तो ऐसा ही नहीं कि तुम परमात्मा को चाहते हो, तत्क्षण तुम पाओगे: वह भी तुम्हें चाहता है। चाहत कोई एक तरफ थोड़े ही होती है! तुम उस तरफ से भी पाओगे: संवाद आने लगे, संदेश आने लगे। तुम उस तरफ से भी पाओगे: हजार-हजार रूपों में उसका प्रेम तुम पर बरसने लगा।

हां, अगर प्रार्थना जमे न, तो तुम्हीं करते रहोगे; दूसरी तरफ से कुछ भी न आयेगा। बोझ लगेगा। करना है, इसलिए कर लोगे। कर्तव्य है, इसलिए पूरा निपटा दोगे। सदा घर में होती रही इसलिए करना है, तो कर देते हैं। लेकिन पुलक न होगी। अहोभाव न होगा। आनंद न होगा।

और जिस प्रार्थना में अहोभाव न हो, उस प्रार्थना से कैसे तुम्हारी भूख मिटेगी।

तो ध्यान रखना, अपनी भीतर की दशा को पहचानना ज्यादा जरूरी है। महावीर ठीक हैं, श्रेष्ठ हैं, कि कृष्ण—यह बात तो फिजूल। तुम्हें महावीर जमते हैं? सिर्फ इसलिए नहीं कि तुम जैन घर में पैदा हुए हो। अगर सिर्फ इसलिए जमते हैं तो तुम भटकोगे। अगर सच में जमते हैं, ऐसे जमते हैं कि अगर तुम मुसलमान घर में भी पैदा होते तो भी तुम जैन मंदिर में ही प्रार्थना करने गये होते; ऐसे जमते हैं कि तुम चाहे हिंदू घर में पैदा होते, चाहे बचपन से गीता सुनी होती, लेकिन जिस दिन महावीर का शब्द तुम्हारे कान में पड़ता, सब गीता-वीता भूल जाते और तुम महावीर के पीछे दौड़ पड़ते—ऐसे जमते हैं तो फिर महावीर

तुम्हारे लिए मार्ग हैं। नहीं ऐसे जमते हैं, इतने जोर की पुकार नहीं तुम्हारे भीतर पैदा होती उनके नाम को सुनकर, उनके नाम को सुनकर तुम्हारे हृदय में कोई घंटियां नहीं बजतीं, सुन लेते हो कि ठीक है, अपना धर्म है—तो फिर कुछ सार नहीं। फिर तुम कहीं और खोजो। फिर किसी और मंदिर के द्वार पर दस्तक दो।

धर्म हमेशा ही अपना चुना हुआ होता है, तो ही होता है। दुनिया अधार्मिक हो गई, क्योंकि धर्म को हम जन्म से तय करते हैं। धर्म कोई वसीयत थोड़े ही है। और धर्म का कोई खून, हड्डी, मांस-मज्जा से थोड़े ही संबंध है! धर्म कोई वांशिक 'हेरिडिटरी' थोड़े ही है कि तुम जैन घर में पैदा हुए तो तुम्हारा खून जैन का है। तो डॉक्टर से जाकर जांच करवाकर देख लो कि जैन और हिंदू और मुसलमान के खून में...डॉक्टर कुछ पता न बता सकेगा—कौन हिंदू का है, कौन जैन का है, कौन मुसलमान का है। हड्डी कोई हिंदू, जैन, मुसलमान नहीं होती। हिंदू, जैन, मुसलमान, तो तुम्हें निर्णय करना होगा।

लेकिन लोग कमजोर हैं, सुस्त हैं, काहिल हैं, कायर हैं। कौन झंझट में पड़े! इसलिए कोई भी बहाने से तय कर लेते हैं कि चलो ठीक है, जन्म से ही हो गया तय तो झंझट मिटी। खुद तो खोजने से बचे! खुद तो विवेक करने से बचे! कौन विश्लेषण करता, कौन खोजता, कहां जाते, किसको पूछते, मुफ्त तय हो गया—चलो ठीक है।

यह तो ऐसे ही है, जैसे रुपये को तुम फेंककर चित्त-पट्ट कर लो और सोचो कि इससे धर्म तय हो जायेगा। चित्त पड़े तो महावीर, पट्ट पड़ जाये तो कृष्ण। जैसा वो बेहूदा और अप्रासांगिक है, ऐसे ही जन्म भी बेहूदा और अप्रासांगिक है। कहां तुम पैदा हुए हो, इससे तुम्हारी जीवन-चिंतना और धारा का कोई संबंध नहीं है। तुम्हें अपना धर्म खोजना पड़े।

खोज से ही मिलता है धर्म। धर्म आविष्कार है। और जब कोई खुद खोजता है अपने धर्म को, तो उस खोज के कारण ही धर्म में एक रौनक होती है। जो व्यक्ति पहली दफा महावीर को खोजते हुए आये थे, उन्होंने जिस प्रकाश और महिमा का आनंद उठाया, वो जैन घर में पैदा हुए पच्चीस सौ साल बाद बच्चे थोड़े ही उठा रहे हैं!

जो महावीर को खोजते आये थे, जो दूर-दूर से प्यासे होकर आये थे, जिन्होंने तीर्थयात्रा की थी; जिन्होंने महावीर को चुना था सारे संकटों के बावजूद; जिन्हें महावीर की पुकार हृदय को छू गई थी, आंदोलित कर गई थी; जिन्होंने क्राइस्ट को चुना या मोहम्मद को चुना स्वेच्छा से, अंतरंग से...तो उतना खयाल रखना। और इतने ईमानदार रहना। क्योंकि अगर यहां बेईमानी हो गई, इस बुनियादी बात में बेईमानी हो गई, तो तुम सदा के लिए भटक जाओगे।

दूसरा प्रश्न भी इससे संबंधित है। 'गुणा' ने पूछा है :

ओशो, बहुत समय से मैं आपके पास हूं और मैं बहुत अज्ञानी और निर्बुद्धि हूं, यह आप भलीभांति जानते हैं। आपकी कही अनेक बातें मेरे सिर पर से गुजर जाती हैं।

आप परमात्मा से बिछुड़न की जिस पीड़ा की बात करते हैं, वह पीड़ा मुझे कभी हुई नहीं। परमात्मा की प्यास का मुझे कुछ पता नहीं। फिर मैं क्यों यहां हूं और यह ध्यान-साधना वगैरह क्या कर रही हूं?

'गुणा' की भी तकलीफ वही है जो मैंने अभी तुमसे कही। वह जैन घर में पैदा हुई है; इसलिए परमात्मा शब्द सार्थक नहीं है; प्यास शब्द भी सार्थक नहीं है। जैन घर की भाषा में परमात्मा और प्रार्थना के लिए कोई स्थान नहीं है। संस्कार जैन के हैं, प्राण जैन के नहीं हैं। ऊपर से सारी धारा बौद्धिकता से तो जैन की है, और भीतर के प्राण तो एक अत्यंत भावुक स्त्री के हैं।

कृष्ण से रंग बैठ सकता था। कृष्ण के साथ नाच हो सकता था। महावीर के साथ नाच बैठता नहीं। नाचो तो उपद्रव मालूम होगा महावीर के साथ। वहां नाच की कोई संगति नहीं है। वहां गीत, वाद्य की कोई संगति नहीं है। यही कठिनाई है।

इसलिए जब मैं कहता हूं, परमात्मा की प्यास, तो जैन सुन लेता है; लेकिन उसके भीतर कुछ होता नहीं। उसके सारे संस्कारों की पर्तें—कैसा परमात्मा! कैसी प्यास! मुझसे थोड़ा लगाव है तो सुन लेता है, बर्दाश्त कर लेता है। लेकिन ऐसे उसकी पर्तों के भीतर बात नहीं उतरती।

ठीक वैसा ही जब मैं कहता हूं—अशरण-भावना, संकल्प, स्वयं अपने पैरों पर खड़े हो जाना—जब मैं महावीर की बात करता हूं तो हिंदू सुन लेता है, मुझसे लगाव है। लेकिन वह सोचता है, कहीं न कहीं यह तो बड़ी अहंकार की ही बात हो रही है। अपने पैर पर खड़े होना—इसमें कुछ समर्पण तो है नहीं। सब परमात्मा पर छोड़ना है, और इसमें कोई समर्पण की बात नहीं है। मेल नहीं बैठता।

वही कठिनाई 'गुणा' की है। गुणा के पास एक भावुक हृदय है, जो नाच सकता है, गा सकता है, गुनगुना सकता है। उसको जरूरत थी किसी और भाषा की। जैन भाषा उसके काम की नहीं है। जैन भाषा में फंसी है। उस भाषा के बाहर आने की हिम्मत भी नहीं है।

कारागृह पत्थर की ईंटों के ही नहीं होते, शब्दों की ईंटों के भी होते हैं—और ज्यादा मजबूत होते हैं। बचपन से जो सुना है, बचपन से जो समझा है, जिसके संस्कार पड़े हैं, वह तुम्हारे चारों तरफ दीवाल बन जाती है। फिर बाद में उस दीवाल के बाहर निकलने में बड़ी घबड़ाहट होने लगती है। ऐसा लगता है, यह तो अधर्म हो जायेगा। इससे बाहर गये तो अधर्म हो जायेगा। इसके भीतर रहने में ही धर्म है। और भीतर रहने में प्राण अकुलाते हैं।

महावीर का ढंग बड़ा भिन्न है।

मुझे तलाश रही है
नहीं, तलाश नहीं—
तलाश में तो तलब

जुस्तजू-सी होती है
दबा-दबी ही सही
आरजू-सी होती है
न आरजू न तलब है
न जुस्तजू न तलाश
जरा-सी एक जराहत
जरा-सी एक खराश।
मुझे तलाश रही है
नहीं, तलाश नहीं।

खोज की भाषा ही ठीक नहीं है; क्योंकि खोज का अर्थ ही होता है, बाहर खोजना। खोज का अर्थ ही होता है कि कहीं परमात्मा छिपा है और खोजना है।

मुझे तलाश रही है
नहीं, तलाश नहीं—
तलाश में तो तलब...

और फिर तलाश में तो इच्छा पैदा हो जाती है, वासना आ जाती है। परमात्मा को खोजने की भी तो वासना है, आकांक्षा है, अभीप्सा है।

तलाश में तो तलब
जुस्तजू-सी होती है।

और फिर इच्छा जल्दी ही आकुल इच्छा बन जाती है, तीव्र हो जाती है, फिर जलाने लगती है।

महावीर के मार्ग पर तो समस्त इच्छाओं के त्याग से रास्ता खुलता है। समस्त इच्छाओं के त्याग में मोक्ष की इच्छा भी सम्मिलित है।

इसे थोड़ा समझना। वह जो मोक्षवादी है, वह कहता है, मोक्ष की भी इच्छा छोड़ देनी है, तब मोक्ष मिलेगा। परमात्मा की भी इच्छा छोड़ देनी है, तभी। इच्छा मात्र बाधा है।

भक्तों से पूछो!

भक्त कहते हैं, अगर मोक्ष छोड़ना पड़े, हम तैयार हैं; लेकिन तुम्हारी अभीप्सा बनी रहे! प्रभु को पाने की अकुलाहट बनी रहे! बैकुंठ पर लात मारने को तैयार हैं। लेकिन कहीं ऐसा न हो कि तुम्हारे विरह में जो मजा आ रहा है, वह खो जाये!

भक्त, परमात्मा के विरह को बचा लेना चाहता है। उसके मिलन की तो बात दूर, उसका विरह भी बड़ा प्यारा है। ज्ञानी, परमात्मा की आकांक्षा भी छोड़ देना चाहता है। विरह की तो बात दूर, उसके मिलन की भी आकांक्षा नहीं करता। क्योंकि आकांक्षा मात्र उसे मोक्ष में बाधा मालूम होती है।

ये अलग-अलग भाषाएं हैं।

तलाश में तो तलब
जुस्तजू-सी होती है

दबा-दबी ही सही
आरजू-सी होती है।

कितना ही दबाओ, कितना ही सम्हालो, संस्कारित करो, लेकिन आकांक्षा तो रहती है, आरजू तो रहती है।

इसलिए तो महावीर के मार्ग पर प्रार्थना शब्द गलत है। ध्यान! प्रार्थना की कोई जगह नहीं है। प्रार्थना में तो आरजू-सी रहती है।

दबा-दबी ही सही
आरजू-सी होती है
न आरजू न तलब है

—न पाने की इच्छा है, न पाने की कोई याचना है।

न जुस्तजू न तलाश

—न खोज है, न खोज में कोई पागलपन है। फिर है क्या?

भक्त बोलता है, परमात्मा की प्यास के कारण खोजने निकले हैं। ज्ञानी बोलता है, भीतर एक घाव है, पीड़ा है—उसको मिटाना है।

जरा-सी एक जराहत

—एक घाव है भीतर।

जरा-सी एक खराश

—और उस घाव में पीड़ा है।

इस बात को समझने की कोशिश करो।

भक्त की पीड़ा भी प्यास है। वह कहता है, प्रभु पीड़ा दो। प्यासा करो, जलाओ!

ज्ञानी के लिए परमात्मा नहीं है, न कोई प्यास है, न कोई और बात है। सिर्फ अज्ञान की एक पीड़ा है; यह पीड़ा प्यास नहीं है, यह दुख है। यह कांटे की तरह चुभ रही है। इसे निकालकर फेंकना है।

ये दोनों भाषाएं अलग हैं। और जब तक तुम्हें ठीक सम्यक भाषा न मिल जाये, जिससे तुम्हारे हृदय का तालमेल बैठे, तब तक ऐसी अड़चन होगी। मेरी बातें सिर पर से निकलती हुई मालूम होंगी। कोई-कोई बात जो तुम्हारे संस्कार से मेल खा जायेगी, वो समझ में आयेगी। लेकिन समझ में आने से क्या होगा? अगर तुम्हारे हृदय से मेल न खायेगी तो समझ में आ जायेगी, किसी काम में न आयेगी। और जो बात तुम्हारे हृदय से मेल खाती थी, वह तुम्हारे सिर पर से निकल जायेगी; क्योंकि संस्कार उसे भीतर प्रविष्ट न होने देगा। जो बात तुम समझ लोगे, वह तुम्हारे काम की न होगी। और जो तुम्हारे काम की थी, वह तुम्हारा मन तुम्हें समझने न देगा।

'गुणा' की तकलीफ, भावुक स्त्रैण हृदय की तकलीफ है।

जैन मार्ग पुरुष का मार्ग है। और जब मैं कहता हूं, पुरुष का, तो मेरा मतलब यह नहीं कि स्त्रियां उस मार्ग से नहीं जा सकतीं। स्त्रियां भी जा सकती हैं, लेकिन पुरुष-धर्मा; जिनकी वृत्ति पुरुष की वृत्ति हो।

कृष्ण का मार्ग स्त्रैण मार्ग है। इसका यह मतलब नहीं कि पुरुष नहीं जा सकते; जा सकते हैं—लेकिन वे ही पुरुष, जिनकी भाव-दशा स्त्रैण हो। गोप भी जा सकते हैं; लेकिन गोप ऊपर-ऊपर से होंगे, भीतर से गोपी का ही भाव होगा।

इसलिए कृष्ण का भक्त तो अपने को मानने लगता है, वह स्त्री है; उसकी, कृष्ण की गोपी है। वह अपने पुरुष-भाव को छोड़ देता है।

जैन साध्वी अपने सारे स्त्रैण भाव को धीरे-धीरे काटकर गिरा देती है, पुरुषवत हो जाती है। सारा राग, सारा रस, सब समाप्त कर देना है। मरुस्थल की तरह हो जाना है।

गलत और सही की बात नहीं है—तुम्हें जो रास पड़ जाये। ऐसी तकलीफ बनी ही रहेगी, जब तक तुम संस्कारों और अपने हृदय के बीच जो विरोध है उसको ठीक से पहचानकर साफ-साफ रास्ता न बना लोगे।

'गुणा' को अपने संस्कार छोड़ने पड़ेंगे। उसे अपने हृदय की भाषा को पहचानना पड़ेगा। नहीं तो वह तकलीफ में ही रहेगी।

जो न बन पायी तुम्हारे गीत की कोमल कड़ी
तो मधुर मधुमास का वरदान क्या है?
तो अमर अस्तित्व का अभिमान क्या है?

तुम नहीं आए? न आओ, याद दे दो
फैसला छोड़ा, फकत फरियाद दे दो
मति नहीं कहती, चरण का स्वाद दे दो
बस प्रहारों का अनंत प्रसाद दे दो

देख ले जग, सिसककर आराधना सूली चढ़ी
जो न बन पायी तुम्हारे गीत की कोमल कड़ी
तो मधुर मधुमास का वरदान क्या है?
तो अमर अस्तित्व का अभिमान क्या है?

अगर 'गुणा' जागती नहीं, समझती नहीं, तो व्यर्थ ही समाप्त होगी। किसी दिन जीवन के अंतिम पहर में उसे ऐसा ही कहना पड़ेगा—

जो न बन पायी तुम्हारे गीत की कोमल कड़ी
तो मधुर मधुमास का वरदान क्या है?

—जीवन आया और गया! व्यर्थ ही गया!

गाओ, नाचो! ध्यान नहीं, प्रार्थना तुम्हारे लिए मार्ग होगा। मतवालापन! होश नहीं, बेहोशी तुम्हारी दवा है।

तुम नहीं आये? न आओ, याद दे दो
फैसला छोड़ा, फकत फरियाद दे दो
मति नहीं कहती...

—बुद्धि और ज्ञान की आकांक्षा नहीं है।

मति नहीं कहती, चरण का स्वाद दे दो!
बस प्रहारों का अनंत प्रसाद दे दो!

—तो तृप्ति होगी।

अपने को जिसने ठीक से पहचाना वह जल्दी ही अपनी तृप्ति का मार्ग खोज लेता है। मार्गों की फिक्र छोड़ो, अपनी फिक्र करो। मार्गों के लिए तुम नहीं बने हो, तुम्हारे लिए मार्ग हैं। शास्त्रों में मत उलझो। शास्त्रों के लिए तुम नहीं हो कि तुम्हारी कुर्बानी उनके लिए हो जाये, जैसा कि हो रहा है। शास्त्रों पर कुर्बान हैं करोड़ों लोग। शास्त्र तुम्हारे लिए हैं। अगर शीत-सर्दी लगती हो, जला लो, ताप लो। शास्त्र तुम्हारे लिए हैं; नींद आती हो, तकिया बना लो। शास्त्र तुम्हारे लिए हैं; ओढ़ लो, सर्दी लगती हो तो। शास्त्र साधन हैं, मनुष्य साध्य है। इसे ध्यान में रखो, तो जो अड़चन मालूम हो रही है, वह मिट जायेगी।

'बहुत समय से आपके पास हूं...' लेकिन वह संस्कार कहां पास होने देते हैं? बिलकुल पास है...'गुणा' काफी दिन से मेरे पास है। लेकिन संस्कार बीच में एक बड़ी सख्त दीवाल है। टटोलता हूं मैं। मेरे हाथ तुम तक नहीं पहुंच पाते। तुम्हारी दीवाल है। लगता है पास-पास खड़े हैं, क्योंकि यह दीवाल पारदर्शी है, शब्दों की है। पत्थर की होती तो मैं तुम्हें दिखाई भी न पड़ता। यही तो खूबी है शब्दों की दीवाल कीः पारदर्शी है, कांच की है। आर-पार दिखाई पड़ता है, इसलिए लगता है बिलकुल पास खड़े हैं।

कभी तुमने खयाल किया? कांच की खिड़की के उस तरफ इस तरफ खड़े हो जाओ; जरा-सा कांच का फासला है, मगर उतना फासला काफी है। हम पास हैं, एक-दूसरे से बहुत दूर हैं। अनंत फासला है।

यह कांच की दीवाल तोड़ो। और अक्सर ऐसा हो जाता है जो बहुत दिन से पास हैं, वह इस भ्रांति में पड़ जाते हैं कि पास हैं। कांच दिखाई ही नहीं पड़ता, धीरे-धीरे आर-पार दिखाई पड़ता है, बात भूल जाती है। पर कांच अभी है।

'और मैं बहुत अज्ञानी और निर्बुद्धि हूं, यह आप भलीभांति जानते हैं।'

बिलकुल भलीभांति जानता हूं। इसीलिए तो कह रहा हूंः अज्ञानी और निर्बुद्धि के लिए भक्ति मार्ग है, प्रेम मार्ग है।

मति नहीं, चरण का स्वाद दे दो
फैसला नहीं, फरियाद दे दो।

उतना काफी है।

'आपकी कही अनेक बातें मेरे सिर पर से गुजर जाती हैं।'

जो-जो तुम्हारे काम की हैं, वह सिर पर से गुजर रही हैं। मैं देखता हूं उन्हें गुजरते, क्योंकि तुम्हारा सिर उन्हें टिकने नहीं देता। जो बातें तुम्हारे काम की हैं और हृदय तक पहुंचनी चाहिए थीं, वह सिर उन्हें भीतर प्रवेश नहीं होने देता। वह द्वार से ही लौटा देता है, द्वारपाल ही उन्हें अलग कर देता है। और जिन्हें तुम्हारा सिर प्रवेश होने देता है वह तुम्हारे काम की नहीं। क्योंकि तुम्हारे सिर के पास अपने संस्कार हैं।

अगर जैन मुझे सुनने आता है तो वह उतनी बातों को भीतर जाने देता है, जितनी उसके जैन धर्म से मेल खाती हैं; बाकी को बाहर रोक देता है कि ठहरो, कहां जा रहे हो? जैन नहीं हो। हिंदू सुनने आता है, उतनी को भीतर जाने देता है जितनी हिंदू धर्म से मेल खाती हैं; बाकी को कह देता है, भीतर मत आना।

तो तुम सुनते वही हो, जो तुम्हारा सिर तुम्हें आज्ञा देता है। तुम मुझे थोड़े ही सुनते हो। जो मुझे सुनता है, उसमें रूपांतरण निश्चित है।

यह पहरेदार को विदा करो, इसे छुट्टी दे दो। तो जो अभी सिर के ऊपर से जा रही हैं, वह सिर की गहराई में भी उतरेंगी। और सिर में ही न उतरें तो हृदय में कैसे उतरेंगी? सिर तो द्वार है। जब सिर में कोई बात उतर जाती है तो धीरे-धीरे हृदय में डूबती है, तलहटी में बैठती है और वहां से क्रांति घटित होती है।

'आप परमात्मा से बिछड़न की जिस पीड़ा की बात कहते हैं, वह पीड़ा मुझे कभी हुई नहीं।'

परमात्मा का खयाल ही नहीं है! पीड़ा तो तब हो न जब हमें खयाल हो कि परमात्मा है! परमात्मा की धारणा का ही खंडन है। जब धारणा का ही खंडन है तो प्यास तो कैसे उठेगी? उठेगी भी, तो तुम कोई और चीज ही समझोगे—किसी और चीज की प्यास है। परमात्मा की तो हो ही नहीं सकती। कभी सोचोगे धन की प्यास है; कभी सोचोगे प्रेम की प्यास है; कभी सोचोगे पद की प्यास है—लेकिन 'परमात्मा' शब्द है ही नहीं तुम्हारे पास, तो प्यास को परमात्मा की तरफ उन्मुख होने का उपाय नहीं है। और आत्मा की तरफ जाने के लिए जैसा पुरुषार्थ चाहिए, जैसा पौरुषिक उद्दाम संकल्प चाहिए, वह तुम्हारे पास नहीं है। कुछ हर्जा नहीं है। कुछ दुर्गुण नहीं है।

दुनिया में आधे लोग संकल्प से ही पहुंचेंगे, आधे लोग समर्पण से ही पहुंचेंगे। लेकिन हमारी तकलीफ है: हम सभी को एक ही घेरे में बंद कर देते हैं।

स्त्रियों को थोड़े भक्ति के रास्ते पर खोजबीन करनी चाहिए। पुरुषों को थोड़े संकल्प के रास्ते पर खोजबीन करनी चाहिए। तो पति हिंदू हो, तो जरूरी नहीं है कि पत्नी भी हिंदू हो। जिस दिन भली दुनिया होगी, उस दिन पत्नी अपना धर्म चुनेगी, पति अपना धर्म चुनेगा। और बेटे-बेटियों के लिए खुला अवसर छोड़ा जायेगा कि जब वह बड़े हो जायें तो अपना धर्म चुनें। अच्छी दुनिया होगी तो एक-एक घर में करीब-करीब आठ-आठ दस-दस धर्म होंगे, एक-एक परिवार में। होने ही चाहिए; क्योंकि जिसको जो रास पड़ जायेगा। कपड़े मैं तुम जिद्द नहीं करते; किसी को सफेद पहनना है, सफेद पहनता है; किसी को हरा पहनना है, हरा पहनता है। भोजन में तुम जिद्द नहीं करते; किसी को चावल ठीक रास आते हैं, चावल खाता है; किसी को गेहूं रास आते हैं, गेहूं खाता है। धर्म के संबंध में क्यों जिद्द करते हो कि सभी पर एक ही धर्म थोपा जाये?

पत्नी को अगर भक्त होना हो, भक्त हो जाये; कृष्ण के मंदिर में पूजा चढ़ाये। पति को अगर जैन रहना है, जैन रहे; महावीर के प्रकाश को लेकर चले। बेटे को अगर ठीक लगे कि बुद्ध हो जाना है, तो किसी को रोकने का कोई कारण नहीं होना चाहिए। क्योंकि

असली सवाल धार्मिक होने का है। अगर बुद्ध होने से, बुद्ध के मार्ग पर चलने से कोई धार्मिक होता है तो शुभ है।

इस दुनिया में निन्यानबे प्रतिशत लोग अधार्मिक हैं, क्योंकि उनको ठीक धर्म चुनने का मौका नहीं मिला है। नास्तिकों के कारण दुनिया अधार्मिक नहीं है, तथाकथित धार्मिकों के कारण अधार्मिक है। जो मुझे रुचिकर है वह खाने न दिया जाये, तो जो मुझे खाने दिया जाता है उसे मैं जबर्दस्ती ढोता हूं, क्योंकि उसमें मेरी कोई रुचि नहीं है।

धर्म स्वतंत्रता है; स्वेच्छा का चुनाव है।

'परमात्मा की प्यास का मुझे कुछ पता नहीं है, फिर मैं क्यों यहां हूं? और यह ध्यान-साधना वगैरह क्या कर रही हूं?'

अड़चन अपने हृदय को ढांक लेने की है, दबा लेने की है। सिर को हटाओ, हृदय को प्रकट करो। तब यह प्रश्न साफ हो जायेगा। स्थिति बिलकुल साफ हो जायेगी। द्वार खुल जायेगा।

गणित नहीं है जीवन। और जीवन किसी लक्ष्य की तरफ प्रेरित नहीं है। कोई ऐसा नहीं है कि जीवन किसी लक्ष्य की तरफ चला जा रहा है। यहां प्रतिपल प्रफुल्लता से होना लक्ष्य है। यहां प्रतिपल आनंद-भाव से जीना लक्ष्य है। यहां पल-पल आनंद-निमग्न होना लक्ष्य है।

पूछो फूलों से, 'क्यों खिले हो?' क्या कहेंगे बेचारे! पूछो आकाश के तारों से, 'क्यों ज्योतिर्मय हो?' क्या कहेंगे! लेकिन सब तरफ एक अहोगीत चल रहा है! एक अहोभाव नाच रहा है! पल-पल, प्रतिपल!

धर्म इस ढंग से जीने का मार्ग है कि तुम प्रतिक्षण से आनंद को निचोड़ लो। प्रतिक्षण में छिपा है स्वर्ग। तुम उसे चूस लो, निचोड़ लो, पी लो। प्रतिक्षण में छिपी है रसधार।

अब यहां लोग आते हैं। वे कहते हैं, हम ध्यान क्यों कर रहे हैं? वे यह पूछ रहे हैं कि इससे क्या मिलेगा? ध्यान से कभी कुछ मिला है! ध्यान ही मिलना है। ध्यान में आनंद है। ध्यान में प्रफुल्लता है, नृत्य है। ध्यान के क्षण में सब-कुछ है, अंतर्निहित है। ध्यान के क्षण के बाहर कुछ भी नहीं है। लेकिन यह भक्त की भाषा है।

ज्ञानी की भाषा तो लक्ष्य की भाषा होती है। यह प्रेमी की भाषा है। प्रेमी कहता है, प्रेम में सब-कुछ है, प्रेम के बाहर क्या है! प्रेम किसी और चीज के लिए साधन थोड़े ही है, साध्य है। ज्ञानी पूछता है साधन! यह साधन है, साध्य क्या है?

तो वह जो जैन बुद्धि मन में बैठी है, वह पूछती है, 'क्या मिलेगा? उपवास करेंगे तो यह मिलेगा। इतने उपवास करेंगे तो यह मिलेगा। इतना त्याग करेंगे, इतना तप करेंगे, तो इतना पुण्य का अर्जन होगा। इससे स्वर्ग मिलेगा। यह ध्यान करके यहां क्या कर रहे हो? इससे क्या मिलेगा?' मैंने कभी तुम्हें कहा भी नहीं कि इससे कुछ मिलेगा। मैं तो तुमसे कहता हूं, इसी में मिलता है, इसी में मिल रहा है। तुम इसके बाहर नजर ही मत ले जाओ। इसमें ही डूबो, डुबकी लगाओ। इसमें ही ऐसे पूर्ण भाव से डूब जाओ कि न कुछ खोज रह जाये, न कोई खोजने वाला रह जाये। ऐसी तन्मयता, ऐसी तल्लीनता प्रकट हो, तो यही क्षण परमात्म-क्षण हो गया।

प्रतिक्षण परमात्मा तुम्हारे चारों तरफ बरस रहा है। परमात्मा एक उपस्थिति है आनंद की। तुम जरा भीतर अपने साज को ठीक से बिठा लो। धुन बजने लगेगी। तुम्हारे भीतर से वैसे ही झरने फूटने लगेंगे, जैसे पहाड़ों से फूटते हैं। और तुम्हारे भीतर वैसे ही फूल खिलने लगेंगे, जैसे वृक्षों पर खिलते हैं।

धर्म मनुष्य के भीतर फूल उगाने की कला है। और फूल अंतिम है, चरम है; इसके पार कुछ भी नहीं। प्रत्येक क्षण चरम है। जगत कहीं जा नहीं रहा है—जगत है। तुम भी इस 'है' में डूब जाओ। लेकिन तुम्हारे पास अगर गणित की भाषा है, जो पूछती है कि हम यह तो करेंगे, लेकिन किसलिए, तो चूक हो जायेगी।

मैं जो भाषा बोल रहा हूं, वह खेल की भाषा है, दुकान की नहीं। छोटे बच्चे खेल रहे हैं। तुम पहुंच जाते हो, डांटने-डपटने लगते हो: 'क्यों फिजूल समय खराब कर रहे हो, इससे क्या मिलेगा?' छोटे बच्चे हैरान होते हैं कि...मिलने की बात ही उनकी समझ में नहीं आती। मिलने का सवाल कहां है? कोई बैंक में बैलेंस बढ़ जायेगा? खाते-बही में ज्यादा पैसे इकट्ठे हो जायेंगे? यह उनकी समझ में ही नहीं आता। खेल रहे थे, मिल रहा था। नाच रहे थे, मिल रहा था। इसके पार थोड़े ही कुछ मिलना है!

इसलिए भक्त कहता है, जीवन एक लीला है।

ज्ञानी कहता है, जीवन हिसाब-किताब है। कर्म का जाल है। इसमें साधन जुटाने हैं, साध्य पाना है।

मुझे तो भक्त की भाषा प्रीतिकर है। ज्ञानी की भाषा उतनी महिमापूर्ण नहीं है। गणित हो भी नहीं सकता उतना महिमापूर्ण जैसा काव्य होता है। और जब काव्य बन सकता हो जीवन, तो गणित क्यों बनाना? हां, जब काव्य न बन सकता हो, मजबूरी है, तब गणित बना लेना। जब तर्क के बिना नृत्य हो सकता हो तो तर्क को बीच में क्यों लाना? हां, अगर नाच आता ही न हो, तर्क ही तर्क आता हो, तो फिर ठीक है, तर्क को ही जी लेना।

तीसरा प्रश्न:

ओशो, जाग्रत पुरुषों ने देश-काल-परिस्थिति और लोगों की युगानुकूल मनोदशा का खयाल रखकर एक ही सत्य को बड़े भिन्न-भिन्न रूप से अभिव्यक्त किया है। यहां तक कि वे परस्पर बिलकुल विवादास्पद तथा विरोधाभासी तक बन गये हैं। जीवन व अस्तित्व के परम सत्यों की क्या निरपेक्ष अभिव्यक्ति संभव नहीं है? क्या सदा ही युग व लोक-दशा की सीमा सत्य पर आरोपित होती रहेगी?

अभिव्यक्ति तो सदा सीमित होगी। अभिव्यक्ति तो सदा सापेक्ष होगी। बोलने वाला, सुनने वाला, दोनों ही अभिव्यक्ति की सीमा बनायेंगे।

मैं वही बोलूंगा जो बोला जा सकता है। तुम वही समझोगे जो समझा जा सकता है। सत्य तो विराट है।

अगर मैं सागर के दर्शन करने जाऊं और तुम मुझसे कहो कि लौटते में थोड़ा सागर लेते आना, तो पूरा सागर तो न ला पाऊंगा। हो सकता है, थोड़ा-सा जल सागर का ले आऊं। लेकिन उस जल में बहुत कुछ बातें नहीं होंगी। सागर का तूफान न होगा, सागर की लहरें न होंगी। वही तो असली सागर था। वह तुमुल नाद और घोर गर्जन! शिलाखंडों पर टकराती हुई लहरें! वह उठती दूर-दूर मीलों तक फैले हुए विस्तार से भरी लहरें! वह उफान! वह सब तो न होगा। भरकर ले आऊंगा एक बर्तन में थोड़ा-सा सागर का जल। फिर भी थोड़ा तो होगा कुछ! स्वाद लोगे तो खारा होगा। सागर जैसा उस बर्तन में क्या होगा? थोड़ा खारापन का स्वाद आ जायेगा, बस।

सत्य तो सागर से भी विराट है। जब हम उसे शब्दों की चुल्लुओं में भरकर लाते हैं किसी को देने, असली तो खो जाता है। थोड़ा-सा स्वाद भी पहुंच जाये, थोड़ा नमक भी तुम्हारी जीभ पर पड़ जाये, तो बहुत! इसलिए बोलने वाला सीमा देगा, फिर सुनने वाला सीमा देगा। फिर युग-युग की भाषा होगी। युग-युग के भाषा की शैली होगी, प्रचलन होगा, मापदंड होंगे। वह सब सीमाएं देंगे। सत्य को जब भी जाना जाता है तब तो वह निरपेक्ष है, लेकिन जब कहा जाता है तब सापेक्ष हो जाता है। इसलिए सभी अभिव्यक्तियां सीमित होंगी।

इसलिए महावीर कहते हैं, सभी अभिव्यक्तियां—स्यात! कोई अभिव्यक्ति पूर्ण नहीं। और कोई अभिव्यक्ति पूर्ण निश्चय से नहीं कही जा सकती, क्योंकि पूर्ण निश्चय से कहने का तो अर्थ यह होगा कि इसके पार अब कहने को कुछ भी न बचा। प्रत्येक अभिव्यक्ति एक सीमा तक सच होगी और एक सीमा के आगे गलत हो जायेगी। इसलिए परम ज्ञानी बड़े झिझककर बोलते हैं। जानते हुए बोलते हैं कि जो कह रहे हैं, वह बहुत सीमित है; जो कहना था, वह बहुत असीम था। जो जाना, वह बड़ा था; जो जता रहे हैं, वह बड़ा छोटा है।

फिर स्वभावतः अलग-अलग ज्ञानी अलग-अलग ढंग से जतलायेंगे। और उनकी बातें विरोधाभासी भी मालूम पड़ेंगी, क्योंकि सत्य सभी विरोधों को अपने में समाये हुए है। वहां रात भी है और दिन भी है। वहां जन्म भी है, मृत्यु भी है। तो कोई आदमी शायद सत्य की खबर लाये और जन्म के द्वारा समझाने की कोशिश करे। कोई सत्य की खबर लाये और मृत्यु के द्वारा समझाने की कोशिश करे। कोई सत्य की खबर लाये, राग के द्वारा समझाये; जैसा कि नारद ने कियाः परमात्मा का राग, परमात्मा का प्रेम, परमात्मा की भक्ति! कोई परमात्मा की खबर लाये, विराग के द्वारा समझाने की कोशिश करे; जैसा महावीर ने किया। दोनों उसमें हैं। बड़ा विराट आकाश है। उसमें सब समाया है।

तो जब भी कोई व्यक्ति अभिव्यक्त करेगा तो कुछ तो चुनेगा, कहां से अभिव्यक्त करे! तो अपनी-अपनी रुझान, अपनी-अपनी पसंद, अपना-अपना ढंग।

इसलिए सत्य की अभिव्यक्तियां विरोधाभासी भी होंगी। लेकिन विरोधाभासी उन्हीं

को दिखाई पड़ती हैं, जिन्होंने समझा नहीं। विवादास्पद उन्हीं को मालूम पड़ती हैं, जिनकी अभी आंखें केवल शब्दों से भरी हैं, और अर्थों का आविर्भाव नहीं हुआ।

भक्त तो भगवान के समाने जाकर अवाक हो जाता है। वाणी ठहर जाती है। कुछ सूझता नहीं। जब लौट आता है भगवान के उस जगत से, तब सब सूझने लगता है; लेकिन तब तक भगवान जा चुका। वह परम महत्ता जिसने घेर लिया था, अब नहीं है। तो स्मृति से पकड़ने की कोशिश करता है। कई बार भक्त सोचकर जाता है, अब की बार पूछ लेंगे। उन्हीं से पूछ लेंगे, 'कैसे तुम्हारी खबर दें?'

बात भी आपके आगे न ज़ुबां से निकली
लीजिए आए थे हम सोच के क्या क्या दिल में।

और वहां जाकर ठिठककर खड़ा रह जाता है। साधारण प्रेम में तक भाषा लंगड़ाकर गिर जाती है, तो प्रार्थना की तो बात ही क्या! वहां कोरा अवाक, आश्चर्यचकित, सन्नाटा हो जाता है। हां, जब वह महिमा बीत जाती है, जब वह महाक्षण गुजर जाता है, धूल रह जाती है रथ की उड़ती हुई पीछे—तब होश आता है। तब बुद्धि लौटती है। तब थोड़ा सम्हालने की कोशिश करता है। लेकिन तब धूल पकड़ में आती है, रथ तो जा चुका। फिर उसी धूल की खबर देता है। तो फिर जानता भी है कि यह भी क्या खबर दे रहा हूं; यह तो धूल है जो रथ के पहियों से उड़ी थी। यह कोई रथ तो नहीं है। और रथ में विराजमान जो आया था, उसकी तो बात ही क्या करनी! उस क्षण तो मैं बिलकुल मिट गया था। बुद्धि न थी, मैं न था। तो एक चित्र भी तो न पकड़ पाया, एक छवि भी तो न खींच पाया कि लोगों को दिखा देता! फिर भी...उसके चरण की धूल भी सही! उसके चरणों ने छुआ है, या उसके रथ के पहियों ने छुआ है, तो इस धूल में भी कुछ स्वाद आ गया होगा। बस! उस धूल की बात है।

ज्ञानी है, वह जब ध्यान की परम दशा में पहुंचता है, सब विचार शांत हो जाते हैं। जब अनुभव होता है, तब विचार नहीं होते। जब विचार लौटते हैं, तब अनुभव जा चुका होता है। तो विचार हमेशा पीछे-पीछे आते हैं। और कुछ टूटा-फूटा, कुछ जूठा, कुछ रेखाएं पड़ी रह गईं समय पर, उनको इकट्ठा कर लेते हैं। उन्हीं को हम अभिव्यक्ति बनाते हैं।

जो जाना गया है, वह कभी कहा नहीं गया। जो कहा गया है, वह वस्तुतः वैसा कभी जाना नहीं गया था। इसलिए शब्दों को मत पकड़ना।

इसीलिए मैं निरंतर कहता हूं कि शास्त्र सहयोगी नहीं हो पाते। क्योंकि जब तुम किसी सदगुरु के पास होते हो, तब उसके शब्दों में भी उसके निशब्द की ध्वनि आती है। तब उसकी अभिव्यक्ति में भी तुम्हारे भीतर उसके फूल खिलने लगते हैं, जो अनभिव्यक्त रह गया है। तब उसके बोलने में भी तुम उसके अबोल को सुन पाते हो। उसकी मौजूदगी, उसकी उपस्थिति; तुम्हें छूती है, तुम्हें स्पर्श करती है, तुम्हें नहला जाती है। वह जो शब्दों से कहता है, वह तो ठीक ही है, वह तो शास्त्र भी कह देंगे; लेकिन जो उसकी मौजूदगी के स्पर्श में तुम्हें अनुभव होता है, वह शास्त्र न कह पायेंगे। इसलिए सदगुरु के सान्निध्य में तो क्षण भर को तुम्हें ऐसा लगता है कि उसकी अभिव्यक्ति ने छू लिया। बात जतला दी, बता

दी, इशारा हो गया। खिड़की खुली थी, देख लिया। ऐसा तुम्हें लगता है कि जो मैं खुद भी कहना चाहता था और न कह पाता था, वह तुमने कह दिया।

देखना तकरीर की लज्जत कि जो उसने कहा
मैंने यह जाना कि गोया यह भी मेरे दिल में है।

बहुत बार तुम्हें लगेगा सदगुरु के पास कि ठीक, बिलकुल ठीक, यही तो मैं कहना चाहता था, लेकिन शब्द न जुटा पाता था, असमर्थ था। जो मैं कहना चाहता था, तुमने कह दिया। कई बार सदगुरु के सान्निध्य में तुम्हारा हृदय ठीक उस जगह आ जायेगा, जहां कुछ अनुभव होता है। लेकिन वह अनुभव होता है उपस्थिति से। वह है सत्संग। शास्त्र में तो राख रह जाती है। राख की भी राख। छाया की भी छाया।

तो अगर कोई जीवित व्यक्ति मिल सके, ऐसा सौभाग्य हो, तो हजार काम छोड़कर उसके चरणों में बैठने का अवसर मत छोड़ना। क्योंकि जो शास्त्र नहीं कह पाते हैं, यद्यपि कहने की चेष्टा की गई है, वह उसकी मौजूदगी कहेगी। इसलिए जो लोग महावीर के पास थे, उन्होंने जो जाना; जिन्होंने कृष्ण के पास होने का सौभाग्य पाया, उन्होंने जो जाना—वह तुम गीता पढ़कर थोड़े ही जान सकोगे; वह तुम जिन-सूत्र पढ़कर थोड़े ही जान सकोगे! उसका कोई उपाय नहीं। सांप तो जा चुका, केंचुली पड़ी रह गई—वही शास्त्र है। केंचुली जब सांप पर चढ़ी थी, तब भी केंचुली ही थी, लेकिन तब जीवंत थी। तब सांप चलता था तो केंचुली भी चलती थी। तब सांप फुफकारता था तो केंचुली भी फुफकारती थी। फिर सांप तो जा चुका, केंचुली पड़ी रह गई। अब हवा के झोंके में हिलती-डुलती है, लेकिन अब चलती नहीं; अब उसके पास अपने कोई प्राण नहीं हैं, जीवंत आत्मा नहीं है।

सभी धर्म जब पैदा होते हैं तो किसी सदगुरु की मौजूदगी में पैदा होते हैं। सदगुरु के विदा हो जाने पर सांप की केंचुलियां पड़ी रह जाती हैं अनंत सदियों तक, और लोग उनकी पूजा करते रहते हैं। हां, सदगुरु न मिले तो मजबूरी है। तो फिर तुम शास्त्र को ही पूज लेना। लेकिन ऐसा कभी नहीं होता कि पृथ्वी पर सदगुरु न हों! सदा होते हैं। यद्यपि दुर्भाग्य यह है कि जब वह होते हैं, बहुत कम लोग पहचानते हैं। जब वह जा चुके होते हैं, तब मुर्दा केंचुली को बहुत लोग पूजते हैं। लोगों का मरे से कुछ लगाव है, जिंदा से कुछ घबड़ाहट है! जीवन से कुछ डर है, मृत्यु की बड़ी पूजा है!

आखिरी प्रश्नः

ओशो, जब कोई प्यासा या प्यारा मिल जाता है, तब मेरी दशा पूर पर आई नदी जैसी हो जाती है। मैं आपको लेकर उस पर बरस पड़ती हूं। जाने किस नगरी की आवाज निकल पड़ती है। मैं दोनों सिरों पर जलती हुई मशाल जैसी हो जाती हूं। लेकिन आपके पास ला देने पर वह आदमी मुझसे दूर हो जाता है; जैसे बच्चा बड़ा होने पर मां से दूर

निकल जाता है। और तब अपने घर वापस होते समय मुझे एक तड़प-सी होती है। लेकिन 'तेरी जो मर्जी' कहकर गा पड़ती हूं: राम श्री राम, जय जय राम।

'प्रतिभा' ने पूछा है।

ऐसा होगा, स्वाभाविक है। जिन्होंने मुझे थोड़ा पीया है, उनके मन में यह भाव जगना स्वाभाविक है कि कोई और भी मुझे पीए। जिसे कोई सरोवर मिल गया है, राह पर किसी प्यासे को देखकर उसका हाथ पकड़ेगा, सरोवर तक ले आना चाहेगा। कभी-कभी तो जबर्दस्ती भी करता हुआ मालूम पड़ेगा। क्योंकि वह जानता है, अभी तुम भला नाराज हो जाओ, सरोवर पर पहुंचकर तुम भी कहोगे, अच्छा किया जबर्दस्ती की।

प्रेम बांटना चाहता है। जो भी मिलता है प्रेम को, बांटना चाहता है। कहीं अगर परमात्मा की खुशबू मिली है तो तुम बांटना चाहोगे। दोनों छोर से मशाल की तरह जलकर बांटना चाहोगे। इसलिए जहां भी कहीं कोई प्यासा मिल जायेगा, तुम्हारे जीवन में एक पूर आ जायेगा। तुम सब-कुछ उसमें उंड़ेल देना चाहोगे। और स्वभावतः तुम जब उसे मेरे पास ले आओगे, तो एक थोड़ी-सी कमी भी मालूम होगी। वह थोड़ी-सी जो अस्मिता बची है, उसके कारण मालूम होती है। क्योंकि जब तुम उसे समझाकर मेरे पास ले आये, तब एक अर्थ में वह तुम्हारे पीछे चल रहा था, तुम्हारी मानकर चला था। जब तुम उसे मेरे पास ला रहे थे तब वह तुमसे आंदोलित और प्रभावित था। फिर जब तुम उसे मेरे पास ले आओगे, स्वभावतः इसलिए तुम उसे लाये भी हो मेरे पास कि वह मुझसे जुड़ जाये, अब वह तुम्हारे पीछे न चलेगा। उसका मुझसे सीधा संबंध हो जायेगा। यही तुमने चाहा भी था, यही तुम्हारी प्रार्थना भी थी। लेकिन फिर भी अस्मिता को थोड़ा-सा धक्का लगेगा कि अरे! इसको सरोवर मिल गया तो हमें भूल ही गया! इस अस्मिता को भी जाने देना और गीत बिलकुल ठीक है: 'राम श्री राम, जय जय राम'। इसको गुनगुनाना! अस्मिता को इतना भी मत बचाना।

अच्छा अहंकार भी होता है। ध्यान रखना! बुरा अहंकार तो होता ही है, अच्छा अहंकार भी होता है। पवित्र अस्मिता भी होती है—'पायस इगो'। जब तुम कोई अच्छा काम करते हो तो एक बड़ा सदभाव उठता है कि कुछ किया, कुछ अच्छा किया! उसे भी छोड़ना है। अंततः उसे भी छोड़ना है। तो अभी जब किसी को ले आयी होगी 'प्रतिभा' और उसे लगा होगा कि वह तो सरोवर से जुड़ गया, अब उसकी कोई फिक्र नहीं करता, तो अभी जो 'राम श्री राम, जय जय राम' कहा है, वह थोड़ी मजबूरी में कहा है, कि ठीक है, अब जो तेरी मर्जी! नहीं, इसको आनंद-भाव से कहना। बड़ा फर्क पड़ जायेगा। अभी तो कहा है कि जो तेरी मर्जी! लेकिन जब हम कहते हैं 'जो तेरी मर्जी', तभी हम बता रहे हैं कि यह हमारी मर्जी न थी। जो तेरी मर्जी का मतलब ही यही होता है कि ठीक है! हमारी मर्जी तो न थी यह, लेकिन अब तुम्हारी है तो ठीक है। राम श्री राम, जय जय राम! मगर इसमें मजबूरी है।

नहीं, अब दुबारा जब किसी को लाओ, तो पहले से ही इस भाव से ही लाना है, जानकर ही लाना है, कि वह सरोवर में डूब जाये और तुम्हें भूल जाये। क्योंकि तुम्हें याद रखे तो सरोवर में डूबने में बाधा पड़ेगी। और जब वह सरोवर में डूब जाये, तुम्हें भूल जाये, तो धन्यवाद देना। ऐसा मत कहना कि जो तेरी मर्जी! कहना, 'धन्यवाद! मेरी प्रार्थना पूरी हुई। इसीलिए तो लाई थी।' और तब फिर गुनगुनाना: 'राम श्री राम, जय जय राम!' और तब उसका भाव बिलकुल अलग होगा। शब्द तो सभी वही होते हैं भाव बड़े बदल जाते हैं। तब यह अहोभाव होगा। तब यह परमात्मा को धन्यवाद है कि ठीक! तूने बड़ी कृपा की कि मुझे इतनी भी अस्मिता न दी कि मैं रुकावट बनूं।

मेरे पास तुम जब मित्रों को लाओगे तो सभी को ऐसा होगा। मगर पहले से ही यह होशपूर्वक लाना है कि ला ही इसलिए रहे हो कि वे तुम्हें भूलें।

और यह शिक्षण जरूरी है, क्योंकि यही मुझे भी करना पड़ता है। एक दिन मुझे भी कहना पड़ता है: राम श्री राम, जय जय राम! क्योंकि मैं जिसकी तरफ ले जा रहा हूं, एक दिन वह गये...तो यह प्रशिक्षण जरूरी है। यह जो 'प्रतिभा' ने कहा है, मेरा भी अनुभव है। मगर यही सारी चेष्टा है। यह सफल हो, यही सौभाग्य है।

इस कारण संकोच मत करना कि अब क्या लाना किसी को, जिसको ले जाओ वही दगा दे जाता है। इस कारण रोकना मत, इस कारण अपने पर नियंत्रण मत रखना। नहीं, जब पूर आये तो आने देना।

जब्त की काशिशें बजा लेकिन
क्या छुपे शौके-बेपनाह का राज
हर किसी को सुनाई देती है
मेरी आवाज में तेरी आवाज।

जिन्होंने मुझे चाहा है, प्रेम किया है, जो सच में मेरे पास आये हैं, सारे आवरण छोड़कर, वे अगर 'जब्त' भी करना चाहेंगे, रोकना भी चाहेंगे—

जब्त की कोशिशें बजा लेकिन

—वे अगर चाहेंगे भी कि किसी को कैसे बतायें, क्या बतायें, संकोच भी करेंगे तो भी कुछ फर्क न पड़ेगा।

क्या छुपे शौके-बेपनाह का राज!

—अथाह प्रेम प्रकट होने ही लगता है।

हर किसी को सुनाई देती है
मेरी आवाज में तेरी आवाज।

जिन्होंने मुझे चाहा है, उनकी आवाज में मेरी आवाज सुनाई पड़ने ही लगेगी।

और हर स्थिति में...क्योंकि यह तो एक स्थिति है जो 'प्रतिभा' ने पूछी है कि किसी को ले आती है, फिर वह डूब जाता है। मगर बहुत बार तो ऐसा होगा, तुम किसी को लाना चाहोगे और न ला पाओगे। तुम लाख कोशिश करोगे, तुम जितनी कोशिश करोगे उतना ही वह प्रतिरोध करेगा और न आयेगा। तब भी बेचैन मत होना। तब भी यह

मत सोचना कि यह कुछ गलत हो रहा है। तब भी ठीक ही हो रहा है। अभी उसकी यही जरूरत होगी। उस पर नाराज मत होना और यह मत सोचना कि जिद्दी है, कि अहंकारी है, कि अज्ञानी है, कि पापी है। क्योंकि ऐसे जल्दी ही मन में भाव उठते हैं। तुम्हारी कोई न माने तो नाराज होने की इच्छा हो जाती है। नरक भेजने के भाव उठने में देर नहीं लगती, कि तुम तो इतनी कोशिश कर रहे हो, इसके ही शुभ के लिए, और इस मूढ़ को देखो, मतांध! सुनता ही नहीं, बहरा है! नहीं, तब समझना कि परमात्मा अभी यही चाहता है कि वह न आये। उसके राज सभी जाहिर नहीं होते। होने भी नहीं चाहिए। कभी किसी को प्रतिरोध की ही जरूरत होती है। कभी कोई तुमसे लड़ता है, वही उसका ढंग है मेरे प्रेम में पड़ने का, उसे लड़ने देना। वह लड़-लड़कर ही पड़ेगा। अपने-अपने ढंग होते हैं, अपनी-अपनी शैली होती है।

चमक उसकी बिजली में, तारे में है
यह चांदी में, सोने में, पारे में है
उसी की बयाबां, उसी के बबूल
उसी के हैं कांटे, उसी के हैं फूल।

तो अगर कोई कांटा जैसा भी मालूम पड़े तो भी समझना, उसी का है; नाराज मत हो जाना। फूल पर बहुत प्रसन्न मत हो जाना, कांटे पर बहुत नाराज मत हो जाना। एक बात स्मरण रखना कि तुमने निवेदन कर दिया था, बात समाप्त हो गई। तुमने छिपाया नहीं, तुम्हें कुछ पता था, कह दिया। जो तुम कहो, उसमें आग्रह भी मत रखना कि उसे मानना ही चाहिए। क्योंकि आग्रह सत्य को नष्ट कर देता है; प्रेम को दूषित कर देता है, धूमिल कर देता है। तुम तो बिना किसी आग्रह के अनाग्रह भाव से कह देना कि कुछ हमें भी सुनाई पड़ी है आवाज, शायद तुम्हारे काम आ जाये, कहीं हम गये हैं, हमारी कुछ प्यास बुझी है—हो सकता है, यह जल तुम्हारी भी प्यास को तृप्त करने में काम आ जाये। मगर कहना, 'हो सकता है, जरूरी नहीं। तुम्हारी प्यास अलग हो, तुम्हें किसी और जल की जरूरत हो। और शायद अभी तुम्हें प्यास ही न हो और जल की जरूरत ही न हो।' तो निवेदन कर देना और भूल जाना।

अगर तुमने अनाग्रहपूर्वक निवेदन किया है, तो बहुत लोगों को तुम खबर पहुंचाने में सफल हो जाओगे। यह खबर कुछ ऐसी है कि अत्यंत विनम्रता में, अत्यंत प्रेम में, अत्यंत सरलता में ही पहुंचाई जा सकती है।

मेरे पास किसी को ले आना कोई मिशनरी काम नहीं है कि टूट पड़े उस पर और उसको तर्क देने लगे, और समझाने लगे, और सिद्ध करने लगे, और उसको गलत सिद्ध करने लगे। नहीं, यह कुछ काम इतना क्षुद्र नहीं है। धर्म मिशन तो बन ही नहीं सकता। मिशन तो सब राजनीति के होते हैं। तुम तो सिर्फ मेरी सुगंध थोड़ी-सी फैला सको, फैला देना। वही सुगंध अगर खींच सकेगी तो खींच लायेगी। और अगर उस आदमी के जीवन में जरूरत आ गई होगी तो खिंच आयेगा; या वह सुगंध उसकी स्मृति में पड़ी रह जायेगी, कभी जरूरत आयेगी तो उसे याद आ जायेगी। तुम्हारा काम पूरा हो गया।

तुम कंजूस मत रहना, बस इतना काफी है। मिशनरी भूलकर मत बनना और कंजूस मत होना। इन दोनों के बीच संतुलन! किसी को जबर्दस्ती समझाने-बुझाने की कोई भी जरूरत नहीं है। कोई जबर्दस्ती समझाये-बुझाये, समझा है, बूझा है?

यह बड़ा नाजुक काम है। ये धागे बड़े रेशम के धागे हैं। ये जंजीरें नहीं हैं लोहे की कि बांध दीं और घसीट लाये। ये रेशम के धागे हैं, बड़े कच्चे धागे! और कच्चे धागे से कोई खिंचा आये तो ही ठीक है। लोहे की जंजीरों से कोई खिंचा भी आ गया तो उसका आना न आना बराबर है। बिना धागे के ही ला सको तो ही कुशलता है।

आज इतना ही।

१६

धर्म की मूल भित्ति : अभय

सूत्र

णवि होदि अप्पमत्तो, ण पमत्तो जाणओ दु जो भावो।
एवं भणंति सुद्धं, णाओ जो सो उ सो चेव।।48।।

णाहं देहो ण मणो, ण चेव वाणी ण कारणं तेसिं।
कत्ता ण ण कारयिदा, अणुमंता णेव कत्तीणं।।49।।

को णाम भणिज्ज बुहो, णाउं सव्वे पराइए भावे।
मज्झमिणं ति य वयणं, जाणंतो अप्पयं सुद्धं।।50।।

अहमिक्को खलु सुद्धो, णिम्ममओ णाणदंसणसमग्गो।
तम्हि ठिओ तच्चित्तो, सव्वे एए खयं णेमि।।51।।

जीवन थोड़ी देर को है। सुबह हो गई तो जल्दी सांझ भी होगी। जन्म हुआ तो मौत आने लगी ही तुम्हारे पास।

जन्म और मृत्यु के बीच में ज्यादा समय नहीं है—अत्यल्प काल है। उसे सोये-सोये मत बिता देना। क्योंकि जो उसे सोये-सोये बिता देता है, वह जान ही नहीं पाता कि कौन था, क्यों आया था; जीवन के सारे रहस्यों से अपरिचित रह जाता है। और प्राणों में सिवाय आंसुओं के, अतृप्त आकांक्षाओं के, असंतोष के, विषाद के, कुछ भी लेकर न जा सकोगे।

जागा हुआ ही भरता है; सोया हुआ खाली रह जाता है। और जीवन इतना छोटा है कि अगर उद्दाम वेग से, अगर महत संकल्प से, अगर सारे जीवन को दांव पर लगा देने की आकांक्षा के बिना, जागना चाहा तो जाग न पाओगे।

बहुत तो ऐसे भी हैं जो सोये-सोये ही जागने का सपना देख लेते हैं और समझा लेते हैं कि जाग गये। सौ में से निन्यानबे साधु-संन्यासी जागने का सपना देख रहे हैं, जागे नहीं। क्योंकि जागने की जो प्रक्रिया है और उस प्रक्रिया के लिए जितने जोर से जीवन को दांव पर लगा देने की जरूरत है, वैसा साहस उनमें दिखाई नहीं पड़ता। अक्सर तो ऐसा होता है कि साधु और संन्यासी भयभीत लोग होते हैं। साहस के कारण संन्यासी नहीं होते हैं; संसार के भय के कारण संन्यासी हो जाते हैं। और संन्यास का भय से क्या संबंध हो सकता है?

इसके पहले कि हम सूत्रों में प्रवेश करें, इस बात को खयाल में ले लेना: दुस्साहस चाहिए। ऐसा साहस—जो सब दांव पर लगा देने को तैयार हो! जोखिम उठाने की हिम्मत चाहिए। जुआरी का दिल चाहिए। होशियारी से न चल सकोगे इस रास्ते पर। होशियार भटक जाते हैं। ज्यादा समझदारी अंततः नासमझी सिद्ध होती है; क्योंकि समझदार रत्ती-रत्ती का हिसाब रखता है। रत्ती-रत्ती तो बचा लेता है; लेकिन जीवन का सारा खजाना खो जाता है। बूंद-बूंद बचा लेता है, सागर गंवा देता है। कंकड़-पत्थर जुटाने में ही समय व्यतीत हो जाता है और सांझ आने में देर नहीं लगती। सुबह हो गई तो सांझ होने लगी। सूरज ऊगा नहीं कि डूबना शुरू हो जाता है; पूरब से उठा नहीं कि पश्चिम की तरफ यात्रा शुरू हो गई।

इसके पहले कि सूरज डूब जाये, इसके पहले कि अंधेरा तुम्हें पकड़ ले और खुद को खोजना मुश्किल हो जाये—और ऐसा बहुत बार हो चुका है—इसलिए तुम्हें चेता देना जरूरी है। अनेक-अनेक बार तुमने सूरज देखा है, सुबह देखी है।

और तुम्हारे जीवन की कथा पूरी भी नहीं हो पाती। कब किसकी होती है?

जमाना बड़े शौक से सुन रहा था
हमीं सो गये दासतां कहते-कहते

कभी पूरी भी नहीं होती दासतां। सभी बीच में ही मर जाते हैं। क्योंकि आकांक्षाएं अनंत हैं और समय सीमित है। जीवन की प्याली में इतनी आकांक्षाएं भरी नहीं जा सकतीं।

तो अगर खाली हाथ जाना हो तो सांसारिक का जीवन है। अगर भरे हाथ जाना हो तो धार्मिक का जीवन है। लेकिन धर्म का प्रारंभ साहस से होता है।

दुनिया में दो तरह के धार्मिक व्यक्ति हैं। एक—जो भय के कारण धार्मिक हैं। चोरी नहीं कर सकते, भय के कारण; इसलिए अचोर हैं। बेईमानी नहीं कर सकते, पकड़े जाने के भय के कारण; इसलिए ईमानदार हैं। यह ईमानदारी कोई बहुत गहरी नहीं हो सकती। इस ईमानदारी में बेईमानी छिपी है। यह ईमानदारी ऊपर-ऊपर है; भीतर बेईमानी वास बनाए है। झूठ नहीं बोलते, क्योंकि पकड़े न जायें। अधर्म नहीं करते, क्योंकि पाप का भय है, नरक का भय है। नरक की लपटें दिखाई पड़ती हैं। और हाथ-पैर उनके शिथिल हो जाते हैं।

दुनिया में अधिक लोग धार्मिक हैं—भय के कारण; दंड के कारण। लेकिन जो भय के कारण धार्मिक हैं, वे तो धार्मिक हो ही नहीं सकते। उससे तो अधार्मिक बेहतर; कम से कम भयभीत तो नहीं है।

महावीर ने अभय को धर्म की मूल भित्ति कहा है। और है भी अभय धर्म कि मूल भित्ति। क्योंकि संसार को तो गंवाना है और कुछ ऐसी खोज करनी है जिसका हमें अभी पता भी नहीं। यह साहस के बिना कैसे होगा? जो सामने दिखाई पड़ता है उसे तो छोड़ना है और जो कभी दिखाई नहीं पड़ता, सदा अदृश्य है, अदृश्यों की गहरी पर्तों में छिपा है, रहस्यों की पर्तों में छिपा है—उसे खोजना है।

समझदार कहता है, हाथ की आधी भी भली। दूर की पूरी रोटी से हाथ की आधी रोटी भली! तो समझदार तो कहता है, जो है उसे भोग लो। चाहे उसमें कुछ भी न हो;

लेकिन इसे दांव पर मत लगाओ, क्योंकि कौन जानता है, जिसके लिए तुम दांव पर लगा रहे हो वह है भी या नहीं! जिस सत्य की, जिस आत्मा की, जिस परमात्मा की खोज पर निकलते हो—किसने देखा? इसलिए चार्वाक कहते हैं, 'ऋणं कृत्वा घृतं पिवेत।' पी लो घी ऋण लेकर भी—सामने तो है! किस स्वर्ग के लिए छोड़ते हो? ऋण न भी चुके तो फिक्र मत करो। लेकिन जो सामने है, उसे भोग लो।

धर्म का पहला कदम तब उठता है, जब तुम देखते हो जो सामने है वह भोगने योग्य ही नहीं। भोगा तो, न भोगा तो—सब बराबर है। इसे भोग भी लिया तो क्या भोगा? इसे पाकर भी क्या मिलेगा? हां, इसे पाने में, इसे भोगने में जो समय गया वह जीवन की संपदा गई।

महावीर ने तो आत्मा को नाम 'समय' दिया है। बड़ी महत्वपूर्ण बात है। महावीर आत्मा को कहते हैं: 'समय'। समय को गंवाते हो तो आत्मा को गंवाते हो। समय को सम्हाल लिया तो आत्मा को सम्हाल लिया। जैसे वस्तुएं स्थान घेरती हैं, वैसे आत्मा समय घेरती है। जैसे वस्तुएं बाहर घटती हैं—क्षेत्र में, वैसे आत्मा भीतर घटती है—समय में।

आइंस्टीन शायद महावीर से राजी होता; क्योंकि उसने भी पाया कि जीवन को बनाने वाले दो ही तत्व हैं: टाइम और स्पेस, समय और क्षेत्र।

क्षेत्र से वस्तुएं बनती हैं, यह साफ है। मनुष्य की चेतना कहां है? क्षेत्र में तो कहीं नहीं बता सकते। उंगली से इशारा हो सके, नहीं बता सकते। जहां भी हाथ रखोगे वहीं गलती हो जायेगी। आदमी की आत्मा कहीं समय में है। शरीर क्षेत्र में है, आत्मा समय में है। वस्तुएं क्षेत्र में हैं, घटनाएं समय में हैं। अगर तुम्हारा किसी से प्रेम हो जाये और कोई पूछे कहां है प्रेम, तो तुम क्या कहोगे? तुम कहोगे, प्रेम घटना है, वस्तु नहीं। जब तुम कहते हो, प्रेम घटना है, तो तुम यह कह रहे हो कि समय में है, स्थान में नहीं। इसलिए हम यह न बता सकेंगे, कहां है। हम इतना ही कह सकते हैं, कब घटा। 'कहां' से कोई संबंध भी नहीं है—कब, किस घड़ी में, किस मुहूर्त में!

समय को गंवा सकते हैं हम क्षुद्र को इकट्ठा करने में। क्षुद्र सामने है और जो विराट है वह छिपा है। इस क्षुद्र को इकट्ठा कर-कर के भी तो कुछ पाया नहीं जाता। इसलिए महावीर कहते हैं, इसे दांव पर लगा दो। यह कचरा ही है; इसको दांव पर लगाने में कुछ खो नहीं रहे हो। और जो समय बच जायेगा, जो शुद्ध समय बच जायेगा, जिसको तुमने संसार में नहीं गंवाया, वही शुद्ध समय ध्यान बनता है।

संसार में न गंवाया गया समय ध्यान है। संसार की व्यस्तताओं में कलुषित न किया गया समय ध्यान है।

इसलिए महावीर के लिए ध्यान के लिए जो शब्द है वह है: 'सामायिक'। वह 'समय' से बना है।

महावीर बड़े वैज्ञानिक हैं, उनकी शब्दावली में।

जो समय संसार में नहीं लगा है, वही 'सामायिक'।

महावीर के पास परमात्मा तो है नहीं कि कह दें कि परमात्मा में जो समय लगा

है, वह ध्यान। नहीं, जो संसार में नहीं लगा, जो संसार से अछूता बच गया है, जिसे संसार दूषित नहीं कर पाया, जिस समय को संसार की कोई छाया नहीं पड़ी, कुंआरा है—वही सामायिक।

जिसने समय को न बचाया और जिसने समय की शुद्धता न जानी, जो सामायिक में न जीया—वह आया भी वसंत में और पतझड़ में रहा। जीवन का प्रसाद बरसता था, लेकिन उसका पात्र उलटा पड़ा रहा। जीवन की अमृत-सरिता बहती थी, वह किनारे पर ही पीठ किए खड़ा रहा—कहीं और देखता रहा और प्यासा रहा, और कंठ जलता रहा।

जिसमें तुम आज अपने को लगाये हो, आज नहीं कल तुम पाओगे व्यर्थ है। जो जितनी जल्दी पा ले, उतना बोध, उतनी बुद्धि, उतनी समझ उसमें है। कुछ हैं जो मरते दम तक नहीं पाते—मरकर भी नहीं पाते! कुछ हैं जो बुढ़ापा आते-आते थोड़े चेतते हैं। इधर शरीर डगमगाने लगता है तो उधर आत्मा थोड़ी सम्हलती है। इधर रोग पकड़ने लगते हैं, बीमारियां घर करने लगती हैं, चोट पड़ती है। कुछ खयाल आता है: कैसे जिंदगी गंवा दी! लेकिन जो और समझदार हैं, वे भरी जवानी में जाग जाते हैं। जब कि सब तरफ लुभावना जगत था और सब तरफ आकर्षण थे, उनको भी वह गहरी आंख से देख लेते हैं और उनके पीछे भी पाते हैं: कुछ नहीं, सिवाय मन के भ्रमों के; अपनी ही कल्पनाओं, अपने ही सपनों का जाल है; अपने ही प्रक्षेपण हैं। भरी जवानी में भी जाग जाते हैं! जो और भी प्रगाढ़ हैं, वह बचपन में ही जाग जाते हैं।

कहते हैं, लाओत्सु पैदा ही हुआ जागा हुआ। हुआ होगा; क्योंकि उससे उलटा तो हम देखते ही हैं, लोग मर ही जाते हैं सोये-सोये। अगर जिंदगीभर लोग सोये-सोये मर सकते हैं, यह घटना घट सकती है, एक अति पर, तो दूसरी अति पर यह भी घट सकता है कि कोई पैदा होते से ही जाग जाये; किसी को सुबह के सूरज में ही सांझ दिख जाये; इधर दीया जला कि बुझने का खयाल आ जाये। जितनी तीव्र मेधा होती है, उतनी धार्मिक होती है।

आज वे मेरे गान कहां हैं?
टूट गई मरकत की प्याली
लुप्त हुई मदिरा की लाली
मेरा व्याकुल मन बहलाने वाले
अब सामान कहां हैं?
अब वे मेरे गान कहां हैं?
जगती के नीरस मरुथल पर
हंसता था मैं जिनके बल पर
चिर वसंत-सेवित सपनों के
मेरे वे उद्यान कहां हैं?
अब वे मेरे गान कहां हैं?

ऐसा कहीं तब न पता चले जब करने को कोई शक्ति हाथ में न रह जाये! पता तो

सभी को चलता है। एक न एक दिन वे सब गीत जो गुनगुना-गुनगुनाकर मन को समझाया था, वे सब व्यर्थ सिद्ध होते हैं। पानी पर खींची गई लकीरें, कि रेत पर किये गये हस्ताक्षर, कि तुम बना भी नहीं पाते कि पुंछ जाते हैं और मिट जाते हैं! कि कागज की नावें कि तुमने छोड़ी नहीं कि डूब जाती हैं! कि ताश के पत्तों के घर कि हवा का जरा-सा झोंका, और फिर उनकी कोई खोज-खबर नहीं मिलती!

आज वे मेरे गान कहां हैं?
टूट गई मरकत की प्याली
लुप्त हुई मदिरा की लाली
मेरा व्याकुल मन बहलाने वाले
अब सामान कहां हैं?
अब वे मेरे गान कहां हैं?

लेकिन यह उस दिन याद न आये, जब आंखों में देखने की शक्ति भी न बचे, प्राणों में जागने की ऊर्जा भी न बचे! यह उस दिन याद न आये जब कि पैर खड़े होने में असमर्थ हो जायें। यह अभी याद आ जाये तो कुछ हो सकता है।

महावीर कहते हैं, जगत का अनुभव तीन खंडों में तोड़ा जा सकता है। जो वस्तुएं दिखाई पड़ती हैं, वे हैं ज्ञेय, 'द नोन'। जिन्हें हम जानते हैं, वे हमसे सबसे ज्यादा दूर हैं। जो आदमी धन के पीछे पड़ा है वह ज्ञेय के पीछे पड़ा है, स्थूल के पीछे पड़ा है। आब्जेक्टिव, संसार उसके लिए सब-कुछ है। धन इकट्ठा करेगा, पद इकट्ठा करेगा, मकान बनायेगा—लेकिन वस्तुओं पर उसका आग्रह होगा। उससे थोड़ा जो भीतर की तरफ आता है, वह ज्ञेय को नहीं पकड़ता, ज्ञान को पकड़ता है। वहां वृक्ष है। तुम वृक्षों को देख रहे हो। वृक्ष ज्ञान की आखिरी परिधि हैं—ज्ञेय। फिर थोड़ा इधर को चलो तो वृक्षों और तुम्हारे बीच एक बड़ी महत्वपूर्ण घटना घट रही है—ज्ञान। वृक्ष दिखाई पड़ रहे हैं, हरे हैं, सुंदर हैं, प्रीतिकर हैं। उनकी सुगंध तुम्हारी नासापुटों को भर रही है। ताजी-ताजी भूमि से सुवास आ रही है। फूल खिले हैं। पक्षियों के गीत हैं। तुम्हारे और उनके बीच एक सेतु फैला है, एक तंतु-जाल फैला है। उस तंतु-जाल को हम कहते हैं ज्ञान। आंख न होंगी तो तुम हरियाली न देख सकोगे। तो हरियाली सिर्फ वृक्षों में नहीं है—आंख के बिना हो ही नहीं सकती। तो हरियाली तो वृक्ष और आंख के बीच घटती है। वैज्ञानिक भी अब इस बात से राजी हैं। जब कोई देखने वाला नहीं होता तो तुम यह मत सोचना कि तुम्हारे बगीचे के वृक्ष हरे रहते हैं। जब कोई देखने वाला नहीं रहता तो हरे हो ही नहीं सकते। क्योंकि हरापन वृक्ष का गुण-धर्म नहीं है—हरापन वृक्ष और आंख के बीच का नाता है। बिना आंख के वृक्ष हरे नहीं होते—हो नहीं सकते। कोई उपाय नहीं है। जब आंख ही नहीं है तो हरापन प्रकट ही नहीं होगा। वृक्ष होंगे—रंगहीन। गुलाब का फूल गुलाबी न होगा। गुलाब का फूल और तुम जब मिलते हो, तब गुलाबी होता है। 'गुलाबी' तुम्हारे और गुलाब के फूल के बीच का संबंध है।

तो दूसरा जगत है: ज्ञान। कुछ लोग हैं जो वस्तुओं के पीछे पड़े हैं, फूलों के पीछे

पड़े हैं। उनसे कुछ जो ज्यादा समझदार हैं, वे फिर ज्ञान की खोज में लगते हैं। वैज्ञानिक हैं, दार्शनिक हैं, कवि हैं, मनीषी हैं, विचारक हैं, चिंतक हैं—वे ज्ञान की पकड़ में लगे हैं। वे ज्ञान को बढ़ाते हैं।

महावीर कहते हैं, यह भी थोड़ा बाहर है। इसके भीतर छिपा है तुम्हारा ज्ञायक स्वरूप, ज्ञाता। ये तीन त्रिभंगियां हैं—ज्ञाता, ज्ञेय, ज्ञान। जो परम रहस्य के खोजी हैं, वे ज्ञान की भी फिक्र नहीं करते, वे तो उसकी फिक्र करते हैं: 'यह जानने वाला कौन है!' जो सबसे दूर हैं ज्ञान की यात्रा पर, वे फिक्र करते हैं: 'यह जानी जाने वाली चीज क्या है!' जो परम रहस्य के खोजी हैं, वह फिक्र करते हैं: यह जानने वाला कौन है! यह मैं कौन हूं, जो जान रहा है, जिसके लिए वृक्ष हरे हैं, जिसके लिए गुलाबी फूल गुलाबी हैं; जिसके लिए चांद-तारे सुंदर हैं! यह मैं कौन हूं!

इन दोनों के बीच में दार्शनिक है, वैज्ञानिक है, चिंतक है। महावीर की सारी खोज उस ज्ञाता-स्वरूप की खोज है; 'यह जानने वाला कौन है!' क्योंकि महावीर कहते हैं, अगर जानने वाले को ही न जाना तो और जानकर करोगे क्या? अपने को ही न पहचाना तो और पहचान किस काम में आयेगी? अपने से ही बिना परिचित हुए चल पड़े, तो कितनों से परिचय बनाया, उसका क्या सार होगा? दूसरों से परिचित होने में ही मत गंवा देना जीवन को। परिचय की प्रक्रिया को समझने में ही मत गंवा देना जीवन को। यह कौन है तुम्हारे भीतर, जिसके माध्यम से ज्ञान घटता है, जिसके माध्यम से ज्ञेय से संबंध बनता है? यह ज्ञाता-भाव! यह चैतन्य! यह होश! यह बोध! इसकी खोज ही धर्म है।

पहला सूत्र:

णवि होदि अप्पमत्तो, ण पमत्तो जाणओ दु जो भावो।
एवं भणंति सुद्धं, णाओ जो सो उ सो चेव।।

'आत्मा ज्ञायक है। आत्मा जानने वाला है। आत्मा ज्ञाता है, द्रष्टा है। जो ज्ञायक है, वह न अप्रमत्त होता है, न प्रमत्त। जो अप्रमत्त और प्रमत्त नहीं होता, वही शुद्ध है। आत्मा ज्ञायक-रूप में ही ज्ञात है और वह शुद्ध अर्थ में ज्ञायक ही है। उसमें ज्ञेयकृत अशुद्धता नहीं है।'

यह बड़ा बारीक सूक्ष्म सूत्र है! समझने की चेष्टा करना। क्योंकि महावीर के अंतस्तल के बहुत करीब है। यही उनकी भित्ति है, जिस पर सारी जैन-साधना का मंदिर खड़ा है।

आत्मा ज्ञायक है—यह तो पहली बात, यह पहली उदघोषणा, यह पहला वक्तव्य कि आत्मा ज्ञेय नहीं है, वस्तु नहीं है: जान सको, ऐसी नहीं है। क्योंकि जिसे भी हम जान लेते हैं, उसका ही रहस्य खो जाता है। इसलिए आत्मा कभी विज्ञान का विषय बन सकेगी, इसकी संभावना नहीं है। विज्ञान लाख उपाय करे, वह जो भी जानेगा वह आत्मा नहीं होगी। क्योंकि आत्मा तो आत्यंतिक रूप से जानने वाली है; जानी नहीं जा सकती। उसे हम अपने सामने रख नहीं सकते। जिसके सामने हम सब रखते हैं, वही आत्मा है। तो आत्मा को स्वयं तो हम कभी अपने सामने न रख सकेंगे।

अगर महावीर की बात ठीक समझो तो महावीर यह कह रहे हैं : 'आत्मज्ञान' शब्द ठीक नहीं है। वस्तुओं का ज्ञान हो सकता है, पर का ज्ञान हो सकता है, आत्मज्ञान कैसे होगा? आत्मज्ञान का तो मतलब हुआ कि तुमने आत्मा को भी दो हिस्सों में तोड़ लिया—जानने वाला और जाना जाने वाला। तो महावीर कहते हैं जो जानने वाला है, वही आत्मा है; जो जाना जा रहा है वह तो आत्मा नहीं है।

हम अपने शरीर को जानते हैं। पैर में चोट लग गई, दर्द हुआ, तो महावीर कहते हैं, चूंकि तुम जानते हो कि पैर में दर्द हुआ, इसलिए एक बात तो निश्चित हो गई कि तुम यह दर्द नहीं, तुम यह पैर नहीं। क्योंकि जानने वाला हमेशा पार है; अतिक्रमण कर जाता है; ट्रांसेंडेंटल है। भूख लगी तो महावीर कहते हैं, एक बात पक्की हो गई : तुम्हें पता चला भूख लगी; एक बात पक्की हो गई कि तुम भूख नहीं हो। तुम तो वह हो जिसे पता चला, जिसे प्रतीति हुई, जिसे अहसास हुआ कि भूख लगी, कि शरीर भूखा है कि रोटी की जरूरत है, कि प्यास लगी, पानी की जरूरत है; कि गर्मी हो रही है कि पसीने की धारें बही जा रही हैं, कोई शीतल स्थान खोजूं, कोई छाया खोजूं।

जो भी तुम जानते हो, जानने के कारण ही वह 'पर' हो गया। ज्ञान प्रत्येक वस्तु को 'पर' बना देता है। ज्ञान-मात्र 'पर' का है। तो आत्मज्ञान तो हो नहीं सकता। इस अर्थ में नहीं हो सकता, जिस अर्थ में हम और चीजों का ज्ञान करते हैं।

आत्मा ज्ञायक है, ज्ञेय नहीं। सदा जानने वाला है। इसलिए जिन्हें आत्मा को खोजना है, उन्हें अपने भीतर निरंतर उस जगह पहुंचना चाहिए, जहां सिर्फ जानने वाला ही शेष रह जाये और जानने को कुछ न बचे। उसे महावीर 'समाधि' कहते हैं—जहां शुद्ध जानना रह जाये और जानने के लिए कोई जगह न हो; दीया जलता हो, लेकिन प्रकाश उसका किसी पर पड़ता न हो। दीया जलता है अभी, दीवाल पर प्रकाश पड़ता है : तो दीया तो ज्ञाता हुआ, दीवाल ज्ञेय हो गई और दोनों के बीच जो संबंध जुड़ रहा है वह ज्ञान हो गया। ऐसी कल्पना करो कि दीया शून्य में जलता हो, कि दीये की ज्योति किसी पर न पड़ती हो—ऐसी चित्त की दशा का नाम, महावीर कहते हैं, समाधि है। जहां शुद्ध-बुद्ध, मात्र ज्ञायक-स्वरूप शेष रह गया; कोई जानने वाली चीज व्याघात उत्पन्न नहीं करती; कोई जानने वाली चीज अशुद्धि उत्पन्न नहीं करती—अबाध—अनवरुद्ध चैतन्य का प्रवाह है; शुद्ध चैतन्य-मात्र है!

'आत्मा ज्ञायक है।' और ज्ञायक! 'जो ज्ञायक है वह न अप्रमत्त होता है न प्रमत्त।'

यह भी बड़ी विचार की बात है। क्योंकि महावीर कहते हैं, तुम अभी सोये हो। जागो! लेकिन फिर वह कहते हैं कि जागना भी उस आत्मा का स्वभाव नहीं है। क्योंकि जब सोना उस आत्मा का स्वभाव नहीं है तो जागना कैसे उस आत्मा का स्वभाव होगा? जागना-सोना दोनों ही आत्मा के बाहर हैं। तो एक दिन ऐसा अनुभव आना शुरू होता है कि तुम जागने और सोने के भी पार हो। तुम तो वह हो जो जानता है कि जागे अब, अब सोये। सुबह जागकर तुम्हें पता चलता है कि अरे, जाग गये! तो तुम जागने से एक नहीं हो सकते। तुम्हें जागने का भी पता चलता है : जाग गये! रातभर सोये रहे तो सुबह तुम कहते

हो बड़ी गहरी नींद आई! उसका भी तुम्हें पता है। नींद का भी पता है। कभी नींद ठीक नहीं आती तो सुबह कहते हो, बड़े व्याघात पड़े, उच्छृंखल थी रात, बड़े दुखस्वप्न चले, ऊबड़-खाबड़ रहा सब। शांति न मिली, चैन न मिला, थका-हारा उठा हूं, रात नींद ठीक से न आई! तो रात तुम नींद को भी जानते हो, सुबह उठकर तुम जागने को भी जानते हो। तो निश्चित ही न तुम जागरण हो, न तुम निद्रा हो। तुम तो जागने और निद्रा के पार ज्ञायक-स्वरूप, ज्ञाता-स्वरूप आत्मा हो।

'जो ज्ञायक है, वह न अप्रमत्त होता है, न प्रमत्त।'

लेकिन व्यावहारिक दृष्टि से सोये हुए को हम कहते हैं, जागो अगर आत्मा को जानना हो। जब वह जाग जायेगा तो उससे कहेंगे, अब जागने से भी जागो! संसारी को कहते हैं, संन्यास ले लो! फिर संन्यासी को कहते हैं कि अब संन्यास भी छोड़ो! यह तो ऐसा ही है जैसे एक कांटा पैर में लगा, दूसरे कांटे से खींचकर उसे बाहर निकाल लिया; फिर दोनों ही कांटे फेंक देते हैं। बीमारी थी, औषधि ले ली; फिर बीमारी चली गई तो औषधि की बोतल को कचरे-घर में फेंक देते हैं। तो जागरण की जो इतनी चेष्टा है, वह भी औषधि से ज्यादा नहीं है। बीमारी है, नींद में पड़े हैं, सोये हैं—यह हमारी अवस्था है। इसे जगाने के लिए औषधि है ध्यान, जागरण, विवेक। लेकिन जब जाग गये तब तो यह भी पता चलता है कि हम तो जागने के भी पार हैं। यह सोना और जागना, यह भी शरीर और मन में ही हो रहा है।

इसलिए तो कृष्ण गीता में कहते हैं: या निशा सर्वभूतानां, तस्यां जागर्ति संयमी!

जब सारे लोग सोये हैं, तब भी संयमी जागता है। इसका क्या अर्थ हुआ? क्या संयमी सोता नहीं? संयमी सोता है, लेकिन जानता है कि यह जो सोया है, यह मैं नहीं हूं।

महावीर तो और भी गजब की बात कह रहे हैं। वह कह रहे हैं, संयमी जब जागता है तब भी जागरण के साथ अपना तादात्म्य नहीं करता—सोने के साथ तो वह करता ही नहीं; जैसा कृष्ण कहते हैं कि सब सोये रहते हैं, उनका तादात्म्य हो जाता है। वह कहते हैं, हम सोये हैं। संयमी कहता है, हम तो जागते रहे। महावीर कहते हैं कि इससे भी ऊपर उठना है। जागने में भी तादात्म्य न हो जाये, सोने में तो तोड़ना ही है तादात्म्य। मूर्च्छा तो तोड़नी ही है, अमूर्च्छा पकड़ नहीं लेनी है। राग तो तोड़ना ही है, विराग पकड़ नहीं लेना है।

इसलिए महावीर ने एक नये शब्द का उपयोग किया: वीतराग। महावीर ने अपने परम संन्यासियों को विरागी न कहा, क्योंकि 'विरागी' में ऐसा लगता है: राग के विपरीत। सोये थे, जाग गये। संसार में थे, संन्यासी हो गये। राग था, विराग साध लिया। महावीर कहते हैं, वीतराग।

'वीतराग' शब्द बड़ा अदभुत है! वीतराग का अर्थ होता है: न राग रहा, न विराग रहा। वीत: पार हो गये, दोनों के पार हो गये! वह पूरी दुनिया ही गई! वह पूरा सिक्का ही छोड़ दिया। वह द्वंद्व का जगत अब साथ न रहा। सोना और जागना भी द्वंद्व है। राग और विराग भी द्वंद्व है! संसार और संन्यास भी द्वंद्व है। निर्द्वंद्व हुए! सबके पार हुए!

'जो अप्रमत्त और प्रमत्त नहीं होता, वही शुद्ध है।'

यह शुद्धि की बड़ी अनूठी परिभाषा हुई। जो जागता नहीं, सोता नहीं; जो मूर्च्छित नहीं होता, अमूर्च्छित नहीं होता; जो न संसार में खोता है, न संन्यास में खोता है—जिसका कहीं तादात्म्य नहीं होता, वही शुद्ध है। जिसको गुरजिएफ कहता है: आईडेंटिफिकेशन, तादात्म्य। जो किसी चीज से अपने स्वभाव को नहीं जोड़ता। जो दूर-दूर, पार-पार बना रहता है! जो सदा जानता रहता है: मैं भिन्न हूं, मैं भिन्न हूं। किसी भी चीज के साथ जो ऐसा भाव नहीं करता कि यह मैं हूं! क्योंकि जहां ही यह भाव आया कि यह मैं हूं, वहीं अशुद्धि शुरू हो गई। क्योंकि जिससे हम जुड़ते हैं, वह हमें प्रभावित करने लगता है।

तुमने कभी खयाल किया? लोग जिन चीजों से अपना तादात्म्य बनाते हैं, धीरे-धीरे वैसा ही रंग-ढंग उनके जीवन में छा जाता है। अगर कोई कवि सौंदर्य की अनुभूतियों के साथ अपना तादात्म्य बनाता है, तो तुम धीरे-धीरे पाओगे: वह सुंदर होने लगा। उसके जीवन में तुम्हें एक नये गुण का प्रादुर्भाव दिखायी पड़ेगा। वह सुंदर होने लगेगा। जो आदमी अपने को योद्धा समझता है, लड़ाका समझता है, उसके चारों तरफ धीरे-धीरे तुम पाओगे योद्धा के लक्षण प्रकट होने लगे।

जिससे हम तादात्म्य करते हैं, वही हम हो जाते हैं। क्योंकि धीरे-धीरे जिसे हमने अपने साथ जोड़ा वह हमें प्रभावित करता है, रूपांतरित करता है।

सम्मोहनविद जानते हैं कि अगर किसी पुरुष को सम्मोहित करके कहा जाये कि तू पुरुष नहीं स्त्री है, तो गहरे सम्मोहन में उसका तादात्म्य हो जाता है कि वह स्त्री है। फिर उससे कहा जाये, उठकर चलो, तो वह पुरुष जैसा नहीं चलता, स्त्री जैसा चलने लगता है—जो कि बड़ी कठिन बात है! क्योंकि पुरुष के पास अलग तरह की हड्डियां हैं। और खासकर स्त्री की चाल पुरुष से भिन्न है, क्योंकि स्त्री के शरीर में गर्भ का स्थान है। उसी गर्भ के स्थान के कारण उसकी चाल में एक गोलाई है, जो पुरुष की चाल में नहीं हो सकती। लेकिन अगर सम्मोहित किया जाये किसी व्यक्ति को और कहा जाये कि तुम स्त्री हो तो वह चलेगा स्त्री की तरह। उससे कहा जाये बोलो तो वह बोलेगा स्त्री की तरह। आवाज भी बदल जायेगी। यह सम्मोहन की प्रक्रिया इतनी गहरी हो सकती है। कि अगर सम्मोहित व्यक्ति को कहा जाये कि यह हाथ पर हम तुम्हारे अंगार रख रहे हैं और तुम सिर्फ एक साधारण कंकड़ रख रहे हो, तो उसका हाथ जल जायेगा, फफोला आ जायेगा। साधारण कंकड़ गर्म भी नहीं है, अंगार की तो बात ही नहीं है, ठंडा पत्थर हाथ पर रखते हो और कहते हो यह अंगार है, वह छिटककर फेंककर खड़ा हो जायेगा, चिल्लायेगा कि मार डाला, जला दिया। और उसके हाथ पर न केवल जलने का स्थान बनेगा, फफोला भी उठेगा।

अब क्या हुआ? अंगार तो रखा नहीं था, लेकिन अंगार रखा है, यह भाव से तादात्म्य हो गया। इसीलिए तो लोग अंगारों पर भी चल लेते हैं—वह भी भाव-तादात्म्य है। मुसलमान फकीर या हिंदू योगी अंगारों पर चल लेते हैं। वह तादात्म्य की बात है। इस बात का पक्का तादात्म्य होना चाहिए कि हम चल लेंगे, भगवान बचायेगा, कि कोई वली

बचायेगा। बस इसका पक्का भरोसा होना चाहिए, फिर तुम न जलोगे। क्योंकि तुम्हारा भरोसा तुम्हारी सुरक्षा करेगा। वह तादात्म्य बन गया।

रामकृष्ण ने सभी धर्मों की साधना की। ऐसा प्रयोग उनके पहले कभी किसी ने किया न था। उस साधना के दौर में उन्होंने छह महीने तक बंगाल में प्रचलित कृष्ण-मार्गियों के एक संप्रदाय की साधना की—राधा संप्रदाय। उस संप्रदाय का साधक मानकर चलता है कि मैं कृष्ण की गोपी हूं, राधा हूं। वह स्त्रियों के कपड़े पहनता है, कृष्ण की मूर्ति को लेकर रात सोता है। छह महीने तक रामकृष्ण ऐसा साधना करते थे। बड़ी हैरानी की घटना घटी—और वह घटना यह थी, उनके स्तन बड़े हो गये, स्त्रैण हो गये। रामकृष्ण जैसा व्यक्ति जब तादात्म्य करेगा तो वह कोई छोटा-मोटा तादात्म्य नहीं है। उन्होंने पूरे प्राण इसमें उंडेल दिये। उनकी आवाज स्त्रैण हो गई। वह चलने स्त्रियों की तरह लगे, लेकिन यहीं तक मामला रुकता तो ठीक था; उन्हें मासिक धर्म शुरू हो गया, जो कि एक आश्चर्यजनक घटना है। इतना तादात्म्य! फिर साधना के बाहर भी आ गये तो भी छह-आठ महीने लगे उनका स्त्री-रूप विदा होने में।

सम्मोहन का शास्त्र बड़ी बातें खोलने के किनारे पहुंच रहा है और किसी न किसी दिन सम्मोहन-शास्त्र जब अपने पूरे अध्ययन प्रकट कर चुकेगा तो धर्म की बहुत-सी बातें बड़ी सुगमता से समझ में आ सकेंगी।

तुम जो भी हो, यह तुम्हारा ही भाव है। अगर तुम अपने को दुखी मान रहे हो तो तुम दुखी होते चले जाओगे। अगर तुम अपने को सुखी मान सकते हो, तुम सुखी होते चले जाओगे।

मुसलमान फकीर बायजीद से किसी ने पूछा कि तुम इतने प्रसन्न, सदा प्रसन्न—मामला क्या है? उसने कहा कि मैंने एक नियम बना लिया है कि सुबह जब मैं उठता हूं तो मेरे सामने दो विकल्प होते हैं कि आज दिन प्रसन्न होना कि नहीं प्रसन्न होना; आज दिन सुख में बिताना कि दुख में बिताना। और मैं अक्सर हमेशा ही सुख का ही विकल्प चुनता हूं। क्यों चुनूं दुख का विकल्प? सार क्या है? इसलिए मैं प्रसन्न हूं।

तुम जरा करके देखना। सुबह उठकर पहला निर्णय यही करना कि आज दिन प्रसन्न ही रहना है। और तुम अचानक पाओगे प्रसन्नता की बहुत-सी घटनाएं घटने लगीं। वह वैसे भी घटतीं, लेकिन तुमने अगर दुखी होने का निर्णय किया था...जैसा निन्यानबे लोग किये बैठे हैं। निन्यानबे प्रतिशत लोग सोचते हैं कि सुखी तो तब होंगे जब सुख की कोई घटना घटेगी। और दुखी तो रहेंगे ही, क्योंकि जब तक सुख की घटना नहीं घटती तो क्या कर सकते हैं! कोई लाटरी कभी-कभी खुलेगी, तब सुखी हो लेंगे। और मैं मानता हूं कि वह तब भी सुखी न हो पायेंगे, क्योंकि दुख की आदत इतनी मजबूत हो जाती है, दुख इतना सघनीभूत हो जाता है कि अगर सुख की कोई घटना भी घटे तो तुम जानते ही नहीं कि अब सुखी कैसे हों! जो कभी नाचा ही नहीं है, नाचने का क्षण भी आ जाये तो कैसे नाचेगा? हाथ-पैर साथ न देंगे।

महावीर कहते हैं, शुद्धि का अर्थ है : जहां कोई तादात्म्य नहीं; न सुख का, न दुख

का; न देह का, न मन का। जहां शुद्ध जानने वाला बचा है और कोई चीज छाया नहीं डालती, उस छाया-शून्य जगत में आत्मा शुद्ध होती है।

'आत्मा ज्ञायक-रूप में ही ज्ञात है...'

आत्मा का ज्ञेय की तरह जानने का कोई उपाय नहीं है। जानने वाले की तरह ही आत्मा जानी जाती है, जानी गई वस्तु की तरह नहीं।

'...और वह शुद्ध अर्थ में ज्ञायक ही है। उसमें ज्ञेयकृत अशुद्धता नहीं है।'

इसे थोड़ा हम समझें। तुमने कभी खयाल किया? जब भी कोई आदमी तुम्हें गौर से देखता है तो तुम्हें थोड़ी-सी बेचैनी और अड़चन होती है। तो समाज में एक स्वीकृत नियम है: तीन क्षण से ज्यादा कोई आदमी किसी को गौर से नहीं देखता। देखे तो उसको हम लुच्चा कहते हैं। लुच्चे का अर्थ है: गौर से देखने वाला। लुच्चा बनता है लोचन से। आंखें अड़ा दीं किसी पर तो लुच्चा। तीन सेकेंड तक ठीक है। उतना स्वीकृत है। राह चलते आदमी भी एक, एक क्षण भर को दूसरे को देख लेते हैं। तो ठीक है। लेकिन लौट-लौट कर देखने लगे, खड़ा ही हो जाये और देखने लगे, आंखें गड़ा ले...। तो तुमने कभी खयाल किया, कोई आदमी अगर तुम्हें आंखें गड़ाकर देखे तो तुम्हें बेचैनी होती है! यहां तक कि अगर कोई आदमी तुम्हारे पीछे खड़ा हो और पीछे से भी आंखें गड़ाकर तुम्हें देखे तो भी तुम्हें बेचैनी होगी; हालांकि तुम उसे देख नहीं रहे, लेकिन तुम्हें पता चल जायेगा कि वह आंखें गड़ाये है।

तुम इसका प्रयोग करके देखना! ट्रेन में, बस में किसी के पीछे खड़े हो, उसकी चेंथी पर आंखें गड़ाकर देखना जरा थोड़ी देर—एक दो-तीन मिनट। वह फौरन लौटकर देखेगा और क्रोध से देखेगा। मनोवैज्ञानिक ने इस पर बहुत-से प्रयोग किये हैं।

क्या मामला है? आदमी किसी के गौर से देखने को, बेचैन क्यों हो जाता है, बर्दाश्त क्यों नहीं करता? क्योंकि जब भी कोई तुम्हें गौर से देखता है, बहुत गौर से देखता है, तो वह तुम्हें वस्तु में रूपांतरित कर देता है। वह तुम्हारे ज्ञायक-स्वभाव को नष्ट करता है। वह तुम्हें ज्ञेय बना देता है, ऑब्जेक्ट। जैसे कुर्सी को कोई देख रहा है, मकान को कोई देख रहा है, वृक्ष को कोई देख रहा है—ऐसे ही जब तुम्हें कोई देखता है, तब तुम्हारा ज्ञायक-स्वरूप नष्ट होता है। तुम्हें ऐसा लगता है कि मुझे वस्तु समझा जा रहा है; जैसे मैं कोई देखने की वस्तु हूं।

हां, कोई तुम्हें बहुत प्रेम से देखे तो बेचैनी नहीं होती। जिससे तुम्हारा लगाव हो, तो बेचैनी नहीं होती। क्योंकि तुम जानते हो, वह तुम्हारे शरीर को नहीं देख रहा। तुम जानते हो, वह तुम्हें वस्तु नहीं बना रहा। तुम जानते हो, उसकी आंखें तुम्हारे ज्ञायक-स्वभाव को खोज रही हैं; तुम्हारी अंतरात्मा को खोज रही हैं। उसकी आंखें तुम्हारे भीतर जाकर तुम्हारी खोज में हैं। तुम, जिसको कि विषय-वस्तु बनाया नहीं जा सकता, वह उसके साथ संग-साथ जोड़ने की आकांक्षा रखता है। इसलिए प्रेम के क्षण में ही आंख बेहूदी नहीं मालूम पड़ती। अन्यथा आंख, अगर गौर से कोई देखता चला जाये तो हिंसक हो जाती है; अभद्र मालूम होने लगती है; शिष्टाचार के बाहर हो जाती है।

जब भी किसी व्यक्ति को देखो तो उसे वस्तु बनाने की चेष्टा मत करना। अन्यथा तुम हिंसा से देख रहे हो। किसी व्यक्ति को साधन की तरह मत देखना, क्योंकि प्रत्येक व्यक्ति साध्य है, परम साध्य है। किसी व्यक्ति को ऐसा मत देखना कि इसका क्या उपयोग है, कि यह आदमी पद पर है, काम पड़ेगा, जय राम जी कर लो; कि यह आदमी पद पर है, थोड़ी खुशामद करो; कि इस आदमी के पास धन है, कभी जरूरत पड़ सकती है; कि यह आदमी शक्तिशाली है, दोस्ती बनाना काम की बात होगी।

किसी व्यक्ति को जब तुम साधन की तरह देखते हो, तब भी तुम हिंसा कर रहे हो। क्योंकि वह ज्ञायक-स्वरूप जो भीतर छिपा है, साध्य है—आत्यंतिक साध्य है। उसे साधन नहीं बनाया जा सकता।

'आत्मा ज्ञायक-रूप में ही ज्ञात है और वह शुद्ध अर्थ में ज्ञायक ही है। उसमें ज्ञेयकृत अशुद्धता नहीं है।'

यह बहुत मूलभूत बात है। इसको शाब्दिक-जाल में खो मत देना। इसको ज्ञान के दांव-पेचों में मत खो देना। क्योंकि इस पर बड़े दांव-पेंच चलते रहे हैं। पंडितों ने बड़े अर्थ किये हैं, बड़ी व्याख्याएं की हैं—पक्ष-विपक्ष में। क्योंकि पंडितों का अपना हिसाब है। वे कहते हैं, ज्ञायक, बिना ज्ञेय के ज्ञायक अकेला हो कैसे सकता है? तर्कगत संदेह उठाते हैं, जब ज्ञेय नहीं है तो ज्ञायक कैसा? जब ज्ञान नहीं है तो ज्ञायक कैसे?

तो दार्शनिकों का एक समूह रहा है जो कहता है, जब ज्ञेय और ज्ञान खो जायेंगे, तो ज्ञायक भी खो जायेगा, अंधकार छा जायेगा। शायद तर्क से उनकी बात ठीक भी लगती हो। लेकिन जो अनुभव है, वह तर्क के थोड़े बाहर है। और महावीर को तर्क में कोई रस नहीं है। वह सिर्फ वक्तव्य दे रहे हैं, जो उन्होंने जाना है। मैं भी तुमसे कहता हूं, ज्ञायक बच रहता है। ज्ञान भी खो जाता है। ज्ञेय भी खो जाता है।

और इसलिए अगर खोजना हो तो तर्कजाल में मत पड़ना। थोड़ी साधना की दिशा में कदम उठाना।

> अल्फाज के पेचों में उलझता नहीं दाना
> गव्वास को मतलब है सदफ से कि गुहर से

शब्दों की उलझनों में समझदार नहीं उलझता।

> अल्फाज के पेचों में उलझता नहीं दाना।

—वह जो बुद्धिमान है, वह शब्दों के दांव-पेंच में नहीं उलझता।

> गव्वास को मतलब है सदफ से कि गुहर से।

—वह जो गहरा गोता लगाने वाला है, उसे मतलब मोतियों से है या सीपियों से? वह मोती तलाशता है। जैसे मोती सीपी में छिपे होते हैं, लेकिन सभी सीपियों में नहीं छिपे होते; कुछ सीपियां खाली होती हैं, कोई मोती नहीं होता—कुछ शब्द खाली होते हैं, उनमें कोई मोती नहीं होता। पंडितों के शब्द सीपियों की तरह हैं; उनमें कोई मोती नहीं होता। क्योंकि मोती तो अनुभव से ढालना होता है। मोती तो प्राणों से ढालना होता है। ये महावीर के वचन सीपियां नहीं हैं। मोती हैं, और तुम इन मोतियों का अर्थ

तभी समझ पाओगे, जब तुम भी इन्हें ढालने में लगोगे।

मेरे देखे, जब तक तुम किसी अर्थ में महावीर जैसे न होने लगो तब तक तुम महावीर को न समझ पाओगे। समझने का एक ही उपाय है: जिसे तुम समझने चले हो, उस जैसे होने लगो।

'मैं आत्मा न शरीर हूं, न मन हूं, न वाणी हूं, और न उसका कारण हूं। मैं न कर्ता हूं, न कराने वाला हूं और न कर्ता का अनुमोदक ही हूं।'

णाहं देहो ण मणो, ण चेव वाणी ण कारणं तेसिं।
कत्ता ण ण कारयिदा, अणुमंता णेव कत्तीणं।।

—न शरीर, न मन, न वाणी, न उनका कारण, न उनका कर्ता, न कराने वाला और न कर्ता का अनुमोदक ही हूं।

कल हम गीता की बात करते थे। कृष्ण कहते हैं, तुम केवल उपकरण हो जाओ। महावीर कहते हैं, उपकरण भी नहीं। अगर तुम उपकरण भी हुए तो तुम कुछ तो हुए! सहारा तो दिया! साधन तो बने! तो महावीर कहते हैं, न तो तुम कर्ता, न कराने वाला हो, न कर्ता का अनुमोदक। उपकरण की तो बात दूसरी, तुम अनुमोदन भी मत करना। तुम यह भी मत कहना कि हां, यह ठीक है। अगर कोई आदमी किसी की हत्या कर रहा है तो तुम यह भी मत कहना कि हां, यह ठीक है। अनुमोदन भी मत करना। कहने की बात नहीं है, मन में भी मत सोचना कि हां, यह ठीक है। मन में सोचने की बात भी नहीं है। तुम्हारे भीतर जरा-सा भी भाव उठे, जरा-सी भी लहर उठे कि नहीं, यह गलत तो नहीं है, यह जरूरी था—तो भी पाप हो गया।

कृष्ण कहते हैं, 'अधर्म के विनाश के लिए, पाप के विनाश के लिए अर्जुन! तू उपकरण बन।' लेकिन महावीर कहते हैं, उपकरण हिंसा का बनना किसी भी कारण से घातक है। खतरनाक है। और आदमी के मन का भरोसा क्या? क्योंकि अक्सर तो यह होता है, तुम जो करना चाहते हो, उसको तुम परमात्मा के नाम से करने लगते हो।

आदमी बड़ा बेईमान है! इसलिए दुनिया में इतने युद्ध होते हैं! दोनों पक्ष कहते हैं कि परमात्मा का काम कर रहे हैं। दोनों पक्ष कहते हैं, हम धर्म-युद्ध कर रहे हैं। अब यह तो हम चूंकि महाभारत हुआ और पांडव जीते, इसलिए जो इतिहास हमारे पास है वह एकतरफा है।

सोचो थोड़ा, कौरव जीते होते तो क्या यह इतिहास यही होता? कौरव जीते होते तो उन्होंने सिद्ध किया होता कि पांडव हारे क्यों, क्योंकि वे अधार्मिक थे। और कौरव अगर जीते होते तो कृष्ण की गीता न होती, शायद भीष्म पितामह की कोई गीता होती तो होती।

अगर रावण जीता होता तो रामायण नहीं होती—हो नहीं सकती थी। कौन लिखता? हारे हुए के लिए कौन लिखता! जीते के सब संगी-साथी हैं, हारे के कौन साथ है? तब रामायण के विपरीत, बिलकुल विपरीत रावण की कोई कथा होती, जिसमें रावण तो धार्मिक होता और राम अधार्मिक होते।

तुम थोड़ा सोचो। विभीषण ने धोखा दिया है, गद्दारी की है; लेकिन राम-भक्त

कहता है, 'भक्त विभीषण! राम का प्यारा विभीषण!' लेकिन अगर रावण जीतता और कथा लिखी गई होती, तो विभीषण गद्दारों का गद्दार सिद्ध होता, धोखेबाज, बेईमान, मीरजाफर का आदिगुरु सिद्ध होता।

कौन लिखता है कहानी, इस पर निर्भर करता है। और जो भी कहानी लिखेगा, वह यह मानकर चलेगा कि मैंने जो किया वह परमात्मा चाहता था।

महावीर आदमी की बेईमानी को जानते हैं। आदमी बड़ा धोखेबाज है! वह जो खुद करना चाहता है परमात्मा के नाम पर थोप देता है। अगर हिटलर जीतता तो कथा बिलकुल और होती। चर्चिल जीता, कथा और हुई। कथा कौन लिखता है, इस पर निर्भर करती है।

महावीर कहते हैं, इन जालों में मत पड़ना। तुम्हें क्या पता परमात्मा की क्या मर्जी है? तुम कैसे निर्णय करोगे कि यही परमात्मा की मर्जी है? अर्जुन जीते, अर्जुन का पक्ष जीते—यह परमात्मा की मर्जी है, तुम कैसे निर्णय करोगे?

हर आदमी जीतना चाहता है। और हर आदमी अपने जीतने के लिए सब-कुछ करना चाहता है। और मान लेगा कि यही परमात्मा की मर्जी है, मुझे जिताना चाहता है।

पिछले महायुद्ध में एक जर्मन और एक अंग्रेज जनरल की बात हुई। जर्मन हारने शुरू हो गये थे और उस जनरल ने अंग्रेज जनरल को पूछा कि तुम जीतना शुरू हो गये हो, कैसे जीते चले जा रहे हो, राज क्या है? उस जनरल ने कहा, 'राज साफ है। हम रोज युद्ध करने के पहले परमात्मा की प्रार्थना करते हैं। परमात्मा हमारे साथ है।'

उस जर्मन ने कहा, यह तो कोई बात जंचती नहीं, क्योंकि प्रार्थना तो हम भी करते हैं युद्ध के पहले, और हम भी मानते हैं कि परमात्मा हमारे साथ है।

वह अंग्रेज हंसने लगा। उसने कहा कि तुम्हें एक बात समझनी चाहिएः किसी ने कभी सुना कि परमात्मा जर्मन भाषा जानता है? किस भाषा में करते हो प्रार्थना?

अंग्रेज सोचता है, परमात्मा अंग्रेजी जानता है। संस्कृत के पंडित कहते हैं, संस्कृत देववाणी है।...वह प्रभु की भाषा है! और बाकी सब भाषाएं, वे देववाणियां नहीं हैं!

अपनी भाषा को देववाणी मान लेना बड़ा सुगम है। और अपनी आकांक्षा को परमात्मा की आकांक्षा मान लेना बहुत सुगम है। और अपने अहंकार को परमात्मा की आड़ में छिपा लेना बहुत सुगम है।

महावीर आदमी को कोई धोखे का उपाय नहीं देना चाहते। वे कहते हैं, तुम धोखेबाज हो, यह तो जाहिर है, क्योंकि जन्मों-जन्मों से भटक रहे हो, अनेक तरह से अपने को धोखा दे लेते हो।

'मैं न शरीर हूं, न मन हूं, न वाणी हूं और न उनका कारण हूं। मैं न कर्ता हूं, न कराने वाला हूं, न कर्ता का अनुमोदक हूं।'

जब तक इतनी प्रगाढ़ता से तुम अपने आत्यंतिक स्वरूप को सभी तादात्म्यों से बाहर न कर लोगे, तब तक तुम उस शुद्ध-बुद्ध अवस्था को न पहुंच सकोगे, जिसको महावीर 'जिनत्व' कहते हैं।

हमारी तो त्याग में भी भोग की वासना बनी रहती है। और हम तो वासना भी

छोड़ते हैं तो भी किसी वासना को पूरा करने के लिए ही छोड़ते हैं। हम तो दान भी करते हैं तो लोभ के कारण करते हैं। गंगा के किनारे बैठे हुए पंडित-पुरोहित लोगों को समझाते हैं: 'यहां एक दो, एक करोड़ पाओगे वहां।' कोई हिसाब भी होता है! एक से एक करोड़ का कोई संबंध बनता है? लेकिन जब लोभ को ही जगाना है तो अतिशयोक्ति करने में हर्ज क्या है! एक पैसा यहां दान दो, एक करोड़ पाओगे! कुछ तो थोड़ा ब्याज का खयाल रखो! यह तो जरा अतिशयोक्ति हो गई। लेकिन मतलब एक करोड़ पाने से थोड़े ही है, तुमसे एक निकलवा लेने से है। और जानते हैं कि तुम लोभी हो, तुम तो दान भी लोभ के कारण करोगे। दान भी तुम करते हो तो पहले पूछ लेते हो, इससे मिलेगा क्या?

बोधिधर्म चीन पहुंचा, तो चीन के सम्राट ने पूछा कि मैंने हजारों बुद्ध-मंदिर बनवाये, इससे क्या लाभ होगा? और मैं लाखों बौद्ध भिक्षुओं को भिक्षा देता हूं, राज्य उनका पालन करना है—इससे मुझे कितना पुण्य हुआ है? दूसरों से भी उसने पूछा था, लेकिन दूसरे तो दुकानदार थे; उन्होंने कहां, महापुण्य हो रहा है, स्वर्ग में तुम्हारे लिए विशेष इंतजाम होगा। उन्होंने हजार तरह की बातें समझाई होंगी। सातवें स्वर्ग में जाओगे। पुण्य की राशि लगी जा रही है। इंद्र बनोगे! लेकिन यह बोधिधर्म थोड़ा उजड्डु, सीधा-साफ आदमी था।

उसने कहा, 'लाभ! दिमाग दुरुस्त है? यह तुमने पूछा इसके कारण पाप लगा। तुम नरक में पड़ोगे।' सम्राट वू थोड़ा घबड़ाया। उसने कहा कि नरक में! तो बोधिधर्म ने कहा, कि लाभ की आकांक्षा से किया गया दान, दान नहीं है। लाभ की जरा-सी भी रेखा बच गई तो दान विकृत हो गया।

फिर भी सम्राट वू ने कहा कि मैंने जो किया है, क्या वह पवित्र नहीं है, धार्मिक नहीं है। बोधिधर्म ने कहा, धर्म का पवित्रता से क्या लेना-देना? धर्म तो पवित्रता से भी मुक्त है। वह अपवित्र और पवित्र, वह सब संसार की बातें हैं।

नाराज हुआ सम्राट, प्रसन्न न हुआ। क्योंकि ऐसे आदमी से कौन प्रसन्न होता है! हम तो लोभ को ऐसा पकड़े हैं कि अगर हमसे दान भी करवाना हो तो हमारे लोभ को फुसलाना पड़ता है। हम तो ऐसे भयभीत हैं कि हमें अगर निर्भय बनाना हो, तो भी हमारे भय को ही सुशिक्षित करना होता है। हमारा जीवन बड़ी उलटी दशा में है। जिंदगी तो जिंदगी, हम मर भी जाते हैं, तो भी हमारी आशाओं का ढांचा नहीं बदलता।

मेरी खाक पर साजे-इकतार लेकर
उम्मीद अब भी एक गीत-सा गा रही है

मर जाते हैं, कब्रें बन जाती हैं, तो भी कब्र पर तुम बैठा हुआ पाओगे: वही पुरानी आशा इकतारा बजा रही है—वही कामना, वही वासना, वही लोभ, वही मोह!

'आत्मा के शुद्ध स्वरूप को जानने वाला तथा परकीय (आत्म-व्यतिरिक्त) भावों को जानने वाला ऐसा कौन ज्ञानी होगा जो यह कहेगा, यह मेरा है?'

महावीर कहते हैं, अज्ञान का आधार है यह कहना कि 'यह मेरा है।' ममत्व, 'मैं' को जोड़ लेना किसी भी चीज से, आत्मा का तादात्म्य बना लेना किसी चीज से—यही

समस्त अधर्म का आधार है। तो वह कहते हैं, शुद्ध स्वरूप को जानने वाला ऐसा कौन ज्ञानी होगा, जो यह कहेगा 'यह मेरा है?' 'मेरा' अज्ञान है—घनीभूत अज्ञान! कहो, मेरा मकान। कहो, मेरी दुकान। या कहो, मेरा मंदिर। या कहो, मेरा धर्म। कहो, मेरा बेटा! या कहो, मेरा गुरु! लेकिन जहां भी 'मेरा' है और जोर 'मेरे' पर है, वहां-वहां अज्ञान है। 'मेरे' का दावा ही अज्ञान का है।

कुछ भी तुम्हारा नहीं है—सिवाय तुम्हारे।

महावीर इस संबंध में बड़े आत्यंतिक हैं और साफ हैं। सिवाय तुम्हारे और कोई भी तुम्हारा नहीं है। तुम्हारा होना ही बस तुम्हारा है। उसी को लेकर तुम आये, उसी को लेकर तुम जाओगे। बाकी तो खेल है। कोई पत्नी है, कोई पति है; कोई मित्र है, कोई शत्रु है; कोई अपना है, कोई पराया है—लेकिन बाकी सब खेल है। जहां तुम ठहरे हो, यहां 'मेरा' कुछ भी नहीं है।

धर्मशाला है; रात रुक गये, ठीक। सुबह चलना है, चल पड़ना है। तो महावीर कहते हैं, 'मेरा' जिसने छोड़ दिया उसका अज्ञान गिर जायेगा।

'मेरा' का अर्थ हुआ कि आत्मा को हम किसी चीज से जोड़ते हैं। जब तुम कहते हो, 'मेरा मकान', तो कौन-सी घटना घटती है। मकान को तो कुछ परिवर्तन नहीं होता, यह तो जाहिर है। तुम मर जाओगे, मकान रोयेगा नहीं। मकान गिर जायेगा तो तुम रोओगे। एक बात पक्की है, जब तुम कहते हो, 'मेरा मकान', तो कोई परिवर्तन तुममें होता है, मकान में नहीं होता। मकान तो वैसा का वैसा बना रहता है।

एक सूफी फकीर अपने विद्यार्थियों को लेकर जा रहा था और राह पर उसने देखा कि एक आदमी गाय को रस्सी से बांधे खींचे लिये जा रहा है। तो उसने अपने विद्यार्थियों को कहा, घेर लो इस आदमी को, एक शिक्षा देनी है। वह आदमी भी थोड़ा चौंका, लेकिन अवाक खड़ा रह गया कि क्या मामला है, क्या शिक्षा है। वह सूफी फकीर ने अपने शिष्यों से कहा, 'मैं तुमसे पूछता हूं कि इनमें गुलाम कौन किसका है? यह आदमी इस गाय का गुलाम है कि गाय इस आदमी की गुलाम?' स्वभावतः शिष्यों ने कहा कि गाय इस आदमी की गुलाम है, क्योंकि इस आदमी के हाथ में गाय की रस्सी है और यह जहां चाहे वहां ले जा सकता है। सूफी फकीर ने कहा, तुमने बहुत ऊपर से देखा। अब ऐसा समझो कि हम यह रस्सी बीच से काट दें तो गाय इस आदमी के पीछे जायेगी कि यह आदमी इस गाय के पीछे जायेगा? उन्होंने कहा, अगर रस्सी काट दी तो गाय तो इस आदमी के पीछे जाने वाली नहीं; यह तो रस्सी में भी मुश्किल से जाती मालूम पड़ रही है। यह आदमी ही गाय के पीछे जायेगा।

तो उस फकीर ने कहा, रस्सी के धोखे में मत पड़ो! इस गाय को इस आदमी से कुछ लेना-देना नहीं है। इस गाय ने कोई तादात्म्य इस आदमी से नहीं बनाया है; इस आदमी ने तादात्म्य बनाया है गाय से। तो गुलाम यह आदमी है, गाय नहीं।

जब तुम कहते हो, 'यह मेरा मकान', तो तुम यह मत सोचना कि मकान भी कहता है कि 'तुम मेरे मालिक।' मकान ऐसी भूल-चूक नहीं करेगा। मकान इतने अज्ञानी नहीं हैं।

मकान को मतलब ही नहीं है। अगर मकान को थोड़ा होश होता तो वह हंसता। वह मुस्कुराता तुम्हारी नासमझी पर। वह शायद तुम्हें क्षमा कर देता कि ठीक है, अज्ञानी हो, चलेगा। लेकिन मकान को तुमसे कोई लेना-देना नहीं है। तुम नहीं थे, तब भी यह मकान बना रह सकता था। तुम नहीं रहोगे, तब भी बना रहेगा।

इब्राहीम सम्राट था बल्ख का। एक फकीर उसके द्वार पर आया और झंझट करने लगा कि मुझे इस महल में ठहरना है। लेकिन वह 'महल' नहीं कह रहा था। वह कहता था, यह 'सराय' में मुझे ठहरना है। बड़े जोर-जोर से लड़ रहा था वह पहरेदार से।

पहरेदार ने कहा, हजार दफे कह दिया यह धर्मशाला नहीं, सराय नहीं। सराय गांव में दूसरी है। यह राजा का महल है। यह राजा का खुद का निवास है। तुम होश में हो? तुम क्या बातें कर रहे हो? यह कोई ठहरने की जगह नहीं।

तो उसने कहा, फिर मैं राजा को देखना चाहता हूं। इब्राहीम भी भीतर से सुन रहा था—बड़े जोर से। और उस फकीर की आवाज में कुछ जादू था, कुछ चोट थी। वह जिस ढंग से कह रहा था, ऐसा नहीं लगता था कि सिर्फ जिद्दी, कोई पागल है। उसके कहने में कुछ रहस्य मालूम होता था। उसने कहा, उसे बुलाओ भीतर। वह फकीर भीतर आया और उसने कहा, 'कौन राजा है? तुम!' वह सिंहासन पर बैठा था, उसने कहा कि साफ है कि मैं राजा हूं। और यह मेरा निवास है और तुम व्यर्थ पहरेदार से झंझट कर रहे हो।

उसने कहा, बड़ी हैरानी की बात है! मैं पहले भी आया था, तब एक दूसरा आदमी इस सिंहासन पर बैठा था और वह भी यही कहता था।

उस राजा ने कहा, वे मेरे पिता थे, वे अब स्वर्गवासी हो गये।

उसने कहा, उनके पहले भी मैं आया था, तब एक तीसरा ही आदमी बैठा था। और हर बार पहरेदार भी बदल जाते हैं। आदमी भी बदल जाते हैं। यह मकान वही है। और हर बार जब मैं आता हूं, तब यही झंझट!

उसने कहा, वे हमारे पिता के पिता थे, वे भी स्वर्गवासी हो गये।

तो उसने इब्राहीम से पूछा, 'जब मैं चौथी बार आऊंगा, तुम मुझे यहां मिलोगे, इस सिंहासन पर, कि फिर कोई और मिलेगा? जब इतने लोग यहां बदलते जाते हैं, इसलिए तो मैं कहता हूं यह सराय है, धर्मशाला है। तुम भी टिके हो थोड़ी देर; मेरे टिक जाने में क्या बिगड़ रहा है? सुबह हुई, तुम भी चल पड़ोगे, हम भी चल पड़ेंगे।

कहते हैं इब्राहीम को बोध हुआ। वह सिंहासन से नीचे उतर आया और उसने कहा कि तूने मुझे जगा दिया। अब तू रुक, मैं चला। अब यहां रुककर भी क्या करना है! जहां से सुबह जाना पड़ेगा, इतनी देर भी क्यों गंवानी!

इब्राहीम ने छोड़ दिया राजमहल। इब्राहीम सूफियों का एक बड़ा फकीर हो गया।

मेरा मकान! मेरा बेटा! मेरा धन! मेरा धर्म! जहां-जहां तुम 'मेरे' को फैलाते हो, वहां-वहां तुम्हारा 'मैं', झूठा 'मैं' खड़ा होता है। जो 'मैं' 'मेरे' के फैलाव से बनता है, उसीको महावीर अहंकार कहते हैं। और जो 'मैं' सब 'मेरे' के टूट जाने पर बचता है, उसको महावीर आत्मा कहते हैं। तो अभी तो तुमने जो अपना 'मैं' जाना है, वह 'मैं' नहीं

है। वह तो तुम्हारी और गाय के बीच में बंधी हुई रस्सी है। वह तुम्हारी अंतरात्मा नहीं है। वह तो तुम्हारे मकान पर लगी हुई तुम्हारे अहंकार की छाप है।

इसलिए महावीर कहते हैं :

को णाम भणिज्ज बुहो, णाउं सव्वे पराइए भावे।
मज्झमिणं ति य वयणं, जाणंतो अप्पयं सुद्धं।।

'ऐसा कौन है जाननेवाला, जो कहेगा यह मेरा है?'

तो जिसने यह जान लिया कि मेरा कुछ नहीं है, वही जानने वाला है। और जिसने यह जान लिया कि मेरा कुछ भी नहीं है, उसी को पता चलेगा मैं कौन हूं।

मेरे पास लोग आते हैं, वे कहते हैं कि कैसे पता चले कि मैं कौन हूं। सीधी प्रक्रिया है : 'मेरे' को शिथिल करते जाओ। जहां-जहां 'मेरे' को पाओ, वहां-वहां रस्सी को काटते जाओ। कुछ छोड़कर भाग जाने की भी जरूरत नहीं है कि तुम घर छोड़कर भागो। क्योंकि छोड़कर भागने में तो ऐसा लगता है कि काट न पाये, डरकर भाग गये। डर लगा कि रहे तो कहीं 'मेरा' हो ही न जाये यह मकान! कहीं लगने न लगे कि मेरा है! तो जंगल भाग गये, जंगल में क्या होगा? जिस झाड़ के नीचे बैठोगे, वही तुम्हारा हो जायेगा।

तुमने देखा, भिखारी भी जिस जगह पर बैठता है सड़क के, वह उसकी हो जाती है! अगर दूसरा भिखारी वहां आ जाये, झगड़ा हो जाता है, अब कुछ नहीं है। चलती सड़क है, किसी की नहीं है, सार्वजनिक है। मगर भिखारियों के भी अड्डे होते हैं। जो भिखारी जिस जगह बैठता है, वह उसकी दुकान है।

एक आदमी एक भिखारी के सामने से गुजर रहा था। वह भिखारी चिल्लाया, 'बाबा! कुछ पैसे मिल जायें, सिनेमा देख आऊंगा।' और सामने तख्ती लगा रखी थी कि मैं अंधा हूं। उस आदमी ने पूछा, तुम अंधे हो? तो उसने कहा कि नहीं, असल में यह दुकान दूसरे भिखारी की है। वह आज छुट्टी पर है। मैं अंधा नहीं हूं, मैं लंगड़ा हूं। यह दुकान दूसरे की है, मैं तो सिर्फ आज बैठा हूं, क्योंकि वह छुट्टी पर है। और मौके की दुकान है। तो जब वह छुट्टी पर होता है तो मुझे बिठा जाता है।

तुम अगर जाओ जंगलों में, हिमालय की गुफाओं में, जहां संसार छोड़कर बैठे हैं संन्यासी, उनकी भी गुफाएं हैं : दूसरा न बैठे। अगर दूसरा बैठ जाये, झगड़ा मच जाता है। तो क्या फर्क पड़ेगा? मकान छूटेगा, गुफा अपनी हो जायेगी। गुफा छूटेगी, सड़क के किनारे बैठ जाओगे तो वह टुकड़ा अपना हो जायेगा। तुम कहां अपने को लगाते हो, यह थोड़े ही सवाल है। कहीं भी तो चिपकाओगे उस 'मैं' को! बस जहां चिपका दोगे, वही झंझट हो जायेगी।

लोग धर्म से भी चिपका देते हैं। मेरा मंदिर! हिंदू कहते हैं, हमारा! मुसलमान की मस्जिद, वे कहते हैं, हमारी! हिंदू को रस आता है मुसलमान की मस्जिद गिर जाये तो।

एक हिंदू पंडित में और एक मुसलमान मौलवी में बड़ी दोस्ती थी। मौलवी नयी मस्जिद बनाने के लिये योजना कर रहा था और दान मांग रहा था। उसने मित्रों को भी पत्र लिखे। उसने उस पंडित को भी पत्र लिखा कि मस्जिद बनाने के लिए चेष्टा कर रहे हैं,

कुछ दान! पंडित ने पत्र लिखा कि यह तो असंभव है; मैं हिंदू हूं और मस्जिद बनाने के लिए दान दूं, यह तो संभव नहीं है। हां, पुरानी को गिराने के निमित्त सौ रुपये भेज रहा हूं। पुरानी गिराओगे न, नयी बनाने के पहले! मेरा दान पुरानी को गिराने के लिये है। इसका उपयोग भर गिराने में कर लेना। बनाने के लिए तो मैं कैसे दे सकता हूं!

मस्जिद गिर जाये, हिंदू प्रसन्न है। मंदिर जल जाये, मुसलमान प्रसन्न है! किसी को परमात्मा से कुछ लेना-देना नहीं है, अपना-अपना है। अगर तुम्हारे परमात्मा पिट रहे हों तो कोई बचाने भी न आयेगा। लोग खुश ही होंगे कि अच्छा है, तुम्हारे ही पिट रहे हैं।

जबलपुर में गणेश-उत्सव पर गणेशों का जुलूस निकलता है, शोभा-यात्रा निकलती है। और हर मोहल्ले के गणेशों की जगह बंटी हुई है। तो पहले ब्राह्मणों के टोले का गणेश होता है, फिर दूसरे टोले। फिर ऐसे पीछे आखिर में हरिजन टोले।

एक बार ब्राह्मणों का टोला आने में थोड़ी देर हो गई और तेलियों के गणेश पहले आ गये। तो जब ब्राह्मणों के गणेश पहुंचे, ब्राह्मणों ने कहा, 'हटाओ तेलियों के गणेश को! तेलियों का गणेश और आगे!'

हां, गणेश भी तेलियों के, ब्राह्मणों के अलग-अलग हैं! तेलियों का गणेश, हटाओ पीछे! यह तो बेइज्जती की बात हो गई। और तेलियों के गणेश को पीछे हटना पड़ा। हिंदू-मुसलमान के देवी-देवता तो छोड़ो, हिंदू के भी देवी-देवता! तेली और ब्राह्मण के अलग हो जाते हैं।

सब जगह आदमी अपने अहंकार की पताका लिये खड़ा रहता है। इस पताका को जो गिरा देता है वही आत्मा को जानने में समर्थ होता है।

छोड़ो इस मेरे-तेरे को। सपनों में ज्यादा रस मत लो।

तर्क-ए-उमीद से ही मिलेगा सुकून-ए-दिल
दो दिन की जिंदगी पर भरोसा किया तो क्या!

इतना ही देखते रहो कि यहां जो है, दो दिन के लिये है, क्षण भर के लिये है। इसकी क्षणभंगुरता को गौर से देखते रहो, तो तुम इसे 'मेरा' न कहोगे।

तर्क-ए-उमीद से ही मिलेगा सुकून-ए-दिल!

और दिल की जो गहन शांति है, वह जो आत्म-शांति है, वासना के त्याग से ही मिलेगी; ममता के त्याग से ही मिलेगी।

दो दिन की जिंदगी पर भरोसा किया तो क्या!

'मैं एक हूं, शुद्ध हूं, ममता-रहित हूं तथा ज्ञान-दर्शन से परिपूर्ण हूं। अपने इस शुद्ध स्वभाव में स्थित और तन्मय होकर मैं इन सब परकीय भावों का क्षय करता हूं।'

अहमिक्को खलु सुद्धो, णिम्ममओ णाणदंसणसमग्गो।
तम्हि ठिओ तच्चित्तो, सव्वे एए खयं णेमि।।

'मैं एक हूं...।'

एक-एक शब्द समझना इस सूत्र का। महावीर कहते हैं, मैं एक हूं। तुम न कह सकोगे कि तुम एक हो। तुम तो अगर गौर करोगे, तो पाओगे तुम एक भीड़ हो। तुम

अनेक हो। तुम तो एक बाजार हो। एक उपद्रव हो, जिसके भीतर कई स्वर हैं।

महावीर ने कहा, साधारणतः मनुष्य 'बहुचित्तवान' है। इस शब्द का प्रयोग अकेले महावीर ने किया है पच्चीस सौ साल पहले। अब आधुनिक मनोविज्ञान इस शब्द का उपयोग करता है। वह कहता है : मल्टीसाइकिक, बहुचित्तवान। एक-एक आदमी के पास एक-एक मन नहीं है; एक-एक आदमी के पास न मालूम कितने मन हैं!

तुम अक्सर कहते हो कि यह मेरे मन को नहीं भाता। लेकिन तुमने कभी खयाल किया कि सुबह जो तुम्हारे मन को नहीं भाता। वही शाम को भाने लगता है! आज जो अच्छा लगता है, कल बुरा लगने लगता है। क्षण भर पहले जो प्रीतिकर था, अब शत्रु मालूम होने लगता है। तो तुम सोचते नहीं कि तुम्हारे भीतर बहुत मन हैं; एक मन नहीं है। अगर एक मन हो तो तुम्हारा प्रेम एकरस होगा। अगर एक मन हो तो तुम्हारा भाव थिर होगा। अगर एक मन हो तो बदलाहट न होगी। तुम्हारे भीतर शाश्वतता होगी, चिरंतनता होगी।

लेकिन तुम तो एक भीड़ हो। गुरजिएफ कहता था, तुम एक ऐसे घर हो जिसका मालिक तो सोया है और नौकर पाली बांध लिये हैं। क्योंकि सभी नौकर मालिक होना चाहते हैं। सभी एक साथ तो हो नहीं सकते। और मालिक सोया है, तो नौकरों ने पाली बांध ली है। आधा-आधा घड़ी को एक-एक नौकर मालिक हो जाता है। जब, जो नौकर मालिक होता है, उस वक्त उसकी चलाता है। फिर वह किसी की नहीं सुनता।

ठीक कहता है गुरजिएफ। ऐसी ही आदमी की दशा है।

जब तुम क्रोध में हो, तब क्रोध की चलती है। यह तुम्हारा एक नौकर है। और क्रोध में तुम ऐसी बातें कर जाते हो कि घड़ीभर बाद जब क्रोध का राज्य जा चुका होगा, तब तुम पछताओगे। क्योंकि तब दूसरा मालिक आ गया। वह मालिक कहेगा, 'यह क्या गलती कर ली? बड़ी भूल हो गई।' क्षमा मांगोगे। और इस दूसरे मालिक के प्रभाव में तुम किसी को कह आओगे कि अब कभी क्रोध न करूंगा।

फिर गलती कर रहे हो। क्योंकि वह जो क्रोध करने वाला है, जब मालकियत में फिर आयेगा, तब यह पश्चात्ताप काम न आयेगा; यह आश्वासन काम न आयेगा। यह किसी और के द्वारा दिया गया आश्वासन क्रोध क्यों पूरा करेगा?

कामवासना उठती है तो तुम उसके प्रभाव में हो जाते हो। फिर सुबह उठकर मंदिर चले जाते हो, ब्रह्मचर्य की कसम खाने लगते हो। भूल गये सांझ। फिर आयेगी सांझ। फिर कामवासना सिंहासन पर बैठेगी। फिर तुम अड़चन में पड़ोगे।

समझने की कोशिश करो। इन मनों में से कोई भी मन तुम्हारा नहीं है। तुम तो अभी सोये हो। इन मनों में से किसी को चुनना नहीं है, क्योंकि इनमें से चुना हुआ तो ठीक वैसा ही रहेगा जैसा लोकतांत्रिक सरकार होती है—बहुमत की। लेकिन बहुमत का कोई भरोसा है? आज जो इस पार्टी में है, कल दूसरी पार्टी में हो जाता है। आज जो मित्र है, कल शत्रु हो जाता है। वहां तो रूप-रंग रोज बदलते रहते हैं। खेल चलता रहता है। जो सरकार बनी दिखाई पड़ती है, वह किसी भी क्षण गिर जाती है। जिनकी कभी आशा न थी, वे सरकार

में पहुंच जाते हैं, मालिक बन जाते हैं। यह चलता रहता है। यह तो सागर में उठती लहरों जैसा खेल है।

तो अगर तुमने कोई कसम खाकर किसी तरह बहुमत बना लिया, तो तुम मुश्किल में रहोगे। वह अल्पमत सदा उपद्रव खड़ा करता रहेगा। वह आंदोलन चलायेगा। वह झंझट पैदा करेगा। वह बहुमत को खिसकायेगा। संयमी और ज्ञानी के जीवन में यही फर्क है। संयमी अपने भीतर एक लोकतांत्रिक सरकार निर्मित करने की कोशिश करता है।

की तर्के-मय तो मायले-पिंदार हो गया
मैं तौबा करके और गुनहगार हो गया।

और तुमने कभी किसी चीज को न करने की कसम खाई?

कसम खाते ही उसमें और रस आने लगता है। खाकर कसम देखो! चाहे इसके पहले कोई रस भी न रहा हो। कसम खाकर देखो...

की तर्के-मय तो मायले-पिंदार हो गया!

—जैसे ही कोई चीज त्यागी कि तुम्हारी कल्पना घोड़ों पर सवार हो जाती है। और वह सोचती है, 'अरे भोग लो! पता नहीं कितना मजा है, नहीं तो दुनिया क्यों इसके खिलाफ है? कुछ न कुछ राज तो होगा ही। नहीं तो इतने लोग समझाने वाले हैं, कोई छोड़ता नहीं।' कल्पना घोड़े पर सवार हो जायेगी।

मैं तौबा करके और गुनहगार हो गया।

पश्चात्ताप करो। तुम कहो, अब कभी न करेंगे। और तत्क्षण तुम्हारे भीतर गुनाह उठने लगेंगे। करने की आकांक्षा प्रबल होगी, जब भी तुम कहोगे अब न करेंगे।

उपवास करके देखो! उस दिन जैसा भोजन में रस लोगे, वैसा कभी न लिया था। उस दिन भोजन ही भोजन करोगे। रात-दिन सपने ही सपने आयेंगे। जिस चीज को छोड़ोगे उसी की तरफ कल्पना रसलीन होने लगती है।

संयमी बड़े अंतर्युद्ध में पड़ जाता है, गृहयुद्ध में पड़ जाता है। ज्ञानी और संयमी में फर्क है। महावीर का जोर ज्ञानी पर है।

महावीर कहते हैं, 'मैं एक हूं, शुद्ध हूं, ममता-रहित हूं तथा ज्ञान-दर्शन से परिपूर्ण हूं। अपने इस शुद्ध स्वभाव में स्थित और तन्मय होकर मैं इन सब परकीय भावों का क्षय करता हूं।'

महावीर यह नहीं कहते कि मैं परकीय भावों का क्षय करके अपने स्वभाव में थिर होता हूं। महावीर कहते हैं, अपने स्वभाव में थिर होता हूं, इसलिए परकीय भावों का क्षय होता।

'मैं अपने स्वभाव में स्थित और तन्मय होकर...।'

असली सवाल उस एक में तन्मय हो जाने का है; संसार के त्याग का कम, सत्य के अनुभव, सत्य के रस का ज्यादा है, सत्य के स्वाद का ज्यादा है।

'मैं एक हूं...।'

कौन है तुम्हारे भीतर एक? वासनाएं तो अनेक हैं? विचार अनेक हैं। देह भी एक

नहीं है, क्योंकि देह भी रोज बदलती है। बचपन में एक थी, जवानी में और है, बुढ़ापे में और होगी। और ये तो मोटे विभाजन हैं, अगर गौर से देखो तो रोज बदलती है। सुबह कुछ है सांझ कुछ है। देह हजार बार बदलती है। मन तो करोड़ बार बदलता है। यह कोई भी एक नहीं है। इन सबके भीतर अगर तुम एक को खोज लो, वह एक ही साक्षीभाव है—ज्ञायक-भाव जिसको महावीर कहते हैं ज्ञाता—वह एक है। बचपन में भी वही था, जवानी में भी वही, बुढ़ापे में भी वही। सुख में, दुख में, क्रोध में, प्रेम में, करुणा में—सब में वही। वह एक है।

उस एक को जिसने पकड़ लिया उसने जीवन का आधार खोज लिया। उस एक पर जो अपने भवन को खड़ा करेगा, उसके शिखर मोक्ष तक उठ जायेंगे।

'मैं एक, शुद्ध, ममता-रहित, ज्ञान-दर्शन से परिपूर्ण...।'

उस अंतरात्मा का एक ही लक्षण है: ज्ञान-दर्शन; जानने की, देखने की क्षमता। बस इतना उसका स्वभाव है। आत्मा का इतना ही स्वभाव है: देखने-जानने की क्षमता। अगर जानो और देखो, इस क्षमता का उपयोग करो, तो संसार बन जाता है। अगर न जानो, न देखो, इस क्षमता को शुद्ध छोड़ दो, उपयोग मत करो, तो मुक्ति फलित हो जाती है।

'अपने इस शुद्ध स्वभाव में स्थित और तन्मय होकर, मैं इन सब परकीय भावों का क्षय करता हूं।'

प्यास भटकी ही सदा, नीर की आशा न मिली
नदी को लहर मिली, तट की दिलासा न मिली
नयन मिले तो अधर पंख थरथरा के रह गए
प्यार को जन्म मिला, प्यार को भाषा न मिली।

—जैसी जिंदगी है, वहां सिर्फ प्यास है, तृप्ति नहीं है।

प्यास भटकी ही सदा, नीर की आशा न मिली!

जिसे तुम संसार कहते हो, वह प्यास और प्यास और प्यास, मरुस्थल! हां, दूर मरूद्यान दिखाई पड़ते हैं, पास पहुंचने पर मरूद्यान सिद्ध नहीं होते।

प्यास भटकी ही सदा, नीर की आशा न मिली।

दिखाई भी पड़े जल-स्रोत, तो भी सत्य सिद्ध न हुए। मन के ही स्वप्न थे!

नदी को लहर मिली, तट की दिलासा न मिली।

तरंगें तो बहुत उठीं, लहरें तो बहुत आईं; लेकिन तट! वह जगह न मिली, जहां सब लहरें शांत हो जाती हैं।

उफ! तूफान तो बहुत रहे, आंधियां तो बहुत रहीं; लेकिन ऐसी कोई शरण न मिली, जहां सुख-चैन हो जाता है।

नदी को लहर मिली, तट की दिलासा न मिली
नयन मिले तो अधर पंख थरथरा के रह गये

और सदा अधूरा-अधूरा रहा; कुछ मिला तो कुछ कम हो गया।

नयन मिले तो अधर पंख थरथरा के रह गये
प्यार को जन्म मिला, प्यार को भाषा न मिली।

इस संसार में प्यास तो है, प्यार तो है; लेकिन न भाषा मिलती, न माध्यम मिलता, न द्वार मिलता। भटकती है रूह रेगिस्तानों में—प्यास के, अतृप्ति के, असंतोष के।

जो बाहर जायेगा तो ऐसा ही होगा। भीतर आते ही किनारा मिलता है। बाहर प्यास ही प्यास है, भीतर तृप्ति ही तृप्ति। मुझे ऐसा कहने दो कि बाहर प्यास ही प्यास है और तृप्ति बिलकुल नहीं; और भीतर तृप्ति ही तृप्ति है, प्यास बिलकुल नहीं। तो असली सवाल भीतर आने का है।

आनंद तुम्हारा स्वभाव है।

'मैं एक हूं, शुद्ध हूं, ममता-रहित हूं, ज्ञान-दर्शन से परिपूर्ण हूं। अपने इस शुद्ध स्वभाव में स्थित और तन्मय होकर मैं इन सब परकीय भावों का क्षय करता हूं।'

वे सारी प्यासें, तड़फड़ाहटें, दौड़, आपाधापी, वह बाहर का सारा जाल, सूखे कंठ, रोती आंखें—उन सबका त्याग होता चला जाता है, क्षय होता चला जाता है।

उपनिषद ठीक महावीर की इस अंतर्दृष्टि को प्रकट करते हैं।

अजो नित्यः शाश्वतोऽयं पुराणो।

मैं सदा रहने वाला, सनातन, सदा सदैव स्थिर रहने वाला आत्मा हूं।

अजो नित्यः शाश्वतोऽयं पुराणो।

और जब तक कोई शाश्वत से न जुड़ जाये, क्षणभंगुर से कैसे सुख पाया जा सकता है? पानी के बबूलों को संपदा बनाने में लगे हो। हाथ में नहीं आते, तब तक तो इंद्रधनुष उन पर बनते हैं; हाथ में आते ही फूट जाते हैं।

उपनिषद कहते हैं : सतां हि सत्य। सत्पुरुषों का स्वभाव ही सत्यमय होता है।

सत्य कोई बाहर की बात नहीं—तुम्हारे स्वभाव की बात है।

सतां ही सत्य। तस्मात्सत्ये रमन्ते।

और वे सदा उस भीतर के सत्य में रमते हैं।

वही महावीर कह रहे हैं तन्मय होकर, स्वभाव में स्थित, परकीय भावों का क्षय करता हूं।

इसे थोड़ा प्रयोग में लाना शुरू करो। उठते-बैठते एक धागा भीतर सम्हालते रहो, जीवन के सारे मनके इसी धागे में पिरो लो। उठो तो याद रखो कि मैं जानने वाला हूं, उठने वाला नहीं। उठ तो शरीर रहा है। उठ तो मन रहा है। मैं सिर्फ जानने वाला हूं। चलो रास्ते पर, तो जानते रहो : चल तो शरीर रहा है, चल तो मन रहा है; मैं तो सिर्फ जान रहा हूं। जान रहा हूं कि शरीर चल रहा, मन चल रहा। भोजन करो तो स्मरण रखो कि भोजन तो शरीर में पड़ रहा है, कि शरीर तृप्त हो रहा है, कि मन तृप्त हो रहा है; लेकिन मैं तो जानने वाला हूं।

इस जानने वाले के सूत्र को तुम जीवन के सारे मनकों में पिरो दो। धीरे-धीरे यह तुम्हें स्वाभाविक होता जायेगा। तुम कुछ भी करोगे, भीतर एक अहर्निश नाद बजता रहेगा : 'मैं ज्ञाता हूं।' उस ज्ञाता में ही तुम एक हो जाओगे। उस ज्ञाता को जानते ही तुम संसार के पार हो जाओगे।

महावीर कहते हैं, जैसे कमल के पत्ते जल में रहते भी जल को छूते नहीं, ऐसे ही फिर जो साक्षीभाव को उपलब्ध हुआ, जल में रहते हुए भी जल को छूता नहीं। तुम फिर कहीं भी हो, तुम संसार के बाहर हो। संसार के भीतर भी तुम बाहर हो। फिर तुम भीड़ में खड़े भी अकेले हो। अभी तो तुम अकेले भी खड़े भीड़ में ही होते हो।

और ये जो वचन हैं महावीर के, ये किसी दार्शनिक के वक्तव्य नहीं हैं। ये किसी तत्वचिंतक की धारणाएं नहीं हैं। ये तो एक महासाधक के अनुभव हैं। इन्हें तुम अनुभव बनाओ, तो ही इनका राज खुलेगा। इन्हें तुम प्रयोग बनाओ और इनके लिए तुम प्रयोगशाला बनो, तो ही ये सूत्र सत्य हो सकेंगे।

सतां हि सत्य। तस्मात्सत्ये रमन्ते।

रमो इन सत्यों में। इन सत्यों को तुम्हारा स्वभाव बनने दो। तब तुम्हारे जीवन में 'उसकी' वर्षा हो जायेगी :

अजो नित्यः शाश्वतोऽयं पुराणो।

उस शाश्वत की जो सदा से है और सदा रहेगा। और उस शाश्वत की वर्षा होते ही क्षणभंगुर से छुटकारा हो जाता है। क्षणभंगुर को छोड़ना नहीं पड़ता। पानी के बबूलों को कोई छोड़ता है? बोध आया—छूट गये! अज्ञान में पकड़ता है, ज्ञान में छूट जाता है। अज्ञान में हम संसार को पकड़ते हैं, ज्ञान में हम स्वयं को पकड़ लेते हैं। और जिसने स्वयं को पा लिया, उसने सब पा लिया। और जिसने स्वयं को खोया, वह कुछ भी पा ले, तो भी उसका पा लिया हुआ कुछ सिद्ध न होगा। एक न एक दिन वह रोयेगा। उसकी आंखें आंसुओं से भरी होंगी।

आज वे मेरे गान कहां हैं?
टूट गई मरकत की प्याली
लुप्त हुई मदिरा की लाली
मेरा व्याकुल मन बहलाने वाले
अब सामान कहां हैं?
अब वे मेरे गान कहां हैं?
जगती के नीरव मरुथल पर
हंसता था मैं जिनके बल पर
चिर वसंत-सेवित सपनों के
मेरे वे उद्यान कहां हैं?
अब वे मेरे गान कहां हैं?

इसके पहले कि आंखें आंसुओं से भर जायें और हृदय केवल राख का एक ढेर रह जाये, जागो! इसके पहले कि जीवन हाथ से बह जाये, छिटक जाये, उठो! अवसर को मत खोओ!

जीवन अल्प है। उसे व्यर्थ में मत गंवा दो। मंदिर तुम्हारे भीतर है। अगर समय का तुम ठीक उपयोग करना सीख जाओ, सामायिक सीख जाओ—मंदिर में प्रवेश हो जाये।

समय को संसार में लगाना और समय को संसार से मुक्त कर लेना—बस दो आयाम हैं।

समय को संसार से मुक्त करो। समय को संसार की व्यस्तता से मुक्त करो! सामायिक फलित होगी! अपने में प्रवेश होगा! आत्मधन मिलेगा! आत्मगीत बजेगा! आत्मा का नर्तन! तन्मय होकर तुम डूबोगे!

आज इतना ही।

२०

पलकन पग पोंछूं आज पिया के

प्रश्न-सार

आपको सुनने के बाद मुझे व्यावहारिक जीवन में शिथिलता आती है। लेकिन जब आप प्रेम और भक्ति पर बोलते हैं तो मन खिल जाता है। कृपाकर मुझे मेरा मार्ग दें।

मेरे भीतर स्तब्धता, सन्नाटा-सा लग रहा है और साथ ही अच्छे-बुरे विचारों का आक्रमण भी। मैं अपने को बहुत असहाय पा रही हूं। भय लगता है!

आप महावीर की अहिंसा पर, बुद्ध के शून्य पर, या कुछ भी बोलते हैं तो उसमें अनिवार्यतः प्रेम जोड़ देते हैं। क्या हम संन्यासियों में प्रेम का अत्यंत अभाव देखकर ही प्रेम का पुनः-पुनः स्मरण कराते हैं?

मुझे समर्पण में बहुत आनंद आता है, ज्ञान से थोड़ा अहंकार जगता है। मैं कौन-सा ध्यान करूं—बताने की कृपा करें।

पहला प्रश्न :

ओशो, आपको सुनने के बाद मुझे व्यावहारिक जीवन में शिथिलता और उदासी का अनुभव होता है। लेकिन जब प्रेम और भक्ति, आनंद और उत्सव पर आप बोलते हैं, तब मन खिल जाता है और आनंद से भर जाता है। कृपापूर्वक मुझे मेरा मार्ग दें।

आनंद कसौटी है। सत्य की चिंता छोड़ो। जहां आनंद है, उसी दिशा में चल पड़ो। सत्य मिलेगा ही। असत्य की दिशा में आनंद हो ही नहीं सकता। इसीलिए तो हमने आनंद को ब्रह्म की परिभाषा बनाया है। सच्चिदानंद!

आनंद कसौटी है। आनंद पर कभी संदेह मत करना। अगर आनंद न होगा तो जल्दी ही पता चल जायेगा। झूठा आनंद ज्यादा देर टिकेगा नहीं।

डूबो! जहां से आनंद की किरण आती है वहीं सूरज है सत्य का। तुम किरण को पकड़ लो और चल पड़ो। सत्य की चिंता ही छोड़ो। किरण पकड़ ली तो सूरज की दिशा

पर चल पड़े। और आदमी के पास दूसरा कोई उपाय नहीं है। सत्य से ही पता चलेगा, क्या ठीक है। क्योंकि जो ठीक है, वही जीवन को संगीत और आनंद से भरता है।

और जब मैं कहता हूं, जो ठीक है, तो मेरा प्रयोजन व्यक्ति-व्यक्ति से है। जो तुम्हें ठीक है, जरूरी नहीं कि तुम्हारे पति को ठीक हो। जो तुम्हें ठीक है, जरूरी नहीं कि तुम्हारे बेटे को ठीक हो। जो तुम्हें ठीक है, जरूरी नहीं कि तुम्हारे भाई को ठीक हो, मित्र को ठीक हो, पड़ोसी को ठीक हो।

जो तुम्हारे लिए ठीक है, उसे भूलकर भी दूसरे पर आरोपित मत करना। वहीं हिंसा शुरू हो जाती है। जो तुम्हारे लिए ठीक है, उसे जीना। और किसी को भी इतना अधिकार मत देना कि वह तुम्हारे ऊपर अपने ठीक को थोप पाये। क्योंकि वहीं से गुलामी शुरू हो जाती है।

न किसी को गुलाम बनाना, न किसी के गुलाम बनना—तो ही तुम धार्मिक हो सकोगे।

और कसौटी एक ही है हाथ में कि जहां तुम्हें आनंद की पुलक मिले, वहां सरकते जाना। अगर झूठा होगा आनंद—उस झूठे आनंद को ही हम सुख कहते हैं।

सुख का अर्थ है: जिसने धोखा दिया आनंद का, लेकिन था नहीं। सुख का अर्थ है: जाकर पता चला आनंद नहीं है। दूर से ढोल सुहावना मालूम पड़ा था। मृग-मरीचिका थी। दूर से कुछ और समझे थे, पास कुछ और सिद्ध हुआ। इसलिए मैं तुमसे सुख से भी भागने को नहीं कहता; क्योंकि अगर तुम भाग गये मृग-मरीचिका को बिना देखे, तो सुख तुम्हारा सदा पीछा करेगा।

मैं तुमसे कहता हूं, सुख में भी जाओ, ताकि वह दुख हो जाये। अगर वह दुख है तो दुख हो जायेगा; और अगर दुख नहीं है तो वहीं से तुम्हारी परमात्मा की सीढ़ियां शुरू होंगी।

लेकिन, मनुष्य के मन को आनंद के लिए तैयार नहीं किया गया है। इसलिए प्रश्न उठता है। इसलिए तुम अपनी इस स्वाभाविक रुझान को भी समस्या बना लेते हो।

अगर वैराग्य की बातें तुम्हें रस नहीं देतीं—छोड़ो! तुम्हारे लिए न होंगी। इसका यह अर्थ नहीं है कि वे बातें गलत हैं। वे किसी और के लिए होंगी। कोई महावीर उस रास्ते से चलकर पहुंचेगा। कुछ प्रयोजन नहीं तुम्हें उनसे।

तुम्हारा हृदय तुम्हें प्रतिपल बताता है कि कौन-सी भूमि तुम्हारे फूल को खिलायेगी।

फिर हर वृक्ष के लिए अलग भूमि होती है। कोई वृक्ष रेत में ही खड़ा होता है। कोई वृक्ष कंकड़-पत्थर चाहता है। कोई वृक्ष काली भूमि चाहता है कि जरा-भी कंकड़-पत्थर न हों। जो एक के लिए अमृत है, वह दूसरे के लिए जहर हो जाता है।

इसलिए सदा ध्यान रखना: कोई वक्तव्य सत्य के संबंध में सार्वभौम नहीं है—व्यक्ति-सापेक्ष है।

वैराग्य की बात किसी को खिलाती होगी। असली सवाल खिल जाना है। किसी को मरुस्थल की रेत में ही खिलने का सौभाग्य होता होगा। कैक्टस मरुस्थल में ही खिलते

हैं। उनका भी अपना सौंदर्य है। गुलाब वहां न खिलेंगे। गुलाब का अपना सौंदर्य है।

तो अपने हृदय से कभी भी जबर्दस्ती मत करना। अगर व्यक्ति अपने हृदय की मानकर चलता रहे, और हृदय के अतिरिक्त, हृदय के विपरीत किसी की न माने, तो सत्य से तुम भटक न सकोगे, पहुंच ही जाओगे।

जहां आनंद न होगा और धोखा खाया, वहां धोखा कितनी देर चलेगा? प्यासे आदमी को कितनी देर झूठे पानी से समझाओगे, बुझाओगे? कितनी देर सांत्वना दोगे? जल्दी ही उसे समझ में आ जायेगा : यहां कोई जलधार नहीं है। हां, लेकिन यह हो सकता है, उसे तुम इस झूठी जलधार के पास ही न पहुंचने दो, तो कभी उसके अनुभव में ही न आ सके कि मृग-मरीचिका थी, वहां कुछ था नहीं। तो शायद उसके मन में सपना अपने ताने-बाने बुनता रहे! शायद मन कहता रहे, वहां सुख था! वहां सुख था!

ऐसा ही मैं तुम्हारे तथाकथित साधु-संन्यासियों में देखता हूं। संसार में सुख नहीं है, ऐसा उनका अनुभव नहीं है। ऐसा किसी अनुभवी की बात को उन्होंने मान लिया है। उनका स्वयं का हृदय तो कह रहा था, सुख है। उस हृदय को तो इनकारा, अस्वीकार किया; किसी और को आरोपित कर लिया। अपने प्राणों की आवाज तो न सुनी; किसी और की आवाज पर चल पड़े। फिर उनका जीवन बड़े दुख से भर जाता है। क्योंकि जहां उन्हें सुख दिखाई पड़ता था, वहां उन्हें अब भी दिखाई पड़ेगा।

आंखें उधार नहीं मिलतीं और न दर्शन उधार मिलता है, मेरी आंख से मैं देख सकता हूं। मेरी आंख से तुम न देख सकोगे। मेरे लिए मैं जी सकता हूं, मेरे लिए तुम न जी सकोगे। और मेरे लिए मैं ही मर सकता हूं, तुम न मर सकोगे।

एक की जगह दूसरे के खड़े होने का कोई भी उपाय नहीं है। मगर वहीं हम धोखा देते हैं।

महावीर ने कहा है तो ठीक कहा होगा। ठीक ही कहा है। लेकिन तुम्हारे लिए कहा है, ऐसा महावीर को तुम्हारे हिसाब से बोलने का कोई कारण भी न था; तुम महावीर के सामने भी न थे। महावीर को तुम्हारा कोई पता भी नहीं है। महावीर ने तो अपना सत्य कहा है। इसे खयाल रखना।

यहां जो मैं तुमसे कह रहा हूं वह जरूरी नहीं है कि तुम्हारा सत्य हो। वह मेरा सत्य है, इतना जरूरी है। ऐसा मैंने जाना। ऐसा तुम भी जानोगे, इसकी कोई अनिवार्यता नहीं है। जान भी सकते हो, न भी जानो!

मुझसे मेल खा जाओ, तुम्हारा व्यक्तित्व मुझसे मेल खाता हो, तो शायद जो मेरा सत्य है वह तुम्हारा भी अनुभव बन जाये। लेकिन अगर व्यक्तित्व मेल न खाता हो, तो मेरा सत्य तुम्हारे ऊपर-ऊपर रहेगा, भीतर-भीतर तो तुम्हारा ही सत्य रहेगा।

सभी दर्शन आत्म-कथाएं हैं, 'ऑटो-बायोग्राफिकल' हैं। वे व्यक्ति के संबंध में हैं।

जब महावीर कुछ कहते हैं, तो वह महावीर के संबंध में सूचनाएं हैं; जब बुद्ध कुछ कहते हैं तो बुद्ध के संबंध में। जब मीरा नाचती है और नाच से कुछ कहती है, तो अपने संबंध में कह रही है।

सत्य के संबंध में जितनी उदघोषणाएं हैं, वह उन व्यक्तियों की उदघोषणाएं हैं जिन्होंने सत्य को जाना। उनके माध्यम से सत्य आया। सत्य ने एक रूप लिया। जरूरी नहीं है वही रूप तुम्हारे लिए ठीक हो। तुम कैसे समझोगे?

कुछ लोग हैं, जो इसलिए मान लेते हैं किसी की बात को, क्योंकि और लोग उसकी बात को मानते हैं। अगर जीसस को एक अरब आदमी मानते हैं तो कुछ तो इसीलिए मान लेंगे कि जिसको एक अरब मानते हैं, वह गलत कैसे हो सकता है?

लेकिन ध्यान रखना, यह भी संभव है कि एक अरब जिसे मानते हों वह तुम्हारे लिए न हो। वह एक अरब के लिए भी सही हो और फिर भी तुम्हारे लिए सही न हो। क्योंकि परमात्मा एक-एक व्यक्ति को अनूठा रचता है, एक-एक व्यक्ति को अद्वितीय रचता है। यही तो मनुष्य की महिमा है।

मनुष्य की तो छोड़ दो फिक्र, एक पत्ते को इस बगीचे से तुम खोज लो, फिर वैसा पत्ता तुम सारी पृथ्वी पर खोजकर भी दूसरा न पा सकोगे।

एक कंकड़ उठा लो मार्ग से, फिर अनंत-अनंत चांद-तारों पर भी खोजते रहो तो ठीक वैसा कंकड़ तुम्हें दुबारा न मिलेगा।

परमात्मा कोई फोर्ड-कार बनाने वाली असेंबली-लाइन नहीं है कि एक-सी कारें! परमात्मा कोई मैकेनिक नहीं है, तकनीशियन नहीं है—कलाकार है।

जितना बड़ा कवि होगा, उतना ही दुबारा किसी गीत को नहीं दोहराता। जितना बड़ा चित्रकार होगा, दुबारा फिर उसी चित्र को नहीं बनाता। दुबारा अगर बना भी ले वैसा चित्र तो आनंद अनुभव नहीं करता।

ऐसा हुआ कि एक आदमी ने पिकासो का एक चित्र खरीदा। कई लाख रुपये का चित्र था। तो स्वभावतः वह पता कर लेना चाहता था कि चित्र नकली तो नहीं है। तो वह पिकासो के पास ही उस चित्र को लेकर गया। और उसने पिकासो से कहा कि मैं यह खरीद रहा हूं, लाखों रुपये का मामला है, मैं इतना पूछने आया हूं कि यह असली है? तुम्हारा ही बनाया हुआ है, किसी की नकल तो नहीं?

पिकासो ने उस चित्र की तरफ बड़ी बेरुखी से देखा और कहा, नकली है, किसी और का बनाया है। पिकासो की प्रेयसी मौजूद थी और वह बड़ी चकित हुई, क्योंकि यह चित्र उस प्रेयसी के सामने ही बनाया गया था। और पिकासो ने ही बनाया था। उसने कहा कि शायद तुम भूल रहे हो, शायद तुम्हारी स्मृति तुम्हें धोखा दे रही है। यह चित्र तुमने मेरे सामने बनाया है। यह तुम्हारा ही बनाया हुआ है।

पिकासो ने कहा, मैंने बनाया है, लेकिन फिर भी नकली है। क्योंकि इसे मैं पहले भी बना चुका हूं। इसको असली कहना ठीक नहीं है, आथैंटिक नहीं है। एक दफा जो बना चुके, बात पुरानी हो गई। अब उसे कोई दूसरा नकल करे या मैं खुद ही उसकी नकल करूं, इससे क्या फर्क पड़ता है? लेकिन यह चित्र मैं पहले भी बना चुका हूं। यह सिर्फ प्रतिध्वनि है, छाया है; असली नहीं है।

परमात्मा दुबारा कोई चीज बनाता नहीं। परम कलाकार है! ऐसा थोड़े ही है कि

जगत चुक गया है, कि अब उसे कुछ सूझता नहीं, कि फिर महावीर को बना दे, फिर राम को बना दे, फिर कृष्ण को बना दे।

देखा तुमने, न महावीर दुबारा, न कृष्ण दुबारा, न राम दुबारा! जो एक बार आता है, फिर दुबारा पर्दे पर आता ही नहीं। इसे स्मरण रखना।

तुम भी नये हो। सीख सबसे लेना, मानना अपनी। सुनना सबकी, अंतिम निर्णय हृदय से लेना।

तो अगर वैराग्य की बातें सुनकर शिथिलता और उदासी आती है; हृदय का फूल खिलता नहीं, कुम्हलाता है; कली फूल नहीं बनती, उलटा फूल अपनी पंखुड़ियां बंद कर लेता है—जैसे सांझ सूरज के डूब जाने पर बहुत-से फूल अपनी पंखुड़ियां बंद कर लेते हैं—तो समझ लेना, यह सत्य तुम्हारा सूरज नहीं। यह होगा सत्य किसी और का, क्योंकि कुछ फूल हैं जो सूरज के डूबने पर ही खिलते हैं। रातरानी हैः उसका होगा, तुम्हारे लिए नहीं है। तुम्हारा रास्ता फिर बिलकुल साफ है।

जहां तुम्हें आनंद की झलक मिले, साहस करके वहां जाना। जरूरी नहीं है कि हर बार तुम वहां आनंद पाओगे, यह मैं नहीं कह रहा हूं। बहुत बार तुम पाओगे वहां कुछ भी न था, राख का ढेर था। लेकिन तब भी अनुभव होगा। तब भी जीवन में प्रौढ़ता आयेगी। राख का ढेर देखकर समझ आयेगी। आगे राख के ढेर पहचानने की कला आयेगी। दुबारा धोखा मुश्किल होगा। तीसरी बार धोखा असंभव हो जायेगा। फिर एक ऐसी घड़ी आ जायेगी कि कितना ही लोभक दृश्य हो, तुम दूर से भी पहचान पाओगे कि कहां राख है, कहां अंगार है; कहां जीवन है, कहां सब बुझा-बुझा है।

भूल-भूल करके ही आदमी सीखता है। गलत को गलत जान लेना सही की तरफ जाने का उपाय है। भ्रांत को भ्रांत पहचान लेना, निर्भ्रांत होने की व्यवस्था है।

तो मैं तुमसे कहता नहीं कि तुम जल्दी भाग जाना, मेरी मानकर भाग जाना। तुम तो अपने ही अनुभव से जाना। होगा सुख, तो स्वर्ग का रास्ता बनेगा। नहीं होगा सुख, तो अनुभव जगेगा।

एडीसन एक प्रयोग कर रहा था। उसमें सात सौ बार हारा। उसके सारे साथी-सहयोगी रुष्ट हो गये, परेशान हो गये। उसके विद्यार्थी तो घबड़ा गये कि अब यह कब खत्म होगा; क्या पूरा जीवन यह एक ही प्रयोग में करते रहना है; सात सौ बार! तीन साल खराब हो गये! एक दिन उसके सब सहयोगियों ने कहा, 'आप सुनिये! आप तो रोज सुबह फिर प्रसन्नचित्त आ जाते हैं और फिर काम शुरू कर देते हैं; लेकिन हमारा भी सोचिये! यह जिंदगी इसी में गंवानी है? सात सौ दफे हार चुके; अब छोड़िये भी! कुछ और करिये!'

एडीसन ने कहा कि तुमसे किसने कहा कि मैं सात सौ बार हार चुका? मैं तो हर बार जीत के करीब आ रहा हूं। समझो कि सात सौ एक दरवाजे हैं उसके, तो सात सौ दरवाजे तो हम खटखटा चुके; वहां नहीं था द्वार, दीवाल थी। वह दरवाजे झूठे थे! अब हम रोज-रोज करीब असली दरवाजे के आ रहे हैं। कितनी देर यह चलेगा! तो सात सौ बार हम असफल हुए, यह तुमसे किसने कहा? हर कदम हमें सफलता के करीब लाया

है। हर विफलता सफलता के करीब लाती है। सात सौ बार के अनुभव ने हमें काफी प्रौढ़ बना दिया है। हमारी परख पैनी हो गई है। अब हमें वो सात सौ मार्ग भटका नहीं सकते। और निश्चित ही ठीक मार्ग के हम करीब आ रहे हैं। कितनी देर होगा, यह तो कहना मुश्किल है।

और कहते हैं, उसके कोई पंद्रह दिन बाद ही एडीसन सफल हो गया। उसने बिजली का पहला बल्ब बना लिया। आज सारी दुनिया उसकी वजह से रोशन है।

जो बाहर के प्रकाश की खोज के संबंध में सही है, वही भीतर के प्रकाश की खोज के संबंध में भी सही है।

जहां सुख मिले—जाना!

मैं यहां तुम्हें डराने को नहीं हूं। डरकर कभी कोई जागा? मैं तुम्हें घबड़ाता नहीं हूं। मैं तुमसे कहता हूं, जाओ! साहस से, हिम्मत से! होगा सुख तो एक कदम और तुमने प्रभु की तरफ लिया। नहीं होगा सुख, तो भी एक कदम प्रभु की ओर लिया। एक द्वार बंद हुआ! इस तरफ जाने में कोई सार नहीं। एक रास्ता गलत हुआ। सही रास्ते के करीब आने लगे।

हृदय की सुनो। तो अगर भक्ति, प्रेम और उत्सव की बात सुनकर तुम्हारे हृदय में कोई धुन बजती है, तुम्हारे हृदय की वीणा कंपित होने लगती है, तो वही तुम्हारा मार्ग है। फिर वैराग्य की बातों को बीच-बीच में मत डालना। क्योंकि फिर तुम सब विकृत कर दोगे। एक बार साफ हो गया कि प्रेम की चर्चा तुम्हें उमंग से भर देती है तो फिर तुम विरागियों की चर्चा की बात ही छोड़ देना। फिर वह रास्ता तुम्हारे लिए नहीं है। फिर उनकी बात तुम्हें झंझट में डाल देगी। प्रेमी की बात बड़ी अलग है।

इश्क हायल है तेरे मिलने में
हमसे ये पर्दा हटाया न गया।

विरागी कहता है कि प्रेम को हटा लो तो परमात्मा से मिल जाओ। प्रेमी कहता है: इश्क हायल है तेरे मिलने में! लोग कहते हैं कि प्रेम के कारण हम तुझसे नहीं मिल रहे हैं; होगा यही सही। हमसे यह पर्दा हटाया न गया! लेकिन हम यह पर्दा न हटा सकेंगे। हम तो, अगर प्रेम के कारण ही तू चूक रहा है तो चूके चले जायेंगे; लेकिन यह प्रेम हमसे न हटाया जायेगा।

भक्त के लिए तो प्रेम ही परमात्मा है। ज्ञानी के लिए प्रेम बाधा है। वह प्रेम को कहता है, राग! हटाओ! वैराग्य को जगाओ! तो ही सत्य मिलेगा।

प्रेमी और भक्त कहता है, पर्दे को नहीं हटाना, अपने को मिटा देना है। प्रेम ही प्रेम रह जाये, तुम न बचो!

इश्क हायल है तेरे मिलने में
हमसे यह पर्दा हटाया न गया।
तुझको देखा तो सेर चश्म हुए
तुझको चाहा तो और चाह न की।

—आंखों की सारी भूख मिट गई तुझे देखते ही! तेरी झलक पाते ही!

तुझको देखा तो सेर चश्म हुए
तुझको चाहा तो और चाह न की।

विरागी कहता है, सब चाह छोड़ो तो परमात्मा मिलेगा। प्रेमी कहता है, उसकी चाह आ गई तो सब चाह अपने से छूट जाती है; छोड़ने की झंझट प्रेमी को नहीं है। उसकी चाह काफी है।

तुझको देखा तो सेर चश्म हुए
तुझको चाहा तो और चाह न की।

फिर उसको चाहने के बाद कहीं कोई और चाह बचती है!

पर ये दोनों अलग-अलग मार्ग हैं। विरागी कहता है, सब चाह छोड़ो—इतना कि परमात्मा की चाह भी छूट जाये। वह भी एक रास्ता है। अचाह में झूब जाओ। परमात्मा तक की चाह न बचे—उतनी भी चाह की रेखा न रह जाये भीतर। परिपूर्ण अचाह में खड़े हो जाओ। जरा भी कंपन न रह जाये चाह का, वासना का। उसी घड़ी मिलन!

प्रेमी कहता है, उसकी चाह में ऐसे डूब जाओ कि तुम न बचो; तुम्हारी सारी जीवन-ऊर्जा बस उसकी चाहत, उसका प्रेम बन जाये। उसी घड़ी मिलन!

दोनों तरफ से मिलन हुआ है। दोनों में कौन ठीक और गलत, इस तरह कहने की बात ही नासमझी है। इतना ही देख लेना, तुम्हारा हृदय किसके साथ खिलता है!

तन से तो सब भांति विलग तुम
लेकिन मन से दूर नहीं हो
जुड़े न पंडित, सजी न वेदी
वचन हुए न मंत्र उचारे
जनम-जनम को किंतु वधू यह
हाथ बिकी बेमोल तुम्हारे
झूठे-सच्चे, कच्चे-पक्के
रिश्ते जितने दुनियाभर के
सबसे तुम मुक्त, प्रेम
के वृंदावन से दूर नहीं हो।
तन से तो सब भांति विलग तुम
लेकिन मन से दूर नहीं हो।

और सब नाते-रिश्ते होंगे संसार के, लेकिन भक्त कहता है, प्रेम का नाता संसार का नहीं है। प्रेम तो वृंदावन है। वह कोई नाता नहीं है। वह कोई बनने मिटने वाली बात नहीं है। वह कोई संबंध नहीं है। वह तो एक आनंद की, अहोभाव की दशा है। वृंदावन है।

झूठे-सच्चे, कच्चे-पक्के
रिश्ते जितने दुनियाभर के
सबसे तुम मुक्त, प्रेम
के वृंदावन से दूर नहीं हो।

और सब होगा बाधा! प्रेम—और बाधा! भक्त को बाधा नहीं दिखाई पड़ती। भक्त तो प्रेम से ही उसके पास पहुंचता है। प्रेम में डूबकर ही उसमें डूबता है।

ये विरागी की और प्रेमी की अलग-अलग भाषाएं हैं। इनमें जो भाषा तुम्हारे हृदय में रम जाये; जिस भाषा की वर्षा में तुम्हारे भीतर के बीज फूटने लगें; जिस भाषा के संपर्क में तुम्हारा व्यक्तित्व निखार लेने लगे; रस जगे; गीत जगे; नृत्य उठे—तो फिर समझना कि हृदय साफ-साफ इशारा कर रहा है किस तरफ चलो। फिर और सारी चिंताएं छोड़ देना—किस घर में पैदा हुए, किस धर्म में पैदा हुए, कौन-सा सिखावन, कौन-सी शिक्षा दी गई, कौन-सा शास्त्र पकड़ाया गया, फिर सब गौण है। हृदय से परमात्मा ने बोल दिया कि तुम्हारे लिए जाने का रास्ता कौन है।

लेकिन ऐसा सभी को न होगा।

यहां कुछ हैं जिनको प्रेम की बात सुनकर बेचैनी शुरू हो जाती है, घबड़ाहट शुरू हो जाती है। विराग की बात सुनकर वह शांत बैठ जाते हैं, कि अब चलो ठीक बात हुई। वह भी गलत नहीं हैं। उनको जो रुचता है, उनको जो पचता है। वे शायद जीवन में काफी जले हैं। और जैसा दूध का जला छाछ भी फूंक-फूंक कर पीने लगता है; प्रेम ने शायद उन्हें काफी जलाया है। यद्यपि जो प्रेम उन्होंने अब तक जाना था, वह बिलकुल ही क्षुद्र था, व्यर्थ था, नाममात्र को था। लेकिन उसने इतना जला दिया है कि अब तो वह परमात्मा की भक्ति की बात या प्रेम की बात सुनकर भी चौंक जाते हैं। वे छाछ को भी फूंक-फूंक कर पीते हैं। मगर ठीक, अगर विराग से उनके हृदय का भाव खुलता है, शांति मिलती है और एक सुख की दशा पैदा होती है, तो वही ठीक। उसी से वे चलें।

और जिस बात पर मैं जोर देना चाहता हूं, वह यह कि कभी भूलकर भी किसी को तुम अपनी भांति चलाने की चेष्टा मत करना। यह चेष्टा हम सबके मन में पैदा होती है। यह हमारे अहंकार का बड़ा गहरा हिस्सा है। हम दूसरे को अपनी प्रतिछवि में बनाना चाहते हैं। बाप अपने बेटे को ढालना चाहता है ठीक अपने जैसा। मां अपनी बेटी को ढालना चाहती है ठीक अपने जैसी। मित्र मित्र को ढालने में लग जाता है। हम सब इस चेष्टा में होते हैं कि अगर हमारा बस चले तो सारी दुनिया को हम अपनी प्रतिछवि में ढाल दें। इससे अहंकार को बड़ी तृप्ति मिलती है। इससे मैं तो हो जाता हूं आदर्श; और सभी हो जाते हैं मेरी छायाएं। इससे मैं तो हो जाता हूं सभी जीवन का मापदंड। इस भ्रांति से थोड़े सजग होना।

तुम्हें अपना सत्य खोजना है। और सभी सत्य निजी सत्य हैं। दूसरे पर थोपना नहीं है। तो न तो थोपना और न किसी को थोपने देना। अगर इन दो बातों से तुम बच गये—क्योंकि बड़ा खतरा यह है कि जो नहीं थोपते, वे दूसरों को थोप लेने देते हैं। जो दूसरे को नहीं थोपने देते, वे खुद दूसरों पर थोप देते हैं।

इस दुनिया में वस्तुतः समझपूर्वक जीना बड़ा कठिन है। समझ के दोनों तरफ नासमझी की अतियां हैं।

मैक्यावली ने कहा है, इसके पहले कि कोई तुम पर आक्रमण करे, तुम आक्रमण कर

देना। क्योंकि यही सुरक्षा का सर्वोत्तम उपाय है। तो यहां प्रत्येक व्यक्ति यही कोशिश कर रहा है कि इसके पहले कि कोई तुम्हारी गर्दन पकड़े, तुम पकड़ लो। इसके पहले कि तुम्हें कोई बदले, तुम बदल दो। इसके पहले कि तुम्हारी कोई परिभाषा करे, तुम परिभाषा कर दो।

तुमने देखा, पूरे जीवन हम एक-दूसरे को परिभाषित कर रहे हैं, हम हजार-हजार तरकीबों से एक-दूसरे की परिभाषा करते हैं। पति खड़ा है, कार में हार्न बजा रहा है, पत्नी देर लगाती है—वह यह घोषणा कर रही है देर लगाकर कि खड़े रहो; मालिक कौन है, जाहिर हो जाना चाहिए! वह पति को परिभाषा दे रही है।

ध्यान रखना, जो जिसको प्रतीक्षा करवा सकता है, वह उसकी परिभाषा कर देता है। तुम दफ्तर में गये किसी से मिलने तो मैनेजर तुम्हें बिठा रखेगा थोड़ी देर, चाहे उसको कोई काम न हो। क्लर्क भी तुम्हें बड़ी देर बाद देखेगा, चाहे वह कुछ भी न कर रहा हो। वह वैसे ही अपने रजिस्टर उलटने लगेगा, क्योंकि वह तुम्हें परिभाषा देना चाहता है कि साफ हो जाना चाहिए कि यहां कौन मालिक है!

मैं तुमको प्रतीक्षा करवा सकता हूं, तो मैं मालिक हूं!

जो प्रतीक्षा करवा सकता है वह ऊपर है। तो पति भी सांझ को क्लब-घर में देर तक बैठा ताश खेलता रहता है, पत्नी को राह दिखवाता है कि घर बैठी रहो, करती रहो प्रतीक्षा खाने के लिए! जरा देर करके ही आयेगा। वह यह साफ बता देना चाहता है कि कौन मालिक है।

तुमने देखा, बड़े नेता सभा में आयें तो हमेशा देर से आयेंगे। बड़ा नेता, और वक्त पर आ जाये! यह बात हो ही नहीं सकती। जितना बड़ा नेता, उतनी देर करके आयेगा। उतनी लोगों को प्रतीक्षा करवा देगा। उनको जाहिर करवा देगा कि तुम कौन हो, तुम्हें साफ हो जाना चाहिए।

जीवन भर हम एक-दूसरे को दबाने की चेष्टा करते हैं—जाने-अनजाने उपायों से। बाप बेटे को बदलना चाहता है। बदलने की चेष्टा में सिर्फ वह यह कहना चाहता है कि मालिक मैं हूं। बेटा भी बड़ा होकर इस बूढ़े बाप को बदलने की चेष्टा करेगा, क्योंकि तब बाप कमजोर होने लगेगा। तब बेटा इसको समझाने लगेगा कि क्या करना उचित है और क्या करना उचित नहीं है, कि तुम सठिया गये हो, कि तुम्हारी बुद्धि तुमने खो दी, कि तुम्हें इस दुनिया का पता नहीं है जो आज है; तुम जिस दुनिया की बातें कर रहे हो, वह गई-गुजरी हो चुकी; अब तुम मेरी सुनो!

इस जगत में इन दोनों अतियों से बचना बड़ा कठिन है। मगर जो बच जाये वही साधक है। न तो तुम दूसरे को दबाने की कोशिश करना और न किसी को अवसर देना कि तुम्हें दबा दे। एक बात तुम साफ कर देना कि चाहे कोई भी कीमत हो, कितनी ही जोखिम हो, मैं अपने हृदय की मानकर चलूंगा। चाहे सब खोना पड़े! इसी को मैं संन्यास की भाव-दशा कहता हूं।

संन्यास कोई बाह्य कृत्य नहीं है—एक भीतरी अंतर्घोषणा है कि अब से मैं अपने हृदय की मानकर चलूंगा, चाहे इसके लिए मुझे सब गंवाना पड़े; चाहे इसके लिए मुझे

दीन-दरिद्र हो जाना पड़े; चाहे राह का भिखारी हो जाना पड़े। राह के भिखारी होने की जरूरत नहीं है; लेकिन अगर यह भी होना पड़े तो मेरी तैयारी है; लेकिन अब एक बात मैंने तय कर ली कि अपने हृदय के अतिरिक्त और किसी की मानकर न चलूंगा। अब मेरा हृदय ही मेरा वेद होगा। और मेरा हृदय ही मेरी भगवदगीता होगी। हृदय ही मेरा कुरान और मेरी बाइबिल होगी।

और तुम चकित होओगे कि जिस दिन तुम हृदय की सुनने लगोगे, उस दिन तुम्हारे जीवन में गति आ जायेगी। कुछ अड़चनें आयेंगी समाज की तरफ से, दूसरों की तरफ से; क्योंकि कल तक जिनकी तुमने मानी थी, अचानक वे इतने जल्दी राजी न हो जायेंगे। वे इतनी जल्दी स्वीकार न कर लेंगे। लेकिन भीतर तुम पाओगे : उमंग आ गई! तरंग आ गई! एक ज्वार आ गया शक्ति का! भीतर तुम पाओगे कि अब तुम दीन-दरिद्र नहीं हो; तुम सम्राट हो गये।

तो जो तुम्हें रुचे। विराग तो विराग! उससे भी लोग परमात्मा तक पहुंचे हैं। भक्ति तो भक्ति!

दूसरा प्रश्न :

ओशो, मेरे भीतर जैसे स्तब्धता, सन्नाटा-सा लग रहा है। खाली-खाली, शून्यता जैसे छा गई हो। और साथ ही अच्छे-बुरे विचारों का आक्रमण भी हावी होता रहता है। मैं क्या करूं? मैं बावरी-सी हो गई हूं। मैं अपने को बहुत असहाय, अकेली और असुरक्षित पा रही हूं। भय लगता है।

'सरोज' का प्रश्न है।

ऐसा होता है। ऐसा होना स्वाभाविक है। क्योंकि जैसे ही हम भीतर जाते हैं, हम अकेले हो जाते हैं। इसीलिए तो लोग भीतर जाने से डरते हैं।

बाहर हैं और लोग, भीतर तो कोई भी नहीं। भीतर तो तुम हो और बस तुम हो। बाहर अनंत लोग हैं, चहल-पहल है। भीतर तो सन्नाटा है। बाहर बहुत भरावट है, भीतर तो शून्य है। और जन्मों-जन्मों तक हम बाहर जीए, संबंधों में जीए, औरों के साथ जीए, भीड़-बाजार, घर-गृहस्थी—हजार व्यस्तताएं!

तो जब भीतर चलना शुरू करोगे तो अचानक अनुभव में आना शुरू हो गया, वह सब तो दूर छूट गया और इस भीतर तो तुम्हारा निकटतम प्रियजन भी नहीं आ सकता। यह तो तुम्हारा नितांत एकांत है। यह तो इतना निजी है, इतना प्राइवेट है कि तुम अपने प्रेमी को भी इसमें निमंत्रित न कर सकोगे। यहां तो बस तुम हो और तुम हो।

तो शुरू-शुरू में बड़ी निस्तब्धता, सन्नाटा, सूनापन नकारात्मक मालूम होगा।

राह देखी नहीं और दूर है मंजिल मेरी
कोई साकी नहीं, मैं हूं, मेरी तन्हाई है।

घबड़ाहट भी होगी; क्योंकि राह देखी नहीं, मंजिल का कोई पक्का पता नहीं कहां है, कहां जा रहे हैं, क्या हो रहा है। मील के पत्थर भी नहीं हैं भीतर। कौन लगायेगा मील का पत्थर? कोई नक्शा भी नहीं है भीतर का। कौन देगा नक्शा? वहां कोई हाथ लेकर चलाने वाला भी नहीं है। तो अचानक आदमी असहाय मालूम होता है।

इस असहाय अवस्था से अगर गुजर गये, अगर इस असहाय अवस्था को शांति से पार कर लिया, तो तुम्हारे जीवन में पहली दफा आत्मबल का जन्म होगा। लेकिन उसके पहले असहाय अवस्था से गुजर जाना जरूरी है। जब झूठी चीजें हाथ से छूटती हैं, तो हाथ खाली हो जाते हैं। हाथों का खाली हो जाना सत्य के उतरने के लिए अत्यंत जरूरी है। लेकिन व्यर्थ के जाने और सत्य के आने के बीच में थोड़ा अंतराल है। उस अंतराल में बड़ी पीड़ा होती है। उस अंतराल को जो पार नहीं कर पाता, वह घबड़ाकर फिर बाहर निकल आता है।

इसीलिए 'सरोज' ने पूछा है: 'एक तरफ खाली-खालीपन और शून्यता छा गई है और दूसरी तरफ अच्छे-बुरे विचारों का आक्रमण भी होता रहता है।'

वह आक्रमण इसीलिए हो रहा है। वह आक्रमण हो रहा है, ऐसा नहीं; बल्कि तुम चेष्टा कर-कर के अच्छे-बुरे विचारों को पकड़ रही हो, ताकि भीतर जो निस्तब्धता है वह एकदम भयावनी न हो जाये। कुछ तो सहारा रहे। विचार ही सही, कुछ तो तरंगें उठती रहें, तो कुछ व्यस्तता बनी रहे।

लोग खाली होने की बजाय दुखी होना भी पसंद करते हैं, क्योंकि कम से कम दुख तो है! कुछ तो है हाथ में! हाथ बिलकुल खाली तो नहीं। कंकड़-पत्थर सही, न हुए हीरे-जवाहरात! लेकिन कोई यह तो नहीं कह सकता कि कुछ भी नहीं है।

अधिक लोग दुख को भी नहीं छोड़ते, क्योंकि उनको डर लगता है—छोड़ दिया इतने दिनों का संग-साथ, तो अकेले हो जायेंगे।

तुमने कभी खयाल किया, बहुत दिन बीमार रहने के बाद अगर तुम बिस्तर से उठो तो बड़ी बेचैनी मालूम पड़ती है: अब कहां जायें! अब तो बिस्तर पर होना जीवन की शैली हो गयी थी। अगर दो-चार साल बिस्तर पर रह गये, तो जो आदमी दो-चार साल बिस्तर पर रह जाता है, फिर वह उठता ही नहीं; इसलिए नहीं कि बीमारी ठीक नहीं होती, बीमारी ठीक भी हो जाये तो अब वह बीमारी को पकड़ लेता है। चिकित्सक इस घटना से भलीभांति परिचित हैं कि अगर बीमारी ज्यादा दिन रह जाए तो बीमार को फिर ठीक करना मुश्किल हो जाता है। क्योंकि उसकी बीमारी आदत का हिस्सा हो जाती है। अब बीमारी को वह अपने जीवन के ढंग में समा लेता है। अब इस ढंग को छोड़ने में अड़चन होगी।

अगर तुम एक दुख के आदी हो गये हो तो तुम उस दुख को सम्हाले रहोगे।

इसलिए अक्सर मैं देखता हूं कि लोग दुख की सीमाएं और स्थितियों को भी छोड़ते नहीं। अगर किसी पत्नी से तुम्हारा जीवन सतत कलह में गुजर रहा है तो भी तुम अलग

नहीं होते। या किसी पति के साथ जीवन एक नारकीय स्थिति बन गई है, तो भी अलग नहीं होते। क्यों? हजार बहाने तुम खोजते हो, लेकिन वह सब बहाने हैं। मौलिक बात यह है कि अब इस दुख की भी आदत हो गई है।

और एक बड़ा अनुभव पश्चिम में आना शुरू हुआ है, जहां कि लोग काफी पति-पत्नियां तीव्रता से बदलते हैं। एक अनुभव आना शुरू हुआ है कि जो आदमी एक पत्नी को छोड़कर दूसरी पत्नी को खोजता है, वह फिर करीब-करीब वैसी ही स्त्री को खोज लेता है जैसी उसने छोड़ी। उसी तरह की कर्कशा या उसी तरह की उपद्रवी! छोड़ा नहीं है अभी एक को, और वह दूसरी को फिर वैसा का वैसा खोज लेता है! क्या कारण होगा? अब तो उसको उसी तरह की स्त्री में रस आने लगा। तो अब वह फिर खोज लेता है। उसकी चाह का ढंग रुग्ण हो गया। अब वह गलत की तरफ उत्सुक हो जाता है। वह फिर वैसी ही व्यक्तित्व वाली स्त्री को खोज लायेगा, जो फिर कहानी को दोहरायेगी। फिर त्याग करेगा।

एक आदमी के बाबत मनोवैज्ञानिकों ने अध्ययन किया। उसने आठ तलाक किये और हर बार वैसी ही पत्नी खोज लाया।

आदमी तो वही है—खोजने वाला वही है—तो फिर वही खोज लायेगा।

तुम जरा खयाल करना अपने जीवन में, तुमने बहुत-से दुख पकड़ तो नहीं रखे हैं जो कि जाना चाहते हैं, लेकिन तुम नहीं जाने दे रहे हो!

तो जब व्यक्ति को सन्नाटा होगा तो वह पुराने विचारों को आमंत्रित करेगा, बुलायेगा। वह आक्रमण नहीं है, तुम्हारा बुलावा है। क्योंकि उस भांति थोड़ी देर को भीतर की रिक्तता भर जाती है। उथल-पुथल मच जाती है।

विचार है, क्रोध है, झगड़ा है, कोई सपना है, कोई योजना है—उतनी देर को तुम अपने भीतर के आकाश को भर लेते हो। उतनी देर को शून्य भूल जाता है।

शून्य में रस लो, तो धीरे-धीरे ये विचार समाप्त हो जायेंगे। यह शून्य बड़ा महिमाशाली है। शून्य को ही तो ध्यान कहा है। सौभाग्य से मिलता है। अब मिल गया है तो इसे खराब मत करो। अब तो इस शून्य में डूबो। यद्यपि प्राथमिक चरण पर डूबना ऐसा ही लगेगा, जैसा मरे, मौत हुई।

और एक अर्थ में ठीक भी है, तुम तो मरोगे ही। तुम जैसे अब तक रहे हो, इस शून्य में डूबोगे, मिट जाओगे। नये का जन्म होगा, आविर्भाव होगा।

'क्या करूं? मैं बावरी-सी हो गई हूं।'

पागलपन जैसा ही लगेगा। भीतर जाओ तो शून्यता; बाहर आओ तो व्यर्थ के विचारों का ऊहापोह है। बाहर आओ तो कोई सार नहीं है और भीतर जाओ तो घबड़ाहट! एक अनंत शून्य मुंह-बाए खड़ा है। तो पागलपन मालूम पड़ेगा। यह पागलपन तभी तक मालूम होगा जब तक शून्य से रस नहीं बैठता।

शून्य में रस लो, पहचान बनाओ! शून्य को गुनगुनाओ। शून्य को नाचो! जब शून्य आ जाये तो अहोभाव अनुभव करो। परमात्मा को धन्यवाद दो। यह उसकी अनुकंपा है।

शून्य इस जगत में परमात्मा की सबसे बड़ी देन है, प्रसाद है। थोड़े-से सौभाग्यशाली लोगों को मिलता है। और जिनको मिलता है, वे भी सभी सम्हाल नहीं पाते। बहुत-से तो उसे नष्ट कर देते हैं। क्योंकि वह देन इतनी बड़ी है कि तुम्हारी पात्रता छोटी पड़ जाती है।

'मैं अपने को बहुत असहाय, अकेली, असुरक्षित पा रही हूं...।'

कोई हर्जा नहीं। मन कहेगा, कोई सुरक्षा खोज लो। मन कहेगा, किसी तरह किसी को अपने इस एकांत में ले आओ। वह अगर भूल की तो शून्य की शुद्धता नष्ट हो जायेगी। फिर संसार निर्मित हो जायेगा। ऐसे ही तो हम बहुत बार वापस कोल्हू के बैल बन जाते हैं।

अब यह एक खिड़की खुली है, इसे बंद मत कर देना। असहाय मालूम होते हो, असहाय सही। स्वीकार करो! असुरक्षित मालूम होते हो, असुरक्षित सही। स्वीकार करो! यह जो तथ्य सामने प्रकट हो रहा है, इसे इनकार मत करो और बदलने की चेष्टा मत करो। इसे भरपूर नजर देखो, अहोभाव से दखो, कृतज्ञता से देखो। कहो कि प्रभु ने यही चाहा कि शून्य होना है, जरूर शून्य से ही जन्म होता होगा! यह मेरी राह शून्य के मंदिर से ही गुजरती है, तो इससे गुजर जाना है।

जल्दी ही इस शून्य का चेहरा बदलना शुरू हो जायेगा। अगर तुमने इसे स्वीकार किया तो इस शून्य में तुम्हें सौंदर्य दिखाई पड़ने लगेगा। जिसे हम स्वीकार करते हैं, उसमें सौंदर्य दिखाई पड़ने लगता है। इसलिए तो अपनी मां किसी को असुंदर नहीं मालूम होती। अपना बेटा किसी को असुंदर नहीं मालूम होता। जिसे हम स्वीकार करते हैं, वहां सौंदर्य का आविर्भाव हो जाता है। सौंदर्य हमारे स्वीकार से पैदा होता है।

सौंदर्य कहीं बाहर कोई गुण नहीं है—हमारे स्वीकार की छाया है। स्वीकार करो—और सौंदर्य पूर्ण बनने लगेगा। स्वीकार करो—और सौंदर्य में बड़ा आनंद आने लगेगा। स्वीकार करो—और शून्य शांति, और परम शांति का धाम बन जायेगा। अगर अस्वीकार किया तो दौड़कर बाहर जाने के अतिरिक्त कोई उपाय नहीं है। और बाहर से ही तो थककर भीतर आ रहे थे! फिर बड़ी विक्षिप्तता पैदा होगी।

शून्य परमात्मा का पहला अनुभव है। पूर्ण परमात्मा का अंतिम अनुभव है। शून्य की तरह परमात्मा आता है; पूर्ण की तरह विराजमान होता है। शून्य की तरह आता है, क्योंकि हमारा मिटना जरूरी है। शून्य की तरह आता है, क्योंकि हम सिर्फ कूड़ा-कर्कट का ढेर हैं। हमें आग देना जरूरी है, ताकि हम जल जायें और वही बचे जो कुंदन है। सिर्फ शुद्ध स्वर्ण बचे और कचरा जल जाये।

तो जब सुनार सोने को आग में डालता है तो सोना भी घबड़ाता होगा, चिंतित होता होगा, बच जाना चाहता होगा, अंगीठी के बाहर आ जाना चाहता होगा। लेकिन उसे पता नहीं कि सुनार की आकांक्षा क्या है। सुनार सोने को नहीं जलाना चाहता। और सुनार भलीभांति जानता है कि सोना जलता नहीं। जो जल जाये वह सोना नहीं है। वह डाल ही रहा है आग में इसलिए कि जो सोना नहीं है, उससे सोना अलग हो जाये।

शून्य आग है। और परमात्मा उन्हीं को डालता है जिन पर उसकी अनुकंपा है।

पात्रता से ही शून्य उत्पन्न होता है। घबड़ाना मत! छलांग लगाकर अंगीठी के बाहर मत गिर जाना। नहीं तो पहले से भी ज्यादा कूड़ा-कर्कट संगृहीत हो जायेगा। स्वीकार करना।

भीतर की यात्रा पर शून्य मिला—यह पहली खबर मिली कि तुम पात्र होने लगे। कम से कम तुम इतने पात्र हुए कि परमात्मा तुम्हें आग में डाले। बड़ी जलन होगी, बड़ी पीड़ा होगी। उस पीड़ा के बिना कोई भी जन्मा नहीं है। उस पीड़ा के बिना किसी को नये जन्म का आविर्भाव नहीं हुआ है।

हुए होश गुम तेरे आने से पहले
हमीं खो गये तुझको पाने से पहले
हुए तुझ बिन बसर क्या बताऊं
किसे होश था तेरे आने से पहले।
हुए होश गुम तेरे आने से पहले।

उसके आने के पहले तुम्हारा होश भी खो जायेगा, तुम भी खो जाओगे। क्योंकि तुमने जिसे अब तक समझा है 'मैं', वह सिर्फ कूड़ा-कर्कट है। वही तो बाधा है।

हमीं खो गये तुमको पाने से पहले!

एक बड़ी महत्वपूर्ण बात याद रखनाः आदमी कभी परमात्मा से मिलता नहीं। जब तक आदमी है तब तक परमात्मा नहीं। और जब परमात्मा प्रकट होता है, आदमी खो चुका होता है। आदमी तो बीमारी है। मिट जाने पर उस परम धन्यता का आविर्भाव होता है। तुम जब खाली कर देते हो सिंहासन, तभी परमात्मा उस पर विराज पाता है। तुम जब तक बैठे हो, तब तक विराज नहीं पाता।

ये पंक्तियां बड़ी मधुर हैंः

हुए होश गुम तेरे आने से पहले
हमीं खो गये तुझको पाने से पहले
हुए तुझ बिन बसर क्या बताऊं

—दिन तेरे आने के पहले कैसे बीते, यह भी कैसे बताऊं!

किसे होश था तेरे आने से पहले!

न तो तेरे आने के पहले होश था, क्योंकि हम बेहोश थे संसार में; न तेरे आने के बाद होश रहा, क्योंकि हम बेहोश हुए तुझमें।

तो यह जो इन दोनों बेहोशियों के बीच—संसार की बेहोशी और परमात्मा की बेहोशी; संसार की शराब और परमात्मा की शराब—इन दोनों मधुशालाओं के बीच जो थोड़ी-सी यात्रा है वहीं थोड़ा-सा होश रहता है। लोग या तो धन में खोये हैं, पद में खोये हैं, मद से भरे हैं; और या फिर लोग परमात्मा में खो जाते हैं। दोनों के बीच में, दो मधुशालाओं के बीच में जो थोड़ा-सा फासला है, वहीं थोड़ा-सा होश रहता है।

'सरोज' अभी उसी यात्रा पर है—दो मधुशालाओं के बीच में। अगर भीतर गई तो

भी होश खो जायेंगे। अगर घबड़ाकर बाहर आ गई तो फिर होश खो जायेंगे। और जब दो मधुशालाओं में ही चुनना हो, जब दो शराबों में ही चुनना हो तो फिर परमात्मा की ही शराब चुन लेना। संसार की तो बहुत चखी, बहुत स्वाद लिया—कुछ पाया नहीं। अब इस अपरिचित, अनजान का भी एक स्वाद ले लें। हिम्मत करना! बावलापन तो उठेगा।

बंगाल में संतों का एक संप्रदाय है, उसका नाम ही 'बाउल' है—बावरे, पागल! बड़े अदभुत संत हुए बाउल। नाचते हैं—आनंद-मग्न! उस भीतर की शराब में मस्त, मदहोश! धीरे-धीरे उनका नाम ही 'बावरा' हो गया। लेकिन जिसे तुम समझदारी कहते हो, उससे वह लाख गुना कीमती है।

तुम्हारी समझदारी भी हाथ में क्या लाती है? कुछ ठीकरे इकट्ठे हो जाते हैं, जो मौत छीन लेती है। कुछ नाम-धाम हो जाता है, जो तुम्हारे जाते ही पोंछ दिया जाता है, दूसरों के लिए जगह बनानी पड़ती है।

> *दुनिया का होश है न कुछ अपनी खबर मुझे*
> *बेखुद बना दिया है यूं तेरे जमाल ने।*

उसमें डूबो! बेखुदी खुदा को पाने का उपाय है। मिटना—होने की एकमात्र संभावना।

यह शून्य डरायेगा, घबड़ायेगा। जैसे कोई पक्षी अब तक घोंसले में रहा हो और आज अचानक खुले आकाश में: घबड़ायेगा! चिंतित होगा, बेचैन होगा! लौट-लौट पड़ेगा मन कि चल पड़ो अपने घोंसले की तरफ, कहां इन तूफानों में उलझने लगे? कहां ये हवाएं और आकाश और बादल, और कहां ये सूरज और ये चांद-तारे! और यह कितना विराट है! भागो! अपने घोंसले में छिप जाओ। ठीक वैसी दशा है। मन बहुत करेगा घोंसले में उतर आने का।

लेकिन अब लौटना मत। अब उसको पुकारा है तो पुकारे ही चले जाना। और अब सुख आये कि दुख, पीड़ा हो कि जलन—अंगीकार कर लेना, क्योंकि हमें पता नहीं है शायद यही हमारे जीवन-निर्माण के लिए जरूरी है।

छैनी से जब कोई पत्थर को तोड़ने लगता है, तो पत्थर भी तो रोता होगा। लेकिन छैनी से टूट-टूटकर ही पत्थर प्रतिमा बनता है। जो राह के किनारे पड़ा था, वह मंदिर के अंतर्गर्भ में विराजमान हो जाता है। जिसको लोग सिर्फ पैर की ठोकरें मारकर निकल जाते थे, उसी के चरणों में लोग आकर सिर झुकाने लगते हैं, फूल चढ़ाने लगते हैं।

> *कसम तुम्हारी बहुत गम उठा चुका हूं मैं*
> *गलत था दावा-ए-सब्रो-शकेब, आ जाओ*
> *करारे-खातिरे बेताब-थक गया हूं मैं।*
> *कसम तुम्हारी बहुत गम उठा चुका हूं मैं!*

चाहे कितनी ही पीड़ा हो, जाना उसी की तरफ!

> *कसम तुम्हारी बहुत गम उठा चुका हूं मैं!*

कहना भी हो, शिकायत भी करनी हो, तो उसी से करना। बाहर मत लौटना। यह

तो कसम खा लेना कि अब बाहर नहीं लौटना है। क्योंकि बाहर को देख तो चुके बहुत, पाया क्या? अब लौटकर भी क्या पायेंगे?

कसम तुम्हारी बहुत गम उठा चुका हूं मैं
गलत था दावा-ए-सब्रो-शकेब...

और मैंने जो धैर्य और सहनशक्ति के बहुत दावे किये थे, वह सब गलत थे। तुम उन पर ज्यादा अब भरोसा मत करो, आ जाओ!

आदमी ने अपने अहंकार में बहुत दफा सोचा है कि मैं सहनशक्ति रखता हूं, शांति रखता हूं, धैर्य रखता हूं, मेरा धैर्य अडिग है!

गलत था दावा-ए-सब्रो-शकेब...

—वे सब दावे जो मैंने किये थे—आत्मबल के, धैर्य के, सहनशक्ति के—सब गलत थे। क्षमा करो मुझे!

गलत था दावा-ए-सब्रो-शकेब, आ जाओ
करारे-ख्वातिरे-बेताब थक गया हूं मैं।

और अब तो मैं थक गया हूं।

'सरोज' पूछती है कि असहाय, बेसहारा...।

तो अब बाहर मत लौटना। अब उसी से कहना कि थक गई हूं बहुत और अब मुझसे नहीं सहा जाता। लेकिन भीतर की तरफ से आंख मत हटाना। कठिन होंगे ये क्षण। लेकिन जो गुजर जाता है इन क्षणों से, वह एक बिलकुल नये अभिनव जीवन को उपलब्ध हो जाता है। ये क्षण क्रांति के क्षण हैं।

सौ में से निन्यानबे लोग तो कभी इस दशा को पहुंचते नहीं। फिर जो सौ लोग पहुंचते हैं उनमें से निन्यानबे बाहर वापस लौट आते हैं। इसलिए शास्त्र कहते हैं, बड़ा दुर्गम है मार्ग। पहुंच-पहुंच कर छूट जाता है। हाथ में आते-आते मंजिल हजारों कोस के फासले पर हो जाती है।

तीसरा प्रश्नः

ओशो, आप महावीर की अहिंसा पर बोलते हैं तो प्रेम जोड़ देते हैं; बुद्ध के शून्य पर बोलते हैं तो प्रेम जोड़ देते हैं। आप कुछ भी बोलते हैं तो प्रेम उसमें अनिवार्यतः जोड़ देते हैं। क्या हम संन्यासियों में प्रेम का अत्यंत अभाव देखकर ही आप प्रेम का पुनः पुनः स्मरण कराते हैं। कृपाकर कहें।

जोड़ता नहीं, उघाड़ता हूं। अहिंसा नाम की मंजूषा में प्रेम का ही धन छिपा है। खोलता हूं मंजूषा को। तुमसे कहता हूं, इसके भीतर तो देखो! यह मंजूषा बाहर से भी बड़ी

सुंदर है! बड़ी नक्काशी है इस पर! बड़े कारीगरों ने मेहनत की है! लेकिन मंजूषा कितनी ही सुंदर हो, मंजूषा है; भीतर तो देखो!

अहिंसा तो शब्द है; सार तो प्रेम है! और अगर सार मर जाये तो फिर अहिंसा पर तुम कितनी ही नक्काशी करते रहो, फिर मंजूषा को तुम ढोते रहो सदियों-सदियों तक—उससे जीवन, उससे अमृत, उससे आनंद का आविर्भाव न होगा। फिर अहिंसा तार्किकों के हाथ में पड़ जायेगी। फिर वे शब्द की ही बाल की खाल निकालते रहेंगे।

महावीर ने अहिंसा शब्द का उपयोग किया प्रेम के लिए। मैं कहता हूं कि अहिंसा को हटाओ और भीतर झांककर देखो। खोलो इस मंजूषा को!

जोड़ता नहीं हूं, उघाड़ता हूं।

अहिंसा हो ही कैसे सकती है बिना प्रेम के? दूसरे को दुख न दो—यह हो ही कैसे सकता है जब तक कि दूसरे के प्रति प्रेम का आविर्भाव न हुआ हो? और अगर तुमने इसे नियम और औपचारिक व्यवस्था की तरह मान लिया कि दूसरे को दुख नहीं देना है, क्योंकि दूसरे को दुख देने से नरक मिलता है—प्रेम के कारण नहीं, भय के कारण दूसरे को दुख नहीं देना है—तो तुम्हारी अहिंसा में बहुत अहिंसा न होगी। तुम्हारी अहिंसा में भी हिंसा प्रकट होगी। तुम्हारी अहिंसा में फिर प्रेम के फूल न खिलेंगे। तुम्हारी अहिंसा निर्जीव होगी।

ऐसा हुआ है, जैनों की अहिंसा निर्जीव हो गई है। उसमें से प्राण तो खो ही गये हैं, लाश रह गई है। हां, लाश को भी ठीक से रासायनिक द्रव्य लगाकर रखो तो सुंदर मालूम हो सकती है। लेकिन लाश लाश है। सुंदरतम व्यक्ति की भी लाश लाश है। प्राण ही खो गये! प्राण तो विधायक तत्व है।

प्रेम विधायक तत्व है। प्रेम का अर्थ है: कुछ तुम्हारे भीतर है।

अहिंसा का तो कुल इतना ही अर्थ है कि दूसरे के साथ बुरा मत करना।

और यह मैं तुमसे कहना चाहता हूं: जब तक तुम दूसरे के साथ भला करने में न लग जाओ, तुम बुरा करने से न बच सकोगे। तुम कुछ तो करोगे। जीवन कृत्य है, कर्म है। अगर मैं तुम्हारे रास्ते पर फूल न बिछाऊंगा तो मैं कांटे बिछाऊंगा। और ऐसा आदमी तुम न पाओगे जो कहे कि मैं सिर्फ कांटे नहीं बिछाता तुम्हारे रास्ते पर, फूल से मुझे क्या लेना-देना। तुम पाओगे कि यह आदमी या तो इतना सिकुड़ जायेगा, जैसे जैन मुनि सिकुड़ गये हैं कि फिर यह डरने लगेगा जीवन में उतरने से; क्योंकि उतरा कि कुछ कृत्य हुआ, कृत्य हुआ तो या तो कांटे बिछाओ या फूल बिछाओ। और इसकी सारी शिक्षण की व्यवस्था यह हो गई: कांटे मत बिछाना। फूल बिछाने की तो इसने हिम्मत खो दी। फूल बिछाने का तो खयाल ही छोड़ दिया। कांटे नहीं बिछाना है!

तुम अगर किसी व्यक्ति की बीमारियां भर अलग करना चाहते हो और उसके जीवन में स्वास्थ्य की आकांक्षा नहीं करते तो तुम उसे स्वास्थ्य न दे पाओगे और बीमारियां भी अलग न कर पाओगे। क्योंकि बीमारी का अलग होना और उसके भीतर स्वास्थ्य का जन्म होना, एक ही सिक्के के दो पहलू हैं।

दूसरे को दुख न दूं, यह गौण बात है। दूसरे को मेरे जीवन से सुख मिले—यह मूल बात है।

प्रेम का इतना ही अर्थ है कि तुम दूसरे की प्रसन्नता में प्रसन्न होने लगो। क्या है प्रेम का अर्थ? तुम कहते हो, मुझे अपनी पत्नी से प्रेम है या बेटे से प्रेम है या मित्र से प्रेम है—क्या मतलब है? इतना ही मतलब है कि जब तुम्हारा बेटा प्रसन्न होता है, तब तुम प्रसन्न होते हो। जब दूसरे की प्रसन्नता तुम्हें प्रसन्न करने लगती है, तो प्रेम। और जब दूसरे की प्रसन्नता तुम्हें अप्रसन्न करने लगती है, तो घृणा। जब दूसरे की अप्रसन्नता तुम्हें प्रसन्न करने लगती है तो क्रोध, घृणा, वैमनस्य, शत्रुता, हिंसा। और जब दूसरे की प्रफुल्लता तुम्हें छूने लगती है और प्रसन्न करने लगती है, तो प्रेम।

अहिंसा का मेरे लिए अर्थ है कि तुम्हें सबकी प्रसन्नता प्रसन्न करने लगे। तो तुम्हारे ऊपर कितनी विराट वर्षा न हो जायेगी! धर्म-मेघ-समाधि! तुम्हारे ऊपर धर्म के मेघ बरस उठेंगे। सब तरफ से किसी की भी प्रसन्नता तुम्हें प्रसन्न करने लगे! एक वृक्ष में फूल खिले और तुम प्रसन्न हो जाओ! सुबह सूरज ऊगे और तुम प्रसन्न हो जाओ! एक बच्चा मुस्कुराये और तुम प्रसन्न हो जाओ! यहां कहीं भी मुस्कुराहट हो और तुम्हारे भीतर भी आनंद प्रविष्ट हो जाये! तो सारा जगत तुम्हें प्रसन्न करने लगेगा। ऐसी प्रसन्न दशा का नाम ही संन्यास है।

और, अगर हर एक की प्रसन्नता तुम्हें दुखी करती है, जैसा कि संसार में होता है—उसी दुख का नाम संसार है। तुम किसी को हंसते नहीं देख सकते। हंसते देखते ही ईर्ष्या पैदा होती है। तुम किसी का बड़ा मकान बनते नहीं देख सकते। बड़ा मकान बनते ही तुम्हारे भीतर अप्रसन्नता पैदा होती है—स्पर्धा, प्रतियोगिता, हिंसा, ईर्ष्या! तुम अगर दूसरे की हंसी में हंसते भी हो तो थोथी हंसी हंसते हो, ऊपर-ऊपर हंसते हो, लोकचार, उपचार। सामाजिक शिष्टाचार है।

'अहिंसा' शब्द ने बड़ा खतरा किया है। वह नकारात्मक है। मैं उसके भीतर छिपे हुए अकारात्मक विधायक प्रेम को उघाड़ना चाहता हूं। जोड़ता नहीं हूं, उघाड़ रहा हूं।

बुद्ध ने जिसे शून्य कहा है, निर्वाण कहा है; कहा है कि तुम मिट जाओ; जब तुम मिट जाते हो तो तुम्हारे भीतर जो बचता है, वही प्रेम है। जितना अहंकार होगा उतना ही प्रेम कम होगा। जब कोई अहंकार नहीं रह जाता तो प्रेम ही प्रेम, प्रेम का सागर है!

और, इसे भी स्मरण रखना कि जब मैं बुद्ध पर बोलता हूं तो अपने पर ही बोलूंगा। बुद्ध तो खूंटी हो सकते हैं ज्यादा से ज्यादा। महावीर पर बोलता हूं तो महावीर खूंटी हो सकते हैं; टांगूंगा तो मैं अपने को ही, और कोई उपाय नहीं है। और कोई उपाय हो भी नहीं सकता। तो जब मैं महावीर पर बोल रहा हूं तो तुम यह मत समझ लेना कि मैं सिर्फ महावीर पर बोल रहा हूं। मैं कोई यंत्र नहीं हूं। मेरी अपनी दृष्टि है। तो महावीर के शब्द हाथ में लूंगा, लेकिन रंग तो मेरा ही उन पर पड़ेगा। उनके शास्त्र को उलटूंगा-पलटूंगा, लेकिन अर्थ तो मेरा होगा।

इसे तुम कभी भूलना मत। मैं कोई उनकी व्याख्या नहीं कर रहा हूं। उनके शब्द प्यारे हैं, पुनरुज्जीवित करने जैसे हैं। उन पर धूल जम गई बहुत, उनकी धूल झाड़ देने जैसी

है। लेकिन जो मैं तुमसे कह रहा हूं, महावीर तो उसमें बहाना हैं; कह तो मैं तुमसे वही रहा हूं जो मैं कह सकता हूं।

ऐसा मुझे दिखाई पड़ता है कि अहिंसा का मूल प्राण प्रेम है। ऐसा मुझे दिखाई पड़ता है कि जब व्यक्ति निर्वाण को उपलब्ध होता है, सब भांति अहंकार-शून्य हो जाता है, तब जो शेष रह जाता है, वही प्रेम का विराट आकाश है। लेकिन यह मेरी दृष्टि है। और अगर मुझे चुनना हो महावीर में और अपने में, तो मैं अपने को चुनता हूं, महावीर को नहीं चुनता। और मैं तुमसे भी यही कहता हूं, तुम्हें अगर चुनना हो मुझमें और अपने में तो अपने को चुनना, मेरी चिंता मत करना। क्योंकि आत्यंतिक चुनाव तो स्वयं का है।

प्रेम, मेरे लिए धर्म का सार है। और मेरे देखे धर्म नष्ट हुआ, सड़ गया...जहां-जहां से प्रेम अलग हो गया धर्म से, वहीं-वहीं धर्म लाश हो गया।

तुम भी थोड़ा सोचो, तुम्हारे जीवन में जब प्रेम न रह जाये, तो तुम जिंदा लाश होओगे! जब तक प्रेम है तभी तक धड़कन है। चाहे उस प्रेम का कोई भी रूप हो, चाहे वह कामवासना हो और चाहे प्रभु-वासना हो; चाहे धन का हो, चाहे धर्म का हो; चाहे देह का हो, चाहे आत्मा का हो; क्षुद्र से क्षुद्र प्रेम हो या विराट से विराट प्रेम हो—लेकिन प्रेम के बिना तुम एकदम खाली हो जाओगे। अचानक तुम पाओगे तुम जी रहे हो, लेकिन जीवन बचा नहीं। निकल गया! पक्षी उड़ चुका है, पिंजड़ा पड़ा रह गया है।

निराले हैं अंदाज दुनिया से अपने
कि तकलीद को खुदकुशी जानते हैं
कोई कैद समझे मगर हम तो ए दिल
मुहब्बत को आजादगी जानते हैं।
निराले हैं अदांज दुनिया से अपने
कि तकलीद को खुदकुशी जानते हैं।

दूसरे के पीछे जो अंधा होकर चल रहा है वह आत्मघात कर रहा है।

कि तकलीद को खुदकुशी जानते हैं
कोई कैद समझे मगर हम तो ऐ दिल
मुहब्बत को आजादगी जानते हैं।

कोई कहता हो कि कैद है...। अगर प्रेम कैद है तो वह प्रेम प्रेम ही नहीं। कहीं कुछ भूल हो रही है। तुमने कुछ को कुछ समझ रखा है। क्योंकि प्रेम ने तो सदा मुक्त किया। प्रेम ने तो इतना मुक्त किया कि तुम्हारा परमात्मा पूरा-पूरा निखार को उपलब्ध हो जाता है। जो प्रेम बांध ले वह प्रेम नहीं; जो मुक्त करे, वही प्रेम है। जो तुम्हारे स्वत्व को प्रकट करे, वही प्रेम है। जो तुम्हारे सत्व को निखारे, शुद्ध करे, वही प्रेम है।

प्रेम ने कभी किसी को बांधा नहीं।

तो जिन लोगों ने कहा है कि प्रेम बंधन है, उन्होंने प्रेम के कुछ गलत रूप जाने होंगे। और जिन्होंने सोचा कि प्रेम को छोड़कर हम मुक्त हुए, उन्होंने जिंदगी को गंवाने को जीवन समझ लिया होगा। वे सिकुड़ने वाले लोग रहे होंगे।

मेरे देखे, फैलो तो ही तुम परमात्मा तक पहुंचोगे। जितने फैलो, जितने विस्तीर्ण होने लगो, उतना शुभ है।

अलम-नसीबों, जिगर-फिगारों
अलम-नसीबों, जिगर-फिगारों
की सुबह अफलाक पर नहीं है।

—जो दुखी हैं, जो कारागृह में पड़े हैं, जिनके हृदय घायल हैं, उनकी सुबह कहीं दूर किसी आकाश पर नहीं है।

जहां पे हम तुम खड़े हैं दोनों
सहर का रौशन उफक यहीं है।

—और जहां हम दोनों खड़े हैं, ठीक इसी जगह सुबह का सूरज ऊगेगा। जहां हम हैं वहीं सूरज ऊगेगा।

यहीं पे गम के शरार मिलकर
शफक का गुलजार बन गये हैं।
यहीं पे कातिल दुखों के तेशे
कतार अंदर कतार किरनों
के आतिशीं हार बन गए हैं!

जहां हम हैं, जैसे हम हैं, वहीं ठीक हमारी ही मौजूदगी और हमारी आज की इस स्थिति में, द्वार खुल सकता है। वह द्वार प्रेम का है।

तुम परमात्मा को आकाश में मत खोजना, अन्यथा भटकोगे व्यर्थ। तुम तो परमात्मा को हृदय के प्रेम में खोजना, तो द्वार खुलेगा। और अगर प्रेम सध जाये तो सब सध जाता है। तो किरणों के भीतर किरणों के द्वार खुलते जाते हैं।

संत अगस्तीन से किसी ने पूछा कि मुझे एक शब्द में सारा शास्त्र समझा दें, ताकि मैं सदा याद रख सकूं। तो अगस्तीन ने बहुत सोचा और कहा कि फिर अगर ऐसा ही कोई शब्द चाहते हो, तो प्रेम। इस एक शब्द को याद रखना। इसके विपरीत मत जाना। और सदा इसके अनुकूल व्यवहार करना; शेष सब अपने से सुधर जायेगा।

तुम जरा सोचो। तुम्हारे जीवन में प्रेम आ जाये, मंदिर न भी गये तो तुम मंदिर पहुंच जाओगे। तुम्हारे जीवन में प्रेम आ जाये और तुमने शास्त्र न भी पढ़े तो तुम शास्त्र पढ़ लोगे। ढाई आखर प्रेम का पढ़ै सो पंडित होय! प्रेम सम्हल जाये तो कुछ बड़ी दार्शनिक चर्चाओं में पड़ने की जरूरत नहीं है।

प्रेम अस्तित्वगत धर्म है। 'एक्झिस्टेंशियल!' बाकी सब बकवास है।

चौथा प्रश्नः

ओशो, मुझे समर्पण में बहुत आनंद आता है। मेरी प्रार्थना

शब्दों-शब्द परमात्मा या आपके लिए होती है। ज्ञान का शब्द अच्छा लगता है, मगर थोड़ा अहंकार जगता है। मेरा प्रतिपल ध्यान में जा रहा है, ऐसा भाव सदा रहता है। तो मैं कौन-सा ध्यान करूं—यह बताने की कृपा करें!

समर्पण जिसे सध रहा हो—ध्यान हो गया। और अन्यथा ध्यान करने की कोई भी जरूरत नहीं है। जिसे शरणागति में मजा आ रहा हो, बस इसी मजे के सहारे को पकड़कर और-और गहरे मजे में उतरते जाओ। रोओ, आंसू बहाओ—आनंद से, प्रफुल्लता से।

एक मित्र परसों आकर कह रहे थे कि थोड़ी घबड़ाहट होती है, क्योंकि जब भी ध्यान करने बैठता हूं, मस्ती आती है तो आंसू आने लगते हैं और शरीर कंपने लगता है और रोमांच हो जाता है। तो मैंने पूछा, क्या करते हो? तो उन्होंने कहा, मैं रोक लेता हूं जबर्दस्ती। सुशिक्षित व्यक्ति हैं—अब रोएं! और काफी उम्र हो गई है। वृद्ध हैं, कोई पैंसठ के करीब उम्र हो गई है। जिंदगीभर कभी रोए नहीं, आंख कभी गीली न की। रोमांच हो जाता है। शरीर कंपने लगता है। कोई समझेगा कि क्या पागलपन हो गया कि बीमारी हो गई कुछ, तो रोक लेते हैं।

मैंने उनको कहा कि अब यह खतरनाक कर रहे हो। एक तरफ तो पैदा कर रहे हो—प्रार्थना, पूजा, ध्यान से—और फिर रोक रहे हो। यह तो विरोधाभासी कृत्य हो जायेगा। यह तो तुम्हारी जीवन-ऊर्जा में विरोध, संकट पैदा हो जायेगा। यह तो खरतनाक है। प्रसन्न होओ, आंसुओं को आनंद से बहने दो!

आनंद के लक्षण हैं आंसू! लेकिन हमने एक ही ढंग के आंसू जाने हैं—वे दुख के आंसू हैं।

आदमी ने कई महत्वपूर्ण चीजों के अनुभव खो दिये; उनमें एक महत्वपूर्ण आंसू भी हैं। आंसू को सीमित कर लिया है; जब दुखी होते हैं, तभी रोते हैं। आंसू का दुख से कुछ लेना-देना नहीं है। आंसू का संबंध तो अतिरेक से है। दुख ज्यादा हो जाये तो आंसू की जरूरत आ जाती है। आनंद ज्यादा हो जाये तो आंसू की जरूरत आ जाती है। जो इतना ज्यादा हो जाये कि प्याली के ऊपर से बहने लगे, तो आंसू आते हैं। आंसू का कोई संबंध न दुख से है न सुख से है—अतिरेक से है।

तो तुम कभी आनंद में रोये या नहीं? अगर आनंद में नहीं रोये तो तुमने आंसुओं की जो सबसे ऊंची चरम अनुभूति थी वह चूक गये। तब तुमने बहुत साधारण-सी अनुभूति दुख की जानी। और दुख के कारण, लोग कहते हैं कि हिम्मत रखो, रोओ मत! और लोग कहते हैं, मर्द बनो, रोओ मत! यह क्या बच्चों के जैसे या स्त्रियों जैसे रोने लगे?

आंसू का जो एक और अनूठा रूप है—आनंद का, अहोभाव का—उससे मनुष्यता वंचित ही हो गई है।

नारद ने अपने सूत्रों में कहा है: भक्त रोमांचित होता! आंसुओं से भर जाता! गदगद हो जाता! कंपित होने लगती उसकी देह! रोआं-रोआं पुलकित हो जाता!

तो जिसको समर्पण में, शरणागति में, आनंद आ रहा है, वह ध्यान की फिक्र न करे। प्रार्थना! जलाये धूप-दीप! नाचे। रोये! पुलकित हो! थोड़े क्षणों को पागल होने की कला सीखे! थोड़े क्षणों को भूले समझदारी और संसार! थोड़ी देर को मीरा बने! लोक-लाज खोई!

ध्यान की कोई जरूरत नहीं है—प्रार्थना की जरूरत है। ध्यान है संकल्प के मार्ग पर। प्रार्थना है समर्पण के मार्ग पर। इसके पहले कि परमात्मा आये, प्रार्थना खूब कर लो, आंखों को खूब निखार लो, रो लो! कहीं ऐसा न हो कि वह आ जाये और तुम्हारी आंखें गीली न हों!

है खबर गर्म उनके आने की
आज ही घर में बोरिया न हुआ।

बिछाने को आसन घर में नहीं है और उनके आने की खबर आ गई है!

कोई फिक्र नहीं, बिना आसन के चल जायेगा। लेकिन और भी कुछ ज्यादा महत्वपूर्ण जरूरी चीजें हैं।

पलकन पग पोंछूं आज पिया के
अंसुअन पूछूं हाल हिया के।

बोरिया न हुआ, चलेगा। लेकिन कहीं ऐसा न हो कि पैर पोंछने के लिए पलकें न हों! कहीं ऐसा न हो कि हाल हिया के पूछने के लिए आंसू न हों!

पलकन पग पोंछूं आज पिया के
अंसुअन पूछूं हाल हिया के।

उसकी तैयारी करो! निमंत्रण भेज दिया, तो आता ही होगा। बुलाया है तो आयेगा ही। अब तुम उसके आने की चिंता न करके, अपनी तैयारी करो।

और बड़ी से बड़ी तैयारी है कि तुम हृदय भरकर रो सको, कि तुम परिपूर्ण डूबकर नाच सको, कि अवाक, आश्चर्यचकित घड़ियां बीत जायें और तुम ठगे-से रह सको!

तुम मिले, प्राण में रागिनी छा गई!
भूलती सी जवानी नई हो उठी
जिस दिवस प्राण में नेह बंसी बजी
बालपन की रवानी नई हो उठी
कि रसहीन सारे बरस रस भरे
हो गए, जब तुम्हारी छटा भा गई
तुम मिले, प्राण में रागिनी छा गई!

भक्त तो यह मानकर ही चलता है कि तुम चल ही पड़े होओगे! खबर मिल ही गई होगी तुम्हें!

वह तैयारी में जुट जाता है।

साधक तो भगवान को खोजता है; भक्त तो भगवान को मानता है। साधक को तो अभी तय करना है कि भगवान है या नहीं। भक्त को उतना तो तय है कि भगवान है; अब इतना ही देखना है कि मेरी पात्रता है या नहीं। इस भेद को स्मरण रखना।

साधक सत्य को खोजने के लिए अपनी पात्रता इकट्ठी करता है। भक्त, सत्य तो है ही, प्रभु तो है ही, अब मैं उसके योग्य बनूं, इसके लिए अपनी पात्रता इकट्ठी करता है। दोनों की दिशाओं में बड़ा फर्क है।

सत्य का खोजी विचार-निर्विचार के पंखों से चलता है। भक्त—न विचार, न निर्विचार; भाव, भक्ति, पूजा, प्रार्थना! एक तो तय ही है बात कि परमात्मा है, इसलिए खोजने का उसके पास सवाल नहीं है। वह खोजने की झंझट में नहीं पड़ता। उसे तो अपने होने की वजह से इतना पर्याप्त प्रमाण मिल गया है कि जीवन है, जीवन का स्रोत भी है। अपनी किरण को देखकर ही समझ गया कि सूरज भी है, अन्यथा किरण कैसे होती? मैं हूं, इतना काफी है। तू भी है! अब कैसे मैं अपने को तैयार कर लूं?

तो अत्यंत प्रेम से भरकर प्रतीक्षा करो! उसकी पग-ध्वनि सुनो! आता ही होगा! द्वार पर कान लगाकर बैठ जाओ। उसके विरह में, जब तक नहीं आया है, उसकी अनुपस्थिति में, उसके अभाव में भी, उसके भाव को अनुभव करो। उसका अभाव भी प्यारा है! इसे समझना।

संसार की चीजें मिल भी जायें तो कुछ नहीं मिलता; और परमात्मा न भी मिले, सिर्फ उसकी याद भी मिल जाये तो सब मिल जाता है!

आखिरी प्रश्न :

ओशो, आपको सुनने के पूर्व मैं कॉलेज की हंसती-खेलती छात्रा रही; सुनने के बाद न जाने क्या हुआ कि कहीं भी रुचि नहीं लगती—सुख-भोग में भी नहीं। सत्संग में आती भी हूं और आने से कतराती भी हूं। कृपापूर्वक मार्ग-दर्शन दें।

जो हंसना-खेलना इतनी सरलता से खो जाये, उसका कोई मूल्य नहीं। मैं तुम्हें ऐसा हंसना-खेलना सिखाऊंगा जो फिर खो न सके।

एक तो बचपन है, जिसमें बच्चे प्रसन्न होते हैं। उस प्रसन्नता का कोई बहुत मूल्य नहीं है—जिंदगी उसे नष्ट कर देगी। फिर एक और बचपन है, जो जीवन की चरम प्रौढ़ता से उपलब्ध होता है। संत फिर छोटे बच्चों जैसे हो जाते हैं। फिर एक हंसना और खेलना पैदा होता है; उसे फिर कोई भी न छीन सकेगा।

तो ऐसा हुआ होगा।

बहुत युवक मुझे सुनने आ जाते हैं, युवतियां सुनने आ जाती हैं। यह शुभ लक्षण है। क्योंकि बूढ़े धर्म की बात सुनने आयें, यह अशुभ लक्षण है। बूढ़े तो धर्म की बात सुनने तभी आते हैं जब जिंदगी में उनके सब उपाय व्यर्थ हो गये, मौत करीब आने लगी! मौत के

भय से! और जब बूढ़े ही मंदिर, मस्जिदों में आने लगते हैं और जवान वहां से खो जाते हैं, तो वे मंदिर-मस्जिद भी कब्रों जैसे हो जाते हैं, मुर्दा हो जाते हैं। शुभ है कि युवा और युवतियां भी धर्म को समझने की कोशिश करें, क्योंकि उनके कारण धर्म भी युवा रहता है। जब भी धर्म जवान होता है, तब उसमें वृद्ध तो आते ही हैं, युवा भी आते हैं।

और यह फर्क समझ लेना। मुझे तो जो वृद्ध भी सुनने आते हैं, वे भी तभी आ सकते हैं जब वे किसी गहरे अर्थ में अभी भी युवा हों। और मंदिर-मस्जिदों में अगर कभी कोई जवान भी पहुंच जाता है तो तभी पहुंचता है जब वह किसी गहरे अर्थ में बूढ़ा हो चुका; वह जिंदा नहीं है अब, रुग्ण है। क्योंकि मैं जो कह रहा हूं, वह जीवन-विरोधी नहीं है। मैं जो कह रहा हूं, वह महाजीवन की खोज है।

तो अनेक बार ऐसा हो जायेगा कि युवा-युवती आ जायेंगे सुनने, सुनकर उनको कई रूपांतरण होंगे। जिसे उन्होंने कल तक हंसी-खुशी समझा था, वह हंसी-खुशी मालूम न होगी। अच्छा है, कुछ बोध जगना शुरू हुआ। क्योंकि अब तक जिसे हंसी-खुशी जाना था, वह केवल नासमझी थी, वह केवल बचपना था। अभी खिलौनों से खेलते रहे थे। मेरे पास आकर उनको दिखाई पड़ जायेगा, ये तो खिलौने हैं। रस खो जायेगा।

असली जीवन की शुरुआत के पहले खिलौनों में रस खो जाना जरूरी है।

फिर आने में डर भी लगेगा। आने का मन भी होगा। आने से बचना भी संभव नहीं है और डर भी लगेगा। डर लगेगा कि कहीं ऐसा न हो कि सारा जीवन का रस खो जाये! और आने से रुकना भी असंभव होगा, क्योंकि कोई रस पैदा होगा जो पुकारेगा और बुलायेगा। एक दुविधा पैदा होगी। यह भी शुभ लक्षण है। यह सोच-विचारशील व्यक्ति का लक्षण है।

सोच-विचारशील व्यक्ति को जीवन में हजार ऐसे मौके आते हैं, जहां उसे तय करना पड़ता है; जहां आधा मन कहता है मत जाओ, आधा कहता है जाओ। कायर आदमी उस आधे मन की मान लेता है, जो कहता है मत जाओ। साहसी व्यक्ति उस आधे मन की मानता है जो कहता है, करो अभियान! खोजो नये को! अपरिचित राह को चुनो!

पश्चिम के एक बहुत बड़े कवि से किसी ने पूछा कि तुम्हारे जीवन में सबसे महत्वपूर्ण बात जिसने तुम्हारे जीवन के अर्थ को निर्णीत किया, कौन-सी थी? तो उसने कहा कि जब मेरे पिता मर रहे थे तो उन्होंने मुझे पास बुलाया और कहा कि सुन, जीवन के हर कदम पर दो रास्ते खुलते हैं। एक रास्ता जाना-माना, जिस पर तुम चलते रहे हो; और एक रास्ता अपरिचित अनजाना, जिस पर तुम कभी नहीं चले हो। मन सदा कहेगा, जाने-माने को चुन लो, क्योंकि मन बहुत आर्थोडाक्स है। जाने-माने को कभी मत चुनना, क्योंकि जिस पर चलते ही रहे हो, अब और चलकर क्या होगा? अनजाने को चुन लेना।

और जिंदगी के हर रास्ते पर दो कदम खुलते हैं। दो रास्ते खुलते हैं। सदा अनजाने को चुनते रहना।

उस कवि ने कहा, मैंने पिता की बात मान ली। बड़ी कठिन थी। और कई बार भूला। कई बार चूका। लेकिन फिर भी उस सूत्र को सम्हाले रहा। इसी तरह मेरे जीवन में

रोज-रोज सत्य की नयी-नयी सुबह हुई; सत्य का नया-नया सूरज निकला।

अपरिचित, अनजान, अज्ञात—उसे जो चुनता है, उसने परमात्मा को चुना।

तो डर लगेगा यहां आने में। क्योंकि मैं तुम्हें रोज अनजान की तरफ, अपरिचित की तरफ धक्के दूंगा। मन कहेगा, रुक जाओ, मत जाओ।

इलाहाबाद में मैं बोल रहा था कई वर्षों पहले। जिन मित्र ने मुझे बुलाया था, वे हिंदी के एक कवि और लेखक हैं। वे सामने ही बैठे थे। कोई दस-पंद्रह मिनट मैंने देखा कि उनकी आंखों से आंसू गिरते रहे; फिर वे एकदम से उठे और भवन के बाहर निकल गये। उन्होंने ही मुझे बुलाया था। फिर तीन दिन उनका कोई पता ही न चला। जब विदा का दिन आया तो वह मुझे स्टेशन छोड़ने आये। मैंने पूछा कि कहां चल दिये! उन्होंने कहा कि पंद्रह मिनट तो मैं सुनता रहा, फिर मैं डरा। फिर मुझे लगा कि यह आदमी खतरे में ले जायेगा। तो मैंने कहा कि इसके पहले कि कोई झंझट शुरू हो, यहां से निकल जाना चाहिए। तो मैं निकल गया।

यह स्थिति सभी के सामने आयेगी। मेरे साथ चलना है तो बहुत कुछ जो तुम्हारी जिंदगी में तुम्हें कल तक मूल्यवान मालूम होता रहा, मूल्यहीन हो जायेगा। लेकिन मैं तुमसे कहता हूं, अज्ञात के लिए सदा अपने द्वार खुले रखना। क्योंकि वही द्वार है, जिससे परमात्मा प्रवेश करता है।

आज इतना ही।

२१

जिन-शासन अर्थात आध्यात्मिक ज्यामिति

सूत्र

मग्गो मग्गफलं ति य, दुविहं जिणसासणे समक्खादं।
मग्गो खलु सम्मतं मग्गफलं होइ निव्वाणं।।52।।

दंसणाणचरित्ताणि, मोक्खमग्गो त्ति सेविदव्वाणि।
साधूहि इदं भणिदं, तेहिं दु बंधो व मोक्खो वा।।53।।

आण्णाणादो पाणी, जदि मण्णादि सुद्धसंपओगादो।
हवदि त्ति दुक्खमोक्खं परसमयरदो हवदि जीवो।।54।।

जिन-दर्शन गणित, विज्ञान जैसा दर्शन है। काव्य की उसमें कोई जगह नहीं है।

वही उसकी विशिष्टता है।

दो और दो जैसे चार होते हैं, ऐसे ही महावीर के वक्तव्य हैं। उन्हें समझने के लिए ठीक वैज्ञानिक की बुद्धि चाहिए। जैसे सौ डिग्री तक हम पानी को गर्म करें, तो वह भाप बन जाता है। सौ डिग्री तक पानी गर्म हुआ कि भाप बनेगा ही। इस भाप को बनाने के लिए न तो किसी की प्रार्थना करनी जरूरी है, न किसी का आशीर्वाद लेना जरूरी है। और अगर सौ डिग्री तक पानी गर्म न हुआ, तो लाख प्रार्थना करो, लाख आशीर्वाद लो, पानी पानी ही रहेगा, भाप न बनेगा।

जैसे विज्ञान कहता है, परमात्मा की कोई जरूरत नहीं है, प्रकृति के नियम काफी हैं, पर्याप्त हैं; परमात्मा के होने से उन नियमों में कुछ जुड़ेगा नहीं। विज्ञान की एक मूलभूत धारणा है—और वह है न्यूनतम सिद्धांत। जितने कम सिद्धांतों से काम चल सके उतना उचित है। चेष्टा तो विज्ञान की यही है कि अंततः एक ही सिद्धांत मिल जाये जिससे जीवन की सारी पहेली सुलझ सके। इसलिए गैर-अनिवार्य को बिलकुल जगह नहीं देना है।

अगर सौ डिग्री गर्म करने से पानी भाप बन जाता है तो फिर पानी को भाप बनाने

के लिए और किसी परमात्मा की जरूरत नहीं है। और किसी की प्रार्थना भी व्यर्थ है। इस नियम को जिसने जान लिया, वह अगर पानी को भाप बनाना चाहेगा तो बना लेगा।

विज्ञान के हिसाब से परमात्मा हमारे अज्ञान का हिस्सा है। क्योंकि हम जानते नहीं जीवन के नियम को, इसलिए हम परमात्मा का नाम लेते हैं। तुमने देखा भी होगा, जब भी तुम कहते हो 'परमात्मा जाने' तो तुम्हारा मतलब यह होता है कि कोई नहीं जानता। 'परमात्मा जाने' का यह अर्थ नहीं होता कि परमात्मा जानता है—इतना ही अर्थ होता है कि तुम भी नहीं जानते, कोई भी नहीं जानता। जहां तुम्हें अपने अज्ञान को प्रकट करना होता है वहां तुम परमात्मा को ले आते हो। लेकिन इस ढंग से प्रकट करते हो कि लगता है जैसे कोई जानता है। 'परमात्मा जाने', इसमें तुमने यह भी छिपा लिया कि मैं नहीं जानता। और दूसरे के सामने यह बात ढांक दी, अज्ञान को छिपा लिया, प्रकट न होने दिया।

विज्ञान कहता है: जैसे-जैसे ज्ञान बढ़ता है, परमात्मा हटता जाता है। जिस दिन ज्ञान पूरा हो जायेगा, परमात्मा शून्य हो जायेगा।

महावीर की भी ऐसी ही दृष्टि है। इसलिए महावीर ने परमात्मा को इनकार किया, प्रार्थना को इनकार किया—शुद्ध जीवन के गणित को समझने की कोशिश की।

आदमी बंधन में है, तो कारण होंगे। अगर आदमी को बंधन-मुक्त होना है तो उन कारणों को अलग करना होगा। बस, इतना सीधा-साफ। और सब आकांक्षाएं, अपेक्षाएं अपने आप को भुलाने के उपाय हैं।

कोई तुम्हें बंधन में डाला नहीं है, कोई तुम्हें मुक्त करने न आयेगा। जीवन के सीधे नियम का तुम उपयोग नहीं किये, इसलिए बंधन में पड़ गये हो। उपयोग कर लोगे, बंधन के बाहर हो जाओगे।

जैसे कोई आदमी सम्हलकर चलता हो तो गिरता नहीं। जो आदमी गिर जाता है, उससे हम कहते हैं, सम्हलकर चलो!

सम्हलकर चलने का क्या अर्थ होता है? सम्हलकर चलने का अर्थ होता है: जमीन की गुरुत्वाकर्षण की शक्ति है, उसका ध्यान रखकर चलो। अगर इरछे-तिरछे चले—गिरोगे। वही गुरुत्वाकर्षण का नियम जो तुम्हें चलाता है, सम्हालता है, जिसके बिना चल न सकोगे, अगर उसके विपरीत गये तो गिरोगे, हाथ-पैर तोड़ लोगे, फिर कभी चल न पाओगे। तो गुरुत्वाकर्षण के निमय को समझ लो और अपने और उस नियम के बीच एक संगीत का संबंध बना लो। इतना ही धर्म है।

महावीर धर्म की परिभाषा करते हैं: जीवन के स्वभाव सूत्र को समझ लेना धर्म है। जीवन के स्वभाव को पहचान लेना धर्म है। स्वभाव ही धर्म है।

ये सूत्र ऐसे ही सीधे-साफ हैं।

पहला सूत्र:

मग्गो मग्गफलं ति य, द्रविहं जिणसासणे समक्खादं।
मग्गो खलु सम्मतं मग्गफलं होइ निव्वाणं।।

'जिन-शासन में मार्ग तथा मार्ग-फल, इन दो प्रकारों से कथन किया गया है। मार्ग है मोक्ष का उपाय और फल है निर्वाण।'

मार्ग और मार्ग-फल! बस महावीर के सारे वचन इन दो हिस्सों में बांटे जा सकते हैं: कारण और कार्य। ऐसा करो तो ऐसा होगा। बस इतनी दो सरणियों में महावीर के पूरे कथन बांटे जा सकते हैं। कुछ कथन हैं जो बताते हैं क्या करो और कुछ कथन हैं जो बताते हैं कि फिर क्या होगा। अगर जहर पी लो तो मृत्यु होगी। अगर अमृत को खोज लो तो अमरत्व को उपलब्ध हो जाओगे।

परिणाम कारण के पीछे ऐसे ही चला आता है जैसे तुम्हारे पीछे तुम्हारी छाया चली आती है। तो करना क्या है? न प्रार्थना, न पूजा, न मंदिर, न पाठ; क्योंकि इनसे कुछ भी न होगा। इनसे कारण का कोई संबंध नहीं है।

यह तो ऐसे ही है जैसे वर्षा नहीं हो रही और कोई यज्ञ कर रहा है। इसका कुछ लेना-देना नहीं है। यज्ञ से कोई कार्य-कारण का संबंध नहीं है वर्षा से। कि कोई बीमार पड़ा है और तुम ताबीज बांध रहे हो; ताबीज से और बीमारी का कोई कार्य-कारण का संबंध नहीं है। इलाज करो। बीमारी के रोगाणु हैं, उनसे मुक्त होने की व्यवस्था करो। ताबीज से रोगाणु डरेंगे न और न मुक्त होंगे और न तुम उनसे मुक्त हो सकोगे।

महावीर कहते हैं, जीवन में दुख है तो तुम ठीक-ठीक कारण खोजो। दुख से तुम बचना चाहते हो, यह तो हमें मालूम है; लेकिन सिर्फ बचने की आकांक्षा से बच न सकोगे। और दुख से तुम बचना चाहते हो, इसलिए कोई भी कुछ बता देता है, वही करने लगते हो—इससे भी न बच सकोगे। हो सकता है बताने वाले की भी आकांक्षा शुभ हो; खोजने वाले की भी आकांक्षा शुभ हो; लेकिन आकांक्षाओं से थोड़े ही जीवन चलता है। जीवन चलता है सत्यों से, नियमों से। तो नियम को खोज लो। नियम के खोजते ही जीवन में क्रांति घटित होती है।

उस नियम की खोज को महावीर कहते हैं: मार्ग। वही मार्ग पकड़ में आ जाये तो फिर परिणाम के लिए प्रार्थना भी करनी जरूरी नहीं है, उतना भी समय खराब मत करना। क्योंकि जब तुमने आग जला दी और पानी गर्म होने लगा तो अब बैठकर प्रार्थना मत करना कि हे परमात्मा, इसको भाप बना! अब किसी परमात्मा को बीच में लाने की जरूरत नहीं है। अब तो पानी भाप बनेगा। ईंधन पूरा है, आग जल उठी है—पानी भाप बनेगा। अब इसे कोई रोक भी न सकेगा। इस नियम के विपरीत कुछ घट न सकेगा।

महावीर चमत्कार में नहीं मानते। कोई वैज्ञानिक बुद्धि का व्यक्ति नहीं मानता। चमत्कार कहीं न कहीं धोखा होगा, क्योंकि नियमों का कोई अपवाद नहीं होता। अगर कोई आदमी हाथ से राख निकाल देता है तो कहीं न कहीं कोई मदारीगिरी होगी, क्योंकि जीवन के नियम किसी का अपवाद नहीं मानते। जीवन के नियम व्यक्तियों की चिंता नहीं करते—निर्वैयक्तिक हैं, सार्वभौम हैं। उनसे अन्यथा होने का उपाय नहीं।

अगर कोई आदमी साठ डिग्री पर पानी को भाप बना दे तो या तो थर्मामीटर से धोखा दे रहा है या किसी तरह का आयोजन कर रहा है, जिससे तुम्हें यह भ्रम पैदा

होता है कि साठ डिग्री पर पानी भाप बन रहा है।

पानी तो सौ डिग्री पर ही भाप बनेगा। उसने किसी तरह का भ्रमजाल रचा है। लेकिन चमत्कार जगत में नहीं होते।

चमत्कार का तो अर्थ यह होता है कि जगत के नियम पक्षपात करते हैं। किसी एक आदमी की मानकर कुछ उलटा भी कर देते हैं। किसी दूसरे की मानकर नियम में शिथिलता कर देते हैं। किसी तीसरे पर नाराज हो जाते हैं। जिस पर प्रसन्न हैं, साठ डिग्री पर पानी भाप बन जाता है; जिस पर नाराज हैं, उसके लिए डेढ़ सौ डिग्री पर भी भाप नहीं बनता।

मगर महावीर कहते हैं, पानी सौ डिग्री पर भाप बनता है। नियम न नाराज होते, न प्रसन्न होते। नियम निर्वैयक्तिक है। इसको खयाल में लेना। परमात्मा व्यक्ति है।

तो जब भी हम परमात्मा की बात करते हैं, हमारे मन में संभावनाएं उठने लगती हैं कि अगर खूब प्रार्थना करें, खूब स्तुति करें, खूब समझा-बुझा लें, तो जो दूसरे के लिए नहीं हुआ है वह हमारे लिए हो जायेगा। क्योंकि व्यक्ति के आते ही लगता है फुसला लेंगे, राजी कर लेंगे, समझा लेंगे, रोयेंगे, गिड़गिड़ायेंगे, सहानुभूति पैदा कर लेंगे, करुणा मांगेंगे! आखिर परमात्मा दयालु है, तो खूब रोयेंगे तो दया उठेगी।

लेकिन महावीर कहते हैं, ऐसे तुम किसी और को धोखा नहीं दे रहे, अपने को ही धोखा दे रहे हो।

ऐसी चेष्टाएं व्यर्थ हैं और उनमें गंवाया गया समय तुमने व्यर्थ ही गंवाया। मार्ग को खोज लो!

महावीर का जोर मार्ग पर है; परमात्मा के सहारे पर नहीं; परमात्मा के आलंबन पर नहीं। यही तो सारे विज्ञान की दृष्टि है। विज्ञान कहता है, कहीं कुछ घट रहा है। हमें आज पता न हो क्यों घट रहा है; लेकिन जिस दिन पता चल जायेगा उस दिन फिर घटाने की शक्ति हमारे हाथ में आ जायेगी।

और जब तक हमें पता नहीं है तब तक बेहतर है कि हम कहें कि हमें मालूम नहीं।

तो महावीर के अधिक वचन तो मार्ग-सूचक हैं। और कुछ वचन फल-सूचक हैं। ऐसा पूरा जिन-शासन दो हिस्सों में विभाजित है।

आइंस्टीन भी इससे राजी होगा। प्लांक भी इससे राजी होगा। रसेल भी इसमें भूल-चूक न निकाल पायेगा। इसलिए महावीर के वचनों में या जैन शास्त्रों में तुम्हें कहीं काव्य न मिलेगा, काव्य का चमत्कार न मिलेगा। पढ़ोगे तो रूखे-सूखे लगेंगे। ठीक गणित की किताबें हैं—ज्यामिति, आध्यात्मिक ज्यामिति। अंतरात्मा के संबंध में ज्यामेट्री खड़ी की है।

तो उपनिषदों में जैसा सौंदर्य है, कृष्ण के वचनों में जैसा रस है वैसा महावीर के वचनों में नहीं है।

गणित को गाया नहीं जा सकता। गणित को गाओ तो गणित बिगड़ जाता है। क्योंकि गाने के लिए कुछ गैर-गणित भीतर लाना पड़ता है।

इसलिए तो हम कवि से कभी तार्किक होने की अपेक्षा नहीं करते। और कवि अगर सपनों की बात करे तो हम उसे क्षमा करते हैं। और कवि अगर मनगढंत बातों में घूमे तो हम कहते हैं, कवि है, कविता है।

लेकिन गणितज्ञ से हम दूसरी अपेक्षा करते हैं। गणितज्ञ से हम चाहते हैं सीधी-साफ रेखा हो, शुद्ध रेखा हो, जिसमें कुछ भी गणितज्ञ ने अपने भाव के कारण न डाला हो। केवल सत्य का प्रतिफलन हो। शुद्ध सत्य का प्रतिफलन हो। सजावट न हो, शृंगार न हो।

इसलिए महावीर के वचन, जैसे महावीर नग्न हैं वैसे ही महावीर के वचन भी नग्न हैं। उनमें कोई सजावट नहीं है। जैसा है वैसा कहा है। और जिनके पास वैज्ञानिक बुद्धि है उनको महावीर पर बड़ी श्रद्धा पैदा होगी। उनको महावीर के साथ बड़ा संबंध जुड़ जायेगा।

'मार्ग तथा मार्ग-फल, इन दो प्रकार से कथन किया है। मार्ग मोक्ष का उपाय है और उसका फल मोक्ष या निर्वाण...'

मोक्ष या निर्वाण शब्द को समझ लेना चाहिए।

'मोक्ष' शब्द बड़ा अनूठा है। भारत के बाहर की किन्हीं भाषाओं में मोक्ष के पर्यायवाची कोई शब्द नहीं है। स्वर्ग है सभी भाषाओं में, लेकिन मोक्ष भारत के बाहर की किन्हीं भाषाओं में नहीं है। क्योंकि मोक्ष की धारणा ही किसी और देश में पैदा नहीं हुई। उतनी ऊंचाई तक, उतनी गहराई तक मनुष्य की चिंतना और ध्यान गया नहीं कहीं और।

मोक्ष का अर्थ होता है: जहां सुख भी नहीं, दुख भी नहीं।

स्वर्ग का अर्थ होता है: जहां सुख है, भरपूर सुख है। स्वर्ग का अर्थ होता है: जो हम चाहते हैं वही है; जैसा हम चाहते हैं वैसा है। हमारी चाह का परिपूरक है। हमारी चाह को भरता है। हमारी चाहत के अनुकूल जहां सब हो रहा है वहां स्वर्ग है। तो जहां हमारी चाह पूरी होती है वहां क्षण भर को हम भी स्वर्ग में हो जाते हैं।

नरक का अर्थ है: जहां सब हमारी चाह के विपरीत हो रहा है; जो हम चाहते हैं ठीक उससे उलटा हो रहा है; जिस-जिससे हम बचना चाहते हैं वही-वही हो रहा है।

नरक और स्वर्ग सारी दुनिया की भाषाओं में हैं।

'मोक्ष' बड़ा अनूठा शब्द है। मोक्ष का अर्थ है: न तो हमारी अब कोई चाह है, न हमारी कोई पसंद है। क्योंकि महावीर कहते हैं, जब तक चाह है तब तक बंधन रहेगा। हां, यह भी हो सकता है कि तुम सोने के बंधन बना लो; लोहे की जंजीरें तोड़ डालो और सोने की जंजीरें ढाल लो। और यह भी हो सकता है उन जंजीरों पर हीरे-मोती जड़ दो। वे प्यारे लगने लगें। वे इतने प्यारे हो जायें कि आभूषण मालूम पड़ें।

बहुत-से आभूषण, जिन्हें तुम आभूषण समझते हो, जंजीरें सिद्ध होते हैं; और बहुत-सी जंजीरें जिनकी तुम्हें याद भी नहीं आती कि जंजीरें हैं, आभूषणों में छिप गई हैं।

तो महावीर कहते हैं, सुख की आकांक्षा या सुख का मिलना भी जंजीर है—सोने की जंजीर है। दुख का मिलना लोहे की जंजीर है। लेकिन दोनों बांधते हैं। तुमने खयाल किया? कभी तुम्हें एकाध क्षण को भी ऐसी चैतन्य की घड़ी आई, जब न सुख की आकांक्षा है न दुख की? तब तुमने देखा, कैसी मुक्ति अनुभव होती है! सब सीमाएं

समाप्त हो जाती हैं। सब कारागृह विलुप्त हो जाते हैं! क्षण भर को तुम्हारे चेतना के आकाश में एक भी बादल नहीं रह जाता। निरभ्र आकाश! अनंत आकाश! जैसे ही उठी आकांक्षा, बादल घिरे, अंधेरा छाया! आकाश तो खो गया, बदलियां रह गईं! धुएं के बादल रह गये!

कभी क्षण भर को भी अगर तुम्हारे जीवन में ऐसा हो जाता हो, जब न सुख की इच्छा है, न दुख की, कोई इच्छा नहीं है, तुम अनिच्छा में बैठे हो—उसी घड़ी को महावीर 'सामायिक' कहते हैं। तुम संसार के बाहर हो। क्योंकि महावीर के हिसाब में संसार का अर्थ है: चाह के भीतर होना।

चाह से भरे होना संसार में होना है। फिर तुम चाह कोई भी करो। चाहे पृथ्वी के धन की हो, चाहे स्वर्ग के धन की हो; चाहे तुम पुण्य की आकांक्षा करो; लेकिन कोई भी आकांक्षा है, चाहत जारी है—और तुम संसार में हो।

ऐसी भी घड़ियां हैं चैतन्य की, जब कोई चाह नहीं, जब तुम हो—निपट अकेले! शुद्ध! कोई धुएं की रेखा भी भीतर नहीं। उस क्षण में तुम कहां होते हो? उस क्षण में तुम शरीर के भीतर होते हो? नहीं, उस क्षण में शरीर की स्मृति खो जाती है। तुम विदेह हो जाते हो। क्योंकि शरीर से हमारा संबंध चाह का संबंध है। उस क्षण में तुम शरीर में नहीं होते। उस क्षण में तुम पृथ्वी पर नहीं होते। उस क्षण में तुम स्थान में नहीं होते। उस क्षण में तुम समय में भी नहीं होते। उस क्षण में तुम अचानक किसी दूसरे ही लोक में प्रवेश कर गये—पार का लोक! जल्दी ही तुम लौट आओगे। क्योंकि उस पार के लोक में जीने की, उस ऊंचाई पर जीने की तुम्हारी क्षमता नहीं है। उस ऊंचाई पर श्वास लेने की तुम्हारी कुशलता नहीं है। उन ऊंचाइयों पर उड़ने की अभी तुमने आदत नहीं डाली, अभ्यास नहीं किया है।

इसलिए कभी-कभी क्षण भर को जब चाह छूट जाती है, तब तुम एकदम मुक्ति अनुभव करते हो।

ऐसे ही तो पहली दफा आदमी को मोक्ष का खयाल उठा होगा कि जो क्षण भर को हो सकता है वह सदा को क्यों न हो! जो एक क्षण को चेतना में कभी-कभी झलक जाता है, वह सदा के लिए चेतना का स्वभाव क्यों न बन जाये!

मोक्ष का अर्थ है: जहां चेतना की कोई चाह नहीं। जहां चाह नहीं वहां संसार में कोई राह नहीं।

चाह राह बनाती है; संसार में ले आती है। क्योंकि जहां चाह आई, वहां वस्तुओं का संसार आया। तुमने कुछ चाहा, तुम्हारी आंख दूर गई, 'पर' पर पड़ी—तुम बंधे! तुम उलझन में पड़े!

और जिसने सुख चाहा—उसे दुख मिला।

यह तो हमारा सबका अनुभव है। सभी ने सुख चाहा है—मिला कहां? चाहा तो सभी ने सुख है; पाया सभी ने दुख है। इसे तुम कब देखोगे? कब जागोगे कि चाह तो कुछ और होती है, मिलता कुछ और है।

तो महावीर कहते हैं, यह जीवन का आधारभूत नियम है कि जो सुख चाहेगा वह दुख पायेगा। सुख की चाह में ही दुख छिपा है। इसे समझो।

पहला, सुख वही चाहता है जो दुखी है—एक बात। क्योंकि तुम वही चाहते हो जो तुम्हारे पास नहीं है। जो तुम्हारे पास है, तुम क्यों चाहोगे? जो तुम्हारे पास है ही, उसकी तो चाह खो जाती है; जो नहीं है उसकी ही चाह पैदा होती है। अभाव चाह को जन्माता है। अभाव जन्मदाता है।

तो जिस आदमी ने सुख चाहा, एक बात तो उसने यह बतायी कि वह दुखी है। फिर जिस आदमी ने सुख चाहा, उसने दूसरी बात भी बतायी कि अगर यह न मिला तो मैं और दुखी हो जाऊंगा, विषाद घेरेगा, असफलता हाथ लगेगी। और जैसे ही उसे यह खयाल आया कि अगर यह न मिला तो मैं और दुखी हो जाऊंगा, विषाद होगा मेरे जीवन में, उद्विग्न हो जाऊंगा, हारा हुआ, थका हुआ, पराजित—भय समाया! भय आया! यह आदमी वैसे ही दुखी था, इसने सुख की चाह करके और दुख बुला लिया, और भयभीत हो गया। अब यह डगमगाते कदमों से सुख की तरफ चलता है।

और, सुख हम सदा बाहर मांगते हैं: किसी स्त्री से मिलेगा, किसी पुरुष से मिलेगा, धन से मिलेगा, पद से मिलेगा! लेकिन पद से सुख का क्या संबंध है? तुम कितनी ऊंची कुर्सी पर बैठते हो, इससे सुख का क्या संबंध? तुम कितने बड़े मकान में हो, इससे क्या सुख का संबंध है?

सुख का मकान के बड़े और छोटे होने से कहीं भी तो कोई संबंध नहीं है। क्योंकि सड़क पर खड़े भिखारी भी कभी सुखी देखे गये हैं। महावीर खुद ही ऐसे भिखारी थे। और कभी महलों में सम्राट भी दुखी देखे गये हैं।

तो दुख और सुख का संबंध स्थितियों से तो मालूम नहीं पड़ता, परिस्थितियों से तो मालूम नहीं पड़ता—कुछ भीतरी दशाओं से जुड़ा है। तो जब भी तुमने बाहर मांगा, गलत जगह मांगा। और मांग मात्र बाहर की होती है। भीतर तो मांगोगे किससे, मांगोगे क्या? वहां तो कुछ भी नहीं है—शून्य आकाश है। वहां तो कोरापन है। वहां तो तुम मुट्ठी बांधना चाहोगे तो बंधेगी नहीं; बंध भी जायेगी तो हाथ में कुछ न आयेगा। आकाश को कौन मुट्ठी में बांध सका है! आत्मा को भी कोई नहीं बांध सका है।

तो भीतर तो कुछ पकड़ में आता नहीं, बाहर पकड़ में चीजें आ जाती हैं, तो हम सोचते हैं बाहर होगा। ऐसे बाहर दौड़ते हैं जहां नहीं है। फिर एक न एक दिन स्वप्न टूटता है और पता चलता है यहां नहीं है; हम महादुखी हो जाते हैं। उस महादुख से और बड़े सुख की आकांक्षा पैदा होती है। क्योंकि जितने हम दुखी होते हैं उतनी ही तीव्र आकांक्षा होती है कि जल्दी करो, मौत करीब आयी जाती है, सुखी होना है। ऐसा एक दुष्टचक्र है। दुख में से सुख की आकांक्षा निकलती है; सुख की आकांक्षा में से और बड़ा दुख निकलता है।

तो महावीर कहते हैं, जिसने छोड़ा है, उसने सिर्फ दुख को ही नहीं छोड़ा, उसने सुख को भी छोड़ा है। उसने नरक का ही त्याग नहीं किया...। वह तो सभी करते हैं; उसमें कौन-सी कुशलता है? उसमें कौन-सी मेधा है? दुख से कौन नहीं बचना चाहता—सभी

बचते हैं। उसमें कौन-सी बुद्धिमानी है? उसमें कौन-सी विशेषता है। लेकिन जिसने गौर से देखा, समझा, जीवन की पर्तों को उघाड़ा, रहस्य को पहचाना, गणित का सूत्र समझ में आ गया उसे कि दुख की सारी चाल यही है कि वह तुम्हें सुख का आश्वासन देता है और भरमा लेता है। तुम सुख के आश्वासन में दुख के पीछे चले जाते हो, भटक जाते हो। मिलता दुख है, चाहते सदा सुख हो।

जो जागा इस अनुभव में, उसने सुख नहीं चाहा। और जिसने सुख नहीं चाहा, उसके जीवन से दुख विदा होने लगे। क्योंकि बिना सुख की चाह के दुख निर्मित नहीं हो सकता।

थोड़ा सोचो!

जिस आदमी ने सफलता नहीं चाही, उसे तुम विफल कैसे करोगे? और जिसने कभी जीतना नहीं चाहा, उसे तुम हराओगे कैसे? और जिसने कभी धनी होने के पागलपन में अपने को नहीं लगाया, उसे तुम निर्धन कैसे कर पाओगे? और जिसने तुमसे सम्मान नहीं मांगा, तुम उसका अपमान कैसे करोगे? करोगे कैसे? उपाय कहां है? उसने तुम्हें सुविधा कहां दी?

जिसने सम्मान चाहा, उसे तुम अपमानित कर सकते हो। जिसने धन चाहा, उसकी चाह में ही वह निर्धन हो गया। जिसने जीत चाही, उसने पराजय के ढेर लगा लिये।

इसलिए महावीर कहते हैं: मोक्ष का अर्थ है इस अनुभव को तुम्हारे जीवन की स्थिर दशा बना लेना कि न सुख की चाह न दुख की चाह, न नरक न स्वर्ग, कोई चाह नहीं।

अचाह की दशा मोक्ष है।

तो यह तो परिणाम है मोक्ष। मोक्ष यहां घट सकता है। ऐसा मत सोचना जैसा कि साधारणतः लोग समझते हैं कि मोक्ष मरने के बाद घटता है। जिसको जीते-जी नहीं घटा उसे मरने के बाद भी नहीं घटेगा। पहले तो मोक्ष जीवन में उतरता है। इसलिए व्यक्ति पहले जीवन-मुक्त होता है—जीते-जी मुक्त होता है। फिर जो जीते-जी मुक्त हो गया, वह तो मरने के बाद भी मुक्त रहेगा। मुक्ति एकमात्र संपदा है जिसे मृत्यु नहीं छीन पाती। और सारी संपदाएं मृत्यु छीन लेती है।

इसलिए महावीर कहते हैं: अगर तुम थोड़े भी बुद्धिमान हो, थोड़ा हिसाब तो करो, गणित तो बिठाओ! तुम जो इकट्ठा कर रहे हो वह सब मौत छीन लेगी। पहले तो कर न पाओगे। कौन कब कर पाया? और अगर किसी तरह कर भी लिया तो जब तक तुम कर पाओगे, मौत द्वार पर आ जायेगी। करोगे तुम, छीन लेगी मौत। यह कैसी नासमझी कर रहे हो? उसे कमा लो, जिसे मौत न छीन सकती हो: मुक्त दशा! चैतन्य की अचाह की दशा! चैतन्य का निरभ्र आकाश, जिसमें कोई चाह के बादल नहीं! फिर मौत कुछ भी न कर पायेगी।

मौत एक जगह जाकर हारती है—वह मोक्ष है। और सभी चीजों पर जीत जाती है। अब इसे समझना।

हमारी जीवन की भी आकांक्षा है, इसलिए मौत जीत जाती है। जीवेषणा! हम जीना चाहते हैं—हर हाल जीना चाहते हैं! हर शर्त पूरी करने को राजी हैं, लेकिन जीना चाहते हैं।

सड़ते हों, गलते हों, मरते हों, खाट पर पड़े हों, अस्पतालों में लटके हों, उलटे-सीधे हाथ-पैर बंधे हों—लेकिन जीना चाहते हैं। मरना नहीं चाहते। कैसी भी हालत में आदमी पड़ा हो और उससे पूछो, 'मरना चाहते हो?' वह इनकार करेगा। तुम चकित होओगे, बहुत-से लोग कहते हैं कि 'अब तो भगवान उठा लो!' वह भी मरना नहीं चाहते। वह भी कहने की बातें कर रहे हैं।

मेरा एक मित्र मरना चाहता था, आत्महत्या करना चाहता था। उसके पिता बहुत घबड़ा गये। इकलौता बेटा था और अकेले मुझसे ही उसकी दोस्ती थी, तो वे मुझे बुलाने आये। तो मैंने कहा, 'घबड़ाओ मत! मैं उसे भलीभांति जानता हूं। चिंता न करो।' पर वे बोले कि चिंता होती है, उसने दरवाजा बंद कर लिया है। और अगर दरवाजे पर खटका भी करो तो वह चिल्लाता है, कि 'मैं मर जाऊंगा, दरवाजा नहीं खोलूंगा।' वह कुछ कर न ले, सिर न तोड़ दे। कुछ छुरी वगैरह न छिपा रखी हो, कुछ जहर वगैरह न रखे हो, कोई गोलियां न ले आया हो! और पिता वैद्य हैं तो और भी डरे कि वह जहर तो हमारे घर में रहता ही है, गोलियां भी हैं, दवाइयां भी हैं, वह कुछ ले न गया हो उठाकर!

तो मैं गया। भीड़ लगी थी, मुहल्ला इकट्ठा था। मैंने दरवाजे पर जाकर कहा कि सुनो, मरना है तो इतना शोरगुल क्यों कर रहे हो? शोरगुल जिसको जिंदा रहना है उसको शोभा देता है। अब जिसको मरना ही है तो यह इतना क्या विज्ञापन? दरवाजा खोलो और मेरे साथ चलो! तुम्हें मरने की कोई ढंग से व्यवस्था जुटा देंगे; यह कोई ढंग चुना? अब जब मरना ही है...।

तब वह मुझे तो धमकी दे नहीं सका कि मर जाऊंगा। अब उसे कुछ समझ में न आया तो उसने दरवाजा खोल दिया। मैंने कहा, 'तुम मेरे साथ आओ—नर्मदा पर चलेंगे। 'धुआंधार' ले चलेंगे। वहां से तुम कूद जाना। चांद की रात है, जलप्रपात है, जब मर ही रहे हो—जिंदगी में तो कुछ नहीं मिला, कम से कम मौत को ही सुंदर बना लो!'

उसने मेरी तरफ बड़ी गौर से और हैरानी से देखा; क्योंकि जो भी आये थे, वह सब समझा रहे थे दरवाजे के बाहर से कि बेटा मरना मत! ऐसा मत करना, वैसा मत करना!

एक लड़की से उसका प्रेम था। उस लड़की ने विवाह करने से इनकार कर दिया था। तो लोग समझा रहे थे: 'उससे अच्छी लड़कियां मिल जायेंगी, उसमें रखा क्या है? तू घबड़ाता क्यों हैं?' मगर वह जिद्द पकड़े हुए था।

मैं उसे घर ले आया और मैंने कहा कि रात तुझे जो भी करना हो, क्योंकि यह आखिरी रात है—कोई फिल्म देखनी है? कोई मिठाई खानी है? कुछ आखिरी पत्र वगैरह लिखना? कुछ भी तुझे करना हो तो बोल, क्योंकि फिर मौका नहीं रहेगा। और दो बजे रात हम उठेंगे और चल पड़ेंगे। तू कूद जाना, हम विदा कर आयेंगे। मित्र का कर्तव्य है...कि जो असमय में काम आये वही मित्र है। अब इस वक्त तेरे कोई काम नहीं आ सकता।

वह सुनता था मेरी बात, बड़े क्रोध से देखता था। बोलता भी नहीं था कुछ। दो बजे रात का अलार्म भर दिया। दोनों हम सो गये। बीच में अलार्म-घड़ी रख ली। जैसे ही दो बजे अलार्म बजा, उसने जल्दी से अलार्म बंद किया। मैंने उसका हाथ घड़ी पर पकड़ा। मैंने

कहा, अलार्म बंद नहीं कर सकते! वह एकदम बैठ गया और चिल्लाया कि तुम मेरे दुश्मन हो कि मेरे दोस्त? तुम मुझे क्यों मारने में लगे हो? क्या मुझे मरना ही पड़ेगा?

'...मेरा कोई प्रयोजन नहीं है। तुम मरना चाहो तो मैं साथ देता हूं। तुम जीना चाहो तो मैं साथ देने को तैयार हूं—मेरा काम साथ देने का है—तुम अगर मरने में सुख पाते हो तो मैं क्यों बाधा दूं! तुम फिर सोच लो, सुबह कहीं तुम बदल मत जाना—सूरज ऊगा देखकर, फिर लोग, भीड़ देखकर—फिर तुम मौत की बात मत कर लेना। अब तुम तय कर लो। अगर मरना हो तो मर जाओ। अगर जिंदा रहना है तो जिंदा रहो, फिर मरने की बात मत करो।'

वह आदमी अभी भी जिंदा है। वह मुझ पर बहुत नाराज है! उसने शादी भी कर ली किसी दूसरी स्त्री से। अब तो बच्चे भी हैं उसके। और कभी मैं गया उस गांव दुबारा तो उसको बुलाता हूं तो वह बड़ी नाराजगी में आता है। वह प्रसन्न नहीं है। जैसे मैंने उसका कोई अहित किया। और मैं वही कर रहा था जो वह करना चाहता था।

लोग कहते हैं कि मर जायें अब तो! वे यह नहीं कह रहे हैं कि मरना चाहते हैं। भूल मत समझ लेना। वे तो सिर्फ यही कह रहे हैं कि जिंदगी थोड़ी बेहतर होनी चाहिए। यह कोई जिंदगी है।

इस मरने की चाह में ही जीवन की आकांक्षा है। इस मरने की चाह में भी और जीवन को चूस लेने का भाव है। वे यह कह रहे हैं कि अब जिंदगी में कुछ सार तो नहीं मालूम पड़ता, क्या फायदा जीने से! लेकिन फिर भी भीतर जीने की आकांक्षा है! अन्यथा कौन किसको मरने से रोक सका है? कौन कब रोक सकता है?

दुनिया के सरकारी कानूनों में अगर सबसे मूढ़तापूर्ण कोई है तो वह आत्महत्या के विपरीत कानून है। वह कुछ समझ के बाहर है। सरकारों को ऐसे कानून नहीं बनाने चाहिए जिनको वह पूरा न करवा सकती हों। आत्महत्या का कानून कोई सरकार पूरा नहीं करवा सकती। जिसको मरना है, उसे कोई कैसे रोक सकता है, थोड़ा सोचो तो! सौ में निन्यानबे लोग जो मरने की चेष्टा करते हैं, वे सिर्फ दिखावा करते हैं, मरना नहीं चाहते सौ में से निन्यानबे मरने की चेष्टा करके बच जाते हैं। वे बचने का पहले ही इंतजाम कर लेते हैं। आकांक्षा जीने की इतनी प्रगाढ़ है! और वह जो एक आदमी मर जाता है, वह भी मरना चाहता था, इसमें संदेह है। मर गया, यह दूसरी बात है। कुछ जरा जरूरत से ज्यादा इंतजाम कर गया। कुछ समझ न पाया। दस गोलियां लेनी थीं, बीस ले लीं। कुछ भूल-चूक गणित में हो गई। सोचती थी पत्नी कि पति सांझ घर आ जायेंगे, वे दो दिन तक नहीं आये और वह रात पड़ी-पड़ी मर गई।

जो सौ में से एक मर जाता है, वह भी ऐसा लगता है कि भूल-चूक से सफल हो गया। निन्यानबे तो सफल नहीं होते, क्योंकि वह असफलता का इंतजाम पहले से कर लेते हैं। मरने की चेष्टा, उनकी कुछ घोषणा है जीवन के बाबत। वे किसी और तरह का जीवन चाहते हैं लेकिन जीवन नहीं चाहते, ऐसा नहीं है। जीवन तो चाहते ही हैं—और तरह का जीवन चाहते हैं। इस जीवन से तृप्ति नहीं हो रही है। तो वे इस जीवन के प्रति शिकायत कर रहे हैं मरने की कोशिश में।

लेकिन कौन किसको रोक सकता है? मरना कोई चाहता नहीं, इसलिए कानून चलता है। अन्यथा मैं नहीं देखता कोई उपाय है कि तुम कैसे किसी आदमी को रोक सकोगे मरने से। जिसको मरना है वह राह खोज लेगा।

मौत तो व्यक्ति का जन्मसिद्ध अधिकार है। इसको कोई राज्य छीन नहीं सकता।

लेकिन कोई मरना ही नहीं चाहता, छीनने का सवाल ही नहीं है। कभी-कभी कोई भूल-चूक से सफल हो जाता है। वह भी पछताता होगा मरकर कि 'अरे, यह मैंने क्या कर लिया! यह जरा मैं अति कर गया। जरा दो कदम ज्यादा उठा लिये, जरा दो कदम कम उठाने थे।' प्रेत होकर वह भी पछताता होगा।

महावीर कहते हैं: चूंकि जीवेषणा है, इसलिए मौत तुमसे कुछ छीन पाती है। जिस व्यक्ति की जीवन की आकांक्षा भी न रही...। इसका यह अर्थ नहीं है कि उसको मरने की आकांक्षा पैदा हो जाती है। क्योंकि जिसको जीवन की आकांक्षा न रही, उसे मरने की आकांक्षा कैसे पैदा होगी? वह तो जो है उसे स्वीकार कर लेता है। जीवन तो जीवन, मौत तो मौत। उसने अपनी आकांक्षाओं को आरोपित करना बंद कर दिया। जो तथ्य है, स्वीकार कर लेता है। अभी जी रहा है, तो जी रहा है; क्षण भर बाद सांस बंद हो गई तो वह चुपचाप बंद कर लेगा। वह एक दफा ज्यादा सांस लेने की चेष्टा न करेगा। हां! मरने के महले मरेगा भी नहीं; क्योंकि उसमें भी जीवेषणा, आकांक्षा, चाह का हिस्सा होता है

मुक्तपुरुष वही है जिसके भीतर से अब जीवन की भी आकांक्षा नहीं रही। फिर मौत कोई परिणाम नहीं ला पाती।

और जहां मौत व्यर्थ हो जाती है, वही कसौटी है कि तुमने परम जीवन को जाना। उस परम जीवन का नाम महावीर मोक्ष रखते हैं या निर्वाण।

लेकिन बुद्ध और महावीर दोनों ने निर्वाण शब्द का उपयोग अलग-अलग अर्थों में किया है। बुद्ध के निर्वाण का ठीक वही अर्थ होता है जो दीये के बुझने का होता है। दीये को फूंककर बुझा देते हैं, उसको हम कहते हैं दीये का निर्वाण हो गया। महावीर के निर्वाण शब्द का अर्थ अलग है, क्योंकि उनकी जीवन-दृष्टि अलग है। महावीर कहते हैं, दीया नहीं बुझता। दीया तो बुझेगा ही नहीं कभी; यह ज्योति तो सदा रहने वाली है। सिर्फ दीये की ज्योति से धुआं नहीं उठता।

'वाण' का अर्थ होता है: वासना। 'निब्बाण' का अर्थ होता है: वासनारहित हो जाना। तुमने देखा, ईंधन जलाते हो: लपटें भी उठती हैं, धुआं भी उठता है। अगर ईंधन गीला हो तो धुआं बहुत उठता है; अगर ईंधन सूखा हो तो कम उठता है। अगर ईंधन बिलकुल सूखा हो तो धुआं उठ ही नहीं सकता; क्योंकि धुआं आग के कारण नहीं उठता, लकड़ी के गीलेपन के कारण उठता है; लकड़ी के कारण नहीं उठता, वह जो लकड़ी में पानी छिपा है, उसके कारण उठता है।

तो महावीर कहते हैं कि जब ऐसी सूखे ईंधन जैसी व्यक्ति की चेतना हो जाती है, जिसमें वासना का कोई गीलापन नहीं रहा, सूख गई पोर-पोर, वासना-मात्र सूख गई, हरी वासना जरा भी न रही—तब लपट तो उठती है, लेकिन धुआं नहीं उठता।

उस निर्धूम लपट का नाम निर्वाण है। वासना के गिर जाने का नाम निर्वाण।

बुद्ध के हिसाब से तो आत्मा के मिट जाने का नाम निर्वाण, महावीर के हिसाब से वासना के मिट जाने का नाम निर्वाण।

'मार्ग है उपाय, मोक्ष है फल।' और इन दो बातों में, महावीर कहते हैं, सारी बात हो गई।

'दर्शन, ज्ञान, चारित्र्य तथा तप को जिनेंद्रदेव ने मोक्ष का मार्ग कहा है। शुभ और अशुभ भाव मोक्ष के मार्ग नहीं हैं। इन भावों से तो नियमतः कर्म-बंध होता है।'

फिर मार्ग क्या है?

'दंसणाणचरित्ताणि...'

दर्शन, ज्ञान, चरित्र और तप—ये शब्द बड़े बहुमूल्य हैं। महावीर का सारा नवनीत इन तीन शब्दों में, त्रिरत्न—दर्शन, ज्ञान, चरित्र—में समाया हुआ है।

'दर्शन' का अर्थ है: देखने की क्षमता; द्रष्टा, साक्षी। 'ज्ञान' का अर्थ है: साक्षी को जो दिखाई पड़ता है; द्रष्टा के जो अनुभव में आता है। और 'चारित्र्य' का अर्थ है: जो जागा, जिसने देखा, जिसने जाना—उस जानने के कारण जो जीवन में उतर आता है।

तो पहली तो घटना घटती है साक्षीभाव में दर्शन की। दूसरी घटना घटती है बोध की, ज्ञान की—समझ में आया। तीसरी घटना घटती है चारित्र्य की। क्योंकि जो समझ में आ गया, उससे विपरीत करोगे कैसे?

अगर तुम जैन मुनियों से पूछो तो वे अक्सर उलटी व्याख्या कर रहे हैं। वे चरित्र को पहले रखते हैं जब कि किसी सूत्र में महावीर ने चरित्र को पहले नहीं रखा; चरित्र को अंतिम रखा है। पहला दर्शन, फिर ज्ञान, फिर चरित्र। अगर जैन मुनि से पूछो तो वह कहता है: 'चरित्र! पहले चरित्र को सुधारो। जब चरित्र सुधरेगा तो ज्ञान होगा। चरित्रहीन को कहीं ज्ञान हुआ है? और जब ज्ञान होगा तब कहीं दर्शन उपलब्ध होगा।' उसने सारी बात उलटी कर ली।

लेकिन महावीर के शब्दों में कहीं भी चरित्र पहले नहीं आता—आ नहीं सकता। पहले तो मूर्च्छा तोड़नी जरूरी है। दर्शन यानी मूर्च्छा का टूट जाना; देखने की क्षमता आ जाना; आंख का खुल जाना। आंख खुली कि अनुभव में आना शुरू होता है कि क्या है सत्य। वह जो 'क्या है सत्य', उसकी अनुभूति है, उसका नाम ज्ञान है।

तो ज्ञान शास्त्र से नहीं मिल सकता।

इसलिए महावीर ने ज्ञान को दर्शन के बाद रखा है। ज्ञान तो मिल सकता है केवल ध्यान से, शास्त्र से नहीं। और चारित्र्य कभी भी अभ्यास करने से नहीं पैदा हो सकता। अभ्यास से तो जो पैदा होता है, वह आदत है।

चारित्र्य तो तब पैदा होता है जब तुम्हारे भीतर दृष्टि इतनी सघन होती है कि तुम उसके विपरीत नहीं चल पाते।

मैंने सुना है, एक बिच्छू ने एक केंकड़े से कहा कि मुझे नदी के उस पार जाना है, मित्र! पार करवा दो! उस केंकड़े ने कहा, 'तुमने मुझे नासमझ समझा है? बीच रास्ते

में मेरी पीठ पर बैठे डंक मार दोगे, डूब जाऊंगा, मर जाऊंगा।'

बिच्छू ने कहा, 'मालूम होता है तर्क में तुम बहुत कमजोर हो। तुमने ठीक तर्कशास्त्र का शिक्षण नहीं लिया। अरे नासमझ! जब मैं पीठ पर तेरी बैठा हूं और डंक मारूंगा तो तू डूबेगा वह तो ठीक, मैं भी तो डूबूंगा! मैं भी तो मरूंगा! तो यह बात तर्क के विपरीत है। ऐसा मैं कैसे कर सकूंगा? तेरी ही मौत होती होती तो समझ में आ सकता था; तेरी मौत तो मेरी मौत भी बनेगी। इसलिए यह बात तर्क के अनुकूल नहीं है।' केंकड़े ने कहा, 'बात तो ठीक है। तर्क के बिलकुल अनुकूल नहीं है। आओ बैठ जाओ!' बैठ गया पीठ पर बिच्छू, चल पड़े दोनों और बीच मझधार में जो होना था हुआ। बिच्छू ने डंक मारा। जब डंक मारा और दोनों डूबने लगे तो मरते-मरते केंकड़े ने पूछा कि महानुभाव, तर्क का क्या हुआ? उस बिच्छू ने कहा, 'तर्क का इससे क्या संबंध है? यह मेरा चरित्र है।'

लोग जैसा जी रहे हैं वैसा जीने को मजबूर हैं। उनके पास दृष्टि ही वैसी जीने की है। तुम सोचते हो, कोई आदमी शराब पीता है, इसलिए मूर्च्छित है। असलियत और है। वह मूर्च्छित है, इसलिए शराब पीता है। तुम सोचते हो, एक आदमी मांसाहार करता है, इसलिए हिंसक है। तुम गलत सोचते हो। वह आदमी हिंसक है, इसलिए मांसाहार करता है। अगर तुमने ऐसा सोचा कि मांसाहार करने के कारण हिंसक है तो तुम्हारी चेष्टा यह होगी कि मांसाहार छुड़ा दो। मांसाहार तो छूट जायेगा, लेकिन अगर वह हिंसक होने के कारण मांसाहारी था, तो हिंसा नहीं छूटेगी। फिर हिंसा नये मार्ग खोज लेगी। किसी और तरफ से हिंसक हो जायेगा वह। किसी और बहाने से हिंसा करेगा।

ध्यान रखना, हम जैसे हैं वह हमारे भीतरी चित्त की अवस्था के कारण है।

बाहर से भीतर को नहीं बदला जा सकता। आचरण से अंतस नहीं बदला जा सकता। लेकिन अंतस बदल जाये तो आचरण तत्क्षण बदलना शुरू हो जाता है।

महावीर का सूत्र बिलकुल साफ है: दर्शन, ज्ञान, चरित्र। इन तीन को जैनों ने त्रिरत्न कहा है। ये उनकी तीन मणियां हैं, जिन पर मोक्ष का भवन निर्मित होता है। ये आधार हैं। और ये तीन रत्न जिसके पास हैं उसके पास सब आ गया—सारी संपदा सारे जगत की। त्रिलोक की सारी संपदा उसके पास आ गई।

दर्शन उपलब्ध होता है—जागरण से, अप्रमत्तता से, होश से। दर्शन का अर्थ तुम जैन दर्शन, हिंदू दर्शन, बौद्ध दर्शन, ऐसा मत समझ लेना। दर्शन का अर्थ फिलॉसफी नहीं है। दर्शन का अर्थ है: देखने की क्षमता; तुम्हारी आंखों का निष्कलुष हो जाना; तुम ऐसे देख सको कि देखने में तुम अपने भावों को मिश्रित न करो; तुम निर्भाव से देख सको; तटस्थ, निष्पक्ष, निर्विकार, तुम अपने को बीच में न डालो; तुम अपने को बिना डाले देख सको। तो फिर तुम्हारे जीवन में दर्शन उपलब्ध होगा।

क्रोध आये, क्रोध को गौर से देखना। क्रोध को रोककर चरित्र निर्मित करने की कोशिश मत करना। क्रोध को गौर से देखना। इतने गौर से देखना कि तुम्हें क्रोध का सारा अर्थ समझ में आ जाये। इतने गौर से देखना कि तुम क्रोध से पृथक और अलग साक्षी हो,

यह तुम्हारी अनुभूति में आ जाये। इतने गौर से देखना कि क्रोध वहां पड़ा रह जाये वस्तु की तरह, तुम यहां द्रष्टा की तरह खड़े रह जाओ; तुम्हारे दोनों के बीच का सेतु टूट जाये।

दर्शन का अर्थ होता है सारे सेतुओं का टूट जाना। व्यक्ति अलिप्त खड़ा होकर देखता है—क्रोध है तो क्रोध को; काम है तो काम को; हिंसा है तो हिंसा को; प्रेम है तो प्रेम को; राग है तो राग को अलिप्त भाव से देखता है, सिर्फ देखता है। जिसको कृष्णमूर्ति अवेयरनेस कहते हैं, होश; जिसको बुद्ध ने सम्यक स्मृति कहा है, ठीक-ठीक स्मृति, जिसको गुरजिएफ ने सेल्फ-रिमेंबरिंग कहा है, आत्म-बोध; उसी को महावीर दर्शन कहते हैं। इधर दर्शन की क्षमता घनी होगी कि दर्शन से जो-जो तुम्हें दिखाई पड़ेगा, वह जो दर्शन का सार इकट्ठा होने लगेगा वह है ज्ञान। तो एक तो ज्ञान है जो शास्त्र से मिलता है और एक ज्ञान है जो जीवन के साक्षीभाव से मिलता है। उसको महावीर ज्ञान कहते हैं। पढ़ लोगे शास्त्र में, उससे क्या होगा? अक्सर ऐसा हुआ है:

अहले-दानिश आम हैं, कमयाब हैं अहले-नजर
क्या तअज्जुब कि खाली रह गया तेरा अयाग।

अहले-दानिश आम हैं—शास्त्रों के जानकार बहुत हैं। तथाकथित बुद्धिमान बहुत हैं। तथाकथित बुद्धिशाली बहुत हैं।

कमयाब हैं अहले-नजर—लेकिन जिनके पास द्रष्टा की दृष्टि है, अहले-नजर, जिनके पास शुद्ध आंख है, देखने की क्षमता है, ऐसे बहुत-बहुत विरले हैं।

अहले-दानिश आम हैं, कमयाब हैं अहले-नजर
क्या तअज्जुब कि खाली रह गया तेरा अयाग।

अगर तुम्हारे जीवन की प्याली अमृत से बिना भरी रह गई तो कुछ आश्चर्य नहीं; क्योंकि तुमने शास्त्रों से ही जीवन की प्याली को भरना चाहा। शास्त्रों से ही तुमने सोचा कि तुम बुद्धिमान हो जाओगे। तो अहले-दानिश हो गये, तथाकथित बुद्धिमान हो गये। कंठस्थ हो गये सत्य। लेकिन कंठस्थ सत्य, सत्य नहीं है—मात्र थोथे सिद्धांत हैं। प्राण कौन डालेगा उनमें? प्राण तो व्यक्ति को स्वयं डालने होते हैं। इसे याद रखना।

जिसे तुम पाओ वही सत्य है। जिसे तुमने नहीं पाया वह सत्य नहीं हो सकता; वह सत्य के संबंध में कोई सिद्धांत होगा। ऐसा ही समझो कि पाक-शास्त्र पढ़ते रहो, पढ़ते रहो, इससे न तो भूख मिटेगी, न जीवन पुष्ट होगा। रोटी पकानी पड़ेगी। आटा गूंथना पड़ेगा। चूल्हा जलाना पड़ेगा। इतना ही नहीं, फिर रोटी पचानी पड़ेगी। रोटी भी बन जाये तो भी कुछ काम नहीं आती, जब तक कि पचाने की क्षमता न हो, जब तक रोटी पचे न और लहू में रूपांतरित न हो जाये, हड्डी, मांस-मज्जा न बने, तब तक किस काम की?

दर्शन की भट्टी में ज्ञान की रोटी पकती है। और ज्ञान की रोटी को जब तुम पचाते हो और ज्ञान की रोटी जब तुम्हारा खून, मांस-मज्जा बन जाती है, तो चारित्र्य। चरित्र आखिरी बात है। सबसे पहले तो शून्य आकाश में दर्शन घटता है। फिर दर्शन उतरता है तुम्हारी अंतरात्मा में, ज्ञान बनता है। फिर ज्ञान तुम्हारे जीवन में अनस्यूत हो जाता है। तब चारित्र्य बनता है। ये त्रिरत्न और तप।

'तप' शब्द भी समझने जैसा है। तप का अर्थ अपने को दुख देना नहीं होता। तपस्वी का अर्थ अपने को सताने वाला नहीं है, मैसोचिस्ट नहीं है। तप का अर्थ होता है: दुख आये तो उसे सहिष्णुता से स्वीकार करना। तप का अर्थ है: दुख आये तो उसे दुश्मन की तरह दुत्कारना नहीं; उसे भी मित्र की तरह स्वीकार कर लेना। साधारणतः हम सुख को तो बुलाते हैं, दुख को दुत्कारते हैं। तप का अर्थ होता है: सुख को तो बुलाना मत; आ गये दुख को स्वीकार कर लेना।

तप हमसे ठीक उलटी व्यवस्था है। अभी हम कहते हैं, सुख आये, चिट्ठियां लिखते हैं सुख को कि आओ, निमंत्रण भेजते हैं। और दुख को, बिना बुलाया भी आ जाये—बिना बुलाया ही आता है, क्योंकि कौन दुख को बुलाता है—उसे हम धक्का देते हैं, बाहर निकालते हैं।

तपश्चर्या का अर्थ है: इस जीवन-दृष्टि का ठीक उलटा हो जाना। सुख को बुलाना नहीं, कोई निमंत्रण नहीं लिखना और दुख आ जाये तो जो आ गया बिना बुलाये, अतिथि देव है, उसको स्वीकार कर लेना।

तो तप का अर्थ दुख पैदा करना नहीं है; लेकिन दुख जो तुमने जन्मों-जन्मों में अर्जित किया है, वह आयेगा। उसके साथ क्या रुख अपनाओगे? तप एक रुख है, दृष्टि है। तप यह कहता है, मैंने दुख के बीज बोये थे, अब फसल काटने का वक्त आ गया तो मैं काटूंगा। यह फसल कौन काटेगा? दुख के बीज मैंने बोये थे तो फसल भी मुझे ही काटनी है। तो अब रो-रो कर क्या काटनी! अब स्वीकार-भाव से काट लेनी है।

इसे खयाल रखना; नहीं तो भ्रांति क्या है कि जो लोग तपस्वी बनते हैं, वे सोचते हैं, अभी सुख को लिखते थे चिट्ठियां, अब दुख को लिखो! मगर चिट्ठियां लिखना जारी रहता है। बुलावा भेजते ही रहते हैं। पहले सुख को पकड़ते थे; अब वे सोचते हैं, दुख को पकड़ो। पहले सुख को न जाने देते थे; अब दुख जाने लगे तो वे कहते हैं, 'मत जाओ! तुम्हारे बिना हम कैसे रहेंगे!' लेकिन यह तो विकृति हो गई। यह तो रोग हो गया। यह तो पुराना रोग बदला तो नया रोग पकड़ गया।

तप का सिर्फ इतना ही अर्थ है कि जो आये दुख तो निश्चित हमने कमाया होगा; बिना कमाये कुछ भी आता नहीं। तो हमने किसी न किसी रूप में उसे बुलाया होगा। बिना बुलाये कुछ भी आता नहीं। हमने सुख मानकर ही बुलाया होगा; लेकिन वह हमारी मान्यता भ्रांत थी। जिसको हमने सुख कहकर पुकारा था, वह दुख का नाम था। आ गया दुख, अब इसे स्वीकार कर लेना। इसे धक्के नहीं देना, इनकार नहीं करना। इसका भी साक्षीभाव रखना है।

'दर्शन, ज्ञान, चरित्र और तप जिनेंद्रदेव ने मोक्ष के मार्ग कहे। शुभ और अशुभ भाव मोक्ष के मार्ग नहीं हैं...।'

यह बड़ी क्रांतिकारी बात है: 'शुभ और अशुभ भाव मोक्ष के मार्ग नहीं हैं। इन भावों से तो नियमतः कर्म-बंध होता है।'

अच्छा करूं, बुरा न करूं, पुण्य करूं, पाप न करूं—ये शुभ भाव हैं। किसी को

दुख न दूं, सुख दूं—ये शुभ भाव हैं। मुझसे हिंसा न हो, अहिंसा हो; लोभ न हो, दान हो; क्रोध न हो, दया हो, करुणा हो—ये शुभ भाव हैं। लेकिन महावीर कहते हैं, मुझसे कुछ हो, इसमें ही बंधन है। बुरे का तो बंधन होता ही है, भले का भी बंधन हो जाता है। लोभी तो बंधता ही है, दानी भी बंध जाता है। और पापी तो बंधता ही है, पुण्यात्मा भी बंध जाता है, यद्यपि पुण्यात्मा की जंजीरें सोने की होती हैं।

इसलिए महावीर कहते हैं, शुभ और अशुभ भाव मोक्ष का मार्ग नहीं हैं। दोनों से मुक्त होना है। अशुभ को तो छोड़ना ही है, शुभ को भी छोड़ना है। असाधु को तो छोड़ना ही है, साधु के भी पार जाना है। एक ऐसी दशा चाहिए, जो सभी दशाओं का अतिक्रमण कर जाती हो। एक ऐसी दशा, जिसका लगाव, आग्रह किसी भी बात में न हो।

'इन भावों से तो नियमतः कर्म-बंध होता है।'

दोस्तों के इस कदर सदमे उठाए जान पर
दिल से दुश्मन की शिकायत का गिला जाता रहा।

अगर तुम गौर से देखो तो मित्रों ने इतने कष्ट दिये हैं कि अब दुश्मनों की क्या शिकायत करनी! महावीर कहते हैं, अगर गौर से देखो तो शुभ आकांक्षाओं से ही पटा पड़ा है नरक का मार्ग। अशुभ आकांक्षाओं की तो बात ही छोड़ो; उनकी तो शिकायत क्या करनी! अगर कोई क्रोधी बंधन में पड़ा है तो यह तो स्वाभाविक है; लेकिन चेष्टा करके जो दया कर रहा है, वह भी बंधन में पड़ जाता है। वहां भी अहंकार निर्मित होता है

दोस्तों के इस कदर सदमे उठाए जान पर
दिल से दुश्मन की शिकायत का गिला जाता रहा।

शुभ ने ही इस बुरी तरह सताया है, अशुभ की तो शिकायत क्या करें! अपनों ने इस तरह सताया है कि परायों की तो बात ही क्या करें! उनकी शिकायत करने जैसी भी नहीं रही।

तुमने देखा, तुम्हारे शुभ भावों ने ही तुम्हें कितना सताया है! प्रेम ने कितना सताया है, यह तो देखो! फिर घृणा की सोचना। तुम किसी के लिए अच्छा करना चाहते थे, उसके कारण कितनी झंझट में पड़े हो। फिर तुम किसी के लिए बुरा करना चाहते थे, उसकी सोचो।

महावीर कहते हैं, तुम अच्छा-बुरा दोनों ही करने वाले नहीं हो, ऐसे साक्षी बन जाओ। वहां से मोक्ष का द्वार खुलता है। अच्छा और बुरा तो कर्म का ही मार्ग है। और कर्म तो बांधता है। न शुभ न अशुभ—दोनों के मध्य में संतुलित!

क्षुरस्य धारा निशिता दुरत्यया।

छुरे की तीक्ष्ण धारा की भांति, जैसे कोई पतले छुरे की धार पर चलता हो, ऐसा मार्ग है। शुभ को भी एक तरफ छोड़ देना, अशुभ को भी दूसरी तरफ छोड़ देना। संयमी का अर्थ हैः जो दोनों के मध्य चलने में कुशल हो गया; जो चुनाव नहीं करता, च्वायसलेस, विकल्परहित, निर्विकल्प चलता है; जो मध्य में सम्हलकर चलता है।

हिंदू शास्त्र कहते हैंः मध्यं अभयम्! जो मध्य में है उसे कोई भय नहीं। इधर-उधर

हुए कि भय शुरू हुआ। जरा भी झुके बायें, जरा भी झुके दायें, तो भय शुरू हुआ। न तो वामपंथी और न दक्षिणपंथी, ठीक मध्य में, जो अपने को सम्हाल ले!

कठिन लगेगा, क्योंकि हमें आसान लगता है: अशुभ छोड़ना है, कोई हर्जा नहीं है; शुभ को पकड़ लेंगे! क्रोध छोड़ना है, छोड़ देंगे; करुणा को पकड़ लेंगे। लेकिन कुछ पकड़ने को तो होगा! पकड़ने की हमारी पुरानी आदत है।

महावीर कहते हैं, पकड़ ही संसार है। और सारी पकड़ का छूट जाना, मुट्ठी का खुल जाना ही मोक्ष है।

'अज्ञानवश यदि ज्ञानी भी ऐसा मानने लगे कि शुद्ध सम्प्रयोग अर्थात, भक्ति आदि शुभ भाव से दुख-मुक्ति होती है तो वह भी राग का अंश होने से पर-समयरत होता है।'

महावीर भक्ति को भी बंधन का कारण कह रहे हैं। यह भी अज्ञानवश तथाकथित बुद्धिमान आदमी भी ऐसा मानने लगे कि शुद्ध सम्प्रयोग, शुद्ध भक्ति, तो क्यों बांधेगी, तो वह भी गलत है। शुभ भक्ति से भी राग का ही अंश निर्मित होता है।

महावीर का मार्ग संकल्प का मार्ग है। वहां भक्ति के लिए भी जगह नहीं है।

भगवान के लिए जगह नहीं है; भक्ति के लिए तो जगह कैसे हो सकती है!

ऋग्वेद में ऋषि ने पूछा है:

'कस्मै देवाय हविषा विधेम।'

किस देवता को हम अपनी पूजा-अर्चना चढ़ायें, किस देवता की उपासना करें? लेकिन महावीर कहते हैं, जहां तक उपासना है वहां तक तो किसी दूसरे से बंधन हो जायेगा। पर-समयरत, दूसरे पर निर्भर हो जाओगे। परमात्मा होगा तो परतंत्रता होगी। और परतंत्रता होगी तो बंधन निर्मित रहेगा। तुम स्वतंत्र कैसे हो जाओगे? तुम परिपूर्ण मुक्त कैसे हो सकोगे?

महावीर के हिसाब में परमात्मा का होना मोक्ष के विपरीत है। या तो मोक्ष हो सकता है या परमात्मा हो सकता है। अगर परमात्मा है तो मोक्ष नहीं हो सकता; क्योंकि परमात्मा तो निरंकुश होगा। वह तो नियम के ऊपर होगा। महावीर कहते हैं, नियम के ऊपर किसी का भी होना खतरनाक है, क्योंकि फिर उसकी मर्जी! जैसा हिंदू कहते हैं, परमात्मा की लीला, इच्छा! उसने संसार बनाया! यह महावीर को बर्दाश्त के बाहर है।

महावीर कहते हैं, इसका तो अर्थ हुआ कि जो लोग मुक्त हो गये, अगर परमात्मा की लीला हो जाये, इच्छा हो जाये तो उनको वापस संसार में भेजा जा सकता है। तो ऐसे मोक्ष का तो कोई मूल्य न रहा। अगर परमात्मा की मर्जी से संसार निर्मित होता है तो मोक्ष लेकर भी हम क्या करेंगे? उसकी मर्जी जिस दिन बदल जाये, आज्ञा दे दे कि चलो मोक्ष खाली करो, संसार वापस लौटो! अगर खेल ही है और वह निरंकुश है और वह नियम के ऊपर है, तो फिर व्यर्थ बात हो गई।

महावीर पूछते हैं कि परमात्मा नियम के ऊपर है, या नियम परमात्मा के ऊपर है? अगर नियम परमात्मा के ऊपर है तो परमात्मा परमात्मा नहीं। फिर नियम ही परमात्मा है। और अगर परमात्मा नियम के ऊपर है तो नियम सब बकवास है। फिर

नियम का क्या अर्थ? उसकी निरंकुश इच्छा है; जब वह जैसा चाहे कर दे।

इसलिए महावीर कहते हैं, अगर जगत में व्यवस्था चाहिए...अब तुम चकित होओगे कि दृष्टियां कितनी मौलिक रूप से भिन्न हो सकती हैं! हिंदू कहते हैं, अगर जगत में व्यवस्था चाहिए तो परमात्मा चाहिए। क्योंकि बिना परमात्मा के कौन व्यवस्था करेगा? अराजकता हो जायेगी। और महावीर कहते हैं, अगर परमात्मा हुआ तो अराजकता हो जायेगी। क्योंकि फिर व्यवस्था कैसे सम्हलेगी? अगर नियम के ऊपर कोई बैठा है जो नियम को भी तोड़-मरोड़ कर सकता है तो अव्यवस्था हो जायेगी। महावीर परमात्मा को उसी कारण से इनकार करते हैं जिस कारण से हिंदू स्वीकार करते हैं।

और मोक्ष का अर्थ ही है कि एक ऐसी चित्त की दशा, एक ऐसे चैतन्य की दशा जिसको फिर वापस न लौटाया जा सके। अन्यथा इतने श्रम, इतनी तपश्चर्या, इतनी चेष्टा से जो उपलब्ध हुआ है, वह किसी परमात्मा के खेल की बात बन जाये तो थोड़ी ज्यादती हो गई। जन्मों-जन्मों की चेष्टाओं के बाद जिसे पाया जाता है, उसे पाकर अगर जरा-सी उसकी मर्जी के बदलने से खोना पड़े, तो वह उपलब्धि उपलब्धि के योग्य न रही। फिर जगत एक पागलपन है।

'शुद्ध सम्प्रयोग अर्थात भक्ति आदि शुभ भाव से दुख मुक्ति होती है, ऐसा अगर कोई मानता हो तो वह गलत मानता है, क्योंकि वह भी राग का अंश है।'

अगर भक्तों की बात सुनें तो लगता भी है कि राग का अंश। शुद्ध राग है, बड़ा श्रेष्ठ राग है, जरा भी दूषित नहीं है संसार से—लेकिन फिर भी राग तो है ही!

उसके मजकूर के सिवा 'बेदार'
और कुछ बात खुश नहीं आती।

भक्त कहता है, भगवान की याद के सिवाय और कुछ बात में मजा नहीं आता। लेकिन इसका अर्थ तो साफ हुआ कि मजा अभी अपना नहीं है—उसकी याद! तो कहीं निर्भर है, पर है, अपने से बाहर है।

शाम से आ रही है याद तेरी
जाम छलका रही है याद तेरी
झनझना-सा रहा है साजे-खयाल
गीत-से गा रही है याद तेरी।

लेकिन भक्त वैसे ही शब्दों का उपयोग करता है परमात्मा के लिए जो वह प्रेयसी के लिए करता है या प्रेमी के लिए करता है। फर्क नहीं मालूम पड़ता। ऐसा लगता है कि जो हमारा राग मनुष्यों के प्रति था, उसी राग को हम परमात्मा की तरफ आरोपित कर देते हैं।

शाम से आ रही है याद तेरी
जाम छलका रही है याद तेरी
झनझना-सा रहा है साजे-खयाल
गीत-से गा रही है याद तेरी।

यह हम प्रेयसी के लिए भी कह सकते हैं और परमात्मा के लिए भी कह सकते हैं।

इसलिए सूफियों के वचन दोहरे अर्थ किये जा सकते हैं। या तो तुम उनका अर्थ कर लो सांसारिक, तो प्रेयसी के लिए कहे गये हैं; या अर्थ कर लो आध्यात्मिक, तो परमात्मा के लिए कहे गये हैं। लेकिन शब्द वही के वही हैं। उमर खैयाम की रुबाइयां इसी तरह भ्रष्ट हुईं। जिस व्यक्ति ने पहली दफा अनुवाद किया फिटज़राल्ड ने, अंग्रेजी में, उसने समझा कि ये मधु-गीत हैं, शराब की प्रशंसा में गाये गए गीत हैं। लेकिन उमर खय्याम शराब कहता है परमात्मा की याद को, उसकी स्मृति को, जिक्र को। और जिन साकियों की वह बात करता है, वह वही परमात्मा है। और जिस मधु के ढालने की बात कर रहा है, वह जीवन-रस है। लेकिन इससे क्या फर्क पड़ता है? फिटज़राल्ड ने अनुवाद दिया। उसने समझा कि यह सब प्रेयसी, साकी, मधुशाला—ये सब संसार की ही चीजें हैं।

दोनों के लिए उपयोग हो सकते हैं।

चलो छिया-छी हो अंतर में
तुम चंदा
मैं रात सुहागन
चमक-चमक उट्ठे आंगन में
चलो छिया-छी हो अंतर में

भक्त जो भाषा बोलते हैं—मीरा की भाषा, चैतन्य की भाषा या कबीर की—उसमें कठिनाई मालूम होगी।

कबीर कहते हैं, मैं राम की दुलहन हो गया! आखिर भाषा तो इसी जगत के रागात्मक शब्दों का उपयोग कर रही है। मीरा कहती है, 'सेज को तैयार किया है, तुम कब आओगे?' 'सेज को तैयार किया है'—यह तो सुहागरात की ही बात हो गई।

तो महावीर के कहने में सार्थकता भी है कि कितना ही शुद्ध राग हो जाये, कितना ही शुद्ध सम्प्रयोग, कितनी ही शुद्ध भक्ति हो, लेकिन उसमें स्वर तो संसार का ही होगा।

सहर के वक्त मय पीने से मुझको रोक मत नासेह
कि सिजदे के लिए दिल में जरा-सा सिद्क लाना है।

सूफी कहते हैं कि हमें प्रार्थना के वक्त पीने से मत रोको, क्योंकि प्रार्थना के लिए थोड़ी सचाई लानी है। और बिना पीए कहीं सचाई हुई? बिना पीए तो आदमी झूठ और धोखे दिये चला जाता है। इसलिए तो शराबी की बातें सुनो, वह ज्यादा ईमानदारी की होती है। वह सच बोलने लगता है। फिक्र ही न रही झूठ बोलने की। झूठ याद कौन रखे! फायदा, हानि, लाभ—कुछ भी न रहा।

सहर के वक्त मय पीने से मुझको रोक मत नासेह!

—हे धर्मगुरु! मुझे प्रार्थना के समय शराब पीने से मत रोक!

कि सिजदे के लिए दिल में जरा-सा सिद्क लाना है।

—थोड़ी-सी सचाई तो होनी चाहिए, नहीं तो प्रार्थना झूठी हो जायेगी।

अब या तो हम समझ लें कि यह बाहर की शराब है या हम समझ लें कि किसी

भीतर की शराब है। लेकिन महावीर कहते हैं, शराब शराब है। तुम इसे कितना ही ऊंचा उठाओ, और कितने ही शुद्ध अंगूरों से निचोड़ो, शराब शराब है। और नशा नशा है। यह किसी की सुंदर सूरत को देखकर छा जाये या यह परमात्मा के फूल और पक्षियों के गीत सुनकर आ जाये, इससे क्या फर्क पड़ता है? लेकिन तुम्हारा राग अभी भी बाहर है। सुंदर स्त्री बाहर है, सुंदर पुरुष बाहर है, सुंदर फूल भी बाहर हैं—और सुंदर परमात्मा का आकाश और चांद तारे भी बाहर हैं।

'राग का अंश होने से भक्ति भी पर-समयरत है।'

वह दूसरे में लगी। दूसरे में उत्सुक है। अपनी तरफ नहीं लौट रही है। दूसरे की तरफ बह रही है। और दूसरा बंधन है।

इसलिए महावीर भक्ति को भी जगह न देंगे। और अगर हम भक्तों की बातें सुनें तो महावीर की बात में सचाई भी मालूम पड़ती है, निश्चित सचाई मालूम पड़ती है। क्योंकि भक्त भगवान से ऐसी बातें करता है। जैसे प्रेमी एक-दूसरे से बातें करते हैं। मान-मनौवल भी चलती है। रूठना-मनाना भी चलता है। शिकवा-शिकायत भी चलती हैं।

मुझको इस तर्जे-तगाफुल पे खफा होना था
उल्टे तुम मुझ पे खफा हो यह तमाशा क्या है?

भक्त भगवान से कहता है:

मुझको इस तर्जे-तगाफुल पे खफा होना था—तुम्हारे उपेक्षा-भाव पर मुझे नाराज होना चाहिए; चिल्लाता रहता हूं, तुम्हारा कोई उत्तर भी नहीं पाता...

मुझको इस तर्जे-तगाफुल पे खफा होना था
उल्टे तुम मुझ पे खफा हो यह तमाशा क्या है?

भक्त तो बात करता है, प्रार्थना करता है, बोलता है, रोता है कभी, कभी भगवान पर नाराज भी हो जाता है। खफा भी हो जाता है, दो-चार दिन प्रार्थना भी नहीं करता, बंद कर देता है द्वार-दरवाजे कि पड़े रहो। फिर मना भी लेता है।

लेकिन महावीर कहेंगे, यह सारा खेल तो कल्पना का है। यह तो राग का ही है। इसमें तो दूसरा अभी भी मौजूद है। माना कि शुद्ध हुआ, शुभ हुआ, किसी को हानि नहीं हो रही है इससे, लाभ ही हो रहा है—लेकिन फिर भी, जहां तक लाभ हो रहा है वहां तक हानि भी जुड़ी है। इसके भी पार जाना है।

महावीर के लिए भाव भी बंधन है। इसलिए महावीर का मार्ग शुद्ध निर्भाव का मार्ग है। जैन भी जैन मंदिरों में जो कर रहे हैं, महावीर लौटें तो नाराज होंगे। कहेंगे, 'तुम यह क्या कर रहे हो? यही सब तो मैंने मना किया था।' महावीर की ही मूर्ति के सामने बैठे हैं साज-श्रृंगार लगाकर, कि हे प्रभु! महावीर से ही बातें चल रही हैं। महावीर से बात चलाने का उपाय नहीं है। अगर महावीर की मानते हो, अगर महावीर के मार्ग को शुद्ध रखना है, तो महावीर से बातें चलाने का उपाय नहीं है। सच तो पूजा भी जैन धर्म में संभव नहीं हो सकती; प्रार्थना की कोई गुंजाइश नहीं है; भक्ति का कोई मार्ग नहीं है। लेकिन मंदिर बनते हैं, पूजा होती है, प्रतिमा खड़ी होती है।

बात असल ऐसी है कि जिन्हें भक्त होना चाहिए था, वह अगर जैन घरों में पैदा हो जाते हैं तो वह क्या करें! खुद तो भक्त होने का उपाय नहीं है, महावीर को ही भ्रष्ट कर लेते हैं।

दुनिया के सभी धर्म भ्रष्ट हो गये हैं, संकर हो गये हैं; क्योंकि लोग जन्मों के कारण धर्मों में हैं। और यह बड़ी खतरनाक बात है। मैं तो चाहूंगा, महावीर का धर्म शुद्ध हो। क्योंकि शुद्ध हो तो कुछ थोड़े-से लोग जो संकल्प से पहुंच सकते हैं, उनका रास्ता सीधा-साफ हो। लेकिन वह शुद्ध तभी हो सकता है, जब लोग उसे स्वयं चुनें, जन्म के कारण धर्म आरोपित न हो। तो कृष्ण के मार्ग पर ऐसे लोग मिल जायेंगे जिनको महावीर के मार्ग पर होना चाहिए था। वे वहां सब खराब कर रहे हैं। वे प्रार्थना भी करते हैं, लेकिन उनको आंसू नहीं बहते। वे कहते हैं, 'कैसे प्रार्थना करें, हृदय में कोई रसधार आती ही नहीं!' इधर महावीर के मार्ग पर ऐसे लोग हैं जो कृष्ण के मार्ग पर होते तो सुगमता से पहुंच जाते। उनकी आंखें लबालब भरी हैं। उनकी प्याली छलकी जा रही है। लेकिन महावीर के वचन हैं कि राग का अंश है भक्ति, तो रोके हुए हैं। आंसुओं को सुखाने की कोशिश कर रहे हैं।

अड़चन पैदा होती है अगर तुम अपने से विपरीत चले गये।

किसी ने पीछे पूछा था कि क्या ऐसा नहीं हो सकता कि हम समर्पण और संकल्प में समन्वय स्थापित कर लें? वही तो तुमने किया है। हो सकता है, यह सवाल ही नहीं है—वही हुआ है। लेकिन समन्वय हो नहीं सकता। सिर्फ समझौता हो जाता है। तो तुम दोनों बातों का तालमेल बिठा लेते हो। लेकिन उस तालमेल बिठालने में दोनों मार्ग भ्रष्ट हो जाते हैं।

ऐसा ही समझो, बैलगाड़ी से कोई यात्रा करता है, कोई कार से यात्रा करता है, कोई रेलगाड़ी से, कोई हवाई जहाज से—सब पहुंच जाते हैं। सबके मार्ग अलग हैं। रेलगाड़ी रेल की पटरियों पर दौड़ती है। बैलगाड़ी को पटरियों पर दौड़ने की कोई जरूरत नहीं है, ऊबड़-खाबड़ जंगली पथ से भी गुजर जाती है। कार वहां से न गुजर सकेगी। अब ये सब रास्ते और ये सब वाहन ठीक हैं। लेकिन तुमने अगर कहा, समन्वय स्थापित कर लें कि चलो बैलों को लेकर कार में जोत दें, कि कार का इंजिन बैलगाड़ी में रख दें, कि रेल के चक्के बैलगाड़ी में ठोक दें और बैलगाड़ी के चक्के रेल में ठोक दें—तो समन्वय स्थापित नहीं होगा सिर्फ इतना ही होगा कि कोई भी वाहन चलाने में, पहुंचाने में समर्थ न रह जायेगा। यह समन्वय नहीं हुआ। यह तुमने रास्ते ही खराब कर लिए, वाहन ही नष्ट कर दिए।

प्रत्येक मार्ग पर सुनिश्चित चिह्न हैं और प्रत्येक मार्ग की अपनी सुनिश्चित दिशा है। तो जब मैं महावीर के मार्ग पर बोल रहा हूं तो तुम खयाल रखना : मैं चाहता हूं कि शुद्ध महावीर की बात तुम्हारी समझ में आ जाये; फिर जिसको वह यात्रा सुगम मालूम पड़े वह चल सके। वहां भक्ति को भूल ही जाना। वहां सूफियों से कुछ लेना-देना नहीं। वहां तो तुम शुद्ध निर्भाव होने की चेष्टा करना, क्योंकि वही निर्भाव ही वहां गाड़ी का चाक है।

लेकिन अक्सर लोग ऐसा करते हैं: महावीर के मार्ग पर भाव ले आयेंगे और जब नारद को पढ़ेंगे तब उनकी बुद्धि में निर्भाव उठने लगेगा। ये तरकीबें हैं न पहुंचने की। ये बहाने हैं ताकि तुम पहुंच न पाओ। ऐसे उलझाव खड़े करते हो।

अंततः समन्वय है, लेकिन वह है गंतव्य पर पहुंचकर। जहां से मैं खड़े होकर देख रहा हूं, वे सभी रास्ते यहीं आ जाते हैं। लेकिन हर रास्ते की व्यवस्था अलग है। कोई पहाड़ से गुजरता है, कोई रेगिस्तानों से गुजरता है, कोई हरियाली से भरे उपवन से गुजरता है। किसी रास्ते पर कोयल की कुहू-कुहू है और किसी रास्ते पर बिलकुल सन्नाटा है, पक्षी हैं ही नहीं।

रास्तों की अलग-अलग व्यवस्था है। और प्रत्येक ने चेष्टा की है कि उसका रास्ता शुद्ध रहे।

तो महावीर साफ किये दे रहे हैं:

अण्णाणादो णाणी जदि मण्णादि सुद्ध संपओगादो
हवदि त्ति दुक्खमोक्खं, परसमयरदो हवदि जीवो।।

भक्ति भी दुख-मुक्ति की तरफ नहीं ले जायेगी।

ध्यान रखना, जब महावीर कहते हैं, भक्ति दुख-मुक्ति की तरफ नहीं ले जायेगी, तो यह सार्थक है वचन महावीर के मार्ग पर। यह वचन आत्यंतिक नहीं है। इस वचन से नारद गलत नहीं होते। इस वचन से सिर्फ इतना ही साफ होता है कि महावीर के मार्ग पर भक्ति की कोयल की कुहू-कुहू नहीं है। और अगर महावीर के मार्ग पर भक्ति की कोयल की कुहू-कुहू सुनाई पड़े, तो तुम भटक गये हो, तुम मार्ग पर हो नहीं। वहां भाव बंधन है; क्योंकि वहां दूसरे की मौजूदगी परतंत्रता है।

धिगस्तु परवश्यताम्।

—धिक्कार है परवशता को, परतंत्रता को!

वहां परमात्मा प्रीतिकर नहीं है। उसकी मौजूदगी ही अपनी गुलामी का सबूत है।

महावीर अपने मार्ग की बात कर रहे हैं। अब यह तुम्हें बड़ा कठिन लगता है। तुम्हें लगता है, अगर महावीर सही हैं तो नारद गलत होने चाहिए। वहां तुम भूल कर रहे हो। तुम्हें लगता है, अगर नारद सही हैं तो महावीर गलत होने चाहिए। तुम बड़ी जल्दी कर रहे हो। तुम जीवन की विराटता को नहीं देख पाते। जीवन इतना विराट है कि सब विरोधी मार्गों को अपने में समाए हुए है। यहां महावीर भी सही हैं और नारद भी सही हैं। और नारद के मार्ग पर चलकर भी लोग पहुंच गये हैं और महावीर के मार्ग पर भी चलकर लोग पहुंच गये हैं।

लेकिन एक बात तय है: जो भी चले हैं वे पहुंचे हैं। कुछ लोग हैं जो मार्गों के किनारे बैठकर विचार कर रहे हैं कौन सही है! जीवन ऐसे ही बीता चला जाता है सोचने में, कौन सही है! सही का भी कैसे पता चलेगा जब तक चलोगे नहीं? चलने से ही पता चलेगा कौन सही है। क्योंकि जब करीब आने लगोगे जलस्रोत के, तो ठंडी हवाएं छूने लगेंगी। जब करीब आने लगोगे मंजिल के तो जीवन में आलोक आने लगेगा। जब करीब

आने लगोगे तो दर्शन ज्ञान बनेगा, ज्ञान चरित्र बनेगा। जैसे-जैसे करीब-करीब आओगे, वैसे पाओगे तुम रूपांतरित हुए, बदले, नये हुए, नया जन्म हुआ।

एक-एक कदम पर जन्म है। एक-एक पल नये का आविर्भाव है। उस आविर्भाव से ही प्रमाण मिलता है कि मैं जो चल रहा हूं तो ठीक चल रहा हूं। लेकिन जो बैठे हैं उनके पास कोई उपाय नहीं है कि जानें कौन ठीक है। तर्क जुटायेंगे, चिंतन करेंगे, शास्त्रों का मेल-ताल बिठायेंगे।

और तर्क वेश्या जैसा है। उसका कोई मूल्य नहीं है। तुम जैसा उसका उपयोग करना चाहो वैसा कर ले सकते हो। अब महावीर कहते हैं, व्यवस्था के कारण परमात्मा को स्वीकार नहीं किया जा सकता। हिंदू कहते हैं, व्यवस्था के लिए परमात्मा की जरूरत है, अन्यथा व्यवस्था कौन करेगा? विपरीत तर्क, लेकिन दोनों ठीक मालूम होते हैं अपनी-अपनी जगह। तुम सोच-सोच कर बैठ-बैठ कर, विचार कर-कर के कभी न पहुंच पाओगे। उठो और चलो!

महावीर का मार्ग शुद्धतम मार्गों में से एक है। लेकिन उसे शुद्ध रखना। महावीर के मार्ग पर पूजा को मत ले आना, प्रार्थना को मत ले आना।

अगर पूजा-प्रार्थना में ही रस है तो पूजा-प्रार्थना के मार्ग हैं। बजाय इसके कि तुम मार्ग को खराब करो, तुम्हीं उतरकर दूसरे मार्ग पर चले जाना।

दुनिया बड़ी धार्मिक हो जायेगी उस दिन, जिस दिन लोग सुलभता से एक मार्ग से दूसरे मार्ग पर जा सकेंगे; न उन्हें कोई रोकेगा, न कोई बाधा डालेगा, न उन्हें कोई जबर्दस्ती अपने मार्ग पर खींचेगा, न कोई कन्वर्ट करने को उत्सुक होगा और न कोई रोक लेने को उत्सुक होगा। अगर किसी के मन में उमंग उठी है आनंद की, रस की, भाव की, तो वह मार्ग खोज लेगा भाव का। कोई बाधा नहीं डालेगा, न कोई उसे प्रभावित करेगा कि इस मार्ग पर आओ। क्योंकि कभी-कभी प्रभाव में तुम गलत मार्ग पर जा सकते हो। कभी-कभी रोकने की वजह से गलत मार्ग पर रुक सकते हो।

जीवन एक मुक्त हलन-चलन, रूपांतरण, बदलाहट की सुविधा होनी चाहिए।

महावीर का मार्ग अपने आप में पूर्ण सही है। पर उससे कोई और गलत नहीं होता। उससे विपरीत दिखाई पड़ने वाले भी गलत नहीं होते। इतना तुम्हें स्मरण रहे तो तुम्हारे भीतर संप्रदाय का भाव पैदा नहीं होगा।

संप्रदाय का भाव इस तरह पैदा होता है। इन सूत्रों को जो पढ़ेगा...। जैन पढ़ते रहे हैं। तो जब वे देखते हैं किसी को मंदिर की तरफ जाते कृष्ण के, तब उनको लगता है, बेचारा भटका! उनको याद आता है महावीर का सूत्र कि राग का अंश है भक्ति! और यह आदमी राग में पड़ा है।

नहीं, यह तुम सोचना ही मत। तुमने अपने लिए सोच लिया, काफी है। तुम्हें दूसरे की अंतर्व्यवस्था का कुछ भी पता नहीं है। तुम बस अपने लिए निर्णय कर लो, उतना बहुत। और वह निर्णय भी चलने के लिए हो, बैठे-बैठे सोचने के लिए नहीं।

महावीर तुम्हें वहां ले जाना चाहते हैं जहां न कोई विचार रह जाता, न कोई भाव रह

जाता, न कोई चाह रह जाती, न कोई परमात्मा रह जाता—जहां बस तुम एकांत अकेले अपनी परिपूर्णता शुद्धता में बच रहते हो!

निर्धूम जलती है तुम्हारी चेतना!
हर मंजर-ए-बुलंद भी अब पस्त हो चुका
ऐ अर्श किस फजा में उड़ा जा रहा हूं मैं।
ऊंचाइयां भी जहां नीचे छूट जाती हैं।
हर मंजर-ए-बुलंद भी अब पस्त हो चुका

ऊंचाइयां भी पीछे छूट गईं। ऊंचाइयां भी! नीचाइयां तो छूट ही गईं, ऊंचाइयां भी छूट गईं। अशुभ तो छूट ही गया, शुभ भी छूट गया। पाप तो छूटा, पुण्य भी छूटा।

हर मंजर-ए-बुलंद भी अब पस्त हो चुका
ऐ अर्श किस फजा में उड़ा जा रहा हूं मैं।

—और मैं किस आकाश में उड़ रहा हूं!

महावीर उस आकाश को आत्मा कहते हैं। अंतर्आकाश! परम आनंद है वहां! परम शांति!

महावीर उस परम दशा को ही परमात्म-दशा कहते हैं।

परमात्मा एक नहीं है महावीर के लिए, वरन प्रत्येक व्यक्ति की नियति है। हर व्यक्ति परमात्मा होने के मार्ग पर है। हर व्यक्ति परमात्मा हो रहा है; देर-अबेर होता चला जा रहा है।

परमात्मा सृष्टि के प्रथम क्षण में नहीं है—परमात्मा प्रत्येक व्यक्ति की अंतिम उपलब्धि में है। उतने ही परमात्मा हैं जितनी आत्माएं हैं। फिर ये आत्माएं बहिर्मुखी हों तो परमात्मा बाहर की तरफ देख रहा है; अंतर्मुखी हों तो अंदर की तरफ देख रहा है। बहिर्मुख, अंतर्मुख, दोनों से मुक्त हों तो परमात्मा स्थित हुआ, स्वस्थ हुआ, अपने में लौट आया। इस अवस्था को महावीर मोक्ष कहते हैं।

आज इतना ही।

२२

परमात्मा के मंदिर का द्वार : प्रेम

प्रश्न-सार

इस जगत में न पकड़ने-योग्य कुछ है न छोड़ने-योग्य। लेकिन एक बात पकड़ने और छोड़ने के बीच बेचैन कर गयी : प्रेम-वासना—मेरे जीवन की एकमात्र समस्या।

आह को चाहिए एक उम्र असर होने तक
कौन जीता है तेरे ज़ुल्फ के सर होने तक
हमने माना कि तगाफुल न करोगे, लेकिन
खाक हो जाएंगे हम तुमको खबर होने तक।

आपके प्रवचन के समय बड़ी मीठी और गहरी नींद आती है। क्या कारण है?

संन्यास के शुरू के कुछ साल संन्यासिनी होने का भ्रम रहा। लेकिन संन्यास के फूल की जो आप बात करते हैं, अपने को उसके योग्य नहीं पाती। जमीन से पैर उखड़ गए हैं, लेकिन पंख अभी तक नहीं उगे। यह कैसी अवस्था है?

पहला प्रश्न :

> **ओशो, इस जगत में न पकड़ने-योग्य कुछ है, न छोड़ने-योग्य—ऐसा आपने कहा। और मैंने तटस्थता में शांति का अनुभव भी पाया। लेकिन एक बात पकड़ने और छोड़ने के बीच बेचैन कर गई—वह है प्रेम-वासना। मेरे जीवन का वही एक प्रश्न है, समस्या है।**

प्रेम समस्या नहीं है—बनाना चाहो तो समस्या बन सकती है।

प्रेम है जीवन का समाधान। लेकिन तुम्हारे देखने में कहीं कोई भूल-चूक हो रही है। तुमने प्रेम को निष्पक्ष भाव से नहीं देखा। जिन्होंने प्रेम के विपरीत जीवन का ढांचा निर्मित किया है, या जो जीवन-विरोधी हैं, तुमने उनकी आंख से प्रेम को देखा है। तुम्हारी आंखें किन्हीं खयालों से भरी हैं, उन खयालों के कारण प्रेम समस्या बन जाता है। फिर तो कोई भी चीज समस्या बनाई जा सकती है। समस्या ही बनाना हो तो फिर इस जगत में ऐसी कोई बात नहीं, जो समस्या न बन जाये। कोई भोजन को समस्या बना लेता है। कोई शरीर

को समस्या बना लेता है। कोई वस्त्रों को समस्या बना लेता है। प्रेम को भी समस्या बनाना चाहो तो बन सकता है। यह तुम पर निर्भर है। कहीं देखने में कुछ भूल हो रही है।

प्रेम को सदा ही तथाकथित धार्मिकों ने निंदित किया है। क्योंकि जीवन के विधायक को स्वीकार करने वाले धर्म अब तक पैदा नहीं हुए; या पैदा भी हुए तो उनकी झलकें आईं और खो गईं। कभी किसी कृष्ण ने बांसुरी बजाई; लेकिन वे स्वर ज्यादा दिन तक गूंजते न रह सके—क्योंकि आदमी रुग्ण है, क्योंकि आदमी बीमार है; और आदमी से कृष्ण की बांसुरी के स्वरों का संबंध नहीं बैठता।

आदमी दुखी है और इसलिए दुख के कारण वह जीवन के सुख-रूप को नहीं देख पाता। वह अपने दुख को ही जीवन में देखता है। इसलिए जब भी कोई तुमसे कहेगा, जीवन व्यर्थ है, असार है, तुम्हें तत्क्षण बात समझ में आ जायेगी। क्योंकि तुम्हें भी ऐसा ही लग रहा है।

जिन्हें भी जीने का ढंग न आया, वे जीवन से नाराज हो जाते हैं। अपने से तो कोई यह देखने को राजी नहीं है कि मेरी शैली गलत, मेरे जीवन को पहचानने का रास्ता गलत, जीवन की तरफ पहुंचने की मेरी व्यवस्था गलत। ऐसा तो कोई नहीं देखता; क्योंकि उसमें तो फिर 'मैं' गलत हो जाऊंगा।

हम, अगर अहंकार और जीवन में चुनना हो, तो अहंकार को चुन लेते हैं, जीवन को नहीं। मैं तो गलत कैसे हो सकता हूं, जीवन ही गलत होना चाहिए! मैं तो गलत कैसे हो सकता हूं, प्रेम ही गलत होना चाहिए!

तो जब भी हमें चुनना होता है, हम 'मैं' को चुन लेते हैं कि मैं तो ठीक हूं ही! एक बात तो सुनिश्चित है कि मैं ठीक हूं। और फिर भी जीवन में दुख हैं तो कहीं न कहीं गलती का सूत्रपात होता होगा; कहीं न कहीं भूल के बीज होंगे। तो हम चारों तरफ देखते हैं भूल के बीज खोजने को। कोई धन में देखता है; धन छोड़कर भाग जाता है। लोभ में नहीं देखता; धन में देख लेता है, तो धन को छोड़कर भाग जाता है। अपने भीतर नहीं देखता, तृष्णा में नहीं देखता। लेकिन धन को छोड़कर कहां जाओगे? धन तो बाहर था, बाहर ही रहेगा। तुम कहीं भी भाग जाओ, तुम्हारे भीतर की लोभ-दशा कैसे बदलेगी? कोई देखता है, पद में उपद्रव है, अशांति है—पद छोड़कर हट जाता है।

न तो अशांति पद में है, न धन में है।

कोई देखता है, प्रेम में उलझाव है। प्रेम में उलझाव नहीं है। उलझाव तो तुम्हारी प्रेम न कर पाने की स्थिति में है। तुमने प्रेम के नाम पर कुछ और किया है, इसलिए उलझाव है।

थोड़ा समझो। इधर मैं देखता हूं, सैकड़ों लोग अपनी प्रेम की समस्या लेकर मेरे पास आते हैं। तो पहली बात तो यह है कि प्रेम तो उन्होंने किया ही नहीं है, समस्या है। प्रेम के नाम पर कुछ और किया है। प्रेम के नाम पर ईर्ष्या की है। प्रेम के नाम पर दूसरे पर मालकियत साधनी चाही है। प्रेम के नाम पर राजनीति की है। प्रेम के नाम पर किसी को दबाना चाहा है, सताना चाहा है। प्रेम के नाम पर किसी के सिर पर बैठ जाना चाहा है। यह नाम प्रेम का है, भीतर छिपा कुछ और है।

तुम जिस स्त्री से कहते हो, मैंने प्रेम किया, तुमने प्रेम किया? तुम जिस पुरुष को कहते हो, मैंने प्रेम किया, तुमने प्रेम किया? जिस बेटे को तुम कहते हो, मैंने प्रेम किया, प्रेम किया? बेटे में तुमने महत्वाकांक्षा की है कि तुम जो नहीं कर पाये, बेटा पूरा करेगा। तुम जो अधूरा छोड़ जाओगे, बेटा पूरा करेगा। बेटे के माध्यम से तुमने एक तरह का अमरत्व साधना चाहा। तुम तो मरोगे, तुम्हारा अंश तुम्हारे बेटे में जीयेगा। चलो इतना ही सही, पूरे न बचोगे, एक अंश बचेगा। वृक्ष न बचेगा, लेकिन बीज तो बचेगा। चलो यही सही। इतना तो इंतजाम कर लें।

कौन अपने बेटे को प्रेम करता है! बेटे के माध्यम से कुछ और चीजें हैं, कुछ अहंकार की एषणाएं हैं जिन्हें तुम पूरा करना चाहते हो। तुम नहीं बन पाये प्रधानमंत्री, बेटा बन जायेगा। तुम नहीं हो पाये बड़े धन कुबेर, बेटा हो जायेगा। नाम तो रहेगा। नाम तो तुम्हारा है, बेटा तो तुम्हारा है!

इसलिए दुनिया में इतने मां-बाप कहते हैं कि हम अपने बच्चों को प्रेम करते हैं, लेकिन दुनिया में कहीं प्रेम दिखाई नहीं पड़ता। सभी बच्चे तो मां-बाप से पैदा होते हैं। अगर सच में ही मां-बाप प्रेम करते हैं तो सभी बच्चे प्रेम से पैदा हों और उनके जीवन में प्रेम की सुगंध हो। लेकिन वह सुगंध तो कहीं दिखाई नहीं पड़ती। दिखाई तो पड़ती है घृणा की दुर्गंध। दिखाई तो पड़ता है युद्ध, वैमनस्य, हत्या, हिंसा, क्रोध, और सभी प्रेम के स्रोत से आते हैं। तो जरूर प्रेम के स्रोत में कहीं कोई जहर मिला है। क्योंकि अंतिम परिणाम बताते हैं। फल से पता चलता है वृक्ष का। तो तुम्हारे बेटे के जीवन में अगर प्रेम फले तो ही पता चलेगा कि तुमने प्रेम किया था, तुमने प्रेम की खाद डाली थी। लेकिन किसी बेटे के जीवन से पता नहीं चलता।

पत्नी है, पति है, एक-दूसरे को कहते हैं कि प्रेम करते हैं। लेकिन कभी तुमने देखा, गौर से समझा—यह प्रेम है या कुछ और? प्रेम के नाम से धोखा दे रहा है। फिर समस्याएं खड़ी होती हैं। तुम्हारी पत्नी किसी दूसरे की तरफ गौर से भी देख ले तो अड़चन शुरू हो जाती है। तुम्हारे अतिरिक्त भी सौंदर्य है जगत में। तुमने कुछ सौंदर्य की मोनोपाली, एकाधिकार नहीं कर लिया है। तुम्हारे अतिरिक्त भी सौंदर्य है जगत में। तुममें भी सौंदर्य है, क्योंकि जगत में सौंदर्य है, अन्यथा तुममें भी न होता। तो अगर पत्नी किसी की तरफ भरनजर देख लेती है, तुम घबड़ा क्यों गये हो? इतने परेशान क्यों हो गये हो? घबड़ाहट है।

प्रेम कहीं घबड़ाता है? अगर प्रेम हो तो तुम चुपचाप पूछोगे, 'सुंदर लगा यह व्यक्ति? मुझे भी सुंदर लगा। सुंदर है।' न तो पत्नी को यह छिपाना पड़ेगा कि यह व्यक्ति सुंदर लगा, न तुम्हें इसके लिए कोई संघर्ष करना पड़ेगा कि तुम पत्नी को दबाओ, कि पत्नी की आंख को हटाओ, कि पत्नी पर नियंत्रण करो। कहां क्या बुरा हुआ है?

पति अगर किसी और स्त्री से हंसकर बोल ले, मुस्कुराकर बोल ले तो पत्नी बेचैन है, परेशान है। यह कैसा प्रेम है? यह कैसा प्रेम है जो पति को मुस्कुराते नहीं देख सकता? पत्नी कहती है, मुस्कुराना तो बस मेरे पास। यह तो ऐसे हुआ, जैसे कि तुम कहो कि सांस

लेना तो बस मेरे पास! बाकी चौबीस घंटे और कहीं श्वास मत लेना।

मुस्कुराहट भी श्वास है। प्रेम भी श्वास है। और जैसे बिना भोजन के आदमी मर जाता है—बिना प्रेम के आदमी मर जाता है। बिना भोजन के शरीर मरता है—बिना प्रेम के आत्मा मर जाती है। तो बिना भोजन के तो तुम जी भी लो—थोड़े दिन; बिना प्रेम के तो तुम क्षण भर नहीं जी सकते। क्योंकि प्रेम ही तुम्हारी आत्मा की श्वास है। जैसे शरीर को आक्सीजन चाहिए प्रतिपल, ऐसे ही प्राणों को प्रेम चाहिए प्रतिपल। लेकिन तुम घर के बाहर जाते हो तो भी डरे हो। किसी से प्रेम से बात भी करते हो तो भीतर एक भय खड़ा है कि कहीं पत्नी को पता न चल जाये। यह कैसा प्रेम हुआ, जो तुम्हारी प्रसन्नता के विपरीत आ रहा है? यह कैसा प्रेम हुआ, जो तुम्हें दुखी देखना चाहता है, प्रसन्न नहीं देखना चाहता? यह कैसा प्रेम हुआ जो तुम्हें बांधता है, मुक्त नहीं करता? नहीं, यह प्रेम का नाम है। इसके पीछे कुछ और है—मालकियत है, पजेसिवनेस है, एकाधिकार है। इसमें प्रेम कम, अर्थशास्त्र ज्यादा है।

पत्नी डरी है कि अगर कहीं तुम किसी दूसरे में उत्सुक हो गये तो मेरी व्यवस्था का, धन का, मेरे बच्चों का, घर का क्या होगा! तुममें कोई उत्सुकता नहीं है—आर्थिक व्यवस्था का सवाल है। अर्थ के नियोजन में गड़बड़ पड़ जायेगी। न तुम पत्नी में उत्सुक हो। कुछ और बातें हैं, जिनके कारण तुम उत्सुक हो। प्रतिष्ठा है। समाज में आदर-सम्मान है। लोग कहते हैं कि ऐसा एक पत्नी-व्रती कोई दूसरा देखा नहीं। राम के बाद बस तुम्हीं हुए हो। तो एक रिस्पेक्टेबिलिटी है, एक सम्मान है। अगर यहां-वहां नजर गई, सम्मान बिखर जायेगा। प्रतिष्ठा दांव पर लगेगी। बाजार में नाम नीचा गिरेगा। दुकान कम चलेगी। सब गड़बड़ हो जायेगी। हजार और बातें हैं।

फिर इन्हीं बातों के कारण अड़चन होती है। तो तुम कहते हो, प्रेम के कारण समस्या खड़ी हो रही है।

अब तक मैंने ऐसी कोई घटना नहीं देखी और हजारों लोगों के चित्त के निरीक्षण से तुमसे कहता हूं कि जब प्रेम ने समस्या खड़ी की हो, समस्या किसी और चीज ने खड़ी की है। लेकिन बुनियादी भूल तो तुम यह मानकर चलते हो कि वही प्रेम था। फिर जब समस्या खड़ी होती है तो प्रेम पर ही दोष थोप देते हो। प्रेम ने तो लोगों को मुक्त किया है। प्रेम ने तो जीवन में स्वाद दिया है परमात्मा का। प्रेम के माध्यम से ही लोग धीरे-धीरे प्रार्थना की तरफ सरके हैं, आकर्षित हुए हैं। प्रार्थना में स्वाद मिला है अनंत का, अज्ञात का। प्रेम ने बल दिया है। प्रेम ने अभियान दिया है, साहस दिया है। लेकिन प्रेम ने समस्या कभी भी नहीं दी।

अगर प्रेम समस्या देता होता तो जीसस कैसे कहते कि परमात्मा प्रेम है? तो तो फिर भक्ति-शास्त्र का सारा का सारा आधार गिर जाता। प्रेम से तो भक्तों ने भगवान को ही खोजा है। और तुम कहते हो, प्रेम में समस्या है! तो तुम जरा फिर से विचार करना। प्रेम में कुछ और मिश्रित होगा। उस मिश्रित के कारण समस्या खड़ी होगी। उस मिश्रित को गिरा दो।

ईर्ष्या मत करो प्रेम के माध्यम से और महत्वाकांक्षा मत करो। और प्रेम के माध्यम से किसी की मालकियत मत करो। और प्रेम के माध्यम से किसी तरह की गुलामी मत थोपो। प्रेम पर्याप्त है। प्रेम से कुछ और मत चाहो। प्रेम अपने में साध्य है; उसे साधन मत बनाओ। फिर तुम देखोगे कि जीवन बड़ी शांति से विकसित होने लगा। और शांति से ही नहीं, क्योंकि सिर्फ शांति भी थोड़ी मुर्दा मालूम होती है।

मैं तुम्हें तुम्हारे जीवन को शांति-मात्र का लक्ष्य नहीं देता हूं; क्योंकि जिस शांति में आनंद की पुलक न हो, वह शांति पर्याप्त नहीं। जिसमें आनंद की लहरें भी उठती हों, वही शांति ठीक है। नहीं तो शांति का अर्थ केवल इतना होगा कि अशांति नहीं है। कुछ होगा नहीं; कुछ नहीं है, इस पर जोर होगा। फिर तुम्हारी शांति अहिंसा जैसी होगी। फिर तुम्हारी शांति उपद्रव का अभाव होगी; जैसे कि रास्ता न चलता हो, रेलगाड़ी न गुजरती हो, हवाई जहाज न निकलता हो। या तुम दूर हिमालय पर चले गये तो वहां एक तरह की शांति है, सन्नाटा है। लेकिन उस सन्नाटे में बहुत मूल्य नहीं है; क्योंकि वह सिर्फ अभाव है।

फिर एक और शांति है, जो संगीत की तरह है : तुम्हारे चारों तरफ वीणा बजने लगे; बाहर-भीतर एक नृत्य होने लगे; शांति गाये भी नाचे भी, उमंग से भरी हो, हर्षोन्माद हो तो ही, तो ही ठीक है।

तो इतना ही काफी नहीं कि तुम शांत हो जाओ। इसे समझना।

जो लोग प्रेम के जीवन को छोड़कर हट जायेंगे, इस खयाल से कि वहां समस्या थी, वे शांत तो हो जायेंगे, लेकिन आनंदित न हो पायेंगे। उनकी आंखों में चिंता के बादल तो न होंगे, लेकिन आनंद-अश्रुओं की वर्षा भी न होगी। उनकी आंखों में तनाव, बेचैनी, परेशानी, चिंता—इसकी धूल-धवांस तो न होगी; लेकिन उनकी आंखों में तुम किसी अनंत का नृत्य न देख पाओगे। उनकी आंखें झरोखे न बनेंगी परमात्मा की। उनकी आंखें रूखी-रूखी, सूखी-सूखी, मुर्दा-मुर्दा होंगी।

जीवन को शांति का लक्ष्य मत देना। शांति जरूरी है, काफी नहीं। जीवन और बड़े द्वार खोलता है आनंद के। आनंद के पीछे शांति तो अनिवार्य होती है, लेकिन शांति के साथ जरूरी रूप से आनंद नहीं होता। तुम ऐसा मत सोचना कि बीमार न हुए तो स्वस्थ हो गये। बीमार न होना स्वस्थ होने के लिए जरूरी है, लेकिन काफी नहीं। क्योंकि यह भी हो सकता है कि बीमार तुम नहीं हो, लेकिन स्वास्थ्य की कोई पुलक नहीं है। स्वास्थ्य बड़ी अलग बात है। जब कभी तुम स्वस्थ हुए हो, तो तुम्हें पता है कि वह बीमारी न होने का ही नाम नहीं है, कुछ विधायक ऊर्जा तुम्हारे भीतर तरंगें लेती है। यह जरूरी है कि बीमारी न हो तो स्वास्थ्य के उतरने में सहायता आती है। लेकिन जिसने यह समझ लिया कि बीमारियों का अभाव ही स्वास्थ्य है, उसने जीवन के संबंध में बड़ी भूल कर ली।

तो मैं तुमसे कहूंगा, प्रेम पर फिर से विचार करना, ध्यान करना। और प्रेम से भयभीत मत होना। भय है। उसी भय के कारण बहुत लोग भाग गये हैं। भय है।

और भय क्या है?

जब भी तुम किसी व्यक्ति के प्रेम में उतरते हो, दूसरा व्यक्ति तुम्हारे लिए दर्पण बन

जाता है और तुम्हारा चेहरा उसमें दिखाई पड़ने लगता है। दर्पण से लोग डरते हैं; क्योंकि दर्पण में वे बातें दिखाई पड़ने लगती हैं जो तुम नहीं देखना चाहते। अकेले थे तो क्रोध का पता न चलता था; किसी के प्रेम में पड़े तो क्रोध का पता चलेगा। दूसरा दर्पण बन गया। और दूसरा चुनौती बन गया। और चारों तरफ स्थितियां खड़ी होंगी, जिनमें तुम्हारा क्रोध प्रकट होने लगेगा, तुम्हारे धोखे जाहिर होने लगेंगे। तुम्हारे झूठे चेहरे कभी-कभी खिसक जायेंगे और गिर जायेंगे। कुछ ऐसी स्थितियां बनने लगेंगी जिसमें तुम निर्वस्त्र हो जाओगे। तुम्हारे भीतर की नग्नता झांकने लगेगी। डर लगता है!

अकेले में आदमी अपने को ढांककर बैठा रहता है। संबंध बड़े सूचक होते हैं। संबंधों में ही पता चलता है तुम कौन हो। क्योंकि दूसरे की आंख में तुम्हारी जो छवि बनती है, उसी को तो तुम देख पाते हो; खुद की तो कोई छवि देखने का सीधा उपाय नहीं है। तुम सीधे तो अपने को देख ही न सकोगे। देखने के लिए दर्पण चाहिए। और दर्पण तो मुर्दा है—संबंधों का दर्पण जीवंत है। जब दूसरे की आंख में तुम्हारी छवि बनती है, तब तुम्हारा सत्य प्रकट होने लगता है। इसे थोड़ा समझो।

जब तुम अकेले हो तो तुम बेईमान नहीं हो सकते, न ईमानदार हो सकते हो; क्योंकि अकेले में क्या बेईमानी और क्या ईमानदारी! दूसरा चाहिए। तो अकेले आदमी को ऐसा भ्रम हो सकता है कि मैं ईमानदार हूं। इसलिए तो लोग जंगलों में भाग गये, गुफाओं में छिप गये।

अकेले में बड़ी सुविधा है; क्योंकि न बेईमानी है, तो साफ हो गया कि ईमानदार हैं। लोगों ने अभाव को परिभाषा बना लिया। लेकिन तुम ईमानदार भी नहीं हो जब तुम अकेले में हो। क्योंकि अकेले में किसके साथ ईमानदारी, कैसी ईमानदारी?

आओ वापस संबंधों में करीब लोगों के। वहां तत्क्षण पता चलेगा, तुम ईमानदार हो कि बेईमान; तुम झूठ बोलते हो कि सच। यह अकेले में कैसे पता चलेगा? किससे बोलोगे? तुम करुणावान हो या कठोर, यह कैसे पता चलेगा? करीब आओ! किसी जीवन को निकट आने दो।

और तत्क्षण तुम्हारे भीतर कुछ घटने लगेगा, जिससे साफ होगा कि तुम में कठोरता है या करुणा है।

अब तुम देखो, जैन मुनि हैं! अहिंसा और करुणा उनके जीवन का मूल आधार होना चाहिए, लेकिन है नहीं। क्योंकि जब तुम अपने को जीवन से तोड़ लोगे तो करुणा का पता कैसे चलेगा? किस हिसाब से तुम्हारे भीतर करुणा प्रकट होगी? कोई उपाय नहीं है। जैन मुनि रास्ते से गुजरता हो तो अगर एक भिखमंगा उसके सामने हाथ फैला दे, तो उसके पास देने को भी कुछ नहीं है। तो तुम यह तो न कहोगे, यह कृपण है। तुम कहोगे, यह तो त्यागी है, इसके पास कुछ है ही नहीं; देने को ही कुछ नहीं है तो देने का सवाल नहीं उठता। लेकिन क्या जरूरी है कि इसके पास देने को कुछ नहीं है, लेकिन यह देना चाहता था? कैसे पता चलेगा कि देना चाहता था? कहीं ऐसा तो नहीं है इस त्याग में कृपणता ही छिपी हो?

अक्सर मैंने देखा है, कृपण त्यागी हो जाते हैं। त्याग से बढ़िया उपाय नहीं है कृपणता को छिपाने का। क्योंकि जब कुछ है ही नहीं तो देने का सवाल ही समाप्त हो गया। जैन मुनि से तुम अपेक्षा तो न रखोगे कि गरीब को कुछ दे, भिखमंगे को कुछ दे, बीमार को कुछ दे। देने की छोड़ो, तुम यह भी अपेक्षा नहीं रखते कि बीमार का पैर दबा दे या बीमार को पानी भरकर ला दे। क्योंकि जैन मुनि कहता है, उसमें तो राग है।

जैनों का एक पंथ है—तेरापंथ—आचार्य तुलसी का पंथ। वे तो यहां तक कहते हैं कि अगर राह के किनारे कोई मर रहा हो तो तुम चुपचाप अपने राह से चले जाना। क्योंकि क्या पता, तुम उस प्यासे मरते आदमी को पानी पिला दो, और वह कल हत्यारा हो जाये, तो तुमने हत्या में भाग लिया। ठीक है, वह मर जाता अगर तुम पानी न पिलाते, मर जाता तो हत्या न कर पाता। तुमने पानी पिलाया तो वह जी गया। जी गया, उसने कल जाकर हत्या की, तो तुम यह मत समझना कि तुम बच गये। तुमने ही तो हाथ दिया। इसलिए तुम अपने रास्ते पर चुपचाप चले जाना।

अब यह लगेगा विराग, त्याग! और ऐसी कठोर अवस्था में आदमी अपने भीतर बंद हो जाता है खोल के भीतर। इसकी पहचान ही मुश्किल हो जाती है कि यह कौन है, क्योंकि दर्पण तोड़ देता है।

संबंधों से जो डरता है, वह दर्पण से डर रहा है। और प्रेम से बड़ा स्वच्छ कोई दर्पण नहीं है। जितने तुम्हारे जीवन में प्रेम के संबंध होंगे, उतनी ही तुम्हारी सचाई जगह-जगह प्रकट होगी—उठते, बैठते, चलते। मैं तुमसे कहता हूं, अपनी सचाई को जानना जरूरी है, तो ही अपनी आत्मा को रूपांतरित किया जा सकता है।

इसलिए घबड़ाओ मत। और प्रेम को समस्या मत बनाओ। इतना डर क्या है? इतनी घबड़ाहट क्या है? अनुभव से उतरो, गुजरो।

जीवन जैसा है, अगर हम उसे वैसा का वैसा जीने को राजी हो जायें और जीवन जो शिक्षाएं देता है उन शिक्षाओं को सीखने को तत्पर रहें, तो इस जीवन में कुछ भी छोड़ने जैसा नहीं है। जो छोड़ने जैसा है, छूट जायेगा; जो बचने जैसा है, बच जायेगा। न तुम्हें छोड़ना पड़ेगा, न तुम्हें बचाना पड़ेगा।

इसलिए मैं कहता हूं, न यहां कुछ छोड़ने योग्य है, न पकड़ने योग्य। मेरा मतलब समझ लेना। मेरा मतलब यह है कि यहां तो तुम गुजर जाओ जीवन की गहनता से: जो छूटने योग्य है छूट जायेगा; जो पकड़ने योग्य है बच जायेगा; तुम्हें न कुछ छोड़ना है, तुम्हें न कुछ पकड़ना है। तुम इस राह से गुजर जाओ। लेकिन राह से भागना मत, भगोड़े मत बनना।

दो तरह के लोग हैं। एक हैं: पकड़ने वाले, जिनको हम भोगी कहते हैं। दीवाने हैं। वे उसको भी पकड़ लेते हैं, जो पकड़ने योग्य न था। क्योंकि उनका कुल जोर पकड़ने पर है; जो भी मिले पकड़ लो, सम्हालकर रख लो! कूड़ा-कर्कट हो तो भी रख लो, कौन जाने कल कुछ काम आ जाये! छोड़ने की उनकी हिम्मत नहीं है। फिर इनके विपरीत दूसरे लोग हैं, जिनको हम त्यागी कहते हैं। वे भोगियों जैसे ही हैं, सिर्फ शीर्षासन कर रहे हैं, उलटे

खड़े हो गये हैं। वे कहते हैं, सब छोड़ दो। सर्वस्व त्याग! पहला आदमी भूल कर रहा था: सब पकड़ लो; यह दूसरा आदमी कहता है: सब छोड़ दो। मैं तुमसे कहता हूं: जीवन में कुछ छोड़ने योग्य है, वह अपने से छूट जाता है; कुछ पकड़ने योग्य है, वह अपने से बच जाता है। और ये दोनों अतियां हैं। और दोनों अतियां खतरनाक हैं।

प्रेम के नाम से कुछ चल रहा है, जो छूटना चाहिए लेकिन वह प्रेम के अनुभव से ही छूटेगा। प्रेम की पीड़ा से गुजरोगे, समझोगे कहां-कहां कांटे हैं, तो उनको छोड़ दोगे। और प्रेम में कुछ है जो बचाने योग्य है; क्योंकि प्रेम में परमात्मा की झलक है। कहीं पूरा प्रेम मत छोड़ बैठना, नहीं तो तुमने टब के पानी के साथ बच्चे को भी फेंक दिया। तुमने कूड़ा-कर्कट के साथ सोना भी फेंक दिया। तुमने असार के साथ सार भी फेंक दिया। यह तो कुछ समझदारी न हुई। यह तो कुछ विवेक न हुआ।

दो तरह के अविवेकी हैं—भोगी और त्यागी। भोगी का अविवेक है कि वह कहता है, कि जो भी है पकड़ लो, असार को भी पकड़ लो। वह बच्चे को तो बचाता ही है, गंदे पानी को भी बचा लेता है, उसको भी सम्हालकर रख लेता है। फिर त्यागी का अविवेक है। वह गंदे पानी को तो फेंकता ही है, बच्चे को भी साथ फेंक देता है। यह दोनों असंयम हैं।

मेरे देखे, संयम तो ऐसी चित्त की दशा है, ऐसी जागरूक दशा, जिसमें जो बचने योग्य है बचना चाहिए, बचता है; जो न बचने योग्य है, छोड़ने योग्य है, छूटता है। इसको ही हमने परमहंस-दशा कहा है। हंस की भांति, कि दूध और पानी को अलग-अलग कर ले।

मैं तुमसे कहता हूं, यहां पानी बहुत है, यहां दूध भी बहुत है। इस संसार में पदार्थ भी है, परमात्मा भी है। यहां रोग भी हैं और स्वास्थ्य भी है। यहां समस्याएं भी हैं और समाधान भी हैं। तुम ये दो भूलों से बचना। सब पकड़ने में गलत भी बच रहता है, सब छोड़ने में सही भी छूट जाता है। हंसा तो मोती चुगे! कंकड़-कंकड़ छोड़ देना, मोती-मोती चुन लेना। प्रेम में बड़े मोती हैं!

इसलिए तुमसे फिर-फिर कहता हूं, उसे समस्या मत बनाना। हां, उसमें कुछ कंकड़ पड़े हैं, उन्हें निकालना जरूरी है।

जैसे-जैसे प्रेम का अनुभव गहन होता है—प्रेम का गुण बदलता है।

अब भी दिलकश है तेरा हुस्न, मगर क्या कीजे
और भी दुख हैं जमाने में मुहब्बत के सिवा
राहतें और भी हैं वस्ल की राहत के सिवा
मुझसे पहली सी मुहब्बत मेरी महबूब न मांग।

जब कोई व्यक्ति पहली दफा प्रेम में उतरता है, तो प्रेम होता है एक स्वप्न जैसा; जैसे और सब व्यर्थ हो जाता है, प्रेम ही सार्थक हो जाता है।

लेकिन जैसे-जैसे प्रेम का अनुभव गहन होता है, प्रेम की पीड़ा साफ होती है, और भी दुख दिखाई पड़ने शुरू होते हैं।

और भी दुख हैं जमाने में मुहब्बत के सिवा
राहतें और भी हैं वस्ल की राहत के सिवा
अब भी दिलकश है तेरा हुस्न, मगर क्या कीजे
मुझसे पहली सी मुहब्बत मेरी महबूब न मांग।

और प्रेम बहुत कुछ सिखाता है। प्रेम से बड़ी कोई पाठशाला नहीं है। क्योंकि प्रेम से ज्यादा तुम किसी मनुष्य के निकट और किसी ढंग से आते नहीं हो। जितने तुम निकट आते हो, उतने ही मनुष्य की अंतरात्मा प्रकट होने लगती है। तुम भी झलकते हो, दूसरा भी झलकता है। जितने तुम करीब आते हो, तुम भी उघड़ते हो, दूसरा भी उघड़ता है।

एक तो विज्ञान का ढंग है—दूर खड़े होकर देख लेने का ढंग; बाहर से देख लेने का ढंग। फिर एक कवि का ढंग है : भीतर गहरे उतरकर, प्रेम करके देखने का ढंग। अब अगर तुम्हें वृक्ष को देखना है, चट्टान को देखना है, तो शायद बाहर से भी देख लो। मैं कहता हूं शायद; क्योंकि जिन्होंने बहुत गहरा देखा है, वे तो कहते हैं, चट्टान को भी बाहर से देखना अधूरा देखना है। क्योंकि चट्टान का भी अंतस्तल है। तो बाहर-बाहर से तुम चट्टान की परिक्रमा कर आओगे, देख लोगे—उस देखने को तुम देखना मत मान लेना। बर्ट्रेंड रसेल ने कहा है, वह परिचय है—एक्वेंटेंस। उसे ज्ञान मत कहना।

फिर एक ज्ञान है कि तुम किसी व्यक्ति के अंतस्तल में उतरते हो; हृदय से हृदय की गांठ बांधते हो, एक-दूसरे के लिए अपना द्वार-दरवाजा खुला छोड़ते हो।

प्रेम का क्या अर्थ होता है? यही अर्थ होता है कि किसी व्यक्ति के लिए तुमने अब अपने जीवन के सब दरवाजे खुले छोड़ दिये; और किसी व्यक्ति ने तुम्हारे लिए अपने जीवन के सब दरवाजे खुले छोड़ दिये। प्रेम का यही अर्थ होता है कि दो व्यक्तियों के बीच अब छुपाने योग्य कोई राज न रहा। प्रेम का यही अर्थ होता है कि अब दो व्यक्तियों के बीच ऐसा कुछ भी नहीं है जिसे छिपाया जाये; सब उघाड़ा; दो हृदय अपने आवरण के बाहर आये; दो हृदयों ने एक-दूसरे को नग्नता में देखा; और दो हृदय एक-दूसरे में प्रविष्ट हुए। और यह प्रेम के द्वारा ही संभव है।

अगर तुम बाहर खड़े रहो, जैसा कि वैज्ञानिक खड़ा रहता है, तटस्थ भाव से दर्शक की तरह देखते रहो, प्रेम में डूबो न, तो तुम कभी जान ही न पाओगे। आत्मा को तो न जान पाओगे। इसलिए विज्ञान आत्मा को नहीं जान पाता। विज्ञान कभी भी नहीं जान पायेगा कि आदमी में आत्मा है। क्योंकि आत्मा का पता तो प्रेम के अतिरिक्त और किसी ढंग से चलता ही नहीं। यह कोई चीर-फाड़ करके पता नहीं चलेगा। यह कोई डिसेक्शन, सर्जरी करके पता नहीं चलेगा। यह कोई औजारों को आदमी के भीतर ले जाकर पहचान नहीं हो सकती कि आत्मा है। तब तो कुछ भी न मिलेगा। हड्डी, मांस-मज्जा मिलेगी। जो बाहर-बाहर है, वही पकड़ में आयेगा। जो भीतर-भीतर है, वह छूट जायेगा।

तुमने खयाल किया कि जिसे तुम प्रेम करते हो, वह हड्डी-मांस-मज्जा नहीं रह जाता! जिसे तुम प्रेम नहीं करते, वह हड्डी, मांस-मज्जा रह जाता है। जिसे तुम प्रेम नहीं करते, वह मात्र शरीर है। जिसे तुम प्रेम करते हो, उसमें पहली दफा आत्मा का बोध होना शुरू होता है।

इसलिए जिन्होंने खूब प्रेम किया, अटूट प्रेम किया, उन्हें सब जगह आत्मा दिखाई पड़ गई। अगर महावीर को पत्थरों में भी दिखाई पड़ गई तो उसका कारण यह नहीं है कि वे दूर खड़े वैज्ञानिक की तरह देखते रहे, वे गहरे में अंतस्तल में संबंधित हुए, उतरे। तो वृक्ष में भी आत्मा दिख गई। तो महावीर वृक्ष का पत्ता तोड़ने में भी चिंता अनुभव करते हैं।

यह चिंता जैन मुनि की चिंता नहीं है। जैन मुनि चिंता करता है, वृक्ष का पत्ता नहीं तोड़ना है, क्योंकि उसे स्वर्ग जाना है। पशु को नहीं मारना है, क्योंकि नरक से बचना है। यह दुकानदार का हिसाब है। महावीर वृक्ष को चोट नहीं पहुंचाते, क्योंकि उन्हें दिखाई पड़ा कि वृक्ष सिर्फ वृक्ष नहीं है, जीवंत आत्मा है। न केवल इतना दिखाई पड़ा कि वृक्ष जीवंत आत्मा है, यह भी दिखाई पड़ा कि ठीक मेरे जैसी ही आत्मा है—उसी राह पर जिस पर मैं हूं, थोड़े पीछे सही; आज नहीं कल मनुष्य हो जायेगा।

इसलिए महावीर ने सारे जीवन को पांच हिस्सों में बांट दिया। एकेंद्रिय जीव। पृथ्वी को उन्होंने कहा, एक-इंद्रिय जीव। पृथ्वी भी! महावीर जमीन पर भी चलते हैं तो बहुत क्षमा मांगते हुए चलते हैं। वह भी जीवन है। एक ही उसकी इंद्रिय है—केवल काया, केवल देह।

जिसको वैज्ञानिक अब कहते हैं, अमीबा—महावीर को उसकी पकड़ आ गई थी। वैज्ञानिक कहते हैं, अमीबा पहला प्राण-स्पंदन है; उसके पास केवल देह होती है, न हड्डी, न मस्तिष्क, न आंख, न कान, कुछ भी नहीं; कोई इंद्रिय नहीं, सिर्फ शरीर होता है। वह अपने शरीर को ही अपने भोजन के पास ले आता है। अपने भोजन के ऊपर बैठ जाता है और शरीर और उसका भोजन मिलकर विलीन हो जाते हैं, एक-दूसरे में लीन हो जाते हैं। उसके पास कोई मुंह भी नहीं है। फिर उसका शरीर जब बड़ा होने लगता है—इतना बड़ा हो जाता है कि सम्हालना मुश्किल हो जाता है, तो शरीर दो हिस्सों में टूट जाता है और दो अमीबा हो जाते हैं। इसी तरह उसकी संतति होती है। लेकिन वह जीवन का पहला रूप है।

महावीर ने कहा, एक-इंद्रिय, सिर्फ शरीर जीवन का पहला रूप है। मनुष्य है पंचेंद्रिय। उसके पास पांच इंद्रियां हैं। वह सबसे विकसित रूप है। लेकिन वृक्ष, पशु-पौधे, सब उसी कतार में हैं; चले आ रहे हैं बढ़ते। हम भी कभी वृक्ष थे और वृक्ष कभी हम जैसे हो जायेंगे।

तो महावीर ने जीवन का एक सागर खोज लिया, जिसमें सभी जीवन की घटनाएं हैं। यह महा प्रेम में घटा है। यह कोई तार्किक विश्लेषण नहीं है। यह महावीर को अनुभव हुआ है। यह तेजस्विता जीवन की उनको प्रतीत हुई। यह बहुत प्रेम में ही हो सकती है।

इसलिए मैं कहता हूं, अहिंसा का मौलिक अर्थ प्रेम है।

तुम घबड़ाना मत! प्रेम तुम्हें बहुत कुछ सिखायेगा। प्रेम तुम्हें तुम्हारे अहंकार का नरक बतायेगा; तुम उसे छोड़ देना। और प्रेम तुम्हें तुम्हारे हृदय का स्वर्ग भी दिखायेगा; तो उसे पकड़ लेना।

आजिजी सीखी, गरीबों की हिमायत सीखी
यासी हिरमान के दुख-दर्द के मानी सीखे

जेरदस्तों के मुशाइब को समझना सीखा
सर्द आहों के रुखे-जर्द के मानी सीखे।

प्रेम तुम्हें बहुत कुछ सिखायेगा। प्रेम के अतिरिक्त कोई और सिखा ही नहीं सकता। इसलिए अगर प्रेम में कुछ अड़चन मालूम होती है तो उसे प्रेम की अड़चन मत कहना। तुमने अभी प्रेम के पाठ पूरे नहीं सीखे, इसलिए अड़चन आ रही है। जैसे कोई आदमी नया-नया पानी में तैरना शुरू करता है तो हाथ-पैर तड़फड़ाता है, घबड़ाता है, बेचैनी होती है। यह कोई तैरना तैरने का स्वरूप नहीं है; यह तो न तैरने की वजह से हो रहा है।

तुम अगर मुझसे पूछो तो मैं ऐसा कहूंगा, कि प्रेम में जो समस्या है, वह अप्रेम की वजह से पैदा हो रही है। जब यह आदमी तैरना सीख जायेगा तो तैरने में एक प्रसाद आ जाता, तब कोई चेष्टा नहीं करनी होती। तब ठीक-ठीक तैराक तो नदी पर छोड़ देता है अपने को। हाथ-पैर भी नहीं चलाता। नदी ही सम्हाल लेती है। ऐसी कुशलता आ जाती है कि कुछ भी करना नहीं पड़ता; होना काफी रहता है और नदी सम्हाल लेती है।

प्रेम भी चैतन्य के सागर में तैरना है; दूसरे के सागर में डुबकी लगानी है। पहले-पहले हाथ-पैर तड़फड़ायेंगे; घबड़ाहट होगी; सांस रुंधेगी; लगेगा मरे, डूबे; चिल्लाहट होगी कि बचाओ! लेकिन जल्दी ही, इस बचाव की आवाज के कारण निकलकर भाग मत खड़े होना। यह तो तुम्हारी अकुशलता के कारण है। यह तो धीरे-धीरे चली जायेगी। रफ्ता-रफ्ता, आहिस्ता-आहिस्ता अभ्यास गहरा होता जायेगा।

तो प्रेम मत छोड़ो; प्रेम में जागरण को सम्मिलित करो। प्रेम मत छोड़ो; प्रेम के साथ धर्म को, ध्यान को जोड़ो। प्रेम + ध्यान, बस इतना करो और समस्या विदा हो जायेगी। और समस्या की जगह तुम पाओगे : प्रेम एक अदभुत रहस्य है—और पहला रहस्य जहां से परमात्मा की खबर मिलती है। शुरू-शुरू में घबड़ाहट स्वाभाविक है।

न घबरा जवानी की बेहरवी से
यह दरिया बना लेगा खुद ही किनारा
वहीं तक खुदी है, वहीं से खुदा है
जहां बेकसी ढूंढ़ती हो सहारा।

घबड़ाओ मत। यह आज जो जवानी का तूफान है, यह जो राग-मोह की उठी आंधी है, यह अपने से ही विदा हो जायेगी। तुम जरा पैर को सम्हालकर चलते रहो।

न घबड़ा जवानी की बेहरवी से
यह दरिया बना लेगा खुद ही किनारा।

हां, जल्दी अगर भाग खड़े हुए तो मुश्किल में पड़ जाओगे। तब न यहां के रहोगे न वहां के।

जो प्रेम से भाग गया उसके पास अहंकार के सिवाय कुछ भी नहीं बचता। यद्यपि अगर तुम बहुत दूर भाग गये तो तुम्हें पता भी न चलेगा अहंकार का, क्योंकि उसका पता भी साथ-संग में चलता है, समूह में चलता है।

तुमने खयाल किया, आदमी का बच्चा पैदा होता है, अगर उसे संग-साथ न मिले,

मां-पिता परिवार न मिले, समूह-समाज न मिले, तो बच नहीं सकता, मर जायेगा। तुम कोई कल्पना कर सकते हो कि आदमी का बच्चा बच जाये बिना समूह, संग-साथ के? हां कभी-कभी ऐसा हुआ है कि भेड़िये आदमी के बच्चे को ले गये; लेकिन वह भी समूह था, संग-साथ था। भेड़ियों ने बचा लिया। लेकिन अकेला तो आज तक कोई मनुष्य का बच्चा बचा नहीं है। जो मनुष्य के शरीर के संबंध में सच है, वही मैं तुमसे कहता हूं, आदमी की आत्मा के संबंध में भी सच है। उसका जन्म भी समूह में होता है—संग-साथ में, परिवार में। आदमी की आत्मा भी अकेले में नहीं जन्मती। हां, अकेले का तुम उपयोग कर सकते हो। कभी-कभी अकेले हो जाने में भी रस है। कभी-कभी दूसरे से दूर हट जाने में भी रस है। लेकिन वह फायदा भी दूसरे से दूर हटने के कारण होता है। खयाल करना, वह फायदा भी अकेले होने के कारण नहीं होता, दूसरे से दूर हटने के कारण होता है। उसका लाभ भी दूसरे में ही है।

ऐसा समझो कि एक हजार रुपये का ढेर लगा है और एक दस रुपये की ढेरी लगी है। जब हम हजार रुपये की ढेरी हटाते हैं, और दस रुपये की ढेरी हटाते हैं, तो दस रुपये का अभाव भी वैसा ही मालूम पड़ता है जैसे हजार रुपये का अभाव मालूम पड़ता है। अब तो न हजार रुपये हैं न दस रुपये हैं। हजार रुपये का जब ढेर था, तो हजार रुपये की कीमत थी उसकी। पांच रुपये का ढेर था, दस रुपये का ढेर था, तो दस रुपये की कीमत थी; लेकिन दोनों हटा लिये तो जो शून्य पीछे रह जाता है, वह तो लगता है एक ही मूल्य का है। दस रुपये का शून्य भी उतना ही बड़ा है, हजार रुपये का शून्य भी उतना ही बड़ा है। तो तुम गलती कर रहे हो। जीवन में ऐसा नहीं है। जो आदमी जितना गहरा जीया है, जब वह एकांत में जाता है तो उसके एकांत की गहराई भी उतनी ही गहरी होती है। जो आदमी समूह में जीया ही नहीं है, वह एकांत में चला जाता है, तो उसके एकांत की कोई गहराई ही नहीं होती। इसे तुम अनुभव कर सकते हो कि जो आदमी जंगल में ही जीया है, उसे जंगल में कोई सौंदर्य नहीं होता। जो भीड़ में, समूह में, बाजार में बैठा रहा है, जब कभी जंगल जाता है तो जो उसे जंगल में दिखाई पड़ता है, वह जंगल के आदमी को दिखाई नहीं पड़ता।

वानगॉग के जीवन में ऐसा स्मरण है कि वानगॉग एक समुद्र तट पर, फ्रांस के, अपने चित्र बना रहा था। वह सूरज के पीछे दीवाना था। सूर्योदय, सूर्यास्त—उन पर उसने बड़ी मेहनत की। समुद्र के किनारे वह एक दिन सूर्यास्त का चित्र बना रहा था। उसके चित्र को देख रही थी एक समुद्र के तट की मछुआ की औरत। वह गौर से देखती रही, गौर से देखती रही। वह फिर दूसरे दिन देखने आई, फिर तीसरे दिन देखने आई। और सातवें दिन धीरे-धीरे वानगॉग से परिचय भी हो गया। तो जब सूरज डूबने के करीब आया तो उसने कहा कि आप रुकना, मैं जरा अपने पति को, अपने बच्चों को भी ले आऊं। तो वानगॉग ने पूछा, किसलिए? तो उसने कहा कि वे भी सूर्यास्त देख लें। तो उसने कहा कि वे तो यहीं रहते ही हैं इस समुद्र तट पर, उन्होंने सूर्यास्त नहीं देखा? उस स्त्री ने कहा, नहीं मैंने भी नहीं देखा था, जब तक आप न आये थे। यह तो इतना स्वाभाविक था हमारे जीवन का हिस्सा कि इसका हमें कभी बोध न हुआ था। तुम्हारे आने से हमें पता चला सूर्यास्त का सौंदर्य।

अब यह वानगॉग जहां से आ रहा है, वहां सूर्यास्त मुश्किल है देखना, सूर्योदय देखना मुश्किल; कुहासा घिरा रहता है। इसके लिए सूर्योदय और सूर्यास्त बड़े महिमापूर्ण हैं।

पश्चिम में संडे, सूर्य का दिन छुट्टी का दिन है। क्योंकि सूर्य ऐसा प्रगाढ़ होकर दिखाई नहीं देता जैसा पूरब में दिखाई पड़ता है; ऐसी महिमा नहीं है सूरज की; सूरज ढंका-ढंका है, छिपा-छिपा है।

तो सूरज का दिन छुट्टी का दिन होना ही चाहिए। लोग उत्सव मनायें : सूरज निकला है, सूरज का दिन है।

एकांत में उतनी ही गुणवत्ता होगी जितना गहरा तुम्हारे संबंधों का जगत था। जिस आदमी ने खूब भरपूर प्रेम किया है, वह जब हिमालय पर जाकर बैठ जाता है तो उसके हृदय की गहरई पूछो मत। लेकिन जिसने कभी प्रेम ही नहीं किया, वह भी हिमालय की पहाड़ी पर जाकर बैठ जाता है; उसका छिछलापन छिछलापन ही रहने वाला है।

मैं तुमसे यह कह रहा हूं कि तुम्हारे एकांत का भी तभी मूल्य है जब तुम्हारे संबंधों की गहराई हो। अगर हजार रुपये की गहराई थी तो तुम्हारा एकांत हजार रुपये के मूल्य का होगा। अगर दस रुपये की गहराई थी तो दस रुपये के मूल्य का होगा।

जीवन का गणित मुर्दा गणित नहीं है। यहां तुमने कितनी तीव्रता से, त्वरा से जीवन को जीया है, उतनी ही अनूठी अनुभूतियां एकांत में उठेंगी। इसलिए मैं कहता हूं : जाओ प्रेम में, क्योंकि तुम्हारे ध्यान की गहराई भी तुम्हारे प्रेम की गहराई पर निर्भर होगी। दूसरे के साथ तो जीकर देख लो, ताकि तुम अपने साथ जीने का राज सीख जाओ।

दूसरे के माध्यम से हम अपने पास आते हैं। दूसरा सेतु है, जिसके द्वारा हम अपने पर वापस आते हैं।

दो व्यक्तियों के बीच निकटतम दूरी का नाम प्रेम है। जैसे दो बिंदुओं के बीच निकटतम दूरी का नाम रेखा, ऐसे दो व्यक्तियों के बीच निकटतम दूरी का नाम प्रेम है। अगर थोड़े इरछे-तिरछे चलकर जाते हो तो यह प्रेम नहीं है। सीधे-सीधे!

प्रेम सिखायेगा सरलता। प्रेम सिखायेगा विनम्रता। प्रेम सिखायेगा निर-अहंकार। प्रेम सिखायेगा त्याग।

इसे तुम खयाल रखना, जिसने कभी प्रेम नहीं किया उसका त्याग कृपण का त्याग होता है; वह त्याग नहीं है। वह कंजूस है। इसलिए मैं सुनता हूं साधुओं को समझाते कि छोड़ दो धन-दौलत, मौत सब छीन लेगी। अब यह जरा सोचने जैसी बात है कि मौत छीन लेगी, इसलिए छोड़ने को कह रहे हो। मतलब, यह डर छीने जाने का है। इसलिए बेहतर है, छोड़ ही दो। लेकिन प्रेमी कहता है, छोड़ो; क्योंकि जिसने छोड़ा है उसीने भोगा। तेन त्यक्तेन भुंजीथाः। जिसने दिया उसीने पाया। प्रेमी कहता है, दे दो; क्योंकि बिना दिये पा न सकोगे।

प्रेम की बड़ी अनूठी कीमिया है : तुम्हारे पास वही होता है जो तुम दे देते हो। जो तुम बचा लेते हो, वह तुम्हारे पास कभी नहीं होता। दिखता है तुम्हारे पास है, लेकिन तुम उसके

मालिक नहीं होते। मालिक तुम उसी के हो जो तुम दे देते हो। जो बांट दिया, उसी के मालिक हो। मालकियत कब घटती है, तुमने सोचा? जब तुम्हारे हाथ से कोई चीज किसी दूसरे हाथ में जाती है, उस क्षण। जब तुम्हारे हाथ से हटती है चीज, तुम मालिक होते हो। अगर तुम्हारी मुट्ठी में बंद रहे, तुम मालिक नहीं होते, ज्यादा से ज्यादा पहरेदार। तिजोड़ी पर बैठे हैं लट्ठ लिये, बंदूक लिये—पर पहरेदार।

जिस क्षण तुम देते हो, देने से ही पता चलता है कि तुम्हारे पास था। देने से ही तुम्हें भी पता चलता है कि मैं दे सका—मेरा था! वही है तुम्हारा जो तुमने दिया। और उसी को तुमने भोगा, जो तुमने बांटा।

साझेदारी बढ़ाओ! प्रेम का अर्थ इतना ही होता है: साझेदारी करो! किसी को दो! किसी को बांटो! और धन्यवाद देना उसे, जो तुम्हारे जीवन में इस भांति आये कि तुम उससे कुछ बांट सको। धन्यवाद देना!

प्रेम की बड़ी कुशलता यह है कि यहां लेने वाला भी कुछ देता है और देने वाला भी कुछ देता है। जब तुम किसी को कुछ देते हो और वह स्वीकार कर लेता है तो उसने भी तुम्हें कुछ दिया—उसकी स्वीकृति से दिया। उसने तुम्हें मालिक बना दिया। उसने तुम्हें दाता बना दिया। अब और क्या चाहते हो? तुमने जो दिया वह कुछ नहीं था। उसने जो दिया वह बहुत ज्यादा है। इसलिए हिंदुस्तान में हमारी व्यवस्था है कि पहले दान दो, फिर दक्षिणा दो। दक्षिणा का अर्थ है: उसने दान स्वीकार किया, इसका धन्यवाद भी दो। अकेले दान से काम न चलेगा। पहले तो दो, लेकिन यह जरूरी थोड़े ही है कि वह ले ले। कोई इनकार कर दे, फिर? कोई कह दे नहीं चाहिए, फिर?

प्रेम का अर्थ है: ऐसा भरोसा कि तुम जिसे देने जा रहे हो, वह ले लेगा, इनकार न करेगा। बहुत-से लोग इनकार के कारण ही देने से डरते हैं कि हम देने गये और किसी ने कह दिया, नहीं; द्वार बंद कर लिया, फिर? रिजेक्शन, अस्वीकार पैदा हुआ? तो बड़ी घबड़ाहट लगती है!

अनेक लोग मुझसे आकर कहते हैं कि प्रेम में एक ही डर मालूम पड़ता है: हम तो निवेदन करें और इनकार हो जाये! हम तो अपने हृदय के द्वार खोलें, पलक-पांवड़े बिछायें और दूसरा पीठ किये चला जाये, न आये; हम तो स्वागतम द्वार पर बांधें, फूल-पत्तियां लटकायें और कोई बिना देखे गुजर जाये—तो फिर बड़ी पीड़ा होगी! इससे तो बेहतर, अपना द्वार-दरवाजा बंद ही रखना। क्योंकि जैसे ही तुम किसी को बुलाते हो, दूसरे को तुमने बल दिया, शक्ति दी, जीवन दिया। अब दूसरे के हाथ में उपाय है, वह स्वीकार कर ले, अस्वीकार कर दे।

प्रेम का पहला कदम ही जोखिम से भरा है। इसलिए स्त्रियां कभी प्रेम-निवेदन नहीं करतीं। इतनी जोखिम स्त्रियां नहीं उठातीं। वे राह देखती हैं—तुम्हीं प्रेम-निवेदन करो। वे प्रतीक्षा करती हैं। कि कितनी जोखिम पुरुष उठाता है। जोखिम बड़ी है, क्योंकि दूसरा कह सकता है, नहीं। दूसरा द्वार को बंद कर दे सकता है, तो फिर क्या होगा? फिर बड़ी पीड़ा और तड़प होगी। तुम इस योग्य न समझे गये कि स्वीकार किये जाओ!

इसलिए बहुत-से लोग अपना प्रेम ऐसी चीजों से लगाते हैं जहां से अस्वीकार हो ही नहीं सकता। एक कार खरीद ली, उसी से प्रेम करने लगे। अमरीका में करीब-करीब स्त्री के बाद कार का नंबर दो है। कार में एक सुविधा है; इनकार नहीं कर सकती; खरीद लाये तो तुम्हारी। इसलिए हजारों साल तक आदमी स्त्री को भी खरीद के लाता रहा, प्रेम करके नहीं; क्योंकि प्रेम में खतरा था। इसलिए विवाह पैदा हुआ।

विवाह होशियारी है; जोखिम से बचने की व्यवस्था है। मां-बाप इंतजाम करते हैं, पंडित-पुरोहित कुंडली मिलाते हैं। तुम्हें सीधा निवेदन नहीं करना पड़ता। जैसे तुम किसी के भाई हो, किसी की बहन हो—ऐसे एक दिन किसी के पति या पत्नी हो जाते हो। अचानक तुम पाते हो—हो गये। उसके लिए तुम्हें खोज नहीं करनी पड़ती; तुम्हें पहली जोखिम नहीं उठानी पड़ती। लेकिन जब पहली जोखिम नहीं उठाई तो सारा जीवन गलत हो जाता है। वह दुस्साहस जरूरी है।

तो विवाह ईजाद हुआ, ताकि प्रेम से बचा जा सके। लोग सोचते हैं, प्रेम के लिए विवाह है; प्रेम वस्तुतः बचने का उपाय है। तो लोग पत्नियों को भी खरीदकर लाते रहे, दहेज दे-दे कर लाते रहे। वह भी खरीद-फरोख्त थी।

अब यह मुश्किल होता जा रहा है, तो लोगों का ध्यान वस्तुओं की तरफ जा रहा है, या पशुओं की तरफ जा रहा है। एक कुत्ता रख लिया; जब भी घर आये, वह पूंछ हिलाता है। वह कभी भी ऐसा नहीं कह सकता कि नहीं हिलायेंगे पूंछ। तुम जब भी आये, तभी तुम्हें गौरव देता है।

कुत्ते बड़े राजनीतिज्ञ हैं। वे समझ गये एक राजनीति कि आदमी पूंछ हिलाने से बड़ा प्रसन्न होता है। उधर उसकी पूंछ मुस्कुराने लगी, इधर तुम मुस्कुराने लगे। उसने एक कला सीख ली। पर देखा तुमने, कुत्ते भी देखते हैं! अगर अजनबी आदमी आता है तो भौंकते भी हैं, पूंछ भी हिलाते हैं। यह, यह राजनीति न हुई, यह कूटनीति, डिप्लोमेसी है। वे यह देख रहे हैं कि जांच तो कर लो, आदमी अपनावाला है कि नहीं है, पराया है, मित्र है कि शत्रु है। तो भौंकते भी हैं कि अगर शत्रु हुआ तो पूंछ रोक लेंगे, भौंकते चले जायेंगे; अगर मित्र हुआ तो भौंकना बंद कर देंगे, पूंछ पर पूरी ताकत लगा देंगे—असंदिग्ध जब हो जायेंगे। अभी संदेह है। नया-नया आदमी आ रहा है, पता नहीं मालिक का मित्र हो कि दुश्मन हो।

पश्चिम में लोग जानवरों के पीछे—कुत्ते-बिल्लियां पालने में लगे हैं; या वस्तुओं के पीछे हैं—कार है, मकान है; और हजार तरह के उपकरण विज्ञान ने खोज दिये हैं, उनमें अपना प्रेम लगा रहे हैं।

यह वस्तुतः प्रेम से बचने का उपाय है, क्योंकि प्रेम की सबसे पहली जोखिम यह है कि जब तुम दूसरे को देने जाते हो अपना हृदय, तो इनकार भी हो सकता है। और अगर दूसरे ने स्वीकार किया तो तुमने ही कुछ नहीं दिया, दूसरे ने स्वीकार करके तुम्हें कुछ दे दिया। प्रेम में लेने वाला भी देने वाला है—देने वाला तो देने वाला है ही।

प्रेम की बड़ी अपूर्व महिमा है। वहां दोनों दाता हो जाते हैं। इससे बड़ा जादू और कहीं भी घटित नहीं होता। सब गणित के नियम टूट जाते हैं। क्योंकि दोनों दाता हो नहीं

सकते गणित के नियम से; एक दाता होगा तो एक लेने वाला होगा। एक का हाथ ऊपर होगा, दूसरे का हाथ नीचे होगा। लेकिन प्रेम दोनों हाथों को समान स्तर पर ला देता है; दोनों दाता बन जाते हैं। देने वाला तो है ही, लेने वाला भी दाता बन जाता है। और लेने वाला जो देता है, वह देने वाले से भी बड़ा है।

इसलिए प्रेम गणित की सीमा के बाहर पड़ता है, हिसाब के बाहर पड़ता है, अर्थशास्त्र के बाहर पड़ता है, रहस्यमय है।

घबड़ाना न! कृपण मत बनना! कायर मत बनना! प्रेम के द्वार पर दस्तक देना! क्योंकि वही द्वार एक दिन परमात्मा का मंदिर भी सिद्ध होता है।

दूसरा प्रश्नः ओशो,

आह को चाहिए एक उम्र असर होने तक
कौन जीता है तेरे जुल्फ के सर होने तक
हमने माना कि तगाफुल न करोगे, लेकिन
खाक हो जायेंगे हम तुमको खबर होने तक।

प्रेम का रास्ता ही मिटने का रास्ता है। वहां खाक हो जाना ही उपलब्धि है। वहां खो जाना ही पा लेना है। वहां बचाने की चेष्टा से ही बाधा होती है। वहां तो धीरे-धीरे अपने को गलाते जाना है और एक ऐसी घड़ी लानी है, जहां प्रेमी तो बचे ही न—बस प्रेम का ही सागर लहरें लेता रह जाये। उसी क्षण परमात्मा अवतरित होता है। जहां तुम मिटे वहीं परमात्मा का प्रवेश है।

इब्तिदा में ही मर गये सब यार
कौन इश्क की इंतिहा लाया।

प्रेम के प्रारंभ में ही लोग मर जाते हैं। अंत तक जाने की तो सुविधा कहां है, बचता कौन है? प्रेम की कोई आज तक गहराई नहीं छू सका।

रामकृष्ण कहते थे, एक मेला भरा था और लोग सागर के तट पर विचार करते थे कि सागर की गहराई कितनी है। एक नमक का पुतला भी आया था।

उसने कहा, 'ठहरो! ऐसे विचार करने से क्या होगा? मैं डुबकी लगाता हूं। मैं अभी पता ला देता हूं।' उसने डुबकी लगा ली, लेकिन लौटा नहीं, लौटा नहीं, लौटा नहीं। सांझ हो गयी, दूसरा दिन हो गया, मेला उजड़ने का वक्त भी आ गया, लोग राह देखते रहे, लेकिन वह कभी लौटा नहीं। वह लौटता कैसे? वह नमक का पुतला था; सागर में उतरा तो गलने लगा। जैसे-जैसे गहरा गया, वैसे-वैसे पिघलता गया। गहरे नहीं गया, ऐसा नहीं; खूब गहरे गया। और ऐसा भी नहीं कि उसने गहराई न छू ली; उसने पूर सागर का अंतस्तल छू लिया। लेकिन तब तक खुद खो चुका था, लौटने वाला न बचा था।

नमक का पुतला जैसा ही आदमी है—प्रेम का पुतला। वह प्रेम से पैदा हुआ है, प्रेम से बना है। तुम्हारा रोआं-रोआं, तुम्हारी रत्ती-रत्ती प्रेम से बनी है। तो जब तुम परमात्मा के सागर में डुबकी लगाओगे...नहीं कि तुम पता न लगा लोगे, पता लगा लोगे; लेकिन पता लगाने में खो जाओगे।

इब्तिदा में ही मर गये सब यार
कौन इश्क की इंतिहा लाया।

इसलिए खाक होने की तैयारी रखो। और माना कि बहुत बार ऐसा लगेगा कि बड़ी देर हुई जा रही है और बहुत बार तड़प होगी कि अब जल्दी हो, और बहुत बार ऐसी शिकायत उठेगी कि अब और पीड़ा क्यों; फिर भी—

क्या उसके बगैर जिंदगानी?
माना वह हजार दिलशिकन है।

—बहुत दिल को दुखाने वाला है, लेकिन उसके बिना जिंदगी का कोई अर्थ भी नहीं।

धन्यभागी हैं वे जो परमात्मा के रास्ते पर दुखी और पीड़ित होते हैं। अभागे हैं वे जो परमात्मा के विपरीत रास्ते पर सुखी और प्रसन्न हैं। क्योंकि परमात्मा के विपरीत रास्ते पर सुख और प्रसन्न भी राख हो जायेगा। और परमात्मा के रास्ते पर राख हो जाना भी स्वर्ण हो जाने का उपाय, व्यवस्था है।

एक तर्जे-तगाफुल है सो वह उनको मुबारक
एक अर्जे-तमन्ना है सो हम करते रहेंगे।

—एक उपेक्षा है सो परमात्मा को छोड़ दिया, वह करता रहे।

एक तर्जे-तगाफुल है सो वह उनको मुबारक
एक अर्जे-तमन्ना है सो हम करते रहेंगे।

—एक अभीप्सा है, प्रार्थना है, वह हम करते रहेंगे। एक उपेक्षा है, तू करते रहना!

भक्त कहता है, तू उपेक्षा करना, हम अभीप्सा करेंगे; देखें कौन जीतता है!

एक तर्जे-तगाफुल है सो वह उनको मुबारक
एक अर्जे-तमन्ना है सो हम करते रहेंगे।

परमात्मा दूर है, ऐसा तो सोचना ही नहीं। क्योंकि जो दूर हो सकता है, वह तो परमात्मा न होगा। परमात्मा तो वही है जिसने तुम्हें सब तरफ से घेरा है, बाहर और भीतर सब तरफ से भरा है। उसके अतिरिक्त कुछ भी नहीं है। परमात्मा सर्वस्व है। परमात्मा सब-कुछ का नाम है। परमात्मा कोई व्यक्ति नहीं है, परमात्मा समष्टि है। इसलिए उससे दूर तो हम नहीं हैं, लेकिन जरा हम बेहोश हैं।

अल्ला रे बेखुदी कि तेरे पास बैठकर
तेरा ही इंतजार किया है कभी-कभी।

हम बेहोश हैं, बस इतनी ही बात है। और हम बेहोश तब तक रहेंगे, जब तक हम हैं। हमारा होना हमारा बेहोश होना है। तो खाक तो होना पड़ेगा। जलना तो पड़ेगा। राख तो होना पड़ेगा। मगर यही वास्तविक होने का उपाय है।

अभी तो हम नाममात्र को हैं, कहने मात्र को हैं। अभी हमारे होने में क्या है? कोई सत्व नहीं, कोई सार नहीं।

तो घबड़ाओ मत। और यह भी माना कि—

'आह को चाहिए एक उम्र असर होने तक
कौन जीता है तेरे जुल्फ के सर होने तक
हमने माना कि तगाफुल न करोगे, लेकिन
खाक हो जायेंगे हम तुमको खबर होने तक।'

हो जाओ!

तमाम उम्र तेरा इंतजार कर लेंगे
मगर ये रंज रहेगा कि जिंदगी कम है।

करो! उम्र छोटी पड़ जाये, इंतजार बड़ा हो जाये। अनेक उम्रें समा जायें, इंतजार इतना बड़ा हो जाये। प्रतीक्षा ऐसी घनी हो जाये कि जन्म और जीवन पलक के झपने जैसे बीतने लगें। लेकिन इंतजार का सिलसिला जारी रहे। शरीर बदलें, जीवन बदलें, योनि बदले, रूप बदलें, रंग बदलें, नाम बदलें, सब बदलता जाये—लेकिन भीतर की प्रतीक्षा का एक सूत्र अनस्यूत रहे, एक धागा पिरोया रहे सारे मनकों में।

घटना तो इस क्षण भी घट सकती है, लेकिन प्रतीक्षा अनंत चाहिए। और घटना बहुत देर होगी घटने के लिए, अगर प्रतीक्षा में थोड़ी कमी रही। जल्दबाजी न करना।

नये युग ने बड़ी जल्दबाजी की है। इसलिए प्रतीक्षा के गहरे रूप खो गये हैं। कोई प्रतीक्षा करने को राजी नहीं है। पश्चिम से एक बड़ा बुखार सारे जगत में फैला है—तेजी, जल्दी, स्पीड! तो जैसे इंस्टेंट काफी, ऐसा सारा जीवन, सभी कुछ अभी हो जाये, इसी क्षण हो जाये, आज ही हो जाये! तो मनुष्य के जीवन की कुछ गहराइयां खो ही गयीं, क्योंकि कुछ चीजें धीरे-धीरे होती हैं। कुछ चीजें मौसमी फूलों की तरह होती हैं—आज लगायीं, तीन सप्ताह में पौधे हो जायेंगे, छह सप्ताह में फूल आ जायेंगे—लेकिन आये नहीं कि गये भी नहीं। लेकिन देवदार और चीड़ के वृक्ष वर्षों लेंगे, वर्षों लगेंगे, बड़े धीरे-धीरे बढ़ेंगे। और यह तो परमात्मा की खोज तो शाश्वत वृक्ष है; इसको रोपना अपने हृदय में, तो बड़ी अनंत प्रक्रिया है। अब यह अभी इसी क्षण नहीं हो सकता।

कल मैं एक किताब पढ़ रहा था। उसमें एक अमरीकी प्रार्थना करता है कि हे प्रभु! सुनते हैं धीरज की बड़ी जरूरत है, तो धीरज दे—लेकिन अभी और यहीं! धीरज की बड़ी जरूरत है! तो दे, धीरज दे—लेकिन अभी और यहीं!

जीवन में कुछ चीजें समय मांगती हैं—और जितनी महत्वपूर्ण हों उतना ज्यादा समय मांगती हैं। अगर किसी व्यक्ति से केवल वासना का संबंध बनाना हो तो अभी और यहीं बन सकता है, प्रेम का बनाना हो तो समय लगेगा। और प्रार्थना का बनाना हो तो अनंत काल लग जायेंगे। और परमात्मा का बनाना हो तो शाश्वतता चाहिए। इसका यह मतलब नहीं है कि तुम्हें प्रतीक्षा करनी पड़ेगी शाश्वतता तक। क्योंकि शाश्वतता ने अभी और यहां भी तुम तक अपना हाथ पहुंचाया है। तुम शाश्वत के लिए तैयार हुए कि अभी और यहीं

भी घट सकता है। इसमें जरा विरोधाभास लगेगा। इसे स्पष्ट करके कहूं।

अगर तुम शाश्वत प्रतीक्षा करने को राजी हो तो अभी और यहीं घट सकता है; क्योंकि शाश्वत प्रतीक्षा का अर्थ हुआ अब कोई जल्दी नहीं; तुम शांत हुए; शिथिल तुमने छोड़ा; तनाव हटा। अब तुम्हारी कोई मांग नहीं है—हो, जब हो। अब कोई जल्दी न रही। बस इस शिथिल और शांत मन में अभी और यहीं घट सकता है।

तुमने मांगा अभी और यहीं घट जाये तो तुम इतने तन गये, इतने परेशान हो गये कि कहीं न घटा और समय बीत गया तो कहीं समय फिजूल न चला जाये। तुम्हारे तनाव के कारण ही न घट पायेगा। मांग में तनाव है। यही अभीप्सा शब्द की खूबी है।

वासना का अर्थ है : मांग है, तनावपूर्ण। अभीप्सा का अर्थ है : मांग है, तनावशून्य। मांगते भी हैं, जल्दी भी नहीं है; देना, जब तुझे देना हो! तेरी मर्जी! न देना हो, उसके लिए भी राजी हैं!

तीसरा प्रश्न :

ओशो, आपके प्रवचन के समय मैंने संन्यासियों के चेहरे का अवलोकन किया है। ऐसा लगता है कि वे गहरी नींद में पहुंच गये हैं। और मेरा अपना अनुभव भी यही है कि जैसी मीठी, गहरी और लुभावनी नींद प्रवचन के समय लगती है वैसी और कभी अनुभव में नहीं आती। क्या कारण है?

अलग-अलग लोगों के अलग-अलग कारण होंगे। एक कारण तो बताया नहीं जा सकता, क्योंकि यहां बहुत लोग हैं। लेकिन फिर भी प्रश्न विचारणीय है।

पहली बात, कुछ लोग तो निश्चित ही सभी धर्म-सभाओं में सो जाते हैं। यह बचने की एक तरकीब है। यह मन की एक बड़ी सूक्ष्म व्यवस्था है। जिससे तुम बचना चाहते हो तो बीच में एक नींद का पर्दा डाल लेते हो। सुना ही नहीं, तो अपने साथ ही कूटनीतिक खेल खेल गये। सुनने भी गये तो रस भी ले लिया कि धार्मिक व्यक्ति हैं और सो भी गये तो सुना भी नहीं। तो दुनिया को दिखाई भी पड़ा कि धार्मिक हैं और झंझट भी न हुई। धार्मिक होने की झंझट में भी न पड़े।

तो एक तो वर्ग ऐसे लोगों का है, जो धर्म की बात पड़ी नहीं उनके कान में कि उन्हें नींद आई नहीं। यह उनके भीतर करीब-करीब यांत्रिक हो गया है। मंदिरों में, चर्चों में तुम उन्हें सोता हुआ पाओगे।

एक पादरी पूछ रहा था अपने एक भक्त को; क्योंकि पादरी देखता था, जब भी वह आता है, सोया ही रहता है चर्च में। उसने उससे एक दिन पूछा कि क्या रात नींद ठीक से

नहीं होती? उस आदमी ने कहा, रात तो नींद लगती ही नहीं। हजार चिंताएं हैं संसार की, मगर उसकी कोई चिंता नहीं। जब आपका प्रवचन सुनता हूं तो खूब गहरी नींद लग जाती है।

संसार की तो चिंता है, परमात्मा की तो कोई चिंता है नहीं। संसार के तो विचार हैं, परमात्मा का तो कोई विचार है नहीं। संसार की तो भाग-दौड़ है, तो नींद को खलल डालती है। परमात्मा की कोई भाग-दौड़ तो है नहीं। तो परमात्मा की बात सुनकर कोई महत्वाकांक्षा तो जगती नहीं कि पाना है, उठना है, जागना है। तो जब जहां कोई महत्वाकांक्षा नहीं उठती तो आदमी सो जाता है, करेंगे भी क्या और?

तुमने देखा, जब तुम्हारे पास कुछ भी करने को नहीं होता, तब तुम सो जाते हो। करोगे क्या और? जब तक कुछ करने को होता है, तब तक तुम करते रहते हो। और तुमने यह भी देखा होगा जब तुम्हारे पास करने को इतना कुछ होता है कि तुम बिस्तर पर भी पड़ जाते हो, लेकिन मन में काम जारी रहता है, तो नींद नहीं आती। तो जहां काम है वहां नींद में बाधा है। परमात्मा तुम्हारा कोई काम तो है नहीं। वहां कुछ करने को तो है नहीं। तुम्हारे भीतर कोई अभीप्सा तो है नहीं; उसे पाने की कोई आकांक्षा तो है नहीं। सुन लिया, नींद आ गयी।

तो एक तो ऐसे लोग हैं। दूसरे ऐसे लोग हैं जो वस्तुतः नींद में चले जाते हैं आकांक्षा के रहते भी। परमात्मा को पाने की प्यास भी है, किसी को धोखा देने नहीं आये हैं; लेकिन फिर भी नींद में चले जाते हैं। अपने को भी धोखा नहीं दे रहे हैं, लेकिन नींद बरबस पकड़ लेती है। उसका कारण है—जन्मों-जन्मों की मन की आदत। जिस दिशा में मन कभी गया नहीं है, उस दिशा में जाने से मन इनकार करता है, जिस दिशा में मन को कभी ले नहीं गये हो पहले, अनभ्यस्त है, रास्ता अपरिचित है, वह वहां जाने से बिलकुल इनकार कर देता है। वह जमीन पर ही बैठ जाता है। वह आंख ही बंद कर लेता है। वह कहता है, हम सो ही जायेंगे। यह मन का इनकार है।

तो दूसरा वर्ग है जो निष्ठापूर्वक समझना चाहता है; लेकिन उसका मन इनकार कर रहा है।

फिर एक तीसरा वर्ग है, जिसकी नींद बड़े और कारण से पैदा हो रही है। अगर तुम हृदयपूर्वक मेरी बातों को सुन रहे हो तो एक तरह की तंद्रा उतर ही आयेगी। पर वह नींद नहीं है। उसको योग अलग नाम देता है—तंद्रा। वह नींद जैसी है, निद्रा जैसी है, लेकिन निद्रा नहीं है। वह तंद्रा है। तंद्रा का अर्थ है: जब तुम कोई मधुर संगीत सुनते हो तो एक ताल बंध जाती है भीतर, एक सुर बंध जाता है, एक सन्नाटा खिंच जाता है, विचार शांत हो जाते हैं। एक बड़ी झपकी, जिसको तुम जागना भी नहीं कह सकते, सोना भी नहीं कह सकते; जो दोनों के मध्य है—तंद्रा—ऐसी घड़ी आ जाती है। न बाहर न भीतर, देहली पर खड़े हो जाते हो, मध्य में खड़े हो जाते हो। तुम यह भी नहीं कह सकते कि सो गये थे, क्योंकि तुम मेरी बात पूरी तरह सुनते रहोगे। और तुम यह भी नहीं कह सकते कि तुम जागे हुए थे; क्योंकि एक बड़ी राहत, जैसी कि नींद में भी नहीं मिलती, एक बड़ी विश्रांति, तुम्हें उस तंद्रा से मिल जाएगी।

तो तीसरा वर्ग है, जिसकी निद्रा तंद्रा के जैसी है।

इसमें पहले वर्ग में अगर तुम हो तो अच्छा हो, आना बंद कर देना। अगर दूसरे वर्ग में तुम हो तो संघर्ष करना; क्योंकि वह निद्रा तुम्हारे मन की पुरानी आदत है, उसे तोड़ना पड़ेगा। अगर तीसरे वर्ग में तुम हो तो सौभाग्यशाली समझना और इस तंद्रा से लड़ना मत; इस तंद्रा में चुपचाप अपने को छोड़ देना। क्योंकि जो भी मैं कह रहा हूं, तंद्रा में कुछ भी चूकेगा नहीं; वह तुम्हारे पास पहुंच ही जायेगा। यह हो सकता है कि शायद तुम बाद में याद न रख सको, क्योंकि याद बहुत ऊपर-ऊपर है; वह और भी गहरे पहुंच जायेगा। तंद्रा में अगर तुमने सुना तो वह सुनना बड़ा गहरा है। वह तुम्हारे प्राण-प्राण में उतर जायेगा। अगर तुम्हारी तंद्रा की स्थिति हो तो उसे तोड़ने की कोशिश मत करना। तब तो आंख बंद करके शांति से उसमें डूब जाना। क्योंकि मैं तुमसे जो कह रहा हूं, वह सिर्फ वचन ही नहीं हैं; मैं तुमसे जो कह रहा हूं, उन वचनों में कुछ तुम्हें दे भी रहा हूं। कुछ ऊर्जा का संचरण हो रहा है। कोई ऊर्जा का संवाद हो रहा है। अगर तुम जागे रहे तो तुम्हारे मन के विचार चलते रहेंगे। अगर तुम सो गये तो तुम सुन न सकोगे। अगर तंद्रा में रहे तो जागने के विचार भी न चलेंगे और नींद भी न होगी। बीच में खड़े देहली पर तुम मेरे बहुत करीब आ जाओगे। तुम्हारा हृदय मेरे हृदय के बहुत करीब धड़कने लगेगा।

तो सोच लेना, तुम्हारी जैसी दशा हो...। अगर तीसरी हो तो बड़ी सौभाग्य की। तंद्रा तो ध्यान की अवस्था है। इसी को तो सूफियों ने मस्ती कहा है। एक नशा चढ़ जाता है। एक नशे जैसा है। और लगता है, जिसने पूछा है, उसकी स्थिति तंद्रा की ही होगी; क्योंकि मेरा अपना अनुभव यही है, उसने कहा है, कि जैसी मीठी, गहरी और लुभावनी...।

तंद्रा की स्थिति मीठी है, गहरी है, लुभावनी है। लेकिन तुम्हारे लिए नयी होगी, इसलिए तुम उसे निद्रा समझ रहे हो। थोड़ी उसके साथ और पहचान बढ़ेगी तो तुम साफ-साफ देख लोगे कि जागरण अलग, निद्रा अलग, तंद्रा बिलकुल अलग है। तंद्रा तो एक मादक स्थिति है।

नमाजे-इश्क का आता भी है, जो होश कभी
तो बेखुदी मेरी बढ़कर इमाम होती है।

—कभी-कभी जब प्रार्थना में डूबने की इच्छा भी होती है तो तत्क्षण तल्लीनता मेरा नेतृत्व करने लगती है।

नमाजे-इश्क का आता भी है, जो होश कभी
तो बेखुदी मेरी बढ़कर इमाम होती है।

—तो तत्क्षण मेरी तल्लीनता आगे आ जाती है और मार्गदर्शक हो जाती है। यह तंद्रा वही तल्लीनता है जो मार्गदर्शक बन जाती है। फिर फिक्र मत करना। अगर तीसरी तरह की तंद्रा हो तो यह भी मत सोचना कि लोग क्या कहेंगे। यह भी मत सोचना कि यह कहीं कोई नियम का उल्लंघन तो नहीं हो रहा है। यह भी मत सोचना कि यह कहीं बुरा तो नहीं है कि मैं बोल रहा हूं, और तुम सो रहे हो। नहीं, यह नींद है ही नहीं। यह तो प्रेम की एक बड़ी गहरी दशा है। मेरे शब्द तुम्हारे लिए एक गहरा संगीत लेकर आ रहे हैं। तुमने

शब्दों को ही नहीं सुना है, संगीत को भी पीना शुरू कर दिया है।

मोहब्बत में नियाज और हुस्ने-महवे-नाज क्या मानी
मैं इस दस्तूर को तरमीम के काबिल समझता हूं।

और जहां प्रेम है, वहां नियम-उल्लंघन हो सकता है। क्योंकि प्रेम इतना परम नियम है कि फिर किसी और नियम की कोई जरूरत नहीं है। तो तुम केवल शिष्टाचार के कारण सम्हालकर और आंख खोलकर मत बैठे रहना। अगर तंद्रा तुम्हें अनुभव होती हो तो...

मोहब्बत में नियाज और हुस्ने-महवे-नाज क्या मानी?

तो फिर प्रेम में नम्रता और अहंकार तक का कोई मूल्य नहीं।

मैं इस दस्तूर को तरमीम के काबिल समझता हूं।

फिर तो सभी दस्तूर तरमीम के काबिल हैं। फिर तो शिष्टाचार की फिक्र छोड़ो। प्रेमी के लिए कोई नियम नहीं है। मगर बहुत गौर से देखना। कहीं ऐसा न हो कि नींद पहले तरह की हो! अगर पहले तरह की हो तो अपने को सम्हालना। या तो आना बंद करो...।

एक चर्च में ऐसा हुआ एक बूढ़ा आदमी, लेकिन करोड़पति, सामने ही बैठता था। और जब पादरी बोलता तो न केवल वह सोता, बल्कि घुर्राता भी। तो उससे और चर्च के लोगों को भी अड़चन होती। उससे कुछ कहा भी नहीं जा सकता था, क्योंकि वह करोड़पति था और उसके दान पर चर्च चलता था। उसे यह भी नहीं बताया जा सकता कि तुम घुर्राते हो।

तो पादरी ने एक तरकीब खोज ली। उसके साथ एक छोटा बच्चा भी आता था, उसका वह नाती-पोता। उसने छोटे बच्चे को एक दिन बुलाया और कहा कि देख तू अपने दादा को जब वे घुर्राने लगें, हिला दिया कर। मैं तुझे चार आने दिया करूंगा रोज। उसने कहा, ठीक! तो वह बच्चा, जब भी उसका दादा घुर्राने लगता, उसको तो बच्चे को कोई मतलब भी नहीं था प्रवचन से, वह अपने दादा ही पर नजर रखता, उनको हिला देता। ऐसा दो-तीन दिन तो चला, लेकिन चौथे दिन देखा कि बच्चे ने हिलाया नहीं। तो, पादरी ने उसे बुलाया कि क्यों, क्या हुआ? उसने कहा, मेरे दादा ने कहा कि देख, अगर तू मुझे नहीं हिलायेगा तो मैं एक रुपया...। अब आप सोच लो उसने कहा, रुपया मिल रहा है!

अगर पहली, ऐसी दशा हो तो कोई जरूरत नहीं है। कोई प्रयोजन नहीं है। जाना क्यों ऐसी जगह जहां नींद आती हो? घर ही सोया जा सकता है, सुगमता से, सुविधा से। यहां बैठकर सख्त पत्थर पर, नींद भी मुश्किल होती होगी। तुम तो कष्ट दोगे, पाप मुझको भी लगेगा।

अगर दूसरी तरह की नींद हो तो फिर कोई फिक्र नहीं। फिर अपने को जगाने की कोशिश करना। अगर दूसरी तरह की नींद हो कि मन की पुरानी आदत के कारण आ जाती हो, तो मन की आदतें तो तोड़नी हैं, उनसे तो संघर्ष करना होगा। और जब पहली और दूसरी तरह की नींद विदा हो जायेगी तो तीसरी तरह की नींद की संभावना शुरू होती है। और जब तीसरी आ जाये तो डरना मत; फिर उसमें लीन होना, डूबना।

आखिरी प्रश्नः

ओशो, संन्यास के शुरू के कुछ साल इस भ्रम में जीती रही कि मैं संन्यासिनी हूं। वे बड़े सुख और आनंद के दिन थे। किंतु अब जो आप संन्यास के फूल की बात करते हैं तो मैं अपने को बहुत अयोग्य पाती हूं। जमीन से पैर उखड़ गये, लेकिन पंख अभी तक नहीं उगे। यह कैसी अवस्था है कि एक ओर कीर्तन, नाच और भक्ति में लीन होती हूं, तो दूसरी ओर ध्यान और होश भी पकड़ता है। और यह संसार... उफ...कब तक चलेगा?

'संन्यास के शुरू के कुछ साल इस भ्रम में जीती रही कि मैं संन्यासिनी हूं। वे बड़े सुख और आनंद के दिन थे।'

भ्रम के दिन सदा ही सुख और आनंद के दिन होते हैं। लेकिन भ्रम के साथ एक ही खतरा है कि वह सदा नहीं चल सकता; वह एक दिन टूटता ही है। और जब टूटता है तो पीड़ा होती है। लेकिन उसका टूट जाना शुभ है। और अब जब मैं कह रहा हूं कि संन्यास केवल लेने की बात नहीं है...लेने से तो शुरुआत होती है, अंत नहीं। संन्यासी बनने का जब तुम निर्णय करते हो, संकल्प करते हो, समर्पण करते हो, तो वह तो यात्रा का पहला कदम है। वहीं बैठकर प्रसन्न मत होते रहना। नहीं तो मंजिल कभी घर न आयेगी; तुम कभी मंजिल तक न पहुंचोगे। उचित है कि पहला कदम भी उठाया। यह भी सौभाग्य था। इसके लिए गुनगुनाना, गीत गाना, नाच लेना, प्रसन्न होना; लेकिन यात्रा जारी रखनी है। आगे जाना है! रोज आगे जाना है! और जितने तुम आगे जाने लगोगे, उतने मैं तुम्हें और आगे की यात्रा के इशारे देने लगूंगा।

तो पहले तुमसे कहता हूं, संन्यास सिर्फ एक भाव-भंगिमा है। वह तो तुम्हें फुसलाने के लिए। वह तो तुम्हें राजी कर लेने के लिए। तुमसे कहता हूं, यहीं पास रहा, दो कदम जाना है। जब तुम दो कदम उठा लेते हो, तब मैं कहता हूं कि अब दो कदम और। ऐसे दो-दो कदम तुम्हें बढ़ाकर हजारों कदम उठवाये जा सकते हैं। अगर मैं तुमसे कहूं हजार कदम पहले से, तो शायद तुम पहला कदम भी न उठाओ।

तुमने हिम्मत इतनी खो दी है, आत्मविश्वास इतना खो दिया है। तुम बड़ी क्षुद्र बातों से प्रभावित होते हो। हजार कदम, तो शायद हजार कदम की बात रुकावट ही बन जाये। इसलिए मैंने संन्यास को इतना सरल बना दिया है जितना सरल हो सकता है। सिर्फ संन्यास लेने की आकांक्षा को मैं कहता हूं काफी है, बस, और कोई पात्रता नहीं। लेकिन एक बार तुम संन्यासी होने का पहला कदम उठाये, तो यात्रा शुरू हुई। फिर मैं पात्रता की बात भी करूंगा। फिर कैसे जीवन के फूल खिलें, उनकी दिशा में तुम्हें संलग्न भी करूंगा। और एक बार तुम मेरे साथ आ गये, चल पड़े, तो मैं जानता हूं वापस लौटना आसान

नहीं। एक बार इतनी भी हिम्मत कर ली कि मेरे रंग में रंगे, कि गैरिक वस्त्रों में डूबे, कि फिर तुम भाग न सकोगे। अंगुली पकड़ ली तो फिर पहुंचा भी पकड़ लूंगा। एक बार अंगुली हाथ में लेता हूं, तुम सोचते हो, क्या हर्जा है, अंगुली ही तो है कोई; जब चाहेंगे तब छुड़ा लेंगे। तुमसे मैं कहता हूं, अंगुली काफी है; इतने से काम हो जायेगा। इतने से काम न होगा। इतने से काम शुरू होता है।

तो स्वभावतः देर-अबेर प्रत्येक को ऐसा लगेगा कि यह तो बड़ी मुश्किल हुई। हम तो सोचे थे सरल है; यह तो कठिन होने लगी बात। यह तो मार्ग ऊंचाइयों पर चढ़ने लगा। हम तो सोचे थे, समतल है। हम तो सोचे थे, राजपथ है; ये तो पगडंडियां फूटने लगीं, और जंगल में अकेले की यात्रा होने लगी।

लेकिन उस तक पहुंचने के लिए बहुत कुछ चुकाना पड़ता है। अपने पूरे जीवन की ही आहुति देनी पड़ती है। तो अड़चन से घबड़ाना मत।

और अयोग्यता का बोध पैदा हो रहा हो तो इसे शुभ मानना; क्योंकि अयोग्यता का बोध केवल उन्हीं को होता है, जिनके भीतर थोड़ी बुद्धिमत्ता है। मूढ़ तो अपने को योग्य ही समझते हैं। उन्हें अयोग्यता का तो पता ही नहीं चलता। अज्ञानी तो अपने को ज्ञानी ही मानते हैं। यह तो सिर्फ ज्ञानियों को पता चलता है कि हम अज्ञानी हैं। इसलिए अगर अयोग्यता का बोध हो रहा है तो दुखी मत होना। यह तो पहली सूरज की किरण फूटी। यह तो पहला दीया जला। अब इसी दीये से योग्यता पैदा होगी। अयोग्यता का पता चल गया तो अयोग्यता से मुक्त हो जाना बहुत आसान है। अयोग्यता का पता ही न चलता हो तो फिर कैसे मुक्त हो सकोगे?

'जमीन से पैर उखड़ गये हैं, लेकिन पंख अभी तक नहीं उगे हैं...।'

ठीक है। जहां तुम जा रहे थे वहां से तुम्हें खींच लिया है। वह दिशा समाप्त हुई। उस तरफ रस बंद हुआ। लेकिन जहां तुम्हें ले जाना है, उस दिशा में लगाने के लिए तुम्हारे भीतर पात्रता लानी होगी। पुराने रास्ते पर चलने की तुम्हारे पास कुशलता है। पुराना रास्ता तो हटा दिया, नये रास्ते पर तुम्हें लगा दिया; लेकिन नये रास्ते की कुशलता सीखनी होगी। जड़ें तो टूट गयीं, ठीक हुआ; जमीन से पैर उखड़ गये, ठीक हुआ। यह पहला कदम तो हुआ आकाश में उड़ने का; लेकिन पंख पैदा करने होंगे। या होंगे मौजूद तो जन्मों-जन्मों से उनका उपयोग नहीं किया; उनका उपयोग सीखना पड़ेगा। लेकिन शुभ है कि कम से कम आधा तो हुआ। जमीन से पैर तो उखड़ गये। अब जमीन पर खड़े होने की तो जगह न रही। अब तो पंख खोजने ही पड़ेंगे।

और ध्यान रखना, जब तक कि जीवन संकट में न पड़ जाये, जीवन नये की खोज नहीं करता। नये की खोज संकट में होती है। जब इतना संकट आ जाता है कि कुछ करना ही होगा, तभी नये की खोज होती है; अन्यथा मन बड़ा आलसी है।

तो अगर तुम्हारी जमीन मैंने छीन ली तो अब तुम तड़फड़ाओगे, फेंकोगे हाथ-पैर। उन्हीं हाथ-पैर के फेंकने से पंखों का जन्म होगा। पंख तो हैं, तुम भूल ही गये हो; तुम्हें याद ही न रही।

शुरू-शुरू में तड़फड़ाहट करोगे तो एकदम से उड़ना न आ जायेगा। उड़ने के लिए बड़ी कुशलता चाहिए। वह कुशलता धीरे-धीरे पैदा होगी। लेकिन तुम उड़ सकोगे। क्योंकि आकाश ही, अनंत आकाश ही—कहो उसे परमात्मा, मोक्ष, निर्वाण—तुम्हारी नियति है। और जो पक्षी उस आकाश में नहीं उड़ा, घोंसले में ही बैठा रह गया, उसके अभाग्य को क्या कहें! पैदा हुआ था कि उड़े आकाश में। लेकिन पैदा तो घोंसले में होना पड़ता है; आकाश में तो कोई भी पक्षी का अंडा रखा नहीं जा सकता। अंडा तो रखना पड़ता है घोंसले में। लेकिन अंडा फूट जाये और पक्षी वहीं बैठा रहे घोंसले में और डरे...और डर उसका स्वाभाविक है, कभी उड़ा नहीं पहले...।

तो मैंने तुमसे तुम्हारा घोंसला तो छीन लिया; अब बैठने की तो कोई जगह नहीं है। उड़ना ही पड़ेगा! और तुम उड़ोगे।

तुमने देखा, जो लोग तैरना सिखाते हैं, वे करते क्या हैं? वे नये व्यक्ति को पानी में फेंक देते हैं। और कुछ भी नहीं करते। लेकिन पानी में गिरकर कोई भी हाथ-पैर फेंकेगा ही, अपने को बचाने के लिए फेंकेगा। वही तैरने का पहला चरण है। फिर धीरे-धीरे कुशलता आ जाती है। फिर वह देखता है, कैसे ढंग से फेंकना; कैसे कम शक्ति लगे और फेंकना। फिर धीरे-धीरे तो बिना फेंके भी तैरने लगता है।

ऐसा ही आत्मिक जगत भी है। और इसमें ध्यान रखना, ऐसा एक बार होगा, ऐसा नहीं; बहुत बार होगा। क्योंकि फिर तुम एक ऊंचाई पर अपना घर बना लोगे, फिर मैं उसे उखाड़ दूंगा, ताकि नयी ऊंचाई पर तुम उठो।

गुरु का काम ही इतना है कि वह उस समय तक तुम्हें धक्का दिये चला जाये, जब तक तुम वहां न पहुंच जाओ, जिसके आगे फिर कोई ऊंचाई नहीं। परमात्मा तक जब तक तुम्हें न पहुंचा दे, तब तक तुम्हारे पीछे लगा ही रहे; तब तक तुम्हें परेशान करता ही रहे; तब तक जैसे भी हो—कभी तुम्हें सुख देकर, कभी तुम्हें दुख देकर; कभी तुम्हारी पीठ थपथपाकर और कभी तुम्हारी लानत-मनामत करके; कभी तुम पर क्रोध जाहिर करके और कभी तुम पर प्रेम जाहिर करके—लेकिन तुम्हें धकाता ही रहे। क्योंकि तुम्हारा मन तो कहेगा, बस यहीं रुक जायें। तुम तो हर जगह रुक जाने को तत्पर हो; क्योंकि रुक जाने में विश्राम है। चलने में श्रम है।

लेकिन मैं तुम्हें उस क्षण तक चलाता रहूंगा, जब तक कि परम विश्राम न आ जाये। परम विश्राम यानी परमात्मा। परम विश्राम यानी मोक्ष। जिससे फिर पीछे गिरना नहीं होता और जिसके पार फिर कुछ और शेष नहीं है—ऐसे परम सत्य को पाने के पहले बहुत बार तुम मुझसे नाराज भी होने लगोगे। क्योंकि तुम सस्ता चाहते हो। क्योंकि तुम सदा चाहते हो कि मुफ्त में मिल जाये। तुम सदा चाहते हो कि तुम्हारे बिना कुछ किये मिल जाये। तो तुम भाग ही न जाओ, इसलिए मैं कभी-कभी ऐसा भी कहता हूं; बिना किये कुछ मिल जायेगा। तो तुम रुके भी रहते हो कि शायद अब मिलता हो। लेकिन बिना किये कुछ भी नहीं मिलता। तो तुम्हें रोकने के लिए कह देता हूं, बिना किये भी मिल जायेगा, प्रभु के प्रसाद से भी मिल जायेगा। तो तुम रुके रहते हो आशा में। और यहां तुम्हारे साथ मैं चेष्टा

में लगा रहता हूं कि तुम कुछ करने लगो। क्योंकि उसका प्रसाद भी उन्हीं को मिलता है जो कुछ करते हैं।

तो घबड़ाना मत, बेचैन मत होना। यह शुभ है कि अयोग्यता दिखाई पड़ी। यह शुभ है कि वह सस्ती प्रसन्नता जो संन्यास लेने से ही आ गयी थी, खो गयी। अब असली संन्यासी बनना!

थोड़ा सोचो! मात्र वस्त्र बदलने से प्रसन्न हो गये थे; जिस दिन आत्मा बदलेगी तो क्या होगा!

आज इतना ही।

२३

जीवन की भव्यता : अभी और यहीं

सूत्र

सदहदि य पत्तेदि य, रोचेदि य तह पुणो य फासेदि।
धम्मं भोगनिमित्तं, ण दु सो कम्मक्खयणिमित्तं।।55।।

सुहपरिणामो पुण्णं, असुहो पाव ति भणियमन्नेसु।
परिणामो णन्नगदो, दुक्खक्खयकारणं समये।।56।।

पुण्णं पि जो समिच्छदि, संसारो तेण ईहिदो होदि।
पुण्णं सुगईहेदुं, पुण्णखएणेव णिव्वाणं।।57।।

कम्ममसुहं कुसीलं, सुहकम्मं चावि जाण व सुसीलं
कह तं होदि सुसीलं, जं संसारं पवेसेदि।।58।।

सोवण्णियं पि णियलं, बंधदि कालायसं पि जह पुरिसं।
बंधदि एवं जीवं, सुहमसुहं वा कदं कम्भं।।59।।

तम्हा दु कुसीलेहिं य, रायं मा कुणह मा व संसग्गं।
साहीणो हि विणासो, कुसीलसंसग्गरायेण।।60।।

वरं वयतवेहि सग्गो, मा दुक्खं होउ णिरई इयरेहिं।
छायातवट्ठियाणं, पडिवालंताण गुरुभेयं।।61।।

पहला सूत्र: 'अभव्य जीव यद्यपि धर्म में श्रद्धा रखता है, उसकी प्रतीति करता है, उसमें रुचि रखता है, उसका पालन भी करता है, किंतु यह सब वह धर्म को भोग का निमित्त समझकर करता है, कर्मक्षय का कारण समझकर नहीं।'

संसार की आदत आसानी से नहीं जाती। जन्मों-जन्मों तक जिसे पाला है, संवारा है, वह आदत संसार को छोड़ने भी चलो तो भी साथ चलती है।

इसे समझें, क्योंकि इसे बिना समझे कोई कभी धार्मिक न हो पायेगा। बहुत हैं जिन्होंने संसार छोड़ दिया। बाहर दिखायी पड़ने वाला संसार छोड़ देना कठिन भी नहीं। आश्चर्य तो यही है कि बाहर दिखायी पड़ने वाले संसार को लोग कैसे पकड़े रहते हैं! इतना व्यर्थ है, इतना असार है कि किसी भी थोड़ी-सी प्रज्ञावान चेतना को छोड़ने का खयाल आ जाये तो कुछ आश्चर्यचकित होने की बात नहीं। कुछ भी मिलता हुआ दिखायी नहीं पड़ता, तो छोड़ने का मन आ जाता है।

लेकिन बाहर के संसार से भी ज्यादा भीतर एक संसार है। वह संसार है कि अगर हम छोड़ते भी हैं कुछ, तो कुछ पाने के लिए ही छोड़ते हैं। वह पाने की वृत्ति नहीं जाती। तो लोग संसार छोड़ देते हैं तो सोचते हैं, मोक्ष पाने के लिए; धन छोड़ देते हैं तो सोचते हैं, पुण्य पाने के लिए। लेकिन पाने की वासना भीतर खड़ी रहती है।

महावीर इन सूत्रों में यही बात साफ करना चाहते हैं कि असली संसार 'पाने की वासना' में है। पाने की वासना के कारण बाहर का संसार है। बाहर के संसार के कारण पाने की वासना नहीं है।

तो तुम संसार को छोड़ भी दो और तुम्हारे भीतर की वासना की आग सुलगती रह जाये तो कुछ अंतर न हुआ।

महावीर कहते हैं ऐसे धार्मिक व्यक्ति को—'अभव्य जीव।' वह सिर्फ भव्य दिखायी पड़ता है, लेकिन उसकी भव्यता बाहर-बाहर है, भीतर उसके राग खड़ा है, भीतर लोभ खड़ा है।

तुमने ऐसा धार्मिक व्यक्ति देखा, जिसके भीतर लोभ न हो? तुमने ऐसा धार्मिक व्यक्ति देखा जो धार्मिक हो, धार्मिक होने के आनंद के कारण; जो यह नहीं कहता हो कि धार्मिक श्रम, पुरुषार्थ से मैं कुछ भविष्य में कमाने जा रहा हूं? तुमने ऐसा धार्मिक व्यक्ति देखा जिसके मन में भविष्य की कोई आकांक्षा न हो, फलाकांक्षा न हो?

तो तुम अगर अपने धार्मिक गुरुओं से, साधुओं से जाकर पूछो कि आप ये पुण्य, तपश्चर्या, साधना, ध्यान, सामायिक, उपवास, व्रत, नियम, इन सबका पालन कर रहे हैं—किसलिए? और अगर वे बता सकें कि किसलिए तो समझना कि वे अभव्य जीव हैं। अभी उनमें भव्यता का जन्म नहीं हुआ। और वे सभी बता सकेंगे कि पुण्य के लिए, स्वर्ग के लिए; भविष्य में उच्च योनियां मिलें, देवलोक मिले—इसलिए या उनमें जो बहुत ज्यादा तर्ककुशल हैं, वे कहेंगे, मोक्ष के लिए; सबसे छुटकारा हो जाये, इसलिए।

लेकिन जो आदमी छूटना चाहता है, उसका छुटकारा हो नहीं सकता; क्योंकि अभी कोई चाह बची—छूटने की चाह बची। तो सब चाहें निमज्जित हो जाएं छूटने की चाह में, तो छूटने की चाह एक मजबूत रस्से की तरह हो जायेगी। छोटी-छोटी चाहें तो थोड़े-थोड़े धागे हैं, उन सबको एक ही रस्से में इकट्ठा कर लिया—छूटने की चाह, मोक्ष की आकांक्षा। तो जैसा छोटी-छोटी वासनाओं ने बांधा था, उससे भी ज्यादा यह मोक्ष की रस्सी बांध लेगी।

महावीर कहते हैं, अगर तुमने कुछ पाने के लिए छोड़ा तो छोड़ा ही नहीं। धोखा किसको दिया? अपने को दे लिया।

उपनिषदों में एक बड़ा अदभुत सूत्र हैः कृपणा फलहेतवः। जो व्यक्ति फल की आकांक्षा से कुछ काम करता है वह कृपण है, वह कंजूस है। उसे जीवन की कला ही न आयी। उसने जीवन का सत्य ही न जाना।

महावीर का यह सूत्र भी यही कह रहा है कि अगर तुमने कुछ पाने की आकांक्षा से—भला वह आकांक्षा मोक्ष की ही हो—धर्म किया तो धर्म किया ही नहीं, धर्म का धोखा किया। अभव्य जीव यद्यपि धर्म में श्रद्धा रखता है लेकिन उसकी श्रद्धा में 'यद्यपि' जुड़ा हुआ है। उसकी प्रतीति भी करता है। उसमें रुचि भी रखता है, उसका यथाशक्य पालन भी करता है—फिर भी वह धर्म को निमित्त समझकर करता है, साध्य समझकर नहीं। धर्म का भी साधन बनाता है। धर्म से भी कुछ पाना है, इसलिए करता है। अगर धर्म के बिना जो

वह पाना चाहता है मिल जाये तो वह धर्म को कूड़े-कर्कट में फेंक देगा। अगर तुम्हारे साधु-संन्यासियों और मुनि महाराजों को पता चल जाये कि स्वर्ग पहुंचने का कोई शार्टकट भी है तो वे सब अपने पीछी-कमंडल छोड़कर भाग खड़े होंगे, क्योंकि उसी के लिए तो वे इस लंबे रास्ते से जा रहे थे। अगर कोई पास का रास्ता मिल गया है, कोई सुगम रास्ता मिल गया है, तो कौन कष्ट उठायेगा!

पास का रास्ता मिल जाने पर भी जो धर्म के रास्ते पर खड़ा रहे, उसे ही जानना कि वह धार्मिक है। क्यों? क्योंकि उसके लिए धर्म साध्य है, साधन नहीं।

ये दो शब्द बड़े विचारणीय हैं। धर्म साधन नहीं, साध्य है। तो जल्दी क्या है? तो जाना कहां है?

वास्तविक धार्मिक व्यक्ति का प्रत्येक पल मोक्ष है। वह ध्यान करता है क्योंकि ध्यान में परम आनंद है। इसलिए नहीं कि आनंद मिलेगा। धार्मिक व्यक्ति के लिए 'इसलिए' जैसी कोई बात ही नहीं। वह सामायिक में बैठता है। क्योंकि सामायिक आनंद है, सामायिक परम शांति है।

भेद समझ लेना, क्योंकि दोनों की बातें एक-सी लगती हैं। धार्मिक कहता है, शांति के लिए सामायिक में बैठता हूं। तो महावीर कहेंगे अभव्य है, अभी कृपण है, अभी वासना लगी है। अभी सामायिक को भी यह साधन बना रहा है। तो कभी इसने धन को साधन बनाया था—सोचा था, धन से सुख मिलेगा; कभी इसने पद को साधन बनाया था—सोचा था पद-प्रतिष्ठा से सुख मिलेगा; कभी यह सेनापति हो गया था, दुर्धर्ष युद्ध में उतरा था, हजारों की गर्दनें काट दी थीं—सोचा था इससे सुख मिलेगा। लेकिन एक बात अभी भी कायम है कि सुख को पाना होगा किसी साधन से। कभी धन साधन, कभी पद साधन, कभी तलवार साधन; अब व्रत, उपवास, नियम—साधन; योग, ध्यान, सामायिक—साधन। लेकिन मूल गणित वही है। जो भी कर रहा है, अधार्मिक व्यक्ति उसमें रस नहीं लेता। उसका रस हमेशा फल में है। गीता में कृष्ण जो कहते हैं: फलाकांक्षा! वह देख रहा है आगे: यह मिलेगा, यह मिलेगा, यह मिलेगा—इसलिए कर रहा है। अगर पता चल जाये नहीं मिलेगा तो उसका करना अभी रुक जाये। तो वह पूछेगा, फिर कैसे मिलेगा?

महावीर कहते हैं, जिस व्यक्ति को धर्म में साध्य दिखायी पड़ने लगा वही व्यक्ति भव्य है। तो तुम मंदिर जाओ, मस्जिद जाओ, कुरान पढ़ो, गीता पढ़ो, पूजा करो, प्रार्थना करो—एक बात भीतर खोजते रहना: ये तुम साधन की तरह कर रहे हो, निमित्त की तरह? तो महावीर की दृष्टि में अभव्य हो। अभी तुम्हारे भीतर उस पवित्र उन्मेष का जन्म नहीं हुआ जो तुम्हें दिव्य बना दे, भव्य बना दे।

'भव्य' शब्द महावीर का अपना है। दिव्य शब्द का वे उपयोग नहीं कर सकते, क्योंकि दिव्य से तो देवता और अंततः परमात्मा का खयाल आ जाता है। इसलिए महावीर की भाषा में भव्य का वही अर्थ है जो समस्त अन्य धर्मों की भाषा में दिव्य का है। भव्य का अर्थ है: जिसका जीवन प्रतिपल साध्य हुआ। भव्य का अर्थ है: जो कृपण न रहा।

कृपणा फलहेतवः! अब जिसके लिए फल का कोई सवाल ही नहीं है! अब जिसकी सारी कृपणता मिटी, कंजूसी मिटी! अब जो जिंदगी में चाह के ढंग से नहीं जीता—अचाह का मजा ले रहा है; अचाह में डूबता है, रस लेता है!

एक क्षण को भी तुम्हें पता चल जाये कि ऐसा भी जीने का ढंग है जिसमें भविष्य की कोई जरूरत नहीं, वहीं भव्यता उतरती है।

'भविष्य' शब्द भी सोचने जैसा है, क्योंकि उसकी भी मूल धातु भव्य की ही है।

जिससे भव्य बना है, उसी से भविष्य बना है। दोनों शब्दों का मूलस्रोत एक ही है। यह बड़े सोचने जैसी बात है! हम भविष्य को भव्य क्यों कहते हैं? अतीत तो किसी तरह काट लिया, वर्तमान भी किसी तरह गुजार रहे हैं; सारी आशा भविष्य में लगी है। तो हम भविष्य को तो भव्य बनाते हैं! उटोपिया! जो नहीं हुआ है वह भविष्य में होगा। इसलिए भव्य भविष्य को हम मानते हैं कि भविष्य भव्य है। हमारी सारी आकांक्षाओं का सार-निचोड़ भविष्य में है। जो होना था और नहीं हो पाया, वह भविष्य में होगा, कल होगा। जो हमें बनना था और नहीं बन पाये वह हम कल बनेंगे। जो वर्षा हमारे जीवन में घटनी थी और नहीं घट पायी, सूखे रह गये, वह कल होगी।

इसलिए सभी लोगों के मन में भविष्य तो भव्य होता है। दीन से दीन, दुखी से दुखी, पीड़ित से पीड़ित व्यक्ति के मन में भी भविष्य भव्य होता है—इसीलिए उसे भविष्य कहते हैं।

लेकिन महावीर कहते हैं, भव्य वह है जिसका कोई भविष्य नहीं; जो 'अभी और यहीं' बिना किसी चाह के जीने लगे।

जब तक भविष्य है तब तक तुम अभव्य हो। भविष्य है ही तरकीब झुठलाने की, जीवन में प्रवंचना की। ऐसे कल्पनाओं का जाल बुन-बुनकर तुम अपने को समझा लेते हो, सांत्वना दे लेते हो। कभी धन के माध्यम से दी थी, अब धर्म के माध्यम से देते हो। महावीर कहते हैं, बहुत फर्क नहीं है। चाहे कितनी ही तुम श्रद्धा दिखाओ, कितनी ही प्रतीति जतलाओ, कितनी ही रुचि प्रकट करो, पालन भी कर लो—लेकिन तुम्हारे पालन करने में भी अभव्यता रहेगी, क्योंकि तुम्हारी नजर भविष्य पर लगी रहेगी। तुम करोगे, लेकिन व्यवसायी की तरह करोगे। धर्म तुम्हारा कृत्य ही रहेगा, तुम्हारे जीवन की लीला न हो पायेगी। और जब धर्म जीवन की लीला बन जाये...।

अगर तुम्हें कभी कोई ऐसा व्यक्ति मिल जाये जो कहे कि ध्यान में आनंद है, इसलिए ध्यान कर रहा हूं; ध्यान से आनंद मिलेगा, इसलिए नहीं—ध्यान ही आनंद है। दान कर रहा हूं, इसलिए नहीं कि दान से स्वर्ग मिलेगा—दान में स्वर्ग है। देता हूं, क्योंकि देने में ही फूल खिल रहे हैं। फूल कल नहीं हैं, भविष्य में नहीं हैं—अभी खिल रहे हैं, यहीं खिल रहे हैं। यहां देने का खयाल नहीं उठा कि वहां फूल खिलने लगे! यहां शांत बैठने का खयाल नहीं उठा कि शांति होने लगी! यहां आनंदित होने की उमंग उठी कि आनंद आ गया!

युगपत साधन और साध्य मिल जाते हैं—एक ही क्षण में, एक ही पल में।

गुरजिएफ के एक शिष्य बैनेट ने एक अनूठा संस्मरण लिखा है। बैनेट गुरजिएफ का सबसे लंबे समय तक शिष्य रहा। पश्चिम से जो व्यक्ति सबसे पहले गुरजिएफ के पास पहुंचा वह बैनेट था। और अंत तक जो गुरजिएफ के साथ लगा रहा वह भी बैनेट था। कोई पैंतालीस साल का संबंध था। बैनेट ने लिखा है कि गुरजिएफ के साथ काम करते हुए, एक दिन गुरजिएफ ने उसे कहा था वह गड्ढे खोदता रहे, तो दिनभर गड्ढे खोदता रहा। वह इतना थक गया था...! वह गुरजिएफ की एक प्रक्रिया थी थका देना, इतना थका देना कि हाथ हिलाने की भी स्थिति न रह जाये। क्योंकि गुरजिएफ कहता था कि जब तुम इतने थक जाते हो कि हाथ हिलाने की भी स्थिति नहीं रह जाती तभी तुम्हारा परम शक्ति से संबंध जुड़ता है। जब तक तुममें शक्ति होती है तब तक परम शक्ति तुममें प्रवाहित नहीं होती। तो उसे थका दिया था। वह दिनभर से थक गया था। तीन रात से सोया भी न था। वह गिरा-गिरा हो रहा था। खोद रहा था, लेकिन अब उसे समझ में नहीं आ रहा था कि अगली बार कुदाली उठा सकेगा कि नहीं। कुदाली उठाये-उठाये झपकी खा रहा था। तब गुरजिएफ आया और उसने कहा कि यह क्या कर रहे हो? इतने जल्दी नहीं, अभी तो जंगल जाना है और कुछ लकड़ियां काटकर लानी हैं।

तो गुरजिएफ की शर्तों में एक शर्त थी कि वह जो कहे, करना ही होगा। क्योंकि उसी माध्यम से वह सोयी हुई चेतना को जगा सकता है। तो बैनेट की बिलकुल इच्छा नहीं थी। जाने का जंगल तो सवाल ही नहीं था। अपने कमरे तक कैसे लौटेगा—यह चिंता थी। कहीं बीच में गिरकर सो तो नहीं जायेगा। लेकिन जब गुरजिएफ ने कहा तो गया। जंगल गया, लकड़ियां काटीं। जब वह लकड़ियां काट रहा था, तब अचानक घटना घटी। अचानक उसे लगा सारी सुस्ती खो गयी और एक बड़ी ऊर्जा का जैसे बांध टूट गया! यहां बिलकुल खाली हो गया था शक्ति से; जगह, स्थान निर्मित हो गया था। भीतर जहां ऊर्जा भरी है, वहां से टूट पड़ी। बही गड्ढे की तरफ। गड्ढा बन गया था थकान के कारण। ऊर्जा बही और सारा शरीर, रोआं-रोआं ऐसी शक्ति से भर गया जैसा कभी भी न हुआ था। उसने कभी ऐसी शक्ति जानी ही न थी। उस क्षण उसे लगा, इस समय मैं जो चाहूं वह हो सकता है। इतनी शक्ति थी! तो उसने सोचा, क्या चाहूं? जिंदगीभर सोचा था आनंदित...तो उसने कहा, मैं आनंदित होना चाहता हूं। ऐसा भाव करना था कि वह एकदम आनंदित हो गया। उसे भरोसा ही न आया कि आदमी के बस में है क्या आनंदित होना! चाहते तो सभी हैं—होता कौन है! उसने सोचा कि आनंदित हो जाऊं...यह तो सिर्फ खेल कर रहा था शक्ति को देखकर। इतनी शक्ति नाच रही थी चारों तरफ, रोआं-रोआं ऐसा भरा-पूरा था कि उसको लगा इस क्षण में तो अगर मैं जो भी चाहूंगा हो जायेगा तो क्या चाहूं! 'आनंदित!' ऐसा सोचना था, यह शब्द का उठना था—आनंद—कि उसकी पुलक-पुलक नाच उठी। उसे बस भरोसा न आया। उसने कहा कोई धोखा तो नहीं खा रहा हूं, कोई सपना तो नहीं देख रहा हूं, कोई मजाक तो नहीं की जा रही है मेरे साथ। तो उसने सोचा कि उलटा करके देख लूंः दुखी हो जाऊं! ऐसा सोचना था कि 'दुखी हो जाऊं' कि एकदम गिर पड़ा! चारों तरफ जैसे अंधेरा छा गया!

जैसे अचानक सूरज डूब गया! जैसे सब तरफ दुख ही दुख और दुख की तरंगें उठने लगीं! वह घबराया कि यह तो मैं नरक में गिरने लगा। यह हो क्या रहा है! उसने कहा, मैं शांत हो जाऊं, वह तत्क्षण शांत हो गया।

उसने सब मनोभाव उठाकर देखे। फिर तो एक-एक पर प्रयोग करके देखा—क्रोध, घृणा, प्रेम—और जो भाव उसने उठाया वही भाव परिपूर्ण रूप से प्रकट हुआ।

वह भागा हुआ आया। उसने गुरजिएफ को कहा कि चकित हो गया हूं। उसने कहा, अब चकित होने की जरूरत नहीं, चुपचाप सो जा! अब जो हुआ है इसे चुपचाप संभालकर रख और याद रखना, कभी भूलना मत कि अगर आदमी ठीक स्थिति में हो तो जो चाहता है, वही हो जाता है। गैर-ठीक स्थिति में तुम चाहते रहो, चाहते रहो, कुछ भी नहीं होता। ठीक स्थिति में जब भीतर के तार मिलते हैं तो साधन और साध्य की दूरी खो जाती है। इसको ही हिंदुओं ने कल्पवृक्ष की अवस्था कहा है।

कल्पवृक्ष स्वर्ग में लगा हुआ कोई वृक्ष नहीं है। कल्पवृक्ष तुम्हारे भीतर की एक चैतन्य अवस्था है।

बैनेट के उल्लेख से तुम समझ सकते हो कल्पवृक्ष का क्या अर्थ होगा। कल्पवृक्ष का अर्थ होगा कि जहां साधन और साध्य का फासला न रहा, जहां दोनों के बीच कोई दूरी न रही। यहां साधन हुआ नहीं कि साध्य आ ही गया। एक साथ, युगपत! क्षण भर का भी, क्षण के खंड का भी हिस्सा नहीं है—यही कल्पवृक्ष की धारणा है।

कल्पवृक्ष की धारणा है कि जिस वृक्ष के नीचे तुम बैठे, इधर तुमने मांगा उधर मिला। ऐसे कोई वृक्ष कहीं नहीं हैं, लेकिन ऐसे वृक्ष तुम बन सकते हो। और उस बनने की दिशा में जो पहला कदम है वह यह कि साधन और साध्य की दूरी कम करो। क्योंकि जहां साधन और साध्य मिलते हैं, वहीं वह घटना घटती है कल्पवृक्ष की।

और तुमने खूब दूरी बना रखी है। तुम तो सदा दूरी निर्मित करते चले जाते हो। तुम कहते हो, कल मिले। तुम्हें यह भरोसा ही नहीं आता कि आज मिल सकता है, अभी मिल सकता है, इसी क्षण मिल सकता है।

तुमने आत्मबल खो दिया है। तुमने जन्मों-जन्मों तक वासना के चक्कर में पड़कर...वासना का चक्कर ही यही है: साध्य और साधन की दूरी यानी वासना; साध्य और साधन का मिलन यानी आत्मा।...तो तुमने इतनी दूरी बना ली है कि इस जन्म में भी तुम्हें भरोसा नहीं आता कि मिलेगा, तो तुम कहते हो, अगले जन्म में! अगले जन्म पर भी भरोसा नहीं आता, क्योंकि तुम जानते हो अपने आपको भलीभांति कि कितने जन्मों से तो भटक रहे हो कुछ मिलता तो नहीं। तो तुम कहते हो, स्वर्ग में, परलोक में; इस लोक में नहीं तो परलोक में। तुम दूर हटाये जा रहे हो। तुम साध्य और साधन के बीच समय की बड़ी दूरी बनाये जा रहे हो। यह समय को हटा दो और गिरा दो।

कृष्ण कहते हैं, फलाकांक्षा छोड़ दो। उपनिषद कहते हैं, कंजूस मत बनो। महावीर कहते हैं, भव्य हो जाओ। भविष्य के पीछे क्यों पड़े हो? तुम भव्य हो सकते हो। तुमने भविष्य को भव्यता दे रखी है।

भव्य का अर्थ हुआ : ऐसी घड़ी जहां तुम्हें पाने को कुछ भी नहीं; जहां सब मिला हुआ है। ऐसी परितृप्ति, ऐसा परितोष!

तो फिर भी तुम्हारे जीवन से धर्म होता है, लेकिन अब धर्म खेल की तरह है। जैसे कोई संगीतज्ञ अपनी वीणा पर धुन उठाता है—नहीं कि कुछ पाना है, बल्कि इसलिए कि इतना मिला है, इसे गुनगुनाए, इसे गाए, इसका स्वाद लेता है, कि कोई नर्तक नाचता है—नहीं कि कोई देखे; कोई देख ले, यह उसका सौभाग्य है, न देखे उसका दुर्भाग्य है।

वानगॉग के चित्रों को देखने एक आदमी आया। उसे कुछ समझ में न आया कि इन चित्रों में क्या है। उसने इधर-उधर देखा और फिर वह जाने लगा तो उसने वानगॉग को कहा कि मेरी कुछ समझ में नहीं आता। मैं तो यह भी तय नहीं कर सकता कि चित्र सीधे लटके हैं कि उलटे लटके हैं। इनमें है क्या?

वानगॉग की आंख में, कहते हैं आंसू आ गये। उस आदमी ने कहा कि क्या मैंने आपको दुख पहुंचाया? वानगॉग ने कहा, नहीं! लेकिन मैं परमात्मा से प्रार्थना करता हूं : काश, तुम्हारे पास मेरे जैसी देखने वाली आंखें होतीं! तुम बिलकुल अंधे हो, इसलिए आंख में आंसू आ गये, और कोई कारण नहीं।

जो व्यक्ति धार्मिक है, उसके पास एक आंख है, जो अधार्मिक के पास नहीं है। उसके पास एक तीसरा नेत्र है। उसके पास दिव्य चक्षु है। और वह दिव्य चक्षु प्रत्येक चीज को भव्य कर देता है, सुंदर कर देता है। वह जहां भी आंख डालता है, वहीं मिट्टी सोना हो जाती है। वह जहां हाथ रखता है, वहीं मिट्टी सोने में बदल जाती है। वह जिस तरफ उठता है, बैठता है, उसी तरफ कल्पवृक्ष निर्मित होने लगता है।

यह तुम्हारे बस में है कि तुम भव्य हो जाओ। लेकिन भव्य होने का एक ही उपाय है कि भविष्य गिर जाए। भविष्य से ले लो वापस, तुमने जो भव्यता उसे दी है। और उस भविष्य से छीनी गयी भव्यता को अपने हृदय में आरोपित करो।

'अभव्य जीव धर्म को भोग का निमित्त समझकर करता है; कर्मक्षय का कारण समझकर नहीं।'

वह तो धर्म से भी कर्म का जाल ही फैलाता है, कर्म का क्षय नहीं होता। वह तो धर्म के नाम पर ही इस संसार की ही वृत्तियों को फिर-फिर आरोपित कर लेता है।

> हविश को आ गया है गुल खिलाना
> जरा ए जिंदगी! दामन बचाना।

वह जो वासना है, उसको भी बड़े फूल खिलाना आता है। तुम अगर भागे संसार से तो वह धर्म के फूल खिलाने लगती है। तुम अगर भागे विचार से तो वह ध्यान के फूल खिलाने लगती है।

> हविश को आ गया है गुल खिलाना
> जरा ए जिंदगी! दामन बचाना।

जरा सावधान रहना! तुम्हारी तृष्णा बड़े-बड़े रूप रख लेती है। तृष्णा बड़ी बहुरूपिया है। तुम जैसा रूप चाहते हो वह वैसा ही रखकर नाचने लगती है। वह कहती

है, चलो यही सही। लेकिन जब तक तुम उसको ठीक से पहचान न लोगे, उसके सब रूपों में, जब तुम एक बुनियादी बात न पहचान लोगे कि तृष्णा साधन और साध्य की दूरी है...फिर जहां भी साधन और साध्य की दूरी हो, समझना कि तृष्णा ने रूप धरा। सावधान हो जाना!

जरा ए जिंदगी! दामन बचाना!

...तब तुम सावधान हो जाना कि फिर आया भविष्य; कहीं से तृष्णा ने द्वार खटखटाया। फिर तुमने कहा, कल—तृष्णा आ गयी! फिर तुमने कहा, ऐसा हो जाये, ऐसा होता, और उसका तुम आयोजन करने लगे—बस तृष्णा आ गयी! जिस घड़ी तुम बैठे हो या चल रहे हो या उठे हो, खड़े हो, और उस घड़ी में कोई तृष्णा नहीं है—तुम बैठे हो तो बस बैठे हो आनंदित; खड़े हो तो खड़े हो आनंदित; चल रहे हो तो चल रहे आनंदित—जीवन के ये छोटे-छोटे कर्म भव्य हो जाते हैं।

झेन फकीर कहते हैं, जिसने साधारण में असाधारण को खोज लिया, उसी ने खोजा। जो असाधारण के चक्कर में लगा है, वह तो साधारण ही रह जायेगा। क्योंकि असाधारण का चक्कर तृष्णा का चक्कर है।

एक झेन फकीर से किसी ने पूछा कि जब तुम ज्ञान को उपलब्ध नहीं हुए थे, तब तुम क्या करते थे? उसने कहा, लकड़ी काटता था, कुएं से पानी भरकर लाता था। और उसने पूछा, अब जब कि तुम ज्ञान को उपलब्ध हो गये हो, अब क्या करते हो? उसने कहा, अब भी लकड़ी काटता हूं, अब भी कुएं से पानी भरकर लाता हूं। तो उसने कहा, फिर फर्क क्या है? फर्क बहुत बड़ा है। पहले भी कुएं से पानी भरकर लाता था, लेकिन कुछ पाने की आकांक्षा थी उसके द्वारा; पहले भी लकड़ी काटता था, लेकिन वासना कहीं भविष्य में थी।

...अब भी लकड़ी काटता है, अब भी पानी भरकर लाता है—करोगे भी क्या? जीवन तो इन्हीं छोटी-छोटी चीजों से मिलकर बना है। लकड़ी भी काटोगे, पानी भी भरकर लाओगे, घर में बुहारी लगाओगे, खाना बनाओगे, कपड़े धोओगे, स्नान करोगे, भोजन करोगे, सोओगे, उठोगे, बैठोगे, चलोगे—जीवन इन्हीं छोटे-छोटे अणुओं से बना है।

लेकिन फर्क एक आ जायेगा।

कृत्य भव्य हो जाता है जब उसमें कोई तृष्णा नहीं होती। जैसे ही तृष्णा से छूटा कि कृत्य पवित्र हुआ।

लेकिन हम तो ऐसे उलझ गये हैं तृष्णा में कि कभी-कभी जहां उलझे हैं वहां से भाग भी खड़े होते हैं—तो और सब तो छोड़ जाते हैं लेकिन तृष्णा हमारे साथ चली जाती है।

ये न जाना था इस महफिल में दिल रह जायेगा
हम ये समझे थे चले आयेंगे दमभर देखकर।

लेकिन लगाव कुछ ऐसा बन जाता है कि दिल महफिल में रह जाता है और महफिल दिल में समा जाती है। फिर तुम भागते फिरते हो, लेकिन कुछ अंतर नहीं पड़ता।

तुम जहां जाते हो फिर वहां एक संसार खड़ा हो जाता है, क्योंकि संसार का जो 'ब्लू-प्रिंट' है, उसका जो बुनियादी नक्शा है, वह तुम्हारी तृष्णा में है।

'वह अभव्य जीव नहीं जानता कि पर-द्रव्य में प्रवृत्त शुभ परिणाम पुण्य है और अशुभ परिणाम पाप है। धर्म अनन्यगत अर्थात स्व-द्रव्य में प्रवृत्त परिणाम है, जो यथासमय दुखों के क्षय का कारण होता है।'

'पर-द्रव्य में प्रवृत्त शुभ परिणाम पुण्य है।' पुण्य की परिभाषा महावीर कर रहे हैं। दूसरे के साथ शुभ परिणाम का संबंध पुण्य है। अन्य के साथ शुभ परिणाम का संबंध पुण्य है।

तुमने किसी को दान दिया—एक संबंध निर्मित हुआ। लेकिन पुण्य का संबंध है—तुमने दिया! तुमने किसी से छीन लिया, चोरी की, तो फिर एक संबंध बना—तुमने किसी से छीना! दोनों अलग-अलग हैं। किसी को दिया—छीनने से बिलकुल उलटा है। छीनना देने से बिलकुल उलटा है। देना पुण्य है, तो छीनना पाप है।

लेकिन दोनों हालत में एक बात है समान—दूसरा मौजूद है। दिया तो दूसरे को, छीना तो दूसरे से। दूसरा तो है ही!

तो महावीर कहते हैं, पर-द्रव्य में प्रवृत्त शुभ परिणाम पुण्य है और अशुभ परिणाम पाप है। फिर धर्म क्या है? धर्म पाप और पुण्य से मुक्ति है—न दिया और न छीना। धर्म अनन्यगत, दूसरे से मुक्त हो जाना है।

'अर्थात स्व-द्रव्य में प्रवृत्त परिणाम है, जो यथासमय दुखों के क्षय का कारण होता है।'

ये महावीर के मूल आधार-सूत्र हैं, 'स्व-द्रव्य में प्रवृत्त परिणाम!' ये उनके पारिभाषिक शब्द हैं।

जो अपने में ही रमण कर रहा है...

तुम बैठे हो, कुछ भी नहीं कर रहे हो, सिर्फ बैठे हो: अपने में ही रमण हो रहा है! तुम अपने में ही डूबे हो, लीन हो, तल्लीन हो। मन कहीं जा ही नहीं रहा है। न भविष्य में जा रहा है, न दूसरे में जा रहा है। क्योंकि दूसरे में भी जाना भविष्य में जाना है। तुम दूसरे का कोई चिंतन ही नहीं कर रहे—सारा चिंतन रुक गया है। तुम विचार ही नहीं कर रहे हो, क्योंकि सभी विचार दूसरे के हैं। तुम सिर्फ हो!

यह स्व-द्रव्य में होना—तुम मात्र हो, कुछ भी नहीं हो रहा है। तुम कोई संबंध निर्मित नहीं कर रहे। तुम कोई सेतु नहीं बना रहे। दूसरे के पास जाने की कोई आकांक्षा नहीं। दूसरे से दूर जाने की भी कोई आकांक्षा नहीं। दूसरा तुम्हारी कल्पना के लोक में है ही नहीं। बस अकेले तुम अपने से भरे हो! अपने से भरपूर, लबालब, कहीं जाते हुए नहीं! तरंग भी नहीं, लहर भी नहीं। क्योंकि लहर भी कहीं जाती है। तुम बस यहीं हो। ऐसी घड़ी को महावीर कहते हैं धर्म।

लहर उठी—और अगर लहर दूसरे के हित में हुई तो पुण्य, अहित में हुई तो पाप। लहर ही न उठी, तुम स्व-द्रव्य में लीन बैठे रहे—तो धर्म। तो धर्म पुण्य और पाप के पार है।

जो पुण्य और पाप के पार है उसका भविष्य नहीं हो सकता। तुम अपने में तो बस अभी और यहीं हो सकते हो—यही वर्तमान के क्षण में। तुम अपनी आत्म-सत्ता का अनुभव कर सकते हो, क्योंकि सत्ता उपलब्ध ही है। उसके लिए कल तक रुकने की जरूरत नहीं; यह कहने की जरूरत नहीं कि कल अपने में प्रवेश करूंगा। हां, दूसरे में प्रवेश करना हो तो कल तक रुकना पड़ेगा; दूसरे को राजी करना होगा, समझाना-बुझाना पड़ेगा। लेकिन अपने में प्रवेश करना हो तो इसके लिए तो कल तक छोड़ने की जरूरत नहीं। इसके लिए तो कोई भी साधन जरूरी नहीं है। क्योंकि वहां तो तुम हो ही; सिर्फ थोड़ा विस्मरण हुआ है। स्मरण आते ही तुम अचानक पाते हो कि तुम सदा अपने घर में थे। यह अपने घर में होना धर्म है।

पाप तो बांधता ही है, पुण्य भी बांध लेता है। इसलिए महावीर कहते हैं, जिसने पुण्य को धर्म समझा, उसने अभी धर्म को नहीं समझा। उसने अपनी पाप की वृत्ति को ही सजा लिया, सुंदर बना लिया; लेकिन पाप को जाना नहीं कि पाप क्या था। पाप यही था कि अपने से बाहर चले गये थे। दूसरे की हत्या करने गये थे कि दूसरे को बचाने गये थे, दोनों बातें बराबर हैं। अपने से बाहर चले गये थे। वहीं मौलिक पाप हो गया।

सितम है ऐ रोशनी सितम है कि वह भी अब धूप की है जद में
जरा-सा साया जो रह गया था घने दरख्तों की तीरगी में।

तुम बैठे हो छिपे, दरख्तों के नीचे, थोड़ी-सी छाया है, भरी दोपहरी में—लेकिन धीरे-धीरे धूप वहां भी पहुंच जाती है। धीरे-धीरे धूप उसे भी छीन लेती है।

सितम है ऐ रोशनी! सितम है कि वह भी है अब धूप की जद में—वह भी आ गया अब धूप के घेरे में—जरा-सा साया जो रह गया था घने दरख्तों की तीरगी में।

तो पहले आदमी पाप से बचता है और पुण्य की छाया में बैठना चाहता है। लेकिन ज्यादा देर नहीं लगती कि पता चलता है पुण्य भी पाप का ही विस्तार है। ज्यादा देर नहीं लगती कि पता चलता है कि पुण्य भी सजायी हुई बेड़ी है, जंजीर है। जल्दी ही पता चलता है कि यह भी डूब गया पाप में।

जिस दिन पुण्य भी पाप जैसा दिखायी पड़ने लगता है, उस दिन व्यक्ति धर्म को उपलब्ध होता है।

महावीर की धर्म की परिभाषा बड़ी पराकाष्ठा की है, आत्यंतिक है; उससे ज्यादा शुद्ध परिभाषा खोजनी मुश्किल है।

'धर्म है अनन्यगत अर्थात स्व-द्रव्य में प्रवृत्त परिणाम और तब यथासमय दुखों के क्षय का कारण होता है।'

वह तुम्हें सोचना नहीं है कि दुख क्षय हों या दुख के कारणों का क्षय हो। वह तो यथासमय हो जाता है। यह यथासमय की बात भी समझ लेनी चाहिए।

महावीर कहते हैं, हमने पाप किये जन्मों-जन्मों, बीज बोए, वृक्ष लगाए। यथासमय फल पकेंगे और गिर जायेंगे। उसमें जल्दी नहीं की जा सकती। इतना ही किया जा सकता है कि दुबारा बीज मत बोना। जो लग गए हैं फल वह तो पकेंगे और गिरेंगे—पककर ही गिरेंगे; परिपक्व होकर ही गिरेंगे।

उन्हें चुपचाप स्वीकार कर लेना। बड़ा दुख होगा, उसे स्वीकार कर लेना। उसी को महावीर तप कहते हैं। जो दुख हमने बोये थे और अब पक गए हैं, अब उन दुखों को हमें भोगना होगा। उन्हें चुपचाप भोग लेना। उनके प्रति कोई भी प्रतिक्रिया न करना। यह भी मत कहना कि यह बुरा है। उन्हें हटाने की कोशिश मत करना। उनसे बचने और भागने की कोशिश मत करना। क्योंकि तुम्हारी सब कोशिश विलंब करेगी।

तुम तो अहोभाव से स्वीकार कर लेना कि अहो, जो दुख बोये थे उनके फल पक गये और दुख भोगने का क्षण आ गया! धन्यभागी हूं, छुटकारा हुआ!

सद चाक हुआ गो जाम-ए-तन मजबूरी थी सीना ही पड़ा
मरने का वक्त मुकर्रर था, मरने के लिए जीना ही पड़ा।

महावीर कहते हैं, जीना ऐसे जैसे कि मरने का वक्त तो तय है। तो क्या करें, जीना पड़ेगा! और जीवन के लिए व्यवस्था ऐसे ही जुटा लेना जैसे कि अब जीना है, फटे वस्त्र हैं तो सी लेता है आदमी। सद चाक हुआ गो जाम-ए-तन मजबूरी थी सीना ही पड़ा—हजार-हजार बार कपड़े फट गये; लेकिन मजबूरी थी, विवशता थी—सीना ही पड़ा। मरने का वक्त मुकर्रर था, मरने के लिए जीना ही पड़ा।

चुपचाप, हर हाल उस समय तक प्रतीक्षा करनी होगी जब पाप के फल पक जाएं और गिर जाएं—यथासमय। महावीर कहते हैं, वह अपने आप! जैसे फलों के पकने का समय है, मौसम है, ऐसे सारे जीवन के कर्मों के पकने का समय है। वह अपने आप पक जाते हैं, तुम्हें उनकी चिंता नहीं करनी। तुम भविष्य की चिंता छोड़ो! तुम वर्तमान में, स्वयं में, स्व-परिणाम में लीन होना सीखो। धीरे-धीरे बाकी सब अपने से आप यथासमय हो जायेगा। उसका तुम्हें हिसाब भी नहीं रखना। जब पाप का फल आये और दुख हो, पीड़ा हो, तो उसे स्वीकार कर लेना। वही तप है।

'जो पुण्य की इच्छा करता है, वह भी संसार की ही इच्छा करता है। पुण्य सुगति का हेतु अवश्य है। किंतु निर्वाण तो पुण्य के क्षय से ही होता है।'

महावीर कहते हैं, शुभ है पुण्य की इच्छा करना; लेकिन है संसार की ही इच्छा। इसलिए पुण्य की इच्छा पर ही मत रुक जाना। पुण्य की इच्छा करना ताकि पाप से छुटकारा हो सके। एक कांटा लग जाए, दूसरे से निकाल लेते हैं—ऐसे ही पुण्य की इच्छा करना ताकि पाप निकल जाये। लेकिन जब एक कांटा निकल जाये तो दूसरे को घाव में मत रख लेना। दूसरा भी उतना ही कांटा है; माना कि पहले को निकालने में सहयोगी हुआ। धन्यवाद दे देना और दोनों को फेंक देना। पाप जब निकल जाये तो पुण्य को मत सम्हालने लगना; अन्यथा संसार ही सम्हाला जाता है।

'जो पुण्य की इच्छा करता है वह भी संसार की ही इच्छा करता है। पुण्य सुगति का हेतु है, किंतु निर्वाण तो पुण्य के क्षय से ही होता है।'

इधर अंधेरे की लानते हैं, उधर उजाले की जहमतें हैं
तेरे मुसाफिर लगाएं बिस्तर कहां पे सहराए-जिंदगी में?

बड़ी कठिनाई है! इधर अंधेरे की लानते हैं—यहां अंधेरे की तकलीफें हैं। उधर

उजाले की जहमतें हैं—उधर प्रकाश की भी झंझटें हैं। इधर पाप सताता है, उधर पुण्य भी सताता है। तेरे मुसाफिर लगाएं बिस्तर कहां पे सहराए-जिंदगी में? यह जो जिंदगी का मरुस्थल है, इस पर कहां विश्राम करें? इस जिंदगी के मरुस्थल में विश्राम की कोई जगह नहीं। विश्राम की जगह तो मुसाफिर के भीतर है। यहां बाहर बिस्तर लगाया तो भटके। यहां तो भीतर बिस्तर लगाना होगा। उस भीतर बिस्तर लगाने को महावीर कहते हैं, 'अनन्यगत; स्व-द्रव्य में प्रवृत्त परिणाम।' लगा लिया भीतर बिस्तर!

देखा विष्णु को, सो रहे हैं क्षीर-सागर में! लगाया बिस्तर क्षीर-सागर में! कथा प्रीतिकर है!

क्षीर-सागर का अर्थ है: अमृत का सागर, जिसका कोई अंत नहीं आता। उस पर बिस्तर लगा है। और बिस्तर किसका है? शेषनाग का। उसने कुंडली मारी है।

नाग प्रतीक है तुम्हारी ऊर्जा का, कुंडलिनी का, तुम्हारे भीतर छिपी हुई ऊर्जा का। उसी ऊर्जा की कुंडली मारकर अनंत के सागर पर जो बिस्तर लगाकर लेट गया है...! लक्ष्मी उसके पैर दबाती है! सारे सुख उसके पैर दबाने लगते हैं। सब वैभव सहज ही उसे उपलब्ध हो जाते हैं। नहीं कि वह उनकी चेष्टा करता है। जब तक चेष्टा है तब तक दुख ही पैर दबाता है। जब तक चेष्टा है, वासना है, तब तक पीड़ा ही हाथ आती है। जब तक मांगना है, तब तक परम संपदा नहीं मिलती।

यहां मांगने से भीख नहीं मिलती, परम संपदा कहां मिलेगी! परम संपदा मिलती है सम्राटों को, जिन्होंने भीतर के क्षीर-सागर पर अपनी ही ऊर्जा के शेषनाग की कुंडलिनियों पर विश्राम लगा दिया है, बिस्तर लगा दिया है।

नहीं, बाहर कोई जगह नहीं है इस जीवन के मरुस्थल में जहां विश्राम मिल सके। यहां तो दौड़ना ही दौड़ना होगा। यहां तो हर बिंदु जो विश्राम का मालूम पड़ता है, केवल नयी दौड़ का प्रारंभ सिद्ध होता है। सोचकर आते हैं कि अब, अब विश्राम का क्षण आया; पहुंचते-पहुंचते विश्राम का क्षितिज और आगे सरक जाता है।

वासना में कभी किसी ने विश्राम नहीं जाना। विश्राम वहां नहीं है। विराम वहां नहीं है, राम वहां नहीं है। विश्राम तो भीतर है जहां तृष्णा शून्य हो जाती है।

'अशुभ कर्म को कुशील और शुभ कर्म को सुशील जानो।'

इस वचन को गौर से सुनना।

'अशुभ कर्म को कुशील और शुभ कर्म को सुशील जानो। किंतु उसे सुशील कैसे कहा जा सकता है, जो संसार में प्रविष्ट कराता है?'

पहले महावीर कहते हैं, अशुभ कर्म को कुशील, शुभ कर्म को सुशील जानो। तत्क्षण दूसरे वाक्य में खंडन करते हैं। कहते हैं, किंतु उसे सुशील कैसे कहा जा सकता है जो संसार में प्रविष्ट कराता है? तर्क से भरी हुई बुद्धि को लगेगा, यह क्या मामला है! यह तो वक्तव्य तत्क्षण विपरीत हो गया। एक वाक्य पहले ही कहा कि अशुभ को कुशील, शुभ को सुशील जानो—और फिर कहते हैं कि सुशील कैसे जाना जा सकता है शुभ को, क्योंकि वह संसार में प्रवेश कराता है!

यह दो तलों के लोगों के लिए कहा गया वक्तव्य है। महावीर जैसे व्यक्तियों के वक्तव्यों में अगर असंगति मिले तो इतना ही समझना कि वह वक्तव्य कई तलों पर दिये गये हैं। पहले वे कह रहे हैं उससे, जो पाप में रत है। उससे वे कह रहे हैं कि अशुभ कर्म को कुशील जान, शुभ कर्म को सुशील। फिर जब वह पाप से मुक्त हो गया है, तो वे उससे कहते हैं, 'लेकिन सुन! उसे सुशील कैसे कहा जा सकता है जो संसार में प्रविष्ट कराता है? यह भी सुशील नहीं है। यह तो कामचलाऊ बात थी, व्यावहारिक थी।

महावीर ने कहा है, वक्तव्य उनके दो आधारों पर हैं—व्यावहारिक-नय और निश्चय-नय। एक वक्तव्य ऐसा है जो व्यावहारिक है। एक कांटे को दूसरे कांटे से निकालना है; इसलिए वे कहते हैं, यह कांटा बड़ा शुभ है, इससे तुम लगे हुए कांटे को निकाल लो। जब कांटा निकल जाता है तब वे निश्चय वक्तव्य देते हैं। वे कहते हैं, अब दोनों कांटों को फेंक दो क्योंकि कोई कांटा सुशील कैसे हो सकता है! कांटा तो दुशील ही है, कुशील ही है।

तो महावीर की सारी वाणी दो तलों पर है। एक तल है जहां तुम खड़े हो, तुमसे बोल रहे हैं। और दूसरा तल है जब तुम उनकी सुन लोगे, समझ लोगे, मान लोगे, तब तत्क्षण वे तुमसे कहेंगे, अब इस कांटे को पकड़कर पूजा मत करने लगना।

पुण्य अच्छा है कामचलाऊ दृष्टि से; क्योंकि पाप से छुटकारा दिलाने में सहयोगी है। लेकिन इसको पकड़कर मत बैठ जाना। पुण्य ही तुम्हारे जीवन की अंतिम दिशा न बन जाये। अन्यथा बीमारी से छूटे, औषधि से पकड़ गये। औषधि शुभ है, बीमारी से छुटा देने को; लेकिन औषधि की पूजा मत करना। पुण्य के गुणगान मत गाना।

लेकिन यही होता है। एक आदमी जरा-सा दान कर देता है तो उसकी चर्चा करता है। न केवल चर्चा करता है, आयोजन करता है कि लोग जानें कि इसने दान किया; अखबार में खबर छपे, फोटो छपे कि इसने दान किया!

महावीर कहते हैं, दान किया, यह तो ऐसा ही था कि पाप किया था, उसका प्रक्षालन किया; पाप किया था, उसका पश्चात्ताप किया—इसमें शोरगुल क्या मचा रहे हो? किसी आदमी को टी. बी. हो गयी थी, उसने दवा ली, ठीक हो गया—तो वह कोई अखबारों में खबर देने जाता है कि देखो, मैं कैसा महापुरुष, कि दवा ली और ठीक हो गया! तो हम उसे पागल कहेंगे।

महावीर कहते हैं, खूब पाप किया है, थोड़ा-थोड़ा पुण्य करके उसे छांटते हो, तो इसमें शोरगुल मचाने की कोई जरूरत नहीं। तो वास्तविक पुण्यात्मा व्यक्ति तो ऐसे करेगा पुण्य कि एक हाथ से करे और दूसरे हाथ को पता न चले। चुपचाप करेगा। पता ही नहीं चले किसी को; क्योंकि पुण्य तो पश्चात्ताप है, इसमें पता चलाने जैसा क्या है? वह तो मजबूरी से कर रहा है कि खूब पाप किए हैं, अब उनको धोना है; खूब गंदगी इकट्ठी कर ली है, अब स्नान करना है। तो तुम स्नान-घर अपना मकान के सामने थोड़े ही बनाते हो—कि खड़े हैं बीच सड़क पर और स्नान कर रहे हैं; कि सारा गांव देख ले कि कैसे स्वच्छ हो रहे हैं! स्नान-घर में तो तुम छिपकर चुपचाप स्नान कर लेते हो। तुम्हारा पुण्य का

गृह भी ऐसा ही छुपा होना चाहिए। क्योंकि अगर तुमने इससे प्रशंसा पायी तो यह एक नया उपद्रव बन जायेगा। तो फिर तुम प्रशंसा पाने का जो मजा है उसके लिए पुण्य करने लगोगे। फिर भव्य न रहे, अभव्य हो गए।

तो पुण्य को जो चुपचाप करे वही भव्य है। पुण्य की जो घोषणा करके करे वह अभव्य है। लेकिन हम तो पुण्य करते ही इसलिए हैं ताकि घोषणा हो। हम तो पुण्य करने के लिए राजी ही इसीलिए होते हैं, पुण्य के लिए थोड़े ही, घोषणा के लिए।

जो लोग दान इकट्ठा करते हैं वे भलीभांति जानते हैं। वे गांव के दो-चार धनी-मानी व्यक्तियों से पहले लिस्ट पर नाम लिखवा लाते हैं। वे कहते हैं, न देना आप दस हजार, देना हजार; लेकिन लिख तो दो दस हजार, ताकि दूसरे लोगों को देखकर लगे कि फलां ने दस हजार दिये, ईर्ष्या जगे, स्पर्धा पैदा हो : 'अच्छा तो यह अपने को समझता क्या है! दस हजार दिये तो लिखो ग्यारह हजार!'

दान के लिए भी अहंकार को ही फुसलाना पड़ता है। पुण्य के लिए भी बीमारी को ही खुजलाना पड़ता है। फिर जब दान हो जाए तो दानी प्रतीक्षा करता है : अब प्रतिफल! शोभा-यात्रा निकले। बैंड-बाजे बजें! सारे गांव में चर्चा हो! दूर-दूरदिगंत तक उसकी खबर पहुंचे!

एक सज्जन मुझे मिलने आये थे। पत्नी भी साथ थी। तो पत्नी ने मुझसे कहा कि शायद आपको मेरे पति का परिचय नहीं है। पत्नी मुझे एक-दो बार आकर मिल गयी थी। मैंने कहा कि ये पहली दफे आये हैं। उसने कहा, 'ये बड़े दानी हैं। एक लाख रुपया अब तक दान कर चुके हैं।'

पति ने तत्क्षण पत्नी का पैर दबाया और कहा, 'एक लाख नहीं एक लाख दस हजार!' वह दस हजार भी कम बोल रही है तो पति को कष्ट हो गया; सुधार किया।

दानी दान से मान इकट्ठा नहीं कर सकता। दानी मानी नहीं हो सकता। क्योंकि जो मानी है वह दानी कैसे हो सकेगा?

तो महावीर कहते हैं, 'अशुभ कर्म को कुशील और शुभ को सुशील जानो किंतु उसे सुशील कैसे कहा जा सकता है जो संसार में प्रविष्ट करा दे?' नहीं वह भी कुशील है अंततः। अगर पाप की दृष्टि से सोचो तो पुण्य सुशील है। अगर मोक्ष की दृष्टि से सोचो तो पुण्य कुशील है!

इसलिए महावीर के सभी वक्तव्य दृष्टि-वक्तव्य हैं। इसको महावीर की परिभाषा में 'नय' कहते हैं—देखने का एक ढंग। महावीर कहते हैं, कोई भी वक्तव्य निरपेक्ष नहीं है, सापेक्ष है।

तुम कहते हो, फलां आदमी बहुत लंबा। इसका कोई मतलब नहीं होता, क्योंकि कोई ऊंट से लंबा नहीं होगा, पहाड़ से लंबा नहीं होगा, झाड़ से लंबा नहीं होगा। तुम जब कहते हो फलां आदमी लंबा, तो तुम मानकर चलते हो कि आदमी की एक सामान्य ऊंचाई है, छह फीट, वह सात फीट है। लेकिन पहाड़ के नीचे है।

कहते हैं, ऊंट पहाड़ के पास जाने से डरते हैं। डरते होंगे, क्योंकि जब रेगिस्तान

में चलते रहते हैं तो वही पहाड़ है। जब पहाड़ करीब आने लगता है तो दीनता प्रकट होती है।

हमारे सभी वक्तव्य सापेक्ष हैं। एक दृष्टि से ठीक होंगे, तत्क्षण दूसरी दृष्टि से गलत हो जायेंगे।

आइंस्टीन ने तो बहुत बाद में, ढाई हजार साल बाद महावीर के, विज्ञान के जगत में सापेक्षता का नियम सिद्ध किया। पर महावीर ने ढाई हजार साल पहले धर्म के जगत में वही नियम सिद्ध किया था।

महावीर और आइंस्टीन बड़े एक साथ खड़े हैं। जो दान महावीर का धर्म के जगत में है, वही दान आइंस्टीन का विज्ञान के जगत में है। आइंस्टीन ने डांवाडोल कर दिया विज्ञान का सारा जगत। सारी चीजें सापेक्ष हो गयीं। निरपेक्ष कोई वक्तव्य न रहा। कोई ऐसा वक्तव्य नहीं है जो तुम बिना किसी शर्त के कह सको। सभी वक्तव्यों के पीछे शर्त है।

महावीर ने भी कहा, सभी वक्तव्यों के पीछे शर्त है। इसलिए इसमें तुम विरोध मत देखना और विसंगति मत देखना। यह दो दृष्टियों से कही गयी बात है।

कितनी ही चेष्टा करो, पुण्य के द्वारा तुम्हारा परम रूप प्रकट न हो सकेगा। पुण्य बीच की मंजिल हो सकती है। पाप से हटकर थोड़ी देर पुण्य में विश्राम कर लेना—लेकिन जाना है मोक्ष।

ये मय छलक के भी उस हुस्न को पहुंच न सकी
ये फूल खिलके भी तेरा शबाब हो न सका।

पुण्य को कितना ही छलकाओ, पुण्य को कितना ही प्रदर्शित करो, इससे तुम्हारा भव्य रूप प्रकट न होगा। शुभ रूप प्रकट होगा, भव्य रूप नहीं क्योंकि भव्य तो शुभ से भी उतना ही दूर है जितना शुभ अशुभ से दूर है। भव्य तो बड़ा लोकतीत है।

ये मय छलक के भी उस हुस्न को पहुंच न सकी
ये फूल खिलके भी तेरा शबाब हो न सका।

वह जो तुम्हारा परम सौंदर्य है, जो अंतसौंदर्य है, उसको पुण्य भी नहीं छू सकता। क्योंकि पुण्य भी कृत्य है। कृत्य कितना ही बड़ा हो, आत्मा से छोटा होता है। कृत्य कितना ही बड़ा हो, कर्ता से छोटा होता है। तुमने जो किया है वह तुमसे बड़ा नहीं हो सकता। करने वाला सदा ही बड़ा है।

यह बड़ा मूलभूत दृष्टिकोण है कि कर्ता कृत्य से बड़ा है। जिस जीवन की ऊर्जा से छोटी-छोटी लहरें पुण्य की उठती हैं, वे लहरें उस जीवन-ऊर्जा से बड़ी नहीं हो सकतीं। सागर में कितनी ही बड़ी लहर उठती हो, सागर से बड़ी नहीं हो सकती।

तुम सोच सकते हो सागर में ऐसी कोई लहर कभी उठ सकती है जो सागर से बड़ी हो? असंभव! कितनी ही बड़ी लहर उठे, एक बात तय रहेगी कि सागर से छोटी रहेगी। अब तुम कोई चाय की प्याली में थोड़े ही सागर की लहर उठा सकते हो। चाय की प्याली में चाय की प्याली की ही लहर उठेगी। वह चाय की प्याली से छोटी रहेगी।

महावीर कहते हैं कि जो हमारी अंतरात्मा है वह विराट है। कृत्य तो छोटी-छोटी

तरंगें हैं। उन छोटी-छोटी तरंगों को तुम सब-कुछ मत मान लेना। वे पुण्य की भी हों तरंगें तो भी तुम्हारे परम सौंदर्य को न छू पायेंगी। और कितने ही पुण्य के फूल खिलते जाएं तो भी तुम्हारे परम सौंदर्य के सामने चरणों में चढ़ाने के योग्य भी न हो पायेंगे।

इस संसार में तो हम जो भी करते हैं वह कृत्य है। पुण्य करें, पाप करें; अच्छा करें, बुरा करें—जो भी हम बाहर करते हैं वह कृत्य है। जो भीतर बैठा है, करने के पार, साक्षी—वह इस संसार का हिस्सा नहीं है।

वही है हमारा परम सौंदर्य। वही है मुक्ति, मोक्ष।
मेरी रंगतें न निखर सकीं, मेरी निहकतें न बिखर सकीं
मैं वह फूल हूं कि जो इस चमन में गिला-गुजारे सबा रहा।

तुम कितनी ही लाख चेष्टाएं करो, तुम्हारे कृत्यों के कारण तुम्हारा रंग न निखरेगा। पाप से तो निखरेगा ही कैसे! और कालिख लग जायेगी। पुण्य से भी न निखरेगा। कितना ही सोना चढ़ा लो अपने ऊपर, तो भी न निखरेगा।

मेरी रंगतें न निखर सकीं, मेरी निहकतें न बिखर सकीं

और न तुम्हारी सुगंध बिखर सकेगी तुम्हारे कृत्यों से। क्योंकि तुम अपने कृत्यों से बहुत बड़े हो।

मैं वह फूल हूं कि जो इस चमन में गिला-गुजारे सबा रहा।

तुम्हारी शिकायत बनी ही रहेगी—तुम कितने ही बुरे कर्म करो; तुम नादिर हो जाओ, चंगेज हो जाओ, तैमूर, हिटलर हो जाओ; या तुम कितने ही पुण्य-कर्म करो। तुम सम्राट अशोक हो जाओ कि सम्राट वू हो जाओ; तुम कितने ही पुण्य-कर्म करो तो भी तुम्हारा अंतिम निखार कृत्य से आने वाला नहीं है।

तुम कृत्य से बड़े हो। ऐसे लहरों को निखार-निखार कर कहीं सागर निखरेगा?

सागर तो निखरेगा साक्षीभाव में। सागर तो निखरेगा अनन्य भाव से स्व-द्रव्य में लीन हो जाने से।

उपनिषदों में बड़े बहुमूल्य वक्तव्य हैं: 'यो वै भूमा तत्सुख'—विशाल में है सुख। विराट में है सुख। 'नाल्पे सुखमस्ति'—लघु में सुख कहां! छोटे में सुख कहां! 'भूमैव सुख'—निश्चय ही विराट में ही सुख है। 'भूमा त्वेव विजिज्ञासितव्यः।' इसलिए उस एक विराट को ही जानने को आकांक्षा कर। विराट! जहां कोई सीमा नहीं, जिसकी कोई परिभाषा नहीं!

महावीर कहते हैं, वह विराट तुम्हारे भीतर छुपा है। तुम्हारे कृत्य तो छोटी-छोटी ऊर्मियां हैं—शुभ और अशुभ—लेकिन सभी ऊर्मियां हैं। दूसरे के किनारे की तरफ चल पड़ती हैं। जब सागर में कोई ऊर्मि नहीं होती तो सागर बे-किनारा होता है, क्योंकि किनारे की तरफ कुछ भी नहीं जा रहा है। जब सागर में कोई ऊर्मियां नहीं होतीं तो सागर किनारे से टूटा होता है—तटहीन। तब सागर विराट होता है।

'यो वै भूमा तत्सुख'—विराट में सुख है। 'नाल्पे सुखमस्ति'—छोटे में कहां सुख! 'भूमैव सुख'—विराट को खोज, विराट में ही सुख है।

'बेड़ी सोने की हो चाहे लोहे की, पुरुष को दोनों ही बेड़ियां बांधती हैं। इस प्रकार जीव को उसके शुभ-अशुभ कर्म बांधते हैं...।'

महावीर कहते हैं, बेड़ी सोने की या लोहे की, दोनों बांध लेती हैं। तुम इससे प्रसन्न मत हो जाना कि तुम कारागृह में बड़े खास कैदी हो। तुम्हारे हाथ में सोने की जंजीरें पड़ी हैं; दूसरे साधारण कैदी हैं, लोहे से बंधे हैं—इससे तुम बहुत ज्यादा प्रसन्न मत हो जाना। भिखारी बंधा होगा लोहे की जंजीरों में, सम्राट बंधा है सोने की जंजीरों में। लेकिन असली सवाल तो बंधे होने का है। तो जो बुरा कर्म करता है, वह भी बंधा हुआ है। पापी तो बंधा ही होता है, पुण्यात्मा भी बंधा होता है। और कभी-कभी तो ऐसा होता है कि पुण्यात्मा पापी से भी ज्यादा बंधा होता है। क्योंकि पापी तो लोहे की बेड़ियां छोड़ना चाहता है; पुण्यात्मा सोने की बेड़ियां बचाना चाहता है।

तो कभी-कभी तो ऐसा हो जाता है कि अपराधी भी छूटने को उत्सुक होता है, लेकिन साधु छूटने को उत्सुक नहीं होता। क्योंकि उससे तुम कैसे छूटने को उत्सुक होओगे जिससे बड़ा सुख मिल रहा है और जिसके कारण बड़ा सम्मान मिल रहा है; जिसके कारण अहंकार भरता है, फलता-फूलता है!

तो कभी-कभी तो ऐसा हुआ है कि वे लोग अभागे हैं जिनके हाथ में सोने की जंजीरें पड़ी हैं; वे उनको बचाने लगते हैं; वे उनको आभूषण समझने लगते हैं।

'अतः परमार्थतः दोनों ही प्रकार के कर्मों को कुशील जानकर उनके साथ न राग करना चाहिए और न उनका संसर्ग। क्योंकि कुशील कर्मों के प्रति राग और संसर्ग करने से स्वाधीनता नष्ट होती है।'

और स्वाधीनता महावीर के लिए परम मूल्य है—अल्टीमेट वैल्यू! उसके पार कुछ भी नहीं। जब तुम परिपूर्ण स्वाधीन हो, जब तुम्हारी स्वाधीनता पर कोई सीमा नहीं, जब तुम्हारी स्वाधीनता पर कोई बाधा नहीं, अनवरुद्ध तुम्हारी स्वतंत्रता है—तभी तुम विराट हो, तभी तुम भूमा हो। तब तुम छोटे न रहे। और स्वतंत्रता तो दोनों से ही नष्ट हो जाती है। इसलिए न पाप को पकड़ना न पुण्य को; न संसार को पकड़ना, न त्याग को। संसार को मत पकड़ना, संन्यास को मत पकड़ना। संसार छोड़ने के लिए संन्यास का उपयोग कर लेना, बस। फिर उससे भी पार हो जाना।

यहां कारागृह से थक जाना तो जरूरी है; जिसको हम घर कहते हैं, अपना घर कहते हैं, आशियां कहते हैं—उससे भी थक जाना जरूरी है।

वोह बिजलियों की चश्मके-पैहम कि कुछ न पूछ
तंग आ गए हैं जिंदगीए-आशियां से हम।

अगर कोई गौर से देखे उथल-पुथल आंधियों की, तो तुम कारागृह से थोड़े ही थकोगे, घर से भी थक जाओगे।

वोह बिजलियों की चश्मके-पैहम कि कुछ न पूछ
तंग आ गए हैं जिंदगीए-आशियां से हम।

तब तुम जिंदगी के घर से भी थक जाओगे। जहां सुरक्षा मिलती है, शरण मिलती

है, उससे भी थक जाओगे। जहां सहारा मिलता है, आसरा मिलता है, उससे भी थक जाओगे। शत्रु से तो थकोगे ही, मित्र से भी थक जाओगे। पराये से तो थकोगे ही अपने से भी थक जाओगे; क्योंकि वस्तुतः तो अपना भी पराया है।

तथापि, फिर महावीर कहते हैं, 'परमार्थतः दोनों प्रकार के कर्मों को कुशील जानकर उनसे राग न करना चाहिए। क्योंकि उनका संसर्ग...कुशील कर्मों के प्रति राग और संसर्ग करने से स्वाधीनता नष्ट होती है।'

'तथापि, व्रत व तपादि के द्वारा स्वर्ग की प्राप्ति उत्तम है। इनके न करने पर नर्कादि के दुख उठाना ठीक नहीं। क्योंकि कष्ट सहते हुए धूप में खड़े रहने की अपेक्षा छाया में खड़े रहना कहीं बेहतर, कहीं अच्छा है।'

महावीर जब कह रहे हैं कि छोड़ दो सब—पुण्य भी, पाप भी—तब तत्क्षण उन्हें खयाल आया होगा कि आदमी बड़ा बेईमान है। उससे कहो, छोड़ दो पुण्य भी, पाप भी, तो पाप तो शायद न छोड़ेगा, पुण्य छोड़ देगा। वह कहेगा, बिलकुल ठीक! अभी मैंने कहा कि छोड़ दो संसार, छोड़ दो संन्यास! तुम में से कई के मन में उठा होगा: अरे, यह तो बिलकुल बेहतर, तो छोड़ दो संन्यास!

हम अपने मतलब की सुन लेते हैं।

एक मित्र ने संन्यास लिया और मुझसे पूछा कि 'अंततः तो सब छोड़ ही देना है?' मैंने कहा, 'अभी तुम लिये भी नहीं, अभी लेने को आये हो, अभी जल्दी मत करो।' पर उन्होंने कहा, अगर अंततः छोड़ ही देना है तो लेने से सार क्या? माना कि औषधि अंततः छोड़ देनी होगी—लेकिन तब जब बीमारी जा चुकी हो। तुम यह तो नहीं कहते चिकित्सक को कि औषधि लेने से फायदा क्या, अंततः तो छोड़ ही देनी है! अगर न लोगे तो बीमारी में अटके रह जाओगे। औषधि तो लेनी होगी और छोड़नी भी होगी। सीढ़ियां चढ़नी भी होंगी और छोड़नी भी होंगी। तुमने कहा, जब छोड़ ही देनी है तो चढ़ना क्या, तो फिर तुम नीचे ही रह जाओगे।

महावीर को तत्क्षण खयाल उठा होगा, यह जो मैंने कहा कि पाप भी छोड़ दो, पुण्य भी छोड़ दो, क्योंकि दोनों बंधन हैं—तो शायद आदमी चोरी तो नहीं छोड़ेगा, दान करना छोड़ देगा: 'क्या फायदा! इतना ही बंधन काफी है चोरी का ही, अब और दान का बंधन क्यों सिर पर लेना! संसार का बंधन ही काफी है, अब संन्यास का बंधन और क्यों सिर पर लेना! एक ही बंधन बहुत है—हाथ में लोहे की जंजीरें पड़ी हैं, अब सोने की और क्या डालना!'

तो महावीर को तत्क्षण कहना पड़ा, 'व्रत व तपादि के द्वारा स्वर्ग की प्राप्ति उत्तम है। इनके न करने पर नर्कादि के दुख उठाना ठीक नहीं...।'

औषधि कड़वी भी हो तो भी उसका कड़वापन झेल लेना उचित है। क्योंकि उसके बिना फिर बीमारी का नरक है।

'...क्योंकि कष्ट सहते हुए धूप में खड़े रहने की अपेक्षा छाया में खड़े रहने कहीं अच्छा है।'

संन्यास की एक छाया है। आत्यंतिक छाया नहीं, आखिरी छाया नहीं—आखिरी छाया तो आत्मा की है। संन्यास की एक सुरक्षा है; अंतिम सुरक्षा नहीं, बीच का पड़ाव है। लंबी यात्रा में बीच में पड़ी धर्मशाला है। वहां विश्राम करके सुबह चल पड़ना। लेकिन यह मत सोचना कि जब सुबह चल ही पड़ना है तो रात विश्राम क्या करना, चलते ही रहो! तो फिर तुम ज्यादा न चल पाओगे। तो फिर तुम बहुत दूर न पहुंच पाओगे।

महावीर जैसे व्यक्तियों को निरंतर एक अड़चन खड़ी रहती है: जब भी वे बोलते हैं तो एक तो वे बोलते हैं जो उन्हें लगता है ठीक है, और तत्क्षण उन्हें तुम्हारा भी ध्यान रखना पड़ता है, तब वे वह भी बोलते हैं जो तुम कहीं गलत न समझ लो। तो वे कहते हैं, 'कोई फिक्र मत करना। कहा मैंने, माना कि सोने की जंजीर है पुण्य, लेकिन अभी जल्दी मत करना; पहले लोहे की जंजीर को सोने से बदल लेना। इतना तो करो! सोने की जंजीर थोड़ी हलकी होगी; लोहे की जंजीर जैसी भारी न होगी। सोने की जंजीर थोड़ी प्रीतिकर होगी। तुम उतने कुरूप न मालूम पड़ोगे जितने लोहे की जंजीर में मालूम पड़ते थे।'

संसार को थोड़ा बदलो संन्यास में। और जो दूसरा आत्यंतिक वक्तव्य है—पारमार्थिक चरम—वह तभी सार्थक है जब संन्यास फल जाए। जब पहला कांटा निकल जाए और दूसरा कांटा व्यर्थ हो जाए, तब उसे फेंक देना।

जीवन को ऐसे गुजारो जैसे पिछले किये हुए कर्मों का फल है। तटस्थता से, बड़ी दूरी के भाव से, उपेक्षा से, बिना प्रतिक्रिया किये, बिना छोटी-छोटी बातों में उलझे—ऐसे गुजर जाओ जैसे राह की धूल जब गुजरते हो तो पड़ती है। जब राह से चलते हो कुत्ते भी भौंकते हैं; जब राह से चलते हो, धूप भी पड़ती है—सबको तुम गुजार देते हो। जन्मों-जन्मों तक जो निर्मित किया है उसे धीरे-धीरे इसी तरह छोड़ने का उपाय—उपेक्षा! दुख आये तो उसे भी ठहर जाने देना। उसके साथ भी शत्रुता मत बांधना। न हो, ऐसा मत कहना।

है और कितनी दूर तेरी मंजिले-कयाम
रह-रहके पूछते हैं यह उम्रे-रवां से हम।

साधक यही पूछता रहता है अपने भीतर: 'और, और कितनी यात्रा है?' अपनी जाती हुई, उम्र से पूछता है: 'और कितना, और कितना?' लेकिन जो घटता है, उसे स्वीकार कर लेता है। जो घटता है, उसे स्वीकार करके बैठ नहीं जाता। जो घटता है, उसे स्वीकार कर लेता है और यात्रा जारी रखता है।

है और कितनी दूर तेरी मंजिले-कयाम—और भीतर खयाल रखता है कि तेरा अंतिम लक्ष्य और कितनी दूर है? रह-रहके पूछते हैं यह उम्रे-रवां से हम—जाती हुई उम्र से पूछता रहता है कि और कितनी दूर है? और अपने को सम्हाले रखता है। विषाद में नहीं गिरने देता।

ऐ शमा! सुबह होती है रोती है किसलिए
थोड़ी-सी रह गयी है इसे भी गुजार दे।

जैसे सुबह होने के करीब है, रात गहरी अंधेरी हो जाती है। सुबह होने के करीब रात सर्वाधिक अंधेरी हो जाती है। वह सुबह होने की खबर है।

इसलिए जिस व्यक्ति का मोक्ष और निर्वाण करीब आ रहा है, उसके दुख बड़े सघन हो जाते हैं। सभी फल अनंत-अनंत जन्मों के इकट्ठे पकने लगते हैं। यथासमय! आ गई घड़ी।

महावीर बड़ी बुरी तरह बीमार हुए। बुद्ध का शरीर भी विषाक्त हो गया था। रामकृष्ण कैंसर से विदा हुए; रमण भी।

बहुतों के मन में सवाल उठता है कि क्यों ऐसे सदपुरुष, और क्यों ऐसा दुखद अंत?

हमें समझ में नहीं आता है। हमें जीवन के गणित का पता नहीं है। जिनकी आखिरी घड़ी करीब आ गयी है, तो जन्मों-जन्मों के, अनंत-अनंत फल शीघ्रता से पकने शुरू हो जाते हैं, क्योंकि वे विदा होंगे जब, पूरी तरह से विदा होंगे, फिर दुबारा उनका आना नहीं है—तो सारा निपटारा, सारा कर्मक्षय त्वरा से होता है, तीव्रता से होता है। सब तरह की पीड़ाएं जिनको अब तक दबाकर बैठे रहे थे, उभरकर सामने आती हैं। और आ जाना जरूरी है। वह न केवल पुराने कर्मों का फल है बल्कि भविष्य की तैयारी भी। उनको वे कितनी शांति से देख लेते हैं, कितने सहज भाव से उनको गुजर जाने देते हैं—उससे उनकी अंतिम तैयारी होती है; अंतिम पाथेय निर्मित होता है।

ऐ शमा! सुबह होती है रोती है किसलिए
थोड़ी-सी रह गयी है इसे भी गुजार दे।

संसार को छोड़ना है, क्योंकि संसार में जो वसंत दिखायी पड़ता है वह झूठा है, इसलिए संसार को छोड़ते वक्त व्यक्ति के जीवन में सारे फूल गिर जायेंगे, पतझड़ हो जायेगी; पत्ते भी गिर जायेंगे; रूखे, नंगे वृक्ष खड़े रह जायेंगे। लेकिन यह कोई अंतिम अवस्था नहीं है। यह भी बीच का ही पड़ाव है। जिसने इस पतझड़ को भी पूरे भाव से स्वीकार कर लिया, उसके भीतर फिर एक और तरह का वसंत उठता है जिसकी कोई पतझड़ नहीं। जिसने इस पतझड़ को भी पूरे आत्मभाव से अंगीकार कर लिया, स्वागत से, और जरा भी ना-नुच न की, इनकार न किया—तप यही अर्थ रखता है—तो उसके जीवन में फिर फूल खिलते हैं। वे फूल विराट के हैं! वे फूल परम सागर के हैं, परम सत्य के हैं।

इन्हीं बजते हुए पत्तों से गुलशन फूट निकलेंगे
बहारों का यह मातम सिर्फ अंजामे-खिजां तक है।

तो तुम ऐसा मत देखना कि त्यागी दुखी है। ऊपर से शायद दिखायी भी पड़े। तुम ऐसा मत सोचना कि त्यागी दुखवादी है। ऊपर से शायद दिखायी भी पड़े। क्योंकि तुम जिसे सुख मानते हो उसे वह छोड़ रहा है, तो तुम्हें लगेगा दुखवादी है। लेकिन त्यागी दुखवादी नहीं है। त्यागी ही परम भोग की तरफ जा रहा है। क्योंकि जिसे तुम सुख कहते हो वह सुख नहीं है। जिसे तुम दुख कहते हो वह दुख नहीं है। जिसे तुम सुख कहते हो वह केवल तुम्हारी आकांक्षा है, आशा है, तृष्णा है।

हविश को आ गया है गुल खिलाना,
जरा ए जिंदगी! दामन बचाना।

जिसे तुम सुख कहते हो वह तो केवल हविश है; वह तो एक तृष्णा है, जो कभी भरती नहीं, दुष्पूर है। और जिसे तुम दुख कहते हो, वह तुम्हारे अतीत में चाहे गए सुखों के फल हैं।

तो त्यागी वह है जो तुम्हारे सुख को सुख नहीं देखता, सिर्फ तुम्हारा सपना मानता है; और तुम्हारे दुख को वास्तविक मानता है, क्योंकि वह अतीत जन्मों में किये गये कर्मों का फल है। तो तुम्हारे सुख को तो वह बिलकुल छोड़ देता है, क्योंकि कल्पना को छोड़ने में देर क्या लगती है! कल्पना ही है, छोड़ने को कुछ है भी नहीं। कल्पना ही छोड़नी है; थी ही नहीं, सिर्फ विचार था। तो तुम्हारे सुख को तो तत्क्षण छोड़ देता है।

जो तुम्हारे सुख को छोड़ देता है, वही संन्यासी है। लेकिन दुख को इतनी आसानी से नहीं छोड़ा जा सकता। क्योंकि दुख अब कल्पना नहीं है। तुम्हारी अनंत-अनंत कल्पनाओं ने जो घाव तुम पर छोड़ दिये हैं, दुख उनका नाम है। तो दुख को वह स्वीकार करता है।

कल्पना का त्याग संन्यास; दुख का स्वीकार संन्यास। सुख तो यूं छूट जाता है क्योंकि सुख है कहां? छोड़ने-योग्य कुछ है ही नहीं, मुट्ठी खाली है।

दो पागल बात कर रहे थे—पागलखाने में बैठे। एक पागल ने मुट्ठी बांध ली तो उसने कहा कि अनुमान लगाओ, मेरी मुट्ठी में क्या है? तो पहले पागल ने कहा कि कुछ थोड़े संकेत तो दो। उसने कहा, कोई संकेत नहीं। तीन मौके तुम्हें। तो पहले पागल ने कहा कि हवाई जहाज। दूसरे पागल ने कहा कि नहीं। तो पहले पागल ने कहा, हाथी। तो दूसरे पागल ने कहा, नहीं। तो पहले पागल ने कहा, रेलगाड़ी। तो उसने कहा, ठहर भाई, जरा मुझे देख लेने दे। उसने धीरे-से अपनी मुट्ठी खोलकर देखा और कहा कि मालूम होता है तूने झांक लिया।

वहां कुछ है नहीं! न रेलगाड़ी है, न हवाई जहाज, न हाथी है। मुट्ठी खोलने पर मुट्ठी खाली है। अगर मुट्ठी में कुछ है तो वह सिर्फ पागलपन के कारण है। वह पागलपन की धारणा है।

तो तुम्हारे सुख को छोड़ने में तो क्षण भर की देर नहीं लगती। सुख है ही नहीं। मुट्ठी खाली है।

इसलिए तो लोग मुट्ठी खोलकर नहीं देखते कि कहीं पता न चल जाये कि कुछ भी नहीं है। मुट्ठी बांधे रहो! कहते हैं, बंधी लाख की! मैं भी मानता हूं: बंधी लाख की, खुली खाक की! क्योंकि है ही नहीं कुछ वहां। बंधी है, इसलिए लाख मालूम होते हैं। बांधे रखो मुट्ठी, तिजोड़ी पर ताले डाले रखो। खोलकर मत देखना, अन्यथा खाली हाथ पाओगे।

तो सुख तो यूं ही छोड़ा जा सकता है। तत्क्षण छोड़ा जा सकता है। जरा-सा साक्षीभाव—सुख गया! लेकिन दुख? दुख थोड़ा समय लेगा। अनंत-अनंत जन्मों में वह जो गलत-गलत धारणाओं के घाव छूट गये हैं, लकीरें छूट गयी हैं...।

तो सुख का त्याग और दुख का स्वीकार—यही महावीर का संन्यास है। और इस संन्यास का जो परम फल है, वह अपने आप घटता है। वह परम फल निर्वाण है। वह परम

फल सुख नहीं है, पुण्य नहीं है, स्वर्ग नहीं है। वह परम फल मोक्ष है, परम स्वतंत्रता है।

स्वतंत्रता का इतना बड़ा उपदेष्टा कभी नहीं हुआ। और भी स्वतंत्रता की बात करने वाले लोग हुए हैं; लेकिन महावीर की स्वतंत्रता के साथ ऐसी पकड़ है, ऐसी गहरी पकड़ है कि स्वतंत्रता को बचाने के लिए वे परमात्मा तक को स्वतंत्रता की वेदी पर आहुति दे देते हैं। लेकिन स्वतंत्रता की आहुति परमात्मा की वेदी पर नहीं देते। वे कहते हैं, परमात्मा रहेगा तो स्वतंत्रता पूरी न रहेगी। इसलिए परमात्मा नहीं है। स्वतंत्रता परिपूर्ण है। और इस परम स्वतंत्रता को पा लेने की ही सारी दौड़, सारी यात्रा, सारा धर्म, जन्मों-जन्मों के भटकाव!

कैसे इसे हम पायें?

धीरे-धीरे तुम स्वतंत्रता के सूत्रों को अपने जीवन में जगह देने लगो। जो-जो बांधता हो, उस-उससे जागने लगो। पहले पाप से जागोगे, क्योंकि वह बांधता है, इस बीच के उपाय में पुण्य का सहारा ले लेना। कहीं तो हाथ रखने के लिए जगह चाहिए। पाप से हटोगे तो पुण्य की भूमि चाहिए। उस पर खड़े हो जाना। लेकिन उस पर इतनी ज्यादा देर खड़े मत रहना कि फिर वहां घर बना लो। जैसे ही पाप समाप्त हो जाएं, पुण्य से भी छलांग लगा जाना। तब सब किनारे खो जाते हैं।

'यो वै भूमा तत्सुख'—और तब है सुख विराट में। 'नाल्पे सुखमस्ति'—लघु में सुख कहां! 'भूमैव सुख'—उस भूमा में ही सुख है।

उस भूमा की ही हम जिज्ञासा करें, उस भूमा को ही हम खोजें! वह भूमा हममें छुपा है। वह स्वतंत्रता हमारा स्वभाव है।

आज इतना ही।

२४

मांग नहीं—अहोभाव, अहोगीत

प्रश्न-सार

बैठे-बैठे दिले-नादां ये खयाल आया है
हम नहीं आए यहां कोई हमें लाया है
किसने नन्हा-सा मुहब्बत का ये जला के दिया
दिले-वीरां के अंधेरे पे तरस खाया है।
पर दीया तो जलता नजर नहीं आता... ?

ओशो, तुम्हारे चरणों में शत-शत प्रणाम!

कल जिस क्षण आपने कहा कि महावीर ने स्वाधीनता को आत्यंतिक मूल्य दिया, उस क्षण मैं आपको निहारता ही रहा। क्या कर दिया आपने?

मुझे इतना कुछ मिल रहा था कि अंतर में समाता नहीं—और प्यास भी इतनी ही है।...प्रभु! यह सब क्या हो रहा है?

पहला प्रश्न : ओशो,

बैठे-बैठे दिले-नादां ये खयाल आया है
हम नहीं आए यहां कोई हमें लाया है
किसने नन्हा-सा मुहब्बत का ये जला के दिया
दिले-वीरां के अंधेरे पे तरस खाया है।
पर दीया तो जलता नजर नहीं आता... ?

कविता उधार है। किसी और का दीया जला होगा, उसने गायी है। अपने काव्य को जन्माना होगा।

दीया तो सभी का जल सकता है। दीया है तो जलने के लिए है। दीया है तो जलने की संभावना है। लेकिन कोई दूसरा तुम्हारा दीया जला नहीं सकता। तुम्हारी स्वतंत्रता परम है। तुम न जलाना चाहो तो दीया जलाया नहीं जा सकता और तुम जलाना चाहो तो कोई तुम्हें रोक न सकेगा। तुमने चाहा नहीं है कि दीया जले। अभी अंधेरे में तुम्हारे बड़े लगाव हैं।

अक्सर मैं लोगों को देखता हूं। वे चाहते हैं, अंधेरा भी बना रहे और दीया भी जल जाये। ऐसी उलझन है। क्योंकि अंधेरे में बड़े स्वार्थ हैं।

जैसे एक आदमी चोरी करने गया हो, तो कई बार टकरा जाये, दीवाल-दरवाजे से ठोकर खा जाये, तो सोचने लगे मन में कि दीया होता तो ठीक था—लेकिन दीया हो और रोशनी हो जाये तो चोरी न कर सकेगा। तो अगर कोई कहे कि यह रहा दीया, ले लो तो वह कहेगा, पागल तो नहीं समझा है मुझे?

तो तुम्हारी दिक्कत यह है कि तुम्हारा जीवन दोहरा है। एक तरफ अंधेरा है, अंधेरे में लगा स्वार्थ है। दूसरी-तरफ अंधेरे की तकलीफें हैं। दीये का खयाल पैदा होता है। जब तक तुम अंधेरे के स्वार्थ न तोड़ लोगे, तब तक तुम दीया जला न सकोगे। यह सीधा गणित है। तो दीये जलाने की तो फिक्र छोड़ो, पहले यह देख लो कि 'अंधेरे में हमारा स्वार्थ है? हम अंधेरे को चाहते हैं कि बना रहे? अंधेरे से कुछ मिलने की आशा है? अंधेरे में मन को लगाया है? भविष्य को अंधेरे में छिपाया है, सपने देखे हैं?' अगर अंधेरे से कुछ भी मिलने का, कहीं भी थोड़ा-सा खयाल है तो तुम दीया कैसे जलने दोगे? कोई जला भी दे तो उसे बुझा दोगे। जो दीया जलाये वह दुश्मन मालूम होगा।

अंधेरे में तुम्हारा बड़ा न्यस्त स्वार्थ है।

इसलिए दीया नहीं जल रहा है। तुम्हारे अंधेरे पर कोई कितना ही तरस खाये, तो भी अगर तुम अंधेरे में रहना चाहते हो तो इस तरस से कुछ भी न होगा।

महावीर आते हैं, बुद्ध आते हैं, कृष्ण आते हैं, क्राइस्ट आते हैं। तरस की कुछ कमी नहीं है। करुणा बड़ी है। महाकरुणा के स्रोत आते हैं। स्वयं सूर्य तुम्हारे द्वार पर आकर दस्तक देते हैं। लेकिन तुम अपने अंधेरे में छिपे बैठे हो। तुम सोचते हो कि प्रकाश भी जल जाये। लेकिन कभी तुमने भीतर का द्वंद्व देखा? कि प्रकाश के जलने के साथ ही अंधेरे के सभी स्वार्थ नष्ट-भ्रष्ट हो जायेंगे। तो अंधेरे से पाने की तुमने जो-जो आशाएं बांधी हैं, वह सभी धूल-धूसरित हो जायेंगी। उस अंधेरे से भरी आशाओं को ही तो हम संसार कहते हैं।

तो जब तक संसार में थोड़ा भी ऐसा लग रहा है कि कुछ मिल सकता है, मिलेगा—तब तक तुम स्थगित करोगे, दीये को जलने न दोगे। तब तक तुम रोशनी से डरोगे। अगर रोशनी आ जाये तो तुम पीठ कर लोगे। तुम हजार तर्क, विचार खोज लोगे रोशनी से बचने के। तुम कहोगे, यह तो रोशनी आंखों को तिलमिलाती है, कि यह रोशनी तो हमारी सारी व्यवस्था को डगमगाये देती है, कि यह रोशनी तो असुरक्षित कर देगी। हम भले, हमारा अंधेरा भला!

लेकिन बेईमानी ऐसी है कि तुम अगर इसे भी साफ देख लो तो भी रास्ता बन जाये। तुम साफ कह दो कि 'हम अंधेरे में ही जीयेंगे! बंद करो प्रकाश की बातचीत! हमें कुछ लेना-देना नहीं है।' लेकिन तुम उतने ईमानदार भी नहीं हो।

जब कोई प्रकाश की बात करता है तो तुम इतने स्पष्ट भी नहीं हो कि कह सको कि 'बंद! यह बात से हमें कुछ लेना-देना नहीं है। हम अंधेरे में जीना चाहते हैं और अंधेरे में ही जीयेंगे। और अंधेरा हमारा सुख है।'

यह भी तुम नहीं कह पाते। तुम यह भी दिखलाना चाहते हो कि तुम प्रकाश के प्रेमी हो। तुम यह भी दिखलाना चाहते हो कि तुम शुभ के पक्षपाती हो।

एक बहरा आदमी रोज सुबह चर्च जाता था। रविवार को वह सबसे पहले पहुंच जाता था और पहली पंक्ति में बैठता था। वह बज्र बधिर था। उसे न तो प्रवचन में कुछ सुनायी पड़ता न समझ में आता। न संगीत चर्च में होता, वह उसको सुनायी पड़ता। एक दिन एक आदमी ने पूछा कि 'तुम इतने जल्दी आते किसलिए हो? रोज तुम चर्च चले आते हो, मीलों चलकर। तुम्हें कुछ सुनायी तो पड़ता नहीं। न तुम संगीत सुन सकते हो, न तुम प्रवचन सुन सकते हो, तो तुम आते किसलिए हो?'

वह आदमी हंसने लगा। उसने कहा कि मैं जतलाने आता हूं कि सारी दुनिया देख ले कि मैं किस पक्ष में हूं। और परमात्मा भी नोट कर ले कि मैं कोई सांसारिक आदमी नहीं हूं। धार्मिक हूं!

तो तुम यह मोह भी नहीं छोड़ पाते कि तुम धार्मिक हो। धर्म के साथ बड़ी प्रतिष्ठा जुड़ी है। धर्म के साथ बड़ा बल जुड़ा है, प्रभुत्व जुड़ा है। वस्तुतः तुम जितने बेईमान होते हो उतने ही धार्मिक दिखलाने की चेष्टा करते हो। क्योंकि बेईमानी को छिपाने का इससे अच्छा कोई उपाय नहीं। प्रकाश की आकांक्षा करके अंधेरे को ढांकते हो, छिपाते हो।

तुम्हारे प्रकाश की आकांक्षा अंधेरे के विपरीत नहीं है—अंधेरे को छिपाने का उपाय और व्यवस्था है।

तुम प्रकाश का खूब शोरगुल मचाते हो, आंसू बहाते हो, चिल्लाते हो, 'प्रकाश चाहिए', ताकि सारी दुनिया देख ले कि अगर अंधेरा है तो तुम जिम्मेवार नहीं हो। तुम तो प्रकाश का कितना गुणगान कर रहे हो।

बर्ट्रेंड रसेल ने लिखा है, जगत में बड़ी अजीब विडंबना है: यहां जो आदमी जितना अनैतिक होगा, उतनी ही नीति की चर्चा करेगा। क्योंकि नीति की चर्चा से वह एक हवा पैदा करता है, जिससे पता चल जाये कि और कोई हो अनैतिक, मैं तो कम से कम नहीं हूं।

यहां अभी किसी की जेब कट जाये तो जो आदमी जेब काटे, अगर उसमें थोड़ी भी अकल हो तो उसको बड़ा शोरगुल मचाना चाहिए कि जेब कट गयी, पकड़ो चोर को। दौड़-धूप करनी चाहिए। एक बात निश्चित है, उसको कोई भी न पकड़ेगा। क्योंकि उसने अगर चोरी की होती और जेब काटी होता तो वह तो भाग गया होता। वह तो यहां बीच में खड़ा रहेगा। वह तो चोरी के खिलाफ बोलने लगेगा।

दो आदमी मछली मार रहे थे। और तभी उस सरोवर का निरीक्षक आ गया। एक आदमी भाग खड़ा हुआ। तो वह उसके पीछे भागा। कोई दो मील जाकर हांफते-हांफते उसको पकड़ पाया। और जब पकड़ पाया तो उसने जल्दी से खीसे से निकालकर लाइसेंस बता दिया। उसको मछली मारने का हक था। तो उस आदमी ने कहा कि 'अरे नासमझ! तो फिर भागा क्यों?' तो उसने कहा कि इसीलिए कि दूसरे के पास लाइसेंस नहीं है।

लोग बड़ी होशियारी से चल रहे हैं।

तुम प्रकाश की खूब बातचीत करते हो ताकि एक बात तो निश्चित हो जाये कि तुम

प्रकाश के आकांक्षी, अभीप्सु! तो तुम्हें कोई सोच भी न सकेगा कि तुम और अंधेरे का व्यवसाय करते होओगे। आसानी से लोग फंस जायेंगे तुम्हारे व्यवसाय में। तुम जेबें ज्यादा सुगमता से काट सकोगे। बेईमान होने के लिए धार्मिक होना जरूरी है। दुकान ठीक चलानी हो तो मंदिर जाना जरूरी है। मंदिर जाना दुकान के ठीक चलने का हिस्सा है। दुकानदार भी खाते-बही लिखता है तो ऊपर लिखता है, 'श्री गणेशाय नमः' 'लाभ-शुभ।' ईश्वर का स्मरण करके किताब बाजार की शुरू करता है। ईश्वर का स्मरण—उस किताब में सहयोगी होने को! वह यह कह रहा है, 'बाधा मत डालना। हम तो तुम्हारे भक्त हैं!'

जैसा मैं देखता हूं, सैकड़ों लोग चाहते हैं ध्यान! लेकिन ध्यान जिन शर्तों से घट सकता है, वह शर्तें पूरी करने को राजी नहीं। कोई शर्त पूरी करने को राजी नहीं। सिर्फ बेशर्त, मुफ्त! और मैं तुमसे कहता हूं कि अगर यह संभव होता कि ध्यान मुफ्त दिया जा सकता—चूंकि संभव नहीं है, इसलिए तुम मजे से मांगते रहते हो। कोई खतरा नहीं है—अगर यह संभव होता कि ध्यान मैं तुम्हें उठाकर दे देता, तो मैं जानता हूं तुम मांगते भी नहीं। तुम भागते। तुम कहते, 'अभी नहीं! अभी बच्चे बड़े हो रहे हैं। अभी थोड़ा और जीवन को सम्हाल लेने दो। अभी ध्यान! अभी नहीं!' क्योंकि ध्यान कहीं सब अस्त-व्यस्त न कर दे! और ध्यान महाक्रांति है, अस्त-व्यस्त तो करेगा।

तुम जैसे हो, तुमने उसी ढंग की दुनिया अपने चारों तरफ बना ली है। तुम्हारे चारों तरफ तुम्हारी दुनिया है। तुम बदलोगे, तुम्हारी दुनिया गिर जायेगी। क्योंकि वह आदमी ही बीच से हट गया जिसकी दुनिया थी। वह केंद्र गिर गया जिसके सहारे चाक घूमता था। एक नयी दुनिया निर्मित होगी।

तो अगर तुम धन की दौड़ में लगे हो तो तुम ध्यान न कर सकोगे।

एक बड़े राजनीतिज्ञ मेरे पास आते थे। वह मुझसे कहते, कुछ शांति का उपाय बताइए। मैंने कहा, अशांति तुम करते हो, शांति का उपाय मुझसे पूछते हो? छोड़ो महत्वाकांक्षा! महत्वाकांक्षा से तो अशांति पैदा होगी। जहां भी रहोगे, पीड़ित और परेशान रहोगे। जहां भी रहोगे, असंतुष्ट रहोगे। शांति कैसे होगी?

उन्होंने कहा कि आप वह मत कहिये, मैं तो आपके पास इसीलिए आया कि थोड़ी शांति हो तो थोड़ा ढंग से प्रतिस्पर्धा कर सकूं। अशांति के कारण प्रतिस्पर्धा नहीं कर पा रहा हूं। रात नींद नहीं आती। बेचैनी रहती है। तो मुझसे पीछे आने वाले लोग मुख्यमंत्री हो गये और मैं मंत्री-पद पर ही अटका हूं। जितनी दौड़-धूप वे लोग कर लेते हैं, मैं नहीं कर पाता। इसीलिए तो आपके चरणों में आया हूं कि थोड़ी शांति दो, ताकि दौड़-धूप ठीक से कर सकूं।

अब मतलब समझे? वे शांति चाहते हैं ताकि ठीक से अशांत हो सकें। और अशांति को छोड़ने की तैयारी नहीं है। शांति की मांग भी अशांति को ही चलाये रखने के लिए है।

तो मैंने उनसे कहा कि फिर कहीं और जाओ, क्योंकि असंभव मैं न कर सकूंगा। शांत तुम्हें कोई भी नहीं कर सकता, जब तक तुम न समझ लो कि अशांत करने के उपाय बंद करने होंगे। जहां-जहां से अशांति आती है, वहां-वहां से हाथ खींच लेना होगा।

शांति के लिए कुछ भी नहीं करना पड़ता—सिर्फ अशांति से हाथ खींच लेते ही शांति निर्मित हो जाती है। शांति तो अशांति का अभाव है। शांति के लिए सीधा कुछ भी नहीं करना है।

तुमने अंधेरे में अपनी बड़ी आकांक्षाएं जोड़ रखी हैं, उनको हटा लो! दीया तो जल जायेगा। दीया तो जलने को तत्पर है, प्रतिपल तत्पर है, क्योंकि दीया जलने के लिए है। दीया तो जलने की संभावना लेकर आया है और रो रहा है। तुम्हारे दीये से टपकते आंसू मैं देखता हूं कि कब जलाओगे, क्या मुझे ऐसे ही बुझा-बुझा ही विदा कर दोगे? क्योंकि ऐसे ही बहुत जन्मों में तुमने उसे विदा कर दिया। जन्म मिला, लेकिन जीवन न मिला।

जन्म के साथ ही जीवन थोड़े ही मिलता है! जन्म तो केवल संभावना है। जीवन अर्जित करना होता है। जरूरी नहीं है कि तुम जन्म गये तो तुमने जीवन पा लिया हो। जन्म के साथ तो बुझा दीया मिलता है। फिर उसे जलाना पड़ता है।

गहन संघर्ष से जीवन की ज्योति प्रकट होती है। जैसे दो लकड़ियों के घर्षण से आग पैदा हो जाती है, दो पत्थरों के घर्षण से आग पैदा हो जाती है—ऐसे तुम जब जीवन की सारी चुनौतियों से संघर्ष लेते हो, तब तुम्हारे भीतर का दीया जलता है। और कोई उपाय नहीं है। उधार जल नहीं सकता।

यह कविता किसी और की है। और जरूरी नहीं कि जिसने गायी हो उसका भी दीया जला हो। क्योंकि अक्सर तो ऐसा होता है, लोग कविताएं गाकर सोच लेते हैं कि जल गया दीया। जिनके जीवन में प्रेम नहीं है, वे प्रेम के गीत गाकर सांत्वना कर लेते हैं।

मैं बहुत कवियों को जानता हूं। तुम्हारी और उनकी परेशानी में मैंने जरा भी भेद नहीं पाया। शायद तुमसे बदतर उनकी परेशानी है। फर्क है तो इतना कि वे सपने सजाने में कुशल हैं। तुम इतने कुशल नहीं हो सपनों को रंग देने में। वे इतने कुशल हैं कि बुझे दीये को भी जले दीये की तरह मानकर जी सकते हैं, गीत गुनगुना सकते हैं।

अक्सर ऐसा होता है : जो तुम्हारे पास नहीं है उसकी सांत्वना तुम अनेक रूपों से अपने पास जुटा लेते हो। प्रेम जिसके पास नहीं है, वह प्रेम के बहुत गीत गाकर धीरे-धीरे भरोसा कर लेता है कि प्रेम हो गया। यह बड़ी विडंबना है। प्रेम के गीत जितने लोगों ने गाये हैं उनमें से निन्यानबे ने प्रेम को जाना ही न था। जो नहीं जान पाए जीवन में, जो यथार्थतः न घट पाया, उसे उन्होंने सपनों में घटा लिया। सपने परिपूरक हैं।

आधुनिक मनोविज्ञान इस सत्य को स्वीकार करता है कि सपने परिपूरक हैं। जो तुम जीवन में नहीं कर पाते हो वह तुम सपने में करके अपने को समझा लेते हो। दिन में उपवास करो, रात सपने में भोजन कर लोगे। दिन में ब्रह्मचर्य साधो, रात सपने में सुंदर स्त्रियां, सुंदर पुरुष तुम्हारे आसपास नाचने लगेंगे। तुम्हारे ऋषि-मुनियों के आसपास अप्सराएं यूं ही नहीं नाची थीं। कोई वस्तुतः अप्सराएं कहीं से आती नहीं। किस इंद्र को पड़ी है? कहां कौन इंद्र है? वह तो ऋषि-मुनि ने ही जो दबा लिया था, दमन कर लिया था; वह जिसको प्रकट नहीं किया था जीवन में—वह सन्नाटे में रात के, तंद्रा के क्षण में, निद्रा के क्षण में प्रकट होने लगा। और अगर बहुत दबाया तो आंख बंद करने की भी जरूरत नहीं,

अप्सरा खुली आंख प्रकट हो जायेगी। यह निर्भर करता है कि तुमने दमन कितना गहरा किया। अगर दमन बहुत गहरा कर लिया। इतना गहरा कर लिया कि अब दमन को बर्दाश्त नहीं किया जा सकता। तो खुली आंख भी तुम सपने देखने लगोगे। खुली आंख और बंद आंख में दमन की गहराई का ही फर्क है। तुम बंद आंख से देखते हो। तुमने पागल आदमी देखे? वे खुली आंख से देख रहे हैं।

एक पागलखाने में एक आदमी दावा करता था कि वह ईश्वर का भेजा हुआ पैगंबर है। जिस मुसलमान खलीफा ने उसे कैदखाने में डलवा दिया था, वह उससे मिलने आया। कहा था कि तीन सप्ताह तू फिर से सोच ले। वह जब उससे मिलने आया तो वह एक खंभे से बंधा था। उसको कोड़े मारे गये थे, तीन सप्ताह भूखा रखा गया था। और जब उसने उस आदमी से पूछा कि क्या खयाल है, क्या अब भी तेरा खयाल है कि तुझे परमात्मा ने पैगंबर बनाकर भेजा है, इसके पहले कि वह बोले, एक दूसरा आदमी जो दूसरे खंभे से बंधा था, उसने कहा, 'इसकी बातों में मत पड़ना, मैंने इसे कभी भेजा ही नहीं! यह सरासर झूठा है।' लेकिन जो पैगंबर की तरह बंधा था, उसने क्या कहा? वह मुस्कुराया। उसने कहा, 'यह तो लिखा ही है शास्त्रों में कि उसके पैगंबरों को सदा तकलीफें झेलनी पड़ेंगी। तुम्हारे कोड़ों से कुछ भी सिद्ध नहीं होता है—इतना ही सिद्ध होता है कि शास्त्र सही हैं।'

पागल आदमी का अर्थ क्या होता है? इतना ही कि जिसने अब खुली आंख सपने देखने शुरू कर दिये; जो अपने सपनों में भरोसा करने लगा है—इतना कि यथार्थ झूठा पड़ जाता है, सपने ज्यादा सच मालूम होते हैं।

तो तुम्हारे कवि और पागलों में कोई बहुत अंतर नहीं होता है। कवि थोड़े कुशल पागल हैं, जिनके पास कुछ प्रतिभा है; सुंदर गीत रच सकते हैं, कि सुंदर चित्र बना सकते हैं। अक्सर तो तुम कवियों के पास मत जाना—उनके गीत का सौंदर्य देखकर, अन्यथा वहां एक कुरूप आदमी पाओगे। गीत को सुन लेना। गीत में बड़ा सौंदर्य हो सकता है। कभी-कभी तो बड़ी आकाश की ऊंचाई कवि छू लेते हैं।

सपनों को बाधा क्या है? सपनों को कोई सीमा नहीं है। जहां तक सपना देखना हो, देख सकते हो। न पहाड़ रोकते हैं, न आकाश रोकते हैं। लेकिन सपने तुम जो देखते हो वह खबर देते हैं कि जिस चीज की कमी रह गयी, उसको सपने में पूरा कर रहे हो। भिखमंगा सपने देखता है सम्राट होने के। और अक्सर सम्राटों ने भिखमंगे होने के सपने देखे। देखे ही नहीं, पूरे किये। महावीर, बुद्ध सम्राट थे। लेकिन भिखारी होने का सपना पैदा हो गया। न केवल सपना देखा, उसे पूरा किया।

भिखारी सम्राट होने के सपने देखते हैं। जो नहीं हो रहा है, जो नहीं है पास उसको सपने में देखना पड़ता है।

तो जरूरी नहीं है कि जिसने ये पंक्तियां लिखी हों...ये पंक्तियां प्यारी हैं, सार्थक हैं।

बैठे-बैठे दिले-नादां ये खयाल आया है
हम नहीं आये यहां कोई हमें लाया है।

खयाल तो दुरुस्त है। लेकिन यह खयाल ही नहीं है, यह सत्य है। तुम यहां आये कहां? कोई लाया है। तुमने न तो आने का निर्णय किया था, न तुमने आने की आकांक्षा की थी। न तुमसे किसी ने पूछा था कि तुम संसार जाना चाहते, जीवन में उतरना चाहते? कोई तुम्हें उतार गया है। एक दिन अचानक तुमने जागकर पाया कि तुम यहां हो। हमने सदा अपने को जिंदगी के बीच में पाया है। जिंदगी के प्रारंभ में तो किसी ने नहीं पाया। जरूर कोई लाया है। कोई आंख पर पट्टियां बांधकर इस बगीचे में छोड़ गया है।

बैठे-बैठे दिले-नादां ये खयाल आया है।
हम नहीं आये यहां, कोई हमें लाया है।

और अगर यह खयाल ही रहा तो ज्यादा देर न टिकेगा, चला जायेगा। खयाल आते हैं, जाते हैं। खयाल बसते थोड़े ही हैं! खयाल का कोई बड़ा भरोसा थोड़े ही है! जब तक कि यह खयाल ध्यान न बन जाये, तब तक इस पर भरोसा मत करना। यह तो आयी है तरंग, चली जायेगी। अभी आयी है, अभी भूल जाओगे। क्षण भर में उतर जायेगा खयाल।

जिस दिन यह खयाल ध्यान बन जाये, यह तुम्हारी स्थिर चित्त की भाव-दशा बन जाये कि कोई लाया है—क्या परिणाम होंगे? परिणाम बड़े दूरगामी होंगे। अगर कोई लाया है तो तुम्हारे अहंकार के लिए कोई जगह न रह जायेगी। जन्म किसी ने दिया, जीवन किसी ने दिया। तुम क्यों अकड़े फिरते हो? तुम नाहक बोझ ढो रहे हो इस 'मैं' का। न तुम आये, न तुम हो, न तुम जाओगे। कोई लाया, कोई रखे है, कोई ले जायेगा।

हिंदू पुराण बड़ी मधुर कथा कहते हैं। जो लाया वह ब्रह्मा। जो सम्हाले वह विष्णु। जो ले जायेगा वह शिव। तुम पर कुछ छोड़ते नहीं। काम ही नहीं छोड़ते कुछ। ब्रह्मा ले आया है, विष्णु सम्हाले हैं, शिव ले जायेंगे। मतलब केवल इतना है कि विराट ने तुम में एक तरंग ली है।

वही विराट जब चाहेगा तो तरंग समा जायेगी।

तुम अपने को बीच में मत लाओ। जब इतनी विराट चीजें भी तुम्हारे बिना हो गयीं, तो तुम छोटी-छोटी बातों का हिसाब मत रखो कि मैंने मकान बनाया है। जब तुमने अपने को ही नहीं बनाया है तो तुम मकान भी क्या बनाओगे? यह तो जिसने तुम्हें बनाया है, उसी ने बनवा लिया होगा। उसी ने तुमसे यह मकान भी बनवा लिया होगा।

एक कहानी मैं पढ़ रहा था। एक नास्तिक बोल रहा था। ईश्वर के विपरीत प्रमाण दे रहा था। और अंततः उसने बड़े नाटकीय ढंग से घूंसा मारकर टेबल पर कहा कि अगर ईश्वर हो तो मैं चुनौती देता हूं, इसी वक्त अपने किसी देवदूत को भेजो ताकि मुझे एक चांटा मारे—चांटा सुना जा सके, देखा जा सके। ऐसे कोई देवदूत तो आते नहीं, ईश्वर ऐसी चुनौतियां लेता नहीं। ऐसा ले तो मुश्किल में पड़ जाये। इतने लोग हैं, इतनी चुनौतियां हैं! लेकिन एक आदमी बीच में से उठा, उसने आकर एक चांटा मारा। उसने कहा, यह क्या करते हो? उसने कहा कि ईश्वर ने मुझे भेजा है। ईश्वर ने कहा कि तुम इस योग्य नहीं कि देवदूत भेजे जायें, मैं ही काफी हूं।

मकान तुमसे बनवा लेता है। दुकान तुमसे चलवा लेता है। काम तुमसे हजार करवा

लेता है। लेकिन तुमको ही जब उसने बनाया—और तुम्हारी नियति में, तुम्हारी प्रकृति में बीज डाले वासनाओं के, इच्छाओं के। उन्हीं इच्छाओं के बीजों का फिर रूपांतरण होता है, वृक्ष बनते हैं।

तुम जरा पक्षियों को देखो? उन्होंने तो कोई आर्किटेक्चर का कोई शिक्षण नहीं लिया। कैसे प्यारे घोसले बना लेते हैं! ऐसे भी पक्षी हैं कि उनको जन्म देने के बाद माता और पिता तो उड़ जाते हैं। अंडा ही छोड़कर उड़ जाते हैं। अंडा बाद में फूटता है। तो पक्षियों को अपने मां-बाप से मिलने का मौका भी नहीं आता। इसलिए शिक्षण का कोई उपाय भी नहीं है, कोई स्कूल नहीं। लेकिन जब वे पक्षी बड़े होते हैं, फिर घोसला बनाते हैं। और घोसला ठीक वैसा ही होता है जैसा उनके मां-बाप ने बनाया था। वे भी उड़ जायेंगे अंडे को रखकर। अंडा फूटेगा तब मां-बाप पास न होंगे। पुनः सदियों-सदियों अनंत काल तक ऐसा सिलसिला चलता रहेगा।

वैज्ञानिक बड़े चकित थे कि यह घोसला बन कैसे जाता है! और घोंसला कोई छोटी प्रक्रिया नहीं है। एक पक्षी का घोसला उतारकर बनाने की कोशिश करो। तुम बड़ी मुश्किल में पड़ जाओगे। तिनकों से, धागों से, पंखों से पक्षी ऐसे सुंदर घोसले बनाते हैं। कभी-कभी तो बड़े जटिल घोसले बनाते हैं।

कोई बनवा लेता है! जिसने पक्षियों को बनाया है, उसी ने शायद पक्षियों के द्वारा घोसले बनाने की योजना भी उनके भीतर कर रखी है। बिना शिक्षण के करवा लेता है।

तुम कहते हो मैंने प्रेम किया, कि मैं एक स्त्री के प्रेम में गिर गया। यह तुमने किया? या कि जिसने तुम्हें जन्म दिया, उसने ही यह प्रेम भी तुम्हें दिया?

जीवन को थोड़ा परखो! फिर से छानो! फिर से विश्लेषण करो! तुम पाओगे : कोई करवा रहा है।

यह खयाल तो बड़ा अच्छा है अगर ध्यान बन जाये। और ध्यान से मेरा अर्थ है, अगर यह खयाल स्थिर भाव बन जाये, तुम्हारा बोध बन जाये।

बैठे-बैठे दिले-नादां ये ख़याल आया है,
हम नहीं आये यहां, कोई हमें लाया है!

इतने पर ही सारा धर्म पूरा हो जाता है—अगर तुम्हें ये समझ में आ जाये कि कोई हमें लाया है; कोई हमें ले जायेगा; कोई हमारे भीतर श्वास ले रहा है; कोई हमारे भीतर जी रहा है। तो तुम अकर्ता भाव को उपलब्ध हो गये। फिर तुम कर्ता नहीं हो।

और जब तुम कर्ता नहीं हो तो तुम्हारी सारी जीवन-ऊर्जा साक्षी बन जायेगी। कर्ता में नियोजित है जीवन-ऊर्जा, करने में लगी है। अगर करने से तुम्हारा हाथ अलग हो जाये ऐसा नहीं कि कर्म बंद हो जायेगा; कर्म तो चलेगा—और सुडौल चलेगा; और शुभ चलेगा। भूल-चूक कम हो जायेगी, क्योंकि तुम्हारे कारण जो बाधा पड़ती थी वह भी मिट जायेगी। अबाध उसकी धारा तुमसे बहने लगेगी। कर्म तो चलता रहेगा। वह तो उस चलाने वाले पर है। वह तो पूर्ण पर है। लेकिन तुम, तुम्हारी ऊर्जा बचेगी। वही ऊर्जा संगृहीत होकर साक्षीभाव बनती है। वही ऊर्जा समाधि बनती है।

किसने नन्हा-सा मुहब्बत का ये जलाकर दीया
दिले-वीरां के अंधेरे पे तरस खाया है।

और वही ऊर्जा, वही समाधि दीया बनेगी। वही जलेगी तो तुम प्रकाशित होओगे। जब तक ध्यान की ज्योति न जले भीतर, तुम प्रकाशित न हो सकोगे। और ध्यान की ज्योति बाहर से भीतर नहीं डाली जा सकती—अंतर्तम में ही खिलती है।

जैसे वृक्षों में फूल लगते हैं तो वृक्ष में रसधार बहती है—उसी रसधार के आखिरी छोर पर रंगीन फूलों का जन्म होता है। ऐसे ही तुम्हारे जीवन के वृक्ष में रसधार बह रही है। वही रसधार जब ध्यान की तरह पकती है, समाधि के फूल खिलते हैं। तब तुम्हारे भीतर दीया जलेगा।

कविताओं को गुनगुनाकर भूल में मत पड़ जाना। कविताएं प्यारी हैं। लेकिन जब तुम्हारा जीवन का काव्य निर्मित होगा तब तुम पाओगे: सब कविताएं फीकी हैं।

जिस दिन तुम्हारा जीवन गीत गुनगुनाएगा, उस दिन तुम पाओगे: सब कविताएं कूड़ा-कर्कट हैं।

और घबड़ाना मत!

दीया अगर बुझा है तो इसे इस तरह देखना कि यह जलने के लिए प्रतीक्षा है। बुझे को निराशा मत बना लेना। ऐसा मत सोचना: 'अब क्या करें? अंधेरा सघन है। दीया बुझा है।' हाथ-पैर रोककर गिर मत पड़ना। थक मत जाना!

हम जिसको मौत समझते हैं पैगामे-हयाते-जदीद है वोह
ये फूल चमन में जितने हैं, फिर खिलने को मुर्झाते हैं।

जिसको हम मौत कहते हैं, वह भी मौत नहीं। वह भी नये जीवन का संदेश है।

हम जिसको मौत समझते हैं, पैगामे-हयाते-जदीद है वोह
ये फूल चमन में जितने हैं, फिर खिलने को मुर्झाते हैं।

जो फूल मुर्झा गया, उसमें तुम नये खिलने वाले फूल की छवि देखना। यहां सब फिर से खिलने को मुर्झाता है। अगर दीया बुझा है तो जलने को ही प्रतीक्षा कर रहा है कि जले।

इसे निराश होने का कारण मत बना लेना। वस्तुतः यही तो आशा की किरण है, कि तुम्हारा दीया अभी बुझा है। जल सकता है। कुछ होने को बाकी है। यही तो आशा की किरण है कि सब हो नहीं गया है। जो हुआ है वह क्षुद्र है। जो नहीं हुआ है वह विराट है। वह विराट अभी प्रतीक्षा कर रहा है। वह होने को है। यही तो जीवन की संभावना, उत्फुल्लता है, प्रसाद है, कि कुछ होने को है।

तो पैर में तुम घूंघर बांध सकते हो और नाच सकते हो। और जो होने को है वह सबसे बड़ा है। जो हो चुका है, जो हुआ है जन्म, जो हुआ है देह का मिलना, जो हुआ है धन-संपत्ति, पद-प्रतिष्ठा—वह सब छोटा है। जो होने को है—ध्यान, समाधि, मोक्ष—वह विराट है। जो हुआ है वह ना-कुछ है। जो होने को है वह सब-कुछ है। इसे आशा का संचार समझना। इसे समझना जीवन का संदेश।

और एक बार तुम्हारे भीतर आशा पैदा हो जाये और तुम निराश न रह जाओ,

हताश न बैठ जाओ, तुम्हारी जीवन ऊर्जा उठ बैठे, आशा से भरपूर—तो रसधार बहने लगी! फूल खिलेंगे! दीये भी जलेंगे।

यह तेरा तसव्वुर है या तेरी तमन्नाएं
दिल में कोई रह-रह के दीपक-से जलाए है।
यह तेरा तसव्वुर है या तेरी तमन्नाएं
दिल में कोई रह रह के दीपके-से जलाए है।

जरा तुम्हारे भीतर आशा उठे तो उसका तसव्वुर, उसकी तमन्ना, उसकी खोज के लिए पैर आगे बढ़ने लगे। उसकी खोज करनी है जिसने तुम्हें भेजा है। उसकी खोज करनी है जहां से तुम आये हो। अगर हिंदुओं की भाषा का उपयोग करना हो तो कहोः उसकी खोज करनी है, जिसने तुम्हें भेजा है। अगर जैनों की भाषा का उपयोग करना है तो कहोः उसकी खोज करनी है, जहां से तुम आये हो। मूल-स्रोत की! जीवन के मूल-बिंदु की, जहां से सारा विस्तार हुआ है।

जरा-सा भी तुम्हारे भीतर उसकी खोज का अंकुर पड़ जाये—दिल में कोई रह-रहकर दीपक-से जलाए है। तो पल-पल दीये पर दीये, दीयों की पंक्तियां, दीप-मालाएं जल उठेंगी। तुम्हारा रास्ता ज्योतिर्मय हो जायेगा।

लेकिन इस ज्योतिर्मय के पहले जोखिम उठानी पड़ेगी। अगर जोखिम न उठायी तो कवि रह जाओगे; अगर जोखिम उठायी तो ऋषि हो जाओगे। जोखिम उठानी पड़ेगी। जोखिम है उस सब को खोने की, जो अंधेरे में ही मिलता है—और अंधेरे में ही मिल सकता है। अंधेरे के सारे के सारे व्यवसाय को खोने की जोखिम शर्त है—दीये के जलने की।

दीया जल सकता है। कीमत चुकाने को राजी हो जाओ। मुफ्त वह दीया नहीं जलेगा। और अच्छा है कि मुफ्त नहीं जलता। क्योंकि मुफ्त जल जाता तो कोई रस न होता। मुफ्त जल जाता तो तुम धन्यवाद भी अनुभव न करते। मुफ्त जल जाता तो तुम प्रौढ़ ही न हो पाते। मुफ्त जल जाता तो तुम जाग ही न पाते। तो दीया भी जलता रहता और तुम कमरे में अंधेरे में ही रहते। तुम आंख बंद किये सोये रहते।

दीये के जलने से ही थोड़े ही रोशनी हो जाती है—आंख भी तो खुली होनी चाहिए। सूरज भी निकल आये और तुम आंख बंद किये पड़े रहो तो तुम अंधेरे में रहोगे। छोटी-सी दो पलकें इतने बड़े सूरज को नकार देती हैं।

तो चुनौती स्वीकार करो! दीया जल सकता है—इस आशा से उद्वेलित होओ। उठो!

कठिन होगा। संघर्षण होगा। लेकिन उसी संघर्षण में तुम जागोगे, आंख खुलेगी।

और अच्छा है कि आंख खुलते-खुलते ही दीया भी जले। कोई दूसरा जला दे दीया तो तुम आंख न खोलोगे।

ऐसा मैंने सुना है, एक पुरानी चीनी कथा है, एक किसान ने परमात्मा से बड़े दिनों तक प्रार्थना की कि 'हे प्रभु! तुझे खेती-बाड़ी का कुछ पता नहीं। जब पानी चाहिए तब पानी नहीं; जब पानी नहीं चाहिए, तब बेतहाशा पानी! बाढ़ भेज देता है! तुझे कुछ समझ नहीं। तूने कभी खेती-बाड़ी नहीं की। ओलों की क्या जरूरत है? जब धूप चाहिए तब धूप नहीं।'

आखिर परेशान हो गया परमात्मा भी सुन-सुनकर। उसने कहा, 'आखिर तू चाहता क्या है?' उस किसान ने कहा कि एक साल मुझे मौका दें। आखिर जिंदगी हो गयी खेती-बाड़ी करते हुए। मुझे पता है, तूने कभी खेती-बाड़ी की भी नहीं। एक साल जो मैं चाहूं, वैसा हो।'

परमात्मा ने कहा, 'चल यही सही।'

एक साल ऐसा हुआ कि किसान जब धूप चाहता तब धूप; जब पानी चाहता तब पानी। बड़ी फसल उठी। ऐसी कभी न उठी थी। गेहूं की बालें इतनी बड़ी-बड़ी हुईं कि किसान ने कहा, 'अब देखो! साल भर के बाद दिखलाऊंगा कि क्या तुम अब तक परेशान करते रहे संसार को!' आदमियों के सिरों के ऊपर चली गयीं। फिर वक्त आया फसल काटने का। फसल काटी गयी। बालें तो बहुत बड़ी-बड़ी थीं, लेकिन गेहूं उनमें न थे। वह किसान बड़ा हैरान हुआ कि यह मामला क्या हुआ! उसने प्रभु को कहा, 'हे प्रभु! समझे नहीं—धूप जब चाहिए तब धूप दी। वर्षा जब चाहिए तब वर्षा दी। वर्षभर ठीक मेरे हिसाब से सब चला। और बालें इतनी ऊंची गयीं, कभी न गयी थीं। किसी ने देखी न थीं इतनी ऊंची बालें। लेकिन मामला क्या है? अंदर कोई गेहूं नहीं है!'

तो परमात्मा हंसा और उसने कहा, 'तूने सिर्फ धूप मांगी, पानी मांगा, ओले नहीं मांगे, तूफान नहीं मांगा, आंधी नहीं मांगी। आंधी और तूफान के बिना भीतर का सत्व संगृहीत नहीं होता। तो बालें बड़ी हो गयीं लेकिन भीतर प्राण संगृहीत न हुए।'

संघर्ष के बिना कहीं प्राण संगृहीत हुए हैं?

तो अगर तुम्हें मुफ्त मिल जाता होता भीतर का दीया भी तो तुम्हारे भीतर आत्मा पैदा न होती। तुम बाल हो जाते बड़ी लंबी, मगर भीतर गेहूं का दाना न होता।

इस जीवन में जैसा है, सब वैसा ही जरूरी है। जो चेष्टा से मिलना चाहिए, वह चेष्टा से ही मिलता है। क्योंकि बिना चेष्टा के वह मिल ही नहीं सकता; वह पैदा ही नहीं होता; तुम्हारी पात्रता ही निर्मित नहीं होती।

दूसरा प्रश्न :

ओशो, तुम्हारे चरणों में शत-शत प्रणाम!

'दर्शन' ने पूछा है।

प्रश्न तो है ही नहीं। 'दर्शन' की वृत्ति भी प्रश्न पूछने की नहीं है। उसने सिर्फ अपना अहोभाव प्रकट किया है।

इसे समझना।

जो पूछते हैं, जरूरी नहीं कि समझ पायेंगे। पूछने के कारण ही बहुत बार तुम समझने से वंचित रह जाते हो। क्योंकि जब तुम पूछते हो तो प्रश्न को तुम इतना-इतना भारी

समझ लेते हो, और तुम प्रश्न में इतने व्यस्त हो जाते हो कि उत्तर के लिए जगह ही नहीं मिलती तुम्हारे भीतर प्रवेश पाने की। तुम उत्तर के लिए दरवाजा नहीं छोड़ते।

समझ तो वे ही सकते हैं जो पूछते नहीं। न पूछना ठीक-ठीक उत्तर को समझ लेने का अनिवार्य चरण है।

तो 'दर्शन' ने न तो कभी कुछ पूछा है—सिर्फ एक बार को छोड़कर। पहली बार जब वह मुझे मिलने आयी थी, वर्षों पहले, तब विवाद करने आयी थी। कोई बात उसे जंची न थी तो तर्क करने आयी थी। मैंने उसी दिन देख लिया था कि वह उलझ गयी, अब लौट न सकेगी। आयी थी तर्क करने, रह गयी सदा को। उसके बाद उसने कभी कुछ पूछा नहीं। वर्षों बीत गये। और इन वर्षों में बहुत लोग आये-गये, वह फिर मेरे साथ रही। रास्ता ऊबड़-खाबड़ था तो भी; कंटकाकीर्ण था तो भी। अब तो मैं धीरे-धीरे आश्वस्त हो गया हूं कि लौटकर पीछे देखूंगा तो कोई भी न हो, तो भी 'दर्शन' होगी।

वह छाया की तरह पीछे रही है। पहले ही दिन विवाद उसने छोड़ दिया। संवाद शुरू होता है तभी, जब हम विवाद छोड़ते हैं। उत्तर पहुंचने लगता है तभी जब हम प्रश्न छोड़ देते हैं। उसने कुछ पूछा नहीं, इतना सिर्फ कहा है, तुम्हारे चरणों में शत-शत प्रणाम। यह भी पहली दफे कहा है।

नागुफ्तनी हदीसे-मुहब्बत नहीं मगर
जो दिल की बात वह कहें क्या जबां से हम?

—प्रेम कोई छिपाने की बात नहीं।

नागुफ्तनी हदीसे-मुहब्बत नहीं मगर

—प्रेम कोई न कहने की बात नहीं।

जो दिल की बात वह कहें क्या जबां से हम?

लेकिन जो दिल की बात है उसे कैसे जबान से कहा जाये! कहना भी चाहें तो भी कही नहीं जा सकती। जो भी कहा जा सकता है, वह बुद्धि का होता है। जो नहीं कहा जा सकता, वही हृदय का है।

तो उसे मैंने रोते देखा है, हंसते देखा है; प्रसन्न देखा है, उदास देखा है। लेकिन कभी उसने कुछ कहा नहीं। इस न कहने के कारण उसे बहुत कुछ मिला है, जो उनको नहीं मिल पाया जो बहुत कहने में लगे हैं।

लेकिन, फिर भी खामोश भी रहो, चुप भी रहो तो भी हृदय कुछ कहना चाहता है। नहीं कह सकता, असमर्थ पाता है—फिर भी कुछ कहना चाहता है। कहने में, अभिव्यक्त होने में संबंधित होना चाहता है।

मैं हजार जब्त करूं तो क्या, मैं हजार कुछ न कहूं तो क्या?
कि दयारे-नाजे-हबीब में, मेरी खामुशी भी सवाल है।

उस प्रेमी के दरबार में, उस प्रेमी की महफिल में, मैं हजार जब्त करूं तो क्या, मैं हजार कुछ न कहूं तो क्या—न कहो, सम्हालो तो भी: दयारे-नाजे-हबीब में, मेरी खामुशी भी सवाल है।

लेकिन चुप रहना भी तो अभिव्यक्ति हो जाती है। न कुछ कहकर भी तो कुछ कह दिया जाता है। मौन भी तो अपनी एक मुखरता रखता है।

तो यद्यपि 'दर्शन' ने कभी कुछ कहा नहीं, लेकिन बहुत कुछ वह कहती रही है—अपनी चुप्पी से, अपने शांत मौन से। अनेक बार मैंने उससे पूछा भी है, लेकिन फिर भी वह बचा गयी, उसने कुछ कहा नहीं है।

ऐसी भाव दशा जल्दी ही परम फूलों को उपलब्ध होती है। और आज उसने पहली दफा लिखा है। एक बार और उसने पत्र लिखा था—वह भी खाली कागज भेजा था; उसमें कुछ लिखा नहीं था। उत्तर मैं उसका भी दिया था। क्योंकि खाली कागज में भी तो कोई बड़ी अंतर्तम से उठी हुई प्रार्थना है। कुछ जो नहीं कहा जा सकता, जिसे शायद वह खुद भी नहीं तय कर पाती कि कैसे कहें, उसको खाली कागज में लिखकर भेज दिया है। अपने शून्य को! आज उसने धन्यवाद दिया है! कुछ लिखा है। तुम्हारे चरणों में शत-शत प्रणाम। उसके भीतर कुछ हो रहा है, वह बड़ी पीड़ा से गुजर रही है। पुराना संसार टूट रहा है। नये का अभ्युदय हो रहा है! इन पीड़ा के क्षणों में अत्यंत जरूरी है कि वह जो होने जा रहा है, उसके प्रति अहोभाव से भरी रहे। अन्यथा, पुराना संसार काफी वजनी है! उसका जाल-जंजाल गहरा है। उसमें बार-बार उतर जाने की, उलझ जाने की संभावना है! लेकिन उसके सौभाग्य से वह जाल खुद ही टूटा जा रहा है। वह जाल खुद ही पीछे हटा जा रहा है।

सदा ही ऐसा होता है। जिस दिन तुम तैयार हो, उसी दिन संसार तुम्हें छोड़ने को तैयार हो जाता है। तुम लाख कहते हो कि क्या करें, कैसे छोड़ें, संसार नहीं छोड़ रहा है! गलत कहते हो। जिस दिन तुम छोड़ना चाहते हो, उस दिन संसार क्षण भर को नहीं पकड़ता है, क्योंकि संसार ने तुम्हें कभी पकड़ा ही न था। इधर तुम छोड़ने लगे, उधर संसार अपने आप छोड़ने लगता है।

ऐसी ही घड़ी से वह गुजर रही है। ऐसी घड़ी में प्रणाम करने का खयाल, सौभाग्य है क्योंकि ऐसे समय में तो शिकायत करने का मन होता है। अगर वह शिकायत लिख भेजती आज तो मैं समझता कि ठीक था, तर्कयुक्त था; क्योंकि पीड़ा से गुजर रही है, घनी पीड़ा से गुजर रही है। आज वह मुझ पर नाराज होती तो समझ में आने वाली बात थी। क्योंकि यह बिलकुल स्वाभाविक है कि जब पीड़ा से कोई गुजरे तो कहीं न कहीं, किसी न किसी को दोष दे। और मुझसे ज्यादा करीब उसके कोई भी नहीं। तो जो भी करीब हो, उसी को हम दोष देते हैं।

आज इस दुख की घड़ी में स्वाभाविक था कि वह कहती कि 'तुम्हीं' ने सब खराब कर दिया! सब उजड़ गया! सब धागे टूटे जा रहे हैं! लेकिन इस घड़ी में उसका चरणों में प्रणाम भेजना बहुत बहुमूल्य है। इस किरण के सहारे ही वह पार हो जायेगी।

हजारों तूर उसी की हसरते-दीदार पर कुर्बां,
कि जिसकी जिंदगी ही हसरते-दीदार हो जाए।

हजारों सूरज भी उसकी आंखों पर कुर्बान हैं; उसकी देखने की अभिलाषा पर

कुर्बान हैं—जिसके जीवन का लक्ष्य ही उस परम प्रिय को देखना रह गया हो।

हजारों तूर उसी की हसरते-दीदार पर कुर्बां,
कि जिसकी जिंदगी ही हसरते-दीदार हो जाए।

उसे मैंने 'दर्शन' नाम दिया है। 'दर्शन' का अर्थ होता है: 'हसरते-दीदार'; देखने की अभिलाषा। और उसकी देखने की अभिलाषा गहन होती चली गयी है। अब तो यहां बैठती भी है तो आंखें बंद करके ही बैठती है। जैसे-जैसे देखने की अभिलाषा गहन होती है, वैसे-वैसे आंख भी बंद होने लगती है। क्योंकि आंख से तो वही देखा जा सकता है जो रूप है, आकार है, नाम है। आंख बंद करके उसे देखा जा सकता है—जो अरूप है, निराकार है, अनाम है।

हजारों तूर उसी की हसरते-दीदार पर कुर्बां,
कि जिसकी जिंदगी ही हसरते-दीदार हो जाए।

और 'दर्शन' की जिंदगी अब उस दिशा में प्रवाहित हो रही है, उसकी नाव, जहां उस परम प्यारे के सिवाय कोई और न बचेगा।

कठिन होगी यात्रा! सब छूटेगा। लेकिन सब छूटने के मूल्य पर ही सब मिलता है। एक ही बात खयाल रखना—

हरम हो, बुतकदा हो, दैर हो, कुछ हो, कहीं ले चल
जहां वह हुस्न-लामहदूद हो, ऐ दिल! वहीं ले चल।

—जहां वह परम सौंदर्य हो, अब वहीं चलेंगे!

हरम हो, बुतकदा हो, दैर हो, कुछ हो, कहीं ले चल

—मंदिर हो, मस्जिद हो, काबा हो, काशी हो, कुछ भी हो।

हरम हो, बुतकदा हो, दैर हो, कुछ हो, कहीं ले चल
जहां वह हुस्न-लामहदूद हो, ऐ दिल! वहीं ले चल!

जहां वह असीम सौंदर्य हो! जहां उस परम प्रिय का दर्शन हो!

उसके लिए सब निछावर करने की तैयारी रखना। वह आखिरी दम तक परीक्षा लेता है। वह आखिरी-आखिरी घड़ी तक परीक्षा लेता है। आखिरी-आखिरी घड़ी तक पीड़ा देता है! लेकिन जो उस पीड़ा से गुजर जाता है, वह उस महापात्रता को उपलब्ध हो जाता है—जहां तुम्हें परमात्मा को खोजने नहीं जाना पड़ता, परमात्मा तुम्हें खोजता आता है!

और अगर, अहोभाव हो तो घड़ी दूर नहीं। शिकायत से लोग दूर होते हैं परमात्मा से; धन्यवाद से पास होते हैं। जितना धन्यवाद गहन होता जाता है उतनी दूरी कम होती जाती है। अगर अहोभाव परिपूर्ण हो जाये तो दूरी समाप्त हो जाती है। अहोभाव के क्षण में अचानक तुम पाते हो: वही है मौजूद! उसने ही तुम्हें सब तरफ से घेरा है। उसके अतिरिक्त और कोई भी नहीं। उसके अतिरिक्त और कुछ भी नहीं है!

गुल में, शफक में, दामने-अब्रे-बहार में
देखा जो मैंने आए नजर तुम जगह-जगह।

संध्या की लाली में देखा, कि वसंतों की वर्षा में देखा!

गुल में, शफक में, दामने-अब्रे-बहार में
देखा जो मैंने आए नजर तुम जगह-जगह।

वही दिखायी पड़ने लगेगा। ऐसा अहोभाव हो कि कहीं मन के कोने-कातर में भी सरकती कोई शिकायत न रह जाये, उसके दुख भी स्वीकार हों, उसकी पीड़ा भी स्वीकार हो। उसने दी पीड़ा, इस योग्य समझा। यही क्या कम है! ऐसे भाव में मंदिर निर्मित होता है। ऐसे भाव की दशा में भक्त निर्मित होता है।

और 'दर्शन' जल्दी ही उस दशा को उपलब्ध हो सकती है। लेकिन जितने हम करीब पहुंचते हैं, उतना ही खतरा भी बढ़ता है। जो जमीन पर चलते हैं, समतल जमीन पर, उनके गिरने का कोई भी डर नहीं। लेकिन जो पहाड़ की ऊंचाइयों पर चढ़ते है, गिरने का डर भी उसी के साथ-साथ बढ़ता जाता है। गिरे तो बुरी तरह गिरेंगे। इसलिए जितनी ऊंचाई आती है, उतने ही सम्हलकर और सावधान होकर चलने के क्षण आते हैं। जमीन पर गिरे भी तो क्या गिरे, फिर उठकर खड़े हो जायेंगे।

मैंने सुना है, बायजीद एक गांव के पास से गुजर रहा था। उसने एक शराबी को देखा, जो डगमगाता चल रहा था! बायजीद ने उसे पकड़ा और कहा कि, 'सुन पागल! कितनी पी रखी है? कुछ होश सम्हाल! गिर पड़ेगा तो कीचड़ मची है, सब कपड़े खराब हो जायेंगे।'

उस शराबी ने आंख खोली और हंसने लगा। उसने कहा, 'बायजीद! हम अगर गिरे तो कपड़े ही खराब होंगे; तुम अगर गिरे तो... ?'

बायजीद बड़ा सूफी फकीर था, बड़ा संत था।

'तुम अगर गिरे तो?'

तो कहते हैं, बायजीद ने उसके चरण छुए और कहा कि ठीक समय पर तूने मुझे चेताया। अगर हम गिरे तो कपड़े तो दूर, आत्मा तक खराब हो जायेगी। तू गिरा तो सुबह नहा-धोकर ठीक हो जायेगा, यह भी सच है। अगर हम गिरे तो जन्म-जन्म लग जायेंगे।

'दर्शन' वहां है जहां सम्हालकर चलना होगा प्रतिपल। और रोज-रोज सम्हालने को ज्यादा सम्हालना होगा। ज्यादा सावधानी, सावचेती।

इन पीड़ा के क्षणों को अगर ठीक से पार कर लिया तो मंदिर ज्यादा दूर नहीं है, पास ही है—कुहासे में ढंका है।

तीसरा प्रश्न:

ओशो, कल जिस क्षण आपने कहा कि 'महावीर ने स्वाधीनता को आत्यंतिक मूल्य दिया, वह मूल्य किसी और ने नहीं दिया' उस क्षण मैं आपको निहारता ही रहा। क्या कर दिया आपने? मैं अपनी अभव्यता देखता रहूं,

अल्पता देखता रहूं, और आपको निहारता रहूं, शीश नवाता रहूं!

सुना यदि शांत मन से तो कभी-कभी ऐसे झरोखे खुलेंगे।

महावीर ने तो कहा है कि अगर कोई ठीक से सुन ले तो मात्र श्रवण से भी पार हो जाता है। इसलिए महावीर ने कहा कि मेरे चार तीर्थ हैं, चार घाट हैं जिनसे लोग उस पार जा सकते हैं: श्रावक, श्राविका, साध्वी, साधु।

श्रावक-श्राविका का अर्थ होता है: जिन्होंने ठीक से सुना, श्रवण किया। सिर्फ सुनकर कोई पार जा सकता है? निश्चित ही। लेकिन सिर्फ सुनने को कोई छोटी घटना मत समझना। सिर्फ सुनना बड़ी घटना है—करने से भी बड़ी घटना है। करना तो आसान है, सुनना कठिन है। क्योंकि ठीक सुनने का अर्थ है: जब तुम्हारे भीतर कोई विचार की तरंग न हो; तभी तुम वह सुन पाओगे जो कहा जा रहा है। अगर विचारों की तरंगें हैं तो तुम वही सुन लोगे जो तुम्हारी विचार की तरंगें व्याख्या करेंगी।

मैं यहां बोल रहा हूं। तुम वहां सोच भी रहे हो। तो मिश्रित होगा सुनना। मेरे कहे पर तुम्हारे विचारों की खोल चढ़ जायेगी। मेरे कहे पर तुम्हारे विचारों का रंग बिखर जायेगा। तुम वही समझ लोगे जो तुम समझ सकते थे; वह नहीं जो मैंने कहा था।

तो कभी-कभी ऐसी घड़ी घटेगी सुनते-सुनते कि तुम उस जगह पहुंच जाओगे जिसको महावीर श्रावक का तीर्थ कहते हैं। श्रवण के घाट पर पहुंच जाओगे! अचानक! तब क्या मैं कह रहा हूं, यह सवाल नहीं है—कोई भी शब्द, भाव-भंगिमा मात्र, तुम्हारे भीतर कोई झरोखा खोल देगी! कोई द्वार जो बंद पड़ा था जन्मों से, हवा के एक झोंके में खुल जायेगा! कोई दृश्य जो तुमने कभी न देखा था, दिखायी पड़ जायेगा। ऐसा ही कुछ हुआ है!

'कल जिस क्षण आपने कहा, महावीर ने स्वाधीनता को आत्यंतिक मूल्य दिया, वह किसी और ने नहीं दिया, उस क्षण मैं आपको निहारता ही रहा। क्या कर दिया आपने?'

मैंने कुछ भी नहीं किया। मेरे किये क्या हो सकता है? तुमने कुछ होने दिया। मैंने कुछ किया नहीं। तुमने कुछ होने दिया। इस फर्क को ठीक से समझ लेना।

अगर तुमने ऐसा सोचा कि मैंने कुछ कर दिया, तो यह तो परतंत्रता की नयी जंजीर शुरू हो जायेगी। तब तुम राह देखोगे कि मैं कुछ करूं तो हो।

इस भ्रांति में मत पड़ना। यह भ्रांति होती है।

तुम एक राह से गुजर रहे हो। एक सुंदर स्त्री दिखायी पड़ी। कुछ हो गया। अब तुम कहते हो, 'इस स्त्री ने कुछ कर दिया।' इस स्त्री ने कुछ भी नहीं किया। तुम्हारे भीतर ही कुछ हुआ। इसकी मौजूदगी ने सहारा दे दिया। इसने कोई जादू नहीं किया, कोई वशीकरण नहीं किया, जैसा लोग समझते हैं। शायद इसे तो खयाल भी न हो। तुम्हें कुछ हुआ, यह पक्का है। इसकी मौजूदगी ने कैटेलेटिक एजेंट का काम किया। शायद इसकी मौजूदगी में न हो पाता, देर-अबेर होता, लेकिन इसकी मौजूदगी में कोई चीज तुम्हारे

भीतर झलक गयी; लेकिन जो झलकी है वह तुम्हारी ही अंतर-दशा है। इसकी मौजूदगी में तुमको झलक मिली प्रेम की, लेकिन प्रेम तुम्हारी भाव-दशा है। तुम्हारे भीतर पड़ा हुआ प्रेम फूट पड़ा। इसकी मौजूदगी अवसर बनी। इसने कुछ किया नहीं। इसकी मौजूदगी निष्क्रिय अवसर है।

ठीक वैसे ही बुद्धपुरुषों की मौजूदगी निष्क्रिय अवसर है। बुद्ध या महावीर तुम्हारे भीतर कुछ करते नहीं। नहीं, इतनी हिंसा भी वे न कर सकेंगे। यह भी हिंसा हो जायेगी। असमय में कुछ कर देना ऐसा ही होगा जैसे गर्भपात हो जाये समय के पहले। नहीं वे प्रतीक्षा करेंगे।

सुकरात कहता था: मेरा काम दाई का काम है, मिडवाइफ। दाई का काम यह है कि जब बच्चा पैदा होने के करीब हो तब वह जरा सहारा दे दे। बिना सहारे के भी पैदा हो जायेगा बच्चा। थोड़ा सहारा दे दे। थोड़ी ढाढ़स बंधा दे। थोड़ी हिम्मत बंधा दो। लेकिन समय के पहले बच्चे को बहार न निकाल दे, अन्यथा बच्चा मृत होगा या अर्ध-जीवित होगा।

तो जो भी यहां घटेगा मेरे निकट तुम्हारे भीतर, तुम उसे घटने दे रहे हो—इतना याद रखना। भूलकर भी यह मत सोचना कि मैंने कुछ किया। तुमने कुछ होने दिया। अगर यह तुम्हें खयाल रहे तो तुम मालिक रहोगे। तुम जब होने देना चाहोगे तभी हो जायेगा। अगर तुम सतत होने देना चाहोगे तो सतत होता रहेगा। लेकिन मालकियत मेरे हाथ में मत दे देना।

ऐसी भूल अक्सर हो जाती है। अक्सर, जीवन में हमारा सारा तर्क यही है: कोई तुम्हारे पास से गुजरा और तुम्हें नमस्कार न किया—क्रोध आ गया। अब तुम कहते हो, इस आदमी ने क्रोधित कर दिया। इस आदमी ने कुछ भी नहीं किया। यह उसकी मर्जी नमस्कार करे न करे। हां, एक मौजूदगी बनी, एक अवसर बना। उसने नमस्कार नहीं किया। क्रोध तो तुमने होने दिया। इसे दोष दूसरे पर मत देना।

तुम्हारे भीतर कोई दूसरा कुछ करता नहीं। ऐसा ही समझो कि एक सूखा कुआं हो और हम उसमें एक बालटी डालें, खूब खड़खड़ाएं, खूब डुबकी लगवाएं बालटी की, लेकिन कुछ भी न हो, क्योंकि कुआं सूखा है। बालटी खाली की खाली वापस आ जाए। फिर भरे कुएं में हम बालटी डालें, तो भरकर आ जाये।

तुम अगर प्रेम से भरे हो तो परिस्थितियां अनुकूल बन जायेंगी जिनमें तुम्हारा प्रेम उभरकर आ जायेगा। तुम अगर क्रोध से भरे हो तो परिस्थितियां अनुकूल बन जायेंगी, जिनमें क्रोध उभरकर आ जायेगा।

यह संसार सभी परिस्थितियों का समागम है। यहां सभी परिस्थितियां मौजूद हैं। तुम जिससे भरे हो वही प्रकट होने लगेगा। अगर तुम थोड़े शांत, मौन से भर जाओ, तो तुम्हारे भीतर बहुत कुछ घटेगा, बहुत-से वातायन खुलेंगे।

लेकिन भूलकर भी यह मत कहना कि मैंने कुछ किया। ज्यादा से ज्यादा इतना ही कहना कि मेरी मौजूदगी में तुमने कुछ होने दिया। और फिर ये भी कोशिश करना कि मेरी मौजूदगी के बिना भी वह हो जाये, ताकि तुम उसके मालिक बन सको।

मुझे सुन रहे थे, कुछ हुआ—अचानक तुम चौंक गये, अवाक रह गए, चकित!

अब ऐसा ही सुबह बैठ जाना, सूरज ऊगते ही, सूरज को देखना! फिर वैसे ही शांत, मौन उसे देखते रहना। तुम अचानक पाओगे: किसी दिन सूरज के ऊगने से भी वैसा हो जायेगा।

फिर पक्षियों के कोलाहल को सुनना। उनके कलरव को सुनना। किसी दिन तुम पाओगे: सुनते-सुनते-सुनते फिर तार मिल गए! फिर हो गया! तब तो एक बात पक्की हो जायेगी कि तुम जहां भी होने देते हो वहीं हो जाता है।

फिर किसी दिन बीच बाजार में, जहां होने की कोई आशा नहीं दिखायी पड़ती, वहां तुम बाजार के शोरगुल को मौन भाव से सुनना और तुम चकित होओगे: वहां भी हो जाता है!

तब तुम मालिक होने लगे। तब तुम अपने पैरों पर खड़े होने लगे। तब मैं तुम्हारे लिए बैसाखी न बना, वरन मेरी मौजूदगी ने तुम्हारे पैरों को बल दिया।

ध्यान रखना, तुम्हारी आकांक्षा मुझे बैसाखी बना लेने की है। लेकिन बैसाखी मिल जाए तो भी तुम लंगड़े ही रहोगे।

किसी गुरु को बैसाखी मत बनाना। और जो गुरु स्वयं को तुम्हारी बैसाखी बनने दे वह तुम्हारा मित्र नहीं, शत्रु है; क्योंकि वह तुम्हारे लंगड़ेपन के लिए शाश्वतता दे रहा है। अब तुम सदा के लिए लंगड़े रह जाओगे।

यही बात अक्सर घटती है। तुम किन्हीं लोगों के पास जाकर कहोगे, कि आपकी मौजूदगी ने, आपने ऐसा कुछ कर दिया।

सदगुरु और असदगुरु की पहचान यही है। असदगुरु कहेगा, 'हां, मेरी शक्ति से ऐसा हुआ।' सदगुरु कहेगा, 'किसी की शक्ति का कोई सवाल नहीं। तुमने होने दिया', और तुम अगर होने दो तो कोयल की कुहू-कुहू से भी हो जायेगा। पानी के झरने की आवाज से भी हो जायेगा। सागर के तुमुल नाद से भी हो जायेगा। फिर तो बीच बाजार में भी हो जायेगा। भीड़, कोलाहल, चलते हुए लोग, हजार तरह की बातें, शोरगुल—उससे भी हो जायेगा। क्योंकि असली बात बाहर से भीतर नहीं आ रही है—असली बात भीतर से बाहर जा रही है। असली बात है कि तुम शांत होकर सुनने में समर्थ हो गए; तुमने कोई प्रतिक्रिया न की।

निश्चित ही, पहली दफा उसी व्यक्ति के पास हो सकेगा। जिससे तुम्हारा बड़ा श्रद्धा का लगाव है। पहली दफा! वहां आसान होगा, जहां बड़ा प्रेम का लेन-देन है; जहां दो हृदय साथ-साथ धड़कते हैं।

जब तुमने मेरी यह बात सुनी तब किसी कारण से, संयोगवशात तुम चुप थे। मन में सन्नाटा था। सुनने को आतुर थे, इसलिए बोल नहीं रहे थे। उस आतुरता में भी कोई ऐसी घड़ी आयी होगी जहां मेरे श्वास के और तुम्हारे श्वास के बीच एक लयबद्धता आ गयी, एक तालमेल हो गया। तो जिस तरह, जिस जगत में मैं स्पंदित हो रहा हूं, क्षण भर को तुम मेरे साथ नाच लिये, स्पंदित हो गए। कुछ हुआ! कुछ—जिससे तुम चकित होओ! कुछ—जिस पर तुम भरोसा नहीं कर सकते! कुछ—जिसको तुम चाहोगे कि मैं कहूं कि

मैंने किया! क्योंकि तुम्हें अपने पर आत्मविश्वास नहीं कि तुमसे ऐसा हो सकेगा।

फिर भी मैं तुमसे कहता हूं, तुम्हीं से हुआ है। और बार-बार तुमसे यही कहूंगा कि जब भी हो, स्मरण रखना तुम्हीं से हो रहा है। मेरी परिस्थिति का उपयोग कर लो। मेरी मौजूदगी का उपयोग कर लो। मेरी मौजूदगी तुम्हें तुम्हारे भीतर की संपदा के प्रति थोड़ा जागरूक कर दे, फिर तुम मुझे भूलो! क्योंकि मैं बाहर हूं। फिर तुम अपनी तरफ चलो।

बुद्ध ने कहा : बुद्ध-पुरुष इशारा करते हैं, चलना तुम्हें पड़ता है। महावीर ने कहा है : मैं सिर्फ उपदेश करता हूं, आदेश नहीं। मैं वही बोल देता हूं, जो है। तुम अगर सुनने को राजी हो सुन लो। जीसस ने कहा है : अगर तुम्हारे पास आंखें हों तो देख लो, मैं मौजूद हूं! तुम्हारे पास कान हों तो सुन लो, मैं बोल रहा हूं! तुम्हारे पास हृदय हो तो धड़क लो मेरे साथ!

ऐसा ही समझो कि थोड़ी, क्षण भर को, तुम मेरे साथ धड़क लिये, श्वास से श्वास मेल खा गयी, धड़कन से धड़कन मेल खा गयी। एक क्षण को एक आरोह हुआ। तुम्हारे भीतर एक तरंग उठी, उसने आकाश छू लिया! लेकिन इसे मैं चाहता हूं कि तुम सदा स्मरण रखना कि वह तुम्हारे ही कारण हुआ। क्योंकि अगर मेरे कारण हुआ तो तुम मुझसे बंधे। फिर बाजार में न हो सकेगा। फिर पक्षियों के कलरव में न हो सकेगा। फिर सागर के तुमुल नाद में न हो सकेगा। फिर तुम बंधे मुझसे। फिर तो मैं तुम्हारा नशा हो गया। फिर तुम्हें मेरी तलफ लगेगी, कि जाएं वहां, सुनें वहीं, फिर सत्संग करें!

नहीं, सत्संग का अर्थ ही यह है कि तुम्हारी ऐसी घड़ी आ जाये कि सब जगह, जहां तुम हो वहीं सत्संग होने लगे। नहीं कहता कि यहां मत आना, लेकिन वह आना तुम्हारा रोग न बन जाए; वह शराबी की लत न बन जाए!

तुम आना और प्रसन्न होना। और तुम आना और खुलना। और तुम आना और प्रसाद को उपलब्ध होना। लेकिन स्मरण रखना कि सब तुम्हारे भीतर हो रहा है। और जब तुम यहां से जाओ, तो जो हुआ है उसे सम्हालकर अपने साथ ले जाना, उसे यहां मत छोड़ जाना। और धीरे-धीरे विपरीत परिस्थितियों में भी उसकी झलक को पाने की कोशिश करना। जहां कोई संभावना न दिखायी पड़ती हो, जहां दुख ही दुख, पीड़ा ही पीड़ा हो—फिर तुम आंख बंद करके उसी भावदशा को, उसी तरंग को अपने भीतर लाना। तुम चकित होओगे कि धीरे-धीरे वह तरंग उठने लगी, मालकियत हाथ में आने लगी!

तब कहीं भी, आंगन कितना ही तिरछा हो, तुम्हें नाच आ गया तो तुम नाच सकोगे। ज्यादा से ज्यादा यहां मैं इतना ही कर रहा हूं कि तुम्हें चौकोर आंगन दे रहा हूं। इससे ज्यादा नहीं। जो जगा है वह तुम्हारे भीतर ही सोया था।

> *फिर ये कैसी कसकसी है दिल में,*
> *तुझको मुद्दत हुई कि भूल चुका।*

वह जो कसकसी फिर से मालूम हुई, वह कुछ बाहर से नहीं आयी है। वह उसी की याददाश्त है जिसे तुम मुद्दत हुई भूल चुके। वह तुम्हारे मूलस्रोत का स्मरण है।

> *फिर ये कैसी कसकसी है दिल में*
> *तुझको मुद्दत हुई कि भूल चुका।*

इतने भूल चूके हो कि अब यह भी याद नहीं कि भूल चुके। भूल चुके हैं, यह भी याद रहे तो बिलकुल भूले नहीं, याद है। लेकिन हम इतने भूल गये हैं कि यह भी अब याद नहीं कि भूल चुके।

तुम मेरे करीब, वह मुद्दत हुई जिसे तुम भूल चुके, जनम-जनम का घेरा, बहुत दूर रह गयी वह बात जो तुम्हारा मूलस्रोत थी और जो तुम्हारी, अंतिम जीवन की नियति है; प्रथम जो थी और अंतिम जो है, वह बात भूल गयी है—यहां तुम्हें याद आ जाये, थोड़ी सुरति आ जाये! बस इतना काफी है!

और इस बात को तुम हर किसी से कहते मत फिरना। नहीं तो लोग हंसेंगे। यह बात तो दीवानों से ही करने की है।

अगर तुमने यह किसी और को कहा कि मैं यह बोल रहा था कि 'महावीर ने स्वाधीनता को आत्यंतिक मूल्य दिया, वह मूल्य किसी और ने नहीं दिया', उस क्षण में तुम्हारे भीतर कुछ अनहोना घट गया, तो लोग कहेंगे, इस बोलने में क्या रखा है? ये शब्द तो साधारण हैं।

'महावीर ने स्वाधीनता को आत्यंतिक मूल्य दिया, वह मूल्य किसी और ने नहीं दिया'—इन शब्दों से क्या घट सकता है?

तुम दूसरे को मत समझाना! ये बातें तो दीवानों की हैं। हां, किसी और को हुआ हो, तो उससे बात कर लेना। नहीं तो खतरा क्या है? खतरा यह है कि अगर तुम औरों से यह कहोगे, तो वे समझेंगे कि कुछ गड़बड़; तुम्हारा दिमाग खराब हो रहा है, किसी सम्मोहन में पड़ गये हो। और डर यह है कि वे कहीं तुम्हारा आत्म-अविश्वास न जगा दें। अगर आत्म-अविश्वास जग गया तो दुबारा यह न होगा।

तो ऐसी घटना कभी भी घटती हो, मुझे कह देना या गैरिक रंग के बहुत पागल यहां हैं, उनसे कह देना; मगर समझदारों से मत कहना, नहीं तो वे तुम्हें नुकसान पहुंचा सकते हैं। अंततः जब तुम्हारे जीवन में सब साफ हो जायेगा, फिर तो कोई नुकसान नहीं पहुंचा सकता। लेकिन अभी जब अंकुर बड़ा कोमल होता है, अभी जब बीज टूटा ही होता है, तब हर खतरा प्राणघाती हो सकता है।

जब दिल पे न हो काबू अपना, क्या जब्त करें क्या सब्र करें!
मुझ जैसे काश वह हो जाएं जो आ-आकर समझाते हैं।

कई लोग तुम्हें समझायेंगे कि 'क्या पागलपन कर रहे हो? होश में आओ! बुद्धि सम्हालो। यह तुम किन बातों में पड़े जा रहे हो?'

जब दिल पे न हो काबू अपना, क्या जब्त करें क्या सब्र करें!
मुझ जैसे काश वह हो जाएं जो आ-आ कर समझाते हैं।

लेकिन वह तुम्हारे जैसे न होंगे। और डर यह है कि वह तुम्हें अपने जैसा बना सकते हैं, क्योंकि वे ज्यादा हैं।

भीड़ है। और हम भीड़ पर बड़ा भरोसा करते हैं। हमारी धारणा ही यह है कि जिस बात को बहुत लोग मानते हैं, वह ठीक होनी चाहिए। अक्सर तो उलटा होता है। जिसको

बहुत लोग मानते हैं वह बात अक्सर तो गलत होती है। क्योंकि बहुत लोग गलत हैं। अक्सर तो ऐसा होता है, ठीक बात को कभी कोई एकाध मानता है। भीड़ तो सदा गलत को ही मानती है। इसलिए सत्य के जगत में कोई लोकतंत्र नहीं है, कोई मत नहीं है, कि नब्बे प्रतिशत लोगों ने साथ दे दिया तो सत्य होना चाहिए। अक्सर तो ऐसा हुआ है : जब महावीर ने कहा तो वे अकेले, जब बुद्ध ने कहा तो वे अकेले।

धर्म को छोड़ दें, विज्ञान को लें। गैलीलियो ने कहा, कोपरनिकस ने कहा तो अकेले। आइंस्टीन न कहा तो अकेले।

सारी दुनिया मानती थी सदियों से कि जमीन चपटी है। और जब गैलीलियो ने कहा कि जमीन गोल है तो वह अकेला था। सारी दुनिया मानती थी सदियों से कि सूरज ऊगता है, डूबता है। अब भी सभी भाषाएं यही कहती हैं : सूर्यास्त, सूर्योदय; सनराइज, सनसेट। गैलीलियो हो चुका, इससे भाषा में अभी फर्क नहीं पड़ा है। तीन सौ साल हो गये, लेकिन भाषा अब भी गलत बोली जा रही है।

गैलीलियो ने कहा, न सूरज ऊगता है न डूबता है—सूरज चलता ही नहीं। खयाल यह था कि सूरज पृथ्वी के चारों तरफ चक्कर लगाता है। दिखता है लगाता हुआ, इसमें कोई शक नहीं। अब भी खाली आंख से देखो तो लगता है कि चक्कर लगा रहा है।

असलियत बिलकुल उलटी है : पृथ्वी चक्कर लगा रही है। सूरज खड़ा है। लेकिन हम पृथ्वी पर बैठे हैं तो हमको पृथ्वी का चक्कर लगाना तो दिखायी पड़ नहीं सकता। इसलिए सूरज चक्कर लगाता हुआ दिखायी मालूम पड़ता है।

कभी तुमने खयाल किया? ट्रेन में तुम बैठे हो और दूसरी ट्रेन बगल में खड़ी है। तुम्हारी ट्रेन चलती है तो लगता है दूसरी ट्रेन चल पड़ी। चौंककर तुम्हें लगता है दूसरी ट्रेन चल रही है। चलती तुम्हारी है, लेकिन तुम तो अपनी ट्रेन में बैठे हो। तुम भी उसके साथ चल पड़े, इसलिए पता नहीं चलता। दोनों की गति बराबर है। लेकिन पास की ट्रेन खड़ी है। वह चलती हुई मालूम पड़ती है।

गैलीलियो ने कहा है कि सूरज खड़ा है, पृथ्वी चलती है। हजारों-हजारों साल से आदमी मानता था : पृथ्वी खड़ी है, सूरज चलता है। लेकिन इससे कुछ फर्क नहीं पड़ता।

गैलीलियो को अदालत में ले जाया गया था। क्योंकि पोप खिलाफ था, क्योंकि बाइबिल में तो लिखा है कि पृथ्वी खड़ी है। और धर्मगुरु सदा डरते रहे हैं कि अगर शास्त्र की एक भी बात गलत हो जाये तो लोगों में शक पैदा होगा। लोग सोचेंगे जब एक गलत हो सकती है तो बाकी भी गलत हो सकती हैं।

तो पोप को समझ में भी आ रहा था, लेकिन फिर भी उसने गैलीलियो को कहा कि तुम क्षमा मांगो। अदालत में घुटने टेककर गैलीलियो ने क्षमा मांगी लेकिन वह आदमी भी बड़ा गजब का था। उसने कहा कि मैं क्षमा चाहता हूं। आप कहते हैं, शास्त्र कहते हैं तो सूरज ही चक्कर लगाता होगा, पृथ्वी खड़ी होगी। लेकिन एक बात मैं कहे देता हूं, मेरे कहने से कुछ भी नहीं होता। लगा तो पृथ्वी ही चक्कर रही है। मेरे कहने से क्या होगा? मैं क्षमा मांगता हूं। मेरा इसमें कुछ हाथ ही नहीं है। मैं थोड़े ही पृथ्वी को चलवा रहा हूं? तो मैं

झंझट में नहीं पड़ना चाहता। लेकिन एक बात मैं कहे देता हूं कि मैं क्षमा मांगूं या न मांगूं, मैं कहूं या न कहूं—इससे क्या फर्क पड़ता है? आदमियत माने या न माने, इससे क्या फर्क पड़ता है? सूरज खड़ा है पृथ्वी चक्कर लगा रही है।

दुनिया में सत्य को जानने वाले तो कभी-कभी होते हैं। भीड़ तो असत्य को मानती है। लेकिन हमारे मन में एक धारणा है कि जिसको बहुत लोग मानते हैं वह ठीक होना चाहिए। इतने लोग मानते हैं! और हमारा कोई आत्मविश्वास तो है नहीं।

तो दूसरों से मत कहना। अन्यथा वे हंसेंगे। उनकी हंसी तुम्हारे जीवन में जहर हो सकती है। वे तुम्हें पागल समझेंगे। उनका समझना तुम्हें डगमगा सकता है।

इसलिए ये बातें तो ऐसी हैं कि जो तुम्हारे ही रास्ते पर चल रहे हैं और जिन्हें कुछ ऐसा होना शुरू हुआ हो, उनसे कर लेना; तो तुम एक दूसरे के लिए सहयोगी बनोगे, सहारा बनोगे, बल दोगे, आत्मबल विकसित होगा। और जितना आत्मबल बढ़ेगा उतनी और घटनाएं संभव हो जायेंगी।

आखिरी प्रश्नः

ओशो, मुझे इतना कुछ मिल रहा था कि उसका आनंद अंतर में समाता नहीं था। इतना आनंद, इतनी खुशी कहां रखूं, कैसे सम्हालूं—समझ में नहीं आता। और प्यास भी उतनी ही है। जिनकी कृपा से जीवन की संध्या में मुझे यह सब मिल रहा है, उनसे पास होते हुए भी दूर हूं। इन दो बातों के लिए पागल-सी जी रही थी। कुछ दिनों से सब चुप होने लगा है। घंटों बैठी रहती हूं या लेटी रहती हूं। कुछ करने का मन नहीं होता। न कुछ बुरा लगता है और न अच्छा। ओशो, यह सब क्या हो रहा है?

शुभ हो रहा है। प्यास थिर हो रही है। प्यास गहरी हो रही है।

नदी जब उथली होती है तो शोरगुल करती है। नदी जब गहरी होती है तो शांत हो जाती है। इतनी शांत हो जाती है कि पता ही नहीं चलता कि चलती भी है या नहीं।

गहरी नदी को देखा? थिर मालूम होती है। बस ऐसा ही हो रहा है। जो प्यास अब तक थोड़ी तरंगें भी पैदा करती थी, वह और गहराई पर जा रही है। अब सब चुप हो रहा है।

कुछ रोज ये भी रंग रहा इंतजार का,
आंख उठ गयी जिधर बस उधर देखते रहे।

आंख हटाना भी भूल जायेगा। विचार करना भी भूल जायेगा। ठगे-ठगे से! बैठे-बैठे!

कुछ रोज ये भी रंग रहा इंतजार का,
आंख उठ गयी जिधर बस उधर देखते रहे।

ऐसी दीवानगी आयेगी, आ रही है। स्वागत करना उसका! पलक पांवड़े बिछाना उसके लिए! घबड़ा मत जाना। क्योंकि पहले-पहले जब शांति उतरती है तो लगती है उदासी है। क्योंकि हम उदासी से परिचित हैं, शांति से परिचित नहीं हैं। दोनों के चेहरे में थोड़ा तालमेल है।

तो जब पहली दफे शांति आती है तो ऐसा लगता है कहीं ये तो नहीं कि हम उदास हुए जा रहे हैं! पहले-पहले आनंद भी बाजे बजाता है। फिर धीरे-धीरे बाजे शांत होने लगते हैं, क्योंकि बाजों का शोरगुल भी आनंद में बाधा है। फिर आनंद की एक ऐसी घड़ी आती है जब उत्सव भी शांत हो जाता है। भीतर-भीतर, भीतर-भीतर रग-रोएं में समा जाता है। नाच भी नहीं होगा—नाच इतना गहरा हो ज़ाता है। कोई क्रिया ऊपर दिखायी न पड़ेगी।

पहले तो शौके-दीद में सब-कुछ भुला दिया
अब मैं नजर को ढूंढ रहा हूं, नजर मुझे।

ऐसी घड़ी आती है कि अपना ही पता नहीं चलता।

पहले तो शौके-दीद में सब-कुछ भुला दिया

पहले तो उस परमात्मा को देखने की आकांक्षा में सब भुला बैठे। लेकिन उस सब भुलाने में नजर भी खो जाती है।

अब मैं नजर को ढूंढ रहा हूं, नजर मुझे।

अब कुछ समझ में नहीं आता कौन कहां है, कौन कौन है?

आखिरी घड़ी में कुछ भी पता नहीं चलता भेद काः कौन भक्त है, कौन भगवान है!

रामकृष्ण अपने ऊपर ही फूल डाल लेते थे। भगवान को चढ़ाने जाते, खुद ही पर डाल लेते। भगवान को भोग लगाते, खुद ही के मुंह में डाल लेते। लोगों ने शिकायत की कि यह तो कोई पूजा न हुई। ये तो पूजा का उल्लंघन है।

रामकृष्ण ने कहा, 'करूं क्या? भेद ही नहीं मालूम होता। यह मुंह भी अब उसी का! यह सिर भी उसी का। ये हाथ भी उसी के! ये फूल भी उसी के!'

कौन कौन है, पक्का पता नहीं चलता!

इक तेरी तमन्ना ने कुछ ऐसा नवाजा है,
मांगी ही नहीं जाती अब कोई दुआ हमसे।

अब यह जो घड़ी आ रही है, इस घड़ी में कुछ भी मांगना मत। अब तो सिर्फ धन्यवाद, सिर्फ अहोभाव। उसे धन्यवाद देना! जो भी वह दे, धन्यवाद देना। उदासी मालूम पड़े तो भी धन्यवाद देना; जल्दी उदासी शांति में परिणित हो जायेगी। ऐसा लगे, उत्सव खो रहा है तो भी धन्यवाद देना। एक नया उत्सव शुरू हो रहा है जो अभिव्यक्ति का नहीं है, जो अनभिव्यक्त है, जो शांत है और मौन है।

मैं तुमसे कहता हूं, महावीर भी नाचे हैं, मीरा ही नहीं नाची। लेकिन मीरा का नाच बाहर भी आया, महावीर का नाच भीतर ही भीतर रह गया। इतना गहन है।

जैसे देखा नील नदी है, इजिप्त में! कई मीलों तक जमीन के नीचे ही बहती है, दिखायी नहीं पड़ती। फिर प्रकट होती है। तो सदियां हो गयीं, लोगों को पता ही न था कि इसका जन्म-स्रोत कहां है, यह उदगम कहां है! क्योंकि कई मीलों तक तो वह जमीन के नीचे ही बहती है तो उदगम का पता कैसे चले?

मीरा ऐसी है जैसे नील नदी प्रकट हो गयी। और महावीर ऐसे हैं जैसे नील नदी अभी जमीन के नीचे बहती है। नाच तो है ही—लेकिन नाच बड़ा मौन है, चुप है, बड़ा गुरु-गंभीर है!

कठिनाई होगी। ये प्रतीक्षा के पल पीड़ा के पल भी होंगे। कभी-कभी तो ऐसा लगेगा, कुछ खो तो नहीं गया! पहले तो बड़े आनंदित मालूम हो रहे थे; वह आनंद भी चला गया। पहले तो बड़े नाचे-नाचे मालूम पड़ते थे; वह पुलक चली गयी। कहीं कुछ खो तो नहीं गया!

शबे-इंतजार की कशमकश न पूछ कैसे सहर हुई
कभी इक चिराग जला दिया, कभी इक चिराग बुझा दिया।

मिलन की रात की कशमकश न पूछ और यह मत पूछ कि कैसे सुबह हुई! बड़ी मुश्किल हुई। कभी एक चिराग जला लिया, फिर बुझा दिया, फिर जला लिया, फिर बुझा दिया! ऐसी उधेड़-बुन हुई।

शबे-इंतजार की कशमकश न पूछ कैसे सहर हुई
कभी इक चिराग जला दिया, कभी इक चिराग बुझा दिया।

ऐसी कशमकश आएगी। घबड़ाना मत। बस एक ही खयाल रखना कि जो भी हो रहा है, जो भी होता है—शुभ है। यही तुम्हारी प्रार्थना हो अब कि जो भी हो रहा है, शुभ है। और तब शुभ के नये-नये द्वार खुलते जायेंगे।

दिल से मिलती तो है एक राह कहीं से आकर,
सोचता हूं ये तेरी राहगुजर है कि नहीं।

इस चिंता में मत पड़ना क्योंकि अब जल्दी ही दिल के पास जो परमात्मा का रास्ता गुजरता है वह दिखायी पड़ेगा। सोच-विचार में मत पड़ना। जब सब सन्नाटा हो जाता है, उत्सव भी चला जाता है, आनंद भी चला जाता है और सब शांत हो जाता है और आदमी ठगा-ठगा रह जाता है—तभी हृदय के पास से जिसका रास्ता गुजरता है उसके दर्शन होते हैं! हम अपने करीब आये, असंग हुए, निसंग हुए! यही संन्यास की पराकाष्ठा है। संसार और बाहर का सब भूल गया! भीतर, भीतर, भीतर उतरते गये! अपने केंद्र पर आये! वहां से गुजरती है राह परमात्मा की! तब संदेह में मत पड़ जाना क्योंकि ये मन में विचार, आखिरी विचार यही आता है कि कहीं यह रास्ता सही है कि गलत।

दिल से मिलती तो है एक राह कहीं से आकर,
सोचता हूं ये तेरी राहगुजर है कि नहीं।

यह मत सोचना। यह विचार करना ही मत। अब तो विचार को पूरा का पूरा ही त्याग दो। अब तो निर्विचार हो रहो। और जो भी हो, उसको स्वीकार करते जाओ। धीरे-

धीरे उसी रास्ते पर उसका रथ भी आयेगा। और जब वह रथ से उतरे और तुम्हारे सामने अपनी झोली फैला दे तो कंजूसी मत करना। सब डाल देना! स्वाहा! सब डाल देना!

रवींद्रनाथ का एक गीत है। एक भिखारी सुबह-सुबह उठा। अपनी झोली को कंधे पर टांगकर भीख मांगने निकला। जैसा कि भिखारी करते हैं, उसने भी किया। थोड़े-से चावल के दाने अपनी झोली में घर से डाल लिए। देने वालों के लिए थोड़ी हिम्मत होती है कि चलो इसको औरों ने भी दिया है। तो भिखारी थोड़े-से पैसे अपनी थाली में डालकर बैठ जाता है। तो निकलने वाले को थोड़ा साहस रहता है कि कोई हम ही नहीं फंस रहे हैं, और लोगों ने भी दिया है। तो थोड़ी लज्जत भी आती है, तो थोड़ी लज्जा भी लगती है, थोड़ा शर्म भी, संकोच भी लगता है कि अब और दे चुके हैं तो हम कोई इतने गये-बीते तो नहीं, चलो एक पैसा दे दो! तो थोड़े-से चावल के दाने डालकर झोली में भिखारी चला। राह पर आया, कभी सोचा भी न था। सपना भी न देखा था—राह पर आ रहा है उस महाराजा का रथ—स्वर्ण रथ, सूर्य की किरणों में चमकता हुआ! उसने सोचा, आज मेरे धन्यभाग, आज मेरे भाग्य खुल गये! आज तो झोली पसार दूंगा और मांग लूंगा। अब राजा ही सामने आ रहा है, द्वार से कभी भीतर जाने का मौका मिलता न था। द्वारपाल द्वार से ही भगा देते थे। अब आप तो रास्ते पर मिल गये।

तो वह बीच में खड़ा हो गया। रथ रुका। राजा न केवल उसे अपने पास बुलाया, खुद उतरकर नीचे आया। लेकिन राजा को पास देखकर वह घबड़ा गया। कभी राजा की सन्निधि नहीं की। याद ही न रही, अवाक ठगा रह गया। देखता रहा राजा के मुंह की तरफ। और इसके पहले कि वह अपनी झोली फैलाये, राजा ने अपनी झोली फैला दी। और उसने कहा, मना मत करना, इनकार मत करना, क्योंकि मेरे ज्योतिषियों ने कहा है कि आज मैं भीख मागूं तो राज्य बचेगा, अन्यथा राज्य पर खतरा है।

अब कठिनाई हम सोच सकते हैं: भिखारी जिसने कभी दिया नहीं, सदा मांगा! देने की कोई आदत ही नहीं। देने का कोई संस्कार ही नहीं। वह बहुत घबड़ाया, लेकिन अब इनकार भी न कर सका, क्योंकि राजा ने कहा, 'इनकार मत करना, पूरे राज्य पर खतरा है। कुछ भी दे दो, उसने हाथ भीतर डाला झोली के। मुट्ठी बांधता है, खोलता है। कभी दिया तो है नहीं, देने की आदत ही नहीं। बामुश्किल एक चावल का दाना निकालकर उसने राजा की झोली में डाल दिया। रथ आया-गया हो गया, धूल उड़ती रह गयी! वह तो खड़ा रह गया। उसने कहा, 'यह तो हद्द हो गयी। और गरीब कर गया! एक दाना और पास था, वह भी ले गया!'

फिर सांझ घर लौटा भीख मांगकर। उस दिन खूब भीख मिली। ऐसी कभी न मिली थी। जो देता है उसे मिलती भी है। उस दिन घर लौटा। प्रसन्न होना चाहिए था, लेकिन थोड़ा उदास था। वह एक दाना कम था। घर आकर पत्नी ने पूछा, 'इतने उदास?' तो उसने कहा, 'क्या करूं? हद्द हो गयी। मिलने की आशा बांधी थी, वह तो दूर, और हमसे, हाथ से ले गया! भाग्य की विडंबना, मजाक तो देखो, व्यंग्य!'

उसने झोली बड़ी उदासी से उंड़ेली। देखकर चकित हुआ, एक दाना सोने का हो

गया था। जो दिया था, वह सोने का हो गया था। छाती पीट-पीट कर रोने लगा। पत्नी तो कुछ समझी नहीं। उसने कहा, 'हुआ क्या है? माजरा क्या है?'

'लुट गये', उसने कहा, 'लुट गये! सारे दाने दे दिये होते, तो सारे दाने सोने के हो जाते। लेकिन अवसर आया, गया!'

तो इतना ही कहता हूं, यह जो घड़ी पक रही है, इसको पकने देना। जल्दी ही हृदय के पास से उसकी राह मिलेगी। राह ही नहीं, उसका रथ भी आता है, स्वर्ण-रथ, सूर्य-किरणों में चमकता! उस वक्त मांगने का मन होगा, क्योंकि हम सदा भिखमंगे रहे हैं। मांगना मत!

और अगर वह झोली तुम्हारे सामने फैलाये, जैसी कि उसने सदा ही फैलायी है, तो दे देना! तब ऐसा मत करना कृपणता, कंजूसी कि एक दाना डाल देना; अन्यथा फिर रोओगे जन्मों-जन्मों तक! क्योंकि फिर कब दुबारा उसका रथ मिलेगा कहना मुश्किल है। सब दे डालना। झोली और तुम स्वयं भी छलांग लगा जाना, ताकि सब स्वर्णमय हो जाये।

सब स्वर्णमय हो सकता है। होना चाहिए। हम बाधा न दें तो हो जाये, अभी हो जाये। चिंता-विचार न करना।

शुभ हो रहा है! सब शांत होता जा रहा है। जल्दी ही रथ आने के करीब है। उस घड़ी की अहोभाव से प्रतीक्षा!

कठिन होगी प्रतीक्षा। दीया जलेगा, बुझेगा। जलाओगे, बुझाओगे। गुजार देना रात! घबड़ाना मत। जितनी प्रतीक्षा पीड़ादायी होगी, उतना ही मिलन आनंददायी है।

आज इतना ही।

२५

दर्शन, ज्ञान, चरित्र—और मोक्ष

सूत्र

नाणेण जाणई भावे, दंसणेण य सद्दहे।
चरित्तेण निगिण्हाइ, तवेण परिसुज्झई।।62।।

नादंसणिस्स नाणं, नाणेण विणा न हुंति चरणगुणा।
अगुणिस्स नत्थि मोक्खो, नत्थि अमोक्खस्स निव्वाणं।।63।।

हयं नाणं कियाहीणं, हया अण्णाणओ किया।
पासंतो पंगुलो दड्ढो, धावमाणो य अंधओ।।64।।

संजोअसिद्धीइ फलं वयंति, न हु एगचक्केण रहो पयाइ।
अंधो य पंगु य वणे समिच्चा, ते संपडत्ता नगरं पविट्ठा।।65।।

नाणेण जाणई भावे—ज्ञान से मनुष्य जानता है।
दंसणेण य सद्दहे—दर्शन से श्रद्धा उत्पन्न होती है।
चरित्तेण निगिण्हाइ—चरित्र से निरोध होता है, निषेध होता है।
तवेण परिसुज्झई—और तप से मनुष्य विशुद्ध होता है।

ज्ञान से हम जानते हैं। लेकिन जानना काफी नहीं है। जानना बहुत ऊपर-ऊपर है। मात्र जान लेने से श्रद्धा पैदा नहीं होती। जब तक कि स्वयं दर्शन न हो जाये, जब तक कि खुद की आंखों से हम न देख लें—तब तक श्रद्धा नहीं होती।

महावीर ने देखा; हमने सुना। जो सुनकर जान लिया, उससे श्रद्धा पैदा नहीं होगी। कृष्ण ने कहा; हमने सुना। मान लिया सुनकर। उससे श्रद्धा पैदा नहीं होगी। और अगर तुमने श्रद्धा किसी भांति आरोपित कर ली तो तुम भटक जाओगे। क्योंकि झूठी श्रद्धा जीवन को रूपांतरित नहीं करती। वही लक्षण है झूठी श्रद्धा का, कि जीवन तो कहीं और जाता है, श्रद्धा कुछ और कहती है। श्रद्धा कहती है, त्याग; और जीवन धन को इकट्ठा करता चला जाता है। तो श्रद्धा झूठी है, मिथ्या है।

जब जीवन और श्रद्धा साथ-साथ चलने लगे, जब जीवन श्रद्धा के पीछे छाया की

भांति चलने लगे, तभी जानना की श्रद्धा सच्ची है।

तो महावीर कहते हैं, श्रद्धा मौलिक है। श्रद्धा से जो ज्ञान आविर्भूत हो, वही ज्ञान है। और जब श्रद्धा से ज्ञान आविर्भूत होगा तो ज्ञान से चारित्र्य अपने आप निष्पन्न होता है।

जीवन का आधार ज्ञान पर मत रखना—दृष्टि पर, दर्शन पर रखना। अधिक लोगों ने जीवन के आधार ज्ञान पर रख लिए हैं। तर्क से, विचार से, बुद्धि से जो बात ठीक लगी है—सोचा, उसे स्वीकार कर लें। लेकिन जो तर्क से ठीक लगा है वह हृदय तक न जा सकेगा, क्योंकि तर्क की पहुंच हृदय तक नहीं। तर्क तो सिर्फ खोपड़ी की खुजलाहट है; बहुत ऊपर-ऊपर है। प्राणों को आंदोलित नहीं करता तर्क।

तर्क के लिए कभी किसी ने प्राण दिये? तर्क के लिए कभी कोई शहीद हुआ? तुम जिसके लिए मर सको, वही तुम्हारी श्रद्धा है। तुम जिसके बिना जी न सको, वही तुम्हारी श्रद्धा है। तुम कहो जीयेंगे तो इसके साथ, इसके बिना तो मृत्यु हो जायेगी—वही श्रद्धा है। जो जीवन से भी बड़ी है, वही श्रद्धा है। जिसके लिए जीवन भी निछावर किया जा सकता है, वही श्रद्धा है।

तर्क के लिए तुमने कभी किसी को जीवन निछावर करते देखा? दो और दो चार होते हैं—इस सत्य का अगर कोई प्रतिपादन करता हो और तुम तलवार लेकर खड़े हो जाओ, तो क्या वह सत्य की रक्षा के लिए अपने जीवन को देना चाहेगा? मूढ़तापूर्ण मालूम पड़ेगा।

दो और दो चार होते हैं, इसके लिए मरने में कोई सार न मालूम होगा। वह कहेगा कि तुम्हारी मर्जी, दो और दो पांच कर लो कि दो और दो तीन कर लो; लेकिन दो और दो चार कोई ऐसी बात नहीं जिसके लिए मैं जीवन को गंवा दूं।

प्रेम के लिए कोई जीवन को गंवा सकता है। इसलिए श्रद्धा प्रेम की भांति है। महावीर कहते हैं, श्रद्धा पर जीवन को खड़ा करना। महावीर की श्रद्धा को समझ लेना। उनका विशेष शब्द है: श्रद्धान। यह तुम जिसे साधारणतः श्रद्धा कहते हो उससे महावीर का कोई प्रयोजन नहीं है। लोग कहते हैं, हमारी तो ईश्वर में बड़ी श्रद्धा है। जिसे तुमने देखा नहीं, श्रद्धा होगी कैसे? श्रद्धा कान से नहीं होती, श्रद्धा आंख से होती है।

इसलिए श्रद्धान का दूसरा नाम महावीर 'दर्शन' कहते हैं। श्रद्धान और दर्शन महावीर की भाषा में पर्यायवाची हैं; एक ही अर्थ रखते हैं, उनमें जरा भी फर्क नहीं है।

इसलिए तुम कहते हो, ईश्वर में हमारी श्रद्धा है। देखा? अनुभव किया? स्पर्श हुआ? जीये उसमें? तुम्हारा हृदय उसके साथ धड़का? तुम नाचे उसके साथ? कोई पहचान है? नहीं, तुम कहते हो मान्यता है। और लोग कहते हैं, बड़े बुजुर्ग कहते हैं, सनातन से चली आयी बात, परंपरा में है। लेकिन इससे श्रद्धा पैदा न होगी। यह तुम्हारा विश्वास है, श्रद्धा नहीं।

विश्वास और श्रद्धा का भेद यही है। विश्वास उधार; श्रद्धा अपनी। श्रद्धा होती है निज की, विश्वास ऐसा है जैसे बाजार से खरीद लाए कागज या प्लास्टिक के फूल और घर को सजा लिया। श्रद्धा ऐसे है जैसे बीज बोया, वृक्ष को सम्हाला, पानी दिया, खाद दी—फिर एक दिन फूल आये और हवाएं सुगंध से भर गयीं।

श्रद्धा के फूल तुम्हारे जीवन में लगते हैं—उधार और बासे नहीं; किसी और से नहीं; मांगे हुए नहीं।

विश्वास बड़ा सस्ता है। इतने सस्ते तुम सत्य को न पा सकोगे। सत्य जो सर्वोपरि है, उसे तुम विश्वास से न पा सकोगे। उधार कब किसने सत्य को जाना है!

उपनिषद कहते हैं: सत्यम् परं, परं सत्यम्; सत्य सर्वोत्कृष्ट है और जो सर्वोत्कृष्ट है वही सत्य है। सर्वोत्कृष्ट को इतने सस्ते कैसे पा सकोगे? अपने को दांव पर लगाना होगा। इसलिए मैं कहता हूं, दुकानदार सत्य तक नहीं पहुंचते; जुआरी पहुंचते हैं। क्योंकि सत्य की पहली शर्त यह है: अपने को गंवाओ तो मिलेगा; दांव पर लगाओ तो मिलेगा। यह बिलकुल जुए जैसा है। मिलेगा कि नहीं, यह पक्का नहीं है। तुम तो गंवा दोगे अपने को, तब मिलेगा। गंवाने के पहले कोई सुनिश्चित नहीं कर सकता कि मिलेगा ही।

इसलिए दुकानदार, गणित, तर्क बिठाने वाले लोग विश्वास से राजी हो जाते हैं। विश्वास मरा हुआ है, लाश है।

हां, महावीर को दिखायी पड़ा होगा। जो उन्होंने कहा वह उनकी श्रद्धा थी; जो तुमने सुना वह तुम्हारा विश्वास है।

इसलिए खयाल रखना, अगर मैं कुछ कह रहा हूं तो वह मेरी श्रद्धा है। और तुमने अगर सुनकर मान लिया तो तुम धोखे में पड़ गये। तुम्हारे लिए वह विश्वास होगा। चूंकि मेरे लिए श्रद्धा है, इसलिए तुम्हारे लिए श्रद्धा न हो जायेगी। जैसा मैंने देखा, तुम भी देखो।

तो मैं तुम्हें श्रद्धा नहीं दे सकता; मैं तुम्हें सिर्फ कुछ इशारे दे सकता हूं, जिनसे तुम भी आंख खोलो और देखो। जब तुम देख लोगे तभी श्रद्धा होगी। फिर तुम्हारे देखे को कोई छीन न सकेगा। क्योंकि देखते ही हृदय में विराजमान हो जाता है।

इसलिए महावीर ने श्रुतियों को, स्मृतियों को, सभी को इनकार कर दिया; वेद को इनकार कर दिया। यह शब्द विचारणीय है।

हिंदू कहते हैं, वेद उपनिषद श्रुतियां हैं। सुना ऐसा हमने; ऐसा सदपुरुषों ने कहा; ऐसा जो जागे, उनका बोध है—श्रुति! फिर हमने उसे याद रखा; सदियों सदियों तक सम्हाला धरोहर की तरह—स्मृति! सभी शास्त्र पहले श्रुति बनते, फिर स्मृति बन जाते। महावीर ने कहा, न श्रुति न स्मृति—श्रद्धा।

शास्त्र को तुम्हें स्वयं ही निर्मित करना होगा। तुम्हारा शास्त्र तुम्हें जन्म देना होगा। ऐसे गोद लिए शास्त्र काम न पड़ेंगे।

फर्क देखा! एक स्त्री मां बनती है—गोद लेकर मां बन जाती है। ऐसा मां बनने का धोखा देती है। न तो गर्भ रहा, न गर्भ की पीड़ा सही, न नौ महीने के लंबे कष्ट भोगे, न वमन हुआ, न दर्द उठा, न मितली आयी, न बोझ सहा, फिर प्रसव की पीड़ा भी न सही, कि जैसे प्राण संकट में पड़े, कि बचेंगे कि न बचेंगे।...उस अज्ञात जीवन के लिए जो पेट में है अपने ज्ञात जीवन को दांव पर लगाया—उस अनजान के लिए जो अभी आया नहीं; कौन है, कैसा है, कुछ पता नहीं है; जो ज्ञात है, परिचित है, पहचाना है, उसको खतरे में डाला; अपने प्राण जोखिम में डाले।

तो एक तो मां बनती है गर्भ को धारण करके। फिर होशियार लोग हैं। वे कहते हैं, 'इतनी परेशानी में क्या पड़ना! बच्चे तो गोद भी लिए जा सकते हैं।' गोद ले लो। लेकिन गोद लेने में और गर्भ लेने में बड़ा फर्क है। कामचलाऊ मां पैदा हो जायेगी, लेकिन असली मां पैदा न होगी। क्योंकि असली मां तो तभी पैदा होती है जब बच्चा पैदा होता है।

जब बच्चा पैदा होता है तो दो चीजों का जन्म होता है—बच्चे का और मां का। एक तरफ बच्चा पैदा होता है, दूसरी तरफ मां पैदा होती है। अभी कल तक जो एक साधारण स्त्री थी, अचानक मां बन जाती है! बच्चे को तुमने गोद में ले लिया तो बच्चा तो कभी पैदा नहीं हुआ; तुमसे तो पैदा नहीं हुआ। तो मां बनने का धोखा पैदा होता है।

विश्वास ऐसा ही है—गोद लिया हुआ सत्य। श्रद्धान, श्रद्धा ऐसे है—जन्म दिया हुआ सत्य। और कोई दूसरा तुम्हारे सत्य को कैसे जन्म दे सकेगा!

बड़ी पुरानी कहानी है सोलोमन के जीवन में। दो स्त्रियां सोलोमन की अदालत में आयीं। वे दोनों दावा कर रही थीं एक ही बच्चे का कि वह उसकी मां है। बड़ी कठिनाई थी। कैसे तय किया जाये? सोलोमन ने कहा, ठीक है। एक-एक को पास बुलाया और कान में कहा कि सुन, तय करना तो मुश्किल हो रहा है। कोई गवाह नहीं, कोई चश्मदीद गवाह नहीं है। तो उचित यही है कि आधा-आधा बच्चा बांट देते हैं। तो जिसका बच्चा था वह तो चीख मारकर रो उठी। उसने कहा कि नहीं, ऐसा मत करना; फिर पूरा ही उसे दे दो। लेकिन जिसका बच्चा नहीं था, उसने कहा कि ठीक है, न्याययुक्त है, तर्कयुक्त है—आधा-आधा बांट दो। जो चीख उठी थी। और जिसने तर्क का सहारा न लिया था, हृदय का सहारा लिया था, उसने कहा कि नहीं-नहीं, फिर उसे ही दे दो; मेरा नहीं है, उसी का है।

सोलोमन ने उसी को बेटा दे दिया। हृदय ने गवाही दे दी, किसका है!

यह तो कहानी पुरानी हो गयी।

एक मनोवैज्ञानिक का जीवन मैं पढ़ रहा था। उसने इस कहानी के बाबत चर्चा की है। और उसने लिखा है अगर आज अमरीका की किसी अदालत में यह मामला आये और जज तय न कर पाये, तो वह मनोवैज्ञानिक को बुलायेगा। क्योंकि अब तो अमरीका में मनोवैज्ञानिक से पूछा जाता है कि क्या करना, ये दोनों स्त्रियां दावा करती हैं, इनमें कौन झूठी है? और मनोवैज्ञानिक सोलोमन की तरकीब का उपयोग करें, तो जो स्त्री कहे, कि 'लूंगी तो पूरा, नहीं तो पूरा दे दूंगी', वह थोड़ा रुग्ण चित्त की मालूम पड़ेगी। जिद्दी! हठाग्रही! एकांतवादी! समझदार आदमी तो समझौतावादी होता है। बुद्धिमान तो सभी समझौतावादी होते हैं। वे कहते हैं, जहां पूरा न मिलता हो वहां आधा ले लो। तो मनोवैज्ञानिक उस स्त्री को—जो कहेगी कि ठीक है, मैं आधा लेने को राजी हूं—कहेगा स्वस्थ है, नार्मल है। और यह स्त्री तो आब्सैस्ड है, जो कहती है पूरा लूंगी, नहीं तो पूरा दे दूंगी, यह तो पागलपन से भरी है।

तो उस मनोवैज्ञानिक ने कहा है, अगर आज यह घटना घटे तो अमरीका की अदालत बच्चा उसको दे देगी जो आधा लेने को राजी थी, क्योंकि वह पागल नहीं है। तर्कयुक्त है उसका उत्तर, विचारपूर्ण है। यह कौन-सी समझदारी है कि अगर पूरा न

मिलता हो तो आधा भी छोड़ दो। जितना मिलता हो उतना तो ले लो! मध्यमार्ग चुनो। अति पर तो मत जाओ!

जो लोग बुद्धि से चलते हैं, वे होशियारी से चलते हैं। जो श्रद्धान से चलते हैं, वे दीवाने होते हैं। इसलिए तो बुद्धि के लिए प्रेम सदा अंधा मालूम होता है। बुद्धि कहती है, थोड़ा सोचो, समझो, विचारो, हिसाब बिठाओ।

महावीर कह रहे हैं कि ज्ञान से तो मनुष्य केवल जानता है। जानना यानी परिचय बाहर-बाहर। हृदय तक बिधती नहीं बात। श्रद्धा से, दर्शन से बिधती है हृदय तक—रोएं-रोएं में समा जाती है; श्वास-श्वास में प्रविष्ट हो जाती है। इसलिए तुम ज्ञान को पकड़कर मत बैठे रह जाना।...नाणेण जाणई भावे—ज्ञान से तो बस जानना मात्र होता है। 'एक्वेंटेंस।' ऐसा परिचय बन जाता है।

जैसे तुमने हिमालय के संबंध में कुछ बातें भूगोल की किताब में पढ़ी हैं—क्या यह जानना वही है जो उसके लिए प्रकट होता है, जिसने हिमालय के दर्शन किए, जिसकी आंखों ने हिमालय की शीतलता को पीया, जिसकी आंखों ने हिमालय के सौंदर्य को अपने में प्रविष्ट होने दिया, जो हिमालय की घाटियों और शिखरों पर घूमा, जिसने हिमालय का स्पर्श किया? क्या यह जानना वही है जो भूगोल की किताब से मिल जाता है? भूगोल की किताब में तो कोरे कागजों पर स्याही के काले चिह्न हैं और कुछ भी नहीं। कहां वे स्वर्ण-शिखर! कहां वे बर्फ से ढंके हुए शीतल अछूते, कुंवारे लोक!

आंखें—आंखें ही केवल सत्य को देख सकेंगी। कही-सुनी पर बहुत ध्यान मत देना। देखा-देखी बात! देखो तो ही कुछ बात हुई। लिखा-लिखी की है नहीं, देखा-देखी बात।

नाणेण जाणई भावे, दंसणेण य सद्दहे।

'दर्शन से ही श्रद्धा उत्पन्न होती है।'

श्रद्धा का अर्थ है, जुड़ गये तार तुम्हारे हृदय से; बात बुद्धि की न रही; बात केवल मत न रही, 'ओपिनियन' न रही। अब ऐसा नहीं कि ऐसा हम सोचते हैं—ऐसा है। श्रद्धा का अर्थ हुआ: ऐसा है। ऐसा नहीं कि हम सोचते हैं; ऐसा नहीं कि और लोग कहते हैं; ऐसा नहीं कि जाननेवालों ने कहा है; ऐसा नहीं कि हमने सुना है—ऐसा है।

विवेकानंद परमात्मा की खोज में भटकते थे। अनेक गुरुओं के पास गये। पूछा, ईश्वर है? विवेकानंद की निष्ठा और विवेकानंद की जलती हुई खोज! जिससे पूछते वह घबड़ा जाता। वे बलशाली व्यक्ति थे। वे ऐसे पूछते कि अगर उत्तर ठीक न मिला तो शायद चढ़ पड़ेंगे, शायद गर्दन दबा देंगे। रामकृष्ण के पास भी गये। औरों ने ईश्वर के बाबत चर्चा की थी। उसमें कई बड़े-बड़े लोग थे। उसमें रवींद्रनाथ के दादा थे; वे महर्षि समझे जाते थे। उनके पास भी विवेकानंद पहुंच गये थे। वे एक बजरे में रहते थे नाव में। आधी रात तैरकर नाव में चढ़ गए। पूरी नाव कंप गयी। वे ध्यान कर रहे थे अंदर। दरवाजा धक्का देकर तोड़ दिया। भीतर पहुंच गये पागल की तरह। आधी रात! पानी में सरोबोर! पूछा, 'क्या बात है युवक! कैसे आये?' तो विवेकानंद ने कहा, 'ईश्वर है?' तो उन्होंने कहा, 'बैठो मैं तुम्हें समझाऊंगा।' विवेकानंद ने कहा, 'मैं समझने नहीं आया।

मैं यह जानना चाहता हूं, ईश्वर है? ऐसा तुम्हें अनुभव हुआ है?'

झिझके महर्षि! विवेकानंद छलांग लगाकर नदी में कूद गये। बुलाया कि 'सुनो, आये...चले?' विवेकानंद ने कहा, झिझक ने सब कह दिया। समझने मैं आया नहीं, जानने मैं आया नहीं। मैं तो यह पूछने आया हूं कि तुमने देखा है? मैं किसी ऐसे आदमी की तलाश में हूं, जिसका हाथ ईश्वर के हाथ में हो। शास्त्र तो मैं भी पढ़ लूंगा। शास्त्र ही समझना हो तो तुमसे क्या समझेंगे, खुद ही पढ़ लेंगे।

फिर रामकृष्ण के पास भी वही सवाल किया था, कि ईश्वर है? तो रामकृष्ण ने क्या उत्तर दिया? रामकृष्ण ने कहा, तुम्हें जानना है? विवेकानंद झिझके! 'अभी जानना है कि थोड़ी देर रुकोगे?' विवेकानंद ने कहा, मैंने सोचा नहीं। यह तो मैंने सोचा ही न था कि कोई इस तरह पूछेगा जैसे कि पास के कमरे में है ईश्वर, दरवाजा खोला कि दिखा देंगे!

रामकृष्ण ने कहा, उस कमरे से भी पास है। तुम्हारे भीतर है! मेरे भीतर है! तुम कहो तो मैं दिखा दूं। और तुमने अभी तैयारी न की हो तो सोचकर आ जाना।

और इसके पहले कि विवेकानंद कुछ कहें—रामकृष्ण तो थोड़े पागल-से आदमी थे—उन्होंने विवेकानंद की छाती पर पैर लगा दिया। विवेकानंद धड़ाम से गिर पड़े। बेहोश हो गये। घंटेभर बाद जब होश में आये तो कंप रहे थे पत्ते की तरह तूफान में! रोने लगे। क्योंकि जो दिखाया, जो प्रतीति हुई उस घड़ी में, उसने सारा, सारा जीवन बदल दिया। फिर रामकृष्ण से बहुत भागने की कोशिश की, बहुत भागने की कोशिश की, सब उपाय किए—लेकिन भाग न सके। इस आदमी ने विवेकानंद की आंखें किसी तरफ खोल दीं।

अब यह सवाल ज्ञान का न रहा। इसको महावीर श्रद्धान कहते हैं। श्रद्धा हुई। यह गैर पढ़ा-लिखा आदमी रामकृष्ण, महर्षि देवेंद्रनाथ को हरा दिया। वे बड़े ज्ञानी थे, बड़े पंडित थे, ब्रह्म-समाज के जन्मदाताओं में एक थे। लेकिन श्रुति थी, स्मृति थी—श्रद्धान न था।

महावीर कहते हैं, ज्ञान से जाना जाता है; दर्शन से श्रद्धा होती है। और जब श्रद्धा होती है तो चरित्र का जन्म होता है। क्योंकि जिस पर श्रद्धा ही नहीं है वह तुम्हारे चरित्र में कभी न उतर सकेगा। उतार लोगे तो पाखंड होगा। ऊपर-ऊपर होगा। किसी और को दिखाने को होगा। अंतर्तम में तुम विपरीत रहोगे, भिन्न रहोगे। बाहर के दरवाजे से एक, भीतर के दरवाजे से दूसरे रहोगे। कहोगे कुछ, करोगे कुछ। वह तुम्हारे चरित्र में न आ सकेगा। चरित्र में तो कोई बात तभी आती है जब श्रद्धा की भूमि में बीज पड़ता है।

जीसस ने कहा है, किसान बीज फेंकता है। कुछ रास्ते पर पड़ जाते हैं, जहां पथरीली जगह है; कभी उगते नहीं। कुछ रास्ते के किनारे पड़ जाते हैं, जहां जमीन तो ठीक है, लेकिन लोग गुजरते हैं, पैरों में दब जाते हैं; उग भी आते हैं तो मर जाते हैं। कुछ उस भूमि में पड़ते हैं, गीली, कोमल—जहां पैदा भी होते हैं, सुरक्षित भी रह जाते हैं।

तो जब तक कोई ज्ञान तुम्हारी श्रद्धा न बन जाये, जब तक हृदय की भूमि में कोई बीज न पड़े, जब तक तुम्हारी दृष्टि में कोई बात सत्य की तरह अनुभव में न आ जाये—तब तक चारित्र्य का, चरित्र का, आचरण का कोई रूपांतरण नहीं होता। हां, तुम चेष्टा करके रूपांतरण कर सकते हो। बहुतों ने यही किया है।

ज्ञान से सीधा चरित्र निर्मित किया जा सकता है—लेकिन वही चरित्र पाखंडी, हिपोक्रेट का चरित्र है। जो ज्ञान से सीधा चरित्र पर चला गया, वह अपने ऊपर एक तरह का आरोपण कर लेगा। वह सत्य बोलेगा, लेकिन झूठ से उसकी मुक्ति न होगी। झूठ भीतर-भीतर उबलेगा, सत्य ऊपर-ऊपर थोपेगा। वह अहिंसक हो जायेगा, लेकिन हिंसा भीतर दावानल की तरह जलती रहेगी। वह ब्रह्मचर्य का व्रत ले लेगा, लेकिन कामवासना रोएं-रोएं में मौजूद रहेगी। उसके व्रत ऊपर-ऊपर होंगे; जैसे वस्त्र हैं ऐसे होंगे; हड्डी, मांस, मज्जा न बनेंगे।

जब ज्ञान श्रद्धा के माध्यम से गुजरकर चरित्र तक पहुंचता है, तब सम्यक चारित्र्य पैदा होता है।

चरित्र से, जो व्यर्थ है उसका निरोध हो जाता है। चरित्र का इतना ही अर्थ है। महावीर के हिसाब से चरित्र का अर्थ है : व्यर्थ का निरोध। इसे खयाल में लेना, क्योंकि महावीर की नकारात्मक दृष्टि का बुनियादी हिस्सा है। महावीर यह नहीं कहते कि तुम्हें ब्रह्मचर्य आरोपित करना है। ब्रह्मचर्य तो आत्मा का स्वभाव है; आरोपित करना नहीं। आरोपित तो इसलिए करना पड़ता है कि श्रद्धा से कभी वासना का सत्य, वासना की व्यर्थता तुम्हें दिखायी नहीं पड़ी। सुना किसी को, ब्रह्मचर्य की बातें मधुर लगीं, तुम्हारे अनुभव से भी थोड़ी मेल खाती लगीं। जीवन के दुख से भी तुम ऊब गये हो, परेशान हो गये हो। तो लगा कि ठीक ही है, उचित ही है। ऐसा उचित मानकर तुमने ब्रह्मचर्य आरोपण करना शुरू किया। तो ब्रह्मचर्य को विधायक रूप से आरोपित करना होगा, पाजिटिव रूप से आरोपित करना होगा। तुम्हें चेष्टा करके ब्रह्मचारी बनना होगा।

महावीर का कहना यह है, अगर तुम्हें दिखायी पड़ गया कि वासना व्यर्थ है तो ब्रह्मचर्य आरोपित नहीं करना पड़ता; वासना गिर जाती है, जो शेष रह जाता है वही ब्रह्मचर्य। इस भेद को खूब गहराई से समझ लेना।

असत्य गिरता है; सत्य तो—जो शेष रह जाता है, असत्य के गिर जाने पर जो शेष रह जाता है, तुम्हारा स्वभाव, वही सत्य है।

इसलिए महावीर कहते हैं, चरित्र से सिर्फ निरोध होता है, नकार होता है, व्यर्थ छूट जाता है। सार्थक तो है ही भीतर, व्यर्थ से जुड़ गया है। सार्थक को लाना नहीं है। आयोजन करके, निमंत्रण देकर, अभ्यास करके लाना नहीं है—सिर्फ व्यर्थ को देख लेना है। व्यर्थ को व्यर्थ की तरह देख लेना पर्याप्त है। व्यर्थ व्यर्थ की तरह दिखा कि हाथ से छूटा, गिरा। फिर तुम उसे दुबारा न उठा सकोगे। और तुम जो उसके बिना रह जाओगे, वही सत्य है, वही स्वभाव है। वह तुम सदा से थे।

इसका अर्थ यह हुआ कि तुम ठीक तो हो ही, कुछ गलत से तुम्हारा संबंध जुड़ गया है। ठीक होना तो सदा से ही है; गलत से संबंध जुड़ गया है। गलत से संबंध छूट जाये, तुम ठीक तो थे ही। ऐसा नहीं है कि तुम गलत हो गए हो और तुम्हें ठीक होना है; ऐसा ही है कि सोने के ऊपर मिट्टी की तह बैठ गयी, धूल जम गयी, दर्पण के ऊपर धूल बैठ गयी—बस धूल को हटा देना है, पोंछ देना है; दर्पण तो दर्पण है ही। धूल के भीतर

शुद्ध दर्पण मौजूद है। धूल ने दर्पण को खराब थोड़े ही किया है! धूल से दर्पण नष्ट थोड़े ही हुआ है! ढंक गया है—उघाड़ना है।

इसलिए महावीर के लिए आत्मा एक आविष्कार है। सिर्फ उघाड़ना है। जैसे राख में अंगारा छिपा हो—फूंक मारी, राख गिर गयी, अंगारा रह गया। ऐसे ही दृष्टि की फूंक जब लग जाती है, राख झड़ जाती है; जो शेष रह जाता है, वही चरित्र है।

'चरित्र से निरोध होता है और तप से विशुद्धि होती है।'

तप का मैंने तुम्हें कल अर्थ कहा, वह खयाल रखना। तप का अर्थ है: जो दुख आयें उन्हें चुपचाप, बिना ना-नुच किये, बिना अस्वीकार किए स्वीकार कर लेना।

तप का भी अर्थ इतना ही है कि पिछले-पिछले जन्मों में, दूर की लंबी यात्रा में, हमने जो दुख के बीज बोए थे उनके फल पक गये हैं। उन्हें कौन भोगेगा? उन्हें भोगना ही होगा। तो जिसे भोगना ही है, उसे दुख से भोगना गलत है। जिसे भोगना ही है उसे सहज स्वभाव से, सरलता से, शांति से भोग लेना उचित है। क्योंकि अगर तुमने उसे दुख से भोगा तो तुमने फिर दुख के बीज बोये। तुमने प्रतिक्रिया की। तुम कहते रहे कि चाहता नहीं था, यह क्या हो रहा है? इनकार करते रहे। तो तुमने चाह की फिर प्रदर्शना की। तुम्हारी चाह भीतर बनी ही रही। तुम सुख चाहते थे और दुख मिल रहा है—तो तुम नाराज रहे, तुम क्रोधित रहे। दुख तो भोगना ही पड़ा। लेकिन ये क्रोध और नाराजगी के नये बीज बो लिये। इनका दुख फिर भोगना पड़ेगा।

महावीर कहते हैं, तुम चुपचाप, बिना कोई प्रतिक्रिया किये, दुख आये तो उसे भोग लो। जैसे दर्पण के सामने सुंदर व्यक्ति आ जाये कि कुरूप व्यक्ति आ जाये, दर्पण कोई इनकार नहीं करता, दोनों को झलका देता है। फिर दोनों चले जाते हैं, दर्पण खाली रह जाता है। तो महावीर कहते हैं, सुख आये तो पकड़ना मत, दुख आये तो धकाना मत। सुख आये तो समझना, किये हुए पुण्य-कर्मों का फल है। दुख आये तो समझना कि किये हुए पाप-कर्मों का फल है। निष्पक्ष, तटस्थ दर्पण की भांति खड़े रहना: दोनों आये हैं, दोनों चले जायेंगे। जो आता है वह जाने को ही आता है। जो आया है वह जाने के रास्ते पर ही है। सुबह हो गयी, सांझ हो जायेगी। सांझ हो गयी, सुबह हो जायेगी। सूरज ऊगा, सूर्यास्त होने लगा। इसलिए घबड़ाना मत। तुम सिर्फ चुपचाप खड़े रहना। तुम्हारी दृष्टि कोरी रहे, दर्पण की तरह रहे—बिना किसी पक्षपात के, बिना किसी विकल्प के। कोई धारणा मत बनाना। इस अवस्था का नाम तप है।

तप से आदमी शुद्ध होता है। क्यों? क्योंकि तप से जो अतीत है, उससे छुटकारा हो जाता है। अतीत है अशुद्धि...अतीत से छुटकारा है विशुद्धि। अतीत से दबे रहना है अशुद्धि।

कचरा, कूड़ा-कर्कट न-मालूम कितने जन्मों का छाती पर रखे हम बैठे हैं! यह है अशुद्धि। इससे छुटकारा पा जाना है शुद्धि। और जैसे ही कोई शुद्ध हुआ, वैसे ही महावीर कहते हैं: जो है, हमारा स्वरूप, स्वभाव, उसकी छवि उभरने लगती है; उसका रूप स्पष्ट होने लगता है। और एक से दूसरी चीज जुड़ी है। लेकिन शुरुआत श्रद्धा से।

दर्शन, ज्ञान, चरित्र—इनको महावीर ने मोक्ष का मार्ग कहा है। जीवन बड़ा संयुक्त

है: बीज से पौधा, पौधे से वृक्ष, वृक्ष में फलों का लग जाना, फूलों का लग जाना।

कहीं बीच से शुरू मत करना! प्रारंभ से ही प्रारंभ करना। बहुत लोग जल्दबाजी में होते हैं। वे सोचते हैं, 'फूल तो बाजार में मिल जाते हैं। क्यों इतनी परेशानी उठानी? क्यों इतनी झंझट लेनी? जो सस्ते में मिल जाता है, वह सस्ते में ले लिया जाये।'

अभी पश्चिम में वैज्ञानिक कहते हैं, जल्दी ही टेस्ट-ट्यूब में बच्चे होने लगेंगे, ताकि स्त्रियों को इतनी झंझट न उठानी पड़े। यह होगा। यह बीस वर्षों के भीतर होगा। यह तुम्हारे सामने होगा। क्योंकि स्त्रियों को एक बार पता हो गया कि बच्चे टेस्ट-ट्यूब में पैदा हो सकते हैं, तो जैसे ही मां के पेट में गर्भाधारण होगा, उसके अंडे को निकालकर टेस्ट-ट्यूब में रख दिया जायेगा। फिर वैज्ञानिक उसकी फिक्र कर लेंगे अस्पताल में। यह मां को नौ महीने की उपद्रव, परेशानी, कठिनाई, पीड़ा यह सब बच जायेगी। यह सब तो बच जायेगी, लेकिन मां भी पैदा न होगी।

जरा सोचो! तुम्हारा बच्चा टेस्ट-ट्यूब में पैदा हुआ, तो वह तुम्हारा है या किसी दूसरे का है, क्या फर्क पड़ता है? टेस्ट-ट्यूब अगर बदल गयी हो भूल-चूक से क्लर्कों की, तो तुम्हें कभी पता भी न चलेगा कि तुम्हारा है या किसी और का है! भेद ही क्या है?

फिर गणित का ऐसे विस्तार होता है। फिर वैज्ञानिक कहते हैं कि जरूरी क्यों हो कि तुम्हारे ही वीर्याणु से तुम्हारा बच्चा पैदा हो। अच्छे वीर्याणु मिल सकते हैं। यह बात सच है। आदमी जब बीज बोता है, खेती करता है, फूल लगाता है, तो अच्छे से अच्छे बीज चुनता है। तुम अपना बच्चा पैदा करना चाहते हो, अच्छे से अच्छे बीज चुनो। तुमसे बेहतर बीज मिल सकते हैं। तो जल्दी ही, आज नहीं कल जैसे फूलों की दुकानों पर बीज पैकेट में मिलते हैं, वैसे आज नहीं कल वैज्ञानिक बच्चों के वीर्याणु पैकेटों में बेचने लगेंगे। उसकी पूरी योजनाएं तैयार हैं। इतना ही नहीं, जैसे फूल के पैकेट पर फूल की तस्वीर बनी होती है कि कैसा फूल होगा जब फूल होगा, बच्चे की तस्वीर भी बनी होगी कि कैसा बच्चा होगा। तो तुम चुनाव कर सकते हो: कैसी आंख चाहिए, कैसे बाल चाहिए, कैसा चेहरा चाहिए, कितनी ऊंचाई चाहिए, लड़का चाहिए, लड़की चाहिए, वैज्ञानिक, कवि—तुम क्या चाहते हो? लेकिन तब एक बात पक्की है: सब ठीक हो जायेगा; बच्चा तुम्हारा नहीं होगा। मां बनने से, पिता बनने से, तुम वंचित रह जाओगे।

यह होने वाला है, क्योंकि आदमी तकलीफों से बहुत डरने लगा है। तो जहां-जहां सुविधा मिले, सब स्वीकार कर लेता है। अगर सुविधा के कारण जीवन भी गंवा दे तो भी हर्ज नहीं, लेकिन सुविधा चाहिए।

तप का अर्थ है: जीवन संघर्षों से गुजरता है, तूफान भी आते हैं, कठिनाइयां भी हैं—उनको स्वीकार करना। उनको शांत भाव से स्वीकार कर लेना, तो तुम्हारे जीवन में धीरे-धीरे शुद्धि निखरेगी। आत्मा प्रगाढ़ होगी। तुम केंद्रित बनोगे, आत्मवान बनोगे। और एक से दूसरी चीज जुड़ी है। श्रद्धा से शुरू करना। हृदय से शुरू करना। क्योंकि वहीं तुम्हारे प्राणों का प्राण छिपा है। वही तुम्हारा मंदिर है। और फिर ज्ञान अपने आप चला आता है।

आया ही था खयाल कि आंखें छलक पड़ीं
आंसू किसी की याद से कितने करीब थे।

आया ही था खयाल की आंखें छलक पड़ीं! खयाल ही उठता है, याद ही आती है कि आंखों में आंसू भर जाते हैं।

आंसू किसी की याद से कितने करीब थे! जैसे याद के करीब आंसू हैं और हृदय में किसी की याद उठी तो आंखें डबडबा आती हैं—ऐसा ही, जहां दर्शन घटा, वहां ज्ञान घटता है। बहुत करीब है ज्ञान दर्शन के। और जहां ज्ञान घटा, वहां चारित्र्य घटना शुरू हो जाता है। अगर एक ही बात सध जाये—दर्शन—तो सब सध जाता है।

महावीर ने तीन की बातें कहीं, ताकि तुम्हें पूरा विश्लेषण साफ हो जाये; अन्यथा दर्शन कहने से भी काम चल जाता। जब तुम्हें दिखायी पड़ जाता है कि दरवाजा कहां है, तो फिर तुम दीवाल से नहीं निकलते। और जब तुम्हें दिखायी पड़ जाता है कि आग हाथ को जला देती है, अनुभव में आ जाता है, तो फिर तुम हाथ आग में नहीं डालते। आग की तो बात दूर, आग की तस्वीर भी रखी हो तो तुम जरा बचकर चलते हो।

मैंने सुना है, मुल्ला नसरुद्दीन पहली दफा समुद्र की यात्रा पर गया। इसके पहले कभी समुद्र की यात्रा न की थी, जहाज में बैठा न था। बस के अलावा और किसी वाहन में बैठा ही न था। जहाज में थोड़ी देर बैठा। उठा, कैप्टन के कमरे में जाकर बोला, 'पेट्रोल-वेट्रोल तो भर लिया है?' तो उसने कहा, 'सब भर लिया है, तुम फिक्र न करो। बैठो अपनी जगह पर!' थोड़ी देर बैठा रहा, फिर उठकर पहुंचा, और कहा, 'सुनो जी! इंजिन-विंजिन तो ठीक है?' कैप्टन थोड़ा झल्लाया। उसने कहा कि सब ठीक है, आप अपनी जगह पर बैठिये! लेकिन वह फिर थोड़ी देर बाद आया। उसे देखकर ही वह कैप्टन थोड़ा परेशान होने लगा। उसने कहा कि 'फिर आ गए! अब क्या मामला है?' तो मुल्ला ने कहा, 'और सब तो ठीक-ठाक है? और कोई गड़बड़ तो नहीं है?' उस कैप्टन ने कहा कि इससे तुम्हें मतलब क्या है? मुल्ला ने कहा, 'मतलब? फिर बीच में मत कहना, जब रुक जाये कि उतरकर धक्के लगाओ!'

बस में बैठने के आदी! आदमी दूध से जल जाये तो छाछ भी फूंक-फूंककर पीने लगता है। तुम्हें दिखायी पड़े, आग जलाती है, अनुभव में आ जाये...।

तो तुमने खयाल किया है! अगर कहीं थियेटर में बैठे हो और लोग इतना ही चिल्ला दें, 'आग!' कि भगदड़ मच जाती है। किसी को आग दिखायी नहीं पड़ रही है, किसी ने हो सकता है मजाक ही की हो; लेकिन लोग इतना ही चिल्ला दें, 'आग!' कि भगदड़ मच जाती है। फिर तुम लाख समझाओ कि रुको, कोई सुनने वाला नहीं है। आग शब्द भी घबड़ा देता है। जीवंत अनुभव का इतना परिणाम है!

तो अगर वासना जला दे तो वासना की तो बात दूर, वासना शब्द भी तुम हाथ में न ले सकोगे। अगर कामवासना ने तुम्हारे जीवन को दग्ध किया और घाव बना दिये तो कामवासना की तो दूर, कामवासना की जहां चर्चा भी होती है वहां तुम न बैठ सकोगे। कोई अर्थ न रहा। व्यर्थ के लिए कौन बैठता है! और व्यर्थ की ही बात नहीं, जले जीवन

के दुखद अनुभव हुए, घाव बने—कौन घावों को मांगने जाता है!

लेकिन तुम सुनते हो ब्रह्मचर्य की चर्चा, लोभ पैदा होता है। वासना की आग अभी दिखाई नहीं पड़ी और ब्रह्मचर्य की चर्चा से लोभ जगने लगता है—इससे अड़चन खड़ी होती है। इससे जीवन में एक भ्रांति आती है।

महावीर कहते हैं, शुरू करना दर्शन से। दर्शन, ज्ञान, चरित्र—यह सम्यक सरणि है। और जीवन को अगर ठीक से पहचानना हो तो जीवन को प्रतिपल जागकर देखते रहना। उसके अतिरिक्त कोई उपाय नहीं है। जो भी है—अगर क्रोध हो रहा है तो क्रोध को जागकर देखना—वही दर्शन बनेगा। करुणा का शास्त्र मत पढ़ना, क्रोध को गौर से देखना: उसी से करुणा किसी दिन पैदा होगी।

मैं हकीकत-आश्ना हूं हस्तिए-मोहूम का
देखता हूं गौर से फूलों को मुरझाने के बाद।

ऐसे गौर से देखने से कुछ लाभ न होगा। जब फूल मुर्झा गए, फिर देखने से कुछ सार नहीं।

बुढ़ापे में लोग कामवासना के संबंध में विचार शुरू करते हैं। जब फूल मुर्झा गए, जब जीवन में ऊर्जा खो गयी, जब थक गये, जब जीवन जवाब देने लगा, जब जिंदगी खुद ही उन्हें छोड़ने लगी और रद्दी के ढेर पर फेंकने लगी—तब वे त्यागने की बात सोचते हैं।

इसलिए महावीर ने एक बहुत अनूठा सूत्र भारत को दिया—और वह था: जब तुम जवान हो, जब जीवन की ऊर्जा भरी-पूरी है, तभी अगर तुम जीवन के दुख को देख लो और उससे छूट जाओ, भरी जवानी में त्याग का फल लग जाये, तो बड़ा शुभ है। क्योंकि तब ऊर्जा है। तो जिस ऊर्जा से तुम संसार की तरफ जाते थे, वही ऊर्जा तुम्हें मोक्ष की तरफ ले जाने का साधन बन जायेगी। ऊर्जा तो वही है। लेकिन जब ऊर्जा जा चुकी, थक गये, हाथ-पैर कमजोर पड़ गये, उठते नहीं बनता, बैठते नहीं बनता—तब तुम त्याग का सोचने लगे! यह त्याग न हुआ, यह तो अपने को धोखा देना हुआ। जिंदगी खुद ही तुम्हें त्यागे दे रही है। अब तुम्हारे त्याग का कोई अर्थ नहीं है। यह तो ऐसे ही हुआ कि जब दांत टूट गये तब तुमने बहुत-सी चीजें खाने का त्याग कर दिया। अब तुम उन्हें खा ही नहीं सकते।

ध्यान रखना, जो बीत रहा है अभी, आज, यहां, उसके प्रति जागना! दर्शन की क्षमता को वहां सजग करना। जैसे-जैसे दर्शन जागता जायेगा—क्रोध में, काम में, लोभ में, मोह में—वैसे-वैसे तुम पाओगे मोह, काम, क्रोध, लोभ गिरने लगे, और एक नयी ऊर्जा का भीतर आविर्भाव हुआ। क्योंकि जो ऊर्जा क्रोध में लगी है वही मुक्त होकर करुणा बन जाती है। दर्शन के माध्यम से क्रोध करुणा बन जाता है। और काम की यात्रा राम की यात्रा बन जाती है।

'सम्यक दर्शन के बिना ज्ञान नहीं।'

नांदसणिस्स नाणं।

'ज्ञान के बिना चारित्र्य नहीं।'

नाणेण विणा न हुंति चरणगुणा।

'चरित्रगुण के बिना मोक्ष नहीं।'

अगुणिस्स नत्थि मोक्खो

'और मोक्ष के बिना आनंद कहां, निर्वाण कहां।'

नत्थि अमोक्खस्स निव्वाणं।

बड़े सीधे-सरल, लेकिन बड़े वैज्ञानिक सूत्र हैं!

'दर्शन के बिना ज्ञान नहीं।'

इसलिए और कैसा भी ज्ञान तुमने इकट्ठा किया हो, उसे ज्ञान मत समझना। और कितना ही ज्ञान तुम्हारे पास हो, उसे तुम अज्ञान का आभूषण ही समझना; उससे अज्ञान ही सज गया है, संवर गया है, ज्ञान पैदा नहीं हुआ। उससे अज्ञान ढंक गया है, ज्ञान पैदा नहीं हुआ।

'ज्ञान के बिना चरित्र नहीं।'

दर्शन, ज्ञान, चरित्र। और ज्ञान की परीक्षा यही है कि वह तुम्हारे आचरण में उतर आये।

मैंने सुना है, प्रसिद्ध शहीद चंद्रशेखर आजाद को तीन ही गालियां आती थीं। और जब वह बहुत क्रोध में भी आ जाते तो उन्हीं तीन गालियों को बार-बार दोहराने लगते। गधा, नालायक, उल्लू के पट्ठे—बस तीन ही गालियां आती थीं। किसी मित्र ने कहा कि अगर तुम्हें गालियां देने में ऐसा रस आता है और क्रोध के वक्त गालियां कम पड़ जाती हैं तो और क्यों नहीं सीख लेते? कोई गालियों की कमी है?...कि गधा, नालायक, उल्लू के पट्ठे; फिर गधा, नालायक, उल्लू के पट्ठे—बार-बार वही दोहराने लगते हो, अच्छा भी नहीं मालूम होता! जैसे टूटा हुआ रिकॉर्ड दोहराने लगता है।

तो चंद्रशेखर आजाद ने कहा, 'चौथी गाली की जरूरत नहीं है।' कोट के खीसे से पिस्तौल निकाली और कहा, 'गाली, फिर गोली। तीन गाली काफी हैं। फिर इसके बाद गोली।' कहा कि मैं इस सूत्र को मानकर चलता हूं कि विचार आचरण में लाने चाहिए। तो गाली तो केवल विचार है, गोली आचरण है।

मगर मजा यह है कि अगर गाली है तो गोली अपने आप आ जायेगी। गाली कब तक देते रहोगे? अगर क्रोध है तो हिंसा पैदा होगी। उससे बच न सकोगे। क्योंकि जिसको हम विचार में सम्हालते हैं, वह आज नहीं कल आचरण में झलक जाता है। क्योंकि आचरण कुछ भी नहीं है—निरंतर विचार, पर्त-पर्त विचार का ही जम जाना है। विचार ही तो वस्तुएं बन जाते हैं। जो तुमने सोचा है, कल वही तुम्हारा आचरण बन जायेगा। जो तुम्हारा आज विचार है वह कल आचरण होगा। और जो आज तुम्हारा आचरण है वह कल तुम्हारा विचार था।

विचार और आचरण एक ही यात्रा के हिस्से हैं। विचार पहला कदम है; आचरण अंतिम। अगर कोई विचार आचरण न बनता हो तो इस बात का एक ही अर्थ होता है कि वह विचार तुम्हारा नहीं है। इसलिए कैसे आचरण बने?

चिकित्सकों से पूछो! अगर तुम्हारे शरीर में खून की कमी हो जाये तो हर किसी का

खून तुम्हारे काम न पड़ेगा। तुम्हारा ही टाइप चाहिए। मतलब हुआ कि तुम्हारा खून ही तुम्हारा शरीर स्वीकार करता है; और किसी तरह का खून स्वीकार नहीं करता। अगर तुम्हारे चेहरे पर प्लास्टिक सर्जन कुछ ऑपरेशन करे और चमड़ी बदलनी हो तो तुम्हारे ही पैर या जांघ की चमड़ी निकालकर लगानी पड़ती है। क्योंकि दूसरी किसी की चमड़ी तुम्हारा शरीर स्वीकार नहीं करता।

जो शरीर के संबंध में सही है वह आत्मा के संबंध में और भी ज्यादा सही है। तुम्हारा ही हो अनुभव तो ही तुम्हारी आत्मा स्वीकार करती है, अन्यथा नहीं स्वीकार करती। तुम्हारे ही प्राणों में पगा हो तो ही तुम्हारी आत्मा उसे अपने भीतर लेती है, अन्यथा बाहर फेंक देती है। जैसे हर किसी के खून को तुम्हारे भीतर नहीं डाला जा सकता और जैसे हर किसी की चमड़ी तुम्हारे पैर पर या तुम्हारे चेहरे पर नहीं चिपकायी जा सकती—शरीर तो बाहर है, आत्मा तो बहुत गहरे है, तुम्हारा आखिरी, आत्यंतिक अस्तित्व है। वहां तो केवल तुम ही तुम हो। तुम्हारा ही जो है, वही वहां पाएगा जगह; शेष सब अस्वीकृत हो जाता है।

इसलिए महावीर कहते हैं, सम्यक दर्शन के बिना ज्ञान नहीं। ज्ञान के बिना चारित्र्य नहीं। चारित्र्य के बिना मोक्ष नहीं।

और जो अभी चरित्र में शुद्ध नहीं हुआ, उसकी मुक्ति कहां! क्योंकि मोक्ष तो जो गलत है उससे छूट जाने का नाम है, बंधन के टूट जाने का नाम है।

और मोक्ष के बिना निर्वाण कहां, आनंद कहां?

तो तुम अगर दुखी हो तो आकस्मिक नहीं। तुम दुखी रहोगे ही, क्योंकि आनंद तक जाने की तुम यात्रा नहीं कर रहे हो। और अगर कभी तुम उत्सुक भी होते हो तो तुम जल्दबाजी में हो, अधैर्य है बहुत। तो तुम सोचते हो, दो-चार कदम एक साथ उठ जायें कि दो-चार सीढ़ियां एक साथ छलांग लग जायें, कि जल्दी कुछ हो जाये। कुछ हैं जो ज्ञान से शुरू करते हैं। कुछ, जो और भी ज्यादा जल्दबाजी में हैं, वे चरित्र से शुरू कर देते हैं। जब भी तुम्हें खयाल उठता है, तुम सोचने लगते हो चरित्र को कैसे बदलें! तुम आखिरी बात पहले लाना चाहते हो? तुम भ्रांति में पड़ रहे हो। तुम सिर के बल खड़े हो जाओगे।

इसलिए मैं कहता हूं, जैन मुनि सौ में निन्यानबे सिर के बल खड़े हैं। उन्होंने चरित्र से शुरुआत कर दी। और महावीर के बड़े सीधे-साफ सूत्र हैं। इनको समझने के लिए कोई बहुत बुद्धिमत्ता नहीं चाहिए। इनमें उलझाव कुछ भी नहीं है। महावीर की उलझाने की आदत नहीं है; चीजों को बिलकुल साफ-साफ रख देने की आदत है। अब इससे ज्यादा साफ सूत्र क्या होगा: 'दर्शन के बिना ज्ञान नहीं! ज्ञान के बिना चरित्र नहीं। चरित्र के बिना मोक्ष नहीं।'

लेकिन जैन मुनि क्या कर रहा है? वह चरित्र को साध रहा है। वह कहता है, जब चरित्र शुद्ध होगा तो ज्ञान शुद्ध होगा। जब ज्ञान शुद्ध होगा तो दर्शन शुद्ध होगा। उसने सारी प्रक्रिया उलटी कर ली है। वह सिर के बल खड़ा हो गया है। इसलिए न तो दर्शन उत्पन्न होता, न ज्ञान उत्पन्न होता, न चरित्र उत्पन्न होता। सब बासा है। सब उधार है। सब मुर्दा और

लाश की भांति है। कोई उत्सव नहीं है सत्य का। कोई परमात्मा की जीवंत अनुभूति नहीं है।

'क्रिया-विहीन ज्ञान व्यर्थ है।' हयं नाणं कियाहीणं। 'और अज्ञानियों की क्रिया भी व्यर्थ है।'

ये सूत्र बड़े बहुमूल्य हैं!

हया अण्णाणओ किया।

'क्रियाविहीन ज्ञान व्यर्थ है।' अगर ऐसा कोई ज्ञान तुम्हारे पास है जो जीवन में आचरित नहीं हो रहा है, अपने आप जीवन में उतर नहीं रहा है तो व्यर्थ है, गलत है। और अगर तुम अज्ञानी हो और क्रिया में लग गये हो, चरित्र बनाने में लग गये हो, तो वह भी व्यर्थ है।

क्रियाहीन ज्ञान तो व्यर्थ है; क्योंकि जानते तुम हो, लेकिन जीवन में काम में नहीं लाते हो। यह तो ऐसे ही है कि भोजन रखा है और तुम भूखे बैठे हो। यह भोजन व्यर्थ है। हो या न हो, बराबर है। यह सर्दी पड़ रही है, कंबल सामने रखे बैठे हो, ओढ़ते नहीं हो—कि धूप निकली है, तुम सर्दी में कंप रहे हो, जाकर धूप में नहीं बैठ जाते हो कि थोड़ा धूप का आनंद ले लो और शरीर को गरमा लो। यह ज्ञान तो व्यर्थ है जो आचरण में न उतर आये। इस भोजन का क्या करोगे?

जीसस के जीवन में उल्लेख है कि जीसस ने चमत्कार किया और पत्थरों को रोटी बना दिया। एक ईसाई मेरे पास आया था। वह कहने लगा, आप इसमें मानते हैं या नहीं? मैंने कहा, मैं मानता हूं क्योंकि इससे भी बड़ा चमत्कार दूसरे लोग कर रहे हैं। उन्होंने रोटियों को पत्थर बना दिया है! तो यह कोई बड़ी बात नहीं कि ईसा ने अगर पत्थर को रोटी बना दिया; यह तो मैं रोज देख रहा हूं कि करोड़ों-करोड़ों लोगों ने रोटी को पत्थर बना दिया है। चमत्कार तो वही है।

ज्ञान रखा है, किसी काम नहीं आता! तुमने ज्ञान का कभी उपयोग किया है? तुम कर ही नहीं सकते उपयोग, क्योंकि वह दर्शन से पैदा नहीं हुआ है। वह तुम्हारा है ही नहीं। भीतर गहरे मन में तुम जानते ही हो कि वह ठीक नहीं है। ऊपर-ऊपर से कहे जाते हो, ठीक है। लोकोपचार, समाज, परंपरा!

तुम्हारा ज्ञान एक शिष्टाचार मात्र है। लेकिन भीतर तुम्हें उस पर भरोसा नहीं है। जिस पर भरोसा नहीं उसे तुम कैसे जीवन में उतारोगे? जिस भोजन पर तुम्हें भरोसा नहीं है, उसे तुम कैसे करोगे? उसे तुम कैसे पचाओगे? उसे तुम क्यों चबाओगे? ऊपर से तुम कहते हो, भोजन है; भीतर तो तुम्हें दिखायी पड़ता है पत्थर, मिट्टी है। इसलिए ज्ञान पड़ा रह जाता है।

'क्रियाविहीन ज्ञान व्यर्थ है और अज्ञानियों की क्रिया भी व्यर्थ है।' और अगर अज्ञानी चरित्रवान होने की कोशिश में लग जाये तो वह भी व्यर्थ है; क्योंकि वह कितना ही आरोपित कर ले चरित्र, वह कभी उसके प्राणों का स्पंदन नहीं बनेगा। वह उसके जीवन का गीत न होगा। वह बस ऊपर-ऊपर होगा। जरा खरोंच दो—और असली मवाद बाहर निकल आएगा।

तो तुम तथाकथित चरित्रवानों को खरोंचना मत, अन्यथा चमड़ी से भी कम गहरा उनका चरित्र है। बिना खरोंचा रहे तो सब ठीक चल जाता है। जरा-सी खरोंच—और कठिनाई हो जाती है। इसलिए तो तुम्हारे चरित्रवान जीवन को छोड़कर भाग जाते हैं, क्योंकि जीवन में लगती हैं खरोंचें।

रवींद्रनाथ से किसी ने पूछा, 'आपने शांतिनिकेतन बोलपुर में क्यों बनाया?' तो उन्होंने कहा, 'क्या ढोलपुर में बनाऊं? यहां कम से कम बोल तो सकते हैं। बोलपुर!' और मैं तुमसे कहता हूं, जब तक तुम ढोलपुर में न बोल सको, तक तक तुम्हारे बोलपुर में बोलने का कोई मतलब नहीं है। शांति तो वहां घनीभूत होनी चाहिए जहां चारों तरफ अशांति है। ढोलपुर!

बीच बाजार में अगर तुम मुक्त न हो सको तो तुम्हारी मुक्ति दो कौड़ी की है। अगर हिमालय की चोटियों पर बैठकर तुम मुक्त हो जाओ तो उस मुक्ति का कोई मूल्य नहीं है। क्योंकि उतरते ही पहाड़ से नीचे तुम पाओगे, वह मुक्ति पहाड़ पर ही छूट गयी। बाजार में खरोंचें लगेंगी।

तुम अपने मुनियों को थोड़ा बाजार में लाओ! वहां पता चल जायेगा, क्योंकि वहां चारों तरफ धक्कम-धुक्की है।

मैंने सुना है, एक संन्यासी तीस वर्ष तक हिमालय में रहा। उसकी ख्याति दूर-दूर तक फैल गई। लोग उसकी पहाड़ी गुफा तक आने लगे, उसके चरण छूने। आखिर कुंभ का मेला भरा था, तो लोगों ने कहा, 'महाराज! अब तो नीचे उतरो।' तो उसको भी अब तो भरोसा आ गया था। तीस साल! एक दफा क्रोध नहीं हुआ। एक दफा नाराज नहीं हुआ। एक दफा कोई विकृति नहीं उठी। उसने कहा, आता हूं। वह आया। अब कुंभ का मेला! वहां कौन किसकी फिक्र करता है! धक्कम-धुक्की! वह नीचे उतरा तो धक्कम-धुक्की होने लगी। एक आदमी का पैर उसके पैर पर पड़ गया। वह भूल ही गया तीस साल का हिमालय का वास, शांति, ध्यान! झपटकर उसकी गर्दन पकड़ ली और कहा, 'तूने समझा क्या है? किसके ऊपर पैर रख रहा है? होश से चल!' लेकिन तभी उसे खयाल आया, अरे! तीस साल मिट्टी हो गये!

पर हिमालय में तुम बैठे थे, एकांत में, न किसी का पैर पैर पर पड़ता था, न मौके थे, न अवसर थे। खरोंच जरा-सी लग जाये, मुश्किल में पड़ जाओगे।

साधु अगर सम्यक चरित्र को उपलब्ध हो तो भगोड़ा नहीं होगा। भगोड़े होने की कोई जरूरत नहीं है। उसके होने में साधुता होगी। उसने कुछ छोड़ा नहीं है; जो गलत था वह छूट गया है। और उसने कुछ थोपा नहीं है; जो ठीक था वह प्रकट हुआ है। उसका चरित्र उसकी आंतरिक आत्मा का ही प्रतिबिंब होगा। उसके जीवन में तुम विरोध न पाओगे। उसके भीतर कोई दोहरी पर्तें नहीं हैं। उसके व्यक्तित्व में तुम डबल-माइंड न पाओगे। ऐसा नहीं है कि वह कुछ भीतर है और कुछ होने की चेष्टा कर रहा है। वह जो भीतर है, वैसा ही बाहर प्रकट हो रहा है। इसलिए महावीर नग्न खड़े हुए।

नग्न खड़े होना बड़ा प्रतीकात्मक है, कि जैसा मैं भीतर हूं वैसा बाहर। कपड़े भी क्यों पहनूं? मैं वैसा क्यों दिखलाऊं जैसा कि मैं नहीं हूं?

तुमने देखा! कपड़े के पीछे सिर्फ शरीर को ढांकने की ही आकांक्षा थोड़े ही है। अगर सिर्फ शरीर को ढांकने की आकांक्षा हो तो ठीक। कपड़े के पीछे शरीर को वैसा दिखाने की आकांक्षा है जैसा वह नहीं है। तो महावीर का नग्न खड़े हो जाना कपड़ों का विरोध नहीं है; लेकिन तुम्हारी गहरी आकांक्षा का विरोध है।

देखा स्त्रियां या पुरुष! पुरुष कोट बनवाते हैं तो कंधों पर रुई भरवा लेते हैं, क्योंकि छाती उभरी हुई दिखायी पड़े। रुई सही; मगर कौन देख रहा है भीतर आकर! बाहर से चलते तो छाती उभरी दिखायी पड़ती है।

स्त्रियां स्तनों को हजार तरह से उभारकर दिखलाने की कोशिश में लगी रहती हैं। न मालूम कितने तरह के इंतजाम कर रखे हैं। जैसा नहीं है वैसा दिखाने की चेष्टा चल रही है।

महावीर नग्न खड़े हुए—सिर्फ इस अर्थ में। यह प्रतीकात्मक है कि जैसा हूं, ठीक हूं। अब इसको अन्यथा दिखाने की क्या जरूरत; अन्यथा दिखाने से अन्यथा हो तो न जाऊंगा। किसको धोखा देना है और क्या सार है?

दर्शन हो तो ज्ञान होता, ज्ञान हो तो एक चरित्र आना शुरू होता। लेकिन वह चरित्र बड़ा नैसर्गिक होता। उसमें आरोपण, चेष्टा, श्रम जरा भी नहीं होता। एक नैसर्गिक दशा होती है।

मुल्ला नसरुद्दीन के घर मैं मेहमान था। सुबह-सुबह उसकी पत्नी से किसी बात पर झंझट हो गयी। तो मुझे देखकर उसने थोड़ा ज्यादा रौब बांधना चाहा पत्नी पर। और उसने कहा कि देखो, मौलवी के सामने, समाज के सामने तुमने कसम नहीं खायी थी कि सदा मेरी आज्ञा का पालन करोगी?

मैं मौजूद था तो उसने सोचा कि शायद पत्नी थोड़ी झुकेगी और झंझट ज्यादा न करेगी।

लेकिन पत्नी ने कहा, 'हां, खायी थी, मुझे याद है। लेकिन वह सिर्फ इसीलिए खायी थी कि मैं उस वक्त पहली-पहली मुलाकात में तमाशा खड़ा नहीं करना चाहती थी।'

अब ऐसी कसम का क्या अर्थ, जो इसीलिए खायी गई हो कि पहली मुलाकात में क्या तमाशा खड़ा करें? और भीड़ लगी है, मौलवी है, समाज है, विवाह हो रहा है, गठबंधन डाला जा रहा है—अब इसमें कहां तमाशा खड़ा करो बीच में—इसलिए!

जिंदगी में तुम्हारी कसमें, तुम्हारे व्रत, तुम्हारे चरित्र, अगर किसी कारण से हैं तो ऊपर-ऊपर होंगे।

पत्नी बहुत नाराज हो गयी—यह मौलवी की और विवाह की बात उठते देखकर। और उसने कहा कि मेरे मन में कई दफे ऐसा लगता है कि तुम बार-बार सोचते होओगे कि मैं अगर किसी और को ब्याही गई होती तो अच्छा था।

मुल्ला ने कहा, 'नहीं, कभी नहीं! मैं किसी का भला...किसी का बुरा क्यों चाहने लगा! हां, यह भावना जरूर मन में कभी-कभी उठती है कि तुम अगर जन्म भर कुंआरी रहती तो बड़ा अच्छा होता।'

हम छिपाये जाते हैं। जहां प्रेम नहीं है, वहां प्रेम दिखलाए जाते हैं। जहां सदभाव नहीं है, वहां सदभाव दिखलाए चले जाते हैं। और जैसे हम नहीं हैं वैसा हम अपने चारों तरफ रूप खड़ा करते रहते हैं। धीरे-धीरे दूसरे तो धोखे में आते ही हैं, हम भी धोखे में आ जाते हैं। अपने ही प्रचारित असत्य अपने को ही सत्य मालूम होने लगते हैं। तब एक बड़ी दुविधा पैदा होती है। उसी दुविधा में लोग फंसे हैं।

महावीर कहते हैं, क्रियाविहीन ज्ञान व्यर्थ, अज्ञानियों की क्रिया व्यर्थ। तो न तो आचरण करना जबर्दस्ती। क्योंकि जो तुम्हारे ज्ञान में न उतरा हो वह तुम्हें पाखंडित करेगा, तुम्हें पाखंडी बनाएगा। और अगर कोई तुम्हारे ज्ञान में उतरा हो तो उसकी परीक्षा यही है कि वह आचरण में उतरे। इससे तुम गलत अर्थ मत लेना, जैसा कि आमतौर से जैन अनुयायी लेते हैं। वे सोचते हैं कि जो ज्ञान में आ गया, अब इसको आचरण में उतारना है। नहीं, यह तो सिर्फ परीक्षा, कसौटी है। महावीर यह कह रहे हैं कि जो ज्ञान में आ गया है, वह आचरण में आना ही चाहिए। अगर ज्ञान में आ गया है तो आचरण में आने से बच नहीं सकता। लेकिन एक शर्त है कि ज्ञान में दर्शन के माध्यम से आया हो। अगर दर्शन के माध्यम से न आया हो तो ज्ञान की तरह पड़ा रहेगा—तुमसे दूर, संबंध न जुड़ेगा; तुम्हारे हृदय और तुम्हारे ज्ञान में कोई सेतु न होगा।

'जैसे पंगु व्यक्ति वन में लगी आग को देखते हुए भी भागने में असमर्थ होने से जल मरता है...और अंधा व्यक्ति दौड़ते हुए भी देखने में असमर्थ होने से जल मरता है।'

जंगल में आग लगी हो और एक अंधा आदमी हो जंगल में, वह दौड़ सकता है; लेकिन उसे दिखायी नहीं पड़ता कि आग कहां है, लपटें कहां हैं। वह दौड़कर भी जल मरता है। और एक लंगड़ा हो, उसे दिखायी पड़ता है कि आग कहां लगी है, कहां से भागूं, कहा से निकलूं; लेकिन पैर नहीं हैं, तो भी जल मरता है।

जिस व्यक्ति के पास ज्ञान तो है, लेकिन आचरण नहीं, वह जल मरेगा। वह लंगड़ा है। जिस व्यक्ति के पास आचरण तो है, लेकिन बोध नहीं, वह भी जल मरेगा। उसके पास पैर तो थे, लेकिन आंख नहीं है।

'कहा जाता है कि ज्ञान और क्रिया के संयोग से ही फल की प्राप्ति होती है; जैसे कि वन में पंगु और अंधे के मिलने पर पारस्परिक संप्रयोग से वन से निकलकर दोनों नगर में प्रविष्ट हो जाते हैं। एक पहिए से रथ नहीं चलता।'

पासंतो पंगुलो दड्ढो, धावमाणो य अंधओ।

अंधा भी मर जाता है। पैर थे, बच सकता था। पंगु भी मर जाता है। आंखें थीं, बच सकता था।

लेकिन दोनों का मिलन चाहिए।

संजो असिद्धीइ फलं वयंति, न हु एग चक्केण रहो पयाइ।
अंधो य पंगु य वणे समिच्चा, ते संपडत्ता नगरं पविट्ठा।।

अगर दोनों साथ हो जाएं, अगर अंधा और लंगड़ा एक समझौते पर आ जायें, एक मैत्री कर लें, एक संबंध बना लें—संबंध कि लंगड़ा कहे कि मुझे तुम अपने कंधों पर बिठा

लो, ताकि मैं तुम्हारी आंख का काम करने लगूं; संबंध कि अंधा कहे, तुम मेरे कंधों पर बैठ जाओ, ताकि मैं तुम्हारे पैर बन जाऊं। अंधा और लंगड़ा उस वन में जहां आग लगी है, बचकर निकल सकते हैं अगर एक व्यक्ति हो जायें, अगर दो न रहें। अगर लंगड़ा अंधे के कंधे पर बैठ जाये, अंधे के लिए देखे और अंधा लंगड़े के लिए चले, दोनों जुड़ जायें, यह संयोग अगर बैठ जाये, तो बचकर निकल सकते हैं, तो सोने में सुगंध आ जाये।

महावीर कहते हैं, एक पहिये से रथ नहीं चलता। और ऐसी ही व्यक्ति के जीवन की दशा है। जीवन में तो आग लगी है। यह जीवन का वन तो जल रहा है। इससे निकलने का उपाय? अकेला जिनके पास चरित्र है और जिनके पास बोध नहीं, वे भी न निकल सकेंगे। और जिनके पास ज्ञान है लेकिन चरित्र नहीं, वे भी न निकल सकेंगे। तुम्हारे भीतर एक रसायन घटे, एक अल्केमिकल परिवर्तन हो, एक कीमिया से तुम गुजर जाओ कि तुम्हारा ज्ञान दर्शन बने, तुम्हारी आंख बन जाये और तुम्हारा ज्ञान तुम्हारा चरित्र बन जाये। दो तरफ ज्ञान में घटनाएं घटें, एक तरफ ज्ञान दर्शन बने और दूसरी तरफ ज्ञान चरित्र बने, तो पक्षी के दोनों पंख उपलब्ध हो गए। अब तुम उड़ सकते हो इस विराट के आकाश में।

है अंधेरी रात पर
दीवा जलाना कब मना है?
कल्पना के हाथ से
कमनीय जो मंदिर बना था
भावना के हाथ से जिसमें
वितानों को तना था,
स्वप्न ने अपने करों से
था जिसे रुचि से संवारा
स्वर्ग के दुष्प्राप्य रंगों से,
रसों से जो सना था
ढह गया वह तो जुटाकर
ईंट, पत्थर, कंकड़ों को
एक अपनी शांति की
कुटिया बनाना कब मना है?
है अंधेरी रात पर
दीवा जलाना कब मना है?

जिस दिन तुम दर्शन को उपलब्ध होओगे, उस दिन तुम्हारा पुराना भवन—सपनों का, स्वर्ग के रंगों का, इंद्रधनुषों का गिरेगा—धूल में गिरेगा। खंडहर भी न बचेंगे! क्योंकि सपने के कहीं कोई खंडहर बचते हैं! बस तिरोहित हो जायेगा, जैसे कभी न था। हाथ में राख भी न रह जायेगी।

दर्शन को उपलब्ध होते ही, जीवन को गौर से देखते ही एक बात साफ हो जाती है कि जीवन है, तुम हो—और बीच में तुमने जो सपने बनाए थे वे झूठे थे। वे तुम्हारी मूर्च्छा

से उठे थे। वे तुम्हारी बंद आंखों से उठे थे। जैसे सुबह एक आदमी जागता है, आंख खोलता है—सारे सपने तिरोहित हो गए!

दर्शन का अर्थ है, ऐसे ही तुम जीवन के प्रति आंख खोलो, जागो और देखो! तो कितने-कितने तुमने सजाए हैं, संवारे हैं स्वप्न, कितने रंग भरे हैं! वे सब अचानक तिरोहित हो जायेंगे! कितने ही रंगीन हों, सपने सपने हैं। उनके तिरोहित हो जाने से घबड़ा मत जाना। ईंट-पत्थर से भी छोटी-सी कुटिया बनायी जा सकती है। सत्य से भी शांति की छोटी-सी कुटिया बनायी जा सकती है। झूठे सपनों के बड़े महलों से कुछ सार नहीं; उनमें कोई कभी रहा नहीं। लोगों ने सिर्फ सोचा है कि रहेंगे। वह सिर्फ बातचीत है। वह बातचीत कितनी ही सुंदर मालूम पड़े, वह सिर्फ लफ्फाजी है।

मैंने सुना है, मिर्जा गालिब के पास कोई आदमी रुपये उधार मांगने आया। उन्होंने बड़ी मीठी बातें कहीं। कवि थे। जो आदमी रुपये उधार मांगने आया था, उसने भी कविता में ही बात की। कहा—

काका! बड़े बे-वक्त आ गए
व्यर्थ ही रास्ता नापा
और आपको देखके मेरा मन कांपा
और आपने समय ठीक नहीं भांपा
मेरे शेर मारने गये हैं डाका
अभी तो चल रहा है फाका
लौटकर आने दो मेरे काका
आपका बन जायेगा खाका
अभी हाका करो, वर्ना
बीवी बना देगी आपका साका
और मैं करूंगा ताका
मेरे आका! अभी न करना इधर नाका
नहीं तो बीवी न छोड़ेगी एक बाल बांका।

इतनी लंबी कविता कही! लेकिन लेना-देना कुछ भी नहीं है। वह आदमी कविता से ही घबड़ाकर भाग गया होगा। फिर दुबारा न आया होगा।

तुम्हारे शब्द कितने ही रंगीन हों, और कितने ही काव्य के रंग तुमने भरे हों, और कितनी ही तुकबंदी बांधी हो, कितने ही शब्दों का सौंदर्य बिठाया हो—लेकिन भुलावे हैं! और जितने जल्दी जाग जाओ उतना अच्छा है।

दर्शन का क्या अर्थ? दर्शन का इतना ही अर्थ है: आंखें सपनों से खाली हो जायें।

और दर्शन मूल भित्ति है। अगर दर्शन को न समझ पाए तो पूरे महावीर बेबूझ रह जायेंगे। दर्शन का अर्थ है: आंख स्वप्न से खाली हो; आंख में कोई सपना न हो, कोई चाह न हो, कोई तृष्णा न हो। आंख उसको देखने को राजी हो जो है; आंख उसकी मांग न करे जो होना चाहिए।

फिर से दोहरा दूं। जब भी तुम कहते हो ऐसा होना चाहिए, तभी तुम उसे देखने में असमर्थ हो जाते हो—जो है। तब तुम उसे देखने लगते हो किसी गहरे तल पर—जो नहीं है और होना चाहिए। तब तुमने सपना बनाना शुरू कर दिया। तुमने यथार्थ को न देखा। तुमने आदर्श को मांगा। तुमने वह न देखा जो मौजूद था। तुम उसकी चाह करने लगे जो होना चाहिए। तुम आशा को बीच में ले आए। तुम कल्पना बीच में ले आए। फिर कल्पना ने ताने-बाने बुने। फिर सब चीजें गलत हो गयीं। फिर कल्पना के माध्यम से तुम जो देखते हो वह सत्य नहीं है। ऐसा तुम चाहते थे।

तुमने देखा, जब दो व्यक्ति एक-दूसरे के प्रेम में पड़ जाते हैं तो एक-दूसरे में ऐसी चीजें देखने लगते हैं जो हैं ही नहीं। स्त्री पुरुष में ऐसा देखने लगती है कि ऐसा महावीर कभी हुआ ही नहीं। पुरुष स्त्री में देखने लगता है जगत का सारा सौंदर्य! ऐसी बातें करने लगते हैं कि जिसका हिसाब नहीं। चांद-तारों को देखने लगते हैं—एक-दूसरे के चेहरों में, आंखों में। अनंत फूलों की गंध एक-दूसरे के पसीने से आने लगती है। ये सपने हैं! ऐसा वे चाहते हैं। फिर अगर सुहागरात पूरी होते-होते ये सब सपने टूट जाते हैं तो आश्चर्य नहीं। आश्चर्य तो यह था कि तुम इतनी देर भी कैसे देख सके!

फिर प्रेमी सोचते हैं कि दूसरे ने मुझे धोखा दिया। कोई किसी को धोखा नहीं दे रहा—तुम ही धोखा खा रहे हो। फिर प्रेमी सोचता है, यह प्रेयसी तो गलत साबित हुई। यह तो मैंने जो फूल की गंध देखी थी वह निकली न। यह क्या मुझे धोखा दे गई! यह तो बड़ी कर्कशा निकली। और मैंने तो सारे संगीत, सारा साज इसके कंठ में सुना था! मैंने तो कोयल को कूकते सुना था। मैंने तो कोकिला जानी थी। और यह तो घर आते-आते स्वर कर्कश हो गया। तो क्या इसने मुझे धोखा दिया था? क्या उस क्षण इसने बनावट की थी? वह जो माधुर्य इससे मैंने पाया था, तो वह सब प्रवंचना थी? तो वह जाल था? वह मुझे फंसाने के लिए था? और प्रेयसी भी यही सोचने लगती है कि इस आदमी में जो भगवत्ता देखी थी वह कहां गई! इसके चरणों में सिर रखने का मन हुआ था—तो वे चरण सब बनावटी थे! वह सब पाखंड था?

जल्दी ही कांटे उभर आते हैं, फूल विदा हो जाते हैं। जल्दी ही यथार्थ प्रकट होता है और सपने हट जाते हैं।

और ऐसा प्रेमी और प्रेयसी के बीच होता है, ऐसा नहीं—ऐसा हमारे हर संबंध में होता है। ऐसे जीवन के हर मोड़ पर हम उन चीजों को देख लेते हैं जो हैं नहीं। हम उन इंद्रधनुषों को तान लेते हैं जो कहीं भी नहीं हैं। और फिर जब इंद्रधनुष नहीं पाते हैं तो रोते हैं, चीखते हैं, विषाद से भरते हैं, दुखी होते हैं, चिंतित होते हैं।

दर्शन का अर्थ है: जो है उसे बिना किसी आशा से समिश्रित किए, बिना किसी कल्पना में डुबाये, बिना कैसा होना चाहिए उसको बीच में लाये, देख लेने की कला!

आंख साफ हो तो तुम कभी उलझोगे न। आंख साफ हो तो यथार्थ से संबंध रहेगा; अयथार्थ तुम्हें बांधेगा न। और आंख साफ हो, तो साफ आंख से जो बोध संगृहीत होता है उसका नाम ज्ञान। साफ आंख से संगृहीत बोध का अंतिम जो परिणाम

होता है, उसका नाम चारित्र्य। और चारित्र्य का जो आत्यंतिक फल है वह मोक्ष।

है अंधेरी रात पर
दीवा जलाना कब मना है?

रात अंधेरी है। यथार्थ कठोर है। लेकिन दीये के जलाने की कोई मनाही नहीं है।

है अंधेरी रात पर
दीवा जलाना कब मना है?

—आंख के दीये को जलाओ! दर्शन को जगाओ!

कल्पना के हाथ से कमनीय
जो मंदिर बना था
भावना के हाथ ने जिसमें
वितानों को तना था
स्वप्न ने अपने करों से
था जिसे रुचि से संवारा
स्वर्ग के दुष्प्राप्य रंगों से,
रसों से जो सना था
ढह गया वह तो जुटाकर
ईंट, पत्थर, कंकड़ों को
एक अपनी शांति की
कुटिया बनाना कब मना है?

शुद्ध दर्शन से जो दिखायी पड़ता है, यथार्थ, उस यथार्थ से ही अपनी जीवन की कुटिया को बना लेने का नाम चारित्र्य है।

स्वप्न से जीवन को बनाना और सत्य से जीवन को बनाना—बस यही जीवन को बनाने के दो ढंग हैं।

ढह गया वह तो जुटाकर
ईंट, पत्थर, कंकड़ों को
एक अपनी शांति की
कुटिया बनाना कब मना है?
है अंधेरी रात पर
दीवा जलाना कब मना है?

लेकिन यह किसी बाहर के दीये के जलाने की बात नहीं है—भीतर के दीये को जलाने की बात है। और यह दीया जलने लगता है जैसे-जैसे तुम आंख को साफ करके देखने लगते हो। तो क्या करो?

महावीर का शब्द है—सामायिक। पतंजलि का शब्द है—ध्यान। बुद्ध का शब्द है—सम्यक स्मृति। जीवन को जागरण से भरो! जो भी करते हो, करते समय स्मरण रखो कि सपनों को हटाते चलो। पुरानी आदतें हैं, वे बार-बार बीच में आ जायेंगी। उनको हटाते चलो।

तेरी दुआ है कि हो तेरी आरजू पूरी
मेरी दुआ है कि तेरी आरजू बदल जाए।

तुम तो चाहते हो कि तुम्हारी आकांक्षाएं पूरी हो जायें, लेकिन महावीर, बुद्ध, कृष्ण चाहते हैं तुम्हारी आकांक्षाएं बदल जायें। आकांक्षाएं पूरी करना चाहोगे तो सपनों में रहोगे। आकांक्षा बदल जाए, आकांक्षा न हो जाए, शून्य हो जाए—तो आकांक्षा के नीचे से जो शक्ति बचेगी, जो आकांक्षा में नियोजित थी, मुक्त होगी, वह तुम्हारे जीवन में विस्फोट हो जायेगा; जैसे अणु को हम तोड़ते हैं, तो छोटे-से अणु में जो आंख से भी दिखायी नहीं पड़ता, इतनी ऊर्जा प्रकट होती है! अणु के जो परमाणु हैं वह एक-दूसरे को बांधे हुए हैं। जब उन्हें हम अलग करते हैं तो जो शक्ति उनको बांधे थी, वह मुक्त होती है। उस मुक्त शक्ति का परिणाम हिरोशिमा में देखा, नागासाकी में देखा: एक लाख आदमी क्षण भर में राख हो गए। एक छोटे-से परमाणु को जिसको अब तक किसी ने देखा नहीं है, इतने क्षुद्र के भीतर इतनी ऊर्जा छिपी है! तो आत्मा के भीतर कितनी ऊर्जा न छिपी होगी! जरा आत्मा के बंधन को हटाना जरूरी है। जैसे अणु के बंधन को हटाया तो इतनी विराट ऊर्जा प्रकट हुई—आत्मा के बंधन हट जायें तो जो परम ऊर्जा प्रकट होती है उसी का नाम महावीर ने परमात्मा कहा है। वह आत्म-विस्फोट है।

बंधन हटाने हैं। बंधन आकांक्षाओं के, आशाओं के हैं। बंधन मूर्च्छा के हैं। तो मूर्च्छा को तोड़ने में लग जाओ।

सारे विचार का महावीर का एक संक्षिप्त भाव है: मूर्च्छा को तोड़ने में लग जाओ। जो भी करो अपने को जगाकर करो। राह पर चलो तो जागकर चलो। भोजन करो तो जागकर करो। किसी का हाथ हाथ में लो तो जागकर लो। और सदा ध्यान रखो कि बीच में सपना न आए। थोड़े दिन सपनों को ऐसे छांटते रहे, हटाते रहे, हटाते रहे तो जल्दी ही तुम पाओगे कभी-कभी क्षण भर को सपने नहीं होते और झलक मिलती है। वही झलक ज्ञान बनेगी। फिर उन झलकों को इकट्ठी करते जाना। वह अपने आप इकट्ठी होती चली जाती हैं। ज्ञान एक दफा हो तो कोई भूल नहीं सकता। वह तो हमें, दूसरों की बातें हैं, इसलिए याद रखनी पड़ती हैं। जो अपने में घटता है उसे विस्मरण करने का उपाय नहीं है। वह तो संगृहीत होता चला जाता है, सघन होता चला जाता है। और जैसे बूंद-बूंद गिरकर सागर बन जाता है, ऐसे बूंद-बूंद ज्ञान की गिरकर आचरण निर्मित होता है।

नाणेण जाणई भावे, दंसणेण य सद्दहे।
चरित्तेण निगिण्हाइ, तवेण परिसुज्झई।।

'ज्ञान से जानना होता है; दर्शन से श्रद्धा, श्रद्धा से चरित्र, चरित्र से शुद्धि...'

'नादंसणिस्स नाणं'—दर्शन के बिना ज्ञान नहीं।
'नाणेण विणा न हुंति चरणगुणा'—ज्ञान के बिना चरित्र नहीं।
'अगुणिस्स नत्थि मोक्खो'—चरित्र के बिना मोक्ष कहां?
'नत्थि अमोक्खस्स निव्वाणं'—और मोक्ष के बिना
आनंद कहां?

उस परमानंद को चाहते हो तो दर्शन के बीज बोओ। दर्शन के बीज बोओ—ज्ञान की फसल काटोगे। उस ज्ञान की फसल को पचाओगे, पुष्ट होओगे, तो चारित्र्य उत्पन्न होगा।

और मोक्ष चारित्र्य की प्रभा है। चरित्रवान मुक्त है। चरित्रहीन बंधा है। चरित्रवान की जंजीरें गिर गयीं।

लेकिन अभी तो तुमने जो चरित्रवान देखे हैं, तुम उनको पाओगे कि उन्होंने नयी जंजीरें बना ली हैं। तो तुम्हारे चरित्रहीन भी बंधे हैं, तुम्हारे चरित्रवान भी बंधे हैं। और अक्सर तो बड़ा व्यंग्य और बड़ी उलटी बात दिखायी पड़ती है: चरित्रहीनों से ज्यादा बंधे तुम्हारे चरित्रवान हैं। चरित्रहीनों से भी बंधे! चरित्रहीन में भी थोड़ी-बहुत स्वतंत्रता मालूम पड़ती है। चरित्रवान तो बैठा है मंदिर में, स्थानक में, पूजागृह में बंद! ऐसा घबड़ाया, डरा! लेकिन कहीं चूक हो गयी है। चरित्र की प्रभा मोक्ष है। जो मुक्त न कर जाये, वह चरित्र नहीं।

तुम दर्शन से शुरू करना: किसी दिन मोक्ष की प्रभा उपलब्ध होती है। निश्चित होती है। यह जीवन का ठीक गणित है।

और महावीर जो भी कह रहे हैं, वह वैज्ञानिक संगति का सत्य है। उसमें एक-एक कदम वैज्ञानिक है। जैसे सौ डिग्री पानी गरम करो, भाप बन जाता है—ऐसे महावीर के वचन हैं: दर्शन से ज्ञान, ज्ञान से चरित्र, चरित्र से मोक्ष!

आज इतना ही।

२६

तुम्हारी संपदा—तुम हो

प्रश्न-सार

न मालूम खोपड़ी में कहां से कहां चला गया! शक्ति और प्रभुता की खोज में था, यहां शांति और शून्यता सीखने को मिली। अब न आगे जा सकता हूं और न पीछे। मन विक्षिप्त हुआ जाता है। कृपया मार्ग-दर्शन दें।

दर्शन के तत्क्षण बाद घटी घटना को ही क्या भजन कहते हैं?

जो दिन आपके साथ प्रेमपूर्वक बिताए उनको मैं कैसे भूलूं? अतीत को भूलना मेरे बस की बात नहीं। आप वीतराग हैं। अब इन आंसुओं के सिवा मेरे पास कुछ भी नहीं है। मन बार-बार कहता है, आप कब आएंगे?

पहला प्रश्नः

ओशो, न मालूम खोपड़ी में कहां से कहां चला गया! चाहता था योग से शक्ति, यहां समझने को मिली शांति। चाहता था धर्म से प्रभुता, यहां समझने को मिली शून्यता। कुछ निर्णय नहीं कर पाता हूं। मन विक्षिप्त हुआ जाता है। यह यात्रा न मालूम कहां जाकर रुकेगी। पुराना विश्वास बिखर चुका है, नये का जन्म नहीं हो रहा। अब न पीछे जा सकता हूं और न आगे ही बढ़ पाता हूं। कृपया मार्ग-दर्शन दें!

धर्म की खोज में निकलने वाले लोग अक्सर किसी और चीज की खोज में निकलते हैं—उस खोज को धर्म का नाम दे देते हैं।

शक्ति की खोज धर्म की खोज नहीं है। शक्ति की खोज तो अहंकार की ही खोज है। शक्तिशाली होने की आकांक्षा धर्म-विरोधी है।

लेकिन अधिक लोग धर्म की यात्रा पर किन्हीं गलत कारणों से निकलते हैं; जो संसार में नहीं मिल सका, उसी को खोजने परमात्मा में जाते हैं।

जो संसार में नहीं मिल सका, उसे खोजने परमात्मा में मत जाना। क्योंकि जो संसार में ही नहीं है, वह परमात्मा में तो हो ही नहीं सकता। जिसे तुम संसार में न पा सके, उसे तो समझ लेना कि पाने का कोई उपाय ही नहीं है।

लेकिन स्वाभाविक है। संसार में हम जीये हैं अब तक जन्मों-जन्मों तक। वही एक भाषा परिचित है—पद की, धन की, प्रभुता की, शक्ति की। संसार असफल हुआ तो सोचते हैं चलो, उन्हीं आकांक्षाओं को प्रभु के मार्ग पर सफल कर लेंगे! तो फिर तुम्हें असफलता हाथ लगेगी। और भी गहन असफलता हाथ लगेगी! जैसे संसार के मार्ग पर लगी, उससे भी ज्यादा! तुम उजड़े-उजड़े हो जाओगे! लेकिन कारण धर्म का पथ नहीं है; कारण तुम्हारी गलत आकांक्षा है।

जब कोई चाहता है शक्ति मिल जाये, तो किसके खिलाफ चाहता है? क्योंकि शक्ति तो सदा किसी के खिलाफ होती है। शक्ति का अर्थ ही हिंसा है।

शक्ति हम चाहते ही इसीलिए हैं कि किसी दूसरे से बलशाली हो जायें, कि किसी दूसरे की छाती पर बैठ जायें, कि किसी दूसरे को दबा लें, कि किसी दूसरे को छोटा कर दें। शक्ति का अर्थ ही महत्वाकांक्षा है। वह अहंकार का ज्वर है।

धर्म तो शांति की खोज है। शांति का अर्थ है: शक्ति की खोज व्यर्थ है, इस बात का बोध; और शक्ति की खोज से मैं सदा बीमार रहूंगा, स्वस्थ न हो पाऊंगा।

शांति की खोज बिलकुल विपरीत है। शांति की खोज का अर्थ है: मैं इस 'मैं' को भी गिराता हूं, जिसमें शक्ति की आकांक्षा पैदा होती है; मैं इस बीज को दग्ध करता हूं। इसने मुझे तड़फाया, जन्मों-जन्मों तक भटकाया।

बुद्ध ने, जब उन्हें परम ज्ञान हुआ तो आकाश की तरफ आंखें उठाकर कहा, 'हे गृहकारक! हे तृष्णा के गृहकारक! अब तुझे मेरे लिए और कोई घर न बनाना पड़ेगा। बहुत तूने घर बनाए मेरे लिए, लेकिन अब मैं आखिरी जाल से मुक्त हो गया हूं। अब और मेरे लिए जन्म न होंगे।'

जहां महत्वाकांक्षा न रही, तृष्णा न रही, वहां और जन्म न रहे। जहां महत्वाकांक्षा न रही, वहां भविष्य न रहा, समय न रहा; वहां हम शाश्वत में प्रवेश करते हैं।

शाश्वत में प्रवेश होने से जो अनुभव होता है उसी का नाम शांति है। समय में दौड़ने से जो अनुभव होता है उसी का नाम अशांति है। आज से कल, कल से परसों! जहां हम होते हैं वहां कभी नहीं होते: अशांति का यही अर्थ है। जो हम होते हैं उससे हम कभी राजी नहीं होते—कुछ और होना चाहिए! हमारी मांग का पात्र कभी भरता नहीं। हमारा भिक्षापात्र खाली का खाली रहता है: कुछ और! कुछ और! कुछ और!

तृप्ति तो असंभव है, क्योंकि जो भी मिलेगा उससे ज्यादा मिलने की कल्पना तो हम कर ही सकते हैं। जो भी मिल जायेगा उससे ज्यादा भी हो सकता है, इसकी वासना तो हम जगा ही सकते हैं।

क्या तुम सोचते हो ऐसी कोई घड़ी हो सकती है वासना के जगत में, जहां तुम ज्यादा की कल्पना न कर सको? ऐसी तो कोई घड़ी नहीं हो सकती। सारा संसार मिल जाए तो भी मन कहेगा : और चांद-तारे पड़े हैं!

कहते हैं, सिकंदर जब डायोजनीज को मिला तो डायोजनीज ने एक बड़ा मजाक किया। उसने कहा, 'सिकंदर! यह भी तो सोच कि अगर तू सारी दुनिया जीत लेगा तो बड़ी मुश्किल में पड़ जायेगा।' सिकंदर ने कहा, 'क्यों?' तो डायोजनीज ने कहा, 'फिर इसके बाद दूसरी कोई दुनिया नहीं है।' और कहते हैं, यह सोचकर ही सिकंदर उदास हो गया। उसने कहा, 'मैंने इस पर कभी विचार नहीं किया। लेकिन तुम ठीक कहते हो। सारी दुनिया जीतकर फिर मैं क्या करूंगा! फिर तो वासना अधर में लटकी रह जायेगी। फिर तो अतृप्ति अधर में लटकी रह जायेगी। फिर तो छाती पर अतृप्ति का पत्थर सदा के लिए रखा रह जायेगा। क्योंकि और तो कुछ पाने को नहीं है, लेकिन पाने की आकांक्षा थोड़े ही समाप्त होती है।'

तुम कुछ भी पा लो, कितनी ही शक्ति, कितनी ही प्रभुता, कितनी ही प्रतिष्ठा, मान-मर्यादा—ज्यादा की कल्पना सदा संभव है। तुम तृप्त न हो पाओगे। तुम्हारी तिजोड़ी कितनी ही बड़ी हो, और भी बड़ी हो सकती है; उसमें कुछ जोड़ा जा सकता है। तुम्हारा सौंदर्य कितना ही हो, उसमें कुछ जोड़ा जा सकता है। और जब तक जोड़ा जा सकता है तब तक तुम अतृप्त रहोगे। यह दौड़ तो कभी पूरी न होगी!

इसलिए बुद्ध ने कहा है, तृष्णा दुष्पूर है। इसे कोई कभी भर नहीं पाया। नहीं कि संसार में भरने के साधन नहीं हैं; पर तृष्णा का स्वभाव दुष्पूर है। इस तृष्णा को जब हम थका-थका पाते हैं संसार में और भर नहीं पाते तो हम प्रभु की ओर मुड़ते हैं। प्रभु की ओर मुड़ना तो ठीक, लेकिन मुड़ने का कारण गलत होता है।

प्रभु की ओर मुड़कर धीरे-धीरे तुम्हें समझ में पड़ेगा कि तुम्हारी आंखों में तो पुरानी वासना ही भरी है। तुम परमात्मा से भी वही मांग रहे हो जो तुमने संसार से मांगा था। तो तुम मुड़े तो जरूर, शरीर तो मुड़ गया, एक सौ अस्सी डिग्री मुड़ गया—लेकिन आत्मा नहीं मुड़ी।

यही अड़चन प्रश्नकर्ता को मालूम हो रही है : 'न मालूम कहां से कहां चला गया! चाहता था शक्ति, यहां समझने को मिली शांति...।' इससे उलझन पैदा हो रही है। इससे उलझन सुलझनी चाहिए।

समझ को थोड़ा जगाओ! साफ-सुथरा करो! अगर शक्ति मिल जायेगी तो क्या करोगे? और शक्ति पाने में नियोजित करोगे। लोग धन कमाते हैं, क्या करते हैं? और धन कमाने में लगाते हैं। और कमाकर क्या करेंगे? और कमाने में लगाते हैं। भोगोगे कब? जो मिलता है, उसे और आगे के लिये लगा देना पड़ता है। ऐसे जिंदगी हाथ से निकल जाती है। एक दिन मौत सामने खड़ी हो जाती है, जिसके आगे फिर कुछ भी नहीं है। तब तुम चौंकते हो, लेकिन तब बड़ी देर हो चुकी!

मेरे पास आने का एक ही उपयोग हो सकता है कि जो मौत करेगी वह मैं तुम्हारे

लिए अभी करूं। इसलिए तुम घबड़ाओगे। इसलिए तुम भागोगे, बचोगे, तुम उपाय करोगे। जानता हूं, तुम कुछ और खोजने आए हो। लेकिन तुम जो खोजने आए हो वह मैं तुम्हें नहीं दे सकता। वह देना तो तुम्हारी दुश्मनी होगी। मैं तो तुम्हें वही दे सकता हूं जो देना चाहिए। मैं तुम्हें शांति की दिशा में ही अग्रसर करूंगा।

इसलिए एक महत्वपूर्ण बात समझ लेनी जरूरी है: शिष्य और गुरु के बीच जो संबंध है वह बड़ा बेबूझ है! शिष्य कुछ और ही मांगता है; गुरु कुछ और ही देता है। शिष्य जो मांगता है, अगर गुरु दे दे तो वह गुरु गुरु नहीं; वह दुश्मन है। गुरु जो देना चाहता है, उसे लेने को शिष्य राजी हो जाए तो ही शिष्य है।

तुम अपनी मांग लेकर मेरे पास मत रहना। अन्यथा तुम्हारी मांग मेरे और तुम्हारे बीच दीवाल की तरह खड़ी रहेगी। जब मेरे पास ही हो तो यही कह दो कि अब तुम ही यह भी तय करो कि क्या ठीक है। इसका नाम ही समर्पण है।

समर्पण का यह अर्थ नहीं है कि तुम कुछ मांगने आये हो; समर्पण करने से मिलेगा, इसलिए समर्पण करते हो। नहीं, समर्पण का अर्थ है: तुम अपनी मांग, तुम अपना मन सब समर्पण करते हो।

तुम कहते हो: 'अब मेरी कोई मांग नहीं; अब मेरा कोई मन नहीं; अब जो मर्जी हो! अब जो उस पूर्ण की मर्जी हो, वह होने दो! अब मैं यह न कहूंगा कि मेरी मर्जी पूरी हो।'

मेरी मर्जी पूरी हो, यही अधार्मिक आदमी का लक्षण है।

गुरजिएफ कहता था, तथाकथित धार्मिक लोग अक्सर तो धर्म-विरोधी हैं। उसने तो यहां तक कहा कि जिनको तुम धर्म कहते हो वह सभी ईश्वर-विरोधी हैं। क्योंकि उनके पीछे वही आकांक्षाएं हैं; अपनी मर्जी पूरी करने के इरादे हैं।

तुम ईश्वर को भी संचालित करना चाहते हो—अपनी मर्जी से! तुम उसे अपने पीछे चलाना चाहते हो। और ईश्वर केवल उन्हीं के साथ चल पाता है जो उसके पीछे चलने को राजी हैं।

सत्य को अपने पीछे खड़ा करने के लिए तो बहुत से लोग उत्सुक हैं। सत्य के पीछे खड़ा होने को जो उत्सुक होता है वही शिष्य है। उसने ही सीखना शुरू किया।

तो अब आ ही गए हो तो तुम जो कुछ सीखकर आये हो जिंदगी से, वह तुम्हारे काम नहीं पड़ेगा। जिंदगी में ही काम न पड़ा। जो नाव नदी-नाले में काम न आयी उसको लेकर तुम सागर में उतर रहे हो? जो नाव नदी-नालों में डुबाने लगी थी, उसको लेकर तुम सागर में उतरने का आयोजन कर रहे हो? फिर डूबो, तो परेशान मत होना!

निश्चित ही डूबोगे, क्योंकि सागर के विराट का तुम्हें बोध नहीं। सागर में शक्ति की नाव मत चलाना; वह कागज की नाव है। वह अहंकार की नाव है; बुरी तरफ डूबोगे! कूल-किनारा न मिलेगा। बहुत तड़फोगे, परेशान होओगे! वहां तो शांति की नाव चलाना। क्योंकि शक्ति की सीमा होती है। शांति की कोई सीमा नहीं। शक्ति को छीना जा सकता है, शांति को छीना नहीं जा सकता है।

खयाल किया तुमने! बड़े से बड़े शक्तिशाली की शक्ति छिन सकती है—छीनी जा सकती है।

नेपोलियन हार गया अंत में तो उसे सेंट हेलेना के एक छोटे-से द्वीप में कारागृह में डाल दिया गया। सम्राट था। सारे जगत को जीतने चला था। आखिरी नतीजा यह हुआ कि कारागृह में पड़ा। द्वीप पर उसे चलने-फिरने की स्वतंत्रता थी। छोटा-सा द्वीप था। वह पूरा द्वीप ही कारागृह था। इसलिए कहीं भागने का तो कोई उपाय न था। पहले ही दिन वह सुबह-सुबह घूमने निकला। एक पगडंडी से गुजर रहा है। एक स्त्री घास का गट्ठर लिए सिर पर आती है। तो नेपोलियन का जो चिकित्सक है—उसे एक चिकित्सक दिया गया था क्योंकि वह बीमार था, परेशान था, उसकी रक्षा के लिए—वह चिकित्सक चिल्लाकर कहता है उस घसियारिन से कि 'हट, तुझे पता है कौन आ रहा है! रास्ता छोड़!' लेकिन नेपोलियन स्वयं रास्ता छोड़कर किनारे खड़ा हो गया और उसने कहा कि तुम भूल करते हो। वे दिन गये जब नेपोलियन के लिए पहाड़ हट जाते थे। अब तो घसियारिन भी न हटेगी। अब तो मुझे ही हट जाना उचित है। घसियारिन कम से कम स्वतंत्र तो है, मैं कैदी हूं! मेरी कोई हैसियत नहीं उसके सामने।

नेपोलियन की शक्ति छिन जाती है! सम्राट दीन और दरिद्र हो जाते हैं। जो छिन जाती है, जिस पर दूसरों का कब्जा हो सकता है, जो परतंत्र है—उसका क्या मूल्य? वह नाव बड़ी छोटी है।

तुमने खयाल किया: शक्ति के लिए दूसरों की जरूरत है! अगर नेपोलियन को जंगल में अकेला छोड़ दो, उसके पास कोई शक्ति नहीं है। प्रधानमंत्रियों को, राष्ट्रपतियों को जंगल में अकेला छोड़ दो, उनके पास कोई शक्ति नहीं है। शक्ति के लिए भीड़ चाहिए। शक्ति के लिए वे लोग चाहिए जिन पर शक्ति आरोपित की जा सके। लेकिन शांति तो अकेले में भी तुम्हारी है; अकेले में और भी ज्यादा तुम्हारी है। उसे तुमसे कोई छीन नहीं सकता, क्योंकि वह किसी पर निर्भर नहीं है। ठेठ हिमालय के एकांत में भी शांति तुम्हारी होगी; तुम्हारे साथ जाएगी।

जो एकांत में भी तुम्हरे साथ हो, वही तुम्हारी संपदा है। और जो दूसरों पर निर्भर होती हो, उसे तुम एकांत में न ले जा सको, तो मृत्यु के पार कैसे ले जा सकोगे? वहां तो तुम अकेले जाओगे। न मित्र होंगे, न संगी-साथी, न पति-पत्नी, न बेटे-बेटियां, कोई भी न होगा। मौत में तो तुम अकेले प्रवेश करोगे। सब छूट जायेगा जो दूसरों पर निर्भर था। जो दूसरों ने दिया था वह दूसरे वापस ले लेंगे। तुम कोरे के कोरे रह जाओगे। बुरी तरह डूबेगी यह नाव!

इसलिए मैं शक्ति की कोई शिक्षण, शक्ति का कोई स्वरूप, शक्ति की कोई रूप-रेखा तुम्हें नहीं देता हूं। शांति! वही पाने योग्य है। जो खोया न जा सके, बस वही पाने योग्य है।

पर तुम्हें अड़चन हुई है, यह भी मैं समझता हूं। तुम अगर शक्ति ही खोजने आये थे...जैसा लोग आते हैं। लोग तो सत्पुरुषों के पास भी चमत्कार के लिए ही जाते हैं। लोग

तो वहां भी शक्ति का ही कोई तमाशा देखना चाहते हैं। लोगों की आंखें बाजार से इतनी भर गयी हैं कि जब वे मंदिर में भी आते हैं तो बाजार को अपने साथ ले आते हैं।

नहीं, यहां तो उन लोगों के लिए ही सुविधा है जो बाजार से सब भांति जागकर आये हैं। कम से कम इतनी जाग तो लेकर आये हैं कि यह शक्ति की दौड़ व्यर्थ है। अब चलो, दूसरी यात्रा पर निकलें! शांति की यात्रा!

संसार की पूरी यात्रा शक्ति की यात्रा है—बहाने कुछ भी हों। कोई धन इकट्ठा करता है। उससे भी पूछो, धन क्यों इकट्ठा करता है? धन से शक्ति आती है। एक-एक रुपये में भरी है शक्ति। कोई ज्ञान इकट्ठा करता है। उससे पूछो, क्यों? तो ज्ञान से शक्ति आती है। कोई राज-पदों पर पहुंचने के लिए आतुर है, उससे शक्ति आती है। संसार में हम वही करते हैं जिससे शक्ति आती है।

तो अगर संक्षिप्त में कहें, तो संसार है शक्ति की दौड़। बहाने अलग-अलग होंगे। फिर शक्ति की दौड़ से जो जागने लगा, जिसने उसकी व्यर्थता देखी, वही धर्म की यात्रा पर निकलता है। यह यात्रा अंतर्यात्रा है और यहां शांत होते जाना है।

शक्ति की दौड़ का एक ही परिणाम होता है—अशांति। अब तुमसे मैं एक बड़ी विरोधाभासी बात कहना चाहता हूं: शक्ति की दौड़ का एक ही परिणाम होता है—अशांति; और शांति की दौड़ का एक ही परिणाम है—शक्ति। लेकिन वह तुम्हारी कामना के कारण नहीं। शांत व्यक्ति शक्तिशाली हो जाता है। पर यह शक्ति बड़ी और है! यह शक्ति उद्विग्नता नहीं है—स्वभाव है। यह नैसर्गिक जीवन का हिस्सा है। यह किसी से ली नहीं गयी, किसी से छीनी नहीं गई, किसी को दी नहीं जा सकती। जब तुम अपने घर लौट आते हो और परम शांति में लीन होते हो, तो अचानक तुम पाते हो शक्ति का आविर्भाव हुआ है! लेकिन यह शक्ति तुम्हारी नहीं है। क्योंकि तुम तो अशांति के साथ ही चले गये। यह शक्ति परमात्मा की है।

तुम मुझे ऐसा कहने दो: परमात्मा के अतिरिक्त और कोई शक्तिशाली नहीं है। और परमात्मा के अतिरिक्त और कोई शक्तिशाली हो भी नहीं सकता। वस्तुतः परमात्मा के अतिरिक्त किसी को स्वयं को 'मैं' कहने का अधिकार नहीं है। यह तो कामचलाऊ है। हम उपयोग करते हैं 'मैं'; लेकिन 'मैं' तो वही कह सकता है जो शाश्वत है। हमारे 'मैं' का भरोसा क्या? घड़ीभर तो टिकता नहीं! क्षण भर तो टिकता नहीं! अभी कुछ, अभी कुछ! पानी पर खींची लकीर है!

तुम जब मिटते हो...और तुम उसी समय मिट जाते हो जब तुम अशांति के रास्ते पर चलना छोड़ देते हो; अर्थात जब तुम शक्ति की खोज छोड़ देते हो, तुम बिखरने लगते हो। इसीलिए बेचैनी है।

'खोपड़ी बड़ी उद्विग्न है', प्रश्नकर्ता ने पूछा है। 'परेशान हूं। आया था शक्ति खोजने, यहां मिली शांति। चाहता था प्रभुता, यहां मिली शून्यता।'

शून्यता द्वार है प्रभु का। तुम अगर शून्य होने को राजी हो गये तो तुम्हें प्रभु होने से कोई भी रोक न सकेगा। और अगर तुम शून्य होने को राजी न हुए और तुमने प्रभुता की

तलाश की, तो तुम भिखमंगे रहोगे, तुम सूने के सूने रहोगे, खाली के खाली रहोगे। इस विरोधाभास को अपने हृदय में बहुत गहरे बैठ जाने देना, क्योंकि यह जीवन का आत्यंतिक गणित है।

जीसस ने कहा है: जो अपने को बचाएंगे वह मिट जायेंगे; और जो अपने को मिटाने को राजी हैं उन्हें कोई भी मिटा नहीं सकता। लाओत्सु ने कहा है: जो जीतने की यात्रा पर निकलेंगे, एक दिन हारे हुए पाये जाएंगे; और जो हारने को राजी है, उसे कोई हराने वाला नहीं।

गुंचा फिर लगा खिलने
आज हमने अपना दिल
खूं किया हुआ देखा
गुम किया हुआ पाया।

जब उस शांति की वर्षा होती है तो कली फिर खिलने लगती है। गुंचा फिर लगा खिलने! जो कली आंखों से बिलकुल ओझल हो गयी थी, जिसका पता भी न रहा था, जो बीज होकर कहीं भूमि में खो गयी थी—वह फिर अंकुरित हो आती है।

गुंचा फिर लगा खिलने
आज हमने अपना दिल
खूं किया हुआ देखा।

और जिसको हम समझते थे मर चुका, जिसका खून हो चुका, वह दिल फिर धड़कने लगा।

आज हमने अपना दिल
खूं किया हुआ देखा
गुम किया हुआ पाया!

और जो खो चुका था, गुम हो चुका था, वह फिर मिला।

तो अगर तुम राजी हो अपने को मिटाने को, तो एक दिन तुम पाओगे: आज हमने अपना दिल खूं किया हुआ देखा! जिसको हम सोचे थे कि मर ही चुका, जिसे हम छोड़ ही आए थे दूर कहीं राह पर, जिस की हमने अरथी सजा दी थी, जिसे हम दफना आये थे, या जिसे हमने सूली पर चढ़ा दिया था, जिसे हम जला चुके थे—अचानक वह दिल फिर लहलहाया, फिर हरा हुआ, फिर कली खुली! गुम किया हुआ पाया! और जो खो गया था वह फिर मिला।

प्रभुता छोड़ो: प्रभुता मिलेगी! अहंकार छोड़ो: आत्मा मिलेगी! अपने को खो दो, मिट जाने दो, शून्य हो जाओ: पूर्ण के तुम पात्र हो जाओगे। पूर्ण तुममें उतरेगा। तुम्हारे शून्य में ही उतर सकता है। जगह चाहिए न! और पूर्ण जैसे मेहमान के लिए जगह बनानी हो, तो शून्य से कम जगह न पड़ेगी, जरूरी होगी। इतनी ही जगह चाहिए। पूरा शून्य चाहिए, तभी पूर्ण उतर सकता है! पूर्ण, शून्य में बिलकुल बैठ जाता है।

पूर्ण की भी कोई सीमा नहीं है; शून्य की भी कोई सीमा नहीं है। असीम को

बुलाओगे तो असीम होना ही पड़ेगा। जिस अतिथि को तुमने पुकारा है, उसके आतिथेय भी तो बनना होगा! मेजबान तो बनना होगा! जगह तो खाली करनी होगी! सिंहासन पर स्थान तो रिक्त करना होगा!

इसलिए कहता हूं: शांति! फिक्र छोड़ो शक्ति की। शक्ति खोजने वाले शक्ति को कभी नहीं पाते, केवल अशांति पाते हैं, और शांति खोजने वाले शक्ति को उपलब्ध हो जाते हैं।

फिर डरो मत।

उसका, उसको ही लौटा देने में इतना संकोच क्या? उसका उसके ही चरणों में चढ़ा देने में इतनी कंजूसी क्या?

जान दी, दी हुई उसी की थी
हक तो यह है कि हक अदा न हुआ।

उसी की दी हुई थी, उसी को वापस लौटा दी, उसी को दे दी! एक लहर उछली सागर में, वापस सागर में गिर गई!

जान दी, दी हुई उसी की थी
हक तो यह है कि हक अदा न हुआ।

सच तो यह है कि कर्तव्य-पालन न हो पाया। यह क्या खाक बात हुई, क्या दिया! जो उसका था उसी को लौटा दिया, इसमें कौन-सा कर्तव्य पालन हुआ?

लेकिन हम बड़े कंजूस हैं! जिससे पाया है, उसी को लौटाने में बेईमानी कर जाते हैं। जिसने बनाया है, उससे भी छिपा लेते हैं। जिससे पाया है उससे भी चोरी कर जाते हैं।

क्या है तुम्हारे पास अपना? सांस उसकी! बहता हुआ तुम्हारे शरीर में जल उसका। देह में मिट्टी के कण उसके! देह में समाया आकाश उसका! देह में जीवन की धारा अग्नि उसकी! और चैतन्य, वह उसी का अंश! जैसे तुम्हारे आंगन में आकाश समाया है—बाहर फैले आकाश का ही एक हिस्सा—ऐसे ही तुममें चैतन्य समाया है। विराट चैतन्य का एक छोटा-सा कोना, एक छोटा आंगन! सब उसका है।

शून्य होने से डरते क्यों हो, घबड़ाते क्यों हो? बूंद की तरह डरो मत सागर के किनारे खड़े होकर, क्योंकि बूंद अगर सागर में गिर जाये तो सागर हो जायेगी। अगर किनारे पर पड़ी रह गयी तो बूंद ही रह जायेगी। सीमा तड़फायेगी तुम्हें। सीमा दुख देगी। असीम के साथ ही सुख हो सकता है। भूमा के साथ ही सुख हो सकता है। अल्प में कहां सुख, कैसा सुख?

और घबड़ाओ मत! तुमने छोड़ दिया सब, तो तुम यह मत सोचना कि उसने तुम्हें छोड़ दिया। तुम शून्य हुए तो यह मत सोचना कि वह तुम्हें खाली समझकर तुम्हारे घर में प्रवेश न करेगा। खाली होओगे, तभी प्रवेश करेगा। तुमने सब छोड़ा, तभी तुमने पात्रता अर्जित कर ली। तुमने सब छोड़ा—अशेष भाव से! कुछ भी बचाना मत! रत्तीभर भी मत बचाना। अन्यथा बचाया हुआ ही बाधा हो जायेगी।

तुम स्वयं के और सत्य के बीच कुछ भी रहस्य मत रखना, छिपाना मत! तुम सब भांति नग्न हो जाना। तुम सब भांति छोड़ देना, फिर चिंता की बात नहीं।

मैं, और बज्मे-मै से यूं तिश्नाकाम जाऊं
गर मैंने की थी तौबा, साकी को क्या हुआ था?

साधारण मधुशालाओं में तो यह हो जाता है।

मैं, और बज्मे-मै से यूं तिश्नाकाम जाऊं,

—कि मैं ऐसा प्यासा का प्यासा लौट जाऊं मधुशाला से!

गर मैंने की थी तौबा, साकी को क्या हुआ था?

मैंने अगर कसम खायी थी कि न पीऊंगा तो साकी तो भर ही दे सकता था पात्र को! साकी तो पिलाने का आग्रह कर सकता था! मेरे तौबा कर लेने से, मेरे कसम खा लेने से, उसने तो कसम न खायी थी, वह तो मुझे मना, समझा-बुझा सकता था और जबर्दस्ती करता तो हम पी ही लेते।

साधारण मधुशाला में तो ऐसा हो जायेगा कि तुमने अगर तौबा की है तो तुम तिश्नाकाम ही वापस जाओगे, प्यासे ही वापस लौटोगे। लेकिन उस परम की मधुशाला में जिसने छोड़ दिया सब, वह कभी तिश्नाकाम नहीं जाता। जिसने पकड़ा सब, वही तिश्नाकाम जाता है। जिसने सब पकड़ा वह प्यासा रह जाता है। तुम पकड़नेवालों की तरफ तो देखो! कैसे प्यासे और कैसे उदास और कैसे थके और हारे रह गये हैं! तुम जरा छोड़े हुओं की तरफ तो देखो! महावीर, बुद्ध—तुम उनको तो देखो, कैसे भर गए हैं! प्यास सदा के लिए मिट गयी है, ऐसी गहन तृप्ति हुई है!

उसकी मधुशाला से तुम वापस न आओगे। अगर तुमने सब छोड़ा तो वह तुम्हें बहुत मनाएगा, बहुत तुम्हें पिलाने का आग्रह करेगा। तुम अगर सब उस पर छोड़ दो तो सब हो जाये।

इसलिए मैं कहता हूं, शून्य हो जाओ। शून्य होने से मेरा अर्थ यह नहीं है कि तुम ना-कुछ हो जाओ। तुम ना-कुछ हो। शून्य में तुम्हारा यह ना-कुछपन मिट जायेगा। धूल जम गयी है, उसे तुमने संपदा समझा है। शून्य होने में यह धूल हट जाएगी और तुम्हारे भीतर की संपदा प्रकट हो जायेगी। शून्य होकर ही तुम पूर्ण को पाओगे। दूसरा कोई उपाय नहीं है।

कहा है: 'पुराना विश्वास बिखर चुका, नये का जन्म नहीं हुआ। अब न पीछे जा सकता हूं न आगे ही बढ़ पाता हूं।'

कहीं मत जाओ! पुराना विश्वास बिखर चुका, अब तुम जल्दी मत करना नये विश्वास को बनाने की। क्योंकि डर यह है कि सौ में से निन्यानबे व्यक्ति, जब उनका पुराना विश्वास बिखरता है तो नये को फिर पुराने के ही ढांचे में बना लेते हैं। पुराने से परिचय होता है। पुराने से पहचान होती है। पुराने के रंग-ढंग पता होते हैं। पुराने की रूप-रेखा उनके हाथ में होती है। फिर नये विश्वास को वह पुराने के ढांचे में ही बना लेते हैं।

पुराना विश्वास बिखर गया है, डरो मत! तुम मत ढालना नये विश्वास को, अन्यथा तुम फिर पुराने सांचे में ढाल लोगे। वही सांचा तुम जानते हो। तुम चुप रहो। तुम

इस बीच की बड़ी बेचैन अवस्था में राजी रहो। और तब तुममें श्रद्धा का जन्म होगा। वह विश्वास नहीं होगी। वह तुम्हारी ढाली हुई न होगी। यही मैं फर्क करता हूं विश्वास और श्रद्धा में। विश्वास है तुम्हारा ढाला हुआ; क्योंकि तुम खाली रहने को राजी नहीं, कुछ न कुछ भरने को चाहिए। सत्य न सही तो झूठ ही सही। अपना न सही तो और का ही सही। देखा हुआ न सही तो सुना हुआ ही सही।

तुम विश्वास को ढालोगे तो तुम्हारा ही ढाला हुआ विश्वास होगा। न, यह गृह उद्योग सत्य के जगत में काम न आयेगा।

पुराना गिर गया, सौभाग्य! धन्यभागी हो! अब जल्दी मत करो नये को बनाने की। अगर तुम इस खालीपन में थोड़ी देर रह गए तो नया उतरेगा; वह तुम्हारा बनाया हुआ न होगा। धीरे-धीरे तुम पाओगे, तुम्हारे शून्य को किसी प्रकाश ने उतरकर भर दिया। तुम तो गर्भ जैसे हो गए और कोई जीवन आया और तुम्हारे गर्भ में प्रविष्ट हो गया। यह तुम्हारा बनाया हुआ पुतला नहीं है—यह परमात्मा से आया हुआ जीवन है।

श्रद्धा आती है; विश्वास लाया जाता है। विश्वास जबर्दस्ती है; श्रद्धा नैसर्गिक है; श्रद्धा सहज है। जो आदमी विश्वास के बिना रहने के लिए राजी है, उसके जीवन में श्रद्धा उतरती है।

विश्वास का न होना अविश्वास नहीं है। क्योंकि अविश्वास तो फिर एक तरह का विश्वास है। कोई मानता है, ईश्वर है—यह भी विश्वास; कोई मानता है ईश्वर नहीं है—यह भी विश्वास। 'नहीं' लगा देने से कहीं फर्क पड़ता है? जो आदमी मानता है ईश्वर नहीं है—यह उसकी धारणा, उसका शास्त्र। कोई महावीर को मानता है, कोई मोहम्मद को—कोई मार्क्स को मानता है। कोई गीता को पूजता है, कोई कुरान को—कोई कैपिटल को पूजता है। फर्क कुछ भी नहीं है।

वहां सोवियत रूस में पुराने देवता तो विदा हो गये, पुराने धर्म खो गये, पुराने चर्च खो गये; लेकिन कम्युनिज्म का नया चर्च निर्मित हो गया है। कम्युनिस्ट नेताओं की नयी प्रतिमाएं निर्मित हो गयी हैं। ईश्वर नहीं है, यही सिद्धांत हो गया है विश्वास का। बच्चों को रटाया जाता है। जैसे ईसाई रटाते हैं बच्चों को, जैसे मुसलमान रटाते हैं, हिंदू, जैन रटाते हैं बच्चों को, अपनी-अपनी धारणा—वैसे ही कम्युनिज्म अपनी धारणा रटाता है। लेकिन दोनों ही विश्वास हैं।

विश्वास का अर्थ यही है: जो तुमने चेष्टा से करके पैदा कर लिया है। मनुष्य निर्मित का नाम है विश्वास। और जब मनुष्य कुछ निर्माण नहीं करता, न विश्वास न अविश्वास, न पक्ष न विपक्ष, खाली खड़ा रह जाता है; वह कहता है, जब तेरी मर्जी हो तब भर देना, अगर न भरेगा तो भी हम राजी हैं—तब एक दिन तुम्हारे शून्य में उस पूर्ण का आगमन होता है। तब तुम्हारी अंधेरी रात में जलता है उसका दीया। और यह तुम्हारा जलाया नहीं होता; क्योंकि तुम्हारा जलाया तुमसे बड़ा नहीं हो सकता। तुम्हारा जलाया तुम्हारा ही हिस्सा होगा। तुम्हारा जलाया तुम्हारा ही निर्माण होगा। तुम परमात्मा को मौका दो। तुम थोड़े बीच में दखलंदाजी न करो। तुम खड़े देखते रहो।

यह शुभ घड़ी है कि पुराना विश्वास बिखर चुका और नया पैदा नहीं हो रहा है। करना भी मत! तुम जल्दी करोगे, क्योंकि खाली जगह अखरती है। जैसे दांत टूट जाता है तो जीभ वहीं-वहीं जाती है—ऐसा जब पुराना विश्वास हट जाता है तो बार-बार मन वहीं-वहीं लौटता है कि जल्दी विश्वास बनाओ! घर खाली-खाली लगता है, बेचैनी मालूम होती है। इस बेचैनी को झेल लेना। लेकिन विश्वास अब मत बनाना। बहुत तुमने बनाए, कोई काम न आये। कितने-कितने धर्मों में तुम जी नहीं चुके हो! कितने-कितने शास्त्रों को तुम पूज नहीं चुके हो! कितने-कितने परमात्मा तुमने निर्मित नहीं किये हैं। कितनी प्रतिमाएं तुम्हारी अर्चना और पूजा को स्वीकार नहीं कर चुकी हैं। लेकिन क्या हुआ? अब तुम कह दो कि अब मैं न बनाऊंगा। अब जब प्रकृति ही उपजाएगी...। अब कागज और प्लास्टिक के फूल नहीं; अब तो जब असली फूल आएंगे तभी। मैं राजी हूं, प्रतीक्षा करूंगा।

प्रार्थना करो, प्रतीक्षा करो; लेकिन विश्वास को निर्मित मत करो। होगा! धीरज रखो। और अगर धीरज से हुआ, अपने आप हुआ और तुम सिर्फ साक्षी रहे, गवाह; बनाने वाले नहीं, तुमने सिर्फ जगते देखा श्रद्धा को, तुमने श्रद्धा का वृक्ष बढ़ते देखा, तुमने श्रद्धा में फूल-फल लगते देखे, तुम सिर्फ साक्षी रहे—तो तुम पाओगे यह श्रद्धा मुक्तिदायी है।

इस श्रद्धा को ही महावीर ने दर्शन कहा है। दर्शन यानी जिसको तुमने देखा, बनाया नहीं। श्रद्धा तुम्हारा कर्म नहीं है, दर्शन है। श्रद्धा तुम्हारा कृत्य नहीं है, तुम्हारा दर्शन है। जिसको तुमने उठते देखा, फैलते देखा, पूरे आकाश को भरते देखा, तुम साक्षी रहे जिसके—तब विराट से आयी श्रद्धा। और जो विराट से आती है वह विराट कर जाती है। जो क्षुद्र की है वह क्षुद्र है।

'अब न पीछे जा सकता हूं, न आगे ही बढ़ सकता हूं!'

कोई जरूरत नहीं कहीं जाने की। तुम जहां हो, वहीं डूबने की जरूरत है। आगे-पीछे की भाषा मन की है। आगे-पीछे की भाषा महत्वाकांक्षा की है। आगे-पीछे की भाषा: प्रगति हो रही कि नहीं, गति हो रही कि नहीं, कहीं जा रहा हूं कि नहीं! जाना कहां है? जो हो, वहीं ठहर जाना है! जो हो, उसमें ही लवलीन हो जाना है। जो हो, उसमें ही तल्लीन हो जाना है। अपने में डूबना है, जाना कहां है? सब जाना बाहर है। घर आना है!

और तुम यह मत सोचना कि घर आने के लिए भी कहीं जाना होगा। घर तो तुम हो ही। जरा बेचैनी छोड़ो, विचार छोड़ो, तो अचानक तुम पाओगे कि इस घर को तुमने कभी छोड़ा ही नहीं; तुम सदा ही इसमें थे। खयालों में ही छोड़ा था वस्तुतः कभी नहीं छोड़ा था।

बोधिधर्म जब जाग्रत हुआ तो हंसने लगा, खूब हंसने लगा! उसके आसपास के और भिक्षुओं ने पूछा कि तुम पागल तो नहीं हो गये हो, हुआ क्या है? उसने कहा, मैं इसलिए हंस रहा हूं कि जिसको मैं खोजता था जन्मों-जन्मों से, उसे कभी खोया नहीं था। खूब मजाक रही!

तुम्हीं सोचो कि वर्षों तक तुम खोजते रहे किसी चीज को और आखिर में खीसे में हाथ डाला और वहां पायी! और खीसे में तुमने खोजा ही नहीं अब तक; क्योंकि यह खयाल ही नहीं उठा कि खीसे में भी हो सकती है।

तुम्हारी संपदा तुम हो। तुम्हारी संपदा तुम्हारे भीतर इसी क्षण मौजूद है। कहीं न जाओ—न आगे न पीछे, न उत्तर न दक्षिण, न पश्चिम न पूरब, न नीचे न ऊपर—दसों दिशाओं को छोड़ दो। दसों दिशाओं को छोड़कर जो खड़ा हो जाता है, उस अवस्था को महावीर कहते हैं समाधि। वह आ गया घर! वापसी हो गयी! उसने जान लिया उसे—जिसका विस्मरण हो गया था।

यह भी खयाल रख लेनाः तुम चाहते हो मुझे कि मैं तुम्हें कुछ चलाऊं, दौड़ाऊं, कहीं पहुंचाऊं, तुम्हें कोई ज्वर दूं, तुम्हें कोई तड़प दूं, उत्साह दूं।

मेरे पास लोग आते हैं, वे कहते हैं, जरा हमें उत्साह दें—उत्साह ढीला पड़ा जा रहा है। उत्साह किसलिए? तुम कोई सैनिक नहीं हो कि कहीं युद्ध पर जा रहे हो। तुम संन्यासी हो, अपने घर आ रहे हो—उत्साह कैसा?

लेकिन लोगों को उत्साह चाहिए, दौड़ने के लिए उत्साह जरूरी है, रुकने के लिए उत्साह की जरूरत है? रुकने के लिए तो उत्साह बाधा भी बन सकता है। क्योंकि वह तुम्हें दौड़ाए रखेगा। शांत बैठ जाना है—कैसा उत्साह? कहीं जाना नहीं, ऊर्जा का कोई उपयोग नहीं करना है। जैसे शांत झील हो, ऐसे हो जाना है—जिसमें तरंग नहीं उठती, लहर नहीं उठती।

लेकिन तुम डरते हो। तुमने अब तक तो जिसको जीवन जाना है, वह दौड़-धूप है, आपा-धापी है। तुमने उसके अतिरिक्त कोई जीवन नहीं जाना। तुमसे अगर कोई बैठने को कहे तो लगता है, यह तो मरने जैसा हो गया; इसमें जीवन कहां है? लेकिन मैं तुमसे कहता हूं, जीवन तुम्हारे भीतर है। उसे दौड़-धूप करके तुम न पा सकोगे। जब दौड़-धूप से थक जाओगे, बैठ जाओगे, और कहोगे, अब कहीं जाने की कोई इच्छा न रही—तत्क्षण तुम पाओगे कि वह मिल गया।

दूसरा प्रश्नः

ओशो, दर्शन के तत्क्षण बाद घटी घटना को ही क्या भजन कहते हैं? कृपा करके समझाएं।

'दर्शन' महावीर की साधना-पद्धति का शब्द है; 'भजन' उनकी साधना-पद्धति का शब्द नहीं। दर्शन के बाद तो महावीर कहते हैं, ज्ञान घटता है। ज्ञान के बाद चारित्र्य घटता है। भजन की कोई जगह महावीर की विचार-श्रृंखला में नहीं है। भजन भक्तों की परंपरा का शब्द है। दोनों को जोड़ने की कोशिश मत करो, अन्यथा तुम और उलझ जाओगे।

दोनों को अलग-अलग ही रखो। दोनों सही हैं; पर अलग-अलग सही हैं; अलग-अलग यंत्रों के अंग हैं।

महावीर के मार्ग पर भजन जैसी कोई जगह नहीं है। क्योंकि भजन का अर्थ होता है: उत्सव। भजन का अर्थ होता है: प्रभु-नाम-स्मरण। भजन का अर्थ होता है: तल्लीनता। भजन का अर्थ होता है: बेहोशी, बेखुदी। भजन तो ऐसा है जैसे कोई भीतर की शराब, पीये और मस्त हो गये! भजन तो नृत्य है, गुनगुनाना है, गीत है।

महावीर के मार्ग पर भजन जैसी कोई चीज नहीं है। वह मार्ग बिलकुल भजन-शून्य है।

इसलिए अगर महावीर के मार्ग के शब्द 'दर्शन' का उपयोग कर रहे हो तो भजन को भूल जाओ। महावीर कहते हैं, दर्शन से होगा ज्ञान, बोध। भजन तो है अबोध। महावीर कहते हैं, होगा ज्ञान। महावीर कहते हैं, आयेगी जागृति। भजन तो है गहरी आत्म-विस्मृति, तल्लीनता। और महावीर कहते हैं, ज्ञान से चारित्र्य रूपांतरित होगा।

भजन है भक्तों का शब्द। उसे भी समझ लेना जरूरी है। भजन के लिए दर्शन जरूरी नहीं। भजन के लिए भाव जरूरी है। महावीर का 'दर्शन' पाना हो तो निर्भाव होना जरूरी है। वे विपरीत रास्ते हैं। वहां सारे भाव का त्याग कर देना है। वहां तो भाव राग है। वहां तो प्रेम भी बंधन है। भक्त के मार्ग पर भाव प्रारंभ है: भाव, भजन, भगवान! वहां न ज्ञान, न दर्शन, न चारित्र्य। भक्त को चरित्र इत्यादि की चिंता ही नहीं। वह कहता है, 'चरित्र उसका, हमारा क्या? उसकी जैसी मर्जी! वह जैसा नाच नचाये!' भक्त तो कहता है, 'हम तो कठपुतली की भांति हैं; धागे उसके हाथ में हैं! वह जो बनाये हम बन जाते हैं। लीला उसकी है। सारा नाटक उसका रचा हुआ है। हम तो केवल पात्र हैं नाटक में—राम बना देता है, राम बन जाते हैं; रावण बना देता है, रावण बन जाते हैं।'

भक्त की भाव-दशा बड़ी अलग है। तो भक्त प्रेम से चलता है, भाव से चलता है। भाव ही सघन होकर भक्ति बनती है। और भक्ति जब प्रकट होती है फूलों की तरह, तो भजन।

भाव से शुरुआत है। जब भाव बहुत गहन होने लगता है, इतना गहन होने लगता है कि भाव करने वाला धीरे-धीरे भाव में डूब जाता है, अलग नहीं रह जाता—तो भक्ति। और भक्ति जब इतनी सघन होती है कि स्वयं का तो दिखायी पड़ना बिलकुल बंद हो जाता है, स्वयं की जगह परमात्मा की प्रतीति होने लगती है, चारों तरफ उसका दर्शन होने लगता है—तो भगवान। और भगवान को पा लेने की जो खुशी है, वह भजन है। उसको पा लेने से जो नाच पैदा होता है कि मिल गया!...

आर्किमिडीज के जीवन में एक कथा है कि वह एक वैज्ञानिक खोज कर रहा था। अपने टब में बैठा था स्नान करने, तब उसको सूझ आ गयी। तो नग्न बैठा था स्नानागार में, छलांग लगाकर उठा। भूल ही गया कि नग्न हूं। भूल ही गया कि स्नानागार है। खोज का मजा ऐसा था कि दौड़ा सड़कों पर और चिल्लाया: 'इरेका! मिल गया!' राजमहल पहुंच गया नंगा, भीड़ लग गयी। सम्राट ने भी कहा कि 'तुम पागल हो गये

हो! मिल भी गया तो इतने पागल होने की क्या बात है? नग्न क्यों हो?' तब उसे याद आया। उसने कहा, 'क्षमा करें! मिलने का क्षण इतना गहन था कि मैं भूल ही गया; अपना मुझे होश ही न रहा।'

तो भजन तो ऐसा क्षण है: इरेका! मिल गया!

जब भगवान की पहली दफा झलक मिलती है, जब उसकी छवि पहली दफा दिखाई पड़ती है, जब उसका रूप पहली दफा प्रकट होता है, जब उसकी सुगंध नासापुटों में पहली बार भरती है—इरेका!—तो भक्त नाच उठता है, गुनगुना उठता है, आंसुओं की धार बह जाती है—आनंद के आंसुओं की! सम्हाले नहीं सम्हलता! मस्ती भर जाती है! प्याला छलकने लगता है!—तो भजन!

भजन बिलकुल दूसरी धारा का हिस्सा है। दोनों धाराएं पहुंचा देती हैं, लेकिन दोनों के रास्ते बड़े अलग-अलग हैं।

शेख काबे से गया उस तक बिरहमन दैर से
एक थी दोनों की मंजिल फेर था कुछ राह का।

लेकिन वह कुछ फर्क बड़ा फर्क है! कोई मस्जिद से गया, कोई मंदिर से गया; कोई तप से गया, कोई भाव से गया—थोड़ा-सा फर्क है; लेकिन थोड़ा-सा फर्क भी बहुत बड़ा फर्क है। पहुंचकर तो सब रास्ते उसी पर मिल जाते हैं। लेकिन बीच में बड़े-बड़े अंतर हैं। और बीच में तुम दो रास्तों के बीच अपने को डांवाडोल मत करना। दो नावों पर कभी सवार मत होना। यद्यपि दोनों नावें उसी किनारे पहुंचा देंगी; लेकिन दो नावों पर सवार आदमी मुश्किल में पड़ जाता है। एक ही नाव पर सवार हुआ जा सकता है। इसका यह भी अर्थ नहीं है कि तुम यह घोषणा करो और चिल्लाओ और मानो कि मेरी ही नाव पहुंचाती है। वह भी पागलपन है। वह भी कमजोरी है। जो आदमी कहता है मेरी ही नाव पहुंचाती है, उस आदमी को संदेह है अभी। उसे अपनी नाव पहुंचाएगी, इसमें संदेह है। चिल्ला-चिल्लाकर वह विश्वास जगा रहा है। वह कहता है, 'कहां जा रहे हो दूसरी नाव में? यह कभी न पहुंचाएगी। आओ, मेरी ही नाव पहुंचाती है!' वह डरा है अपने से कि कहीं दूसरी भी नाव पहुंचाती हो तो उसका खुद का इस नाव में बैठना मुश्किल हो जाएगा।

तुम हैरान होओगे! जो लोग दूसरों को कनवर्ट करने चलते हैं—जैसे ईसाई हिंदुओं को ईसाई बनाने में लगे रहते हैं, आर्य समाजी ईसाइयों को हिंदू बनाने में लगे रहते हैं—ये सब संदिग्ध लोग हैं; इनको अपनी नाव पर भरोसा नहीं है। ये जब तक दूसरे की नाव खाली न करवा लें तब तक इन्हें भरोसा नहीं। ये कहते हैं, दूसरी भी नावें हैं, इनमें भी लोग जा रहे हैं—कहीं ये लोग पहुंच तो नहीं जाते! ये खुद तो पहुंचे नहीं हैं अभी। इनकी नाव कहीं जाती नहीं मालूम हो रही है इनको। दूसरे! तो दो ही उपाय हैं या तो ये सही हैं, या हम सही हैं। अगर ये सही हैं तो हमको अपनी नाव में से उतरना पड़ेगा। अगर हम सही हैं तो इनको इनकी नाव से उतार लें।

सारी दुनिया में धर्मों के बीच जो संघर्ष चलता है वह स्वयं की नाव पर विश्वास नहीं है, इसलिए चलता है। दूसरे को जब तुम समझाने जाते हो तब तुम गौर करना: कहीं

तुम दूसरे के बहाने अपने को ही तो नहीं समझा रहे हो? कहीं दूसरे के बहाने अपने ही संदेहों को तो शांत नहीं कर रहे हो? जब तुम दूसरे को समझाने में राजी हो जाते हो कि तुम सही हो, तो तुम्हें बड़ा हलकापन मालूम होता है, तुमने खयाल किया। क्यों? एक बोझ था भीतर: कौन जाने हम गलत हों! दूसरे को समझा लिया, चलो एक आदमी और राजी हो गया! अपने पर तो भरोसा नहीं था; अब एक और राजी हो गया, शायद ठीक हों! दो राजी हो गये, तीन राजी हो गये, भीड़ इकट्ठी हो गयी, तो भरोसा पक्का हो गया कि नहीं, हम गलत कैसे हो सकते हैं! इतने लोग कैसे राजी हो जाते! हो सकता था हम भूल में होते, लेकिन इतने लोग! इतने लोग तो भूल में नहीं हो सकते!

दूसरे को कनवर्ट करने की चेष्टा में अपने ही अविश्वासों को, संदेहों को शांत करने की चेष्टा छिपी है। इसलिए लोग चिल्लाते हैं कि बस यही मार्ग।

महावीर के मार्ग पर बहुत लोग नहीं गये, क्योंकि महावीर ने कहा सभी मार्ग सही हैं।

जैन अब हिम्मत नहीं करते यह कहने की कि सभी मार्ग सही हैं। वह हिम्मत छोड़ दी उन्होंने। अब तो वे कहते हैं यही मार्ग सही है। और कभी-कभी कैसी विडंबना हो जाती है!

मैं एक जैन मुनि से बात कर रहा था। तो मैंने उनसे कहा कि जैन धर्म तो स्यादवाद को मानता है। जैन धर्म तो कहता है, और भी सही हैं। जैन धर्म का तो यह कहना है, 'यही सही है', यह दृष्टि गलत है। 'यह भी सही है', यह दृष्टि सही है। वह भी सही है, यह भी सही है। यह ही सही है, ऐसे आग्रह में तो दूसरे सब गलत हो जाते हैं। उन्होंने कहा कि निश्चित, स्यादवाद का यही अर्थ है। फिर थोड़ी बात चलती रही। इधर-उधर की मैंने उनसे बात की, फिर थोड़े भूल गये वे तो मैंने उनसे कहा कि स्यादवाद के विपरीत अगर कोई हो, उसके लिए क्या कहियेगा? वह भी सही है? 'कभी नहीं,' उन्होंने कहा, 'ऐसा कैसे हो सकता है? स्यादवाद के जो विपरीत है वह कभी सही नहीं हो सकता।'

स्यादवाद का मूल आधार ही यही है कि जो मेरे विपरीत है वह भी सही हो सकता है। महावीर का आकाश बड़ा विराट है। वे कहते हैं, इतना बड़ा विराट आकाश है तो इतनी छोटी-छोटी पगडंडियों पर तुम चिल्लाते हो, यही सही है? तुम पगडंडी के नाप को आकाश का नाप बना देते हो? तुम पहुंचने के संकीर्ण मार्ग को मंजिल बना देते हो? मंजिल बहुत बड़ी है। सब तरह के मार्ग वहां समाविष्ट हो जाते हैं।

ऐसा समझो कि गंगा बह रही है, नर्मदा भी बह रही है। गंगा बह रही है पूरब की तरफ, नर्मदा बह रही है पश्चिम की तरफ। अगर दोनों का रास्ते में मिलना हो जाये तो बड़ी मुश्किल हो जाये। क्योंकि गंगा कहे, मैं सागर की तरफ जाती हूं, तू पागल कहां जा रही है उलटी; और नर्मदा भी कहे, मैं भी सागर की तरफ जाती हूं, तुम्हें कुछ अड़चन हो गयी है...

मुल्ला नसरुद्दीन एक ट्रेन में सवार हुआ। वह अपना बिस्तर वगैरह लगाकर ऊपर की बर्थ पर लेटने ही जा रहा था कि कुछ याद आ गयी तो उसने नीचे की सीट पर लेटे

आदमी से पूछा, भाई साहब! आप कहां जा रहे हैं? तो उस आदमी ने कहा, कलकत्ते जा रहा हूं। मुल्ला बोला, हद्द हो गयी! हम तो बंबई जा रहे हैं। विज्ञान का चमत्कार तो देखो कि एक सीट कलकत्ता जा रही है, एक सीट बंबई जा रही है!

अब गंगा और नर्मदा का अगर मिलन हो जाये तो बड़ी मुश्किल हो गयी। दोनों सागर की तरफ जा रही हैं और दोनों सागर में ही जा रही हैं। सब जाना सागर की तरफ है।

मैं तो तुमसे कहता हूं, जो संसार की तरफ जा रहा है वह भी जरा लंबे रास्ते से परमात्मा की ही तरफ जा रहा है। क्योंकि सब जाना उसकी तरफ है—देर-अबेर! मैं तो तुमसे कहता हूं, जिसने वेश्या के द्वार पर दस्तक दी है, उसने भी अनजाने मंदिर के द्वार पर ही दस्तक दी है—थोड़ी दूर से दस्तक दी है। लेकिन वेश्या के पास भी वह मंदिर को ही खोजने गया है, क्योंकि प्रेम खोजने गया है। मिले न मिले, दूसरी बात। लेकिन आकांक्षा तो उसी की है। खुद भी परिचित न हो, यह भी हो सकता है। गलत दिशा में टटोलता हो, यह भी हो सकता है। लेकिन भीतर जो खोज चल रही है, वह तो उसी की चल रही है। सभी सागर की तरफ जा रहे हैं। और सभी पहुंच जाते हैं, क्योंकि सागर ने सब दिशाओं से घेरा है। सागर की कोई दिशा नहीं है। ऐसे परमात्मा की कोई दिशा नहीं है।

तो ध्यान रखना, भजन से भी लोग पहुंचते हैं, भाव से भी पहुंचते हैं। पर भाव की नाव अलग है। उसकी चाल अलग है। उसकी पतवार अलग है। उसका रंग-ढंग अलग है। वह बड़ी सजी-संवरी है।

महावीर की नाव बड़ी भिन्न है। जरा भी सजी-संवरी नहीं है। वहां भाव को कोई जगह नहीं है। वहां शुद्ध विचार और ध्यान है। वहां भूलना नहीं है, स्मरण रखना है। भाव में भूलना है, स्मरण नहीं रखना है। भाव में आत्मविस्मृति करनी है। और महावीर के मार्ग पर आत्मस्मृति जगानी है। बड़े विपरीत हैं। एक पूरब जा रहा है, एक पश्चिम जा रहा है—एक नर्मदा, एक गंगा—लेकिन दोनों सागर में पहुंच जाते हैं! और सागर में पहुंचकर दोनों सागर हो जाते हैं।

भजन विधायक जीवन-दृष्टि है; दर्शन नकारात्मक जीवन-दृष्टि है।

तू और तेरी चंचल सखियां, जब पानी भरने जाती हैं
तब साये धानी होते हैं, तब धूप गुलाबी होती है।

वह जो भक्त है, वह प्रत्येक खेल में परमात्मा को देख रहा है।

तू और तेरी चंचल सखियां जब पानी भरने जाती हैं
तब साये धानी होते हैं, तब धूप गुलाबी होती है।

धूप भी गुलाबी हो जाती है, साये भी धानी हो जाते हैं। और जो भी जा रहा है पनघट की तरफ, वह वही है—उसकी चंचल सखियां हैं।

सारा जगत अनेक-अनेक रूपों में उसी की लीला है। जिसने उसे पहचानना शुरू कर दिया, वह हर जगह उसे पहचान लेगा।

मोहतसिब की खैर ऊंचा है उसी के फैज से
रिंद का, साकी का, मय का, खुम का, पैमाने का नाम।

भक्त तो कहता है, भगवान है रसाध्यक्ष उस मधुशाला का! इस जीवन की मधुशाला का रसाध्यक्ष! और उसी की कृपा का फल है।

रिंद का, साकी का, मय का, खुम का, पैमाने का नाम

—इन सबके नामों की महिमा उसी के कारण है!

मोहतसिब की खैर ऊंचा है उसी के फैज से।

—उस रसाध्यक्ष की अनुकंपा कि उसी की अनुकंपा से रिंद का, पियक्कड़ का...।

भक्त तो पियक्कड़ है। वह तो भगवान की शराब पी रहा है। जीवन को तो उसने मधुसिक्त भाव से देखा है। 'प्यारे' को पहचानने की तरह उसने जीवन की खोज की है। वह सत्य की खोज में नहीं है—'प्यारे' की खोज में है! महावीर सत्य की खोज में हैं। 'प्यारा' शब्द उनके ओंठ से निकलेगा भी नहीं।

मोहतसिब की खैर ऊंचा है उसी के फैज से
रिंद का, साकी का, मय का, खुम का, पैमाने का नाम।

जिस गागर में सागर भरी, जिस गागर में मधु का सागर भरा है, जिस पात्र में मधु पड़ा है, जो पिलाने वाला है, जो पीने वाला है—इन सबकी महिमा उसी के कारण है—उसकी ही अनुकंपा से है!

भक्त की भाषा सुरा की, सुगंध की, संगीत की भाषा है। भक्त की भाषा प्रेम की, प्रियतम की, प्रियतमा की भाषा है। भक्त की भाषा रास की, रस की भाषा है।

भजन का अर्थ है: जो डूबा! भजन का अर्थ है: जिसने अपने को खोया! भजन का अर्थ है: जिसने अपने को छोड़ा उसके हाथ में! भजन का अर्थ है: जो उसके आसपास नाचा और रास में सम्मिलित हुआ। भक्त को तो लगता है: यह सारा खेल, यह सारी लीला, चाहे कैसा ही ढंग रखती हो—यह कोयल की कुहू-कुहू, ये वर्षा के बादल, यह वर्षा की रिमझिम टाप—यह सब अनेक-अनेक रूपों में उसी का आगमन है! यह उसी के पैरों में बंधे हुए घुंघरुओं की आवाज है!

भक्त संसार को सिर्फ संसार की तरह नहीं देखता—परमात्मा की अभिव्यक्ति की तरह देखता है। यह उसका प्रकट रूप है। यह उसी चित्रकार का चित्र है। ये रंग उसी के हाथ ने फैलाए हैं। ये गीत उसी ने रचे हैं। वेद कहते हैं: यह काव्य उसी का है! यह वही गुनगुनाया है! वही गुनगुना रहा है!

साधक के मार्ग पर संसार और सत्य विपरीत हैं। संसार से हटना है अगर सत्य में जाना हो।

भक्त के मार्ग पर संसार सत्य का ही परिधान है, उसी की वेषभूषा है। ये जो मोर नाच रहे हैं, ये मोर-पंख उसी के मुकुट पर लगे हैं। यह जो बांसुरी बज रही है, चाहे तुम्हें उसके ओंठ दिखायी पड़ते हों न दिखायी पड़ते हों, यह बांसुरी उसी के ओंठों पर रखी है; नहीं तो कभी की बजनी बंद हो जाती।

मय भी है, मीना भी है, सागर भी है, साकी नहीं
जी में आता है लगा दें आग मयखाने को हम।

और अगर तुम्हें दिखायी न पड़े वह, तो फिर ऐसा लगेगा कि संसार में आग ही लगा दो।

मय भी है, मीना भी है, सागर भी है, साकी नहीं—सब है लेकिन पिलाने वाला नहीं है, ढालने वाला नहीं, साकी नहीं है।

जी में आता है लगा दें आग मयखाने को हम!

तो फिर यह सब व्यर्थ है। लेकिन अगर उसके हाथ तुम्हें दिखायी पड़ जायें कि उसी ने ढाली है सुरा, तो फिर सुरा भी अमृत है। अगर उसके हाथ दिखायी पड़ जायें तो जहर भी अमृत है! क्योंकि उसके हाथों में जहर हो ही कैसे सकता है!

भक्त की दृष्टि बड़ी अलग है। भक्त की दृष्टि को तुम साधक की दृष्टि के साथ गडमगड्ड न करना। उन्हें अलग-अलग रखना, साफ-सुथरा रखना। फिर तुम्हें जो प्रीतिकर लगे, उस पर चले जाना; मगर मन में कभी भी यह खयाल मत रखना कि दूसरा गलत है। अगर तुमने यह सोचा कि दूसरा गलत है तो मैं तुमसे कहूंगा : तुम्हें अपने मार्ग पर संदेह है। दूसरे से तुम्हें क्या लेना-देना? होगा, वह भी ठीक होगा। और अगर उसे वहीं से आनंद के द्वार खुल रहे हैं, तो तुम कौन हो रोकने वाले? और अगर उसे वहीं से परमात्मा की पहचान आ रही है, तो तुम कौन हो बाधा डालने वाले?

सत्य के एकाधिकारी, मोनोपोलिस्ट मत बनना। इसी तरह दुनिया में धर्म नष्ट हुआ, क्योंकि सभी धर्म सत्य के एकाधिकारी बन गये। और जब भी धर्म सत्य का एकाधिकारी बनता है, भ्रष्ट हो जाता है; संप्रदाय रह जाता है; धर्म मर जाता है, लाश रह जाती है। सत्य पर किसी की बपौती नहीं है। यही महावीर का स्यादवाद है। सत्य सबका है; सब ढंगों से पाया जा सकता है; सब मार्गों से पाया जा सकता है। ऐसा अगर तुम कह पाओ तो उसका अर्थ हुआ : कि तुम्हें अपने मार्ग पर श्रद्धा है, श्रद्धान है। इसलिए तुम्हें दूसरे के मार्ग को गाली देने की जरूरत नहीं। तुम्हें अपने मार्ग पर इतना भरोसा है कि इस भरोसे को दूसरे को गाली दे दे कर बढ़ाने की जरूरत नहीं है। तुम अपने मार्ग के प्रति इतने आश्वस्त हो कि अगर सारी दुनिया भी तुम्हारे मार्ग को छोड़ दे तो तुम अकेले ही गीत गुनगुनाते चले जाओगे। इससे कुछ फर्क न पड़ेगा। तुम्हें भीड़ की अपेक्षा नहीं है, जरूरत नहीं है।

कमजोर आदमी को भीड़ की जरूरत है। भरोसे की कमी हम भीड़ से पूरा कर लेते हैं। कमजोर आदमी को परंपरा की जरूरत है। तो हम कहते हैं, पांच हजार साल पुरानी है हमारी परंपरा! इस तरह भीड़ को हम पांच हजार साल पुराना बना देते हैं।

भीड़ दो तरह से हो सकती है—या तो अभी हो; जैसी ईसाइयों के पास है। एक अरब आदमी! तो वे जरा अतीत की बात नहीं करते, क्योंकि अतीत की कोई जरूरत नहीं—भीड़ अभी है। फिर भीड़ को बढ़ाने का दूसरा ढंग यह है कि हिंदू कहते हैं हमारा धर्म सनातन है! माना कि हम बीस ही करोड़ हैं, इससे क्या होता है; लेकिन हम सनातन से हैं। तो उन सारे लोगों को जोड़ लो जो अब तक हिंदू रहे, तब तुम्हें पता चलेगा कि हिंदुओं की भीड़ कितनी है!

जिनके पास ये दोनों उपाय नहीं, वे कहते हैं, 'भविष्य! अभी छोड़ो—अतीत!' नये-नये धर्म जब पैदा होते हैं, तो वे भविष्य की बात करते हैं। वे कहते हैं, भविष्य हमारा है। अतीत रहा होगा तुम्हारा! लेकिन अतीत की सीमा है। जो हो चुका उसकी सीमा है। जो अभी नहीं हुआ, वह असीम है। हमारी भीड़ कल देखना! तुम तो गये-गुजरे हो! सूर्यास्त हो रहा है! डूबते सूरज को कौन नमस्कार करता है! तुम इस नये सूरज को देखो!

तो नये धर्म जब पैदा होते हैं तो वे भविष्य की बात करते हैं। क्योंकि वह ही एक रास्ता है भीड़ को बढ़ाने का। उनके पास न अतीत है, न भीड़ आज मौजूद है।

लेकिन मैं धार्मिक आदमी उसको कहता हूं, जिसे भीड़ की जरूरत नहीं—किसी भी रूप में, अभी, कल या कभी! जो कहता है, अकेला काफी हूं। अकेला भी चला तो भी पहुंच जाऊंगा। उसके और परमात्मा के बीच सीधा संबंध है; भीड़ के माध्यम से नहीं है।

और अच्छा ही है कि इतने मार्ग हैं क्योंकि इतने प्रकार के मनुष्य हैं। एक-एक व्यक्ति इतना भिन्न है कि यह बड़ा कठिन हो जाता कि एक ही मार्ग होता। तो कुछ लोग तो जाते, कुछ और लोग इसलिए ही न जा पाते क्योंकि वह उस मार्ग पर ठीक न बैठते।

तुमने खयाल किया! स्कूल में बच्चे पढ़ते हैं। चूंकि हमने मान रखा है कि जो बच्चा गणित में होशियार है वही होशियार! तो जो बच्चा गणित में होशियार नहीं वह गधा हो जाता है। तुम जरा एक दूसरी दुनिया सोचो! जल्दी ही वह दुनिया आयेगी, जब कि गणित की बहुत जरूरत न रह जायेगी। कंप्यूटर पैदा हो गये हैं। आने वाली सदी में छोटे-छोटे बच्चे भी कंप्यूटर अपनी जेब में रख सकेंगे। गणित का बड़े से बड़ा सवाल कंप्यूटर क्षण में पूरा कर देगा। उसके लिए करने की जरूरत न रह जायेगी। तो गणित की प्रतिभा समाप्त हो जायेगी। तब हम कहेंगे, जो बच्चा काव्य में गुणवान है वह प्रतिभा-संपन्न है। तब सारा नक्शा बदल जायेगा।

अभी जो बच्चा गधा है वह भविष्य में गुणवान हो सकता है; और अभी जो गुणवान है, भविष्य में व्यर्थ हो सकता है। जब मूल्य बदलते हैं तो लोगों की स्थिति बदल जाती है।

तुमने देखा! जैसे-जैसे मूल्य बदलते जाते हैं, वैसे-वैसे स्थिति बदलती जाती है। अगर धर्म भी ऐसा हो कि किन्हीं खास लोगों के पहुंचने के लिए हो जाये तो उतनी ही संकीर्ण हो जायेगी धारा; फिर बहुतों का क्या होगा, जो उस तरह से नहीं जा सकते? उनकी तो सोचो। अगर महावीर का ही अकेला मार्ग हो, तो जो बिना नाचे नहीं जा सकते, उनका क्या होगा? यह तो बड़ी कंजूसी हो जायेगी सत्य के ऊपर। यह तो सत्य का बड़ा संकीर्ण रूप हो जायेगा। जो नाचकर पहुंच सकते हैं, उनकी भी तो जगह होनी चाहिए! अगर नाचकर ही पहुंचने की जगह हो और चुपचाप शांत बैठने वालों के लिए जगह न रह जाये तो भी बात जरा अशोभन हो जायेगी।

> *निकलकर दैरो-काबा से अगर मिलता न मयखाना*
> *तो ठुकराए हुए इन्सां खुदा जाने कहां जाते!*

अगर मंदिर और मस्जिद से जिनका मन नहीं बैठता, अगर शास्त्र से, परंपरा से

जिनका मन नहीं बैठता, उनके लिए अगर कोई और मार्ग न होता...अगर मिलता न मयखाना, तो ठुकराए हुए इन्सां खुदा जाने कहां जाते!

नहीं, लेकिन सभी के लिए मार्ग है। उसने तुम्हें बनाया, उसी दिन तुम्हारा मार्ग भी तुम्हारे भीतर रख दिया है। जरा पहचानो! चल-चल कर थोड़ा देखो! अपनी चाल पहचानो! वही मौलिक है। फिर उस चाल से जिस धर्म का मेल बैठ जाता हो, वही तुम्हारा धर्म है। फिर जन्म की फिक्र छोड़ो, परंपरा की फिक्र छोड़ो, भीड़ की फिक्र छोड़ो, संस्कार की फिक्र छोड़ो। जिससे तुम्हारी लय बैठ जाती हो, जिसके साथ तुम्हारी सांस लयबद्ध हो जाती हो, बस वही तुम्हारा धर्म है; उसी से चल पड़ो। और भूलकर भी यह न कहना कि दूसरे नहीं पहुंचते, क्योंकि वह अधार्मिक की दृष्टि है।

महावीर का मार्ग हैः जीतने वाले का मार्ग। संघर्ष! संकल्प! भक्त का मार्ग हैः हारने वाले का मार्ग। क्योंकि प्रेम हार-हार कर जीतता है। हार ही प्रेम की कला है।

मुश्किल था कुछ तो इश्क की बाजी को जीतना
कुछ जीतने के खौफ से हारे चले गये।
मुश्किल था कुछ तो इश्क की बाजी को जीतना

प्रेम की बाजी कौन कब जीता है! कोई कभी नहीं जीता! यह बाजी जीतने वाले के लिए है ही नहीं। यहां जिसने जीतने की कोशिश की वह प्रेम को नष्ट ही कर देता है, मार ही डालता है। यहां जीतने की चेष्टा में तो प्रेम मर ही जाता है, कुचल जाता है।

मुश्किल था कुछ तो इश्क की बाजी को जीतना
कुछ जीतने के खौफ से हारे चले गये।

मगर यहां जो हारता है वही जीतता है। भक्त हारने के मार्ग पर चल रहा है। वह कहता हैः किसी भांति मुझे इस योग्य बना दो कि तुम्हारे चरणों में सब भांति बिसर जाऊं, भूल जाऊं! मुझे ऐसी पिला दो कि फिर मुझे दुबारा होश न आये! मुझे मिटा डालो! यह तुम्हारे तीर को मेरे हृदय के बिलकुल आर-पार हो जाने दो! मुझ पर दया करो, मुझे समाप्त करो! करुणा करो और मुझे बिलकुल जला दो! राख भी न बचे!

भक्त मिटने के मार्ग पर है। मिटकर वह सत्य को पाता है। क्योंकि जो मिटता है, वह वही है जो मिट सकता है। कुछ है कि जो मिट ही नहीं सकता।

तो जब भक्त अपने को जलने के लिए छोड़ देता है तो राख, कूड़ा-कर्कट जल जाता है, सोना बच जाता है।

महावीर का मार्ग जीतने वाले का मार्ग है। कोई समर्पण नहीं, संघर्ष करना है। संघर्ष कर-कर के छांटना है, गलत को छोड़ना है। तो उसमें भी वही घटता है। धीरे-धीरे कूड़ा-कर्कट छूट जाता है, सोना बच जाता है।

महावीर फुटकर-फुटकर चलते हैं, एक-एक इंच लड़ते हैं। भक्त बड़ा थोक है। वह इकट्ठा अपने को समर्पण कर देता है।

भक्ति छलांग है; महावीर यात्रा हैं। पर अपनी-अपनी मौज है। किन्हीं को छलांग में रस न होगा। वे कहेंगे, 'आहिस्ता चलेंगे, सारा दृश्य देखते चलेंगे! धीरे-धीरे बढ़ेंगे,

जल्दी क्या है? अनंतकाल तो पड़ा है!' किन्हीं को छलांग में रस है। वे कहते हैं, जब पहुंचना ही है तो यह क्या धीरे-धीरे, यह क्या सुस्त चाल, यह क्या सीढ़ी-सीढ़ी! कूद ही जाते हैं।

अपने-अपने रस, अपनी-अपनी रुचि, अपने-अपने रुझान की बात है।

लेकिन एक बात सदा स्मरण रखना: भक्त और साधक के मार्ग अलग हैं और उनको अलग रखना। तुम्हें जो रुचे उस पर चल जाना। ऐसा मत करना, ऐसा लोभ मत करना कि दोनों में से कुछ-कुछ बचा लें और दोनों में से कुछ-कुछ इकट्ठा कर लें। ऐसे लोभी भी हैं। लेकिन लोभी की बड़ी दुर्गति होती है। संसार में ही हो जाती है तो परमात्मा के मार्ग पर तो बहुत दुर्गति होती है। लोभ मत करना। ऐसा मत सोचना कि थोड़ा इसमें से भी ले लें जो सुखद लगे और थोड़ा दूसरे में से भी ले लें जो सुखद लगे। तो फिर तुम बैलगाड़ी और कार को मिलाकर जो इंतजाम कर लोगे, वह चलने वाला नहीं है। वह तुम्हें किसी गड्ढे में गिरायेगा।

मैंने सुना है, मुल्ला नसरुद्दीन के बेटों ने ऐसा कबाड़खाने से सामान ला-लाकर एक कार बना ली। जब बन गयी कार तो उन्होंने मुल्ला को भी निमंत्रित किया। मुल्ला बैठ गया। वह कोई दस-पांच कदम ही गये होंगे कि कार गिरी एक खाई में, खेत में। मुल्ला चारों खाने चित्त पड़ा है। बेटों ने कहा, कि पापा डॉक्टर को बुला लाएं? उसने आंख खाली। उसने कहा, 'डॉक्टर को बुलाने की कोई जरूरत नहीं; पशुओं के डॉक्टर को बुला लाओ।' तो उन्होंने पूछा, 'आपको होश है? आप क्या कह रहे हैं? पशुओं के डॉक्टर की क्या जरूरत है?' तो उसने कहा, 'अगर मैं आदमी होता तो तुम्हारी इस कार में बैठता? अगर मुझमें इतनी अक्ल होती...। तुम तो वैटनरी डॉक्टर को बुला लाओ।'

लोभ तुमसे कह सकता है कि थोड़ा भक्ति से चुन लो, थोड़े नारद के सूत्र बड़े प्यारे हैं; थोड़ा महावीर से चुन लो, महावीर के सूत्र बड़े प्यारे हैं! लेकिन 'तुम' चुनने वाले होओगे और 'तुम' जिन सूत्रों को चुन लोगे वह तुम्हारे अनुकूल होंगे। और तुम उन्हें छोड़ दोगे जो तुम्हारे अनुकूल नहीं मालूम होते। संभावना इसकी है कि जिन्हें तुम छोड़ोगे उनसे ही तुम्हारा रूपांतरण होता। और जो तुम चुनकर एक कृत्रिम ढांचा बना लोगे...कृत्रिम, याद रखना। अंग्रेजी में एक शब्द है: आर्गनिक। एक तो ढांचा होता है: सावयव। जैसे एक वृक्ष है, वृक्ष एक सावयव ढांचा है, आर्गनिक है। जैसे तुम हो, तुम्हारा शरीर एक आर्गनिक ढांचा है। अगर तुम्हारे हाथ को तोड़ दें तो हाथ अलग से न जी पायेगा; तुम्हारे साथ ही जी सकता था। उसका प्राण तुम्हारी सावयव एकता में था; अलग होकर मुर्दा हो जायेगा। तुम्हारी आंख को बाहर निकाल लें, फिर न देख पायेगी।

मुल्ला नसरुद्दीन की एक आंख कांच की है। वह मजदूरों से काम लेता है तो वहां खड़ा रहता है। एक दिन जरूरी था उसको जाना। वह रहता है मौजूद, देखता रहता है तो मजदूर काम करते हैं; चला जाता है तो काम छोड़ देते हैं। तो उसने एक चमत्कार किया...। उसने कहा कि देखो। आंख खींचकर उसने बाहर निकाल ली और उसने कहा, 'यह आंख रखे जा रहा हूं टेबल पर, यह तुम्हें देखती रहेगी। धोखा देने की कोशिश मत

करना।' मजदूर सकते में भी आ गये, क्योंकि कभी किसी आदमी को उन्होंने इस तरह आंख निकालते देखा नहीं था। और जब जो इतना बड़ा चमत्कार कर सकता है आंख निकालने का, तो हो सकता है आंख देखे! तो वे बेचारे बड़ी देर तक काम में लगे रहे और देखते रहे, वह टेबल पर से आंख देख रही थी। फिर एक आदमी को होश आया। उसने जाकर एक टोकरी उसके ऊपर रख दी और फिर वह आराम करने लगे। उन्होंने कहा, अब तो कोई झंझट नहीं।

मगर आंख देख ही नहीं सकती; आंख सावयव इकाई है, अलग होते ही व्यर्थ हो जाती है। हाथ अलग होते ही व्यर्थ हो जाता है।

यांत्रिक एकता एक बात है। अगर तुम कार के एक यंत्र को बाहर निकाल लो, तो भी वह सार्थक है, बाजार में बिक सकता है। क्योंकि वह यंत्र का हिस्सा काम आ सकता है। उसका कोई उपयोग हो सकता है। हाथ को काटकर बाजार में बेचने जाओ, कोई न खरीदेगा; उसका कोई उपयोग नहीं। उसकी इकाई टूट गयी। वह निष्प्राण है।

महावीर का मार्ग आर्गनिक है, सावयव है। उसमें से एक टुकड़ा मत निकालना; वह काम में न आयेगा। वह मुर्दा है। नारद का मार्ग भी सावयव है। सभी मार्ग सावयव हैं। उनमें से कुछ निकालना मत।

इसलिए तो मैं गांधी के प्रयोग का बहुत पक्षपाती नहीं हूं: अल्लाह ईश्वर तेरे नाम! इसका मैं पक्षपाती नहीं हूं। क्योंकि अल्लाह किसी और सावयव इकाई का हिस्सा है, ईश्वर किसी और इकाई का हिस्सा है। अल्लाह और ईश्वर को जोड़ देने से न तो आदमी हिंदू रह जाता, न मुसलमान रह जाता—आदमी बड़ी अड़चन और दुविधा में पड़ जाता है। क्योंकि अल्लाह का अपना पूरा मार्ग है; उसे हिंदू मार्ग से कुछ लेने की जरूरत नहीं है। वह पूरा है अपने में—संपूर्ण है। हिंदू मार्ग अपने में पूरा है; उसे अल्लाह और मुसलमान से कुछ लेने की जरूरत नहीं है। सभी मार्ग अपने में पूर्ण हैं। सभी मार्ग पहुंचा देते हैं।

इसलिए मैं तुमसे समझौतावादी बनने को नहीं कहता। अनेक समझौतावादी अपने को समन्वयवादी कहकर घोषित करते हैं, कि उन्होंने सबका समन्वय कर लिया है। डॉक्टर भगवानदास ने एक किताब लिखी है सब धर्मों के समन्वय पर: द इसेंसियल युनिटी ऑफ आल रिलिजन्स! इस तरह की व्यर्थ किताबें बहुत लिखी गई हैं। वह सब तरफ से कूड़ा-कर्कट इकट्ठा कर लेते हैं। लेकिन वह सब मुर्दा हैं। किसी की आंख ले आये, किसी का कान काट लाये, किसी की नाक ले आये, किसी के पैर ले आये, किसी तरह जमा-जमूकर नक्शा खड़ा कर दिया—इसको कहते हैं: 'इसेंसियल युनिटी ऑफ आल रिलिजन्स!' यह सब धर्मों की एकता हो गयी! यह मरा हुआ आदमी है। इसमें कुछ भी जिंदा नहीं है। नाक जिंदा होती है किसी जिंदा आदमी के साथ; काट ली कि मुर्दा। आंख जिंदा होती है किसी जिंदा आदमी के साथ; अलग कर ली कि मुर्दा। फिर तुम अस्थि पंजर पर जमाकर बिलकुल खड़ा कर दो, तो शायद बच्चों के डराने के काम आ जाये, या रात में दरवाजे पर खड़ा कर दो तो चोर इत्यादि पास न आयें, या खेत में खड़ा कर दो तो पशु-पक्षियों को डराए—लेकिन और किसी ज्यादा काम का नहीं है।

बहुत लोगों को सवाल उठता है। इस सदी में अनेक लोगों ने सब धर्मों के बीच समन्वय स्थापित करने की कोशिश की है। इस तरह की कोशिश पहले क्यों नहीं की गयी? क्या महावीर, बुद्ध, कृष्ण, और क्राइस्ट नासमझ थे? क्या डॉक्टर भगवानदास और महात्मा गांधी और विनोबा ज्यादा समझदार हैं? इस सदी में यह समन्वय की जो कोशिश की गयी है, इसके गहरे में आधार राजनैतिक हैं। महावीर और बुद्ध को एक बात साफ थी कि प्रत्येक मार्ग अपने में संपूर्ण है, जीवंत है! उसमें से कुछ भी अलग किया, मर जायेगा।

तो तुम भक्ति के मार्ग पर चलना चाहो तो भक्ति के मार्ग पर चलना, लेकिन समग्ररूपेण! और कुछ छोड़ना मत उसमें से, क्योंकि जो छोड़ा जा सकता था वह नारद ने ही छोड़ दिया है। जो नहीं छोड़ा जा सकता था, बस उतना ही बचाया है। अगर महावीर का मार्ग ठीक लगे तो महावीर के मार्ग पर चलना; छोड़ना मत उसमें से कुछ, क्योंकि जो छोड़ सकते तो महावीर खुद ही छोड़ देते। कुछ भी व्यर्थ नहीं है; बिलकुल मूलभूत, सारभूत जो है, वही बचाया है। इसमें से कुछ भी काटा नहीं जा सकता। और न कुछ जोड़ना; क्योंकि जो जोड़ा जा सकता था वह उन्होंने जोड़ दिया है। कुछ और जोड़ने की जरूरत नहीं है।

प्रत्येक धर्म बड़ी सावयव इकाई है, जीवंत इकाई है, यंत्रवत नहीं। इतना स्मरण रहे तो फिर तुम्हारी जहां रुचि हो, जहां रुझान हो, तुम चल पड़ना! तुम पहुंच जाओगे। सभी नदियां सागर की तरफ जा रही हैं!

आखिरी प्रश्न :

ओशो, बार-बार मन को समझाती हूं, पर समझा नहीं पाती हूं। जो दिन आपके साथ प्रेमपूर्वक बिताए, उन्हें मैं कैसे भूलूं! बार-बार आपका प्रेम याद आता रहता है। आप कहते हैं कि अतीत को भूल जाऊं; मगर यह मेरे बस की बात नहीं। आप वीतराग हो गये। अब इन आंसुओं के सिवा मेरे पास कुछ भी नहीं है। जितना प्रेम आपने दिया उतना तो किसी ने भी नहीं दिया। और मन बार-बार कहता है, आप कब आएंगे?

'सोहन' का प्रश्न है।

समझाने से तो उलझन बढ़ेगी। समझाने की कोई जरूरत नहीं, समझाने से समझ आती भी नहीं। और 'सोहन' के लिए समझदारी रास्ता भी नहीं हो सकती। नासमझी में जीना! और याद आती है तो उसे हटाने की कोशिश भी मत करना। याद में पूरी तरह डूबना। याद से पीड़ा हो तो पीड़ा को होने देना, रोना, ज़ार-ज़ार रोना, आंसुओं को बहने देना! वे आंसू पवित्र करेंगे।

प्रेम के रास्ते पर बहे आंसू पवित्र करते हैं। और वैसी याद चिंता नहीं है। वैसी याद तो हृदय की उदभावना है।

अड़चन इसलिए पैदा हो रही है कि मन समझा रहा है कि छोड़ो भी, याद से तो पीड़ा होती है। प्रेम के स्मरण से पीड़ा होती है। यह बुद्धि है जो बीच-बीच में बाधा डाल रही है।

इस बुद्धि की मानकर चलने से कुछ भी हल न होगा। क्योंकि बुद्धि कभी हृदय को नहीं जीत पाती, अगर हृदय बलशाली हो। और सोहन के पास बलशाली हृदय है। बुद्धि भौंकती रहेगी, हृदय अपने रास्ते पर चलता जायेगा। अगर बुद्धि की सुनी तो बड़ी अड़चन पैदा होगी। क्योंकि हृदय बलशाली है और बुद्धि उसे बदल नहीं सकती।

हृदय की ही सुनो! बुद्धि की छोड़ो। बुद्धि से कहो, 'छोड़ भौंकना! तू भी याद में लग! तू भी रो! तू भी हृदय की अनुषंग बन जा, हृदय की छाया बन जा!'

'सोहन' के लिए कोई महावीर का रास्ता पहुंचाने वाला नहीं है, उसे तो भक्ति का ही कोई रास्ता पहुंचाएगा। तो प्रेम को भक्ति बनाओ, भाव को भक्ति बनाओ। और बेहोशी को, बेखुदी को रास्ता समझो : डूब गये, रोये, नाचे, गाये!

इसलिए धीरे-धीरे दूर हट गया हूं। क्योंकि अगर मैं पास होऊं तो तुम रोओगे कैसे? अगर मैं पास होऊं और तुम्हें जब चाहिए तब मिल जाऊं, तो फिर आंसू कब बहाओगे? याद कैसे करोगे? यह भी उपाय है।

बहुतों को मैंने अपने प्रेम में डाला और फिर धीरे-धीरे दूर हट गया। दूर हट जाना उपाय है। क्योंकि प्रेम अगर दूर हट जाने से मर जाये तो प्रेम न था। और दूर हट जाने से अगर प्रेम और गहन हो जाये तो भक्ति बनने में ज्यादा देर नहीं।

भगवान दिखाई नहीं पड़ता; न तुम उसे छू सकते हो, न उससे बोल सकते हो। प्रेमी दिखायी पड़ता है, छुआ जा सकता है, बोला जा सकता है। अगर मैं तुम्हारे पास ही रहूं तो तुम्हारा प्रेम, प्रेम ही रह जायेगा। मुझे तुमसे दूर हटना होगा। इतना दूर हटना होगा कि मैं भी करीब-करीब अदृश्य हो जाऊं। अगर प्रेम फिर भी बच सका तो तुम पाओगे कि प्रेम ने धीरे-धीरे एक रूपांतरण लिया। वह अदृश्य का, अज्ञात का प्रेम बनने लगा! वही भक्ति है। धीरे-धीरे मेरी याद, मेरी याद न रह जायेगी। धीरे-धीरे मैं भी एक बहाना हो जाऊंगा। उस बहाने से परमात्मा की ही याद तुममें प्रवाहित होने लगेगी।

प्रेम का दिन भी होता है, प्रेम की रात भी होती है। अगर प्रेम का दिन ही दिन हो, सुख ही सुख हो और प्रेम की पीड़ा न हो, तो प्रेम छिछला रह जाता है, गहरा नहीं होता। पीड़ा के बिना कोई भी चीज जगत में गहरी नहीं होती।

सुख बड़ा ऊपर-ऊपर है, दुख बड़ा गहरा है। सुख की कहीं गहराई होती है? वह तो पानी के ऊपर-ऊपर की लहरें हैं। दुख की गहराई होती है। इसलिए दुख तुम्हारे हृदय को जितना गहरा छूता है उतना सुख कभी नहीं छू पाता। सुखी आदमी को तुम हमेशा छिछला पाओगे। दुखी आदमी के जीवन में एक गहराई होती है।

और धन्यभागी हैं वे, जो प्रेम के कारण दुखी हैं! क्योंकि कारण पर बहुत कुछ

निर्भर करेगा। कोई इसलिए दुखी है कि धन नहीं मिला। धन मिलकर ही बहुत गहराई नहीं मिलती, तो धन के न मिलने से क्या खाक गहराई मिलेगी? उसका दुख व्यर्थ के लिए है। कोई इसलिए रो रहा है कि पद नहीं मिला। धन्यभागी हैं वे जो इसलिए रो रहे हैं कि प्रेम एक खाली जगह छोड़ गया है! उस खाली जगह को अपना पूजागृह बनाओ। प्रेम ने जहां हृदय को छुआ है और पीड़ा को जगाया है, उस पीड़ा को अपने से विपरीत मत समझो—उसके साथ बहो, उसको स्वीकार करो! वह पीड़ा तुम्हें मांजेगी। वह पीड़ा तुम्हें निखारेगी। वह पीड़ा अग्नि की तरह सिद्ध होगी और तुम्हारा स्वर्ण कुंदन बनेगा।

सुबह तेरी है तो ऐ ख़ालिके-सुबह!
रात है किसकी करम फर्माई?

—हे परमात्मा, अगर सुबह तूने बनायी तो फिर रात किसकी अनुकंपा का फल है?

अगर प्रेम से सुख मिलता है तो प्रेम से दुख भी मिलेगा। प्रेम के दुख को स्वीकार करना! जिसने सिर्फ प्रेम के सुख को स्वीकार किया उसने आधे को स्वीकार किया; उसके पूरे प्राणों पर प्रेम का विस्तार न हो सकेगा। प्रेम का दिन स्वीकारा, प्रेम की रात भी स्वीकारना। और अगर दोनों स्वीकार हो गये तो ज्यादा देर न लगेगी कि परमात्मा सब तरफ दिखायी पड़ने लगे। दुख भी उसी का है, इसलिए सौभाग्य है।

तू मेरे दिल में ही नहीं सारी कायनात में है
तू दिन की तरह निहां इस अंधेरी रात में है।

—फिर धीरे-धीरे दिन की भांति रात में भी वही छिपा मालूम पड़ेगा।

तू दिन की तरह निहां इस अंधेरी रात में है।
अंधेरा भी फिर उसका ही स्पर्श देगा।

अनुपस्थिति भी जब उसकी उपस्थिति बन जाये तो प्रेम भक्ति बनती है। अनुपस्थिति भी जब उसकी उपस्थिति मालूम पड़ने लगे...क्योंकि अनुपस्थिति भी उसी की है न! उसी से जुड़ी है। तो अनुपस्थिति भी फिर परमात्मा की ही हो गयी, प्रभु की हो गयी, प्रेम की हो गयी! तो अनुपस्थिति को भरने की कोशिश मत करना। उसको जीना।

तू मेरे दिल में ही नहीं सारी कायनात में है।

और फिर धीरे-धीरे जब दिल में दुख और सुख दोनों क्षणों में वह दिखायी पड़ने लगे तो सारे संसार में भी दिखायी पड़ने लगेगा।

प्रेमी चाहता क्या है? प्रेमी चाहता है कि प्रेमी में लीन हो जाये। भक्त चाहता क्या है?—कि भगवान में डूब जाये!

तू है मुहीते-बेकरां मैं हूं जरा-सी आबे-जू
या मुझे हमकिनार कर, या मुझे बे-किनार कर!

'तू है मुहीते-बेकरां'—तू है बड़ा सागर! 'मैं हूं जरा-सी आबे-जू'—मैं हूं एक छोटा-सा झरना। 'या मुझे हमकिनार कर'—या तो मुझे अपने साथ ले ले...'या मुझे बेकिनार कर'—या मुझे मेरे किनारों से मुक्त कर दे।

लेकिन दोनों ही बातों का एक ही अर्थ होता है। या तो तू मुझे अपने साथ ले ले,

सागर बना ले, और या फिर मुझे बेकिनारा कर दे। मेरे किनारे मुझ से छीन ले! या तो मुझे डुबा ले या मेरे किनारे मुझसे छीन ले! लेकिन दोनों हालत में वह जो छोटा-सा झरना है, सागर हो जायेगा।

तड़प क्या है? पीड़ा क्या है? पीड़ा प्रेमी के मिलने से थोड़े ही पूरी होती है—पीड़ा प्रेमी में खो जाने से पूरी होती है। यही तो भक्त और प्रेमी का फर्क है।

अगर तुम्हारे जीवन में मेरे प्रति प्रेम है और प्रेम अगर भक्ति में न रूपांतरित हुआ, तो यह प्रेम भी बंधन बन जायेगा। फर्क समझ लो। प्रेमी चाहता है, जिससे प्रेम किया वह मिल जाये। भक्त चाहता है, जिससे प्रेम किया उसमें हम खो जायें। प्रेमी प्रेम-पात्र को पास लाना चाहता है। भक्त प्रेम-पात्र के पास जाना चाहता है। बड़ा फर्क है। प्रेमी चाहता है, जिससे प्रेम किया उस पर कब्जा हो जाये। भक्त चाहता है, जिसे प्रेम किया उसका मुझ पर कब्जा हो जाये।

ध्यान रखना, प्रेमी तो हारेगा; क्योंकि यह कब्जा संभव नहीं है। भक्त जीतेगा; क्योंकि भक्त कब्जा करना ही नहीं चाहता, सिर्फ कब्जा देना चाहता है।

तू है मुहीते-बेकरां, मैं हूं जरा-सी आबे-जू
या मुझे हमकिनार कर, या मुझे बेकिनार कर।

यह जो दुख 'सोहन' को प्रतीत हो रहा है, गहरा उसे प्रतीत हो रहा है, इस दुख को सुख में बदला जा सकता है। इस पीड़ा से बड़े फूल खिल सकते हैं। लेकिन थोड़ी समझ में क्रांति लानी जरूरी है।

हासिले-जीस्त मसर्रत को समझने वाले
एक नफस गम भी की दमभर तो खुदा याद रहे।

थोड़ा-सा दुख भी चाहिए...'दमभर तो खुदा याद रहे!' अगर सुख ही सुख हो तो याद भूल जाती है। इसीलिए तो लोग सुख में याद नहीं करते, दुख में याद करते हैं। और जिसने यह सार समझ लिया कि दुख में याद गहन होती है, वह फिर दुख से न छूटना चाहेगा; वह तो दुख को भी सौभाग्य समझेगा। और अगर दुख को सौभाग्य समझ लिया तो सब घट गया। क्योंकि वहीं तो मनुष्य की उलझन है: दुख का अस्वीकार; सुख का स्वीकार। जब दुख का भी स्वीकार हो गया तो दुख दुख न रहा।

ऐसा समझो कि जिस दुख को हम स्वीकार कर लेते हैं वह सुख हो जाता है। स्वीकार करते ही सुख हो जाता है। दुख का होना हमारे अस्वीकार में है। स्वीकार होते ही दुख का गुणधर्म बदल जाता है।

मुझे खयाल में है। जिन-जिनसे भी प्रेम किया है, उनसे मैं धीरे-धीरे अपने को दूर हटाऊंगा ही। प्रेम तो शुरुआत है। वहीं रुक नहीं जाना है। दूर हटूंगा तो प्रेम भक्ति में बदल सकता है। अगर होगा तो भक्ति में बदल जायेगा। अगर नहीं होगा तो नाराजगी में बदल जायेगा। तो कुछ हैं जो मेरे पास से नाराज होकर हट जाते हैं। 'सोहन' उनमें से नहीं है; हटने वाली नहीं है। लाख हटाने की चेष्टा करूं, वह हटने वाली नहीं है। तो फिर उसकी हार भी जीत में बदल जायेगी।

गुलशन में सबा को जुस्तजू तेरी है
बुलबुल की जबां पे गुफ्तगू तेरी है
हर रंग में जलवा है तेरी कुदरत का
जिस फूल को सूंघता हूं, बू तेरी है।

तो जो प्रेम मेरे प्रति है, उसे और फैलाओ! उसे इतना फैलाओ कि उस प्रेम के लिए कोई पता ठिकाना न रह जाये। मुझसे सीखो; लेकिन मुझ पर रुको मत। मुझसे चलो, लेकिन मुझ पर ठहरो मत।

जैनों का शब्द 'तीर्थंकर' बड़ा बहुमूल्य है। तीर्थंकर का अर्थ होता है: घाट बनाने वाला। घाट बना दिया, घाट बैठने के लिए नहीं है; दूर जाने के लिए है, दूसरे घाट जाने के लिए है।

तो मैं अगर तुम्हारा घाट बन जाऊं और फिर तुम वहीं रुक जाओ और वहीं खील ठोक दो, और वहीं नाव को अटका लो, तो यह तो काम का न हुआ। मैं तुम्हें मेरे किनारे पर कील ठोंककर रुकने न दूंगा। तुम लाख ठोको, मैं उखाड़ता रहूंगा। एक न एक दिन तुम्हें दूसरे किनारे की तरफ जाने की तैयारी करनी होगी। उस यात्रा के लिए तैयार रहो। निश्चित ही दूसरी तरफ जाने में यह किनारा दूर होता हुआ मालूम होगा। लेकिन घबड़ाओ मत, मैं दूसरे पर मिल जाऊंगा—बहुत बड़ा होकर!

पूछा है: 'आप कब आएंगे?'

दूसरे किनारे पर! अब इस किनारे पर नहीं। और दूसरे किनारे पर जिस रूप में आऊंगा, वह रूप शायद एकदम से पहचान में भी न आयेगा। दूसरे किनारे पर जिस ढंग से आऊंगा शायद वह ढंग एकदम से समझ में भी न आयेगा।

गुलशन में सबा को जुस्तजू तेरी है
बुलबुल की जबां पे गुफ्तगू तेरी है
हर रंग में जलवा है तेरी कुदरत का
जिस फूल को सूंघता हूं, बू तेरी है।

वह पहचान तो विराट की पहचान होगी। उसे अभी से पहचानने लगो। थोड़े दिन यह देह होगी, फिर यह देह भी जायेगी; तब मैं तुमसे और भी दूर हो जाऊंगा। ऐसे धीरे-धीरे एक-एक कदम तुमसे दूर होता जाऊंगा। थोड़ी देर बाद यह देह भी खो जायेगी। फिर तुम मुझे किसी तरफ न देख सकोगे। सब तरफ देख पाओगे तो ही देख सकोगे। उसकी तैयारी करवा रहा हूं। उसका धीरे-धीरे तुम्हें अभ्यास करवा रहा हूं।

ये क्षण बहुमूल्य हैं। इन क्षणों में मिले हुए सुख में तो सुखी होओ ही, इन क्षणों में मिले दुख में भी सुखी होओ। और बुद्धि की मत सुनो! हृदय की सुनो! आऊंगा जरूर, लेकिन दूसरे किनारे पर। आना सुनिश्चित है, लेकिन तुम इस किनारे पर मत रुके रह जाना; अन्यथा मैं उस किनारे प्रतीक्षा करूं और तुम इसी किनारे बने रहो! इस किनारे से तो मेरे भी जाने के दिन करीब आयेंगे। इसके पहले कि मैं इस किनारे से विदा होऊं, तुम अपनी खूंटी उखाड़ लेना, तुम अपनी नाव को चला देना।

दूसरा किनारा दूर है और दिखाई भी नहीं पड़ता। लेकिन जिस नदी का एक किनारा है उसका दूसरा भी है ही, दिखाई पड़े न दिखाई पड़े। कहीं एक किनारे की कोई नदी हुई है?

तो प्रेम का एक रूप जाना, एक किनारा जाना—दूसरा भी है। वही भक्ति है।

मनुष्य को प्रेम किया, शुभ है। लेकिन वहां रुक मत जाना। वह प्रेम धीरे-धीरे उठे लपट की तरह और परमात्मा के प्रेम में रूपांतरित हो। मेरा प्रेम तुम्हें मुक्त करे, तुम्हें मोक्ष दे, तो ही मेरा प्रेम है; बांध ले, अटका दे, तो फिर मेरा प्रेम नहीं।

प्रेम सदा ही मोक्ष का द्वार है!

आज इतना ही।

२७

साधु का सेवन : आत्मसेवन

सूत्र

सम्मदंसणणाणं, एसो लहदि त्ति णवरि ववदेसं।
सव्वणयपक्खरहिदो, भणिदो जो सो समयसारो।।66।।

दंसणाणचरित्ताणि, सेविदव्वाणि साहुणा णिच्चं।
ताणि पुण जाण तिण्णि वि, अप्पाणं जाण णिच्छयदो।।67।।

णिच्छयणयेण भणिदो, तिहि तेहिं समाहिदो हु जो अप्पा।
ण कुणदि किंचि वि अन्नं, ण मुयदि सो मोक्खमग्गो त्ति।।68।।

अप्पा अप्पम्मि रओ, सम्माइट्ठी हवेइ फुडु जीवो।
जाणइ तं सण्णाणं, चरदिह चारित्तमग्गु त्ति।।69।।

आया हु महं नाणे, आया में दंसणे चरित्ते य।
आया पच्चक्खाणे, आया मे संजमे जोगे।।70।।

हिमाच्छादित गौरीशंकर के शिखर करीब आने लगे। महावीर क्रमशः ऊंचाइयों और ऊंचाइयों पर उड़ रहे हैं! समझना क्रमशः कठिन होता जायेगा। क्योंकि जिन ऊंचाइयों की हमें आदत नहीं है, उन ऊंचाइयों को समझना तो दूर, उन ऊंचाइयों पर श्वास लेना भी कठिन हो जाता है। और जिन ऊंचाइयों का हमें कोई अनुभव नहीं, उनके संबंध में शब्द भला हमें सुनायी पड़ जायें, अर्थ का विस्फोट नहीं होता है। गुजर जाते हैं शब्द हमारे पास से। अगर बहुत बार सुने हुए हैं तो ऐसी भ्रांति भी होती है कि समझ में आ गये।

इसे स्मरण रखना कि महावीर जो कह रहे हैं, वह अगर समझ में न आये तो स्वाभाविक है; समझ में आ जाये तो संदेह करना, क्योंकि वही अस्वाभाविक है।

अनुभव से ही समझ में आयेगा। उसके पहले ज्यादा से ज्यादा इतना ही हो सकता है कि अनुभव के लिए एक प्यास प्रज्वलित हो जाये, कि अनुभव की आकांक्षा पैदा हो, कि काश, ऐसी ऊंचाइयों पर हम भी उड़ सकते! जिन दूर की बातों को महावीर पास ला रहे हैं, काश हमारे भी जीवन की संपदा उन्हीं स्वर्ण-रत्नों से बन सकती!

प्यास उठ आये, बस इतना काफी है।...तो समझ में न आये, तो धैर्य रखना। घबड़ाना मत! और ऐसा मत सोच लेना कि हमारी समझ में आएगा ही नहीं। और ऐसा तो भूलकर भी मत सोच लेना कि यह बात समझने योग्य ही नहीं है। क्योंकि हमारा मन इस तरह

के बहुत उपाय करता है। अहंकारी मन हो तो वह कह देता है, इन बातों में कुछ सार नहीं। इस तरह हम अपने अहंकार को सुरक्षित कर लेते है। इस तरह ऊंचाई पास आती थी तो हम उससे दूर हट जाते हैं। क्योंकि ऊंचाई के पास हमें अपनी नीचाई मालूम पड़ने लगती है!

ऊंचाइयों से दूर मत हटना। उन्हें बुलाना! उनकी खोज करना! तुम्हें जितने बड़े शिखर मिल जायें, उतना ही शुभ है। क्योंकि जितने तुम्हें शिखर मिलें, उतने ही अहंकार के विसर्जन की संभावना बढ़ेगी, उतना ही तुम छोड़ पाओगे यह 'मैं' का खयाल। इसीलिए तो तीर्थंकरों, प्रबुद्ध पुरुषों को हमने बहुत स्वागत से कभी स्वीकार नहीं किया। उनकी मौजूदगी हमें हीन करती मालूम पड़ने लगी। उनके सामने हम खड़े हुए तो छोटे मालूम होने लगे। उनके पास हम आये, तो हम जैसे जमीन पर चींटियां रेंगती हों, ऐसे रेंगते हुए मालूम होने लगे। तो दो ही उपाय थे—या तो हम भी उनके साथ उड़ना सीखें और या हम उन्हें इनकार ही कर दें कि यह सब कल्पना-जाल है; कि ये दूर की बातें सब काव्य-शास्त्र हैं; कि ये बातें कहीं हैं नहीं; ये सब बातें हैं। या हम यह कहकर हट जायें कि ये बातें हमारी समझ में नहीं पड़तीं, तो जो समझ में ही नहीं पड़ती हैं उन बातों को मानकर हम चलें कैसे? वहां भी भूल हो जायेगी।

ध्यान रखनाः जो तुम्हारे समझ में नहीं पड़ता वह इसलिए समझ में नहीं पड़ता कि उसका कोई अनुभव नहीं हुआ है। अनुभव के बिना समझ कैसे होगी? अनुभव के बिना कोई अंडरस्टैंडिंग, कोई प्रज्ञा का प्रादुर्भाव नहीं होता। तो तुम यह मत कहना कि जब समझ में ही नहीं आता तो हम चलें कैसे? क्योंकि चलोगे, तो ही समझ में आयेगा। यह तो तुमने अगर ऐसा मान लिया तो अपने जीवन में एक ऐसे पत्थर को रख लिया कि उसको पार करना फिर असंभव हो जायेगा।

कोई प्रेम को जानता नहीं; प्रेम करता है तब जानता है। और न ही कोई परमात्मा को जानता है, जब तक उतरता नहीं उस गहराई में। और न ही कोई आत्मा को जानता है, जब तक डूबता नहीं अपने आत्यंतिक केंद्र पर।

तो समझ नहीं है, इसको पत्थर की तरह उपयोग मत कर लेना। समझ आयेगी ही अनुभव से। इसलिए समझ से भी ज्यादा जरूरी है साहस। इसे मैं फिर से दोहराऊंः अध्यात्म के मार्ग पर समझ से भी ज्यादा जरूरी है साहस। क्योंकि साहस हो तो आदमी अनुभव में उतरता है; अनुभव में उतरे तो समझ आती है। इसलिए जिनको तुम समझदार कहते हो वह वंचित ही रह जाते हैं। क्योंकि समझदार यह कहेगा, यह अपनी समझ में नहीं आती। जो समझ में नहीं आती, चलूं कैसे? पता नहीं कोई भटकाव न हो जाये! पता नहीं जो हाथ में है, कहीं वह भी न खो जाये! ये बड़ी दूर की बातें, आकाश की बातें, कहीं मेरी पृथ्वी को उजाड़ न दें! एक छोटा घर बनाया है—वासना का, तृष्णा का—एक छोटा संसार रचाया है। ये कहीं परमात्मा और आत्मा के खयाल, यह दिव्य प्यास, कहीं मेरी सारी घर-गृहस्थी को डांवाडोल न कर दे।

तो समझदार आदमी कहता है, जब समझ में आयेगी तब करेंगे। साहसी कहता है, समझ में नहीं आती तो करेंगे और देखेंगे और समझेंगे।

साहस! वस्तुतः दुस्साहस चाहिए! इसलिए तो महावीर को हमने महावीर नाम दिया। उन्होंने बड़ा दुस्साहस किया। वह समझ के लिए न रुके। वह अनुभव में उतर गये।...जुआरी की हिम्मत! सब दांव पर लगा दिया। फिर समझ भी आयी। क्योंकि समझ अनुभव की छाया की तरह आती है।

तो दुनिया में दो तरह की समझ है। एक तो समझदारों की, जिनको तुम समझदार कहते हो—उनकी समझ अनुभव से नहीं आती; उनकी समझ सिर्फ बौद्धिक है, सिर्फ बुद्धि की है। वह शब्दों को समझ लेते हैं; शब्दों का संयोजन समझ लेते हैं; शब्दों का व्याकरण समझ लेते हैं; शब्दों का अर्थ भी बिठा लेते हैं—लेकिन बस सब खेल शब्दों का होता है!

शब्दों को हटा लो तो उनके पीछे कोई समझ बचेगी नहीं; शब्द के हटते ही सारी समझ हट जायेगी। तो समझ उनकी शब्दों का ही जोड़ है।

और एक ज्ञानी की समझ है; तुम उससे सब शब्द छीन लो तो भी उसकी समझ न छीन सकोगे। क्योंकि उसकी समझ अनुभव की है, शब्दों की नहीं। अगर शब्दों का उसने उपयोग भी किया है तो अपनी समझ को तुम तक पहुंचाने के लिए किया है। शब्दों के उपयोग से उसने समझ को पाया नहीं है। वह बौद्धिक नहीं है—अस्तित्वगत है, एक्झिस्टेंशियल है। उसने जाना है, जीया है। तो तुम उसके सारे शब्द छीन लो, तब भी तुम उसकी समझ न छीन पाओगे। उसकी समझ शब्दों से बहुत गहरी है। उसने मौन में समझ पायी है। उसने तो खुद ही शब्द छोड़ दिये थे, तब समझ आयी है।

तो इसे खयाल रखना। और एक खतरा है कि कुछ लोग ऐसे भी हैं जो इन वचनों को समझ लेंगे, समझते मालूम पड़ेंगे; क्योंकि ये वचन कोई बहुत दुरूह नहीं हैं। इनकी दुरूहता अगर कहीं है तो अनुभव में है, वचनों में नहीं है। वचन तो बड़े सीधे-साफ हैं। महावीर ने एक भी जटिल विचार का उपयोग नहीं किया—कोई ज्ञानी पुरुष कभी नहीं किया है। जटिल विचारों का उपयोग तो वे लोग करते हैं जिनके पास कुछ भी नहीं है; और केवल बड़े-बड़े शब्दों की छाया में अपने अंधकार को छिपा लेना चाहते हैं।

दार्शनिक बड़े-बड़े शब्दों का उपयोग करते हैं; बड़े-बड़े लंबे वचनों का उपयोग करते हैं। तुम उनके वचनों के बीहड़ में ही खो जाओगे। तुम्हें यह पक्का हो ही न पायेगा कि वे क्या कहना चाहते थे। उनके पास कहने को कुछ था भी नहीं। लेकिन जो नहीं था उनके पास कहने को, उसको उन्होंने इस ढंग से फैलाया कि शब्द-जाल ऐसा बड़ा हो गया कि तुम समझ ही न पाये। न समझने के कारण कई बार तुम्हें लगता है, बड़ी गहरी बात है।

महावीर जैसे पुरुष सुलझाने को हैं, उलझाने को नहीं। उनके वचन सीधे-साफ हैं; दो टूक हैं; गणित की तरह स्पष्ट हैं। दो और दो चार—बस ऐसे ही उनके वचन हैं।

तो खतरा यह भी है कि तुम्हें वचन सुनकर ऐसा लगे कि अरे, समझ गये! वहां मत रुक जाना। वह समझ कुछ काम न आयेगी। अगर तुम महावीर के वचनों को सुनकर समझ गये तो फिर महावीर ने बारह वर्ष मौन और ध्यान साधा, तो बहुत कम बुद्धि के आदमी रहे होंगे। तुम सुनकर समझ गये। महावीर को बारह वर्ष लगे, कठोर तपश्चर्या के, गहन संघर्ष के, रत्ती-रत्ती अपने को छांटा और काटा और जलाया, निखारा, जब

अंतर-ज्योति पूरी शुद्ध हो गयी तब उन्हें यह समझ पैदा हुई। तुम्हारा धुएं से भरा हुआ मन, ईंधन गीला, लपट कहीं दिखायी नहीं पड़ती, बस धुआं ही धुआं फैलता मालूम होता है—इसमें ये शब्द तुम्हें याद हो सकते हैं। बहुत से पंडितों को याद हैं। इन शब्दों को तुम तोते की तरह कंठस्थ कर ले सकते हो। उस याददाश्त को तुम प्रज्ञा मत समझ लेना।

तो दो बातें स्मरण रखनाः समझ में न आयें तो इनकार मत करना; और समझ में आ जायें तो भी वहीं मत रुक जाना। इन दोनों के बीच में मार्ग है। इतना समझ में आ जाये कि कुछ पाने योग्य है। इतना ज्यादा भी समझ में न आ जाये कि पा लिया। इतना समझ में आ जाये कि कुछ पाने योग्य है। प्यास जग जाये और यात्रा शुरू हो जाये। तो किसी दिन अनुभव भी घटेगा। तुम भी उड़ोगे उन आकाश की ऊंचाइयों में। तुम्हें भी पंख लगेंगे!

'जो सब नय-पक्षों से रहित है, वही समयसार है। उसी को सम्यक दर्शन और सम्यकज्ञान की संज्ञा दी है।'

सम्मदंसणणाणं, ऐसो लहदि त्ति णवरि ववदेसं।
सव्वणयपक्खरहिदो, भणिदो जो सो समयसारो।।

'सव्वणयपक्खरहिदो'—जिसका मन सभी पक्षों से रहित है, जो सब नय-पक्षों से शून्य है, वही समयसार है। समयसार का अर्थ होता हैः वही आत्मा की सार स्थिति है। वही अस्तित्व का निचोड़ है। वहीं तुम हो, वहीं तुम्हारी आत्मा है—जहां न कोई नय है, न कोई पक्ष है। इसे समझें।

साधारणतः तो हम नय-पक्षों से भरे हैं। कोई हिंदू है, कोई मुसलमान है, कोई ईसाई है। जब तक तुम हिंदू हो, जैन हो, ईसाई हो, तब तक तुम्हें समयसार का पता न चलेगा। आत्मा का रस तुम्हें उपलब्ध न होगा। क्योंकि आत्मा न हिंदू, न मुसलमान, न जैन है।

जब तक तुम कहते हो, 'मेरी ऐसी मान्यता है', तब तक तुम सत्य को न जान सकोगे, क्योंकि सभी मान्यताएं सत्य को जानने में बाधा बन जाती हैं। मान्यता का अर्थ है कि बिना जाने तुम जानते हो। तो जिसने बिना जाने जान लिया है, वह जान कैसे सकेगा फिर? मान्यता-शून्य होने का अर्थ हैः मुझे पता नहीं; इसलिए मैं किसी मान्यता को कैसे पकडूं? मैं कैसे कहूं कि क्या ठीक है? मुझे कुछ भी पता नहीं है।

तो ऐसा जो अज्ञान में खड़ा हो जाता है शांत चित्त से, जबर्दस्ती ज्ञान को नहीं पकड़ लेता, छिपाता नहीं ज्ञान के आवरण में अपने को, ज्ञान के वस्त्रों में अपने को ढांकता नहीं, जो अपने अज्ञान को स्वीकार कर लेता है—वही व्यक्ति ज्ञान की तरफ पहला कदम उठाता है। यह बड़ा विरोधाभासी लगेगा। ज्ञान की तरफ पहला कदम अपने अज्ञान के साथ ईमानदारी से खड़े हो जाना है। हम में से बहुत कम लोग ही ईमानदारी से खड़े होते हैं अज्ञान के साथ। अज्ञान को स्वीकार करने में अहंकार को चोट लगती है। अहंकार चाहता है दावा करना कि मैं जानता हूं। तो हम शास्त्र से, परंपरा से, अन्यों से, शिक्षकों से, गुरुओं से, कहीं न कहीं से इकट्ठा कर लेते हैं ज्ञान।

तुम्हारा ज्ञान सभी कुछ नय-पक्ष है। वह तुमने इकट्ठा किया है, जाना नहीं है। पक्षपात से भरे हो तुम। हर चीज के संबंध में तुमने कुछ तय कर लिया है। तुम तय करके

बैठे हो। तुम तय करके बैठे हो, इसलिए तुम्हारी आंख खाली नहीं है; पक्ष से आंख दबी है। पक्ष की कंकड़ी तुम्हारी आंख में पड़ी है। तो कंकड़ी जब आंख में पड़ी हो तो फिर कुछ नहीं दिखाई पड़ता।

महावीर कहते हैं, आंख खाली चाहिए, निर्मल चाहिए! आंख ऐसी चाहिए कि सिर्फ देखती हो और आंख में कुछ न पड़ा हो। क्योंकि अगर आंख में कुछ भी पड़ा हो तो जो तुम देखोगे वह विकृत हो जायेगा।

सोचो...अगर तुम जैन हो, पढ़ो गीता—तुम्हें समझ में आ जायेगा! तुम गीता पढ़ ही न पाओगे, तुम्हें रस ही न आयेगा। घड़ी-घड़ी तुम्हारा जैन धर्म बीच में खड़ा हो जायेगा। तुम्हें ऐसा लगेगा, ये कृष्ण तो अर्जुन को भ्रष्ट करने लगे। ऐसा तुम कहो या न कहो, तुम्हारे भीतर यह पक्ष खड़ा रहेगा। आज तक किसी जैन ने गीता पर कोई वक्तव्य नहीं दिया, कोई महत्वपूर्ण बात नहीं कही। गीता को किनारे हटा दिया है।

हिंदू से कहो कि महावीर के वचन सुने, पढ़े? पढ़ भी ले तो मुर्दा भाव से पढ़ जायेगा। क्योंकि भीतर तो वह जानता ही है कि सब गलत है। हिंदू से कहो कुरान को पढ़े, तो भीतर तो वह मानता ही है कि 'क्या रखा है! कहां वेद, कहां उपनिषद! क्या रखा है कुरान में? वही कुरान के मानने वाले की स्थिति है। वही बाइबिल को मानने वाले की स्थिति है। बाइबिल को मानने वाला जब वेद पढ़ता है तो उसे लगता है, बस गांव के ग्रामीण गडरियों के गीत हैं, इससे ज्यादा नहीं। जब वेद को मानने वाला आर्यसमाजी पंडित बाइबिल को पढ़ता है तो उसमें से कुछ भी सार नहीं पाता; उसमें से सब कचरा-कूड़ा इकट्ठा कर लेता है।

अगर तुम्हें इस दृष्टि की, पक्षपात से भरी दृष्टि की, ठीक-ठीक उपमा चाहिए हो तो दयानंद का ग्रंथ 'सत्यार्थ प्रकाश' पढ़ना चाहिए। वह पक्षपात से भरी आंख का, उससे ज्वलंत प्रमाण कहीं खोजना मुश्किल है। तो सभी में भूलें निकाल ली हैं उन्होंने—और बेहूदी भूलें, जो कि निकालने वाले के मन में छिपी हैं, जो कहीं भी नहीं हैं। लेकिन निकालने वाला पहले से मानकर बैठा है।

जो तुम मानकर बैठ जाते हो वह तुम खोज भी लोगे। अगर तुम्हीं मानकर बैठे हो तो फिर मुश्किल है। तुमने जानने के पहले अगर धारणा तय कर रखी है, तो तुम सत्य को कभी भी न जान पाओगे; तुम सत्य को कभी मौका न दोगे कि तुम्हारे सामने प्रकट हो जाये।

मुल्ला नसरुद्दीन ने अपने एक मित्र दर्जी से कपड़े बनवाये। जब वह कपड़े पहनने गया, उठाने गया, दर्जी ने उसे पहनाकर बताया। उसे कपड़े जंचे नहीं; कुछ बेहूदे थे; कुछ अटपटे थे। कुछ शरीर पर बैठते भी न थे। लेकिन दर्जी प्रशंसा मारे जा रहा था। वह गुणगान किए जा रहा था। वह कह रहा था, 'देखो तो जरा दाहिने आईने में! तुम्हारे मित्र भी तुम्हें पहचान न पायेंगे। तुम्हारी पत्नी भी शायद ही तुमको पहचान पाए। इतने सुंदर मालूम हो रहे हो...! जरा तुम बाहर तो जाओ, जरा सड़क पर चक्कर लगाकर आओ!'

मुल्ला बाहर गया—संकोच से भरा हुआ; क्योंकि बड़ा अटपटा-सा लग रहा था उसे उन कपड़ों में। जल्दी ही भीतर आ गया। जब वह भीतर आया तो दर्जी, जो उसका

पुराना मित्र, बोला, 'आइये राजकपूर साहब! बहुत दिनों बाद आये!'

अब दर्जी मानकर ही बैठा है कि गजब के कपड़े उसने सी दिये! जो तुम मानकर बैठे हो, तुम उसे सिद्ध करने की चेष्टा में लग जाते हो, जाने-अनजाने। तुम सब तरह से प्रमाण जुटाते हो। विपरीत प्रमाणों को तुम देखते ही नहीं। तुम्हारी आंखें चुनाव करने लगती हैं। जो पक्ष में पड़ता है तुम्हारे पक्ष के, वह तुम चुन लेते हो; जो विपक्ष में पड़ता है, वह तुम छोड़ देते हो।

सत्य को जानने का यह ढंग न हुआ। यह तो असत्य में जीने का ढंग हुआ। तो महावीर कहते हैं:

सम्मदंसणणाणं, एसो लहदि त्ति णवरि ववदेसं!
सव्वणयपक्खरहिदो, भणिदो जो सो समयसारो।।

जो सब नय-पक्षों से रहित है; जिसकी कोई धारणा नहीं, मान्यता नहीं; जिसका कोई विश्वास-अविश्वास नहीं; जो नग्न चित्त है; जो दिगंबर है; जिसके ऊपर कोई आवरण नहीं; आकाश ही जिसका आवरण है; विराट ही जिसका आवरण है; इससे कम को जिसने स्वीकार नहीं किया है—ऐसा नग्न चित्त, शांत मन, निष्पक्ष व्यक्ति—वही समयसार है। वह जान लेगा आत्मा का सारभूत, आत्मा का सत्य, उसे अस्तित्व की पहचान मिलेगी। वह अस्तित्व के मंदिर में प्रवेश पा सकेगा। पात्रता, पक्षपात रहित हो जाना है।

महावीर के पास लोग आते, प्रश्न पूछते, तो महावीर कहते, 'तुम कुछ पहले से ही मानते तो नहीं हो? अगर मानते हो तो बात व्यर्थ, फिर संवाद न हो सकेगा।'

जब कोई मानकर ही चलता है तो विवाद हो सकता है, संवाद नहीं हो सकता। जब कुछ मानकर कोई भी नहीं चलता; जब कोई तैयार है सत्य के साथ जहां ले जाये; जब कोई इतना हिम्मतवर है कि सत्य जो दिखाएगा उसे स्वीकार करूंगा—तभी, महावीर कहते हैं, संवाद हो सकता है। तब महावीर कहते हैं, ज्यादा कुछ कहने को भी नहीं है। क्योंकि सत्य को कहा तो नहीं जा सकता। मैं कुछ इशारे कर देता हूं, तुम इनका पालन कर लो। इन इशारों के पालन करने से धीरे-धीरे तुम्हें भी वही अनुभव होने लगेगा जो मुझे हो रहा है। जिस द्वार से खड़े होकर मैं देख रहा हूं जीवन को, तुम भी देख सकोगे मेरे करीब आ जाओ। लेकिन अगर तुम मानते हो कि तुम्हें द्वार मिल ही गया है, तो फिर तुम मेरे करीब न आओगे और व्यर्थ खींचा-तानी होगी।

दुनिया में जहां भी जितनी बातचीत हो रही है, तुम अगर गौर करोगे तो बातचीत तो कहीं मुश्किल से होती है। संवाद कहां है? विवाद है। चाहे प्रकट हो, चाहे अप्रकट हो। जब भी दो व्यक्ति बात करते हैं तो खुलते कहां हैं? अपनी-अपनी चेष्टा में रत रहते हैं।

महावीर ने कोई शास्त्रार्थ नहीं किया; किसी से कोई विवाद नहीं किया। महावीर शंकराचार्य की तरह मुल्क में नहीं घूमे विवाद करते। महावीर की पकड़ बड़ी गहरी है। महावीर कहते हैं, विवाद से क्या होगा? अगर कोई पहले से मानकर बैठा है तो उसे मनाया नहीं जा सकता। और अगर जबर्दस्ती उसे चुप करा दिया जाये, तर्क से हो सकता

है, तो भी उसका हृदय थोड़े ही राजी होता है! कभी-कभी ऐसा हुआ है कि तर्क में तुम किसी से हार गये हो, तो भी दिल में तो तुम घाव लिए रहे हो हो कि ठीक है, देखेंगे; आज जरा मुश्किल हो गयी, हम तर्क ठीक न खोज पाये! चुप कर दिये गये हो तुम, लेकिन तुम्हारा हृदय रूपांतरित तो नहीं हुआ। जबर्दस्ती तुम्हारी जबान रोक दी गयी है। यह हो सकता है, कोई तुमसे ज्यादा कुशल हो तर्क में।

तो तर्क में जो जीत जाता है, जरूरी नहीं कि उसके पास सत्य हो। और तर्क में जो हार जाता है जरूरी नहीं कि उसके पास सत्य न हो। यह भी हो सकता है, जिसके पास सत्य है उसके पास सत्य को सिद्ध करने का तर्क न हो। यह भी हो सकता है, जिसके पास सत्य को सिद्ध करने के तर्क हैं उसके पास कोई सत्य न हो। और जो कोई तर्क के द्वारा तुम्हें पराजित कर देता है वह केवल इतना ही सिद्ध कर रहा है कि वह तुमसे ज्यादा कुशल है, तुमसे ज्यादा अनुभवी है; इतना। उससे कुछ सिद्ध नहीं होता। और यह भी हो सकता है कि वह तुम्हारे पीछे चलने लगे, हार जाये तो तुम्हारे पीछे चले, तुम्हें मान ले। कल कुछ और मानता था, आज तुम्हें मान ले—लेकिन मान्यता तो मान्यता है। कल मानता था, ईश्वर नहीं है; आज तुमने तर्क दे-दे कर सिद्ध कर दिया और उसने मान लिया कि ईश्वर है। कल एक मान्यता से भरा था, आज दूसरी मान्यता से भर गया है—विपरीत मान्यता से; लेकिन मान्यता तो दोनों ही मान्यताएं हैं। ज्ञान का जन्म न हुआ।

महावीर कहते हैं, एक पक्ष को दूसरे में नहीं बदलना है—पक्ष को गिरा देना है; तुम्हें निष्पक्ष होना है। इसलिए जैन भी महावीर के अनुयायी नहीं हैं। क्योंकि जैन होने में ही खराबी हो गयी। महावीर जैन न थे। महावीर के पास जैन होने का उपाय नहीं है। क्योंकि महावीर की मौलिक दृष्टि यही है कि सभी पक्ष भ्रष्ट कर देते हैं। अब जैन तो पहले से मानकर बैठ गया है कि महावीर ठीक हैं; इसीलिए वंचित हो गया है। पहले से मानकर बैठ गया कि महावीर जो कहते हैं, वह सही ही कहते हैं; इसीलिए महावीर से दूर हो गया है।

महावीर के साथ तो केवल वही खड़ा हो सकता है जो निष्पक्ष है—इतना निष्पक्ष कि यह भी नहीं कहता कि महावीर ठीक हैं। इतना ही कहता है कि मुझे पता नहीं; मैं खोजने को तैयार हूं। सूरज की कहीं से भी किरण आये, मैं पीछे जाने को तैयार हूं। मैं अनंत की यात्रा के लिए तैयार हूं।

और बिना मान्यता के यात्रा पर निकलना बड़ा दूभर है। क्योंकि तुम कहते हो कि जब कोई मान्यता ही नहीं है, तो हम यात्रा पर कैसे निकलें! वैज्ञानिक तक प्रयोग करने के पहले हाईपोथिसिस निर्मित करता है। हाईपोथिसिस का मतलब है, पक्ष तय करता है। तय करता है कि यह हो सकता है कम से कम। फिर यात्रा पर निकलता है।

महावीर का विज्ञान वैज्ञानिक के विज्ञान से भी ज्यादा गहरा है। महावीर कहते हैं, उतना पक्षपात भी खतरनाक है। क्योंकि उसी पक्षपात के कारण तुम वह देख लोगे जो नहीं था। और यह बात अब वैज्ञानिकों को भी समझ में आने लगी।

पोल्यानी ने एक बहुत अदभुत किताब लिखी है: पर्सनल नालेज। तीन सौ वर्ष की वैज्ञानिक खोज के बाद वैज्ञानिकों को भी यह सिद्ध हो गया है कि हमारा जो ज्ञान है वह

इम्पर्सनल नहीं है, अवैयक्तिक नहीं है; वह भी वैयक्तिक है। क्योंकि जो वैज्ञानिक खोज करने जाता है, उसकी धारणा वह जो खोज करता है उस पर आरोपित हो जाती है, उसको रंग देती है। इसलिए हम जो भी जानते हैं, वह वस्तुतः ऐसा है, कहना मुश्किल है। खोजने वाला उस पर हावी हो जाता है।

तो पहले तो हम सोचते थे...अभी एक बीस वर्ष पहले तक वैज्ञानिक यही सोचते थे कि विज्ञान निष्पक्ष है। अगर कोई आदमी किसी स्त्री के संबंध में कहता है, बड़ी सुंदर और तुम्हें सुंदर नहीं लगती, तो तुम कहते हो, पसंद-पसंद की बात है। इसमें कोई झगड़ा खड़ा नहीं होता।

तुम कहते हो, 'चाहत की बात है। अपने रुझान की बात है। तुम्हें सुंदर मालूम पड़ती है, मुझे सुंदर नहीं मालूम पड़ती।' झगड़ा खड़ा नहीं होता। क्योंकि जो आदमी कहता है, यह स्त्री सुंदर है, वह इतना ही कह रहा है कि मुझे सुंदर मालूम पड़ती है। यह पर्सनल, वैयक्तिक बात है; इसमें झगड़ा नहीं है। एक आदमी को एक तरह की सिगरेट पसंद पड़ती है, दूसरे आदमी को दूसरी तरह की पड़ती है। एक आदमी को एक तरह का साबुन पसंद है, दूसरे को दूसरी तरह का पसंद है। एक आदमी को एक तरह का फूल लुभाता है, दूसरे को दूसरी तरह का लुभाता है। कोई कहता है सुबह बड़ी सुंदर है, कोई कहता है मुझे जंचती नहीं—तो कोई झगड़ा खड़ा नहीं होता; विवाद का कोई कारण नहीं, यह व्यक्तिगत रुझान है। लेकिन अगर कोई आदमी कहे, यह स्त्री सुंदर है, यह वैज्ञानिक सत्य है, तो फिर झगड़ा खड़ा होगा। वैज्ञानिक सत्य कहने का अर्थ यह हुआ कि यह सभी के लिए सुंदर है। तो फिर अड़चन आयेगी।

अब तक वैज्ञानिक मानते थे कि उनका सत्य वैज्ञानिक है और बाकी जो वक्तव्य हैं वे कवियों के हैं। लेकिन पोल्यानी की किताब ने और पोल्यानी की खोजों ने जीवन भर यह सिद्ध करने की कोशिश की कि विज्ञान भी वैयक्तिक है। आइंस्टीन जो कह रहा है, वह आइंस्टीन कह रहा है। न्यूनट जो कह रहा है, वह न्यूटन कह रहा है। यद्यपि आइंस्टीन जो कह रहा है वह इतने प्रबल तर्क से कह रहा है कि अभी हम उसका विरोध न कर पायेंगे जब तक कि प्रबलतर आइंस्टीन न आ जाये। और यह तीन सौ साल में निरंतर हुआ। न्यूटन ने जो कहा वह आइंस्टीन ने गलत कर दिया। ऐसी-ऐसी चीजें जिनके बाबत हम सोचते थे बिलकुल सही हैं, वह भी सही न रहीं। ज्यामति जैसा शास्त्र भी सही न रहा। इकलेट ने जो सिद्ध किया था, वह गलत हो गया। दूसरे लोगों ने उससे विपरीत मान्यताएं सिद्ध कर दीं। गणित जैसा विषय भी अब वैज्ञानिक नहीं रहा। क्योंकि गणित की सामान्य मान्यताओं के विपरीत भी मान्यताएं लोगों ने सिद्ध कर दीं और नये गणित विकसित हो गये। तो अब तो दिखायी पड़ता है कि सारा ज्ञान व्यक्तिगत है, रुझान है। वह आदमी के ऊपर निर्भर है।

महावीर कहते हैं, जो परम सत्य को मानने चला है, मान्यता तो दूर, हाइपोथिसिस, परिकल्पना भी ठीक नहीं, नय भी ठीक नहीं। नय का अर्थ होता है: बड़ी सूक्ष्म-सी रेखा दृष्टि की; कोई दृष्टिकोण; कोई हाइपोथिसिस। वह भी ठीक नहीं। उसे खाली जाना

चाहिए—कोरा। तुम्हारे मन के कागज पर कुछ भी न लिखा हो, अन्यथा जो लिखा है उसका प्रक्षेपण हो जायेगा। तुम्हारा मन का कागज बिलकुल कोरा हो। इसका अर्थ हुआ, तुम्हारा मन सक्रिय रूप से भाग न ले ज्ञान की खोज में, निष्क्रिय रहे; एक्टिव न हो, पैसिव रहे। स्त्रैण हो तुम्हारा चित्त! सिर्फ जो हो रहा है उसको स्वीकार करे; लेकिन कैसा होना चाहिए, कैसा होता, ऐसी कोई धारणा प्रक्षेपण न करे। इसे खयाल में लेना।

जगत में खोज के दो उपाय हैं—एक निष्क्रिय, एक सक्रिय। सक्रिय में तुम चेष्टा करते हो कुछ खोजने की; निष्क्रिय में तुम केवल निष्पक्ष भाव से खड़े होते हो। सक्रिय चेष्टा विचार बन जाती है; निष्क्रिय चेष्टा ध्यान बन जाती है। जब तुम सक्रिय होकर खोज में लग जाते हो तो तुम विचारों से भर जाते हो; क्योंकि विचार मन के सक्रिय होने का अंग हैं। मन जब सक्रिय होता है तो विचार से भर जाता है। मन जब निष्क्रिय होता है तो कोरा रह जाता है। आकाश में बादल हों तो सक्रिय; आकाश में कोई बादल न हो तो निष्क्रिय, कोई क्रिया नहीं हो रही।

महावीर कहते हैं, मन की सारी क्रिया शून्य हो जाये, नय-पक्षरहित हो जाये—'सव्वणयपक्खरहिदो'—तो जो शेष रह जाता है उस निष्क्रिय चित्त की दशा में जिसको लाओत्सु ने वू-वेइ कहा है—ऐसी निष्क्रियता, दर्पण जैसी निष्क्रियता; जैसे दर्पण 'जो है' उसको झलका देता है। अगर दर्पण कुछ जोड़ता है, घटाता है, तो सक्रिय हो गया; जैसा है वैसा का वैसा, तैसे का तैसा झलका देता है। उस स्थिति को महावीर कहते हैं, उपलब्ध हो जाओ तो वही समयसार है। वही अध्यात्म का निचोड़ है। वहीं से तुम्हें अनुभव का जगत शुरू होगा। उसी को सम्यक दर्शन और उसी को सम्यक ज्ञान की संज्ञा दी है।

महावीर कहते हैं, और सब तो शब्द हैं, मगर असली बात वही है। सम्यक ज्ञान कहो, सम्यक दर्शन कहो या कुछ और कहना हो—ध्यान, समाधि, निर्विकल्प दशा जो भी कहना हो कहो। लेकिन एक बात तय है कि वह निष्क्रिय दशा है। जिसमें तुम कुछ भी हिस्सा नहीं बंटाते; तुम सिर्फ खड़े रह जाते हो। इसे थोड़ा अभ्यास करना शुरू करो। यह मेरे कहने भर से साफ न हो जायेगा—इसका थोड़ा अभ्यास करना शुरू करो। कभी इसकी झलक मिलेगी। नाच उठोगे तुम, जब इसकी पहली झलक मिलेगी। तुम भरोसा न कर पाओगे कि अरे, मैं अब तक यह क्या करता रहा! तुम्हारा सारा जीवन तब एक नयी रूप-रेखा से भर जायेगा। थोड़ा अभ्यास करो।

शांत बैठकर वृक्ष को देखते हो तो देखते ही रहो। सक्रिय मत बनो। इतना भी मत कहो कि यह पीपल का वृक्ष है। यह भी मत कहो कि यह गुलाब की झाड़ी है। यह भी मत कहो कि गुलाब कितने सुंदर हैं। यह भी मत कहो कि अहा, कितने प्यारे फूल खिले हैं! ऐसा मन में कुछ भी मत कहो। क्योंकि ये सब नय-पक्ष हैं; ये सब तुम्हारी मान्यताएं हैं।

गुलाब का फूल तो बस गुलाब का फूल है—न सुंदर, न असुंदर। सुबह तो बस सुबह है। सब वक्तव्य तुम्हारे हैं; सुबह तो अवक्तव्य है। उसके बाबत तो कोई वक्तव्य नहीं हो सकता। अनिर्वचनीय है। सब वचन तुम्हारे हैं। तुम अपने को हटा लो। तुम कुछ कहो ही मत। तुम सक्रिय बनो ही मत। तुम सिर्फ सुबह को देखते रह जाओ। ऊगता है सूरज,

ऊगने दो। वृक्षों में हवा सरसराती है, सरसराने दो। तुम शब्द न दो। तुम शब्द को मत बनाओ। तुम शब्द से रिक्त और शून्य देखते रहो, देखते रहो। धीरे-धीरे, धीरे-धीरे-धीरे अभ्यास घना होगा। कभी ऐसा क्षण आ जायेगा, एक क्षण को भी, कि तुम सिर्फ देखते रहे और तुम्हारे भीतर डालने को कुछ भी न था। तुमने कुछ भी न डाला अस्तित्व में, तुम सिर्फ खड़े देखते रहे, दर्शक, द्रष्टा-मात्र, जिसको महावीर कहते हैं ज्ञायक-मात्र—सिर्फ देखते रहे! उस घड़ी में एक झरोखा खुलता है। पहली दफा अस्तित्व तुम्हारे सामने अपने रूप को प्रकट करता है। पहली बार तुम उसे देखते हो, जो है। क्योंकि पहली बार तुम कुछ जोड़ते नहीं, मिलाते नहीं, तुम कुछ डालते नहीं। तुम भी शुद्ध होते हो उस घड़ी में और अस्तित्व भी शुद्ध होता है। दो शुद्धियां एक-दूसरे का साक्षात्कार करती हैं। इसे महावीर कहते हैं समयसार।

तुमने कभी खयाल किया! दूधवाला दूध में पानी मिला लाता है; तुम कहते हो अशुद्ध कर दिया। तुमने इस पर कभी विचार किया कि उसने शुद्ध पानी मिलाया हो तो? अशुद्ध क्यों कह रहे हो? वह कहेगा कि हमने तो दोहरा शुद्ध कर दिया—शुद्ध पानी शुद्ध दूध, दोनों को मिलाया; अशुद्धि तो कुछ मिलायी नहीं है। पानी भी शुद्ध था, प्राशुक था। दूध भी शुद्ध था। अशुद्धि कैसे कह रहे हो, किस कारण कह रहे हो? फिर भी तुम कहोगे, दूध अशुद्ध है।

अशुद्धि का कारण यह नहीं कि तुमने अशुद्धि मिलायी। दो शुद्धियां भी मिला दो तो अशुद्धि का परिणाम आता है। अशुद्ध कहने का इतना ही अर्थ है कि दूध अब दूध न रहा और पानी पानी न रहा। तुम खयाल रखना, दूध ही अशुद्ध नहीं होता, पानी भी अशुद्ध हो गया। तुम दूध को कहते हो अशुद्ध हो गया, पानी को नहीं कहते; क्योंकि पानी तो मुफ्त मिलता है, इसलिए कोई चिंता नहीं है, कोई आर्थिक सवाल नहीं उठता। तुम कहते हो, दूध अशुद्ध हो गया। लेकिन दूसरी बात भी खयाल रखना, पानी भी अशुद्ध हो गया है। अगर किसी क्षण शुद्ध पानी की जरूरत हो, तब तुम समझोगे कि अरे, यह तो पानी भी अशुद्ध हो गया, दूध मिला दिया! मिलावट अशुद्धि है।

तो जब तुम अस्तित्व में मिलावट करते हो, जब तुम कुछ डालते हो, उंडेलते हो, जब तुम दूध में पानी डाल देते हो, तब सब अशुद्ध हो जाता है—तुम भी, अस्तित्व भी। जब तुम खड़े रह जाते हो—तटस्थ, साक्षी; यहां अस्तित्व, यहां तुम; दो दर्पण एक-दूसरे के सामने, बिना कुछ डाले हुए—तब दो शुद्धियों का साक्षात्कार होता है।

इस साक्षात्कार की अवस्था को महावीर कहते हैं समयसार। और जब तक यह न हो जाये तब तक तुम्हारी जिंदगी नाममात्र को जिंदगी है, अशुद्ध है, कुनकुनी जिंदगी है। इसमें ज्वाला न होगी। इसमें प्रकाश...यह ज्योतिर्मय न होगी। इसमें आनंद के फूल न लगेंगे, न प्रसाद होगा।

जीस्त है किसी मुफलिस का चिरागखाना
उसने सीखा ही नहीं खुलके फुरोजां होना।

नहीं, जिंदगी तो किसी गरीब का चिराग नहीं है। लेकिन हम सबने जिंदगी को गरीब का चिराग बना दिया है। यह खिलकर जल ही नहीं पाता, यह खुल के प्रज्वलित नहीं हो

पाता। यह इसकी ज्योति ज्योति ही नहीं बन पाती—बुझी-बुझी, बुझी-बुझी, टिमटिमाती!

जीस्त है किसी मुफलिस का चिरागखाना
उसने सीखा ही नहीं खुलके फुरोजां होना

नहीं, जिंदगी तो किसी गरीब का चिराग नहीं है। लेकिन हम सबने जिंदगी को गरीब का चिराग बना दिया है। क्योंकि हमने जिंदगी को मौका ही नहीं दिया। हमने जिंदगी पर इतनी शर्तें लगा दी हैं। हमने जिंदगी पर इतने अवरोध खड़े कर दिये हैं, हमने जिंदगी की ज्योति के आसपास इतने पक्ष-विपक्ष, धारणाएं, मान्यताएं, विचार, ऐसा घेरा बांध दिया है, किला खड़ा कर दिया है, ईंट पर ईंट रख दी है विचारों और पक्षों की, कि जिंदगी की लपट उठे कैसे, प्रकट कैसे हो?

जिसे तुम अभी टिमटिमाता हुआ दीया जानते हो, वही महावीर में प्रज्वलित सूर्य होकर जला है। वही जीवन! वही कबीर ने कहा है कि एक सूरज, एक सूरज कहने से न हो सकेगा; जिस दिन मैं जागा, हजार-हजार सूरज मेरे भीतर एक साथ जल उठे। उस प्रकाशमयी दशा के लिए कोई उपमा खोजना मुश्किल है। हजार-हजार सूरज भी कम पड़ते हैं, क्योंकि सूरज तो एक न एक दिन चुक जाएंगे। सभी सूरज चुक जाते हैं। यह हमारा सूरज भी, वैज्ञानिक कहते हैं, चार हजार सालों में ठंडा हो जायेगा। इसका ईंधन चुकता जा रहा है। आखिर कब तक जलता रहेगा? सब ईंधन की सीमा है। कितना ही बड़ा हो, करोड़ों साल जले तो भी एक सीमा आती है और चुक जायेगा। सांझ दीया जलाया, सुबह बुझ जायेगा; फिर रात कितनी ही लंबी हो : लेकिन भीतर का दीया कुछ ऐसा है कि वह ज्योति शाश्वत है। हजारों सूरज जलते हैं और बुझ जाते हैं—और उस भीतर की ज्योति का कभी बुझना नहीं होता। इसलिए हजार सूरज का प्रतिमान भी छोटा है। लेकिन छोड़ो सूरज की तो बात दूर, हम तो अपने भीतर के दीये को टिमटिमाता दीया भी नहीं कह सकते। ज्योति मालूम ही नहीं पड़ती।

अनेक लोग सुनकर सुकरात की बात, कि महावीर की बात, कि बुद्ध की, कि कृष्ण की बात भीतर जाने की चेष्टा करते हैं। क्योंकि ये सभी लोग कहते हैं, जानो अपने को! आंख बंद करके भीतर जाने की कोशिश करते हैं, जल्दी से बाहर लौट आते हैं; क्योंकि अंधेरा ही अंधेरा मालूम पड़ता है। और ये सब तो कहते हैं, बड़ा ज्योतिर्मय लोक है!

नहीं, अभी तुम भीतर न जा सकोगे। अभी तो तुमने बाहर को भी शुद्ध आंख से नहीं देखा। अभी तो तुमने क ख ग भी नहीं पढ़ा जीवन के सत्य का।

इसलिए महावीर का पहला सूत्र कहता है : जो सब नय-पक्षों से रहित वही समयसार है। और अगर ऐसा न किया तो एक पक्ष में से दूसरा पक्ष निकलता जाता है। जैसे एक वृक्ष में अनेक शाखाएं निकलती हैं। फिर एक शाखा में अनेक उपशाखाएं निकलती हैं ऐसा तुमने अगर एक पक्ष बनाया तो जल्दी ही तुम पाओगे, तुम बहुत पक्षों से घिर गये। एक मेहमान को घर लाओगे, जल्दी ही पाओगे मेहमानों की भीड़ लग गई; क्योंकि एक मेहमान के पीछे दूसरा चला आता है। रिश्तेदारों के रिश्तेदार!

मैंने सुना है, मुल्ला नसरुद्दीन के घर एक दफा एक आदमी आया पास के गांव से

और एक बतख दे गया। कहा कि गांव के तुम्हारे मित्र ने भेजी है। मुल्ला बड़ा खुश हुआ। उसने बतख...उसने कहा कि रुको, शोरबा तो पीते जाना। उसने शोरबा बनवाया, मित्र को पिलाया और कहा कि कभी भी आओ तो जरूर आना। कोई दो-तीन दिन बाद एक दूसरा आदमी आया। मुल्ला ने पूछा, आप कौन हो? उसने कहा, कि जो बतख लाया था उसका मैं मित्र हूं। कोई बात नहीं, मित्र के मित्र हो तो भी मित्र हो। उसको भी उसने भोजन करवाया, खिलवाया-पिलवाया। यह तो सिलसिला अंतहीन होने लगा। फिर दो-तीन दिन बाद एक आदमी आ गया। उसने कहा, मित्र के मित्र का मित्र। ऐसे यह संख्या बढ़ने लगी। तो मुल्ला बहुत घबड़ा गया। दो-तीन महीने में तो मुल्ला बहुत घबड़ा गया कि यह तो एक बतख क्या भेजी, यह तो सारा गांव आये जा रहा है! उसने कहा, कुछ करना पड़ेगा। फिर एक आदमी आ गया दो-चार दिन बाद। अब तो बहुत संख्या आगे हो गयी थी—मित्र के मित्र, मित्र के मित्र। काफी लंबी श्रृंखला हो गयी थी। उसने कहा, अब कुछ बताने की जरूरत नहीं, ठीक है। उसने पत्नी से कहा, सिर्फ गर्म पानी बना दे, कुछ और बनाना मत। गर्म पानी लेकर उसको पीने को दिया। कहा, बतख का शोरबा है। उसने चखा, उसने कहा, यह तो सिर्फ गर्म पानी मालूम होता है; इसमें बतख तो कहीं दिखाई नहीं पड़ती। उसने कहा कि खाक दिखाई पड़ेगी, यह शोरबे के शोरबा का शोरबा का शोरबा...सिर्फ पानी बचा है अब!

विचार से और विचार निकल आते हैं। पहला विचार ही व्यर्थ था, दूसरा और भी व्यर्थ होता है। तीसरा और भी व्यर्थ होता है। अंत में तुम्हारे पास विचारों की भीड़ लग जाती है, जिनमें सार्थकता कुछ भी नहीं होती।

मिलते गये हैं मोड़ नये हर मुकाम पर
बढ़ती गई है दूरी-ए-मंजिल जगह-जगह।

और एक-एक मोड़ नये मोड़ ले आता है और तुम बढ़ते जाते हो, और मंजिल दूर होती जाती है। और जितने तुम चलते जाते हो विचारों में उतने ही तुम अपने से दूर होते जाते हो, क्योंकि वही मंजिल है।

अगर उस स्वयं को पाना हो तो लौटो उलटे, चलो गंगोत्री की तरफ! छोड़ो एक-एक विचार को। और जब तुम आखिरी विचार पर आओगे, तब तुम्हें पता चलेगा: यह मेरा पक्षपात था, जिससे सारी यात्रा शुरू हुई। उस पक्षपात को भी गिरा दो। निर्विचार तुम्हारे भीतर उठेगा। उस निर्विचार में ही समयसार है।

और जब तक वैसी शुद्ध दर्पण की दशा न आ जाये, तब तक तुम जिंदगी को तो जानोगे ही नहीं, न अपने को जानोगे। क्योंकि तुम चूकते ही रहोगे। जिंदगी है प्रतिपल अभी और यहां—और विचार तुम्हें उससे मिलने नहीं देता, क्योंकि विचार सदा कहीं और है—या तो भविष्य में या अतीत में। या तो अतीत की स्मृतियों से जुड़ा है विचार, जो कल हो चुका, परसों बीत चुका—उसका सब संग्रह। उसकी तुम उधेड़बुन में लगे रहते हो। और या भविष्य...।

मुल्ला नसरुद्दीन को नींद न आती थी। एक डॉक्टर ने कहा कि तू ऐसा कर भेड़ें

गिन; भेड़ें गिनने से बड़ा लाभ होता है, गिनते-गिनते नींद आ जाती है। गिनते गए; एक, दो, तीन, हजार, दस हजार, लाख, जहां तक...बस चलते गए, चलते गए। एक ऐसी घड़ी आयेगी कि थककर तू नींद में गिर जाएगा। मुल्ला ने कहा, ठीक। उसने भेड़ें गिननी शुरू कीं। वह कई लाख पर पहुंच गया। उसने कहा, ऐसे तो बढ़ते गये तो ये तो करोड़ों अरबों हो जायेंगी। फिर करेंगे क्या इनका? तो उसने सोचा, अब बेहतर है कि अब इनका ऊन निकालना शुरू करें, बजाय इसके कि गिनते ही जाने से। उसने ऊन निकालना शुरू किया। अब वह लाखों भेड़ों का ऊन, गांठों पर गांठें लग गयीं! उसने सोचा, ऐसे अगर ऊन इकट्ठा करते गए तो कहां, रखेंगे कहां? गोदाम मिलते कहां आजकल? रखने की जगह कहां है? वर्षा सिर पर आ रही है। यह तो मुश्किल है। इसके कोट-कपड़े बनवाना शुरू कर दो। तो कंबल, कोट, कपड़े...लेकिन इतना ढेर हो गया कि वह एकदम घबड़ाया कि बाजार की हालत तो वैसे ही खराब है, खरीददार तो मिलता नहीं, मारे गये! तो वह आधी रात में चिल्लाया: बचाओ, बचाओ! तो उसकी पत्नी घबड़ाकर उठी। उसने कहा, हुआ क्या? उसने कहा, हुआ क्या...मर गये, लुट गये! पत्नी ने कहा, क्या, हुआ क्या? कोई सपना देखा, उसने कहा, सपना क्या, नींद तो आयी नहीं अभी। यह तो वह जो डॉक्टर ने कहा था, भेड़ गिनो...कहां का नासमझ आदमी। भेड़ें गिनीं, ऊन काटा, कपड़े बनाये, बाजार में बेचने खड़े हो गये...खरीददार नहीं है। और इतना सब बना लिया है कि बरबाद हो जायेंगे।

विचार एक के बाद एक चलते चले जाते हैं—या तो अतीत के होते हैं या भविष्य के होते हैं। तो या तो स्मृति पैदा करते हैं वे और स्मृति के घावों को उघाड़ते हैं, या फिर कल्पना पैदा करते हैं और कल्पना से वासना को उकसाते हैं। तो या तो तुम अपने घावों को कुरेदते रहते हो, जो कि बड़ी व्यर्थ प्रक्रिया है और खतरनाक भी; क्योंकि उनसे घाव हरे बने रहते हैं। लौट-लौटकर, किसी ने गाली दी थी, तुम सोचने लगते हो; लौट-लौट कर क्रोधित होने लगते हो।

कभी तुमने खयाल किया! अगर तुम विचार करने बैठ जाओ और ठीक से स्मृति को जगाओ तो जब तुम्हें किसी ने गाली दी थी और अपमान किया था, तो उसकी स्मृति ही न आएगी; तुम अचानक पाओगे, फिर तुम्हारे रग-रेशे में क्रोध आ गया, तुम्हारे रोएं-रोएं में फिर क्रोध दौड़ गया! तुम फिर कुछ करने को उतारू हो गये! फिर घाव हरा हो गया।

या तो तुम घाव कुरेदते हो और या तुम भविष्य में कामना को उकसाते हो।

दोनों खतरनाक हैं। क्योंकि सभी कामनाएं आज नहीं कल विषाद में रूपांतरित हो जाएंगी। सभी कामनाएं आज नहीं कल घाव बन जायेंगी। जो अभी भविष्य है, कल अतीत हो जायेगा।

अगर कोई विचार न हो चित्त में तो तुम यहां होते हो—अभी। न कोई अतीत, न कोई भविष्य—यह वर्तमान का क्षण तुम्हें समग्रता से घेर लेता है।

गए हैं हम भी गुलिस्तां में बारहा लेकिन
कभी बहार से पहले, कभी बहार के बाद

—बगीचे में जाने से सार क्या?

गए हैं हम भी गुलिस्तां में बारहा लेकिन,

—बहुत बार गए हैं, अनेक बार गए हैं!

कभी बहार से पहले, कभी बहार के बाद

—या तो वसंत के पहले जाते हैं या वसंत जब बीत जाता है तब जाते हैं। हर हालत में पतझड़ हाथ लगता है।

तो अस्तित्व का जो बगीचा है वह तो अभी और यहां है। वर्तमान उसका ढंग है। तुम जाते हो—या तो जब बीत चुकी बहार या अभी जब आयी नहीं; या तो अतीत के ढंग से या भविष्य के ढंग से।

निर्विचार में जो खड़ा है वह वर्तमान से जुड़ता है। उसका सीधा-सीधा संबंध हो जाता है। वह आमने-सामने खड़ा होता है। यह प्रतीति, यह साक्षात्कार, महावीर कहते हैं, समयसार।

'साधु को नित्य दर्शन, ज्ञान और चरित्र का पालन करना चाहिए। निश्चय-नय से इन तीनों को आत्मा ही समझना चाहिए। ये तीनों आत्मरूप ही हैं। अतः निश्चय से आत्मा का सेवन ही उचित है।'

दंसणाणचरित्ताणि, सेविदव्वाणि साहुणा णिच्चं।
ताणि पुण जाण तिण्णि वि, अप्पाणं जाण णिच्छयदो।।

इस वचन के जो भी अनुवाद किए गए हैं, उनमें थोड़ा-सा फर्क मालूम होता है। और फर्क बहुमूल्य है। जिन्होंने अनुवाद किये हैं—जैन साधु, मुनि अनुवाद करते हैं। अनुवाद में उनका व्यक्तिगत पक्षपात उतर जाता है। जैसे दंसणाणचरित्ताणिः दर्शन, ज्ञान और चरित्र; सेविदव्वाणि साहुणा णिच्चंः इनका नित्य सेवन, यही साधु का लक्षण है। लेकिन अनुवाद क्या किया जाता हैः साधु को नित्य दर्शन, ज्ञान और चरित्र का पालन करना चाहिए। चाहिए कहीं मूल सूत्र में नहीं है। मूल सूत्र में तो सिर्फ व्याख्या है कि साधु कौन। साधु का कर्तव्य नहीं गिनाया है, साधु की परिभाषा है। साधु कौन? जो नित्य दर्शन, ज्ञान और चरित्र का सेवन करता है—पालन भी नहीं। मूल शब्द हैः सेविदव्वाणि—जो सेवन करता है; पालन नहीं; जो भोजन करता है; जो उपभोग करता है; जो भोगता है। साधु है वह जो दर्शन, ज्ञान और चरित्र का नित्य भोग करता है।

अब बात साफ हो सकती है। पहले तो नित्य, प्रतिपल, वर्तमान में; न तो बीते कल में न आने वाले कल में—अभी और यहां भोग करता है। असाधु या तो अतीत में भोगता है या भविष्य में।

गये हैं हम भी गुलिस्तां में बारहा लेकिन
कभी बहार से पहले कभी बहार के बाद।

—वह असाधु। साधु वह जो अभी और यहीं के द्वार से अस्तित्व में प्रवेश करता है; जो 'अब' के द्वार से अस्तित्व में प्रवेश करता है; जो यहां और ठीक अभी साक्षात्कार करता है अस्तित्व का।

सेवन...'सेवन' बड़ा प्यारा शब्द है! इसका भोग करता है।

जैन मुनि 'भोग' शब्द को लाने में अड़चन अनुभव किए होंगे। 'सेवन करता है' उनको लगा होगा, इसे 'करना चाहिए' में बदलो।

यह हमारे सारे शास्त्रों के साथ होता है। जहां 'है' की सूचना है वहां 'होना चाहिए', हम अनुवाद करते हैं। जहां केवल 'है' की सूचना है—जैसे कि आग जलाती है, यह तो ठीक है; लेकिन आग को जलाना चाहिए, तब अड़चन हो गयी। कोई ऐसा अनुवाद न करेगा कि आग को जलाना चाहिए, क्योंकि आग इस तरह की बकवास को मानती ही नहीं। वह तो जलाती है। 'चाहिए'—वासना, कामना आ गयी; भविष्य आ गया। 'चाहिए' का अर्थ ही हुआ कि कल हो सकेगा, आज नहीं हो सकता। 'चाहिए' का मतलब ही यह हुआ कि जो है नहीं; कोशिश करके लाना होगा। तो कोशिश में तो समय लगेगा। दिन लग सकते हैं, वर्ष लग सकते हैं, जन्म लग सकते हैं। कौन जाने कितना समय लगेगा तब हो पायेगा!

लेकिन साधारणतः दूसरे सुनने वाले भी इस अनुवाद से राजी होते हैं, क्योंकि उनको भी सुविधा मिल जाती है। वे भी कहते हैं, 'चाहिए' ठीक है। कल पर स्थगित करने का उपाय है। तो कल कर लेंगे। साधुता कल, असाधुता आज!

तुमने देखा, अगर दान देना हो तो तुम कहते हो देंगे; क्रोध करना हो तो तुम नहीं कहते, करेंगे। तुम कहते हो, करते हैं अभी! क्रोध होता है। और करुणा? करनी चाहिए! यह बड़े मजे की बात है। अगर दान देना है, तो तुम कहते हो, करेंगे!

एक मित्र संन्यास लेने आये थे, वे कहने लगे, सोचता हूं! बहुत दिन से सोच रहा हूं। अभी भी विचार कर रहा हूं, अभी भी पक्का नहीं कर पाता।

मैंने उनसे पूछा, क्रोध के संबंध में सोचते हो कि बिना ही सोचे पक्का कर लेते हो? वे कहने लगे कि क्रोध के संबंध में तो हालत उलटी है: सोचते हैं कि न करें और होता है। और संन्यास के संबंध में हालत यह है कि सोचते हैं कि लें, और नहीं होता।

हमने शुभ को, श्रेष्ठ को, सत्य को, शिवम् को टालने के उपाय किए हैं। तो इसलिए इन अनुवादों पर कोई एतराज भी नहीं करता। यह सिर्फ सूचक हैं।

महावीर कह रहे हैं:

दंसणाणचरित्ताणि, सेविदव्वाणि साहुणा णिच्चं।

वही है साधु, वही है साहु, जो नित्य सेवन कर रहा है दर्शन, ज्ञान, चरित्र का। जो कल पर नहीं छोड़ रहा है; जो अभी और यहीं जी रहा है; जिसने भविष्य के साथ नाते तोड़ लिए। भविष्य के साथ जिसका नाता है, वही गृहस्थ। क्योंकि गृहस्थ का अर्थ है: वासना, कामना; कल भोगेंगे। और गृहस्थ की भूल यही है कि कल आएगी मौत, तुम भोग न पाओगे। तुम कल पर टालते जाओगे, एक दिन मौत आ जायेगी। तुम्हारा सब टाला हुआ, टाला हुआ रह जायेगा।

महावीर इतना ही कह रहे हैं कि शुभ को टालना मत, स्थगित मत करना; जब शुभ का भाव उठे, तत्क्षण भोग लेना।

अशुभ को टालना; क्योंकि टल जाये तो अच्छा। अशुभ को कल पर छोड़ना!

मेरे देखे ऐसा है कि अगर तुम अशुभ को कल पर छोड़ो तो उसी तरह अशुभ न हो पायेगा जैसे अभी शुभ नहीं हो पा रहा है। कल पर छोड़ा, होता ही नहीं। तुम जरा करके देखो! कोई तुम्हें गाली दे, तुम कहो कि चौबीस घंटे बाद क्रोध करेंगे। अगर तुम कर लो चौबीस घंटे बाद क्रोध तो चमत्कार है। हो नहीं सकता। चौबीस घंटे! चौबीस क्षण तो रुको, क्रोध असंभव हो जायेगा।

अब्राहम लिंकन के जीवन में उल्लेख है, एक आदमी, मित्र उनका, बड़ा क्रोधित आया। किसी ने उसको पत्र लिखा था और बड़ी ऊलजलूल बातें लिखी थीं। लिंकन ने कहा, 'बैठो इसी वक्त जवाब दो। और दिल खोलकर जवाब दो! डरने की जरूरत नहीं है। मैं तुम्हारा मित्र भी हूं, तुम्हारा वकील भी हूं। यह हद्द हो गयी! लिखो दिल खोलकर! जो भी गालियां तुम्हें लिखनी हैं, लिख डालो पूरा।' वह आदमी भी थोड़ा चौंका! ऐसा उसने सोचा ही न था कि लिंकन यह कहेंगे। पर वह बैठ गया लिखने। दिल तो भरा था। दिल खोलकर उसने गालियां दीं। लिंकन उसे उकसाता था, उकसावा देते रहे कि तू डर मत, लिख, सब लिख डाल! सब मवाद निकाल दे! कागज पर कागज, उसने गालियां और ऊलजलूल बातों के सब उत्तर दे डाले। और जब वह पूरा लिखकर उसने हलकी सांस ली, लिंकन ने कहा, ला अब यह पत्र मुझे दे दे। उसने कहा, पता तो लिख देने दो। तो उसने कहा, पता लिखने की कोई जरूरत नहीं। भेजने की कोई जरूरत नहीं। भेजेंगे सात दिन बाद। सात दिन बाद तू आना, फिर इसको पढ़ लेना। अगर तू सात दिन बाद कहे कि भेजना है तो भेज देंगे। उस आदमी ने कहा, ठीक है। कोई हर्जा नहीं। वह सात दिन बाद आया, उसने पत्र देखा। उसे भरोसा ही न आया कि मैं और ऐसा पत्र लिख सकता हूं।

सात दिन में आग सब ठंडी हो गयी, अंगारे बुझ गये। दी गयी गालियां उतनी महत्वपूर्ण न मालूम पड़ीं। उत्तर व्यर्थ मालूम पड़े। वह आदमी तो पागल मालूम ही पड़ा। अपना पत्र देखा तो उसने कहा, यह मेरा भी दिमाग खराब है। इसको जवाब नहीं देना, मेरे दिमाग के लिए कुछ उपाय बताओ, इस तरह की बातें मेरे मन में उठती हैं! अच्छा ही हुआ, उस आदमी ने कहा कि उसने यह पत्र लिखा। उसके पत्र के बहाने मुझे मेरी आत्मा के दर्शन तो हो गये थोड़े कि यह सब मेरे भीतर भरा पड़ा है।

मैं तुमसे कहता हूं अगर क्रोध को तुम कल पर टाल दो तो उसी तरह टल जायेगा, जैसे करुणा अभी तक टलती आयी है।

अशुभ को अगर तुम कहो, करेंगे भविष्य में, तो अशुभ भी उसी तरह विदा हो जायेगा तुम्हारे जीवन से जैसे शुभ विदा हो गया है।

महावीर कहते हैं, साधु वह है जो दर्शन, ज्ञान और चरित्र का अभी पालन कर रहा है, अभी सेवन कर रहा है। और 'पालन' से 'सेवन' शब्द ज्यादा बेहतर है, क्योंकि पालन में ऐसा लगता है कि कुछ चेष्टा करके आयोजन करके अपने को बांध रहा है; कोई अनुशासन। 'सेवन' में ऐसा लगता है : कुछ अनुभव में आ रहा है, उसको भोजन बना रहा है; उसको अपने रक्त, मांस-मज्जा में मिला रहा है।

'निश्चय-नय से इन तीनों को आत्मा ही समझना चाहिए। ये तीनों आत्मरूप ही हैं।'

ये अलग-अलग नहीं हैं। यह जैनों की त्रिवेणी है या त्रिमूर्ति। क्योंकि ईश्वर का तो कोई भाव जैनों के पास नहीं है। सम्यक ज्ञान, सम्यक दर्शन, सम्यक चारित्र्य—ये उनके शिव, ब्रह्मा, विष्णु हैं। यह उनकी त्रिमूर्ति है। यह उनकी ट्रिनिटी है। और ये तीनों आत्मा के ही तीन रूप हैं। ये तुम्हारे होने की शुद्धता में प्रकट होते हैं। ये आत्मा ही हैं।

'अतः निश्चय से आत्मा का सेवन ही उचित है।'

यह बड़ा अदभुत वचन है! अपना ही भोजन उचित है। अपना ही भोग उचित है। अपने को ही पीयो, अपने को ही भोगो।

हम साधारणतः जीवन में दूसरे को भोगने का आयोजन करते हैं। 'पर' का हम सेवन करना चाहते हैं।

महावीर कहते हैं, 'पर' का सेवन करते-करते तो तुम संसार में भटक गये हो। अब तुम अपना ही सेवन करो। तुम अकेले अपने एकांत को ही भोगो। तुम अपने स्वभाव में डूबो। तुम्हारे भीतर जो छिपा है, इसके साथ नाचो, इसी को संगी-साथी बनाओ! भीतर होने दो रास!

तुमने अपने साथ संबंध ही नहीं जोड़े। तुम अपने से कभी आलिंगन नहीं किए। तुमने अपने को कभी चूमा नहीं, अपना कभी भोजन नहीं किया। अपना सेवन करो!

सीने का दाग है वह नाला कि लब तक न गया
खाक का रिज्क है वह कतरा कि दरिया न हुआ।

और जब तक बूंद सागर न हो जाये, तब तक मिट्टी है। और जब तक हृदय में छिपा हुआ गीत प्रकट न हो जाये, तब तक वह हृदय का घाव है।

सीने का दाग है वह नाला कि लब तक न गया
खाक का रिज्क है वह कतरा कि दरिया न हुआ।

हमारे जीवन में जो इतनी पीड़ा है, यह पीड़ा सिर्फ इसीलिए है कि हमारे भीतर जो पड़ा है, छिपा है, वह प्रकट नहीं हो पाया। जो गीत दबा पड़ा है हमारे प्राणों में, वह गाया नहीं गया। जो नाच हम छिपाये चल रहे हैं, वह नाचा नहीं गया। जो भोग हमारा स्वभाव है, वह भोगा नहीं गया। हमने अपने को अभिव्यंजना नहीं दी है। हमारा सितार ऐसा ही पड़ा है, उस पर हमने अंगुलियां नहीं नचायीं। वह सितार ऐसे ही धूल जमा पड़ा है। उससे विराट संगीत पैदा हो सकता था, उस तरफ हमने कोई ध्यान ही न दिया। हमारी नजरें दूसरे को तलाशती रहीं। हम दूसरे के संगीत में डूबने को आतुर रहे—और अपना घर भूल गये, अपना संगीत भूल गये। हमने और सब भोगा और हाथ सदा खाली पाए, और हमने उसे न भोगा जो हमारा था और जिसे भोगने से जीवन भर जाता।

कई बार इसका दामन भर दिया हुस्ने-दो-आलम से
मगर दिल है कि इसकी खाना-वीरानी नहीं जाती।

कितनी बार नहीं तुमने दोनों दुनियाओं को लूटकर अपने हृदय को भर देने की चेष्टा की है!

कई बार इसका दामन भर दिया हुस्ने-दो-आलम से
मगर दिल है कि इसकी खाना-वीरानी नहीं जाती।

लेकिन दिल है कि वह गरीब का गरीब, दीन का दीन, भिखारी का भिखारी, खंडहर का खंडहर, वहां कभी महल बन नहीं पाता—बनेगा भी नहीं। क्योंकि बाहर की तुम सारी दुनियाएं लूटकर ले आओ, तो भी कुछ न होगा, जब तक कि भीतर की दुनिया न लूटो। और भीतर की दुनिया कुछ ऐसी है—ऐसी अनंत कि भोगो और भोग के नये द्वार खुलते चले जाते हैं; रस लो, और नई रसधार बहती है। रसधार बड़ी होती जाती है, बड़ी होती जाती है। और कतरा एक दिन दरिया बन जाता है। बूंद एक दिन सागर हो जाती है।

तुम जब तक प्रकट न हो जाओगे अपनी परिपूर्ण महिमा में, तब तक दुखी रहोगे, घाव रहेगा। गीत गाना ही पड़ेगा। वह हमारी नियति है। अभिव्यंजित होना ही होगा, गूंजना ही होगा—एक परम संगीत से! एक दिव्य विभा से मंडित होना ही होगा!

अपनी महिमा को छिपाओ मत, भोगो!

हिंदू शास्त्रों में बड़े प्रसिद्ध वचन हैं :

'आहार शुद्धौ सत्व शुद्धिः।
सत्व शुद्धौ ध्रुवा स्मृति।
स्मृतिलाभे सर्वग्रंथीनां विप्रमोक्षः।'

आहार शुद्धि से सत्व शुद्धि; सत्व शुद्धि से स्मृति का लाभ; और स्मृति-लाभ से ग्रंथियों का खुलना; और समस्त उलझनों का अंत, समाप्ति, विप्रमोक्ष।

साधारणतः लोग यही अर्थ करते हैं, आहार शुद्धि से सत्व शुद्धि। यही अर्थ करते हैं : शुद्ध आहार। ब्राह्मण के हाथ का बनाया हुआ आहार। इसका गहरा अर्थ खयाल में नहीं आता : शुद्ध का आहार! परम शुद्ध का आहार! सत्व का आहार! वह जो तुम्हारे भीतर छिपा है, उसका आहार!

महावीर वर्षों तक उपवास किए, महीनों उपवास किए, दिनों उपवास किए! लेकिन उन्होंने अपने इस उपवास को उपवास कहा, निराहार न कहा; अनशन न कहा, उपवास कहा। उपवास का अर्थ है : अपने पास होते जाना; अपने निकट होते जाना। जो उपनिषद का अर्थ है, वही उपवास का अर्थ है। अपने पास, अपने पास, और पास होते चले जाना! निराहार न कहा अपने उपवास को, क्योंकि वह गलत जोर होता। भोजन नहीं किया, यह तो गौण बात है। अपना भोजन किया, यह महत्वपूर्ण बात है। आत्म-आहार किया। और आत्म-आहार से ऐसे भर गये कि भोजन कि जरूरत न रही। वह गौण बात है।

तुमने कभी खयाल किया! प्रेम के बहुत गहरे क्षणों में भूख नहीं लगेगी। कभी-कभी तुम चकित होओगे...एक महिला ने मुझे कहा...मैं यह बात कर रहा था। उसने सुनी, वह मुझसे मिलने आयी। उसने कहा कि एक बात आपसे कहनी है, मेरे जीवन में अटकी रही है सदा से। उसकी सास की मृत्यु हुई सांझ के वक्त। जैनों की 'अंथऊ' का समय। सूरज ढल गया, फिर भोजन तो हो नहीं सकता। सास मर गई बेवक्त। सासों के ढंग...! अब वह कोई ढंग का वक्त भी चुन सकती थी। दोपहर में मरती, रात मरती ठीक; अंथऊ के वक्त मर

गई! तो भोजन तो हो नहीं सका; पड़ा रह गया। और ऐसा भी नहीं कि इस बहू का अपनी सास से कुछ विरोध रहा हो—बड़ा लगाव था। तो उस समय तो कुछ खयाल नहीं आया, लेकिन जैसे रात बढ़ने लगी, उसकी भूख बढ़ने लगी। इधर रो भी रही। सास ने उसे अपनी बेटी की तरह रखा था, बहुत गौरव से रखा था। वह मर गयी तो दुख स्वाभाविक था। रो रही है, दुखी हो रही है। लेकिन पेट में भूख लग रही है! और आधी रात भूख इतनी ज्यादा बढ़ गयी कि वह महिला चकित हुई। भूख इतनी बढ़ गयी कि उसे जाकर चोरी से अपने चौके में कुछ भोजन करना पड़ा। उसकी ग्लानि उसके मन में रह गयी।

और यह जो महिला, जिसने मुझे यह कहा, वह आठ-आठ दस-दस दिन के उपवास कर लेती है; इसलिए उसे भी बड़ा चक्कर मालूम हुआ कि 'यह हुआ क्या! मैं आठ-आठ दस-दस दिन उपवास कर लेती हूं और कभी भूख ने मुझे ऐसा नहीं सताया कि उपवास तोड़ना पड़ा हो! और यह सास का मरना और इतना मेरा लगाव! तो एक अपराध-भाव उसके मन में अटका रह गया। किसी को भी उसने कहा नहीं—अपने पति को भी नहीं कहा, क्योंकि वह भी दुखी होंगे यह बात सोचकर कि मेरी मां मर गयी और तूने रात चोरी से भोजन किया। उसने मुझे कहा और कहा कि आप किसी को कहना मत! मुझे यह उलझन रह गयी है।

मैंने उससे कहा कि इससे विपरीत भी तुझे कभी हुआ? कभी आनंद के क्षण में, भूख न लगी हो? उसने कहा, 'हां, यह भी मुझे हुआ। आप भी जब मेरे घर में आते हो तो मैं भोजन नहीं कर पाती। मैं इतनी प्रसन्न हो जाती हूं कि वर्ष में आप दो दिन के लिए आते हो, कि दो दिन मैं भोजन नहीं कर पाती; बस ऐसे ही चाय इत्यादि से काम चल जाता है। भूख ही नहीं लगती, ऐसा कुछ भरापन मालूम होता है।'

जब भी तुम आनंदित होओगे, तुम हैरान हो जाओगे कि पेट भरा है! तुम इतने भरे हो, इतने भीतर भरे हो कि पेट का खालीपन पता न चलेगा। प्रेम के बहुत गहरे क्षणों में भूख न लगेगी। दुख के क्षणों में भूख लगेगी। दुख में तुम एकदम खाली हो जाओगे। दुख में न केवल पेट खाली हो जायेगा, आत्मा भी खाली हो जायेगी।

इसलिए अक्सर जिसने तुम्हारे जीवन को बहुत गहराई से भरा था, अगर वह मर जायेगा तो तुम्हें तत्क्षण भूख लगेगी। बेचैनी होगी तुम्हें यह सोचकर कि यह कोई वक्त है भूख लगने का। क्योंकि भोजन को तो हम उत्सव मानते हैं। दुख में तो कोई भोजन करता नहीं। पास-पड़ोस के लोगों को भोजन बनाकर लाना पड़ता है खिलाने अगर कोई मर जाये किसी के घर में; क्योंकि वह अपना चूल्हा जलाये तो वह भी तो अशुभ मालूम पड़ता है। यह कोई वक्त है! किसी का पति जल गया हो और वह चूल्हा जलाकर भोजन बना रही! चूल्हा नहीं जलता दिनों तक। लेकिन जब कोई निकटतम तुम्हारा मर जायेगा, तो न केवल तुम्हारा शरीर खाली हो गया, उसने तुम्हारी आत्मा के भी एक हिस्से को घेरा था, वह भी खाली हो गया। और खालीपन ऐसा मालूम होगा कि लगेगा कुछ भोजन कर लो।

कल ही एक संन्यासी ने मुझे कहा, कि विपस्सना का दस दिन प्रयोग करने के बाद, दसवें दिन, आखिरी दिन, उसे ऐसा लगा कि शरीर से आत्मा अलग हो गयी है।

कोई आधी रात के वक्त, वह घबड़ा गया! यह अनुभव इतना प्रगाढ़ था और इतना साफ था कि मैं आत्मा से अलग हूं, कि उसे लगा कि अब मौत होने के करीब है। और जो पहली बात उसे याद आयी वह यह कि कुछ खाओ, जल्दी कुछ खाओ। जो कुछ भी उसे मिल सका आधी रात...होटल में रहता है...आधी रात जो कुछ भी मिल सकता है जगाकर, कुछ भी, उसने जल्दी अपना पेट भर लिया। उसने कल मुझे कहा कि यह मैंने कुछ गलत तो नहीं किया है? क्योंकि करने के बाद मुझे ऐसा लगा कि कुछ भूल हो गयी। क्योंकि वह अनुभव तत्क्षण खो गया। लेकिन उस क्षण में मुझे इतने जोर की भूख लगी, जैसी मुझे कभी लगी न थी।

शरीर आत्मा से अलग होता हुआ मालमू पड़े, एक खालीपन मालूम होगा। और भरने का हम एक ही उपाय जानते हैं—पेट को भर लो; और हमें कोई उपाय नहीं मालूम। अगर इस क्षण में यह युवक अपने को प्रेम से भर लेता या आनंद से भर लेता तो यह अनुभव और ऊंचे शिखर पर पहुंच जाता। इसने शरीर से भर लिया। इसने इस क्षण में शरीर का सेवन कर लिया। भोजन मतलब शरीर। भोजन—जो शरीर बन जायेगा; अभी भोजन है, कल शरीर बन जायेगा। भोजन यानी बीज रूप से शरीर। इसने शरीर से भर लिया। यह क्षण था जब इसे आत्मा से भरना था। नाच उठता! गीत गाता! आंदोलित हो उठता आनंद से! प्रेम को जगाता! आत्मा से भरता! आत्मा का सेवन करता! तो यह घड़ी बड़ी गहरी हो जाती। यह अनुभव चिरस्थायी हो जाता। चूक हो गयी।

महावीर कहते हैं, 'आत्मा से ही आत्मा का सेवन उचित है।'

आत्मा से आत्मा का भोजन, आत्मा से आत्मा का भोग ही उचित है।

आहार शुद्धौ सत्व शुद्धिः।

—आहार के शुद्ध होने से सत्व शुद्ध हो जाता है।

यह आहार की शुद्धि को तुम ब्राह्मण के द्वारा बनाया गया आहार मत समझना। इसे तो तुम समझना ब्रह्म के द्वारा बनाया गया आहार—वह जो तुम्हारे भीतर की अंतर्आत्मा है, जिस पर ब्रह्म के हस्ताक्षर हैं।

सत्व शुद्धौ ध्रुवा स्मृतिः।

—और जिसने उस आत्मा का आहार कर लिया उसकी स्मृति ध्रुव हो जाती है। उसका बोध थिर हो जाता है। यही तो मैंने उस संन्यासी को कहा कि उस क्षण में आत्मा का आहार कर लिया होता, तो स्मृति ध्रुव हो जाती।

स्मृति का अर्थ यहां याददाश्त नहीं है। यहां स्मृति का अर्थ है परमात्मा का स्मरण, या आत्मा का स्मरण।

जिसको महावीर सम्यक दर्शन कह रहे हैं; वह थिर हो जाता है, उसकी लकीर खिंच जाती अमिट। फिर भूले न भूलती। फिर मिटाये न मिटती।

सत्व शुद्धौ ध्रुवा स्मृतिः।

—और आत्मा के शुद्ध आहार से जब भीतर का सत्व शुद्ध होता है तो स्मृति ध्रुव हो जाती है।

स्मृतिलाभे सर्वग्रंथीनां विप्रमोक्षः।

—और स्मृति से, स्मृति के लाभ से सारी ग्रंथियां खुल जाती हैं—जिसको महावीर कहते हैं निर्ग्रंथ दशा—सब गांठें खुल जाती हैं। और जो शेष रह जाता है—वही मोक्ष, वही समाधान, समाधि, विप्रमोक्ष! फिर कुछ और करने को शेष नहीं रह जाता।

'जो आत्मा इन तीनों से समाहित हो जाता है और अन्य कुछ नहीं करता है, और न कुछ छोड़ता है उसी को निश्चय-नय से मोक्ष-मार्ग कहा है।'

णिच्छयणयेण भणिदो, तिहि तेहिं समाहिदो हु जो अप्पा।
ण कुणदि किंचि वि अन्नं, ण मुयदि सो मोक्खमग्गो त्ति।।

बड़ी अदभुत बात महावीर कह रहे हैं! जो आत्मा इन तीनों से समाहित हो जाता है—सम्यक ज्ञान, दर्शन, चारित्र्य से समाहित! समाहित का अर्थ है, जिसके लिए ये ऊपर से थोपे गये नियम नहीं—जो इन्हें पचा गया; जो इसको इस भांति पी गया, इस भांति कि मांस-मज्जा बन गयी, समाहित हो गया! अब ऐसा नहीं कि वह चेष्टा करता है चारित्र्य की, कि मैं ठीक करूं और गैर-ठीक न करूं। ऐसा भी नहीं कि वह चेष्टा करता है ज्ञान को पकड़ने की, दर्शन को पकड़ने की। नहीं, ये सब समाहित हो गए।

तुमने भोजन किया...तो भोजन की दो घटनाएं घट सकती हैं। तुमने भोजन किया—या तो भोजन समाहित हो जायेगा और या अपच हो जायेगी। अपच होगी तो भोजन बिना पचा शरीर के बाहर फेंक देना होगा। वमन से निकले, मल-मूत्र से निकले—लेकिन अगर अपच हुआ तो उसे शरीर से बाहर फेंक देना होगा वैसा का वैसा। उसमें जो छिपा हुआ सत्व है, तुम्हारा हिस्सा न बन पाएगा। समाहित का अर्थ हैः पच जाये। तो जो कूड़ा-कचरा है वह बाहर निकल जायेगा; जो सार-सार है वह तुम्हारे खून में, लहू में बहने लगेगा। वह तुम्हारे हृदय में धड़केगा, तुम्हारी आंखों से देखेगा, तुम्हारे मस्तिष्क से सोचेगा। वह तुम्हारे भीतर का हिस्सा हो जायेगा।

एक बार जो अन्न पच गया, फिर तुम्हें उसकी चिंता नहीं करनी होती कि अब वह क्या कर रहा है; खून ठीक चल रहा है कि नहीं; मस्तिष्क सोच रहा है या नहीं; हड्डी-मांस-मज्जा बन रही है या नहीं। तुम तो गले के नीचे उतार लेते हो भोजन को, फिर बात खत्म हो गयी। अगर न पचे तो अड़चन होती है।

पंडित है ऐसा व्यक्ति जिसका ज्ञान समाहित नहीं हुआ। ज्ञानी है ऐसा व्यक्ति जिसका ज्ञान समाहित हो गया।

पंडित है ऐसा व्यक्ति जिसको अपच हो जाता है। भर लेता है ज्ञान को, लेकिन वह ज्ञान कहीं उसके जीवन की धारा का अंग नहीं होता; वह धारा में कंकड़-पत्थर की तरह पड़ा रहता है, धारा के साथ बहता नहीं।

समाहित का अर्थ हैः जिसे तुम भूल जाओ, फिर भी तुम्हारे साथ हो; जिसकी तुम्हें चेष्टा न करनी पड़े, सहज तुम्हारे साथ हो। सहज-स्फूर्त यानी समाहित।

'जो आत्मा इन तीनों से समाहित हो जाता है और अन्य कुछ भी नहीं करता...'

अन्य कुछ की कोई जरूरत नहीं, ये तीन काफी हैं। इन तीन में सब हो जाता है।

और न कुछ छोड़ता है। यह जैन मुनियों को बड़ी तकलीफ होगी सोचकर: न कुछ करता न कुछ छोड़ता; क्योंकि छोड़ना भी कृत्य है। छोड़ने में भी कर्ता आ जाता है और अहंकार आ जाता है। न तो पकड़ता और न छोड़ता, चुपचाप साक्षीभाव से जीता है।

'उसी को निश्चय-नय से मोक्ष-मार्ग कहा है।'

वही है मुक्ति का मार्ग।

जो छोड़ने-पकड़ने में पड़ा वह अड़चन में पड़ेगा। वह यहां से वहां डोलेगा।

कभूं तो दैर में हूं, कभूं हूं काबे में
कहां-कहां लिए फिरता है शौक उस दर का।

वह उसके दरवाजे को कभी मंदिर में खोजेगा, कभी मस्जिद में खोजेगा, कभी यहां कभी वहां; और एक दरवाजा जहां कि वह छिपा है—स्वयं का—अनखुला रह जायेगा।

चमक सूरज में क्या रहेगी
अगर बेजार हो अपनी किरण से?

और जो व्यक्ति छोड़ने-पकड़ने में लग जायेगा, वह बेजार हो जायेगा। छोड़ने का मतलब है निंदा करनी होगी अपने कुछ अंगों की; शरीर की निंदा करनी होगी; धन की निंदा करनी होगी; कामवासना की निंदा करनी होगी, सबकी निंदा करनी होगी।

चमक सूरज में क्या रहेगी
अगर बेजार हो अपनी किरण से?

और ये अपनी ही किरणें हैं। अगर इनसे हम बेजार हो गये, और इनकी निंदा करने लगे और छोड़ने के चक्कर में पड़े गये, तो हम तोड़ते जायेंगे अपने को। लेकिन जीवन का अहोभाग्य इस दिशा से नहीं आता। जीवन का अहोभाग्य तो तब आता है जब जो भी हमें मिला है उसे हम रूपांतरित करने में कुशल हो जायें, समाहित करने में कुशल हो जायें।

कामवासना समाहित होकर ब्रह्मचर्य बन जाती है। क्रोध समाहित होकर करुणा बन जाता है। राग समाहित होकर प्रेम बन जाता है। हिंसा समाहित होकर अहिंसा बन जाती है। पचा लो! बेजार मत हो जाना! छोड़ने के उपद्रव में मत पड़ जाना! क्योंकि जो-जो तुम छोड़ दोगे, उस उसका रूपांतरण असंभव हो जायेगा। अगर क्रोध छोड़ दिया तो यह तो हो सकता है तुम अक्रोधी हो जाओ, लेकिन करुणावान न हो सकोगे। अगर कामवासना छोड़ दी, तो यह तो हो सकता है कि तुम काम-रहित हो जाओ, लेकिन ब्रह्मचर्य उपलब्ध न हो सकेगा। यह काम-रहितता वैसे ही होगी जैसे हम सांड को बैल बना देते हैं, ग्रंथि काट देते हैं, यंत्र को नष्ट कर देते हैं।

और तुम ऐसा मत सोचना कि यह जो मैं दृष्टांत दे रहा हूं, बड़े दूर का है। यह दूर का नहीं है। साधुओं ने यह सब किया है। रूस में साधुओं की एक जमात थी जो जननेंद्रिय काट लेती थी। काट देने से, एक अर्थ में तो हल हो जाता था। जब जननेंद्रिय ही न रही तो कोई उपाय न रहा। लेकिन ब्रह्मचर्य इस तरह उपलब्ध नहीं होता। ब्रह्मचर्य उपलब्ध तो तब होता है जब यह जीवंत ऊर्जा काम की समाहित होती है; जब तुम इसे बाहर नहीं फेंकते,

भीतर पचा जाते हो; जब तुम इसे उछालते नहीं फिरते; जब यह ऊर्जा तुम्हारे भीतर ऊर्ध्वगमन बन जाती है।

क्रोध को काट देने से, कसम खा लेने से कि क्रोध न करूंगा, यह हो सकता है तुम दबा लो, दबाते जाओ, ऐसी घड़ी आ जाये कि किसी को भी पता न चले कि तुममें क्रोध है; लेकिन तुम्हें तो चलता ही रहेगा पता! तुम तो उसी के ऊपर बैठे हो। तुम तो ज्वालामुखी पर बैठे हो जो कभी भी फूट सकता है।

नहीं, करुणा पैदा न हो पायेगी। क्योंकि करुणा तो उसी ऊर्जा से निर्मित होती है जिससे क्रोध निर्मित होता है। ऊर्जा का दमन नहीं—ऊर्जा का रूपांतरण!

'इस दृष्टि से आत्मा में लीन आत्मा ही सम्यक दृष्टि होता है...।'

तो महावीर कह रहे हैं, फिर व्याख्या क्या होगी सम्यक दृष्टि की? जिसको गीता में स्थितिप्रज्ञ कहते हैं, उसी को महावीर सम्यक दृष्टि कहते हैं। स्थितिप्रज्ञ—जिसकी प्रज्ञा स्थिर हो गयी; सम्यक दृष्टि—जिसका दर्शन स्थिर हो गया है। एक ही बात है।

'आत्मा में लीन आत्मा ही सम्यक दृष्टि है। जो आत्मा को यथार्थ रूप से जानता है वही सम्यक ज्ञान है और उसमें स्थिर रहना ही सम्यक चारित्र्य है।'

बड़ी अदभुत बात...! महावीर चरित्र यह नहीं कह रहे हैं जो तुम करते हो—उसमें चरित्र नहीं है। तुम जो हो...! साधारणतः हम सोचते हैं चरित्र का अर्थ है, जो हम करते हैं। अगर हमने क्रोध नहीं किया तो हम चरित्रवान हैं। अगर क्रोध किया तो हम चरित्रहीन हैं। अगर हमने कामवासना का संबंध बनाया तो हम चरित्रहीन हैं। अगर कोई कामवासना का संबंध न बनाया तो हम चरित्रवान हैं।

महावीर राजी न होंगे। महावीर कहेंगे, क्रोध किया या नहीं, यह सवाल नहीं—क्रोध है या नहीं? यह हो सकता है क्रोध किसी से भी न किया हो और क्रोध भीतर हो। तो भी वह कहते हैं, तुम सम्यक चारित्र्य को उपलब्ध न हुए।

'उसमें स्थित रहना ही सम्यक चारित्र्य है।' आत्मा में स्थित रहना ही...! अपने में ऐसे खड़े हो जाना कि वहां से डांवाडोल न किए जा सको। वहां से तुम्हें कोई बाहर न ले जा सके—क्रोध या काम, कोई भी स्थिति 'अप्पा अप्पम्मि रओ'—अपने में ही रमो! अपने में ही रम जाओ। अप्पा अप्पम्मि रओ। रमो अपने में! आपे में! कहीं और न जाओ! कहीं और न भटको!

सम्माइट्ठी हवेइ फुडु जीवो।

—और यही है सम्यक दृष्टि हो जाने का मार्ग!

जाणइ तं सण्णाणं, चरदिह चारित्तमग्गु त्ति।

यही है जानना, यही है देखना, यही है दर्शन, यही है चारित्र्य!

अप्पा अप्पम्मि रओ!

'अपने में रम जाओ।'

हमारे पास जो शब्द है 'स्वास्थ्य', वह यही अर्थ रखता है: 'अप्पा अप्पम्मि रओ!' स्वास्थ्य का अर्थ है: स्वयं में स्थित हो जाना। जब तुम बीमार होते हो तो तुम स्वयं में

डांवाडोल हो जाते हो। सिर में दर्द है तो चेतना सिर के कारण डांवाडोल हो जाती है। पैर में कांटा लगा है तो कांटे के कारण चेतना डांवाडोल हो जाती है। जब तुम बिलकुल डांवाडोल नहीं होते—न सिर बुलाता, न पैर बुलाता, न पेट बुलाता—जब शरीर को तुम बिलकुल भूले रहते हो, ऐसा जैसा विदेह, है ही नहीं—तब तुम 'स्वस्थ।' यही तो आत्म-स्थिति की दशा है; जब तुम इतने अपने में लीन हो कि कोई गाली दे तो तुम बाहर नहीं आते। तुम वहीं अपने भीतर से सुन लेते हो, कोई परिणाम नहीं होता। तुम्हारी दशा में कोई भेद नहीं पड़ता। तुम वही रहते हो जैसा गाली देने के पहले थे; वैसे ही गाली देने के बाद रहते हो। गाली दी या न दी, बराबर। तुम पर कोई रेखा नहीं खिंचती, कोई खरोंच नहीं लगती। किसी ने सम्मान किया, तुम फूल नहीं जाते। तुम्हारे अहंकार का गुब्बारा बड़ा नहीं होने लगता। तुम वैसे ही रहते हो जैसे थे, कोई अंतर नहीं पड़ता।

रवींद्रनाथ को जब नोबल प्राइज मिली और वे वापस कलकत्ता लौटे, तो कलकत्ते में बड़ा संकट था। अनेक लोगों को बड़ी चोट लगी थी कि रवींद्रनाथ को नोबल प्राइज मिल गयी। तो बंगाली बड़े नाराज भी थे। एक संपादक अखबार का जूतों की माला लेकर पहुंच गया स्वागत करने के लिए। तो सोचा था उसने कि रवींद्रनाथ खिन्न होंगे, नाराज होंगे, लेकिन रवींद्रनाथ के 'कवि' में कुछ 'ऋषि' का अंग था। इसलिए उनकी गीतांजलि में उपनिषदों की झलक है। कुछ उड़ानें उन्होंने उस आकाश में भी भरी थीं जहां ऋषि ही प्रवेश करते हैं। वे सिर्फ सामान्य कवि नहीं थे। उस आदमी को जूतों की माला लिए देखकर वे उसके पास गये, क्योंकि वह भीड़ में पीछे खड़ा था। थोड़ा संकोच भी लग रहा था। दूसरे फूलमाला लाए थे, वह जूतों की माला लाया था। उसको संकोच में देखकर उनको थोड़ा अच्छा भी न लगा। वे फूलों की माला छोड़कर उसके पास गये, और कहा कि अब ले ही आये हो तो पहना दो। वह आदमी और लज्जा से भर गया। वह जूते की माला पटककर भाग खड़ा हुआ। तो रवींद्रनाथ ने उसमें से एक जोड़ी चुन ली अपने पहनने के लायक, पैर के लायक जो जोड़ी थी वह पहन ली और वे चल पड़े घर की तरफ। उन्होंने कहा कि ठीक किया, मेरे जूते रास्ते में खो भी गए थे! यह आदमी भी वक्त पर ले आया! और जूते की दुकान पर जाने की झंझट से बचा दिया! और माला लाया तो काफी जूते लाया था, तो दो उनके नाप के मिल भी गये।

जब तुम्हें बाहर का सम्मान और असम्मान कुछ अंतर न लाता हो, तुम्हारी मुस्कुराहट न तो जरा फीकी पड़ती हो, न जरा गहरी होती हो, तुम वैसे ही रह जाते हो जैसे तुम हो—स्वभाव में स्थिर! अप्पा अप्पम्मि रओ! तो तुम स्वस्थ! तो तुम आत्मज्ञान को उपलब्ध! तो यही है सम्यक दृष्टि हो जाना। और यही सम्यक चारित्र्य है—इसमें स्थिर होना ही!

तो चारित्र्य का अर्थ दूसरे से संबंध नहीं है। अगर चारित्र्य का अर्थ दूसरे से ही संबंध है तो हिमालय की किसी एकांत गुफा में बैठे हुए तुम चारित्र्यवान न हो सकोगे।

इसलिए ये दो शब्द एक जैसे हैं—चरित्र और चारित्र्य। इनका फर्क समझ लेना। चरित्र का अर्थ है: जिसका संबंध दूसरे से है। और चारित्र्य का अर्थ है: स्वयं में स्थित।

तुमने गाली दी तो मैंने क्रोध किया—यह चरित्र। तुमने प्रशंसा की तो मैंने धन्यवाद दिया—यह चरित्र। तुमने गाली दी कि प्रशंसा की, मैंने कुछ भी न किया, मैं वैसा ही रहा जैसा था—यह चारित्र्य।

तो अगर तुम हिमालय की गुफा में बैठ जाओ तो चरित्र तो समाप्त हो जायेगा, क्योंकि चरित्र तो दूसरे के बिना हो ही नहीं सकता; लेकिन चारित्र्य...चारित्र्य प्रकट होगा। एकांत में भी प्रकट होगा, जैसा एकांत में फूल खिलता है! कोई नहीं निकलता पास से तो भी उसकी गंध हवाओं में फैलती है। रात सब सो गये होते हैं, तब भी तारा आकाश में चमकता रहता है। वह चारित्र्य है। उसका दूसरे से कुछ लेना-देना नहीं।

तुम बैठे हो अपने कमरे में, अकेले, और कोई आया, दरवाजे पर दस्तक दी—तुम तत्क्षण बदल जाते हो, कोट-टाई ठीक करके बैठ जाते हो। यह चरित्र!

तुम स्नानगृह में स्नान कर रहे हो। आईने के सामने मुंह भी बना-बिचका रहे हो। तत्क्षण तुम्हें खयाल होता है कि बच्चा तुम्हारा ताली के छेद में से देख रहा है। तुम समझ जाते हो कि यह बाप के लिए योग्य नहीं कि मुंह बिचकाए, बनाए, कि नाचे-कूदे, स्नानागृह में। यह चरित्र! यह दूसरे के देखते ही बदल जाता है।

जिसका दूसरे से कोई संबंध नहीं, जिसका तुमसे ही बस संबंध है—वह है चारित्र्य।

अप्पा अप्पम्मि रओ।

'आत्मा ही मेरा ज्ञान है। आत्मा ही दर्शन है। आत्मा ही चारित्र्य है। आत्मा ही प्रत्याख्यान है और आत्मा ही संयम और योग है। अर्थात ये सब आत्मरूप ही है।'

आया हु महं नाणे!

'ज्ञान, आत्मा ही मेरा ज्ञान है।'

आया हु महं नाणे, आया में दंसणे चरित्ते य।

'और दर्शन और चरित्र भी मेरी आत्मा...।'

आया पच्चक्खाणे, आया में संजमे जोगे।

'और आत्मा ही प्रत्याख्यान। और आत्मा ही व्रत-नियम, आत्मा ही संयम और योग अर्थात ये सब आत्मरूप ही हैं।'

महावीर के लिए आत्मा शब्द परम है। और जिसने उसमें थिरता पाली, सब पा लिया।

अगर तुमने त्याग किया दूसरों को दिखाने के लिए तो वह चरित्र हो गया, चारित्र्य नहीं। अगर तुमने त्याग किया भीतर के परम आनंद से, तो चारित्र्य। अगर तुम्हारा ज्ञान दूसरों से आया है तो वह ज्ञान नहीं। अगर तुम्हारा ज्ञान भीतर से आविर्भूत हुआ है तो ज्ञान। जो गीत तुमने दूसरों की नकल पर गुनगुनाया है, वह गीत नहीं। जो गीत सद्यःस्नात, अभी ताजा नहाया हुआ तुम्हारी अंतरात्मा से उठा है, अलौकिक, अद्वितीय, नितनूतन, यद्यपि सनातन—वही गीत! वही गीत वेद बन जाता है! वही गीत ऋचाएं! वही गीत उपनिषद बन जाते हैं।

महावीर का सारा जोर एक बात पर है कि तुम किसी तरह अपने घर लौट आओ।

आपे में आ जाओ! अपने में आ जाओ! दूसरे में बहुत भटक लिए—दूसरे में होना ही संसार है। तो जो तुमने दूसरे के लिए किया, दूसरे को सोचकर किया, दूसरे की आशा-अपेक्षा में किया—वह सब संसार है। दूसरे से आशा-अपेक्षा छोड़ो! दूसरे से दृष्टि हटाओ। तुम वहीं लीन हो जाओ जो तुम हो। यही संयम, यही योग!

इश्क भी हो हिजाब में हुस्न भी हो हिजाब में
या तो खुद आशकार हो, या मुझे आशकार कर।

दो ही उपाय हैं। या तो हम परमात्मा से कहें: या तो खुद आशकार हो—या तो खुद को प्रकट कर; या मुझे आशकार कर—या मुझे प्रकट कर।

महावीर ने दूसरा ही रास्ता चुना है। वे कहते हैं, अपने को ही प्रकट करना है। प्रार्थना की उन्होंने गुंजाइश नहीं छोड़ी। उन्होंने इतना भी दूसरे पर भरोसा नहीं रखा है। परमात्मा भी दूसरा हो जायेगा, 'पर' हो जायेगा। तो परमात्मा भी संसार ही हो जायेगा। उतना भी दूसरे पर निर्भर नहीं रखना है। क्योंकि दूसरे पर निर्भरता तुम्हें कभी भी मोक्ष, कभी भी परम स्वतंत्रता में न ले जा सकेगी।

तेरी दुआ से कजा तो बदल नहीं सकती
मगर है इसमें ये मुमकिन कि तू बदल जाये।

यह बात बड़ी ठीक है। जब तुम प्रार्थना करते हो तो प्रार्थना से कोई तुम्हारी मौत नहीं रुक जायेगी, न प्रार्थना से कुछ और बदलेगा। लेकिन यही होता है कि प्रार्थना करने में तुम बदल जाते हो। जब तुम प्रार्थना करते हो तो तुम्हारी प्रार्थना से और कुछ भी नहीं बदलता, लेकिन प्रार्थना करने वाला बदल जाता है।

तो महावीर ने इस सार को बहुत गहराई से पकड़ा। उन्होंने कहा कि, तो फिर प्रार्थना की जरूरत क्या? जब बदलना ही स्वयं को है, तो फिर परोक्ष क्यों? फिर प्रत्यक्ष क्यों नहीं? जब असली सवाल मेरे भीतर ही घटना है, जब असली में भगवान भक्त के भीतर ही प्रकट होना है, तो फिर बाहर की तलाश बंद। फिर बाहर क्यों टटोलूं किसी पैरों को? फिर अपने घर लौट आऊं। फिर अपने में ही लीन हो जाऊं।

अप्पा अप्पम्मि रओ!

और यह जो तुम्हारे भीतर की आत्मा की बात महावीर कर रहे हैं, यह तुम भूल भला गए हो, लेकिन बिलकुल भूल भी नहीं गए हो। थोड़ी पर्तें जम गई हैं धूल की, लेकिन पर्त के नीचे तुम्हारे प्राण अभी भी जीवंत हैं। जलधार अभी भी ताजी है। ऊपर-ऊपर काई छा गई है। तुम इसे भूल भी नहीं गए हो, क्योंकि कोई कैसे अपने को भूल जा सकता है? भूलने जैसी हालत है, लेकिन बिलकुल नहीं भूल गये हो। उसी में संभावना है। उसी में किरण है संभावना की। जरा-सा सहारा पकड़ लो तो तुम अपने को याद कर पाओगे।

एक मुद्दत से तेरी याद भी आयी न हमें
और हम भूल गये हों तुझे ऐसा भी नहीं।

सदियां बीत गयी हों, मुद्दत बीत गयी है और तुमने अपनी याद भी न की हो!

लेकिन भूल गये हो, ऐसा भी नहीं है। इस बात को ठीक से समझना। अगर बिलकुल भूल गये हो, तब तो याद का कोई उपाय नहीं। और अगर बिलकुल याद है तो याद की कोई जरूरत नहीं। दोनों के बीच में है स्थितिः भूली-भूली सी याद है। भूली-भूली सी याद, धुंधली-धुंधली सी याद! सूरज नहीं निकला है, भर-दुपहरी नहीं है, अंधेरी रात भी नहीं है—सुबह का हलका-हलका सा आलोक! सूरज ऊगने-उगने को है। कुहासा छाया है। हाथ को हाथ नहीं सूझता, फिर भी सूझ बिलकुल नहीं खो गयी है। वह जो थोड़ी-सी सूझ बची है, जो थोड़ी-सी याद बची है, उसी को ही निखारो, प्रगाढ़ करो। उसी के सहारे भीतर की यात्रा होगी। उसी को निखारने और प्रगाढ़ने का नाम ध्यान है, विवेक है।

थोड़ा जागते चलो! जो थोड़ा-सा आसरा दिखायी पड़ रहा है, उसको पकड़ो, और उस दिशा में थोड़े बढ़ते चलो! थोड़ा साहस करो। वह भूली-भूली सी याद गहन होने लगेगी। भूल छंटती जायेगी, याद सघन होने लगेगी।

और जिस दिन भी कोई अपने घर लौट आता है, एक अनूठी घटना घटती है। इतने दुख, इतनी पीड़ाएं, इतनी शिकायत, इतने शिकवे, सब समाप्त हो जाते हैं। इतनी मांगें, इतनी वांछनाएं, इतनी आकांक्षाएं, इतनी तृष्णाएं, सब अचानक पूरी हो जाती हैं।

सब न मिलने की बातें थीं जब आकर मिल गए
सारे शिकवे मिट गए, सारा गिला जाता रहा।

तब पता चलता है कि वह सब जो मांगें थीं, अनंत-अनंत, वह एक ही मांग के खंड थीं। अपने से मिलने की असली मांग थी। उसको नहीं पहचान पा रहे थे, तो वही मांग अनंत खंडों में बंट गई थी। वह जो पद को चाहा था, वह अपने ही भीतर आत्मपद को चाहा था। वह जो धन को चाहा था, वह अपने ही भीतर उस शाश्वत धन को चाहा था, जो मेरा स्वभाव है। वह जो यश और प्रतिष्ठा चाही थी, उस यश और प्रतिष्ठा में अपनी ही महिमा की तलाश थी—गलत रास्ते पर गलत दिशा में।

महावीर का सारा योग आत्म-स्थिति है। कृष्ण ने कहा है गीता मेंः समत्वं योग उच्चते!

समत्व को उपलब्ध हो जाना योग है। महावीर भी कहते हैं, सम्यक दृष्टि, समत्व। सम्यकत्व—समता को उपलब्ध हो जाना! डांवाडोल न रहे चित्त, सम हो जाये। यहां-वहां न जाये, थिर हो जाये। थिरता सधे! ज्योति ऐसी हो जाये जैसे किसी घर में हवा के झोंके न आते हों, और ज्योति अकंप जलती हो, कंपती न हो। समत्वं योग उच्चते! यही दशा योग की दशा है। और महावीर कहते हैं, यही दशा—आया हु महं नाणे—यही दशा ज्ञान। आया में दंसणे चरित्ते य। और यही दर्शन और यही चरित्र!

आया पच्चक्खाणे, आया में संजमे जोगे।

'और यही प्रत्याख्यान, व्रत, नियम, अनुशासन। और यही संयम और योग!'

महावीर ने जैसी महिमा का गुणगान आत्मा का किया है, किसी ने भी नहीं किया। महावीर ने सारे परमात्मा को आत्मा में उंड़ेल दिया है। महावीर ने मनुष्य को जैसी महिमा दी है और किसी ने भी नहीं दी।

महावीर ने मनुष्य को सर्वोत्तम, सबसे ऊपर रखा है।

और यह जो दुर्लभ क्षण तुम्हें मिला है मनुष्य होने का, इसे ऐसे ही मत गंवा देना। इसे ऐसे भूले-भूले ही मत गंवा देना। इसे दूसरों के द्वार खटखटाते-खटखटाते ही मत गंवा देना। बहुत मुश्किल से मिलता है यह क्षण और बहुत जल्दी खो जाता है। बड़ा दुर्लभ है यह फूल; सुबह खिलता है, सांझ मुर्झा जाता है। फिर हो सकता है सदियों-सदियों तक प्रतीक्षा करनी पड़े।

इसलिए मनुष्य होना महिमा ही नहीं है, बड़ा उत्तरदायित्व है। अस्तित्व ने तुम्हारे भीतर से कोई बहुत बड़ा कृत्य पूरा करना चाहा है। साथ दो! सहयोग दो!

अस्तित्व ने तुम्हारे भीतर से कोई बहुत बड़ी घटना को घटाने का आयोजन किया है। साथ दो! सहयोग दो! और जब तक तुम खिल न पाओगे, नियति तुम्हारी पूरी न होगी।

तो समस्त ज्ञानी पुरुष कहते हैं तुम वापस भेज दिये जाओगे। यह जीवन और मरण का चक्र चलता रहेगा। इससे केवल वे ही बाहर निकल पाते हैं जो इस जीवन और मरण के चक्र में चलते हुए भी अपने भीतर के सारे विचारों के चक्र को रोक देते हैं; जो इस जीवन-मरण के चक्र में रहते हुए भी, साक्षी हो जाते हैं और एक गहन अर्थ में बाहर हो जाते हैं।

साक्षी होकर जो बाहर हो गया संसार के, उसको फिर दुबारा लौटने की कोई जरूरत न रहेगी। और जो दुबारा नहीं लौटता, उसने ही अपनी नियति को पूरा किया। उसके भीतर ही बीज फूल को उपलब्ध हुए।

इस अवस्था को महावीर कहते हैं: परमात्म-अवस्था।

तुम परमात्मा होने को हो। इससे कम पर राजी मत होना। इससे जो कम पर राजी हुआ वह नासमझ है। तुम कंकड़-पत्थरों से राजी मत हो जाना। हीरों की अनंत राशियां तुम्हारी प्रतीक्षा कर रही हैं।

आज इतना ही।

२८

जीवन का ऋत् : भाव, प्रेम, भक्ति

प्रश्न-सार

आप कहते हैं कि पुण्य भी बांधता है और पाप भी बांधता है। तो तीर्थंकरों को उनका करुणाजन्य कर्म क्यों नहीं बांधता?

पहली बार मैं किसी के प्रेम में पड़ा हूं, लेकिन मेरा अहंकार मुझे पूरी तरह प्रेम में डूबने नहीं देता। मेरा हृदय तो नारद के साथ है, लेकिन बुद्धि महावीर के साथ। उलझन है, खींचातानी है। कृपया मार्ग-निर्देश दें!

कृपाकर कीर्तन-ध्यान के बारे में कुछ समझाएं!

पहला प्रश्न :

ओशो, आप कहते हैं कि पुण्य भी बांधता है और पाप भी बांधता है। तो तीर्थंकरों को उनका करुणाजन्य कर्म क्यों नहीं बांधता?

पहली बात तीर्थंकर जो करते हैं वह कर्म नहीं है, कृत्य नहीं है; क्योंकि कर्ता का कोई भाव नहीं है। तीर्थंकर जो करते हैं वह करते नहीं—होता है। जैसे तुम श्वास ले रहे हो, श्वास लेना कृत्य नहीं है। जैसे श्वास सहज चल रही है, और जब न चलेगी तो तुम कुछ भी न कर पाओगे—जब तक चलेगी, चलेगी; जब रुकेगी तो रुक जायेगी। तुम्हारे हाथ के भीतर नहीं है। तुम्हारा कृत्य नहीं है। अहंकार-नियंत्रित नहीं है।

तीर्थंकर का कृत्य, कृत्य नहीं—श्वास जैसी सहज दशा है। होता है, किया नहीं जाता। करने वाला कोई भी बचा नहीं है। करुणाजन्य है, ऐसा कहना भी गलत है। करुणापूर्ण है, लेकिन करुणाजन्य नहीं। करुणाजन्य तो तब होता है जब तुम्हें दया आए और तुम कुछ करो। करुणापूर्ण तब होता है जब तुम करुणा से पूर्ण हो गए हो—और उससे कुछ बहता है।

इन दोनों में फर्क है।

जब तुम्हें राह चलते किसी भिखमंगे पर दया आती है तो तुम्हारे भीतर कुछ हलन-चलन हो गया; तुम्हारी ज्योति कंप गयी; तुम्हारी प्रज्ञा थिर न रही। दूसरे के दुख से कंप गयी। पहले दूसरे के सुख से कंपती थी। किसी ने बहुत बड़ा मकान बना लिया तो ईर्ष्या जगी थी; अब किसी के मकान में आग लग गयी, तो दया उठी। लेकिन हर हाल तुम कंपे, तुम थिर न रहे; तुम वैसे ही न रहे जैसा इस भिखमंगे को देखने के पहले थे। राह पर तुम निकले, कोई न था, अकेले थे, फिर एक भिखमंगा दिखायी पड़ा, दया उठी, भाव का निर्माण हुआ—फिर भाव से कृत्य आया। तुम्हारी दशा बदली। तीर्थंकर की दशा नहीं बदलती; इसलिए करुणाजन्य नहीं है कृत्य, करुणापूर्ण जरूर है। जब भिखारी नहीं है मार्ग पर, तब भी तीर्थंकर करुणा से भरे हैं। तुम नहीं भरे हो। तुम्हें करुणा से भरने के लिए किसी का दुखी होना जरूरी है।

इसे ठीक से समझना। अगर दुनिया से दुखी लोग विदा हो जायेंगे तो तुम्हारी दया भी समाप्त हो जायेगी। किस पर दया करोगे? किसको दान दोगे? तुम्हारी दान और दया के लिए किन्हीं का दुखी रहना जरूरी है। तुम्हारी दान, दया के लिए दुख आवश्यक है। कोई न होगा कोढ़ी, कोई न होगा बीमार—किसके पैर दबाओगे? तुम्हारी दया एकदम मर जायेगी, कुम्हला जायेगी। उसके लिए बाहर से कोई प्रेरणा चाहिए। तो तुम्हारी दया भी बाहर से पैदा हुआ परिणाम है।

तीर्थंकर करुणापूर्ण हैं—नहीं कि किसी पर करुणा करते हैं; करुणा से भरे हैं, जैसे दीये से प्रकाश झरता है: कोई निकल जाये तो उस पर पड़ता है, कोई न निकले तो भी जलता रहता है; किसी के निकलने से नहीं जलता और किसी के चले जाने से बुझ नहीं जाता; किसी पर निर्भर नहीं है। आत्म भाव की दशा है।

तो तीर्थंकर की करुणा तुम्हारे दुख के कारण नहीं है। तुम सुखी हो तो भी तीर्थंकर की करुणा तुम पर उतनी ही है जितने तुम दुखी हो। तुमसे कुछ प्रयोजन नहीं है। तुम नहीं हो तो भी तीर्थंकर की करुणा उतनी ही है, जब कि तुम हो। तुम्हारा होना न होना कुछ फर्क नहीं लाता। तीर्थंकर की करुणा तुम्हारे और तीर्थंकर के बीच संबंध नहीं है—तीर्थंकर की दशा है; उसकी अवस्था है; उसका आनंदभाव है। वह तुम पर इसलिए करुणा नहीं कर रहा है कि तुम दुखी हो। उससे तुम्हारी तरफ करुणा बहती है क्योंकि वह आनंदित है। इस भेद को बहुत ठीक से समझ लेना। तुम्हारी जरूरत है, इसलिए नहीं देता है वह; उसके पास जरूरत से ज्यादा है, इसलिए देता है।

जीसस के जीवन में कहानी है, जो उन्होंने बहुत बार कही। एक बगीचे के मालिक ने सुबह-सुबह मजदूर बुलाए। अंगूरों का बगीचा था और जल्दी ही फसल को काट लेना था। मौसम बदला जाता था। सुबह जो मजदूर आये उन्होंने दोपहर तक काम किया। मालिक आया, उसने देखा। उसने कहा, इतने मजदूरों से शाम तक काम निपटेगा नहीं। तो भेजा अपने मुनीम को कि और मजदूर ले आओ। तो भर-दुपहरी कुछ और मजदूर लाए गये। फिर आया मालिक। सांझ ढलने को थी। उसने कहा, इनसे भी काम न हो पायेगा;

कुछ और बुला लाओ। तो सूरज ढलते-ढलते काम बंद होते-होते कुछ मजदूर आए। और जब रात्रि में उसने पैसे बांटे तो सबको बराबर दे दिये—जो सुबह आये थे उनको भी, जो दोपहर आये थे उनको भी, जो सांझ आये थे उनको भी। जिन्होंने दिन भर काम किया उनको भी, और जिन्होंने कुछ भी काम न किया था उनको भी। तो जो सुबह आये थे वे निश्चित नाराज हो गये। और उन्होंने कहा, 'यह अन्याय है। हम सुबह से आये हैं, दिन भर पसीना बहाया है। हमें भी उतना, और इन्हें भी उतना जो अभी-अभी आये और जिन्होंने कुछ भी नहीं किया, जिन्हें करने का मौका ही न मिला, क्योंकि सूरज ढल गया?'

तो उस मालिक ने कहा, तुम्हें कम तो नहीं दिया है? उन्होंने कहा, 'नहीं, कम नहीं दिया है। जितनी मजदूरी मिलती, उससे ज्यादा ही दिया है। लेकिन अन्याय हो रहा है। इन्होंने तो कुछ भी नहीं किया।' तो उस मालिक ने कहा कि तुम अपनी फिक्र करो। तुम्हें जितना मिलना था उससे ज्यादा मिल गया, तुम प्रसन्न नहीं हो। तुम इनसे तुलना मत करो। इन्हें मैं काम के कारण नहीं देता; मेरे पास बहुत है, इसलिए देता हूं। मैं सबको बराबर दे रहा हूं। मेरे पास जरूरत से ज्यादा है। तुम्हारे काम के कारण नहीं; मेरे पास है, इसलिए; मैं बोझ से दबा हूं, इसलिए।

जीसस की कहानी बड़ी महत्वपूर्ण है।

महावीर तुम्हें देते हैं तुम्हारे दुख के कारण नहीं। मिला है उन्हें, खूब मिला है! और उसको न बांटें तो वह बोझिल हो जाता है। उसे बांटना जरूरी है। अगर तुम न भी होओगे तो भी बांटेंगे। अगर तुम सुखी होओगे तो भी बांटेंगे।

तो तुम्हारे दुख से तुम तीर्थंकर की करुणा को मत जोड़ना। तुमसे उसका कोई संबंध नहीं है। तीर्थंकर की करुणा का संबंध उसके अंतर-आनंद से है, सच्चिदानंद से है। वह अपनी आत्मा में रमा है और उसने इतना पा लिया है। और जो पाया है वह कुछ ऐसा है कि बांटो तो बढ़ता है, न बांटो तो घट जाता है। इसलिए तुम पर करुणा करके तीर्थंकर कुछ कर रहे हैं, ऐसा नहीं। आनंद-भाव में बांटते हैं—बांटने से बढ़ता है। जितना बांटते हैं, उलीचते हैं, उतना बढ़ता चला जाता है; उतने नये स्रोत खुलते चले जाते हैं। तो जब रोज-रोज नया-नया आनंद बरस रहा हो, बासे को कौन रखेगा! तुम सांझ भोजन कर लेते हो, फिर बांट देते हो। लेकिन गरीब बासी रोटी को भी रख लेता है: कल काम पड़ेगी।

तुम बांटने से डरते हो, क्योंकि कल का पक्का नहीं है। और आज का अगर बांट दिया तो कल मिलेगा या नहीं! लेकिन तीर्थंकर उस दशा में हैं जहां प्रतिपल अनंत बरस रहा है। तो जो इस क्षण बरसा है, उसे बांट ही देना है; क्योंकि दूसरे क्षण के लिए जगह खाली करनी है। अगर न बांटा तो बासा पड़ा रह जायेगा और बासे के कारण नये के आने में बाधा पड़ेगी। और अगर बासा बहुत इकट्ठा हो गया, उसकी राशियां लग गयीं तो नये के जन्म की कोई संभावना न रह जायेगी।

तो न तो तीर्थंकर का कृत्य कृत्य है, और न करुणाजन्य है—करुणापूर्ण है। इसलिए कोई बंध नहीं—न पाप का न पुण्य का। तीर्थंकर से बहुत कुछ होता है, लेकिन तीर्थंकर कुछ करता नहीं।...सहजस्फूर्त; जैसे पक्षी गीत गाते हैं!

मिर्जा गालिब से कोई पूछा कि लोग आपकी कविताओं की बड़ी प्रशंसा करते हैं, लेकिन मेरी तो कुछ समझ में नहीं आतीं। और जो प्रशंसा करते हैं, मुझे शक है कि उनकी भी समझ में आती हैं! क्योंकि जब भी मैंने उनसे पूछा तो वे समझा न पाये, आप कुछ कहें।

गालिब ने बड़ा अजीब-सा उत्तर दिया। आकाश की तरफ देखा और कहा, 'खुदा बड़ा है। कविता से खुदा का क्या लेना-देना?' कहा, खुदा बड़ा है उस आदमी ने भी कहा, 'यह तो निश्चित ही है कि खुदा बड़ा है। लेकिन इससे मेरे प्रश्न का क्या संबंध है?' उन्होंने कहा, 'थोड़ा ठहरो। खुदा बड़ा है, यह तुम मानते हो?' उसने कहा, 'निश्चित मानता हूं।'

'लेकिन खुदा को समझते हो?'

समझ में तो कुछ भी नहीं आता। तो गालिब ने कहा, 'ऐसी ही मेरी कविताएं हैं। मैं ही कहां समझता हूं!'

समझ छोटे की होती है, विराट की नहीं। हमारी छोटी समझ है—कंजूस की, कृपण की समझ है। तो हम कृत्य की भाषा जानते हैं केवल; सहज की भाषा हमें पता नहीं। हम तो कर-कर के मुश्किल से कर पाते हैं, तो हम यह कैसे मानें कि कुछ अपने आप होता है। हम तो कर-कर के भी नहीं कर पाते हैं और हार जाते हैं, विफल हो जाते हैं। जोड़-जोड़ कर नहीं जुटा पाते तो हम यह कैसे मानें कि कोई लुटा-लुटा कर, और अपनी संपदा को बढ़ा लेता होगा? हम तो तिजोड़ियां बांध-बांध कर आखिर में पाते हैं राख हाथ में रह गयी। जोड़-जोड़ के भी कुछ नहीं जुड़ता हो, जिसने एक ही गणित जाना हो, वह यह कैसे मानेगा कि बांटने से बढ़ सकता है, पागल हुए हो? होश की बातें करो, वह कहेगा। यहां हार गए जीत-जीतकर, तुम कहते हो हार कर जीत हो जाती है!

लेकिन मैं तुमसे कहता हूं, ऐसा है। जोड़-जोड़कर नहीं जुड़ता, इससे सिद्ध होता है कि विपरीत शायद सही हो। क्योंकि जोड़-जोड़ कर तो कोई कभी नहीं जोड़ पाया। तो एक बात तो तय हो गयी कि जोड़ने से नहीं जुड़ता है। अब तुम जरा दूसरा प्रयोग करके देख लो कि बांटने से बढ़ता है। लेकिन बांटोगे तो तभी जब होगा।

तीर्थंकर का अर्थ है : जो है; जिसके पास है।

बुद्ध के पास एक आदमी आया और उसने कहा कि ऐसा मन होता है कि 'मनुष्यता कि सेवा में सब-कुछ लगा दूं। आपका आशीर्वाद चाहिए!' कहते हैं, बुद्ध की आंखें गीली हो गयीं, उनमें आंसू झलक आए। और बुद्ध ने उस आदमी की तरफ ऐसी करुणा से देखा कि वह आदमी भी विचलित हुआ। बुद्ध के शिष्य भी थोड़े घबड़ाए कि उसने कुछ ऐसी बात तो कही नहीं, भली आकांक्षा जाहिर की थी।

वह आदमी बेचैन हुआ। उसने कहा कि आप इतने उदास क्यों हो गये? आपकी आंखें गीली क्यों हो आयीं? मैंने कुछ गलत पूछा? मैंने आपको कोई चोट पहुंचायी?

बुद्ध ने कहा कि नहीं, यह सोचकर ही मुझे दया आती है कि तुम देने का सोच रहे हो, लेकिन तुम्हारे पास है नहीं। तुम कहते हो, 'सारी मनुष्यता की सेवा करनी है मुझे, कैसे यह जीवन अर्पित कर दूं!' लेकिन जीवन कहां है? तुम्हें मैं देखता हूं तो खाली हाथ हो

तुम! राख ही राख है भीतर, जीवन कहां है? तुम दोगे क्या? देने के पहले होना चाहिए। चूंकि हमारे पास नहीं है, इसलिए हम जोड़ते हैं। जोड़कर सोचते हैं कि हो जायेगा। जिनके पास है वे बांटते हैं। क्योंकि बांटकर उनको लगता है कि बढ़ता है।

किसी बगीचे के माली से पूछो, वृक्षों की कांट-छांट करता रहता है तो वृक्ष घने होते जाते हैं। कलम करता है तो वृक्ष सघन होते हैं, बढ़ते हैं। एक पत्ता काटो तो चार पत्ते निकल आते हैं। एक शाखा काटो तो दो शाखाएं पैदा हो जाती हैं। माली से पूछो जीवन का राज!

ऐसे ही तुम्हारे अंतर्जीवन का वृक्ष भी है। उसे बांटो तो कलम होती है। उसे सम्हालकर रख लो, डर के कारण छिपाकर रख लो, सब तरफ से ढांककर रख लो—मर जाता है पौधा जीवन का। ऐसे ही तो जीवन के पौधे कुम्हला गये हैं। छोड़ो खुली हवा में! ले जाने दो सुगंध को हवाओं को! छोड़ो खुले आकाश में! खेलने दो मेघों को, होने दो मेघ-मल्हार! नाचने दो तूफानों और आंधियों को वृक्ष के आसपास! बढ़ने दो वृक्ष को! खुलने दो, फैलने दो! यह बढ़ेगा, खूब बढ़ेगा! ऊपर भी, भीतर भी। ऊंचाइयों में भी बढ़ेगा और गहराइयों में भी बढ़ेगा। जितना वृक्ष ऊपर जाता है उतनी ही जड़ें नीचे गहरी चली जाती हैं। लेकिन हमने अभी कृपण का ही गणित जाना है। हमने धनी का गणित जाना ही नहीं! इसलिए जब हम तीर्थंकरों के संबंध में भी पूछते हैं तो हम अपने ही हिसाब से पूछते हैं। हम कहते हैं कि जब पुण्य भी बांध लेता, तो तीर्थंकर के करुणापूर्ण कृत्य उन्हें नहीं बांधते?

तीर्थंकर का अर्थ ही है कि जो पाप और पुण्य के पार हो गया। तीर्थंकर का अर्थ ही है जो कृत्य के पार हो गया और सहज में प्रवेश कर गया।

इस शब्द 'सहज' को खूब-खूब मंथन करना, चिंतन करना, ध्यान करना। यह शब्द बड़ा बहुमूल्य है। इस शब्द का अगर तुम्हें अर्थ-विस्फोट हो जाये तो तुम्हारे जीवन में क्रांति हो जायेगी। 'सहज' का अर्थ है जो तुम्हारे बिना किये अपने से होता है। बहुत कुछ है जो सहज हो रहा है। उस पर भी तुम अपने को आरोपित किये हो। तुम कहते हो, 'मैं'। किसी से प्रेम हो जाता है, तुम कहते हो, 'मैं प्रेम करता हूं।' होता है। तत्क्षण तुम बदल देते हो भाषा। तुम कहते हो, करता हूं! किसी ने कभी प्रेम किया? सुना कभी तुमने कि किसी ने प्रेम किया? कोई प्रेम कर सकता है? अगर मैं तुम्हें आज्ञा दूं कि करो प्रेम, तुम कर पाओगे? तुम कहोगे, यह भी कोई आज्ञा की बात है? यह कोई मेरे किये से होगा? होगा तो होगा। नहीं होगा तो नहीं होगा। होता है, तो होता है। नहीं होता है, तो नहीं होता है। जब हो जाता है तब रुका नहीं जा सकता; और जब नहीं होता है तब किया नहीं जा सकता।

लेकिन फिर भी तुम प्रेम पर भी थोप देते हो अहंकार को। तुम कहते हो, मैंने किया प्रेम। तुम कहते हो, मैं तो प्रेम कर रहा हूं और तुम नहीं कर रहे हो। और हम यही सिखाते भी हैं।

छोटे-छोटे बच्चों को भी मां कहती है, मुझे प्रेम करो, मैं तुम्हारी मां हूं। क्या पागलपन की बात हो रही है? कौन कर पाया प्रेम? बच्चे की तो छोड़ दो, बड़े नहीं कर

पाये। बड़े-बड़े कुशल नहीं कर पाये। प्रेम को करोगे कैसे? कोई तुम्हारे हाथ की बात है? प्रेम कोई कृत्य तो नहीं। लेकिन अगर बच्चे को तुमने जोर दिया कि करो मुझे प्रेम, मैं तुम्हारी मां हूं, तो बच्चे को तुम एक ऐसी असमंजस में, ऐसे संकट में, ऐसी विडंबना में डाल रहे हो जिसका तुम्हें कुछ पता नहीं कि तुम क्या कह रहे हो। छोटा-सा बच्चा तड़फेगा; सोचेगा; कैसे करो प्रेम! लेकिन करना ही पड़ेगा; क्योंकि मां पर सब निर्भर है। दूध निर्भर है, जीवन निर्भर है। मां के सहारे ही बच सकता है बच्चा। बाप कहेगा, 'मुझे प्रेम करो, मैं तुम्हारा बाप हूं। मैंने तुम्हें जन्म दिया!' अब जन्म देने से कोई प्रेम का लेना-देना है? लेकिन बच्चा चेष्टा करेगा कि ठीक है; जब सब कहते हैं, बड़े-बूढ़े कहते हैं तो करना ही होगा। तो झूठा मुस्कुराएगा, झूठे पैर छुएगा, झूठी प्रसन्नता जाहिर करेगा। शुरू हुआ पाखंड! फिर जीवनभर ऐसे ही झूठ में जीयेगा। फिर मर जायेगा और प्रेम की सहज उदभावना से परिचित न हो पायेगा। क्योंकि पहले से ही प्रेम के मार्ग पर झूठ खड़ा हो गया।

न, मां इतना ही कर सकती है कि अगर उसे बच्चे के प्रति प्रेम है तो करे प्रेम। अगर उस प्रेम के संघात में, अगर उस प्रेम के संसर्ग में बच्चे की सहजता भी प्रफुल्लित हो उठेगी तो हो उठेगी—सौभाग्य! न हो तो मजबूरी है। हो जाये तो सौभाग्य; न हो तो कुछ किया नहीं जा सकता, असहाय अवस्था है। हो जाये तो धन्यभाग। परमात्मा को धन्यवाद दिया जा सकता है। न हो तो शिकायत करने का कोई उपाय नहीं है। स्वीकार कर लेना होगा, यही भाग्य है।

लेकिन इतना ही किया जा सकता है कि मां बच्चे को अगर प्रेम करती है तो करे। अगर उसके भीतर प्रेम का आविर्भाव हुआ है तो उलीचे, लुटाए, बरसाए। इस बरसा में ही बच्चे की वीणा भी बजेगी—बजनी ही चाहिए। इस प्रेम के परिवेश में बच्चे का सोया हुआ प्राण जाग्रत होगा। बच्चे के बीज—प्रेम के—अंकुरित होंगे। यह प्रेम सब तरफ से बरसता हुआ उसके भीतर भी प्रेम की हुंकार को उठाएगा। यह प्रेम का आह्वान उसके भीतर भी चैतन्य को जगाएगा। वह भी प्रेम से भरेगा, लेकिन तब प्रेम का सहज अनुभव होगा। एक दिन अचानक पायेगा वह मां को प्रेम करता है। करता है—भाषा की बात; पायेगा कि मां से प्रेम है। और तब उसके जीवन में एक बात निश्चित हो जायेगी कि भूलकर भी प्रेम को कृत्य न बनाएगा।

शिक्षक कहते हैं, सम्मान करो, श्रद्धा करो। श्रद्धा कहीं कोई करता है? होती है।

मैं विश्वविद्यालय में बहुत दिन तक था। शिक्षकों की एक ही परेशानी कि श्रद्धा खो गयी, कि विद्यार्थी आदर नहीं करते। मैंने बार-बार शिक्षकों के सम्मेलन में कहा कि यह बात ही तुम गलत तरफ से उठाते हो। श्रद्धा कोई कर सकता है? और जो की गयी श्रद्धा थी वह झूठी थी, इसलिए उखड़ गई है।

यह सदी थोड़ी सचाई की तरफ ज्यादा झुकी सदी है। आज का युवक अतीत के युवक से सचाई की तरफ ज्यादा झुका हुआ युवक है।

एक मां अपनी बेटी को कह रही थी कि जब तक मेरा विवाह नहीं हुआ तब तक

मैंने किसी पुरुष का स्पर्श भी नहीं किया था। क्या तू भी बड़े होकर अपने बच्चों से यही कह सकेगी?

उस युवती ने कहा, कह तो सकूंगी, मगर इतनी अकड़ से नहीं जितनी अकड़ से तुम कह रही हो। क्योंकि मैं जानती हूं, यह झूठ है। तो कह तो सकूंगी अगर कहना ही पड़ेगा तो कह सकूंगी, लेकिन इतनी अकड़ से नहीं जितनी अकड़ से तुम कह रही हो।

थोड़ी सचाई की तरफ झुका हुआ युग है। तो जो झूठ जहां-जहां था वहां से टूट गया है।

तो शिक्षकों से मैंने बहुत बार कहा कि तुम जब भी यह सवाल उठाते हो कि विद्यार्थियों का आदर खो गया है, तब तुम्हें असल में दूसरा सवाल उठाना चाहिए—बुनियादी सवाल—कि तुम कहीं ऐसा तो नहीं कि गुरु नहीं रहे हो? क्योंकि गुरु हो तो आदर होता ही है—होना ही चाहिए; जैसे वर्षा हो तो वृक्ष हरे हो जायें। अब वृक्ष अगर सूखने लगें और बादल शिकायत करें कि यह वृक्षों को क्या हो रहा है, वर्षा आ गयी है और वृक्ष हरे नहीं हो रहे! तो हम यही कहेंगे कि तुम बरसे कहां? तुम बरसते तो वृक्षों का हरा हो जाना बिलकुल सहज था। यह अपने से होता है।

गुरु, गुरु नहीं है। आकांक्षा कर रहा है गुरु को जैसा सम्मान मिलना चाहिए वैसा सम्मान मिलने की। वह नहीं मिलता। नहीं मिलता, पीड़ा खड़ी होती है। वह जबर्दस्ती थोपने की कोशिश करता है। जबर्दस्ती जो उस आदर को करने लगता है वह भी विकृत हो जाता है। तब उसके जीवन में सहज श्रद्धा का उपाय न रहा। इसे खयाल में लेना।

जीवन में जो भी महत्वपूर्ण है—सत्यम, शिवम, सुंदरम—जो भी सत्य है, सुंदर है, शिव है, वह सभी होता है, किया नहीं जाता। जो किया जाता है वह क्षुद्र है। दुकान चलायी जाती है। मकान बनाए जाते हैं। प्रेम नहीं किया जाता। श्रद्धा नहीं बनायी जाती। झूठ गढ़े जाते हैं, सत्य नहीं गढ़ा जाता। सत्य का तो सिर्फ आविष्कार होता है। सत्य तो है; झूठ बनाने पड़ते हैं।

तो अगर कर्ता बनना हो तो झूठ बनाना, क्योंकि कर्ता होने का एक ही उपाय है।

और अगर अकर्ता बनना हो तो सत्य की खोज करना।

तीर्थंकर यानी अकर्ता; जो अब कुछ अपनी तरफ से नहीं करता है; जो होता है उसे होने देता है, उसे रोकता भी नहीं; जो आता है उसे आने देता है—अगर जीवन है तो जीवन, अगर मौत है तो मौत; सुख है तो सुख, दुख है तो दुख; जवानी है तो जवानी, बुढ़ापा है तो बुढ़ापा—जो अपनी तरफ से बिलकुल निश्चेष्ट हो जाता है, सारी चेष्टा छोड़ देता है, जीवन के ऊपर आरोपण करने का कोई प्रयास नहीं करता। जीवन जहां ले जाये उसकी सहजता के साथ जो बहने को तत्पर है, वही तीर्थंकर है।

तो न तो तीर्थंकर को पाप लगता, न पुण्य लगता। तीर्थंकर को कर्म-बंध नहीं होता।

लेकिन इस संदर्भ में एक बात खयाल ले लेनी चाहिए, जैन शास्त्र बड़ी बहुमूल्य बात कहते हैं। वे कहते हैं, तीर्थंकर को तो कर्म-बंध नहीं होता, लेकिन आदमी तीर्थंकर कर्म-बंध के कारण होता है। सभी लोग तीर्थंकर नहीं होते। सभी परम ज्ञान को उपलब्ध

व्यक्ति भी तीर्थंकर नहीं होते। 'केवल ज्ञान' को तो करोड़ों लोग उपलब्ध होते हैं, लेकिन तीर्थंकर तो कभी कोई एकाध होता है। तो फिर इतने लोग जो परम-ज्ञान को उपलब्ध होते हैं और परम सत्य में खो जाते हैं, सभी तीर्थंकर क्यों नहीं होते? तो कारण तो होना चाहिए।

महावीर जब ज्ञान को उपलब्ध हुए तो और भी बहुत लोग ज्ञान को उपलब्ध थे, लेकिन सभी तीर्थंकर न थे। जैन चौबीस की संख्या मानते हैं: एक प्रलय और सृष्टि के बीच में चौबीस तीर्थंकर। करोड़ों लोग, करोड़ों आत्माएं 'केवल ज्ञान' को उपलब्ध होंगी, लेकिन चौबीस ही तीर्थंकर? मामला क्या है? सभी ज्ञानी क्यों तीर्थंकर नहीं हैं?

तो इस फर्क को खयाल में लेना। वे कहते हैं तीर्थंकर का कर्म-बंध होता है। तीर्थंकर बनने के पहले जिस व्यक्ति ने खूब करुणा का अभ्यास किया है; तीर्थंकर बनने के पहले जिस व्यक्ति ने सब भांति अहिंसा का अभ्यास किया है; तीर्थंकर बनने के पहले जिसने सब भांति अपने चरित्र को इस तरह से नियोजित किया है कि उससे किसी को दुख न हो, किसी को पीड़ा न पहुंचे; जिसने एक गहन अनुशासन अपने जीवन में निर्मित किया है...जिसने ऐसा अनुशासन निर्मित नहीं किया वह भी ज्ञान को उपलब्ध हो जायेगा; लेकिन जब वह ज्ञान को उपलब्ध होगा तो तत्क्षण विराट में खो जायेगा। उसे इस जमीन पर पकड़ रखने के लिए कोई भी उपाय नहीं है। लेकिन जिसने खूब गहनता से सेवा, दया, करुणा, अहिंसा का अभ्यास किया है जन्मों-जन्मों तक...वह करुणा, सेवा, और दया सहज नहीं है, चेष्टित है...तो जिसने चेष्टित दया और करुणा का अभ्यास किया है, उसको तीर्थंकर का कर्म-बंध होता है।

जैन अदभुत हैं! वे कहते हैं, यह भी कर्म-बंध है। है तो यह भी। कितना ही पुण्य हो, लेकिन है तो यह भी बांधने वाला है। करुणा से बंधे हो—तो बड़ी सोने की जंजीर है, हीरे-जवाहरातों से जड़ी जंजीर है, लेकिन बंधे हो! तो आखिरी जन्म में ऐसा व्यक्ति जब ज्ञान को उपलब्ध होता है तो अपने ज्ञान को लेकर चुपचाप उड़ नहीं जाता आकाश में; रुकता है जमीन पर। उसके पास जंजीरें हैं कुछ। जीवन की सांसारिक जंजीरें तो सब उसने तोड़ दी हैं, लेकिन करुणा की जंजीरें हैं उसके पास। उनके आधार पर वह थोड़ी देर पृथ्वी पर टिकता है। उन क्षणों में वह बांट पाता है, दे पाता है जो उसे मिला है।

तो तीर्थंकर तो कोई कर्म-बंध के कारण होता है। लेकिन तीर्थंकर का कोई कर्म-बंध नहीं होता।

तीर्थंकर का अर्थ है जिसने जाना ही नहीं, जो जनाने में कुशल है। तीर्थंकर का अर्थ है जो स्वयं नहीं हो गया केवल, बल्कि दूसरों को भी उस दिशा में इशारे करने में कुशल है; जिसने अपनी ही आंखें नहीं खोल लीं, बल्कि दूसरों की आंखों की भी चिकित्सा करने में जो कुशल है; जो अपनी आंखों के सहारे, अपनी दृष्टि के सहारे तुम्हें भी दर्शन करा देता है।

तो ज्ञानी तो केवल ज्ञानी है—उसने पा लिया और गया। तीर्थंकर ऐसा ज्ञानी है जो रुकता है थोड़ी देर। उसकी नाव इसके पहले कि छूटे अनंत के तट की ओर, इस किनारे पर वह थोड़ी देर रुकता है। और इस किनारे पर जो लोग अभी हैं और जिन्हें दूसरे किनारे का

कोई पता भी नहीं, जिन्होंने स्वप्न में भी दूसरे किनारे को नहीं देखा, जिनकी कल्पना में भी दूसरे किनारे की छाया नहीं पड़ी है—ऐसे लोगों को भी दूसरे किनारे की अभीप्सा से भर देता है। इसके पहले कि खुद की नाव छोड़े और न मालूम कितने लोगों को तैयार कर देता है कि वे भी उत्सुक हो जायें, आतुर हो जायें, प्यासे हो जायें।

तीर्थंकर का अर्थ है: जान लिया और जनाया भी। सिर्फ जानकर ही जो चला गया, वह अकेला चला जाता है। उसके पीछे कोई परंपरा नहीं बनती जानेवालों की। जो सिर्फ जानकर चला गया, उसके पीछे कोई धर्म निर्मित नहीं होता; वह चुपचाप तिरोहित हो जाता है। उसकी कोई रेखा नहीं छूट जाती। लेकिन जो दूसरों को जनाने की अथक चेष्टा करता है, वह अथक चेष्टा उसके पिछले जन्मों में साधे गये अभ्यास का परिणाम है। लेकिन वह भी कर्म-बंध है। पर इस जन्म में, तीर्थंकर की दशा में, कोई कर्म-बंध नहीं होता। अब तो सब सहज होता है। इसको खयाल रखना।

तुम्हारी अगर अहिंसा भी होगी तो असहज होगी, चेष्टित होगी। तुम अगर दया भी करोगे तो प्रयास करोगे तो ही दया करोगे। तुम अगर करुणा करोगे तो अपने को बहुत ज्यादा खींचोगे तो ही कर पाओगे। अगर तुमने अपने को ज्यादा न खींचा तो तुम करुणा न कर पाओगे। हां, क्रोध कर पाओगे सहज। क्रोध तुममें सहज होता है, करुणा असहज। अगर तीर्थंकर को क्रोध करना हो तो असहज होगा, करुणा सहज। सिक्का उलटा हो गया। सारे गणित के नियम विपरीत हो गये। अगर तीर्थंकर को क्रोध करना पड़े...कभी-कभी तीर्थंकर क्रोध करते हैं। जैन तीर्थंकरों के जीवन में तो उल्लेख नहीं, क्योंकि जैन उल्लेख नहीं कर सकते। वे सोच ही नहीं सकते कि तीर्थंकर और क्रोध कर सकता है! बात भी ठीक है। तीर्थंकर से क्रोध सहज नहीं होता, इसलिए उसका उल्लेख करना उचित नहीं है। लेकिन और परंपराएं हैं। वहां भी तीर्थंकर होते हैं।

जैसे जीसस के जीवन में उल्लेख है कि वे चर्च में, मंदिर में गये—यहूदियों का जो सबसे प्राचीन मंदिर था जेरुसलम का—और वहां उन्होंने देखा कि ब्याजखोर मंदिर के भीतर दुकानें लगाकर बैठ गये हैं। तो उन्होंने कोड़ा उठा लिया और वे आग-बबूला हो गये और उनकी आंखों से आग बरसने लगी। और अकेले आदमी ने सैकड़ों ब्याजखोरों को मंदिर के बाहर उठाकर फेंक दिया। वह इतने घबड़ा गए। इतना जाज्वल्यमान रूप था उनका! ईसाइयों को बड़ी कठिनाई रही है यह समझाने में कि ईसा इतने क्रोधित कैसे हो गये! करुणा का मसीहा इतना क्रोधित कैसे हो गया!

लेकिन अगर तीर्थंकर चाहे तो चेष्टा से क्रोध कर सकता है। लेकिन वह क्रोध भी होगा किसी करुणा की ही सेवा में। इस कीमिया को समझना। यह करुणा ही थी जीसस की कि यह परमात्मा का मंदिर विकृत न हो जाये; यहां की प्रार्थना बाजारू न हो जाये; यह पूजागृह बाजार की गंदगी से न भर जाये। यह करुणा ही थी। इस करुणा के कारण ही वे क्रोधित हो गए। लेकिन यह क्रोध चेष्टित था, अभिनय था; जैसे कोई अभिनेता क्रोधित हो जाता है। जैसे राम रामलीला में अभिनय करते हुए रोते हैं कि मेरी सीता कहां है; वृक्षों से पूछते हैं कि मेरी सीता कहां गई—वह सिर्फ पूछना है, अभिनय

है; भीतर कुछ भी नहीं है। भीतर तो उनकी सीता उनके घर है। अभिनेता हैं। राम तो वे हैं भी नहीं। अभिनय है।

जीसस की क्रोध की अवस्था भी करुणा की सेवा में किया गया अभिनय है।

गुरजिएफ तो बहुत कुशल था क्रोध करने में। ऐसी घटनाएं हैं जो बड़ी अनूठी हैं। कि गुरजिएफ धीरे-धीरे इतना कुशल हो गया अभिनय में कि वह आधे चेहरे से क्रोध कर सकता था और आधे से करुणा। और कई दफा उसने लोगों को चकित कर दिया और दुविधा में डाल दिया। दो आदमी मिलने आये—एक बाएं बैठा है, एक दाएं—तो वह आधे चेहरे से तो इस तरह देखता रहा जैसे कि हत्या कर देगा और आधे चेहरे से इस तरह देखता रहा कि फूल बरसते रहे। एक तरफ की आंख बड़ा प्रेम बरसाती रही और दूसरी तरफ की आंख आग बरसाती रही। जब वे दोनों आदमी मिलकर बाहर गए तो दोनों ने अलग-अलग वर्णन किया गुरजिएफ का, कि यह तो आदमी बहुत दुष्ट और हत्यारा मालूम होता है; यह तो ऐसा खतरनाक आदमी है कि अगर एकांत में मिल जाये तो गर्दन दबा दे। दूसरे ने कहा, तुम कहते क्या हो? तुम पागल हो गए हो? जरा उसकी आंख तो देखते! कैसा प्रेम! यह आदमी चींटी भी मार सकेगा?

ऐसा बहुत बार बहुत लोगों को हुआ। कुशलता इतनी गहरी हो सकती है!

अगर तुमने शरीर से अपने को बिलकुल अलग कर लिया है तो शरीर का तुम यंत्रवत उपयोग कर सकते हो। तुम एक हाथ हिलाते हो, दूसरा रोके रखते हो। इसी तरह एक आंख क्रोध कर सकती है, एक प्रेम कर सकती है। चेहरे का एक हिस्सा कुछ कह सकता है, दूसरा कुछ कह सकता है। और इसके पीछे वैज्ञानिक कारण है। क्योंकि तुम्हारे पास दो मस्तिष्क हैं, एक मस्तिष्क नहीं है। बायां मस्तिष्क अलग है, दायां मस्तिष्क अलग है। दोनों की प्रक्रिया अलग है। और यह भी हो जाता है कभी कि अगर दोनों के बीच का छोटा-सा सेतु है, वह टूट जाये, तो एक आदमी में दो आदमी पैदा हो जाते हैं, स्प्लिट पर्सनैलिटी हो जाती है।

तुम्हारा शरीर दो हिस्सों में बंटा है, इसे खयाल में रखना। इसलिए तो दायां हाथ अगर सक्रिय होता है तो बायां निष्क्रिय होता है। जिसका बायां सक्रिय होता है उसका दायां निष्क्रिय होता है। क्योंकि दोनों हिस्सों में एक हिस्सा पुरुष का और एक हिस्सा स्त्री का है। आधा हिस्सा निष्क्रिय है, आधा हिस्सा सक्रिय है। और तुम्हारा आधा चेहरा अलग होता है और आधा चेहर अलग होता है।

तुमने कभी खयाल नहीं किया! तुम अपना चित्र उतरवाना और एक ही हिस्से के आधे-आधे चित्रों को जोड़ देना और तुम पाओगे कि तुम्हारा चेहरा बड़ा नया ढंग ले लेता है। बाएं चेहरे के दो हिस्सों को जोड़ देना और दाएं चेहरे के दो हिस्सों को जोड़ देना और तुम पाओगे: तुम दो आदमी मालूम पड़ने लगे और ये दोनों आदमी तुमसे बिलकुल अलग मालूम पड़ते हैं। तुम्हारी एक आंख अलग है, दूसरी आंख अलग है। क्योंकि आधा शरीर बाएं मस्तिष्क से संचालित होता है, आधा दाएं मस्तिष्क से संचालित होता है। लेकिन चूंकि तुम बहुत ज्यादा जुड़े हो शरीर से, उससे दूर नहीं हो कि उपयोग कर

सको। लेकिन गुरजिएफ कर सकता है। महावीर कर सकते हैं। किया न हो, हो सकता है। लेकिन कर सकते हैं।

महावीर क्रोध कर सकते हैं, लेकिन वह चेष्टा होगी और अभिनय होगा। और तुम भी करुणा कर सकते हो, लेकिन वह चेष्टा होगी और अभिनय होगा। क्रोध तुम्हारे लिए सहज है। कुछ करना नहीं पड़ता, अपने से होता है। किसी ने गाली दी, बस हो गया। तुम्हें कुछ करना थोड़े ही पड़ता है! किसी ने गाली दी, बटन दबा दी—हो गया। करुणा करनी हो तो बड़ा सोच-विचार करना पड़ता है, शास्त्र पढ़ने पड़ते हैं, सदगुरुओं के पास जाना पड़ता है, सत्संग करना पड़ता है, वचन, प्रतिज्ञा लेनी पड़ती है; और फिर-फिर छूटकर क्रोध हो जाता है। जरा भूल हुई कि क्रोध हुआ। बहुत होश रखो तो थोड़ी-बहुत करुणा को तुम सम्हाल सकते हो।

इससे ठीक विपरीत दशा तीर्थंकर की है। करुणा सहज है, करनी नहीं पड़ती। तीर्थंकर सोया भी रहे तो भी करुणा होती है।

तुमने कभी खयाल किया कि तुम सोते-सोते भी क्रोधित रहते हो, बड़बड़ाते हो क्रोध में, मरने-मारने की धमकी देते हो! कभी अपनी पत्नी को कहना कि जब तुम सोये हो, तुम्हारे चेहरे का जरा अध्ययन करे। या तुम अपनी पत्नी के चेहरे का अध्ययन करना सोते हुए। शायद इसीलिए लोग अकेले में सोना पसंद करते हैं, भीड़-भाड़ में सोना पसंद नहीं करते, हर कहीं सो जाना पसंद नहीं करते; क्योंकि सोने की अवस्था में चित्त से वही प्रकट होने लगता है जो तुम्हारे लिए सहज स्वाभाविक है। नियंत्रण करने वाला तो रह नहीं जाता, वह तो सो गया; नियंता तो सो गया, कर्ता तो सो गया।

तो अगर तुम क्रोधी आदमी हो तो तुम्हारा रात में चेहरा बिलकुल क्रोध से भरा हुआ होगा। अगर तुम कामुक आदमी हो तो रात तुम्हारा चेहरा काम से भरा होगा; तुम्हारे चेहरे पर काम रिसता होगा। तुम जैसे हो, रात का चेहरा तुम्हारा, तुम्हारे बाबत ज्यादा असली खबर देगा। दिन में तो तुम थोड़ा झूठ कर लेते हो, रात में तुम न कर पाओगे।

इसलिए तथाकथित साधु-संन्यासी सोने तक से डरते हैं। घबड़ाहट रहती है! क्योंकि सोए कि उन्होंने जो-जो साधा है दिन में, उस सब पर कब्जा गया। दिनभर तो साधा ब्रह्मचर्य, लेकिन रात कामवासना का स्वप्न मन को पकड़ लेता है। अब क्या करें, स्वप्न में कैसे साधें! स्वप्न में तो होश ही नहीं है, साधना कैसे हो पायेगा? ऐसी चित्त की दशा है।

साधारणतः जब तक हम मूर्च्छित हैं, बेहोश हैं, तब तक हमसे गलत तो सहज होता है और सही चेष्टा से होता है।

जब चित्त की दशा जागरूक होती है, प्रबुद्ध होती है, संबोधि को उपलब्ध होती है, तो जो ठीक है वह सहज होता है; जो गलत है, अगर वह करना पड़े किसी कारण से तो वह अभिनय से ज्यादा नहीं होता।

दूसरा प्रश्नः

> **ओशो, पहली बार मैं किसी के प्रेम में पड़ा हूं, लेकिन मेरा अहंकार मुझे प्रेम में पूरी तरह डूबने नहीं देता। मेरा हृदय तो नारद के साथ है, लेकिन बुद्धि महावीर के साथ। भीतर से तो प्रेम करना चाहता हूं लेकिन बाहर कुछ और ही प्रकाशित होता है। फलस्वरूप बड़ी खींचातानी चलती है। क्या कोई आशा है इस उलझन से बाहर हो जाने की?**

जहां-जहां उलझन है वहां-वहां सुलझन का उपाय है। उलझन होती ही नहीं, अगर सुलझने की आशा न हो। उलझन खड़ी ही वहां होती है जहां सुलझने का द्वार पास ही है।

हर समस्या में छिपा हुआ समाधान है और हर उलझन में छिपी हुई सुलझन है और हर प्रश्न अपने उत्तर को लिए हुए है। जरा खोज की जरूरत है।

तुम ऐसा कोई प्रश्न नहीं खोज सकते जिसका उत्तर न हो...देर-अबेर लगे। तुम ऐसी कोई उलझन नहीं बना सकते जिसका सुलझाव न हो। तुम न करना चाहो सुलझाव तो बात अलग। तब उलझन की समस्या नहीं है—तुम्हारी समस्या है; तुम करना ही नहीं चाहते। अगर तुम करना चाहो तो कोई बाधा नहीं है।

अब यह उलझन खड़ी की हुई है।

'पहली बार किसी के प्रेम में पड़ा हूं, लेकिन मेरा अहंकार मुझे प्रेम में पूरी तरह डूबने नहीं देता।'

अगर यह समझ में आ रहा है तो चुन लो। या तो अहंकार को चुन लो, तब प्रेम पागलपन है। तब छोड़ो बकवास! नारद का दिमाग फिर गया होगा! और अगर प्रेम को चुनना है, तो फिर अहंकार को गिराओ। दो नावों पर सवार मत हो जाओ, अन्यथा उलझन होगी। और दोनों नावें बड़ी अलग-अलग हैं। महावीर और नारद दोनों के कंधों पर हाथ मत रख लेना, अन्यथा तुम त्रिशंकु हो जाओगे। तब तुम बड़ी उलझन में पड़ोगे। लेकिन उलझन के लिए न तो महावीर जिम्मेवार होंगे और न नारद जिम्मेवार होंगे—जिम्मेवार तुम होओगे जिसने दोनों के कंधों पर हाथ रख लिये। किसने तुमसे कहा था?

नारद से पूछते तो नारद तो कहते हैं, महावीर गलत हैं। महावीर से पूछो तो महावीर कहते हैं, नारद गलत हैं। इसलिए जिम्मा उन पर न डाल सकोगे तुम। तुम उलझन अगर पैदा करना चाहो तो फिर बात अलग।

अब एक आदमी अगर दो नावों पर सवार हो और पूछे कि मैं क्या करूं, तो हम क्या कहेंगे? हम कहेंगे, साफ है बातः एक नाव पर सवार हो जाओ। निश्चित ही एक नाव पर सवार होने के लिए दूसरी नाव छोड़नी पड़ेगी। इसलिए दोनों के लाभ मन में मत रखना।

जिंदगी चुनाव है—प्रतिपल चुनाव और निर्णय है। और जब भी तुम एक बात चुनते हो तो कुछ छोड़ना पड़ता है। सच तो यह है एक बात चुनने के लिए हजार बातें छोड़नी पड़ती हैं।

तुम यहां आए मुझे सुनने, इस घंटे के हजार उपयोग हो सकते थे। तुम दुकान पर बैठ सकते थे, कुछ रुपया कमा लेते। तुम सिनेमा जा सकते थे, कोई फिल्म देख लेते। तुम शराब-घर में जा सकते थे, शराब पी लेते। गपशप कर लेते, अखबार पढ़ लेते, रेडियो सुन लेते। हजार उपयोग हो सकते थे इसके, वह तुमने छोड़े और यह उपयोग चुना कि मुझे सुनते हो। यह बड़ा चुनाव है। अब तुम अगर चाहो कि वे लाभ भी जो तुमने छोड़ दिये, मुझे सुनने से मिल जायें, तो तुम गलत चाह कर रहे हो। गलत चाह से अड़चन आती है।

अब अगर तुम्हें अहंकार में रस आ रहा हो तो छोड़ो प्रेम की बात। फिर पूरे अहंकारी बन जाओ। फिर राजनीति तुम्हारा धर्म होगी। फिर दौड़ो अहंकार, पद...दिल्ली की यात्रा करो! फिर तुम यहां बैठे क्या कर रहे हो? फिर यह समय गंवाया हुआ सिद्ध होगा। फिर तुम एक न एक दिन मुझ पर बहुत नाराज हो जाओगे। यह समय तो दिल्ली की यात्रा में लगाना था। बस तुम्हारा एक ही मंत्र होना चाहिए: दिल्ली चलो!

अगर अहंकार को ही भरना है, तो साफ-साफ भरो; फिर इधर-उधर बेईमानी मत करो! निश्चित ही, ध्यान रखना, अहंकार को भरने के थोड़े से सुख हैं। दुख भी बहुत हैं। सुख तो भ्रामक हैं, भासमान हैं, दुख बड़े यथार्थ हैं। तो सोच लेना, ठीक से देख लेना, दुख-सुख दोनों का दर्शन कर लेना। प्रेम के सुख तो बड़े सच्चे हैं, दुख केवल भासमान हैं। इसलिए बुद्धिमानों ने प्रेम चुना; बुद्धिहीनों ने अहंकार चुना। बुद्धिमानों ने धर्म चुना; बुद्धिहीनों ने राजनीति चुनी। बुद्धिमानों ने अंतर्जगत चुना; बुद्धिहीनों ने बाहर का जगत चुना। बाहर के जगत का धन दिखाई पड़ता है—है नहीं; सिर्फ मान्यता है। भीतर का धन दिखाई नहीं पड़ता, लेकिन है। अदृश्य है—और दृश्य केवल दिखाई पड़ता है।

तो तुम्हारे ऊपर निर्भर है। उलझन चुन लोगे तो तुम कहीं के भी न रहोगे—घर के न घाट के! तुम धोबी के गधे हो जाओगे।...या तो घाट या घर। अगर अहंकार चुनना है तो घाट। अगर प्रेम चुनना है तो घर।

प्रेम चुनने का अर्थ है कि जीवन अपने आप में मूल्यवान है और जीवन का चरम अर्थ जीवन की प्रफुल्लता में है—धन में नहीं, गीत में है; पद में नहीं, प्रसन्नता में है; वस्तुओं में नहीं, व्यक्तियों के अंतर्संबंधों में है। और बाहर नहीं भीतर है। यह बड़ा क्रांतिकारी निर्णय है। और निर्णय बहुत साफ-साफ लेना चाहिए, क्योंकि निर्णय पर, इसी निर्णय पर सारे जीवन का ढांचा निर्भर करेगा। तुम कहां पहुंचोगे, यह इस पर निर्भर करेगा कि तुमने पहला कदम किस दिशा में उठाया था। अगर पहला कदम गलत उठा तो तुम लाख दौड़ो, लाख श्रम करो, तुम ठीक जगह न पहुंच पाओगे। तुम्हारी दौड़, तुम्हारी आपाधापी, अगर गलत कदम पर खड़ी है तो बुनियाद गलत है, यह भवन गिरेगा।

पूछा है, 'पहली बार किसी के प्रेम में पड़ा हूं।' इसलिए स्वाभाविक भी है। पहली बार जब कोई किसी के प्रेम में पड़ता है तो अहंकार बाधा डालता है। क्योंकि अब तक तुम अहंकार के प्रेम में रहे। अब तक तुमने सिर्फ अहंकार को ही प्रेम किया है। आज पहली दफा अहंकार के विपरीत कोई नये प्रेम का उदभव हुआ—जहां अहंकार को समर्पित करना होगा,

जहां 'मैं' को मिटाना होगा। तो स्वभावतः, जिस 'मैं' को अब तक सींचा, जिस 'मैं' को अब तक सम्हाला, वह अगर बाधा डाले तो कुछ आश्चर्य नहीं। लेकिन तुमने जिसे सींचा है, तुम ही अगर पानी बंद कर दोगे, वह अपने से कुम्हला भी जायेगा, सूख भी जायेगा। अब तुम्हारे सामने है निर्णय। अब तक तो तुमने अहंकार को ही सींचा था, अब प्रेम का भी अंकुर उठा है। अब तुम सोच लो : अहंकार क्या दे सकता है और प्रेम क्या दे सकता है? अहंकार देने के बहुत-से आश्वासन देगा, लेकिन देता कभी कुछ नहीं—बस कोरे आश्वासन! यही तो सब सिकंदरों, नेपोलियनों की कथा है। प्रेम आश्वासन नहीं देता—देने की तो बात ही नहीं उठाता। प्रेम तो कहता है, सब खोना पड़ेगा। लेकिन खोने वालों की कथा ही तो सारे भक्तों की कथा है, सारे धार्मिकों की कथा है, सारे ध्यानियों की कथा है।

प्रेम कहता है, खोओगे तो मिलेगा। और अहंकार कहता है, पाओगे तो मिलेगा। अहंकार का गणित बुद्धि की समझ में आ जाता है। स्वाभाविक है, पाओगे तो मिलेगा। और प्रेम कहता है, खोओगे तो मिलेगा। तो गणित कुछ अटपटा है, बेबूझ है, बुद्धि में आता नहीं।

अहंकार और बुद्धि के बीच तो एक तरह का समझौता है, एक षड्यंत्र है। बुद्धि अहंकार की पक्षपाती है, अहंकार बुद्धि का पक्षपाती है। तो अगर तुमने सिर से ही पूछा तो तुम अहंकार के ही रास्ते पर भटकते-भटकते खो जाओगे; जैसे कोई सरिता मरुस्थल में भटकते-भटकते खो जाये और उसे सागर न मिले। हृदय से पूछो! हृदय और प्रेम का समझौता है। और हृदय कह रहा है...।

'लेकिन मेरा अहंकार मुझे प्रेम में पूरी तरह डूबने नहीं देता। मेरा हृदय नारद के साथ है और मेरी बुद्धि महावीर के साथ।'

तो तुम चुन लो! अगर तुम्हें लगता है कि हृदय गलत कह रहा है तो तुम बुद्धि के साथ कुछ दिन चल लो, दौड़ लो। सौ में से कभी कोई एकाध पहुंच पाता है। कोई महावीर! बहुत दुर्गम है। क्योंकि व्यर्थ की उलझन अस्मिता की खड़ी हो जाती है। कोई परमात्मा नहीं, जहां सिर झुकाया जा सके, तो बिना किसी परमात्मा के सामने सिर झुकाना आ जाना बहुत दुर्लभ है। महावीर को घटा; बिना किसी परमात्मा के सिर झुका दिया; बिना किसी वेदी के आहुति चढ़ा दी।

कोई नहीं है परमात्मा, इस कारण साधारणतः तो 'मैं' मजबूत होगा। तो इसकी बहुत कम संभावना है कि तुम महावीर हो सको; इसकी संभावना ज्यादा है कि तुम नीत्शे हो जाओ। नीत्शे का भी तर्क वही है। वह कहता है, कोई परमात्मा नहीं। लेकिन जैसे ही उसने कहा कोई परमात्मा नहीं, उसने तत्क्षण कहा जब परमात्मा नहीं है तो अब मनुष्य स्वतंत्र है कुछ भी करने को। फल क्या हुआ? फल हुआ नीत्शे का पागल हो जाना। वह अहंकार मजबूत होता चला गया। कहीं कोई वेदी न मिली जहां चढ़ा देता। वेदी को इनकार कर दिया। इनकार करने का कारण ही यही बताया कि 'अगर परमात्मा है तो मैं नीचा हो गया—और मैं नीचे कैसे हो सकता हूं! मेरे से ऊपर कोई भी नहीं हो सकता।' इसलिए परमात्मा को इनकार किया। नीत्शे पागल हुआ।

सौ में निन्यानबे मौके ये हैं कि तुम पागल हो जाओगे। महावीर तो बड़े कुशल

व्यक्ति हैं। चुना तो ठीक वही मार्ग जो नीत्शे का है; लेकिन परमात्मा नहीं है, इससे यह निष्कर्ष न लिया कि मनुष्य अब स्वच्छंद है। इससे उलटा ही निष्कर्ष लिया। महावीर ने कहा, 'चूंकि परमात्मा नहीं है, इसलिए अब कोई स्वच्छंदता न चलेगी; सारा उत्तरदायित्व मेरा है।' समझे फर्क? नीत्शे ने कहा, कोई परमात्मा नहीं, तो अब करो जो करना है। महावीर ने कहा, अब तो कुछ करने का उपाय ही न रहा; अब तो जो भी किया, जिम्मेवारी मेरी है। परमात्मा होता तो कुछ रास्ता भी निकाल लेते—कुछ भी करने का, तीर्थ-स्नान कर आते, मंदिर में पूजा कर देते, प्रार्थना करके समझा-बुझा लेते; पाप हो जाता, पश्चात्ताप कर लेते—और फिर वह करुणावान है, रहीम है, रहमान है; वह क्षमा कर ही देता; उसने तो बड़े-बड़े पापियों को क्षमा कर दिया।

कहते हैं, एक पापी ने मरते वक्त भूल से अपने लड़के को बुलाया: नारायण, नारायण! लड़के का नाम नारायण था और ऊपर के नारायण ने समझा कि मुझे पुकार रहा है। क्षमा कर दिया। स्वर्ग में उठा लिया। बैकुंठ में वास कर रहा है वह पापी अब। तो जो इतनी सरलता से फुसला लिया जाता है; रिश्वत भी जिसकी इतनी सस्ती है; बुलाया भी नहीं था जिसे, किसी और को ही बुलाया था, लेकिन नाममात्र का संयोग मिल गया, 'नारायण', और जो भूल में पड़ गया; जो ऐसा खुशामद-लोलुप है—ऐसा परमात्मा हो तो फिर कुछ भी करने की छूट है।

अगर महावीर से पूछो तो महावीर यह कहेंगे, अगर परमात्मा है तो फिर मनुष्य स्वच्छंद है। फिर जो भी करना हो करो; क्योंकि आखिर में तो वह है, उसके चरण पर गिड़गिड़ा लेना, रो लेना, माफी मांग लेना।

और वह करुणावान है, वह क्षमा कर देगा।

तो जो निष्कर्ष नीत्शे ने लिया, वही निष्कर्ष महावीर ने लिया—लेकिन बिलकुल उलटी तरफ से। अगर परमात्मा है तो आदमी स्वच्छंद हो जायेगा। तो महावीर ने कहा, परमात्मा तो कोई भी नहीं है; इसलिए प्रार्थना का उपाय नहीं है। अपने को बनाना है, निर्मित करना है, छांटना है, काटना है, निखारना है, सब अपना ही है। खुद की जिम्मेवारी चरम है। यह उत्तरदायित्व आखिरी है। इसको तुम किसी और पर न टाल सकोगे। इसलिए तुम आखिर में यह न कह सकोगे कि मैं क्या करूं, हो गया। भोगना पड़ेगा। स्वच्छंदता का कोई उपाय नहीं।

तो महावीर ने तो परमात्मा के न होने से उत्तरदायित्व लिया। नीत्शे ने परमात्मा के न होने से स्वच्छंदता ली। महावीर तो विमुक्त हो गये, नीत्शे विक्षिप्त हो गया। दोनों के तर्क का प्रारंभ बिलकुल एक जैसा था, लेकिन अंत बड़ा भिन्न हुआ। कहां महावीर परम सुगंध को उपलब्ध हुए और कहां नीत्शे पागलखाने में सड़ा और मरा!

सोच लेना! महावीर का रास्ता बहुत थोड़े लोगों के लिए है। उनके लिए है, जिनके लिए स्वतंत्रता स्वच्छंदता न बनेगी। उनके लिए है, जिनके लिए परमात्मा का अभाव अहंकार न बनेगा; जो कहेंगे, 'जब परमात्मा ही नहीं तो मेरे होने का क्या? परमात्मा तक नहीं है तो मैं क्या हो सकता हूं?'

परमात्मा का अर्थ है सारे अस्तित्व का 'मैं'; सारे अस्तित्व का केंद्र! जब सारा अस्तित्व केंद्रहीन है और 'मैं' रहित है, तो मैं एक छोटा-सा व्यक्ति, एक छोटी-सी लहर, एक जरा-सी तरंग!...जब सागर का ही कोई 'मैं' नहीं है तो मेरा मैं क्या हो सकता है? बात खत्म हो गयी!

तो महावीर ने तो परमात्मा को इनकार करने में ही अपने भीतर 'मैं' की संभावना को इनकार कर दिया। इसलिए तुम यह मत सोचना कि महावीर और नारद वस्तुतः विपरीत हैं। अंततः तो सार एक ही निकलता है। महावीर ने परमात्मा को अस्वीकार करके 'मैं' को अस्वीकार कर दिया। नारद ने परमात्मा को स्वीकार करके 'मैं' उसके चरणों में चढ़ा दिया। हर हाल नारद और महावीर दोनों 'मैं' से मुक्त हो गये।

तो तुम चाहे कुछ भी निर्णय लो—तुम चाहे प्रेम के पक्ष में निर्णय लो, चाहे अहंकार के पक्ष में निर्णय लो—लेकिन एक बात ध्यान रखना, अहंकार तो मरेगा ही। उससे तुम बच न सकोगे। उसे अगर बचा लिया तो तुम विक्षिप्त हो जाओगे, पागल हो जाओगे। उसी कारण तो सारी पृथ्वी करीब-करीब पागल जैसी है।

अगर मेरी सुनो तो मैं कहूंगा: हृदय की सुनो! प्रेम की सुनो! ज्यादा सुरक्षित मार्ग है। महावीर का मार्ग बहुत खाई-खड्ड से गुजरता है। डर है कि तुम कहीं गिर न जाओ! नारद का मार्ग बहुत सुरक्षित है। तुम्हारी कमजोरी को भी सम्हाल लेगा। तुम्हें सहारा देगा। महावीर का मार्ग बहुत अकेला है, अत्यंत एकांत का है। दूर, बहुत दूभर है! जाओ तो सोच समझकर जाना, कि नीत्शे का खतरा तुम्हारे पीछे लगा रहेगा।

नारद के मार्ग पर नीत्शे का खतरा नहीं है। ऐसा नहीं कि वहां कोई खतरा ही नहीं है। खतरा तो हर चलने में होता है, हर यात्रा में होता है। जो घर बैठे रहते हैं उन्हीं को खतरा नहीं है। हवाई जहाज से चलो तो खतरा है। बैलगाड़ी से चलो तो वह भी कभी-कभी उलट जाती है। लेकिन ऐसा है कि बैलगाड़ी से उलटकर मरते हुए लोग नहीं देखे जाते, थोड़ी चोट-वगैरह लग जाती हो...साधारणतः बैलगाड़ी उलट जाये तो इतना खतरा नहीं है, क्योंकि गति ही कोई बड़ी न थी; पृथ्वी से फासला ज्यादा दूर का न था।

नारद का रास्ता बहुत पृथ्वी के करीब है। प्रेम का रास्ता पृथ्वी के बहुत करीब है। और तुम्हारा जो सामान्य जीवन है उससे बहुत फासला नहीं है। तुम अपने सामान्य जीवन में जीते हुए भी नारद को सुगमता से साध सकते हो।

खतरा क्या है? खतरा एक ही है और वह यह है कि प्रेम कहीं वासना ही न बन जाए। प्रेम भक्ति बने, यह तो नारद का मार्ग है। और प्रेम कहीं वासना ही रह जाये, यह खतरा है।

जैसे महावीर के पीछे चलने वाले जैन मुनि अहंकार की पाषाण प्रतिमाएं बन गए, वैसे ही नारद के पीछे चलने वाले भक्त केवल भोग-शृंगार में खो गये। खतरा तो है ही। खतरा तो सभी रास्तों पर है। चलने वाले को खतरा तो है ही। इसलिए सम्हलकर तो चलना होगा। फिर भी खतरे की मात्राएं भिन्न-भिन्न हैं।

अगर नारद के मार्ग पर तुम भटके भी तो तुम वहां से नीचे न गिरोगे जहां तुम हो।

क्योंकि वासना में तो तुम हो ही। अगर नारद के मार्ग से तुम गिरे भी तो बैलगाड़ी से गिरे; जमीन से ज्यादा दूर न थे। वासना में तुम हो ही। इतना ही धोखा दे सकते हो कि अब तुम अपनी वासना को प्रेम कहने लगो और प्रेम को भक्ति कहने लगो। बस नामों के धोखे दे सकते हो। कुछ ज्यादा खतरा न होगा। लेकिन महावीर के मार्ग से अगर तुम गिरे तो पागलपन है, विक्षिप्ता है और भयंकर अहंकार के खड़े हो जाने का डर है।

जैन मुनि को देखते हो! उससे ज्यादा गहन अहंकारी व्यक्ति खोजना मुश्किल है।

जैन मुनि श्रावक को हाथ जोड़कर नमस्कार भी नहीं कर सकता। कठिन है, असंभव है। मुनि और श्रावक को नमस्कार करे! आशीर्वाद दे सकता है, नमस्कार नहीं कर सकता।

लेकिन मैं पूछता हूं, जब नमस्कार ही नहीं कर सकते तो आशीर्वाद देने की झंझट भी क्या कर रहे हो? जब कुछ करना ही है तो नमस्कार बेहतर था, आशीर्वाद देने की बजाय। और जिसका नमस्कार सूख गया है उसके आशीर्वाद में कोई बहुत बल नहीं हो सकता। अहंकार से आया हुआ आशीर्वाद क्या फल लायेगा? वह तो झुके हुए हृदय से निकले तो ही लाभ होता है। वह तो लदे हुए वृक्ष की तरह है। जैसे वृक्ष झुक जाता है, जब फलों से लद जाता है। ऐसा जब कोई प्रेम से लदा हो और झुका हो, तभी उससे मीठे फलों के आशीर्वाद उपलब्ध होते हैं।...अकड़े खड़े हैं! एक डाल नहीं झुकी। फल तो हैं ही नहीं। आशीर्वाद कहां से होगा? लेकिन जैन मुनि अकड़कर खड़ा हो जाता है: तपश्चर्या है! कोई समर्पण किसी के प्रति नहीं है। सिर्फ संकल्प है।

तो सिर्फ संकल्प की शक्ति का खतरा यह है कि तुम्हारा अहंकार विक्षिप्त न हो जाये। फिर चुनाव तुम्हारा है। इतना निश्चित है कि उस मार्ग से भी लोग पहुंचे हैं।

लेकिन अगर मेरी सुनो तो हृदय की सुनना! और जब तुम हृदय की सुनोगे तो बुद्धि को तकलीफ होगी। क्योंकि हृदय को चुनने का अर्थ है: बुद्धि का प्रभुत्व गया; तर्क की तुम्हारे ऊपर जो मालकियत है, वह टूटी!

न जाने आज मैं क्या बात कहने वाला हूं
जुबान खुश्क है, आवाज रुकती जाती है।

जैसे-जैसे प्रेम की बात कहने के करीब आओगे, वैसे ही पाओगे: जबान खुश्क हो गयी, आवाज रुकती जाती है, क्योंकि बुद्धि काम नहीं करती।

न जाने आज मैं क्या बात कहने वाला हूं
जुबान खुश्क है, आवाज रुकती जाती है।

हृदय की तरफ सरकोगे तो बुद्धि मरने लगेगी। इसलिए बुद्धि बहुत संघर्ष करेगी। लेकिन चुनाव तो करना ही होगा।

और प्रेम का मार्ग सुगम है, छोटा है—करीब से करीब है। क्योंकि प्रेम सुगम है, सहज है। प्रेम को लेकर ही तुम पैदा हुए हो, ध्यान को इतनी आसानी से नहीं कहा जा सकता कि तुम लेकर पैदा हुए हो। ध्यान तो तुम बड़ी चेष्टा करोगे तो शायद दीया जले। लेकिन प्रेम की तड़प तो तुम्हारे भीतर है ही; तुम्हारी श्वास-श्वास में भरी है! तुम्हारे

रोएं-रोएं में भरी है। कहां है ऐसा मनुष्य जो प्रेम के लिए प्यासा न हो! कहां है ऐसा मनुष्य जो प्रेम देने को आतुर न हो! न दे पाओ, कुछ अड़चन आती हो; न मिल पाये, कुछ बाधा पड़ जाती हो—और बात। लेकिन कहां है ऐसा मनुष्य जो प्रेम के लिए आतुर न हो! प्रेम स्वाभाविक है, नैसर्गिक है। वह जीवन के ऋत का हिस्सा है।

ध्यान बड़ी चेष्टा, बड़े परिमार्जन, बड़ी मर्यादा, बड़े अनुशासन से उपलब्ध होता है। तो जो नैसर्गिक है उसे तुम जल्दी काम में ला सकते हो।

तू न दे नामे को इतना तूल गालिब मुख्तसर लिख दे
कि हसरत सेज हूं, अर्जे-सितमहाए-जुदाई का।

—प्राणप्यारे को पत्र लिखते समय, पत्र को बहुत विस्तृत न बना, गालिब! बस इतना लिख दे, इतना काफी है संक्षेप में कि श्री चरणों में विरह की पीड़ा निवेदन करने की लालसा से लसित! काफी है!

'न दे नामे को इतना तूल'—चिट्ठी को बहुत लंबी मत कर। 'गालिब, मुख्तसर लिख दे!' बस संक्षेप में इतना लिख दे 'कि हसरत सेज हूं अर्जे-सितमहाए-जुदाई का।' कि विरह की पीड़ा बहुत हो गयी, अब श्री चरणों में यह निवेदन रखता हूं कि अब मिलने की बड़ी गहरी अभीप्सा है। बस काफी है।

प्रेम की चिट्ठी छोटी होती है।

ढाई आखर प्रेम का पढ़ै सो पंडित होय!

अगर प्रेम ने पुकारा हो तो इस आवाज को ऐसे ही मत लौट जाने देना। अगर प्रेम ने पुकारा हो तो सुनना, दो गाम उसके पीछे चलना! क्योंकि प्रेम के रास्ते से दो गाम चलकर भी आदमी परमात्मा तक पहुंच जाता है।

संकल्प का रास्ता बहुत लंबा, बहुत बीहड़, बहुत अकेले का है। हां, कुछ को वैसी चुनौती ही भाती है। जिनको वैसी चुनौती भाती है, उनको वही मार्ग चुनना चाहिए।

लेकिन प्रश्नकर्ता के प्रश्न से मुझे ऐसा लगता है कि उसे बुद्धि का मार्ग जमेगा नहीं, संकल्प का मार्ग जमेगा नहीं। क्योंकि जिन्हें संकल्प का मार्ग जमता है, उन्हें प्रेम की पुकार ही सुनायी नहीं पड़ती। वह दस्तक प्रेम देता रहे, उनके कान बहरे होते हैं। प्रेम में उन्हें सिर्फ पाप दिखायी पड़ता है।

तो संकल्प के मार्ग वाला व्यक्ति तो यह पूछेगा ही नहीं। यह तो उसी ने पूछा है जिसका मार्ग प्रेम है; लेकिन बुद्धि की अड़चन में पड़ गया है। चाह तो गहरी यही है कि प्रेम में उतर जाये, लेकिन अहंकार उतरने नहीं देता, झुकने नहीं देता। तो इस अहंकार को तोड़ो! इस अहंकार से अपने को अलग करो। पूछने वाला शिकार तो हो ही गया है। तीर तो लग ही गया है।

दिल को हम सर्दे-वफा समझे थे, क्या मालूम था
यानी, यह पहले ही नजरे-इम्तिहां हो जायेगा।

—समझे थे कि दिल बहुत प्रेम-प्रवीण है, पता न था कि पहली नजर में ही मर मिटेगा!

प्रेम का तीर तो लगा है, अब तुम बुद्धि की सुन-सुन कर कहीं इस घाव को छिपा मत लेना! यह घाव सौभाग्य है। हां, जिनका मार्ग संकल्प का है, उन्हें यह घाव लगता ही नहीं। उनके आसपास से तीर निकल जाते हैं, उनको चुभते नहीं। इसलिए उनके सामने सवाल नहीं उठता। सवाल ही उसके सामने उठता है, जिसको प्रेम की आवाज सुनायी पड़ती है। अगर प्रेम की आवाज सुनायी पड़ी है तो चलो, हिम्मत करो! अहंकार में बचाने जैसा कुछ भी नहीं है।

और इतना मैं कहता हूं कि संकल्प के मार्ग पर भी आखिर में तो अहंकार छोड़ना ही पड़ेगा। प्रेम के मार्ग पर प्रथम ही छोड़ना पड़ता है, संकल्प के मार्ग पर अंत में छोड़ना पड़ता है। प्रेम के मार्ग और संकल्प के मार्ग में इतना ही भेद है। प्रेम के मार्ग पर जो पहला कदम है, वह संकल्प के मार्ग पर अंतिम कदम है। पहले तो संकल्प के मार्ग का साधक अपने को निखारता है, तेज से भरता है, उज्जवल करता है, चरित्र को निर्मित करता है, शील को बांधता है, मर्यादा बनाता है; सब तरह से अनुशासित होकर शील और चरित्र का स्तंभ बनता है। लेकिन इस सबके भीतर एक सूक्ष्म अहंकार बनता जाता है : 'मैं हूं तपस्वी! मैं हूं संयमी! मैं हूं योगी!' यह 'मैं' भरता जाता है। फिर आखिरी घड़ी आती है, तब उसे पता चलता है कि अब सब तो छूट गया, यह 'मैं' बचा। वह सब तो गिर गया जो गलत था, लेकिन उस सब गलत को गिराने में एक चीज भीतर निर्मित होती चली गयी—अब इसको गिराना है।

तो संकल्प के मार्ग पर अंततः, अंतिम, अहंकार को छोड़ना पड़ता है। भक्ति के मार्ग पर अहंकार पहले ही कदम में छोड़ना पड़ता है। इसलिए मैं कहता हूं जिसे छोड़ना ही है उसे इतनी देर भी क्या ढोना। जिसे छोड़ना ही पड़ेगा, आखिरी शिखर पर पहुंचने के पहले...।

कभी तुम हिमालय गये, कभी शिखर चढ़े?...तो जैसे-जैसे शिखर की ऊंचाई बढ़ने लगती है वैसे-वैसे सामान छोड़ना पड़ता है। आखिरी शिखर पर तो कोई नग्न होकर ही पहुंचता है, सब छोड़कर ही पहुंचता है। वस्त्र भी भारी हो जाते हैं। अपनी श्वास भी भारी होने लगती है। तो कंधे पर अगर तुम बोझ डाले हुए हो, छोड़ना पड़ेगा, छोड़ते जाना पड़ेगा।

अंतिम शिखर सत्य का : बस तुम बचते हो तुम्हारी शुद्धता में। कोई 'मैं' का भाव नहीं होता। महावीर उसे आत्मा कहते हैं। नारद उसे परमात्मा कहते हैं।

तीसरा प्रश्न :

ओशो, कृपा कर कीर्तन-ध्यान के बारे में कुछ समझाएं।

कीर्तन समझने की बात नहीं—करने की बात है। कीर्तन शब्द में ही छिपा है राज—करने की बात! करो तो जानोगे। समझ से कीर्तन का कोई लेना-देना नहीं। वस्तुतः

तो समझ को रख दोगे एक किनारे तभी कीर्तन कर सकोगे। तो समझ-समझ कर अगर कीर्तन किया तो होगा ही नहीं। समझकर किया तो चूक ही जाओगे। अगर बुद्धिमानी के द्वारा किया, वहीं गलती हो जायेगी। समझने की फिक्र छोड़ो। अगर सच में ही समझना चाहते हो तो करो, समझ पीछे से आयेगी। डूबो!

कीर्तन-ध्यान तल्लीनता का नाम है। कीर्तन-ध्यान अहोभाव की अभिव्यक्ति है। धन्यभाव की! यह अहोभाव कि मैं हूं! यह अहोभाव कि परमात्मा ने मुझे सृजा! यह अहोभाव कि थोड़ी देर आंखें खुलीं, रोशनी देखी, फूल देखे, पक्षियों के गीत सुने, सूरज, चांद-तारों का नृत्य देखा!

ये थोड़े क्षण, ये थोड़े लम्हे, जो जीने के मिले, ये न मिलते तो किससे शिकायत करते? ये मिले—अकारण मिले! मांगे न थे, बिना मांगे मिले! किसी ने दिये! यह किसी का प्रसाद—इस प्रसाद के प्रति जो धन्यवाद है, वही कीर्तन है।

तुमने चाहा तो न था कि तुम हो जाओ। तुम चाहते भी कैसे, जब तुम थे ही न? चाहने के लिए हो जाना तो पहले जरूरी है। तुमने चाहा तो न था कि तुम देख सको। क्योंकि देखा ही न होता, तो देखने की चाह कैसे पैदा होती; तुमने चाहा तो न था कि सुन सको यह गीत, यह संगीत जो जीवन का है, यह कलरव-नाद जो अस्तित्व का है—यह सब मिला है, यह वरदान है! यह तुम्हारे बिना मांगे मिला है। यह भीख नहीं है, यह प्रसाद है!

भीख और प्रसाद के फर्क को समझ लेना। तुमने मांगा और मिले—तो भीख। तुमने न मांगा, न तुमने चाहा और मिला—तो प्रसाद! यह प्रभु-प्रसाद है। यह परम अस्तित्व का प्रसाद है तुम्हारे लिए। लहर-लहर को उसने ऐसा बनाया कि वह सारे अस्तित्व को भोग सके! एक-एक कण को जीवंत किया, ताकि एक-एक कण को पूरे होने का स्वाद आ सके! इसके लिए धन्यवाद दोगे या नहीं? इतने कृपण मत बनो! धन्यवाद दो! कैसे धन्यवाद दोगे इसे?

आदमी कितना असहाय है! नाच सकता है, गीत गुनगुना सकता है! और क्या कर सकेगा? हमारे बस में और क्या है?

कीर्तन का इतना ही अर्थ है, जो हम कर सकते हैं; चढ़ाने को कुछ ज्यादा नहीं है! बस जो कुछ है, यह अहोभाव है। इसको ही हम उस समग्र के प्रति समर्पित करते हैं।

तो कीर्तन तो एक तरह का उन्माद है। पागलपन नहीं—उन्माद। भाषाकोश में तो दोनों का एक ही अर्थ है; जीवन के कोश में अर्थ अलग-अलग है। पागलपन है: जब तुम्हारी जीवन की अवस्था खंड-खंड हो जाये, टुकड़े-टुकड़े में टूट जाये; तुम एक न रह जाओ, अनेक हो जाओ। और उन्माद है: जब तुम्हारे सारे खंड इकट्ठे हो जायें, तुम एक हो जाओ; उस एक में होकर तुम नाच उठो, मस्त हो उठो!

उन्माद, सामान्य चित्त से ऊपर जाने की अवस्था है। पागलपन, सामान्य चित्त से नीचे गिर जाने की अवस्था है। दोनों में एक बात समान है कि दोनों सामान्य चित्त के बाहर हैं। इसलिए परमहंस पागल मालूम होते हैं। इसलिए परमात्मा के दीवाने भी विक्षिप्त जैसे

मालूम होते हैं। एक बात समान है कि दोनों जिसको तुम सामान्य बुद्धिमानी कहते हो उसके बाहर हो गए। पागल नीचे गिरकर बाहर हो गया, मस्त ऊपर उठकर बाहर हो गया। लेकिन दोनों को एक मत समझ लेना। दोनों में जमीन-आसमान जैसा अंतर है।

न जाने क्यों जमाना हंस रहा है मेरी हालत पर
जुनूं में जैसा होना चाहिए वैसा गिरेबां है।

भक्त कहता है: क्यों हंस रहे हैं लोग? ये तो उन्माद में जैसा होना चाहिए, वैसे ही तो वस्त्र हैं, वैसा ही परिधान है। तो पागल को जैसा होना चाहिए, वैसा ही तो मैं हूं। लोग हंस क्यों रहे हैं!

न जाने क्यों जमाना हंस रहा है मेरी हालत पर
जुनूं में जैसा होना चाहिए वैसा गिरेबां है।

और क्या चाहिए?

कीर्तन तो उन्माद है! बुद्धिमान तो हंसेंगे। इसलिए दुनिया से कीर्तन खोता चला गया है। दुनिया बहुत बुद्धिमान होती चली गयी है। उसी बुद्धिमानी में बुद्धू हो गयी है। कीर्तन खोता चला गया है। नाच गुम हो गया है।

लोग अगर नाचते भी हैं अब तो बहुत निम्न तल पर नाचते हैं। वह कामोत्तेजना का नृत्य होता है। अब प्रभु-उन्माद का नृत्य कहीं भी नहीं होता। अब ऊर्जा ने उन ऊंचाइयों को छूना बंद कर दिया है। अब यहां तूफान भी उठते हैं, आंधियां भी आती हैं, तो भी जमीन का दामन नहीं छूटता। आकाश में नहीं उठ पाते! पक्षी उड़ते भी हैं, तो ऐसा घर के चारों तरफ चक्कर लगाकर फिर वहीं बैठे जाते हैं। दूर-दूर कि खो जाए पृथ्वी, दूर कि खो जाये नीड़—इतने दूर आकाश में नहीं जाते!

कीर्तन बड़ी दूर यात्रा है। यह परमात्मा के साथ नाचना है। जैसे तुम कभी किसी स्त्री के साथ नाचे, जिसे तुमने प्रेम किया, तो नृत्य में एक प्रसाद आ जाता है, एक गुणधर्म आ जाता है। किसी के साथ तुम नाचो, सिर्फ नाचने के लिए, औपचारिक, तो नाच तो हो जायेगा, क्रिया पूरी हो जायेगी; लेकिन भीतर प्राणों में कोई रस न बहेगा। फिर किसी के साथ नाचो, जिससे तुम्हें प्रेम है, तो कामोत्तेजना का, वासना का रस बहेगा!

कीर्तन है परमात्मा के साथ नाचना, उस परम प्यारे के साथ नाचना! तो जैसे साधारण कामोत्तेजना का नृत्य काम-केंद्र के आसपास भटकता है, वैसे कीर्तन सहस्रार के आसपास। तुम्हारे जीवन की आखिरी ऊंचाई पर, नृत्य के फूल खिलते हैं, हजार-हजार कमल खिलते हैं।

ऐ मुब्तिला-ए-जीस्त! ठहर खुदकुशी न कर
तेरा इलाज जहर नहीं है, शराब है।

कीर्तन! भक्त तो कहता है कि जीवन से घबड़ाकर आत्महत्या करने की तरफ मत जाओ, पागल हुए हो?

ऐ मुब्तिला-ए-जीस्त! ठहर खुदकुशी न कर!

—ऐ जीवन से उत्तप्त हुए, आत्मघात मत कर! भाग मत जीवन से! तेरा इलाज

जहर नहीं, शराब है। मृत्यु तेरा इलाज नहीं है। जीवन की रसधार को पी लेना! परमात्मा की मधुशाला में प्रविष्ट हो जाना ही मंदिर में प्रवेश हो जाना है।

तर दामनी पर शैख हमारी न जाइए
दामन निचोड़ दें तो फरिश्ते वजू करें।

तो कीर्तन करने वाला तो दीवाना है, पागल है, नर्तक है, गायक है, वादक है। और इतनी तीव्रता से नर्तन करता है, इतनी गहनता से कि अपने को भूल जाता है, खो देता है, खुद बचता ही नहीं।

पश्चिम का एक बहुत बड़ा नर्तक हुआ: निजिंस्की। उसके संबंध में वैज्ञानिक बड़े चकित थे। उसके नृत्य जैसा नृत्य फिर कभी देखा नहीं गया—न उसके पहले, न उसके बाद। वैज्ञानिक हैरान थे कि जब वह नृत्य करते-करते छलांग लगाता था तो ऐसा लगता था कि पृथ्वी पर वापस लौटते समय बड़ा धीमे-धीमे वापस आता है; जैसे गुरुत्वाकर्षण का नियम उस पर काम नहीं करता। और भी नर्तक छलांग लगाते हैं, लेकिन तत्क्षण पृथ्वी पर वापस लौट आते हैं। वह भी छलांग लगाता था, लेकिन ऐसे लौटता था जैसे कोई पक्षी का पंख डगमगाता-डगमगाता, आहिस्ता-आहिस्ता, हवा पर तिरता-तिरता जमीन की तरफ आता है। उसके बहुत अध्ययन किये गये। उससे पूछा भी गया कि चमत्कार कहां है? यह जादू कैसे पैदा होता है?

तो वह कहता है, मुझे पता नहीं। जब 'मैं' अपने को बिलकुल भूल जाता हूं, तभी यह छलांग घटती है। जब 'मैं' नहीं होता—तभी। जब तक मैं होता हूं, अगर मैं चेष्टा से ही छलांग लगाऊं, तो परिणाम में कुछ हाथ नहीं आता। लेकिन नाचते-नाचते एक ऐसी घड़ी आती है कि नाच रह जाता है, नर्तक नहीं रह जाता। उस क्षण अगर यह छलांग लगती है तो मैं खुद ही चकित होता हूं। मैं बिलकुल हलका, निर्भार हो जाता हूं; जैसे जमीन की कशिश का अहंकार का बड़ा बल हो। है भी। जमीन तुम्हारे अहंकार को ही खींच रही है। जिस दिन तुम्हारा अहंकार गया, आकाश खुला है। फिर तुम्हारे लिए जमीन की कोई पकड़ नहीं है।

नृत्य में, गीत में, कीर्तन में, भजन में, डूबा हुआ भक्त ज्ञानियों से कहता है: तर दामनी पर शैख हमारी न जाइए—हमारे भीगे दामन पर मत जाइए। दामन निचोड़ दें तो फरिश्ते वजू करें।

यह शराब इस जगत की शराब नहीं—यह बेहोशी किसी और जगत की बेहोशी है। यह अपने भीतर किसी और जगत को निमंत्रण है। भक्त जब कीर्तन में परिपूर्ण लवलीन होता है तब भक्त नहीं रहता, भगवान ही होता है। तब वह केवल शून्य हो गया होता है। और उस शून्य में उतर आती है परम मूर्च्छा। तुम खाली तो जगह करो। तुम सिंहासन तो रिक्त करो। परमात्मा प्रतिपल उत्सुक है तुम्हारे भीतर आ जाने को। तुम तो जरा बाहर हो जाओ!

कीर्तन का इतना ही अर्थ है: अपने से बाहर हो जाना; अपने घर को खाली छोड़ देना कि तू आ, अब भीतर कोई भी नहीं है; अब पूरी जगह तेरे लिए खाली है, तेरे लिए सुरक्षित है!

रंज-ग़म, दर्द-अलम, यास, तमन्ना, हसरत
इक तेरी याद के होने से है क्या-क्या दिल में।
रंज-ग़म, दर्द-अलम, यास, तमन्ना, हसरत
इक तेरी याद के होने से है क्या-क्या दिल में।

भक्त कहता है, भगवान की याद के साथ ही क्या-क्या नहीं होने लगता! आनंद, अहोभाव, आशा-निराशा, सुख-दुख, अभीप्सा, प्यास-तृप्ति!

रंज-ग़म, दर्द-अलम, यास, तमन्ना, हसरत

—बस जरा तेरी एक याद आ जाती है तो हजार-हजार चीजें तेरे आसपास चली आती हैं।

तो कीर्तन की बहुत भंगिमाएं हैं। कभी भक्त विरह में नाचता है; तब उसकी कीर्तन में बड़ी उदास भंगिमा होती है। आंसू बहते हैं। पीड़ा और विरह होती है। कभी भक्त आनंदोल्लास में नाचता है; तब उसकी बड़ी प्रसन्न भंगिमा होती है, वसंत होता है, सब तरफ फूल होते हैं! तब उसकी मस्ती देखें! तब उसके चारों तरफ आनंद की किरणें नाचती हैं। कभी प्यास में नाचता है; कभी तृप्ति में नाचता है।

भक्त की बड़ी ऋतुएं हैं और कीर्तन की बड़ी भाव-भंगिमाएं हैं। कीर्तन बड़ी समृद्ध घटना है। जीवन की सभी गहराइयां उसमें समाविष्ट हैं, और सभी ऊंचाईयां भी। पहले तो भक्त छिपाता है अपने प्रेम को भीतर। प्रेम का वह अनिवार्य अंग है कि हम उसे किसी को बताना नहीं चाहते। वह कोई तमाशा थोड़े ही है! वह कुछ ऐसी बात थोड़े ही है जो दिखलाते फिरें! उसकी कोई प्रदर्शनी तो नहीं, कोई नुमाइश तो नहीं! उसे छिपाता है, उसे हीरे की तरह गांठ में बांधकर रखता है। कबीर कहते हैं: हीरा पायो गांठ गठियायो! उसे बिलकुल गांठ में बांध लेता है, किसी को पता भी नहीं चले, कानों-कान खबर न हो। जीसस ने कहा है, 'बाएं हाथ में हो तो दाएं हाथ को पता न चले।' सूफी फकीर कहते हैं, 'रात, आधी रात उठकर कर लेना प्रार्थना; तुम्हारी पत्नी को भी पता न चले।'

पहले तो बड़ा निजी है; लेकिन ज्यादा देर निजी नहीं रहता। जब भरने लगता है पात्र तो पात्र ऊपर से बहने लगता है; फिर छिपाए नहीं छिपता, फिर प्रकट होने लगता है। जब प्रकट होने की घड़ी आती है, तब भजन कीर्तन बनता है। भक्ति जब तक भीतर-भीतर, भीतर-भीतर रसधार बहती है तो भजन, जप; फिर जब बहने लगती है बाहर, अवश होकर, तुम चाहो तो भी रोक नहीं पाते, इतनी ऊर्जा का जन्म होता है कि चारों तरफ फैलने लगती है ऊर्जा अपने आप, तब कीर्तन!

कीर्तन भजन की अभिव्यक्ति है। कीर्तन भजन की अभिव्यंजना है।

तुम भी मजाज इन्सां हो आखिर लाख छुपाओ इश्क अपना
ये भेद मगर खुल जायेगा, ये राज मगर इफ्शां होगा।

—छिप न सकेगा यह भेद। यह राज मगर इफ्शां होगा। यह पता चल ही जायेगा। प्रेम को कौन कब छिपा पाया! तो प्रेम जब तुम्हारे बिना दिखाए दिखायी पड़ने लगता है, तुम्हारे रग-रोएं में झलकने लगता है, प्रेम की आभा तुम्हें घेर लेती है, तुम्हारी आंखों के

पास, तुम्हारे चेहरे के पास एक प्रेम का आभामंडल निर्मित हो जाता है कि कोई चाहे तो छू ले, कि कोई चाहे तो थोड़ा-सा आभामंडल अपनी मुट्ठी में बांध ले, कि कोई चाहे तो तुम्हारे आभामंडल को पी ले—जब आभामंडल इतना वास्तविक हो जाता है तब कीर्तन प्रकट होता है!

तो जल्दी मत करना। कीर्तन तो भजन की आखिरी अवस्था है। पहले भजना। भीतर-भीतर-भीतर डुबाना, ताकि जड़ें फैल जायें। फिर एक दिन तुम भी चौंककर दखोगे:

तुम भी मजाज इन्सां हो आखिर लाख छिपाओ इश्क अपना
ये भेद मगर खुल जायेगा ये राज मगर इफ्शां होगा।

तब उन्माद की आखिरी घड़ी आती है। तब तुम्हारे अंतर की कोयल कूक उठती है! तब तुम्हारे अंतर का मोर नाच उठता है! तब फिर चिंता नहीं रह जाती। तब कीर्तन!

कीर्तन का अर्थ है: जब भक्ति प्रकट होकर बहने लगी। चैतन्य नाचते हुए, गांव-गांव ढोलक बजाते हुए! मीरा नाचती हुई गांव-गांव। फिर लोक-लाज की चिंता नहीं! फिर सब उपचार छूट जाते हैं। फिर सब उपाधियां गिर जाती हैं। निरुपाधिक! उपचार-मुक्त! भक्त उसके हाथ में कठपुतली होकर नाचने लगता है और गीत गुनगुनाने लगता है। फिर भक्त तो सिर्फ बांस की पोंगरी है। फिर उसे जो गीत गाना हो गा ले, जो गुनगुनाना हो गुनगुना ले। भक्त सिर्फ राह देता है; उपकरण-मात्र हो जाता है।

चलो भाव से! भाव जब सघन होगा तो भजन। और जब भजन फूट पड़ेगा हजार-हजार फूलों में और सुगंध बिखर जायेगी लोक-लोकांतर में, तब कीर्तन!

कीर्तन, भक्ति की परम दशा है।

आज इतना ही।

२९

मोक्ष का द्वार : सम्यक दृष्टि

सूत्र

दंसणभट्ठा भट्ठा, दंसणभट्ठस्स नत्थि निव्वाणं।
सिज्झंति चरियभट्ठा, दंसणभट्ठा ण सिज्झंति।।71।।

सम्मत्तस्स य लंभो, तेलोक्कस्स य हवेज्ज जो लंभो।
सम्मदंसणलंभो, वरं खु तेलोक्कलंभादो।।72।।

किं बहुणा भणिएणं, जे सिद्धा णरवरा गए काले।
सिज्झिहिंति जे वि भविया, तं जाणइ सम्ममाहप्पं।।73।।

जह सलिलेण ण लिप्पइ, कमलिणिपत्तं सहावपयडीए।
तह भावेण ण लिप्पई, कसायविसएहिं सप्पुरिसो।।74।।

उवभोगमिंदियेहिं, दव्वाणमचेदणाणमिदराणं।
जं कुणदि सम्मदिट्ठी, तं सव्वं णिज्जरणिमित्तं।।75।।

संवेतो वि ण सेवइ, असेवमाणो वि सेवगो कोई।
पगरणचेट्ठा कस्स वि, ण य पायरणो त्ति सो होई।।76।।

न कामभोगा समयं उवेति, न यावि भोगा विगइं उवेति।
जे तप्पओसी य परिग्गही य, से तेसु मोहा विगइं विगइं उवेई।।77।।

जिन-दर्शन की चिंतन-धारा के ठीक मध्य के सूत्रों पर हम आ गये हैं। धार यहां बहुत गहरी है। ऊपर-ऊपर से समझेंगे तो चूकेंगे। डुबकी गहरी लगानी होगी—साहस के साथ और अत्यंत धीरज के साथ—तो ही ये सूत्र समझ में आ सकेंगे।

और ये उन सूत्रों में से हैं, जो सर्वाधिक महत्वपूर्ण हैं; और उनमें से भी, जिनका जैनों ने सर्वाधिक गलत अर्थ किया है। उनको करना पड़ा गलत अर्थ; क्योंकि अगर इन सूत्रों का ठीक अर्थ करें तो जैन जो कर रहे हैं, न कर पाएंगे।

अगर ये सूत्र ठीक हैं तो जैन गलत हो जाते हैं और अगर जैनों को अपने को ठीक बनाए रखना है, बताए रखना है, तो इन सूत्रों की गलत व्याख्या करनी जरूरी है। वह जैसे हम सूत्रों में प्रवेश करेंगे, स्पष्ट होने लगेगा।

सभी अनुयायियों ने अपने गुरुओं के साथ अनाचार किया है; कभी-कभी तो सीधा बलात्कार! क्योंकि अगर गुरु पूरा ठीक है तो अनुयायी को गलत होने का उपाय नहीं छूटता। गुरु के विदा होते ही अनुयायी उसके वचनों में जोड़ता है, घटाता है, अर्थ को बदलता है, नये अर्थ बिठाता है, नये रंग डालता है। तब वे काम के योग्य हो जाते हैं। तब फिर उनका खतरा समाप्त हो जाता है। उनके प्राण ही निकल जाते हैं; निष्प्राण सूत्र रह जाते हैं।

पहला सूत्र:

दंसणभट्ठा भट्ठा,

—जो दर्शन से भ्रष्ट है वही भ्रष्ट है।

दंसणभट्ठस्स नत्थि निव्वाणं।

—और दर्शन से जो भ्रष्ट है, उसकी कभी निर्वाण की उपलब्धि संभव नहीं है। वह कभी मोक्ष को उपलब्ध न हो सकेगा।

सिज्झंति चरियभट्ठा,

—यह बड़ा अनूठा सूत्र है! महावीर कहते हैं, चरित्र-विहीन दृष्टिवाला व्यक्ति भी सिद्धि प्राप्त कर सकता है। 'सिज्झंति चरियभट्ठा।' वह भी पहुंच जायेगा जिसके पास कोई चरित्र नहीं; सिर्फ दृष्टि हो।

दंसणभट्ठा ण सिज्झंति।

लेकिन जिसके पास दर्शन नहीं है, वह लाख उपाय करे तो भी न पहुंच पायेगा।

चरित्र से ऊपर दर्शन के लिए इससे ज्यादा बहुमूल्य सूत्र नहीं हो सकता। एक-एक शब्द को गौर से समझें।

'दर्शन से जो भ्रष्ट है, वही भ्रष्ट है।' जिसके पास आंख नहीं, वही भटका है। तुम चरित्र को कितना ही सुधार लो, तुम चरित्र को कितना ही अनुशासित, परिमार्जित कर लो; लेकिन अगर यह चरित्र तुम्हारी ही दृष्टि से निष्पन्न नहीं हुआ है, उधार है, तो इससे मोक्ष न हो सकेगा। तुम सत्य बोलो; क्योंकि शास्त्र कहते हैं, 'सत्य बोलो; सत्यं वद!' इसलिए सत्य बोलते हो। लेकिन प्राणों में असत्य संगृहीत होता है। ऐसा हो सकता है कि तुम जीवन को इस तरह से बांध लो कि असत्य कभी जबान के बाहर न आये। कठिन है, असंभव तो नहीं। जबान आखिर जबान है; काबू में रखी जा सकती है। और इतना तो कर ही सकते हो, अगर काबू में न रहती हो तो चुप हो जाओ, जबान काट ही दे सकते हो। इसलिए बहुत लोग मौन हो जाते हैं। लेकिन मौन से असत्य थोड़े ही मिट जायेगा...! अब असत्य बोलते तो नहीं, लेकिन असत्य अगर बोलने से ही जुड़ा होता तो एक बात थी; असत्य तो तुम्हारे प्राणों में बैठा है। न बोलोगे तो दूसरों तक न पहुंचेगा, लेकिन तुम तो उससे मुक्त न हो जाओगे। बोलने से तो अभिव्यक्त होता था, पैदा थोड़े ही होता था! बोलने से तो केवल प्रकट होता था, जन्मता थोड़े ही था! असत्य तो भीतर बैठा है। बोलने से दूसरे को भी खबर मिल जाती थी।

तो जो व्यक्ति चरित्र को साध लेगा शास्त्र के अनुसार, बिना स्वयं की दृष्टि के, दूसरों के और उसके बीच के संबंध तो ठीक हो जायेंगे, वह व्यक्ति नैतिक हो जायेगा—लेकिन महावीर कहते हैं—धार्मिक नहीं। मोक्ष उसके लिए नहीं है। परम आनंद का द्वार उसके लिए न खुलेगा। वह अच्छा नागरिक हो जायेगा। सज्जन हो जायेगा, लेकिन संत नहीं।

सज्जन का अर्थ है, जिससे किसी को कोई नुकसान नहीं पहुंचता। लेकिन स्वयं तो सज्जन अपना आत्मघात करता रहता है। जहर किसी पर नहीं फेंकता, लेकिन खुद ही

पीता चला जाता है। तो खुद ही के रोएं-रोएं में, रग-रग में, श्वास-श्वास में जहर फैल जाता है। तो जिनको तुम सच्चरित्र कहते हो, कभी उनकी अंतरात्मा में भी झांककर देखना; तुम उन्हें दुश्चरित्रों से भी ज्यादा जहर से भरा हुआ पाओगे। पाओगे ही, क्योंकि दुश्चरित्र तो थोड़ा-बहुत बाहर भी फेंक लेता है; वह तो भीतर ही इकट्ठा किए चले जाते हैं। दुश्चरित्र का तो थोड़ा रेचन भी हो जाता है, उनका तो कोई रेचन भी नहीं होता। दुश्चरित्र तो ऐसा है कि श्वास लेता है; जीवनदायी आक्सीजन को पी लेता है, जीवन-विरोधी कार्बन डाय-आक्साइड को बाहर फेंक देता है।

लेकिन तुम जिसे सज्जन कहते हो, वह ऐसा है कि कार्बन डाय-आक्साइड को भीतर इकट्ठा किए जाता है फेफड़ों में, बाहर नहीं फेंकता। उसके खुद के फेफड़े सड़ने लगते हैं। सज्जन एक तरह के आत्मिक कैंसर की दशा में होता है।

इसलिए एक बहुत बड़ा चमत्कार मनोवैज्ञानिकों को अनुभव में आया है कि गहनतम अपराधियों की आंखों में भी कभी-कभी बच्चों जैसा निर्दोष भाव होता है; लेकिन तुम्हारे तथाकथित संतों की आंखों में नहीं होता। उनकी आंखों में बड़ी जटिलता, बड़ा गणित, बड़ा हिसाब...! और वे चौबीस घंटे अपने को पकड़े हुए हैं। क्षण भर को ढीला छोड़ा, तो वह जो बांध रखा है जन्मभर का जहर वह बिखर सकता है।

संत क्षण भर को विश्राम नहीं करता। संत के लिए—कहते हैं—कोई छुट्टी नहीं।...तथाकथित संत के लिए! वास्तविक संत तो चौबीस घंटे विश्राम में है। विश्राम ही उसकी जीवन-शैली है। लेकिन जिसे तुम संत कहते हो और जिसे महावीर के हिसाब से ज्यादा से ज्यादा सज्जन कहना चाहिए, वह भी शिष्टाचारवश...। यह जो तथाकथित संत है यह एक क्षण को भी विश्राम में नहीं है; हो नहीं सकता, क्योंकि यह डरा हुआ है। जब भी अपने को ढीला छोड़ेगा, शिथिल करेगा, तो जो दबा रखा है वह गांठ खुलेगी।

तुमने कभी देखा, एक झूठ तुम बोल दो तो फिर तुम शिथिल नहीं हो पाते! क्योंकि तुम शिथिल हुए तो कहीं झूठ निकल न जाये! तुम कहीं गपशप में, बातचीत करने में भूल गए और कह दिया किसी से, तो झूठ बोलने वाला आदमी ज्यादा नहीं बोलता, सोच-सोचकर बोलता है। और जो बहुत झूठ बोलता है, वह तो चौबीस घंटे सचेष्ट रहता है।

जिसको तुम सज्जन कहते हो उसने जीवन का सबसे बड़ा झूठ बोला है—जो उसके भीतर नहीं है वह उसने बाहर करके दिखला दिया है। वह सबसे बड़ी असत्य घटना है। आत्मा में नहीं है वह, आचरण में बतला दिया है। इस बड़े झूठ का परिणाम यह होता है कि तुम्हारा सज्जन तो विश्राम ले ही नहीं सकता। वह चौबीस घंटे संगीनधारी की तरह अपनी ही छाती पर पहरा देता है। यह कोई संत की अवस्था न हुई। यह कोई मुक्ति न हुई। यह तो बुरी तरह बंध जाना हुआ।

महावीर कहते हैं: दंसणभट्ठा भट्ठा! भटका वही, जिसके पास आंख नहीं।

सारा जोर दृष्टि पर है, आंख पर है।

तथाकथित चरित्रवान व्यक्ति ऐसा है जैसे कोई अंधा व्यक्ति एक ही रास्ते पर

बार-बार आ-जाकर धीरे-धीरे इतना अभ्यस्त हो जाये कि आंख की तो जरूरत ही नहीं होती; लेकिन वह बिना लकड़ी टेके, बिना किसी का सहारा खोजे, बिना टटोले, बिना पूछे, निरंतर उसी रास्ते पर आने-जाने के कारण अभ्यस्त हो जाने की वजह से ऐसा चलने लगता है जैसा आंख वाले को चलना चाहिए। उसे चलते देखकर राह पर शायद तुम भी चमत्कृत हो जाओगे। शायद तुम्हें भी शक होगा कि कहीं आंख इस आदमी को मिल तो नहीं गयी। क्योंकि वह ठीक वैसा ही चल रहा है जैसे आंख वाले चल रहे हैं। लेकिन गहरा फर्क है। यह चलना केवल अभ्यासवश है। यह निरंतर इसी रास्ते पर आने-जाने से आदत हो गयी है। उसे रास्ते का एक-एक पत्थर परिचित है। उसे रास्ते का एक-एक मोड़ परिचित है। वह रास्ते पर चल लेता है, लेकिन चल लेने से कुछ आंख थोड़े ही खुल जाती है। आंख खुलने से चलना हो सकता था; इसने धोखा दे लिया।

जिसको तुम चरित्रवान कहते हो, वह ऐसा ही आदमी है जिसको अभी दिखायी तो नहीं पड़ा, लेकिन सुनकर औरों को, कान का भरोसा करके, अभ्यास कर लिया है। तो लोग अहिंसा का अभ्यास कर रहे हैं। अहिंसा का कोई अभ्यास हो ही नहीं सकता। अहिंसा की तो आंख होती है। प्रेम की एक दृष्टि होती है। प्रेम का एक भाव होता है। प्रेम तो एक नया जन्म है। तुम्हारा हृदय और ही ढंग से देखना शुरू करता है, तब अहिंसा फलित होती है। तब अहिंसा बड़ी जीवंत होती है। तब उस अहिंसा में पुलक होती है, प्रसन्नता होती है।

लेकिन तुम दूसरों को सुनकर, लोभ के कारण कि परलोक को सम्हालना है, चरित्र को बना ले सकते हो, अहिंसक हो सकते हो, फूंक-फूंककर पैर रख सकते हो।...चींटी भी न मरे, लेकिन तुम मर जाओगे! तुम सब बचा सकते हो, लेकिन अपने को न बचा सकोगे। और असली बात तो वही थी।

दंसणभट्ठा भट्ठा,

जिसके पास आंख नहीं है, वही भटका हुआ है: सम्यक दर्शन से जो भ्रष्ट, वही भ्रष्ट। महावीर का वचन बहुत साफ है।

दंसणभट्ठस्स नत्थि निव्वाणं।

और जो दर्शन से भ्रष्ट है, उसका कोई निर्वाण नहीं, उसका कोई मोक्ष नहीं। यहां तक भी जैन को कठिनाई न होगी। आगे जो सूत्र है—सिज्झंति चरियभट्ठा, चरित्र-भ्रष्ट भी अगर आंख वाला है तो पहुंच जाता है—यहां अड़चन होगी। तो जैन जब अनुवाद करते हैं, जैन-मुनि जब अनुवाद करते हैं, तो वे क्या करते हैं अनुवाद में? वे इस सीधे-साधे वचन का जहां दो शब्द हैं केवल—सिज्झंति चरियभट्ठा—जो नहीं भी जानते प्राकृत वे भी कह सकते हैं—सिज्झंति चरियभट्ठा—वे भी सिद्धि को पहुंच जाते हैं जो चरित्र-भ्रष्ट हैं। जैन अनुवाद में क्या करते हैं? वे कहते हैं, 'चरित्र-विहीन सम्यक दृष्टि तो चारित्र्य धारण करके सिद्धि को प्राप्त हो जाते हैं।'

चारित्र्य धारण करके? इस तरह महावीर को विकृत करने में सुविधा हो जाती है। जैनों को तकलीफ है कि अगर यह बात सही है कि चरित्र-भ्रष्ट व्यक्ति भी, सिर्फ आंख के

होने के कारण सिद्धि को उपलब्ध हो जाता है तो हमारे सारे चरित्र का, जो हमने आयोजन किया है, उसका क्या होगा? तो उसमें दो छोटे-से शब्द जोड़ दिए, कोष्ठक में रख दिए: 'चरित्र-विहीन सम्यक दृष्टि तो (चारित्र्य धारण करके) सिद्धि प्राप्त कर लेते हैं।' यह महावीर ने कहीं कहा नहीं। महावीर का वचन सिर्फ सीधा-साफ है। उन्हें कहना होता तो वे खुद ही कह देते; ये कोष्ठक वे भी लगा सकते थे।

सिज्झंति चरियभट्ठा, दंसणभट्ठा ण सिज्झंति।

लेकिन दर्शन-भ्रष्ट नहीं सिद्ध होता; चरित्र-भ्रष्ट तो सिद्ध हो सकता है। अब यहां बहुत-से सवाल सोचने जैसे हैं। पहली बात: चरित्र-विहीन सम्यक दृष्टि! इसका अर्थ हुआ, महावीर यह स्वीकार करते हैं कि चरित्र-विहीन भी सम्यक दृष्टि हो सकता है। इसका यह अर्थ हुआ कि चारित्र्य का होना या न होना मौलिक नहीं है। चारित्र्य का होना न होना छाया की भांति है। छाया बन भी सकती है, न भी बने। क्योंकि छाया तुम पर निर्भर नहीं होती। तुम सोचते हो, तुम्हारी छाया तुम्हारा पीछा करती है—इस भूल में मत पड़ना। छाया तुम पर निर्भर नहीं होती, अन्य कारणों पर निर्भर होती है। छाया तुम्हारी नहीं है, जैसा तुम सोचते हो; सूरज पर निर्भर है। छाया में खड़े हो जाओगे तो छाया खो जायेगी। सूरज सिर पर आ जायेगा, छाया छोटी हो जायेगी। सूरज पीछे होगा, छाया आगे पड़ेगी। सूरज आगे होगा, छाया पीछे पड़ेगी। तुमने सदा यही सोचा है कि छाया मेरी...और गलत सोचा है। छाया से तुम्हारा क्या लेना-देना? अगर सूरज न होगा तो कोई छाया न होगी। छाया तुम पर निर्भर नहीं है, अन्य कारणों पर निर्भर है।

अगर तुम्हारे चारों तरफ कई प्रकाश लगा दिये जायें तो कई छायाएं एक साथ बनने लगेंगी। यहां तुम बैठे हो, अगर कोई प्रकाश नहीं तो छाया न बनेगी।

चारित्र्य मौलिक नहीं है, और-और कारणों पर निर्भर होता है; छाया की भांति है। लेकिन दर्शन मौलिक है। दृष्टि मौलिक है। वह तुम्हारी है। वह किसी सूरज पर निर्भर नहीं है। अंधेरे में भी जब सूरज नहीं होता तब भी तुम्हारी दृष्टि तुम्हारे पास है। उसी दृष्टि के कारण तो तुम कहते हो, बड़ा घना अंधेरा है! अंधेरा भी तो दिखायी पड़ता है!

अंधे को अंधेरा भी दिखायी नहीं पड़ता, याद रखना! आमतौर से लोग सोचते हैं कि अंधा तो बेचारा अंधेरे में ही जीता होगा। इस भूल में मत पड़ना। किसी अंधे ने कभी अंधेरा नहीं देखा। जिसने प्रकाश ही नहीं देखा वह अंधेरा देखेगा कैसे? अंधा अंधेरे में नहीं होता। अंधे को तो पता ही नहीं है कि अंधेरा जैसी कोई चीज होती है। अंधेरे को देखने के लिए भी आंख चाहिए। प्रकाश के लिए भी आंख, अंधेरे के लिए भी आंख...।

दृष्टि मौलिक है; किसी पर निर्भर नहीं—तुम्हारी है। और महावीर का यह बड़ा जोर है कि जो तुम्हारा है वही सत्य है; जो तुम्हारा नहीं उधार है, वह असत्य है।

चरित्र-विहीन सम्यक दृष्टि सिद्धि प्राप्त कर लेते हैं। तो महावीर यह कह रहे हैं कि चरित्र कोई मौलिक बात नहीं है, गौण है। हो तो ठीक, न हो तो भी यह संभव है कि व्यक्ति मुक्ति को उपलब्ध हो जाये। लेकिन दर्शन-विहीन कभी मुक्ति को उपलब्ध नहीं होता, क्योंकि वह मौलिक है।

अब दृष्टि की इतनी महिमा और चरित्र को ऐसा कचरे में डाल देना, महावीर करेंगे—ऐसा जैन सोच ही नहीं सकते। क्योंकि ढाई हजार साल तक धीरे-धीरे महावीर के वचन तो कम मूल्य के हो गये हैं; वे जो कोष्ठक लगे हैं, ज्यादा मूल्य के हो गए हैं। वह जो उनकी व्याख्याएं की गयी हैं, वे ज्यादा मूल्य की हो गयी हैं। अब जैन मुनि डरे होंगे कि यह तो खतरनाक वचन है। यह तो अग्नि जैसा है, जला देगा! इसमें कहीं लोग भटक न जायें! कहीं लोग यह न सोचने लगें कि चरित्र का कोई मूल्य नहीं है! क्योंकि अगर चरित्र का कोई मूल्य नहीं तो जैन मुनि का कोई मूल्य नहीं है; क्योंकि वह चरित्र के ही मूल्य पर उसका सारा व्यवसाय है। तो यह कोष्ठक लगा देना जरूरी है।

यह महावीर के साथ बेईमानी है। यह महावीर के साथ बलात्कार है।

'चारित्र्य धारण करके सिद्धि को प्राप्त हो जाते हैं'—अगर ऐसा ही था तो कहने की जरूरत क्या है? जैसा जैन मुनि मानते हैं, अगर ऐसा ही है, अगर उनका वचन ही महावीर का ठीक-ठीक अनुवाद है—'चारित्र्य-विहीन सम्यक दृष्टि तो (चारित्र्य धारण करके) सिद्धि को प्राप्त हो जाते हैं'—अगर यही महावीर को कहना हो तो कहने की जरूरत क्या है? और अगर यही कहना होता तो फिर दूसरे वचन में भी उन्हें एक कोष्ठक और लगाना चाहिए था—'किंतु सम्यक दर्शन से रहित सिद्धि प्राप्त नहीं कर सकते हैं'—उसमें भी एक कोष्ठक लगा दो। 'किंतु सम्यक दर्शन से रहित भी तो (सम्यक दर्शन को प्राप्त करके) सिद्धि प्राप्त कर सकते हैं।' तब तो महावीर के अर्थ के सारे प्राण खो गये! फिर कहने की जरूरत क्या है? चरित्र-विहीन चरित्र पाकर सिद्धि पा लेते हैं, तो दर्शन-विहीन दर्शन पाकर सिद्धि पा लेंगे। कहने की जरूरत क्या है?

कहने का प्रयोजन साफ है। महावीर भेद करना चाहते हैं कि दर्शन को उपलब्ध व्यक्ति तो चरित्र के बिना भी मुक्ति को पा लेते हैं; लेकिन जो दर्शन को उपलब्ध नहीं है वह चरित्र पाकर भी मोक्ष को उपलब्ध नहीं हो सकते।

यह इतना सीधा गणित की तरह, दो और दो चार जैसा साफ है। लेकिन बड़े न्यस्त स्वार्थ हैं!

महावीर को तो दर्शन उपलब्ध हुआ। तो जिसको आत्मा मिल गयी वह छाया की फिक्र छोड़ देता है। जिसको आत्मा नहीं मिली वह छाया की ही चिंता करता है। उसे छाया ही आत्मा जैसी मालूम पड़ती है। जिसने अपने को देख लिया, फिर वह दर्पण में अपनी छवि देखने के लिए थोड़े ही बहुत आतुर होता है! जिसने अपनी आत्मा देख ली, वह दर्पण में अपनी छवि देखने के लिए कोई चिंता नहीं करता। और अगर दर्पण खो जाये तो वह पागल नहीं हो उठता कि अब मैं क्या करूं, अब अपने चेहरे को कैसे देखूंगा! जिसने आत्मा देख ली, वह चेहरे को देखने की फिक्र छोड़ देता है।

चारित्र्य तो छाया है। चारित्र्य तो दर्पण में देखा गया प्रतिबिंब है। चारित्र्य तो अपने और दूसरों के बीच संबंधों से जो दर्पण निर्मित होते हैं, उनमें देखी गयी छवि है। वह आत्मा का सीधा अनुभव नहीं है।

तुम झूठ बोले—एक तरह का चरित्र निर्मित हुआ। तुम सच बोले—दूसरे तरह का

चरित्र निर्मित हुआ। लेकिन तुम किसी से बोले, झूठ या सच—दूसरे की जरूरत पड़ी! अकेले में तुम कैसे सच बोलोगे, कैसे झूठ बोलोगे? एकांत में बैठे पहाड़ पर तुम कैसे ईमानदार होओगे और कैसे बेईमान होओगे? कोई उपाय न रह जायेगा। दूसरा चाहिए!

और जिस चीज के होने में दूसरे की जरूरत पड़ती है उससे मोक्ष न हो सकेगा; क्योंकि मोक्ष का कुल अर्थ इतना ही है : अपने में पूरा हो जाना। यह तो पर-निर्भर हुआ।

महावीर कहते हैं, धिक्कार है परवशता पर! यह तो परवशता ही हुई। यह तो...दर्पण के बिना कोई उपाय न चलेगा। यह तो...अगर मुझे संत होना है तो लोगों के बीच होना चाहिए।

और मजे की बात है, जरा खयाल करना! अगर तुम्हें बड़ा संत होना हो तो लोगों को असंत होना चाहिए, तभी तुम बड़े संत हो सकोगे! अगर सभी लोग संत हों, तुम्हारा संतत्व खो जायेगा।

थोड़ी देर सोचो, कोई ऐसी दुनिया हो जहां सभी राम जैसे मर्यादा पुरुषोत्तम हों, तो दशरथ के बेटे राम को कौन पूछेगा? यह तो पूछ इसलिए चलती है कि ये मर्यादा पुरुषोत्तम अकेले हैं। तो इनकी मर्यादा तुम्हारी अमर्यादा पर निर्भर है। साधु का साधु होना तुम्हारे असाधु होने पर निर्भर है।

अगर बहुत गहरे में देखो तो साधु मिट जायेगा, जिस दिन जगत साधु हो जायेगा। तो साधु का निहित स्वार्थ यही है कि जगत साधु न हो जाये, जगत असाधु रहे।

नेता तभी तक नेता है जब तक और लोगों को नेता होने का खयाल पैदा नहीं हुआ है। जब तक अनुयायी अनुयायी होने को राजी है, तब तक नेता, नेता है। जिस दिन अनुयायियों ने भी घोषणा कर दी कि हम भी नेता हो गए, उस दिन नेता खो जायेगा। अमीर तभी तक अमीर है, जब तक गरीब है। और तुम्हारे पास बड़ा महल तभी तक हो सकता है जब तक और लोगों के पास छोटे झोपड़े हैं। तो जैसे बड़ा महलवाला आदमी न चाहेगा कि सभी के पास बड़े महल हो जायें...।

यह तो साफ समझ में आता है, अर्थशास्त्र का सीधा नियम है, कि अमीर का मजा उसकी अमीरी में तभी तक है जब तक और लोग गरीब हैं। तुम्हारे पास एक शानदार कार है, तो उसका मजा तभी तक है जब तक दूसरे लोगों पर, राह चलते लोगों पर बरसात में तुम कीचड़ उछालते हुए कार से निकल जाते हो। अगर सभी के पास वैसी गाड़ियां हैं, बात खत्म हो गयी! तुम्हारा सारा मजा इस कार में चला जायेगा। इस कार का मजा कार में न था; दूसरों के पास कार नहीं है, उसमें था। जीवन का जाल बड़ा जटिल है!

मेरे एक मित्र हैं कलकत्ते में। मैं उनके घर में कभी-कभी रुकता था। वे बिलकुल पागल थे अपने मकान के लिए। उन्होंने शानदार मकान बनाया था। कलकत्ते में उसकी कोई तुलना न थी। उन्होंने पूरे कलकत्ते को मात कर दिया था। चौबीस घंटे वे मकान के ही खयाल से भरे रहते थे...तो जब भी मैं उनके घर जाता तो मकान, मकान...यह दिखाते, वह दिखाते! नया स्विमिंग पूल बना डाला। क्या-क्या उन्होंने कर डाला है, वह दिखाते। एक बार जब मैं गया तो उन्होंने मकान की कोई बात न की। और मैं तो पहले से

ही तैयार होकर आया था कि वह मकान की बात सुननी पड़ेगी। वे कुछ बोले ही नहीं मकान पर और कुछ बड़े उदास दिखे, उत्साह भी कुछ ढीला मालूम पड़ा, कुछ सुस्त से मालूम पड़े। सांझ होते-होते मैंने पूछा, 'मामला क्या है? मकान का क्या हुआ?' उन्होंने कहा, 'वह बात ही मत उठाओ!' मैंने कहा, 'कुछ तो बात होगी। तुम उदास भी हो। वह सदा की प्रफुल्लता, मकान की चर्चा, कुछ नया किया, कुछ नया बनाया—वह सब हुआ क्या?' वे मुझे हाथ पकड़कर बाहर लाए पड़ोस में, कहा कि वह देखो! एक आदमी ने उनसे बड़ा मकान बना लिया! वे बोले, जब तक इसको मात न कर दूं, तब तक अब क्या बात करना! मन बड़ा दुखी रहने लगा। अभी सुविधा भी नहीं है कि इतना ऊंचा उठा लूं। मात हो गया हूं!

मैंने कहा कि तुम्हारा मकान वैसा का वैसा है। इस पर किसी ने छुआ भी नहीं है। कुछ घटा नहीं, कुछ बिगड़ा नहीं; सब सुंदर है। लेकिन पास के आकाश में एक नया मकान खड़ा हो गया! किसी ने तुम्हारी लकीर के पास बड़ी लकीर खींच दी—तुम्हारी लकीर को छुआ भी नहीं है, तुम अचानक छोटे हो गये!

तो मैंने उनसे कहा, अब तुम यह तो सोचो, तो यह मजा तुम जो अपने मकान में ले रहे थे, अपने मकान का मजा न था; वह जो झोपड़े पास में थे, उनका मजा था। तो तुम्हारी अमीरी किसी के गरीब होने में निर्भर है।

और वही बात तुम्हारे साधु के संबंध में भी सच है। अगर दुनिया से असाधु खो जाये तो तुम्हारा साधु...फिर कौन उसे मंदिरों में विराजमान करेगा? कौन उसके सामने पूजा के थाल सजायेगा? कौन अर्चना के दीप उतारेगा? वह खो जायेगा। इसलिए साधु कहता तो यही है तुमसे कि सब साधु बनो; लेकिन उसकी अंतर्तम की प्रार्थना यही होती है कि हे प्रभु, इन सबको साधु मत बना देना! उसकी हालत, जिसको मनोवैज्ञानिक कहते हैं 'पैराडॉक्सिकल इंटेशन', विरोधाभासी आकांक्षा की है।

जैसे चिकित्सक के पास तुम जाते हो...तुमने कभी खयाल किया? अगर तुम्हारी जेबें भरी हों तो बीमारी के ठीक होने में ज्यादा देर लगती है। इस अर्थ में गरीब आदमी सौभाग्यशाली है। अगर तुम बहुत अमीर हो और एक दफे बीमार पड़ गए, तो पड़ गए, अब तुम ठीक न हो सकोगे। क्योंकि चिकित्सक की विरोधाभासी आकांक्षा है। वह तुम्हारी बीमारी पर जीता है और तुम्हें स्वस्थ करने का आयोजन कर रहा है। उसका सारा जीवन तुम बीमार रहो, इस पर निर्भर है। और उसकी सारी चेष्टा इस पर निर्भर है कि तुम ठीक हो जाओ। यह विरोधाभासी बात है।

मैंने सुना है, एक डॉक्टर का बेटा कालेज से वापस लौटा डॉक्टर होकर। तो बाप बहुत दिन का थका था और विश्राम न लिया था, तो उसने कहा, 'मैं सात दिन के लिए छुट्टी पर चला जाऊं, पहाड़ चला जाऊं। अब तू घर आ गया है, तू सम्हाल ले।' सात दिन बाद जब बाप लौटा तो बेटे ने उसे बड़ी खुशी से दरवाजे पर कहा कि पिताजी, जिस सेठानी को आप बीस साल में ठीक न कर पाए उसे मैंने पांच दिन में ठीक कर दिया! बाप ने सिर ठोक लिया और उसने कहा, 'नासमझ! उसी की वजह से तू कालेज में पढ़ सका

और उसी पर आशा थी कि और बच्चे भी पढ़ लेंगे! उसे ठीक करना ही नहीं था। यह तूने क्या किया? तूने सारा खेल खराब कर दिया!'

चिकित्सक दिखाता है तुम्हें ठीक करने की चेष्टा। शायद खुद भी मानता है कि तुम्हें ठीक करना चाहता है। शायद खुद के चेतन में कहीं कोई बात भी नहीं है; तुम्हें ठीक ही करने का आयोजन करता है। लेकिन अंतस-चेतन में, गहरे अनकांशस में...अगर उसके हम अंतस-चेतन को खोल सकें तो कहीं तो यह बात छिपी होगी कि लोग बीमार रहें, बीमार रहें तो ही तो वह जी सकता है।

एक रात एक मधुशाला में बड़ा उत्सव रहा। एक आदमी पहली दफे अपने मित्रों को लेकर आया था और उसने खूब रुपये उछाले, खूब पीया-पिलवाया! मधुशाला का मालिक भी चकित हो गया! ऐसा दिलदार उसने कभी देखा न था! और जब आधी रात वे जाने लगे, हजारों रुपये लुटाकर, तो उसने अपनी पत्नी से कहा कि ऐसे ग्राहक रोज आते रहें तो कुछ ही दिनों में हम मालामाल हो जायेंगे। चलते-चलते उसने अपने इस ग्राहक को कहा कि कभी-कभी आया करें। उस ग्राहक ने कहा, 'प्रार्थना करो हमारे लिए कि हमारा धंधा ठीक चलता रहे तो हम आते रहें।' उसने कहा, 'जरूर प्रार्थना करेंगे, क्यों न प्रार्थना करेंगे! रोज यही प्रार्थना करेंगे कि तुम्हारा धंधा...लेकिन यह तो बताओ तुम्हारा धंधा क्या है?' उसने कहा, अब यह मत पूछो, अन्यथा तुम प्रार्थना न कर पाओगे। मैं मरघट पर लकड़ियां बेचता हूं। लोग मरते रहें, लकड़ियां बिकती रहें, तो मैं आता रहूं। मेरा धंधा चले...।

अब कुछ हैं जो मरघट पर लकड़ियां बेचते हैं, उनका धंधा ही यही है कि लोग मरें।

एक गांव में एक नया-नया इंस्पेक्टर आया। वह दिन भर बैठा रहा। कपड़े-लत्ते सजाकर, बैल्ट इत्यादि, जूते इत्यादि बांधकर दिन भर बैठा रहा। बार-बार चौंककर देखे; लेकिन कोई घटना ही न घटी दिन भर। न कोई चोरी हुई, न कोई डाका पड़ा, न कहीं कोई हत्या हुई, न किसी ने आत्महत्या की, न कोई दंगा-फसाद हुआ, न कोई हिंदू-मुसलमान मरे, कुछ भी न हुआ। वह जरा उदास होने लगा। सांझ होने लगी तो उसका चेहरा एकदम फीका पड़ने लगा।

उसके मुंशी ने कहा, 'आप घबड़ाओ मत! मुझे मनुष्य के स्वभाव पर पूरा भरोसा है। ठहरो, कुछ न कुछ होकर रहेगा। अभी रात पड़ी है। तुम इतने उदास क्यों हुए जा रहे हो?'

अब वह जो चोर को पकड़ने पर जीता है, वह पकड़ता चोर को है, लेकिन प्रतीक्षा करता है कहीं चोरी हो! वह जो न्यायाधीश है, वह सजा देता है हत्यारों को, लेकिन उसका सारा होना उन्हीं के होने पर निर्भर है। उन्हीं की साझेदारी में वह न्यायाधीश है। जीवन के इस व्यंग्य को समझना।

साधु तुमसे कहे चला जाता है कि क्या तुम असाधु बने हो, बनो साधु! बनना भर मत, अन्यथा वह नाराज हो जाएगा। एक साधु दूसरे साधु से प्रसन्न थोड़े ही है! एक साधु दूसरे साधु से बड़ा अप्रसन्न है। तुम असाधु हो, इससे वह खुश है। उसकी साधुता, उसका ऊंचा सिंहासन तुम्हारी छाती पर लगा है। अगर वास्तविक रूप से किसी दिन

दुनिया धार्मिक हो जायेगी तो न असाधु रह जाएंगे, न साधु रह जाएंगे।

साधु का सारा बल इसमें है कि उनके पास चरित्र है और तुम्हारे पास नहीं है। उसने कुछ करके दिखा दिया है जो तुम नहीं कर पाए; भला वह करना बिलकुल मूढ़तापूर्ण है। भला वह इस तरह का मूढ़तापूर्ण हो कि एक आदमी रास्ते पर शीर्षासन लगाकर खड़ा हो जाता है। अब इसमें कुछ गुण नहीं है, लेकिन भीड़ लग जायेगी। लोग पैसे भी चढ़ाने लगेंगे। क्योंकि तुम शीर्षासन लगाकर घंटों नहीं खड़े रह सकते। बस इतना काफी है। कोई आदमी छत्तीस घंटे साइकिल पर चढ़ा हुआ चक्कर लगाता रहता है। उसको भी पैसे मिल जाते हैं, उसके भी अखबार में फोटो छप जाते हैं। कुछ अर्थ नहीं है। छत्तीस घंटे या छत्तीस जन्म भी साइकिल पर चढ़े रहो—क्या सार है? लेकिन जो दूसरे नहीं कर सकते, वह किसी ने कर दिया—बस काफी है, उसका सम्मान होना शुरू हो जाता है।

तुम्हारे साधुओं के सम्मान में तुमने देखा!

किसी ने तीन महीने का उपवास किया—बस तुम सम्मान से भर गए! यह तीन महीने साइकिल पर सवार रहने से ज्यादा भिन्न बात नहीं है। या किसी ने अपने शरीर को सुखाकर हड्डियां कर लिया—तुम प्रभावित हो गये! या किसी ने अपने बाल-बच्चों को, घर-गृहस्थी को, सबको छोड़कर, उजाड़कर जंगल में खड़ा हो गया—बस तुम चले पूजा के फूल लेकर! यह तुम नहीं कर पाते हो, तो तुम सोचते हो, तुम कमजोर हो और इस आदमी ने कर लिया!

अभी अमरीका में अपराधियों और अपराधियों से जूझ जाने वाले लोगों के संबंध में मनोवैज्ञानिक अध्ययन चलता है। बड़े हैरानी के नतीजे हाथ में आये हैं। अक्सर तुमने देखा होगा कि कोई आदमी डूब रहा है या किसी घर में आग लग गयी है कोई बच्चा अंदर छूट गया है, तो हजारों की भीड़ लगी रहती है, हजारों लोग खड़े रहते हैं; कोई एकाध ही होता है जो उछलकर और मकान में दौड़ जाता है, आग का खतरा है, खुद की जान खतरे में डालता है, बच्चे को निकाल लाता है। अखबारों में खबर छपेगी, सत्कार होगा, स्वागत होगा! लोग कहेंगे, बहुत बहादुर है! बहुत गजब का आदमी है! साधु-चरित्र है! दयावान है! करुणावान है!

कोई नदी में डूब रहा है, कोई बचा लेता है। या रास्ते पर किसी आदमी ने किसी दूसरे पर हमला किया; अनेक लोग गुजर जाते हैं, लेकिन एक आदमी बीच में कूद पड़ता है और हमलावर को पकड़ लेता है या पुलिस को पकड़ा देता है या हमलावर को काबू में कर लेता है या हत्यारे को पकड़ लेता है—अपनी जान जोखिम में डालकर। तो अमरीका में एक अध्ययन किया जा रहा है कि ये किस तरह के लोग हैं जो इस तरह का काम करते हैं। और एक बड़ी हैरानी का नतीजा आया और वह यह कि ये उसी तरह के लोग हैं जिस तरह के लोगों को ये पकड़ते हैं। ये साधु-चरित्र लोग नहीं हैं।

जो आदमी, दो आदमी लड़ रहे हैं इनके बीच में कूद पड़ता है, यह क्रोधी आदमी है, यह खुद भी हत्या कर सकता है। वही हत्या की जो वृत्ति है, वही इसे बीच में कुदा देती है। यह कोई साधुता के कारण बीच में नहीं कूदता। यह कोई दया के कारण नहीं

कूदता। और एक बड़े मजे की बात समझ में आयी है और वह यह, कि इसको इससे मतलब नहीं होता कि वह जो आदमी पिट रहा है उसको बचाये; इसको मतलब होता है, जो पीट रहा है उसको पीटे। इसकी जो एम्फेसिस है, इसका जो जोर है, वह इस पर नहीं रहता कि जो पिट रहा है उसको बचाए। उसके प्रति तो इसके मन में भी यह है कि यह तो गया-गुजरा आदमी है, यह कोई मतलब का आदमी है! यह तो जो पीट रहा है उसके पीट के दिखा दे, उस चेष्टा में रहता है।

एक आदमी ने कार का धक्का मारा एक स्त्री को शिकागो में। वह बूढ़ी औरत गिर पड़ी। और दूसरा आदमी जो मोटर साइकिल पर चढ़ने के लिए तैयार ही था, उसने उस कार का पीछा किया। कोई दस मील की दौड़-धूप के बाद उसने उस आदमी को पकड़ लिया। और पकड़ने के लिए उसको गोली चलानी पड़ी और दूसरे आदमी के कार के टायर छेद डालने पड़े गोली से, तब वह पकड़ पाया। इस बीच वह महिला मर गयी। उससे जब पूछा गया कि जब यह महिला गिरी तो तेरे सामने दो विकल्प थे कि या तो तू इस महिला को उठाकर अस्पताल में पहुंचाता तो शायद यह बच जाती; लेकिन तूने उसकी तो फिकर ही न की, तू जान जोखिम में लगाकर इस आदमी के पीछे पड़ गया और इस आदमी को तूने पकड़ा दिया।

ऐसे बहुत-से अध्ययन किए गए और पाया गया कि जब दो आदमी लड़ रहे हों तो जो आदमी कूद पड़ता है उसको पिटने वाले से कोई सहानुभूति नहीं होती; उसको पीटने वाले से ईर्ष्या होती है। वह उसे कुछ करके दिखा देना चाहता है। वह यह कह रहा है कि मेरे रहते कौन किसको पीट रहा है! वह जो आदमी आग जलते मकान में कूद पड़ता है, उसको शायद आग में पड़े हुए बच्चे से कुछ लेना-देना नहीं होता; लेकिन यह उसके अहंकार के लिए बर्दाश्त के बाहर है कि कोई और कूद जाये। और कई बार ऐसा हुआ है कि दो आदमी एक साथ कूद गये और जो बच्चे को बचाकर ले आया और दूसरा खाली हाथ लौटा, तो उसकी निराशा देखो! बच्चे के बचने से कोई प्रयोजन नहीं है—कौन बचा लाया! किसने अपने अहंकार को तृप्त कर लिया! आदमी बड़ा उलझा हुआ है!

तो जैन साधु, जो व्याख्या कर रहे हैं, उस व्याख्या में महावीर से प्रयोजन नहीं है। उस व्याख्या में स्वयं को और स्वयं के पूरे व्यवसाय को बचा लेने की आकांक्षा है।

ये कोष्ठक बहुत खतरनाक हैं। महावीर का वचन सीधा है: 'सिज्झंति चरियभट्ठा।' चरित्र-विहीन सिद्धि प्राप्त कर लेते हैं।

सिद्धि का कोई संबंध चरित्र-भ्रष्ट होने या चरित्रवान होने से नहीं है। सिद्धि का संबंध दर्शन की शुद्धि से है; दृष्टि की सुघड़ता से है; दृष्टि की निर्मलता से है।

अब महावीर का यह वचन यह भी कहता है कि चरित्रहीन भी सम्यक दृष्टि हो सकता है, और चरित्रवान भी दृष्टि-विहीन हो सकता है।

शुभ होगा अगर तुम चरित्रवान और दृष्टिवान दोनों होओ। यह तो अच्छा ही होगा। यह तो सोने में सुगंध हो जायेगी कि तुम्हारे पास दृष्टि भी है और आचरण भी।

और अक्सर तो दृष्टि होती है तो आचरण होता ही है; आ ही जाता है; लाना नहीं पड़ता।

लेकिन फिर महावीर ऐसा क्यों कहते हैं कि चरित्र-विहीन सम्यक दृष्टि भी पहुंच सकता है? वे यह कह रहे हैं कि बहुत बार ऐसा होता है कि जो तुम्हारा चरित्र है, वह दूसरों को चरित्र न मालूम पड़े; क्योंकि दूसरों की धारणाएं अनिवार्य रूप से, दर्शन से जो चरित्र पैदा होता है, उससे मेल खाएं न खाएं। इसे समझना। जिसके पास दृष्टि है, वह दीवाल से क्यों निकलने की कोशिश करेगा? वह तो दरवाजे से निकलेगा ही। लेकिन यह हो सकता है कि उसे जो दरवाजा मालूम होता है वह तुम्हें दरवाजा न मालूम होता हो, देखने वालों को न मालूम होता हो।

महावीर जब नग्न खड़े हो गये, तो अनेकों को लगा, यह तो बात अनैतिक है, यह तो चरित्रहीनता है। तुम यह मत सोचना कि आज जब रास्ते पर कोई आदमी नग्न खड़ा हो जाता है तो तुम सोचते हो चरित्रहीनता है; उस दिन भी यही लोगों ने सोचा था। लोग वही के वही हैं। लोग वैसे के वैसे हैं। महावीर को मारा-पीटा, गांवों से निकाल दिया, गांवों में ठहरने न दिया, वर्षों उनको जंगलों में बिताने पड़े। नग्नता बड़ी बेचैन करने वाली बात थी। जब कोई आदमी समाज में नग्न खड़ा हो जाता है तो सभी कपड़े पहनने वाले लोगों को कष्ट होता है। क्योंकि वह आदमी नग्न होकर किसी गहरे अर्थ में तुमको भी नग्न कर देता है। जब एक आदमी नग्न खड़ा हो जाता है तो तुमने जो-जो छिपा रखा है वस्त्रों में वह सब उसने उघाड़ दिया है। तुम भी उसी जैसे हो, थोड़े-बहुत विस्तार के फर्क होंगे। कोई ज्यादा फर्क तो है नहीं। वही सब तुम भी हो, जो वह आदमी है। उसे नंगा देखकर तुम भी नग्न हो जाते हो; तुम्हारे वस्त्रों का उसने सारा अर्थ गंवा दिया। तुम अपने को छिपाकर चल रहे थे। अगर तुम अपने को खुद ही कहीं नग्न पा लो तो पहचान न सकोगे बिना कपड़ों के।

दो छोटे बच्चे एक नग्न क्लब के पास से गुजरते थे और दीवाल में से पानी निकलने के छेद में से उन्होंने अंदर देखा। छोटे बच्चे, स्कूल से लौटते हुए! जब एक देख चुका तो दूसरा जो खड़ा था और देखने की प्रतीक्षा कर रहा था कि तुम हटो तो मैं देखूं, उसने पूछा, 'कौन है अंदर?' उसने कहा, 'कहना मुश्किल है। सब बिना वस्त्र के हैं।' उसने पहले ने पूछा, 'स्त्रियां हैं कि पुरुष?' उसने कहा, 'अब कैसे बताऊं? कोई वस्त्र पहने ही हुए नहीं है।'

हमारा तो स्त्री-पुरुष का भेद भी करीब-करीब वस्त्र में है। छोटे बच्चों को तो स्त्री-पुरुष में यही भेद दिखाई पड़ता है कि अलग-अलग पकड़े पहने हुए हैं। गरीब-अमीर का भेद भी वस्त्रों में है। तुम जरा देखो! एक मजिस्ट्रेट को और चोर को दोनों को नग्न खड़ा कर दो—फिर कौन मजिस्ट्रेट है, कौन चोर है? मुश्किल हो जायेगी। वह तो सारा भेद वस्त्रों का है। इसलिए पुराने दिनों से मजिस्ट्रेट को खास ढंग से विग पहनाया जाता है। वह न केवल वस्त्रों से काम चलता है, वह सिर पर बालों का एक विग भी लगा ले, ताकि आदमीयत बिलकुल खो जाये, कुछ पता न चले। वकील काले चोगे में खड़े हो

जाते हैं। विश्वविद्यालयों में दीक्षांत समारोह होते हैं और बड़े-बूढ़े भी बचकानी हरकतें करते हैं; चोगे पहन लेते हैं, उनमें खड़े हो जाते हैं। लेकिन वही भेद है, नहीं तो उपकुलपति कुलपति कौन; चांसलर, वाइसचांसलर कौन? मुश्किल हो जायेगा पहचान करना। इसलिए हम कपड़ों पर बड़ी जिद्द करते हैं।

अगर कोई आदमी रास्ते पर पुलिसवाले के कपड़े पहनकर निकल पड़े तो फौरन पकड़ लेंगे उसको कि यह तुम क्या कर रहे हो, क्योंकि इससे फर्क कम हो जाता है। तुमने कभी पुलिसवाले को वर्दी के बिना देखा? लज्जत ही खो जाती है, शान ही चली जाती है! वही आदमी जब अपनी वर्दी में खड़ा होता है, तब देखो। तब एक शान आ जाती है!

'कर्नल राज' वहां बैठे हुए हैं, सिर छिपाए हुए हैं! उनको संन्यासी के वेश में देखो और जब वह मेजर, कर्नल के वेश में होते हैं, तब देखो! तब बात ही और बदल जाती है!

आदमी चलता और ढंग से है जब कपड़े कर्नल के होते हैं। उसके पैरों की आवाज, उसके जूतों की चरमराहट, उसके कपड़ों की शिकन, सब बदल जाती है। आदमी का थोड़ा हमें हिसाब है, हमें हिसाब तो कपड़ों के हैं।

कहते हैं गालिब को बहादुरशाह ने निमंत्रित किया था भोजन के लिए! वह गरीब आदमी था, अपने साधारण कपड़ों को पहने चला गया। मित्रों ने कहा भी कि इन कपड़ों में तुम्हें कोई दरबार में प्रवेश न करने देगा। पर उसने कहा कि निमंत्रण मुझे मिला है कि कपड़ों को?...जिद्दी! नहीं माना, गया। जब द्वारपाल को जाकर उसने कहा कि मुझे भीतर जाने दो, तो द्वारपाल ने धक्का देकर उसे हटा दिया। उसने कहा कि 'भिखमंगों के लिए राजमहल में निमंत्रण!... दिमाग खराब हो गया है?' उसको तो भरोसा ही नहीं आया कि यह दुर्व्यवहार...! उसने खीसे से निमंत्रण-पत्र निकालकर दिखाया तो उसने झपट्टा मारकर वह भी छुड़ा लिया। उसने कहा, 'किसी का चुराया होगा! किसका उठा लिया?'

वह बेचारा गालिब घबड़ाया, घर वापस लौट आया। मित्रों ने कहा, 'हमने पहले कहा था, हम जानते थे। हम कपड़े ले आये हैं।' तो उन्होंने अचकन वगैरह पहना दी। ठीक-ठाक कपड़े पहना दिए, जूते नये पहना दिए। और जब यह आदमी वापस गया तो वही द्वारपाल झुककर नमस्कार किया कि आइये! तुम हंसना मत द्वारपाल पर, तुम भी होते तो यही करते। फिर जब भोजन के लिए बैठे तो बहादुरशाह ने...तो गालिब का बड़ा सम्मान था उसके मन में। वह भी कवि था, बहादुरशाह भी कवि था। और गालिब की कविता का तो क्या कहना! वैसे उस्ताद तो बहुत कम हुए हैं! तो उसने तो अपने पास ही बिठाया। और जब गालिब भोजन करने लगा तो उसने पहले उठायी मिठाई, अपने कोट को कहा कि ले खा, टोपी को लगाया कि ले खा! तो बहादुरशाह को कुछ लगा कि कवि पागल होते हैं, यह तो ठीक है; लेकिन इतने होते हैं, यह नहीं सोचा था। उसने कहा, 'क्षमा करें! आप यह क्या कर रहे हैं? यह कौन-सी शैली है भोजन करने की?' गालिब ने कहा, 'मैं तो पहले भी आया था। मैं तो लौटा दिया गया, मैं फिर आया ही नहीं। ये तो अब वस्त्र आए हैं। यह भोजन इन्हीं के लिए है। इन्हीं को प्रवेश मिला है, मुझे तो प्रवेश नहीं मिला। मैं तो बाहर से ही लौट गया हूं। वह तो पहरेदार ने धक्का दे दिया। तो जिनकी वजह से मैं

भी पीछे-पीछे चला आया हूं, क्योंकि मजबूरी थी, मेरे बिना ये वस्त्र कैसे आते, ये मेरे बिना आते ही नहीं और इनके बिना मैं नहीं आ सकता था, तो जिनके कारण मैं आ गया हूं छाया की तरह, उनको तो पहले भोजन करा दूं।'

महावीर जब नग्न खड़े हो गए तो उन्होंने तुम सबको नग्न कर दिया; उन्होंने सबके वस्त्र उघाड़ दिए। बड़ी अनैतिकता मालूम पड़ी लोगों को: यह आदमी तो खतरनाक है! इसको कौन चरित्रवान कहेगा? यह कैसी मर्यादा? यह तो मर्यादा छोड़ना है, यह तो स्वच्छंदता है।

इसलिए महावीर कहते हैं कि सम्यक दृष्टि तो अनिवार्यरूपेण आचरण वाला होता है, लेकिन उसका आचरण समाज की तथाकथित धारणा से मेल खाए न खाए। इसलिए वे कहते हैं, कि अगर न भी मेल खाए तो कोई फर्क नहीं पड़ता।

'सिज्झंति चरियभट्ठा।' वह जिसको लोग सोचते हैं चरित्र-भ्रष्ट, वह भी केवल दर्शन के सहारे मुक्त हो जाता है, सिद्धि को उपलब्ध हो जाता है। किंतु सम्यक दर्शन से रहित सिद्धि प्राप्त नहीं कर सकते।

इसलिए जो पाना है, जो खोजना है, वह दृष्टि है, वह देखने का ढंग है; वह साफ-सुथरी आंख है; वह निर्मल भाव-दशा है। आंख पर कोई विचार न रह जाये। आंख पर कोई धारणा न रह जाये। आंख पर कोई पक्षपात न रह जाये। आंख ऐसी निर्मल हो, पारदर्शी हो कि जो है, जैसा है, वैसा दिखाई पड़ने लगे—बस पर्याप्त है। उसके पीछे ज्ञान अपने से आ जाता है, चारित्र्य अपने से आ जाता है। लेकिन यह चारित्र्य जरूरी नहीं है कि समाज की सम्मत मान्यताओं के अनुकूल हो। यह तुम्हारी दृष्टि के अनुकूल होगा। लेकिन जिसके पास दृष्टि है वह चिंता भी नहीं करता कि उसके चरित्र को आदर मिलता है या नहीं। जिसके पास दृष्टि है वह तुम्हारे मत का कोई विचार नहीं रखता कि तुम क्या सोचते हो। तुम्हारे सोचने पर, तुम्हारी धारणाओं पर, तुम्हारी प्रशंसा और निंदा पर उसके चरित्र के आधार नहीं होते। उसके चरित्र के आधार अपनी अंतर्दृष्टि पर होते हैं। अगर वह अकेला भी है और सारा संसार भी उससे भिन्न सोचता है तो भी वह मस्त है।

'अर्श' सुनता नहीं किसी की बात
हाल में अपने मस्त है शायद।

—वह अपनी मस्ती में होता है। वह उन्मत्त होता है अपने आनंद में।

'अर्श' सुनता नहीं किसी की बात
हाल में अपने मस्त है शायद।

तो महावीर कोई चिंता नहीं करते कि तुम किसे आचरण कहते हो। महावीर को जो आचरण दिखाई पड़ता है, वह घटता है। और ऐसे बलशाली पुरुष ही, आचरण के नये मापदंड, नये प्रतिमान दे जाते हैं। ऐसे बलशाली पुरुष ही, ऐसे महावीर ही आचरण की नयी-नयी सूझें, नये-नये आकाश खोल जाते हैं। तो नग्नता को भी आचरण दे दिया। नग्नता महावीर के साथ जुड़कर निर्दोष हो गयी। लोग वस्त्रों में भी इतने सुंदर नहीं हैं, जितने महावीर अपनी नग्नता में सुंदर थे। लोग वस्त्रों में छिपकर भी, वस्त्रों में ढंके हुए भी

इतने सुगंधपूर्ण नहीं हैं, जितने महावीर अपनी नग्नता में थे। महावीर की नग्नता शुद्ध निर्दोष बालपन हो गयी, छोटे बच्चे की नग्नता हो गयी।

महावीर इस जगत में नग्नता के निर्दोष होने के पहले प्रमाण हैं, तुम्हारे साथ तो वस्त्र भी गंदे हो जाते हैं; महावीर के साथ तो नग्नता भी पवित्र हो गयी। ऐसे वीर पुरुष ही जीवन को नये प्रतिमान, नयी गतियां, नये आयाम, नये क्षितिज, नये आकाश देते हैं। इसलिए धार्मिक व्यक्ति अनिवार्यरूपेण विद्रोही होता है—होगा ही। क्योंकि तुम्हारी पिटी-पिटायी, सड़ी-सड़ायी धारणाएं हैं। तुम रखो अपने पास! वह तुम्हारी धारणाओं के अनुकूल अपने को ढांचे में नहीं ढालता। वह तो अपनी दृष्टि के अनुकूल जीता है। अगर तुम्हारी मर्जी हो तो अपनी धारणाओं को बदल लेना, लेकिन तुम धार्मिक व्यक्ति को नहीं बदल सकते। धार्मिक व्यक्ति के साथ तुम संसर्ग में आए तो या तो तुम बदलोगे या तुम दुश्मन हो जाओगे, लेकिन धार्मिक व्यक्ति नहीं बदलता। कोई उपाय नहीं। इसलिए नहीं कि धार्मिक व्यक्ति जिद्दी होता है; इसलिए नहीं कि हठाग्रही होता है—बल्कि इसलिए कि उसकी दृष्टि उसे जहां दरवाजा दिखाती है वहीं जाता है। तुम जहां दरवाजा बताते हो वहां उसे दीवाल दिखाई पड़ती है। वह अंधों की बात नहीं मानता तो कुछ आश्चर्य तो नहीं। इसमें जिद्द क्या है? अगर अंधों की एक भीड़ हो और आंखवाला आदमी हो और अंधों की भीड़ कहे, तुम गलत चल रहे हो...।

मैंने सुना है, एच. जी. वेल्स की एक कहानी है कि मैक्सिको में एक छोटी-सी घाटी है जहां सभी अंधे हैं। क्योंकि वहां के पानी में और भूमि में कुछ ऐसे तत्व हैं कि बच्चे पैदा होते हैं और पैदा होते से ही महीने दो महीने के भीतर उनकी आंखों की ज्योति चली जाती है। एक आदमी, आंख वाला, उस घाटी में पहुंच गया। वह तो चकित हुआ। वह तो विश्वास न कर सका कि कोई सैकड़ों आदमी अंधे हैं, एक भी आंख वाला नहीं। उसे बड़ा उनसे प्रेम हो गया। वह उनके बीच रहने भी लगा। वह एक युवती के प्रेम में पड़ गया। अब तक तो बात ठीक थी कि वह अजनबी था और उलटी-सीधी बातें करता था—ऐसा अंधे सोचते थे—आंख की, रंग की, रोशनी की, इंद्रधनुषों की, फूलों की, हरियालों की...! और जब भी अंधे उससे पूछते तो कुछ समझा तो नहीं पाता। अंधे पूछते कि दिखाओ, 'हरियाली कैसी है? समझाओ, हरियाली कैसी है?' तो क्या समझाता! 'समझाओ इंद्रधनुष, किसकी बात कर रहे हो तुम, कहां है? हम छूकर देखना चाहते हैं!' वृक्षों को छू भी लेते तो हरियाली तो छूने से हाथ में समझ में नहीं आती। तो वे हंसते। वे कहते, कोई पागल आ गया है। स्वभावतः भीड़ उनकी थी। लोकतांत्रिक दृष्टि से वही सही थे। संख्या उनकी थी। यह अकेला था, वे सब थे। अब तक तो कोई बात न थी, लेकिन जब वह एक लड़की के प्रेम में पड़ गया तो जरा उस वादी के लोग हैरान हुए। उन्होंने कहा, अब जरा मुश्किल है। अगर यह आदमी विवाह करना चाहता है तो इसे हमारे जीवन के रीति-नियम स्वीकार करने होंगे। और पहला रीति-नियम यह है कि हम आंखों को नहीं मानते और हम मानते हैं कि आंखें सब झूठ हैं। तो इसको इस झूठ का खयाल छोड़ना पड़ेगा। इसको यह खयाल छोड़ना पड़ेगा कि यह आंखवाला है। और जो उसमें बहुत

उत्साही थे, उन्होंने कहा कि इसकी आंख का ऑपरेशन कर दें। यह जहां बताता है, आंखें हैं, उनको निकालकर अलग कर दें; ठीक हम जैसा हो जायेगा।

बड़ी मुश्किल में पड़ गया वह आंख वाला आदमी। युवती से प्रेम भी था तो आधा मन वहां खिंचा। फिर आंखें खो देना और आंखों के साथ सारा रंग, सूरज के सारे खेल, चांद-तारों की पूरी दुनिया—यह दांव बड़ा था। एक रात वह भाग खड़ा हुआ। दूसरे दिन सुबह वह उसकी आंख की शल्यक्रिया करने वाले थे। वह वहां से भाग निकला क्योंकि यह बड़ी कीमत हो जायेगी। प्रेम तो फिर भी हो सकता है; आंख फिर कहां से लाऊंगा? और एक बार अंधा हो गया तो सदा के लिए अंधा हो गया। और इस सृष्टि को जिसने एक बार आंख से देख लिया, फिर बिना आंख के बहुत फीकी हो जायेगी; फिर जीने जैसी न रह जायेगी। वस्तुतः सचाई तो यह थी कि उस स्त्री के प्रेम में भी वह आंखों के कारण पड़ा था। वह उसका रूप, उसका रंग, उसके नक्श उसे भा गये थे। तो जिन आंखों के कारण वह स्त्री को खोज पाया था, उन्हीं आंखों को गंवा दे, यह उसकी समझ में न आया। वह भाग खड़ा हुआ।

महावीर जैसे व्यक्ति अंधों की बस्ती में पड़ जाते हैं। लेकिन आंखों की शल्यक्रिया करवाने को वे राजी न होंगे।

इसलिए महावीर कहते हैं, 'चरित्र-विहीन सम्यक दृष्टि तो सिद्धि प्राप्त कर लेते हैं, किंतु सम्यक दर्शन से रहित सिद्धि प्राप्त नहीं कर पाते।'

जरा अपनी तरफ गौर करो, कैसी तुम्हारी हालत है!

वाए, दीवानगिए-शौक कि हरदम मुझको
आप जाना उधर और आप ही हैरां होना।

—हाय रे आकांक्षाओं का चक्कर कि अपने आप उधर जाता हूं और अपने आप भ्रमों को खड़ा कर लेता हूं! अपने आप जाता हूं उधर और अपने आप भटकता हूं!

और हर बार तय कर लेते हो तुम कि अब न करेंगे यह भूल, लेकिन वह तय किया काम नहीं आता। क्योंकि दृष्टि तो पास नहीं। भूल, भूल दिखायी कहां पड़ती है? कहते हो कि क्रोध अब न करेंगे। कहते हो कि क्रोध जलाता है। कहते हो कि क्रोध जहर है, लेकिन ये शब्द उधार हैं। ये सब शास्त्र से सुने हैं। ये किन्हीं जाननेवालों ने कहे होंगे, लेकिन यह तुमने जाना नहीं है। क्योंकि तुम जान लो तो जैसे आग में कोई जल जाये, तो दुबारा हाथ नहीं डालता—ऐसे ही तुम दुबारा क्रोध न करते। लेकिन तुम दुबारा फिर क्रोध करते हो।

वाए, दीवानगिए-शौक कि हरदम मुझको
आप जाना उधर और आप ही हैरां होना।

अजीब चक्कर है! लेकिन अगर समझो तो एक सूत्र है जिससे सारी बात साफ हो जाती है: तुम कान से जीये हो अब तक, आंख से नहीं जीये। 'कानों सुनी सो झूठ सब।' कान से सत्य मिलता ही नहीं—आंख से मिलता है। इसलिए तो हमने सत्य की खोज को दर्शन कहा है। वह आंख की खोज है। इसलिए तो जिन्होंने खोज लिया है उनको हमने

द्रष्टा कहा है: आंख मिल गयी! अगर कान से मिलता होता सत्य तो हम दर्शन न कहते, श्रवण कहते। अगर कान से मिलता होता सत्य तो जो पा लेते उनको हम श्रोता कहते, द्रष्टा न कहते। सत्य का कुछ संबंध साक्षात्कार से है। कान को तो धोखे दिये जा सकते हैं, आंख को धोखे नहीं दिये जा सकते। और जिस आंख की हम बात कर रहे हैं वह इन बाहर की आंखों की ही बात नहीं, भीतर की आंख की बात है। वहां एक जागरूकता का पुंज चाहिए—ऐसा सघनीभूत कि उस सघनीभूत जागरूकता से तुम्हें दिखायी पड़ने लगे। वह तुम्हारे भीतर की रोशनी बन जाये!

'नत्थि जागरतो भयम्!'—बुद्ध ने धम्मपद में कहा है, जागे हुए को भय नहीं। सब भय सोये हुए को है।

ऋग्वेद में एक बड़ा बहुमूल्य सूत्र है: भूत्यै जागरणम्। अभूत्यै स्वप्नम्। जागने से उन्नति; सोने से, स्वप्न से अवनति!

जिसको महावीर सम्यक दृष्टि कहते हैं उसका अर्थ है: जागा हुआ, देखता हुआ, आंखवाला। तुम जीवन को देखने में लगो। शास्त्रों के पढ़ने से यह न होगा; तुम जीवन के शास्त्र को देखने में लगो। जीवन में जो भी है उसके संबंध में धारणाएं मत बनाओ; पहचान बनाओ। क्रोध है तो क्रोध को देखो। घृणा है तो घृणा को देखो। प्रेम है तो प्रेम को देखो। मोह है तो मोह को देखो। लोभ है तो लोभ को देखो। जल्दबाजी में मत पड़ो।

चरित्र की चेष्टा करने वाला बड़ा जल्दबाज है। वह लोभ को देखता ही नहीं और अलोभ को साधने लगता है। यही फर्क है। वह क्रोध को देखता ही नहीं, अक्रोध की आकांक्षा में संलग्न हो जाता है। कामवासना में आंख नहीं डालता, और ब्रह्मचर्य के नियम ले लेता है। यही महावीर कह रहे हैं।

ऐसा चरित्र पहुंचाएगा न। उधार से कभी कोई गया नहीं। धर्म चाहिए नगद!

एक मुअम्मा है समझने का न समझाने का
जिंदगी काहे को है एक ख्वाब है दीवाने का।

जिसे अभी हम जिंदगी कह रहे हैं, सोयी-सोयी, एक स्वप्न से ज्यादा नहीं है। जिस दिन तुम जागोगे उस दिन तुम पाओगे, अब तक तुमने जिसे जीवन जाना था वह केवल एक स्वप्न था; और स्वप्न भी कोई बहुत मधुर नहीं। दुख-स्वप्न, नाइट-मेयर। कोई धन के सपने देख रहा है, कोई पद के सपने देख रहा है।

चरित्र का अनुयायी कहता है, छोड़ो धन की दौड़, छोड़ो पद की दौड़! और दृष्टि का अनुयायी कहता है, देखो पद की दौड़ को, देखो धन की दौड़ को! इस फर्क को खयाल में ले लेना। दृष्टिवाला कहता है, भागो मत! भागकर कहां जाओगे? अगर भीतर नींद है तो साथ चली जायेगी। अगर भीतर स्वप्न है तो साथ चला जायेगा। भागो मत! जागो! देखो जहां हो, जो है। जीवन का जो भी तथ्य है, मधुर कि कड़वा, सुस्वादु कि विषाक्त—चखो, पहचान बनाओ! उसी पहचान से धीरे-धीरे ज्ञान निसृत होता है। उसी से धीरे-धीरे बूंद-बूंद ज्ञान की टपकती है। तुम्हारा मधु-पात्र एक दिन भर जाएगा। और तब तुम्हारे जीवन में आचरण होगा। लेकिन वह आचरण जरूरी नहीं कि जैनों की मान्यता के

अनुसार हो कि हिंदुओं की मान्यता के अनुसार हो कि बौद्धों की मान्यता के अनुसार हो। वह आचरण तुम्हारे स्वभाव के अनुसार होगा। यह भी खयाल में ले लेना।

प्रत्येक जाग्रत पुरुष का आचरण अद्वितीय होता है। तो तुम राम को कृष्ण से मत तौलना। अगर कृष्ण से राम को तौलोगे तो दो में एक ही ठीक रह जायेगा, दोनों ठीक नहीं हो सकते। और न तुम बुद्ध को महावीर से तौलना। और न तुम मोहम्मद को जीसस से तौलना। और न तुम जरथुस्त्र को लाओत्से से तौलना। तुम तौलना ही मत। क्योंकि प्रत्येक जाग्रत व्यक्ति का आचरण उसके अपने जागरण का परिणाम होता है। वह निजी है, अद्वितीय है, अनूठा है।

वैसा न कभी हुआ है, वैसा न कभी होगा।

सोए हुए लोगों का आचरण पंक्तिबद्ध होता है, दूसरों जैसा होता है; अनुकरण पर निर्भर होता है। दो महावीर नहीं हुए, न दो बुद्ध हुए, न दो कृष्ण हुए, न हो सकते हैं। इस अद्वितीयता को खूब गहरे में बिठा लेना। तब तुम्हें भय न रहेगा। तब तुम्हारी दृष्टि जागेगी तो तुम्हारा आचरण तुम जैसा होगा। और परमात्मा अगर कहीं होगा और तुमसे पूछेगा तो वह यह न पूछेगा कि तुम महावीर जैसे क्यों न हुए; वह तुमसे पूछेगा, तुम तुम जैसे क्यों न हुए? तुमने अपने स्वभाव को खिलाया क्यों न? तुम जो होने को पैदा हुए थे, विकसित क्यों न हुए? तुमने अपने बीज को फूलों तक क्यों न पहुंचाया? इसकी फिक्र छोड़ देना कि तुम किसी से तालमेल खा रहे हो कि नहीं; क्योंकि सत्य अनूठा है। किसी गहरे अर्थ में तालमेल खाता भी है और किसी गहरे अर्थ में बिलकुल भिन्न होता है। अगर बहुत गहराई में कृष्ण के उतरोगे, अंतस्तल में, तो ठीक महावीर को पा लोगे। लेकिन बाहर-बाहर से देखोगे तो महावीर कहां, कृष्ण कहां, बड़े अलग-अलग हैं! तुम भी अलग ही होने वाले हो।

धर्म व्यक्ति को व्यक्ति बनाता है। और संप्रदाय व्यक्ति को भीड़ बना देते हैं। भीड़ से बचना!

धर्म निजी और वैयक्तिक खोज है।

दूसरा सूत्रः 'एक ओर सम्यक्त्व का लाभ और दूसरी ओर त्रैलोक्य का लाभ हो तो त्रैलोक्य के लाभ से सम्यक दर्शन का लाभ श्रेष्ठ है।'

एक तरफ मिलती हो दृष्टि और दूसरी तरफ मिलते हों तीनों लोक के खजाने और सारी संपदा और साम्राज्य, तो भी महावीर कहते हैं, तीनों लोक के साम्राज्य और संपदा से दृष्टि का लाभ श्रेष्ठ है। क्योंकि अंधे के हाथ में साम्राज्य हो तो भी वह भिखारी रहेगा। और आंख वाले के पास भिक्षा का पात्र भी हो तो साम्राज्य बन जाता है। आंख का सारा खेल है। इसीलिए तो यह अनूठी घटना घटी कि महावीर भिखारी की तरह राह पर खड़े हो गये। लेकिन इनसे बड़े सम्राट कभी किसी ने देखे? कि बुद्ध ने राजमहल छोड़ दिया, राह के भिखारी हो गये, कुछ भी उनके पास न रहा; लेकिन फिर भी जितना इस आदमी के पास था किसके पास कब रहा! जीवन को बड़ी से बड़ी संपदा मिलती है दृष्टि से; और कोई संपदा उसके मुकाबले बड़ी नहीं।

सम्मत्तस्य य लंभो, तेलोक्कस्स य हवेज्ज जो लंभो।
सम्मदंसणलंभो, वरं खु तेलोक्कलंभादो।।

मत चुनना तीन लोक की संपदा को, लोभ को, लाभ को! दृष्टि मिलती हो तो सब उसके लिए गंवा देने जैसा है। सब गंवाकर दृष्टि मिलती हो तो बचा लेना। और सब बचाकर दृष्टि खोती हो तो यह महंगा सौदा मत कर लेना। अंधे, आंखहीन तो सिर्फ भटकते हैं; पहुंचते नहीं। फिर गरीब हों कि अमीर, सफल हों कि असफल, सुखी हों कि दुखी, कुछ अंतर नहीं पड़ता; मौत सबको मटियामेट कर देती है, और सब को मिला जाती है।

पथ मिलकर सभी एक होंगे
तम घिरे यम के नगर में।

वह जो अंधा आदमी है, वह कुछ भी करे, मौत सबको एक ही जगह पहुंचा देगी।

पथ मिलकर सभी एक होंगे
तम घिरे यम के नगर में।

सिर्फ दृष्टिवाला बच जाता है। मौत सिर्फ अंधों को पकड़ पाती है। जिसके पास दृष्टि है, उसे मौत नहीं देख पाती। और जिनके पास दृष्टि नहीं है, उन्हें सिर्फ मौत ही दिखायी पड़ती है और मौत को वे दिखायी पड़ते हैं। हमारी दृष्टि पर सब निर्भर करता है।

तुमने कभी इस पर खयाल किया, विचार किया, ध्यान किया कि बहुत-बहुत अर्थों में बहुत-सी चीजें अदृश्य होती हैं? जैसे समझो, एक चींटी यहां से गुजर रही हो, बहुत-सी चींटियां गुजर रही होंगी। मैं यहां बोल रहा हूं, लेकिन चींटी के लिए जो मैं बोल रहा हूं, वह बिलकुल सुनायी न पड़ेगा। वह चींटी की सीमा के बाहर है। यहां वृक्ष खड़े हैं: जो मैं कह रहा हूं, वह जैसे कहा ही नहीं गया।...वे मौजूद हैं, लेकिन उनकी मौजूदगी का आयाम अलग है।

मैं एक कहानी पढ़ता था। एक हवाई जहाज जल गया बीच आकाश में और एक युवती मर गई। वह युवती लंदन जा रही थी। तो मरते वक्त उसे बस एक ही खयाल था कि अरे, लंदन न पहुंच पायी! वह पति की प्रतीक्षा कर रही थी। पति आतुर होकर प्रतीक्षा कर रहा होगा। बस एक ही धुन थी, उस धुन के कारण उसकी प्रेतात्मा सीधी लंदन पहुंच गयी। लेकिन वह चकित हुई: लंदन बिलकुल खाली था! लोग कहां खो गये! क्योंकि जब अपना शरीर खो जाये तो दूसरों के शरीर दिखायी नहीं पड़ते। उसे अभी तो खयाल में नहीं आया था कि अपना शरीर खो गया। क्योंकि यह शरीर खो भी जाता है तो सूक्ष्म शरीर तो खोता नहीं; वह बिलकुल इस जैसा ही है—इससे ज्यादा सुंदर, इससे ज्यादा कमनीय, इससे ज्यादा सूक्ष्म; पर ठीक इसकी प्रतिलिपि! सचाई तो यह होगी कि यह शरीर उसकी प्रतिलिपि है। तो उसे अभी यह तो पता ही न चला था कि मेरा शरीर खो गया; लेकिन जब उसने लंदन में जाकर देखा; तो सारे घर खाली पड़े हैं। मकानों से रोशनी निकल रही है, खिड़कियों से रोशनी निकल रही है, लेकिन घर सन्नाटा है, कहीं कोई नहीं। वह थेम्स नदी के पुल पर खड़ी हो गयी जाकर। उसे भरोसा ही न हुआ कि

जहां हजारों लोग निकलते रहते हैं, वहां कोई भी नहीं निकल रहा है। हजारों लोग अब भी निकल रहे हैं। लेकिन देह अपनी खो गयी तो दूसरी देह से संबंध नहीं जुड़ता। लेकिन तभी अचानक उसे दिखायी पड़ा, उसका पति भी पुल से निकल रहा है। जब पति निकला तो उसे दिखायी पड़ा। क्योंकि पति से एक लगाव था, एक घनीभूत वासना थी, प्रेम था। उस प्रेम के कारण एक सूत्र जुड़ा था। उस प्रेम के कारण वह पति के शरीर से ही नहीं जुड़ी थी, पति के सूक्ष्म शरीर से भी थोड़े संबंध हुए थे। उस सूक्ष्म शरीर से संबंध के कारण उसे पति थोड़ा-सा दिखायी पड़ा, पहले धुंधला-धुंधला, फिर रेखा उभरी, फिर साफ हुआ। लेकिन जब उसे पति दिखायी पड़ा तो चकित हुई कि जैसे ही उसे पति दिखायी पड़ा, और लोग भी दिखायी पड़ने लगे। क्योंकि जब एक शरीर दिख गया तो दूसरे शरीर भी दिखाई पड़ने लगे। तत्क्षण पूरा लंदन भरा था—एक क्षण में—लंदन खाली न था! हजारों लोग आ-जा रहे थे, मकान भरे थे!

यह कहानी मुझे बड़ी प्रीतिकर लगी, जिसने भी लिखी हो, बड़ी सूझ से लिखी है। कहानी तो कल्पित है, लेकिन सूझ गहरी है।

हमें वही दिखायी पड़ता है जहां हम हैं। अभी हमें शरीर दिखायी पड़ते हैं। इसलिए मौत से हमारा संबंध होने ही वाला है। मौत हमें दिखायी पड़ेगी क्योंकि शरीर की मौत होती है। इसलिए हम मौत से भयभीत हैं। जैसे ही दृष्टि जगती है और हमें दिखायी पड़ता है, हम शरीर नहीं हैं—मौत के हम बाहर हो गये! फिर मौत भी हमको नहीं देख सकती। वह भी हमको तभी तक देख सकती है जब तक हम शरीर हैं और शरीर में हैं, और माने हुए हैं कि हम शरीर ही हैं। जब तक हम शरीर के ठोसपन से जुड़े हैं, तभी तक हम मौत की सीमा में हैं। जैसे ही हम शरीर के ठोसपन से मुक्त हुए, हम मौत के बाहर हुए।

इस जिंदगी में इन तीनों लोकों में जो भी मिल जाता है, वह बाहर-बाहर है। वह हमारा कभी नहीं हो पाता। जो बाहर है वह बाहर ही रह जाता है; उसे तुम भीतर ले जाओगे बैसे? तुम संपत्ति का ढेर लगा लोगे, ढेर बाहर लगेगा, भीतर कैसे लगाओगे? भीतर ज्यादा से ज्यादा हिसाब रख सकते हो, संपत्ति के आंकड़े रख सकते हो; वह भी बहुत भीतर नहीं, वह भी मन में होंगे; वह भी चैतन्य में न पहुंच पाएंगे। चैतन्य तक तो आंकड़े भी नहीं पहुंचेंगे, संपत्ति तो बाहर रहेगी, गणित मन तक पहुंच जायेगा। संपत्ति मन तक भी नहीं पहुंचेगी, गणित भी न पहुंच पायेगा चैतन्य तक। तुम्हारी चेतना तो पार ही रहेगी। तो जब तक भीतर की कोई संपदा न मिल जाये तब तक कोई संपदा काम की नहीं है।

'अधिक क्या कहें? अतीतकाल में जो श्रेष्ठजन सिद्ध हुए और जो आगे सिद्ध होंगे, वह इस एक सम्यक्त्व का ही परिणाम है। इसी एक सम्यकत्व का महात्म्य है।'

किं बहुणा भणिएणं,

—क्या कहें ज्यादा अब?

जे सिद्धा णरवरा गए काले।

वह जो बीते समय में हुए हैं सिद्ध...। जैनों से कुछ लेना-देना नहीं है इसका। ये वचन शुद्ध उन सबके लिए हैं जो सिद्ध हुए हैं। इसमें वेदों के ऋषि और उपनिषदों के कवि सभी सम्मिलित हैं।

किं बहुणा भणिएणं, जे सिद्धा णरवरा गए काले।

जो-जो बीते समय में, बीते काल में...बेशर्त महावीर कह रहे हैं, कोई शर्त नहीं लगायी है। नहीं तो कहते, कि जैन सिद्ध जो हुए हैं अतीत में। जो अभी जागे हैं...! जैन से क्या लेना-देना जागने का? जो जाग गये, वे सभी जिन हैं।

सिज्झिहिंति जे वि भविया, तं जाणइ सम्ममाहप्पं।

—वे इसी सम्यकत्व के महात्म्य से उपलब्ध हए हैं। वे इसी दृष्टि के, इसी जागरण से, इसी ध्यान, इसी समाधि से उपलब्ध हुए हैं।

'जैसे कमलिनी का पत्र स्वभाव से ही जल से लिप्त नहीं होता वैसे ही सत्पुरुष सम्यकत्व के प्रभाव से कषाय और विषयों से लिप्त नहीं होते।'

तो महावीर क्यों कर कहेंगे, भाग जाओ संसार से! हां, किसी को स्वभाव के अनुकूल बैठता हो संसार से अलग हट जाना तो वह भागना नहीं है। जब किसी के घर में आग लगती है और कोई आदमी भागकर बाहर आता है तो तुम उसको भगोड़ा तो नहीं कहते! तुम यह तो नहीं कहते, एस्केपिस्ट हो, पलायनवादी हो! अगर वह घर में ही बैठा रहे और जल जाये तो तुम उसको मूढ़ जरूर कहोगे, लेकिन बाहर निकल आए तो भगोड़ा तो न कहोगे! किसी व्यक्ति को अगर संसार का जीवन तालमेल न खाता हो, उसके भीतर के संगीत में न बैठता हो, उसकी लयबद्धता खंडित होती हो, तो वह हट जाये। लेकिन वह भगोड़ा नहीं है। भगोड़ा तो वह है जो यह सोचता है कि संसार से हट जाने के कारण मुझे मोक्ष मिलेगा। जो संसार से हट जाने को मोक्ष पाने का साधन बनाता है, वह भगोड़ा है। मोक्ष का कोई संबंध संसार से भाग जाने से नहीं है।

महावीर कहते हैं, 'जैसे कमलिनी का पत्र स्वभाव से जल से लिप्त नहीं होता वैसे ही सत्पुरुष, सम्यकत्व के प्रभाव से कषाय और विषयों से लिप्त नहीं होते।' वह अगर कषायों और विषयों के बीच भी खड़े रहें, जैसे कमलिनी का पत्र सरोवर में पड़ा रहता है, तो भी लिप्त नहीं होते। एक दफा दिखायी पड़ना शुरू हो जाये, बस वह दृष्टि ही अलिप्तता बन जाती है।

दुनिया की महफिलों से उकता गया हूं या रब
क्या लुत्फ अंजुमन का जब दिल ही बुझ गया हो।

एक दफा वासना बुझ जाये, एक बार वासना की जगह दृष्टि का दीया जल जाये...

दुनिया से कुछ लगाव न उक्बा की आरजू है
तंग आ गये हैं इस दिले बे-मुद्दआ से हम।

और फिर न तो इस दुनिया का कोई लगाव रह जाता और न उस दुनिया की कोई आकांक्षा रह जाती है। जिनके मन में उस दुनिया की कोई आकांक्षा रह गयी है—वह दुनिया इसी दुनिया का विस्तार है—वह दुनिया से अभी उकताए नहीं। जो सोच रहे हैं, स्वर्ग में

मजे करेंगे; जो सोच रहे हैं स्वर्ग में नचाएंगे अप्सराओं को; जो सोच रहे हैं, स्वर्ग में शराब के झरने बह रहे हैं, डुबकी लेंगे—वे इस दुनिया से उकताए नहीं हैं। समझ उन्हें आयी नहीं; जागरण हुआ नहीं।

'सम्यक दृष्टि मनुष्य अपनी इंद्रियों के द्वारा चेतन तथा अचेतन तत्वों का जो भी उपयोग करता है, जो भी उपभोग करता है, वह सब कर्मों की निर्जरा में सहायक होता है।'

महावीर कहते हैं, सभी उपभोग बांधता नहीं; क्योंकि ध्यान भी करोगे तो भोजन करना होगा। तो ध्यान के लिए भी शरीर जरूरी होगा। वेश्या के घर जाना है तो भी शरीर से ही चलकर जाओगे और मंदिर जाना है तो भी शरीर से ही चलकर जाओगे। किसी की हत्या करनी हो तो भी ऊर्जा चाहिए, भोजन से मिलेगी; और किसी की सेवा करनी हो तो भी ऊर्जा चाहिए, भोजन से ही मिलेगी। भोजन छोड़ देने का सवाल नहीं है; भोजन का सम्यक उपयोग कर लेने का सवाल है।

तो महावीर कहते हैं, 'सम्यक दृष्टि मनुष्य अपनी इंद्रियों के द्वारा चेतन तथा अचेतन द्रव्यों का जो भी उपभोग करता है, वह सब कर्मों की निर्जरा में सहायक होता है।' वह इसीलिए जीता है ताकि जीवन के पार जा सके। वह इसीलिए भोजन करता है ताकि भगवत्ता को पा सके। वह इसीलिए जल पीता है, ताकि शरीर तृप्त हो, शांत हो, तो अंतर्गमन हो सके। उसकी दृष्टि हर घड़ी उस भीतर के सत्य पर लगी रहती है। वह उसी के लिए सारे जीवन को उपकरण बना लेता है।

श्रीमद्‌भागवत में एक वचन है: स्वयं हि तीर्थानि पुनन्ति संतः! संत पुरुष तीर्थों को पवित्र करते हैं। तीर्थों के कारण कोई पवित्र नहीं होता; संत पुरुषों के कारण तीर्थ बन जाते हैं। जहां संत पुरुष बैठता है वहीं तीर्थ बन जाता है। जहां तीर्थंकर चलते हैं वहीं तीर्थ बन जाते हैं।

गंगा की खोज मत करो। तुम गंगा कभी न पहुंच पाओगे। तुम दृष्टि को, सम्यकत्व को उपलब्ध हो जाओ—गंगा तुम्हारी खोज करती चली जाएगी। नदी, नाला कोई भी तुम्हारे पास से गुजर जायेगा, गंगा जैसा पवित्र हो जायेगा। वास्तविक मूल्य, आत्यंतिक मूल्य तुम्हारे चैतन्य का है।

'कोई तो विषयों का सेवन करते हुए भी सेवन नहीं करता।' यह वचन सुनना! यह गीता में कहा गया होता तो अड़चन न होती; यह महावीर ने कहा है।

इसको बहुत गौर से, होश से सुनना।

'कोई तो विषयों का सेवन करते हुए भी सेवन नहीं करता और कोई न सेवन करते हुए भी विषयों का सेवन करता है। जैसे कोई पुरुष विवाह आदि कार्यों में लगा रहने पर भी उस कार्य का स्वामी न होने से कर्ता नहीं होता।'

यह गीता में तो बिलकुल ठीक था। तो कृष्ण की दृष्टि में साफ था। लेकिन जैनों ने महावीर की दृष्टि को ऐसा लीपा-पोता है कि महावीर के ही वचन पराये मालूम पड़ते हैं।

महावीर यह कह रहे हैं कि कोई तो ऐसे हैं, जागे होने के कारण, सेवन करते हुए भी सेवन नहीं करते; भोजन करते हुए भी उपवासे हैं; ठेठ संसार में खड़े हुए भी संसार के

बाहर हैं। और कोई ऐसे भी हैं कि न सेवन करते हुए भी सेवन करते हैं। उपवास किए हैं, लेकिन भोजन की कल्पना, भोजन की वासना...! ब्रह्मचर्य का व्रत लिए हैं, लेकिन कामवासना की लहरें...! हिमालय पर बैठ गये हैं जाकर, लेकिन संसार की पुकार उन्हें अभी भी सुनायी पड़ती है।

तो असली सवाल बाहर से भाग जाने का नहीं है—भीतर से जाग जाने का है।

फिर तुम भोग कर भी त्यागी हो सकते हो। और अगर वैसा न हुआ तो तुम त्याग कर लोगे और भोगी ही रहोगे।

गो मैं रहा रहीने-सितमहा-ए-रोजगार
लेकिन तेरे खयाल से गाफिल नहीं रहा।

रहा दुनिया की भीड़ में, रहा बाजार में, रहा उलझा संसार में...।

गो मैं रहा रहीने-सितमहा-ए-रोजगार

—काम-धंधों में उलझा हुआ; 'लेकिन तेरे खयाल से गाफिल नहीं रहा!' बस इतना ही कह सको तो काफी है। स्मरण बना रहा, सुरति सधी रही, ध्यान का धागा हाथ में रहा—फिर रहो तुम बाजार में, तुम कमलिनी के पत्र की भांति सरोवर में पानी के बीच रहते हुए भी पानी से अस्पर्शित रहोगे।

महावीर कहते हैं, जैसे कोई आदमी विवाह इत्यादि का आयोजन करता है...मुनीम, मालिक नहीं, तो बड़ी दौड़-धूप करता है, इंतजाम करता है: बैंडबाजे लाओ, भोजन-पत्तल सजाओ; लेकिन चूंकि वह मालिक नहीं है, इसलिए परेशान नहीं है। रात घर जाकर सो जाता है मजे से। कोई याद भी नहीं आती। काम था, कर दिया। कर्ता तो वह नहीं है। लेकिन मालिक चाहे दौड़-धूप भी न कर रहा हो, सिंहासन पर बैठा हो, लेकिन रात सो न पायेगा। उसकी लड़की का विवाह हो रहा है। बड़ी चिंताएं पकड़ेंगी। चिंताएं विवाह के कारण नहीं पकड़तीं, चिंताएं पकड़ती हैं—मेरी लड़की! जहां 'मेरा' है, ममत्व है, वहीं संसार है। जहां 'मेरा' नहीं, ममत्व नहीं, वहीं संसार खो गया। तो फिर तुम कर्ता-भाव से मुक्त होकर जो भी करो उसका कोई बंध नहीं है।

'इसी तरह काम-भोग न समभाव उपस्थित करते हैं और न विकृति...।'

ये वचन तुम सोचना—जैसे किसी महातांत्रिक ने कहे हों!

'इसी तरह काम-भोग न समभाव उपस्थित करते हैं और न विकृति या विषमता। जो उनके प्रति द्वेष और ममत्व रखता है, वह उनमें विकृति को प्राप्त होता है।'

न रखना द्वेष, न रखना ममत्व। जो हो, चुपचाप अपने बोध को सम्हाले, होने देना। जो हो स्थिति, स्मरण न खोये, आत्मस्मरण न खोये। बस, इतना काफी है।

तो महावीर बड़ी हिम्मत का वचन कह रहे हैं। वे कह रहे हैं काम-भोग भी न तो बांधते हैं, न उन्हें छोड़ने से कोई छूटता है। न तो काम-भोग से कोई बंधन निर्मित होता है और न काम-भोग से कोई मुक्ति निर्मित होती है। हां, काम-भोग के प्रति द्वेष और ममत्व का भाव, उससे ही रज्जु निर्मित होती है जो बांधती है। तो तुम कोई ममत्व का भाव मत रखना और द्वेष मत रखना।

अब जिनको तुम संसारी कहते हो, जिनको तुम श्रावक कहते हो, इनका ममत्व है काम-भोग में। तुम अपने संन्यासी को पूछो, उसका क्या है? उसका द्वेष है।

अगर तुम्हें कोई नग्न तस्वीरों वाली किताब मिल जाये तो तुम छिपाकर उसे देख लोगे, या गीता का कवर चढ़ा दोगे ऊपर से और देख लोगे। बच न सकोगे। लेकिन उसी किताब को अगर तुम अपने मुनि महाराज के पास जाकर खोल दो, वह छलांग लगाकर खड़े हो जायेंगे, जैसे तुम सांप-बिच्छू की पिटारी ले आये! वह तुम पर चीखने-चिल्लाने लगेंगे कि यह तुमने क्या किया! भ्रष्ट कर दिया!

तुम्हारा ममत्व है, उनका द्वेष है। महावीर कहते हैं, दोनों ही खतरनाक हैं। कोई भी भाव बांध लेगा, फिर चाहे पक्ष का हो चाहे विपक्ष का हो। तुम संसार में निर्लिप्त, ऐसे जीना कि जैसे तुम्हारा कोई भाव नहीं है। जो हो रहा है, ठीक है। न तुम पकड़ने को उत्सुक हो, न तुम छोड़ने को उत्सुक हो।

विनोबा के पास कोई पैसे ले जाये तो वे आंख बंद कर लेते हैं। पैसे से ऐसा क्या डर? पैसे में ऐसा क्या बल? और अगर पैसे में इतना बल है कि संतों को आंख बंद करनी पड़ती है तो फिर बेचारे ये संसारी अगर पैसे के बल से दबे हैं तो क्या आश्चर्य! किसी की आंख एकदम फैल के दोगुनी हो जाती है और किसी की बंद हो जाती है!

मैं एक सज्जन को जानता था। उनको अगर दूसरे का भी नोट हाथ में लग जाये तो वह उसको ऐसा पुचकार के छूते थे, वैसा कलाकार मैंने नहीं देखा फिर दुबारा। बहुत लोग देखे।...मगर दूसरे के नोट को भी पुचकार के छूते थे। सम्मान तो होना ही चाहिए था। उसको उलट-पलट कर देखते, उसको ऐसे छूते जैसे प्रेयसी हो!

एक तरफ ये हैं कि पैसे को देखते से उनकी जीभ से एकदम लार टपकने लगेगी; और दूसरी तरफ लोग हैं कि आंख बंद कर लेंगे। लेकिन फर्क क्या हुआ? पैसे ने दोनों पर प्रभाव रखा। पैसे ने दोनों से कुछ करवा लिया।

महावीर कह रहे हैं कि पैसे में ऐसा कुछ भी नहीं है—न तो लार टपकाने योग्य कुछ है और न आंख बंद करने योग्य कुछ है। जिस दिन न ममत्व, न द्वेष, दोनों नहीं रह जाते, न राग न विराग—उसी दिन वीतरागता उपलब्ध होती है।

'वीतराग' महावीर का बड़ा बहुमूल्य शब्द है। न राग न विराग, न पकड़ना न छोड़ना, कोई चुनाव नहीं, न इस तरफ न उस तरफ, न घृणा न मोह! अपने में थिर हो जाना, अपने में रम जाना, कि बाहर से कोई भी घटना घटे, तुम्हारे भीतर पक्ष-विपक्ष में कोई भी विचार न उठे, भाव न उठे—ऐसी वीतराग दशा ही मोक्ष का द्वार है। महावीर इस दृष्टि को सर्वाधिक मूल्यवान कहते हैं।

तूफान से उलझ गए लेकर खुदा का नाम
आखिर निजात पा ही गये नाखुदा से हम

—मांझी से छुटकारा पा लिया खुदा का नाम लेकर! लेकिन महावीर ने खुदा से भी छुटकारा पा लिया है। नाखुदा से तो छुटकारा पा ही लिया। किसी के पीछे तो वह चलते ही नहीं, कोई मांझी नहीं है; लेकिन खुदा से, परमात्मा से भी छुटकारा पा लिया। उन्होंने तो

सीधा धर्म का विज्ञान निरूपित किया कि दृष्टि की शुद्धि ही तुम्हारी मार्गद्रष्टा है; वही सदगुरु है।

दृष्टि थिर हो जाये, अनुद्वेग सम्हल जाये, कोई उद्वेग न उठे। घृणा का, प्रशंसा का, सफलता-विफलता का, भोग और त्याग का कोई उद्वेग न उठे, तो तुम निर्वाण के करीब आने लगे।

'अनुद्वेगः श्रीयोमूलं!' हिंदू शास्त्र कहते हैं, अनुद्वेग ही श्रेय का मूल है, निःश्रेयस का मूल है। यह अनुद्वेग दशा ही तुम्हें जल में कमलवत बना देगी। और धन्यभागी हैं वे जो सबके बीच रहकर और सबसे अछूते रह जाते हैं!

आज इतना ही।

३०

प्रेम है आत्यंतिक मुक्ति

प्रश्न-सार

नरहरि कैसे भगति करूं मैं तोरी
चंचल है मति मोरी!

आपने कहा कि जहां उत्कट प्यास होगी वहां पानी को आना ही पड़ेगा। अब पानी तो आ गया है; लेकिन क्या मैं तुरंत अंजुलि भरकर पीना शुरू करूं, या पानी मुंह तक आ जाए, इसकी प्रतीक्षा करूं?

आपके प्रति इतना प्रेम रहते हुए भी आपको सुनते वक्त कभी-कभी अकुलाहट और क्रोध क्यों उठने लगता है?

पहला प्रश्नः ओशो,

नरहरि कैसे भगति करूं मैं तोरी,
चंचल है मति मोरी!

भक्ति के मार्ग पर मन की चंचलता बाधा नहीं है। भक्ति के मार्ग पर मन की चंचलता साधन बन जाती है। वही भक्ति और ज्ञान का भेद है।

ज्ञान के मार्ग पर चंचलता बड़ी बाधा है। क्योंकि ध्यान उपजाना होगा। और ध्यान तो तभी उपजेगा जब मन की सारी कल्पनाएं, सारे विचार, सारी तरंगें सो जायें। ध्यान तो मन की अचंचल दशा का नाम है। तो ज्ञान के मार्ग पर चंचल मन शत्रु मालूम होता है। उससे संघर्ष करना होगा। लेकिन भक्ति के मार्ग पर चंचल मन से कोई विरोध नहीं है। जो लहरें मन की संसार के लिए उठती हैं उन्हीं लहरों को परमात्मा के लिए उठाना है। लहरें बनी रहें—बस परमात्मा के लिए उठने लगें! तरंगें उठती रहें, विचार हों, भावनाएं हों, कोई अड़चन नहीं है—लेकिन उन सभी भावनाओं और तरंगों और विचारों में परमात्मा का रूप समा जाये। चंचल मन भी उसके चरणों में समर्पित हो जाये

इसलिए भक्ति बड़ी सहज है, और ज्ञान असहज है। भक्ति तुम्हारे स्वभाव का उपयोग करती है। ज्ञान, तुम जैसे हो, उसे इनकार करता है; और तुम जैसे होने चाहिए, उसके आदर्श को निरूपित करता है। भक्ति कहती है, तुम जैसे हो, ऐसे ही भगवान को स्वीकार हो। तुम भर भगवान को स्वीकार कर लो, भगवान ने तुम्हें स्वीकार किया ही हुआ है। उसके स्वीकार के बिना तुम हो ही न सकते थे। बुरे भले, जैसे हो, तुम उसके चरणों में अपने को डाल दो। तुम उससे ही कह दो कि हमारे किए कुछ न होगा। कर-कर के ही तो हम भटके। किया तो बहुत, कुछ भी न हुआ। अब तेरी मर्जी!

तो भक्ति और ज्ञान के फासले को समझ लेना। यह प्रश्न साधक का तो सम्यक है, लेकिन शब्दावली भक्त की है।

'नरहरि कैसे भगति करूं मैं तोरी
चंचल है मति मोरी!'

यह शब्दावली तो भक्त की है। और यह प्रश्न साधक का है, भक्त का नहीं। इसे तुम स्पष्ट अलग-अलग कर लोगे तो सुलझाव हो जायेगा। अगर तुम साधक होने के मार्ग पर हो तो भक्ति का कोई सवाल नहीं है। 'नरहरि' का कोई सवाल नहीं है। तब तो तुम हो और तुम्हें अपने प्राणों को अपनी ही ऊर्जा से शुद्ध करना है। तब तुम अकेले हो; कोई संग-साथ नहीं है।

लेकिन, अगर तुम भक्ति के मार्ग पर हो तो 'नरहरि' तुम्हें घेरे खड़ा है; तुम्हारी श्वास-श्वास में छिपा है। तुम जब चंचल होते हो तब वही तुम्हारे भीतर चंचल हो रहा है। ये लहरें भी उसी की हैं, यह सागर भी उसी का है।

यह सागर और लहर में फासला क्यों करते हो? लहर हो सकती है सागर के बिना? सागर हो सकता है लहर के बिना? सागर होगा लहर के बिना तो मुर्दा होगा। उसमें प्राण ही न होंगे। उसमें जीवन का कोई लक्षण न होगा। और लहरें हो सकती हैं सागर के बिना? असंभव। न तो लहरें हो सकती हैं सागर के बिना; अगर होंगी तो किसी चित्र में चित्रित होंगी, वास्तविक न होंगी, कागजी होंगी। और सागर नहीं हो सकता लहरों के बिना; अगर होगा तो मुर्दा होगा। उसमें कोई जीवन न होगा। जीवन होगा तो हवाएं भी उठेंगी और जीवन होगा तो तरंगें भी उठेंगी। और जितना विराट सागर होगा उतने विराट तूफानों को झेलने की झमता होगी। ये लहरें भी उसी की हैं। यह मन भी उसी का! हम भी उसी के! यह तन भी उसी का!

भक्त की भाषा अलग है। इस प्रश्न में उलझन है। यह प्रश्न साफ नहीं है। और जिसने भी ये दो पंक्तियां रची होंगी, उसके मन में भी साफ नहीं थी बात कि वह क्या कह रहा है। उसके मन में खिचड़ी रही। प्रश्न तो साधक का था, और भाषा भक्त की थी। ऐसी उलझन में जो भी पड़ेगा वह बड़े संकट में पड़ जाता है—आत्मसंकट में। उसका मन दो खंड़ों में बंट जाता है। वह टिकिट तो लेता है कलकत्ता जाने की और ट्रेन में बैठ जाता है बंबई की। तो वह सोचता है, टिकिट भी मेरे पास है; और वह सोचता है टिकिट-चैकर मुझे परेशान क्यों कर रहा है! टिकिट उसके पास है, लेकिन उसे किसी और दिशा में

जाना था। जहां वह जा रहा है, वहां की टिकिट उसके पास नहीं है।

ऋग्वेद में एक परम वचन है: 'ऋतस्य यथा प्रेत'; जो प्राकृतिक है, वही प्रिय है। जो स्वाभाविक है, वही शुभ है। स्वभाव के अनुसार जीवन व्यतीत करो। ऋतस्य यथा प्रेत! यही लाओत्सु का आधार है: ताओ। पूरे ताओ को इस ऋग्वेद के एक छोटे-से सूत्र में रखा जा सकता है: ऋतस्य यथा प्रेत।

जो प्राकृतिक, वही प्रिय। तुम श्रेय और प्रेय को तोड़ो मत। जो प्रीतिकर लग रहा है वही श्रेयस्कर है। प्रीतिकर लगना श्रेयस्कर की खबर है। कहीं पास ही श्रेय भी छुपा होगा। तुम श्रेय के द्वार को खोज लो।

इसलिए वेदों का जो ऋषि है, वह कोई भगोड़ा नहीं है। उसने जीवन का निषेध नहीं किया है। जीवन का परम स्वीकार है। परमात्मा ने जो दिया है, वह प्रसाद है। वह उसकी भेंट है। उसका अस्वीकार कैसे हो? उसका त्याग कैसे हो?

त्याग का तो अर्थ ही होगा: कि तेरी भेंट हम...राजी नहीं होते तेरी भेंट से! तेरी भेंट, भेंट के योग्य नहीं! तूने जीवन दिया, यह ले वापस!

दोस्तोवस्की के बड़े प्रसिद्ध उपन्यास 'ब्रदर्स करमाझोव' में एक पात्र नाराज होकर ईश्वर से कहता है: यह अपनी टिकिट तू वापस ले ले। यह जीवन हमें नहीं चाहिए! सम्हाल अपने जीवन को! जीवन को जो त्यागकर जा रहा है, वह यही कह रहा है कि ये फूल हमें न भाये, ये फूल हमें शूल सिद्ध हुए। यह तूने जो वर्षा की थी, यह अमृत की नहीं थी, जहर की थी। और यह तूने हमें जीवन दिया था, यह देने योग्य न था। तूने किसे धोखा देना चाहा?

त्यागी यह कह रहा है कि हम छोड़ते हैं तेरे जीवन को; हमें आवागमन से छुटकारा चाहिए। त्यागी प्रकृति के विपरीत चलता है। वह नदी की धार के विपरीत लड़ता है। वह गंगोत्री की तरफ बहता है; भक्त गंगासागर की तरफ। भक्त कहता है, जहां ले जाये गंगा! हम भी उसी के, गंगा भी उसी की, हवाएं भी उसी की। तो जहां भी पहुंचा देगा वहीं मंजिल होगी! और हम कौन हैं मंजिल को तय करें! तो अगर मन में तरंगें उठती हैं तो उन्हीं तरंगों में वह प्रभु के नाम को गुनगुनाता है।

इसलिए भक्त तुम्हें गुनगुनाता मिलेगा। ज्ञानी तुम्हें मौन मिलेगा। ज्ञानी बाहर से ही मौन नहीं है, भीतर से भी चुप है। शब्द उठा कि संसार उठा। वह संसार से ही नहीं डर गया, शब्द से भी डर गया है। भक्त तुम्हें बाहर भी गुनगुनाता मिलेगा, भीतर भी गुनगुनाता मिलेगा। लहरें उसे स्वीकार हैं। वह लहरों को बदलने की कीमिया जानता है। उसने लहरें भी परमात्मा के चरणों में समर्पित कर दी हैं। वह इससे भयभीत नहीं होता। प्रकृति और उसके बीच कोई विरोध नहीं है। इनकार की भाषा उसे नहीं आती। वस्तुतः भक्त के लिए इनकार की भाषा में ही नास्तिकता छिपी है।

इसलिए ऐसा तो हुआ कि अनेक ज्ञानी नास्तिक हुए; लेकिन एक भी भक्त नास्तिक नहीं हुआ। यह तुम थोड़ा सोचना।

बुद्ध नास्तिक हैं। परमज्ञान को उपलब्ध हो गए, लेकिन नास्तिकता इससे नहीं छूटी

है। महावीर नास्तिक हैं। परमज्ञान को उपलब्ध हुए, लेकिन परमात्मा की कोई जगह नहीं। क्योंकि जब पूजा की ही जगह न हो तो परमात्मा की कैसे जगह हो सकती है? जब प्रार्थना की ही जगह न हो तो परमात्मा की कैसे जगह हो सकती है?

तो एक अनूठी घटना घटी कि बुद्ध और महावीर जैसे परमज्ञानी नास्तिक हैं। जब पश्चिम को पहली दफा पता चला बुद्ध और महावीर का तो पश्चिम में तो ईसाई शास्त्री समझ ही न सका यह, कि धार्मिक और नास्तिक, यह हो कैसे सकता है! क्योंकि पश्चिम में इस्लाम, यहूदी, ईसाई, तीनों ही भक्ति के संप्रदाय हैं। वो ज्ञान के संप्रदाय, उनमें कोई भी नहीं है। तो उन्होंने एक ही तरह का ढंग जाना था—भक्त का। यह उनके लिए असंभव था कि भगवान के बिना भक्त हो कैसे सकता है! तो प्रथम-रूप जो किताबें लिखी गयीं जैन धर्म और बौद्ध धर्म पर, पश्चिम के लेखकों ने लिखीं, उन्होंने लिखा: ये नीतिशास्त्र की व्यवस्थाएं हैं, धर्म नहीं हैं। मारल कोड्स! क्योंकि धर्म तो ईश्वर के बिना होगा कैसे? लेकिन धर्म ईश्वर के बिना हो सकता है। वस्तुतः साधक का धर्म ईश्वर के बिना ही होगा।

भगवान, भक्त के हृदय का आविर्भाव है। वह पूजा का ही सघन रूप है। वह प्रार्थना ही पर्त दर पर्त जमती जाती है, तब परमात्मा बनती है। वह लहरें, तरंगें अस्वीकार नहीं की गयीं, तभी सागर मिलता है। ज्ञानी तो धीरे-धीरे लहरों को अस्वीकार करके सागर को भी छोड़कर मरुस्थल में विराजमान हो जाता है।

ऋतस्य यथा प्रेत!

तो घबड़ाओ मत! उसने तरंगें दी हैं, उसी को समर्पित कर दो। और उसी की बात उसे लौटा देने में लगता क्या है?

सामवेद में भी एक वचन है: देवस्य पश्य काव्यम्! यह जो दिखायी पड़ रहा है, यह परमात्मा का प्रकट काव्य है। छिपा है वही पीछे। यह जो गुनगुनाहट दिखायी पड़ती है प्रकृति के नाम से, इसके पीछे उसी का कंठ छिपा है। चाहे कोयल की कुहू-कुहू में और चाहे कौवों की शिकायत में—वही छिपा है। कांव-कांव हो कि कुहू-कुहू, अंधेरी रात हो कि प्रकाश से भरा हुआ दिवस हो, और जन्म हो कि मृत्यु हो—सब तरफ उसी के हाथ हैं। यह काव्य उसका है।

देवस्य पश्य काव्यम्! यह जो दिखाई पड़ रहा है संसार, यह उसी का प्रकट काव्य है। जैसे कवि तो छिपा है और हमें केवल कविता हाथ लग रही है।

तुम्हारे भीतर भी जो तरंगें उठा रहा है वह वही है। तुम भी उसी की तरंग हो। तुममें उठी तरंगें भी उसी की तरंगें हैं।

तो यदि भक्त का तुम्हारे पास मन हो तो चिंता मत करो। उसने तरंगें उठाने योग्य तुम्हें समझा, इसके लिए धन्यवाद दो। उसने तुम्हें जीवन दिया। उसने तुम्हें रस दिया। उसने तुम्हें होने के हजार-हजार आयाम दिये। उसने तुम्हें प्रेम दिया, राग-रंग दिए। स्वीकार करो! और स्वीकार करते ही तुम पाओगे कि दंश चला गया। कांटा नहीं चुभता फिर। भक्त तो कहता है:

पकड़े जाते हैं फरिश्तों के लिखे पर, नाहक
आदमी कोई हमारा दमे-तहरीर भी था?

भक्त तो भगवान से कहता है कि फरिश्तों ने जो हमारे संबंध में खबर दी हैं, उनका भरोसा मत करना। हमारे पाप-पुण्यों का जो लेखा-जोखा तुम्हारे फरिश्तों ने बताया है उसका भरोसा मत करना। 'आदमी कोई हमारा दमे-तहरीर भी था?' अगर पूछना हो तो आदमियों से पूछना, क्योंकि आदमी ही समझ पाएंगे कि तुमने हमें ऐसा बनाया था। फरिश्तों को क्या पता कि तुमने कितना प्रेम भर दिया था हमारे रग-रेशे में? फरिश्तों को क्या पता कि कितना नाच और कितनी तरंगें तुमने दी थीं? नहीं, इनकी बात पर भरोसा मत करना। अगर हमने भूल-चूक की हो तो तुमने करवायी थी। और अगर गवाह चाहिए हो तो आदमियों से पूछना, क्योंकि वे हमें समझ सकेंगे। क्योंकि जैसे वे हैं वैसे हम हैं।

पकड़े जाते हैं फरिश्तों के लिखे पर, नाहक
आदमी कोई हमारा दमे-तहरीर भी था?

अगर कोई चश्मदीद आदमी हमारा गवाह हो तो ही बात का भरोसा करना।

ईसाइयत कहती है कि जीसस होंगे तुम्हारे गवाह। जीसस बाइबिल में जगह-जगह दो वचनों का उपयोग करते हैं। कभी-कभी वे कहते हैं, मैं हूं ईश्वर-पुत्र! लेकिन इससे भी ज्यादा बार वे कहते हैं, मैं हूं मनुष्य का पुत्र! सन आफ मैन! बड़ा जोर है उनका इस बात पर कि मैं आदमी का बेटा हूं; जैसे ईश्वर का बेटा होना नंबर दो है। और जीसस कहते हैं कि मैं तुम्हारा गवाह हूं। यह थोड़े सोचने जैसी बात है।

इस्लाम मोहम्मद को ईश्वर का अवतार नहीं मानता, न तीर्थंकर मानता है—इतना ही मानता है, ईश्वर का भेजा हुआ दूत; लेकिन आदमी। यह बात महत्वपूर्ण है। यह महत्वपूर्ण इसलिए है कि आदमी ही आदमी का गवाह हो सकेगा। अगर राम तुम्हारे लिए गवाही देंगे तो गड़बड़ हो जायेगी, क्योंकि वे अपने मापदंड से सोचेंगे। उनके मापदंड बड़े कठोर हैं, अति कठोर हैं, अमानवीय हैं, असंभव हैं! कोई धोबी कह देता है अपनी पत्नी को कि 'मैं कोई रामचंद्र नहीं हूं कि सालों सीता रावण के घर रही और फिर भी उसे स्वीकार कर लिया! एक रात भी अगर तू घर नहीं रही, मैं स्वीकार करने वाला नहीं हूं।' यह खबर काफी हो जाती है राम को सीता को त्याग देने के लिए।...मर्यादा!

अब ऐसा व्यक्ति अगर तुम्हारे बाबत गवाही देगा तो तुम मुश्किल में पड़ोगे। इसकी गवाही का मापदंड बड़ा ऊंचा होगा, अमानवीय होगा। तुम तो इसके सामने हर हालत में पापी सिद्ध हो जाओगे।

इसलिए इस्लाम कहता है, मोहम्मद कोई ईश्वर के अवतार नहीं हैं। वे आदमी जैसे आदमी हैं। और आदमी की जो मुसीबतें हैं, उसकी मुसीबतें हैं। और आदमी की जो आंतरिक पीड़ाएं हैं! उनकी आंतरिक पीड़ाएं हैं। और आदमी के मन के जो भाव हैं, वेग हैं, वह उनके भाव, वेग हैं। उनकी गवाही का अर्थ है।

भक्त तो कहता है, तुमने जैसा बनाया वैसा मैं हूं। मैंने स्वयं को तो बनाया नहीं है।

यह मन भी तुमने दिया है। मुझे तो सिर्फ मिला है। इसका कर्ता मैं नहीं हूं। इसलिए तुम जानो, तुम्हारी जिम्मेवारी है।

अगर भक्त को भगवान का स्मरण भी भूल जाता है तो भी वह बहुत चिंता नहीं करता। वह कहता है, तुम्हीं भुला रहे हो।

तू है तो तेरी फिक्र क्या,
तू नहीं, तो तेरा जिक्र क्या?

अगर तू है तो हमने तेरी फिक्र न भी की तो भी तू है! और अगर तू नहीं है तो तेरा जिक्र भी करते रहे तो क्या सार?

तू है तो तेरी फिक्र क्या,
तू नहीं, तो तेरा जिक्र क्या?

और निश्चित ही आदमी कमजोर है, असहाय है! क्षण भर भाव से भर जाता है; क्षण भर बाद भाव का तूफान उतर जाता है, ज्वार उतर जाता है, सब भूल जाता है।

देखो मंदिर में आदमी को पूजा करते—कैसी पवित्रता झलकती है उसके चेहरे से! नमाज पढ़ते देखो किसी को—कैसा निर्दोष भाव आंखों में उतर आता है! चेहरे पर कोई अद्वितीय आभा आ जाती है। फिर इसी आदमी को बाजार में देखो, किसी से लड़ते-झगड़ते, दुकान चलाते, तो तुम भरोसा ही न कर सकोगे कि वही आदमी है! मन है प्रतिपल बदला जाता : अभी कुछ, अभी कुछ। मन तरंगायित है। चंचल होना मन का स्वभाव है। अगर उसकी याद भी आती है तो भी थिर नहीं हो पाती। किसी क्षण बड़े जोर से आती है, रोएं-रोएं को कंपा जाती है। और कभी भूल जाता है तो दिनों निकल जाते हैं और याद नहीं आती। जब तुम्हें याद आती है, तब तुम चौंकते हो, रोते हो कि अरे, इतने दिन भूला रहा!

लेकिन मनुष्य की यह नैसर्गिक स्थिति है। श्वास भीतर जाती है, फिर बाहर जाती है। तुम भीतर ही श्वास को रखना चाहोगे, मर जाओगे। भीतर जो आयी है वह बाहर जायेगी। बाहर जो गयी है वह फिर भीतर आयेगी। ऐसा प्रतिपल श्वास का आंदोलन चलेगा। सभी स्थितियों में विरोध रहेगा। दिन काम करोगे, रात सो जाओगे। एक क्षण तय करोगे, दूसरे क्षण निश्चय टूट जायेगा। ऐसे ही श्वास आती-जाती रहेगी। ऐसी ही लहरों पर नौका डोलती रहेगी।

अब दो उपाय हैं। एक तो ज्ञानी का उपाय है, जो कि बड़ा दुर्गम है; क्योंकि स्वयं से चेष्टा करनी पड़ेगी। अपने छोटे-छोटे हाथों से इस पूरे सागर को शांत करना पड़ेगा। इसलिए महावीर को अगर हमने महावीर कहा तो ऐसे ही नहीं कहा। बड़ी घनघोर तपश्चर्या थी! दुर्धर्ष! जन्मों-जन्मों की तपश्चर्या थी, तब कहीं जाकर वह क्षण आया सौभाग्य का कि लहरें शांत हुईं। यह बड़ी लड़ाई थी। हां, जिन्हें लड़ने का शौक है वे इस रास्ते पर जा सकते हैं। यह रास्ता भी पहुंचा देता है। भक्त ने तो प्राकृतिक रास्ते को चुना है।

और अगर तुम नैसर्गिक और स्वाभाविक ढंग से, बिना बहुत जद्दोजहद के, बिना व्यर्थ का संघर्ष किए पहुंच जाना चाहते हो तो भक्त का ही रास्ता है। उसी पर छोड़ दो।

जो ज्ञानी जन्मों-जन्मों में कर पाता है, भक्त क्षण में कर लेता है। और जो क्षण में हो सकता है उसको जन्मों-जन्मों में करने की जिद्द, जिद्द ही है। जो क्षण में हो सकता हो, उसे जन्मों-जन्मों तक करके क्या करना है? इकट्ठा ही छोड़ सकते हो...।

रामकृष्ण के पास एक आदमी आया। वह हजार सोने की अशर्फियां लाया। उसने उनके चरणों में रख दीं और कहा कि यह मुझे आपको देना है। रामकृष्ण ने कहा कि ठीक है, अब तू ले आया है तो लौटाऊंगा तो तुझे बुरा लगेगा, ले लिया। ये मेरी हो गयीं। अब तू इतना काम कर दे मेरी तरफ सेः इनको ले जाकर गंगा में डाल आ। यह मेरी हो गयीं। अब तू इतना काम और कर दे मेरे लिए कि इनको जाकर गंगा में डाल आ।

वह आदमी गया तो, लेकिन लौटा नहीं, बड़ी देर होने लगी। तो रामकृष्ण ने कहा कि जाओ, देखो वह क्या कर रहा है! वह वहां एक-एक अशर्फी को बजा-बजा कर, खनका-खनका कर फेंक रहा था पानी में। भीड़ इकट्ठी हो गयी थी। चमत्कार हो रहा था कि यह आदमी भी क्या कर रहा है! और वह एक-एक को बजाता, परखता, देखता, फेंकता। तो देर लग रही थी। गिनती रखता—तीन सौ तीन, तीन सौ चार—ऐसा धीरे-धीरे जा रहा था! तो रामकृष्ण ने कहा, उससे जाकर कहो कि नासमझ, जब इकट्ठी करनी हों तो एक-एक अशर्फी को जांच-जांच कर, परख-परख कर गिनती कर-कर के, खाते में लिख-लिख कर करना पड़ता है। जब पूरी फेंकनी हैं नदी में तो हजार हुईं कि नौ सौ निन्यानबे हुईं कि एक हजार एक हुईं! जब फेंकना है तो इकट्ठा फेंका जा सकता है; गिन-गिन कर वहां क्या कर रहा है?

भक्त कहता है, जब डालना ही है उसके चरणों में तो गिन-गिन कर क्या डालना, इकट्ठा ही डाल देंगे! और यह भी अहंकार क्यों करना कि पुण्य ही उसके चरणों में डालेंगे!

यह भक्त की महिमा है। वह कहता है, पाप भी उसी के चरणों में डाल देंगे! यह भी अहंकार हम क्यों रखें कि हम पुण्य ही तेरे चरणों में चढ़ाएंगे, पाप न चढ़ाएंगे? इसमें भी बड़ी सूक्ष्म अस्मिता है छिपी हुई, कि मैं और पाप तेरे चरणों में चढ़ाऊं! नहीं, पहले पुण्य का निर्माण करूंगा, फिर चढ़ाऊंगा। मैं, और गलत तेरे चरणों में आऊं—नहीं! आऊंगा—सर्व सुंदर होकर, सर्वांग सुंदर होकर, महिमा से आवृत्त होकर—तब तेरे चरणों में रखूंगा! इसमें भी बड़ी अस्मिता है। भक्त कहता है, अब जैसा भी हूं, दीन-हीन, बुरा-भला, सुंदर-असुंदर, स्वीकार कर लो!

इसीलिए खड़ा रहा
कि तुम मुझे पुकार लो
जमीन है न बोलती
न आसमान बोलता
जहान देखकर मुझे
नहीं जबान खोलता
नहीं जगह कहीं जहां
न अजनबी गिना गया

कहां-कहां न फिर चुका
दिमाग-दिल टटोलता
कहां मनुष्य है कि जो
उम्मीद छोड़कर जीया
इसीलिए अड़ा रहा
कि तुम मुझे पुकार लो
इसीलिए खड़ा रहा
कि तुम मुझे पुकार लो!
पुकार कर दुलार लो
दुलार कर सुधार लो!

भक्त कहता है, तुम्हीं...! पुकारकर दुलार लो, दुलारकर सुधार लो! तुम्हीं...!

भक्त की बड़ी अनूठी भाव-दशा है। भक्त को कुछ भी करना नहीं है, सिर्फ कर्तापन का भाव छोड़ना है। ज्ञानी को बहुत कुछ करना है—लंबी यात्रा है। और मजा यह है कि ज्ञानी कर-कर के भी अंत में यही कर पाता है कि कर्तापन का भाव छोड़ पाता है। वह उसकी अंतिम सीढ़ी है। भक्त की वही प्रथम सीढ़ी है। इसलिए मैं बार-बार कहता हूं, ज्ञानी क्रमशः चलता है, भक्त छलांग लगाता है। ज्ञानी सीढ़ी से उतरता है; भक्त छलांग लगाता है।

इसलिए महावीर के वचनों में तुम्हें एक क्रमबद्धता मिलेगी, एक वैज्ञानिक शृंखला मिलेगी। एक कदम दूसरे कदम से जुड़ा हुआ है। एक-एक कदम ब्योरेवार, साफ-साफ! सब इंगित-इशारे हैं। पूरा नक्शा है। जगह-जगह मील के पत्थर हैं। कितने आ गये, कितना आगे जाने को है—सब लिखा है।

महावीर ने चौदह गुणस्थान कहे हैं और पूरी यात्रा को चौदह खंडों में बांट दिया है। एक-एक खंड का स्पष्ट मील का पत्थर है। तुम पक्की तरह जान सकते हो कि तुम कहां हो, कितने चल गये हो और कितना चलने को बाकी है। चौदहवें गुणस्थान के बाद ही यात्रा पूरी होती है।

भक्त के पास कोई गुणस्थान नहीं है। भक्त के पास कोई नक्शा ही नहीं है। भक्त के पास कोई क्रमबद्ध सीढ़ियां नहीं हैं। भक्त को कुछ पता भी नहीं कि वह कहां है। वह इतना ही भर जानता है कि जहां भी हूं, उसी का हूं; जैसा भी हूं, उसी का हूं। बस इतना सूत्र उसके हृदय में सघन होता चला जाता है।

और यह निर्भर करता है तुम पर, चाहो तो एक क्षण में छलांग लग जाये, चाहो तो तुम जन्मों-जन्मों तक छलांग का विचार करते रहो।

जो गणित से जीते हैं उनके लिए ज्ञान का रास्ता है। जो प्रेम से जीते हैं उनके लिए भक्ति का रास्ता है।

'नरहरि कैसे भगति करूं मैं तोरी
चंचल है मति मोरी!'

उस चंचल मति को उसके चरणों में रख दो! कहना, ले सम्हाल! फिर अगर वह कहे कि नहीं, तुम्हीं सम्हालो मेरे लिए, तो जैसे रामकृष्ण ने उस आदमी से कहा था कि जा मेरे लिए गंगा में फेंक आ, तो तुम सम्हालना जब तक उसने तुम्हें दी है। वह अमानत है। तुम्हारा कुछ लेना-देना नहीं है। वह कहता है, सम्हाल मेरे लिए। अमानत है, तो तुमने सम्हाल ली है; जब मांगेगा तब वापस लौटा देंगे।

दूसरा प्रश्न :

ओशो, दो दिन पहले संध्या के दर्शन में आपने एक युवती से कहा था, श्रद्धा करो। और मैंने भी आपकी बात पर श्रद्धा की कि जहां उत्कट प्यास होगी वहां पानी को आना ही पड़ेगा। अब पानी तो आ गया है, लेकिन क्या मैं तुरंत अंजलि भर के पीना शुरू करूं या पानी मुंह तक आ जाये, इसकी धैर्य से प्रतीक्षा करूं?

तुम्हारी जैसी मर्जी!

साधना के जगत में हर जगह भक्त और साधक का फर्क है। साधक तत्क्षण अंजलि भरकर पी लेगा। भक्त थोड़ी मान-मनौवल चाहता है। वह कहता है, भगवान कहे, 'पीओ!' थपथपाए कि 'चलो पीओ भी! माना कि बहुत देर प्यासे रहे, अब तो पी लो।' तो वह रूठकर खड़ा हो जाता है।

झुकाया तूने, झुके हम, बराबरी न रही
यह बंदगी हुई ऐ दोस्त! आशिकी न रही।

वह बड़े मान-मनौवल लेता है। वह कहता है, 'झुकें? क्यों झुकें?' और वह यह इसीलिए कह पाता है, 'क्यों झुकें', क्योंकि वह झुका तो है ही।

सब उसने छोड़ा है तो यह हक अर्जित किया है कि वह थोड़ा रूठने-मनाने का खेल खेल सकता है।

साधक के सामने जब पानी आता है तो वह तत्क्षण पी लेता है, क्योंकि ऐसे ही तो बहुत प्रतीक्षा की उसने। और वह सदा डरा होता है कि कहीं छूट न जाये, आया हुआ कहीं खो न जाये। जिसने, इतने श्रम से आया है, इतनी लंबी यात्रा करके आया है, तब कहीं पानी के दर्शन हुए, वह तो एकदम झुक जाता है और पीने में लग जाता है। लेकिन भक्त को तो बिना कुछ किए मिलता है। वह कोई लंबी यात्रा करके आया नहीं है। 'उसके' प्रसाद से मिलता है। 'उसकी' अनुकंपा से मिलता है। उसने कुछ अर्जित किया, ऐसा नहीं है। उसने किसी योग्यता के बल पर पाया, ऐसा नहीं। उसने तो अपनी अपात्रता को जाहिर करके, उसके ही हाथ में सब छोड़कर पाया है। तो वह चाहे तो थोड़ी मान-मनौवल कर

सकता है। रुक सकता है। वह कहता है, 'आने दो, थोड़ा और जल को बढ़ने दो। इतना आ गया है तो ओंठ तक भी आ ही जायेगा। तब पी लेंगे। अंजुलि भी क्यों बांधें? और जिसने इतनी कृपा की है कि जल को ले आया है इतने करीब, वह इतनी और भी करेगा।'

उल्फत का जब मजा है कि वह भी हों बेकरार
दोनों तरफ हो आग बराबर लगी हुई।

और भक्त को तो जैसे-जैसे भक्ति में गहराई आती है, वैसे-वैसे यह बात दिखाई पड़ने लगती है कि मैं ही उसे नहीं खोज रहा हूं, वह भी मुझे खोज रहा है। सचाई भी यही है। प्यासा ही जलस्रोत को नहीं खोज रहा है, जलस्रोत भी प्रतीक्षा कर रहा है कि आओ। क्योंकि जब प्यासा जलस्रोत पर तृप्त होता है, तब जलस्रोत भी तृप्त होता है। प्यासे की ही प्यास नहीं बुझती, जलस्रोत की भी जन्मों-जन्मों की प्यास बुझती है। जलस्रोत का सुख यही है कि किसी की प्यास बुझे।

तुम ही खोज रहे हो परमात्मा को, अगर ऐसा ही होता और उसे कोई प्रयोजन नहीं है तुमसे, तो खोज पूरी भी होती, इसकी संभावना नहीं है। क्योंकि अगर उसको रस ही न हो खोजे जाने में, तो तुम कैसे खोज पाते? तुम खोज पाते हो, क्योंकि वह भी चाहता है तुम खोज लो। वह ऐसी जगह खड़ा होता है कि तुमसे मिलन हो जाये। वह ऐसे तुम्हारे पास ही आकर खड़ा हो जाता है कि तुम जरा ही खोज-बीन करो कि मिलना हो जाये।

तुमने बच्चों को देखा है न, छिया-छी खेलते, बस वही खेल है! वे कोई ज्यादा दूर नहीं चले जाते कि फिर तुम खोज ही न पाओ। वहीं कमरे में बिस्तर के पीछे छिपे हैं, कि पलंग के नीचे चले गए हैं। तुमको भी पता है, उनको भी पता है।

जिसको पता है वह भी दो-चार चक्कर लगाकर बिस्तर के नीचे आ जाता है कि अरे! और इस तरह चमत्कृत होता है कि जैसे कुछ पता न था। हालांकि वह आंख बंद किये खड़ा था, लेकिन उसने थोड़ी-सी आंख खोलकर देख लिया था कि कहां जा रहे हो! सबको पता है।

इसलिए हिंदू इस जगत को लीला कहते हैं।...छिया-छी है।

परमात्मा भी तुम्हें खोज रहा है। तुम्हीं अकेले नहीं हो खोज में। यह तुम्हारा हाथ ही उसके हाथ की तरफ नहीं बढ़ा है, उसका हाथ भी तुम्हारे हाथ की तरफ बढ़ा है। शायद तुमने हाथ बढ़ाया, उससे पहले ही उसने हाथ बढ़ा दिया है। तुम्हें जब से बनाया, तब से ही हाथ बढ़ाए खड़ा है। तुमने बड़ी देर कर दी है।

उल्फत का जब मजा है कि वह भी हों बेकरार
दोनों तरफ हो आग बराबर लगी हुई।

—आग दोनों तरफ बराबर लगी हुई है। प्यासा वह भी है कि तुम आओ।

वैज्ञानिक कहते हैं, सूरज निकलता है, फूल खिलते हैं। अब तक ऐसा ही समझा जाता रहा है कि यह एकतरफा लेन-देन है: सूरज निकला, फूल खिले। सूरज तो बहुत कुछ देता है फूलों को। सूरज के बिना तो फूल खिल न सकेंगे। कवियों को सदा इस बात पर संदेह रहा है और अब कुछ वैज्ञानिकों को भी संदेह होना शुरू हुआ है। और वह संदेह

यह है कि एकतरफा तो जगत में कुछ भी नहीं हो सकता। यहां तो सब लेन-देन संतुलित है। यहां तो दोनों तराजू समान होने चाहिए। अन्यथा अव्यवस्था हो जायेगी। सूरज देता रहे, फूल लेते रहें; सूरज देता रहे, फूल लेते रहें—तो एक दिन सूरज का दिवाला निकल जायेगा। और फूलों के पेट इतने बड़े हो जाएंगे कि वे अपने को सम्हाल न पाएंगे। नहीं, फूल भी कुछ दे रहे होंगे। और सुबह जब सूरज निकलता है तो फूल ही नहीं खिलते, सूरज भी फूलों को खिला देखकर खिलता होगा

यह अब तक तो कविता रही है। लेकिन अभी इधर दस वर्षों में वैज्ञानिकों को इस पर संदेह आने लगा है और शक होने लगा है कि यह कविता कहीं सच ही न हो। क्योंकि सब तरफ जीवन में लेन-देन बराबर है। तुम जिसे प्रेम देते हो, तत्क्षण उससे प्रेम पाते हो। अगर तुम ही प्रेम दे रहे हो और दूसरी तरफ से प्रेम नहीं लौटता, तुम जल्दी ही थक जाते हो। तुम उदास हो जाते हो। तुम अपने रास्ते पर लग जाते हो। तुम सोचते हो, यह द्वार अपने लिए नहीं। तुम अगर मित्रता बांट रहे हो और दूसरी तरफ से मित्रता के लिए कोई प्रतिसंवेदन नहीं होता, कोई संवाद नहीं उठता, दूसरे हृदय से कुछ खबर नहीं आती कि तुम्हारी मित्रता स्वीकार की गयी, अस्वीकार की गयी; चाही गई थी, नहीं चाही गई थी; दूसरा प्रसन्न हुआ कि नहीं प्रसन्न हुआ; दूसरा अगर तटस्थ ही खड़ा रहे उपेक्षा से—तो जल्दी ही मित्रता सूख जाती है। सींचना तभी संभव हो पाता है जब दोनों तरफ से बह चले; आये भी जाये भी; लौटे। और जब तुम किसी को प्रेम देते हो और प्रेम वापस लौटता है तो हजार गुना होकर लौटता है। फिर तुम देते हो, फिर हजार गुना होकर लौटता है। दो प्रेमी एक-दूसरे को देकर इतना पा लेते हैं जितना उन्होंने दिया कभी भी नहीं था; क्योंकि दोनों की तरफ हजार गुना होकर लौटने लगता है।

दो प्रेमियों का जोड़ केवल जोड़ नहीं होता, गुणनफल होता है। जो अंतिम हिसाब है उसमें ऐसा नहीं होता कि तीन + तीन = छह। उसमें ऐसा होता है : तीन गुणनफल तीन से = नौ। गुणनफल की तरह चलती है, बढ़ती जाती है संख्या। बड़ा होता चला जाता है। दोनों प्रेमी छोटे हो जाते हैं और दोनों के आसपास आने-जाने वाला प्रेम बहुत बड़ा हो जाता है। दोनों प्रेमी दो तट की भांति हो जाते हैं और प्रेम की गंगा बड़ी होने लगती है। लेकिन यह तभी संभव है जब लौटता भी हो।

मेरी भी दृष्टि यही है कि फूल भी लौटाते हैं। और जिस दिन पृथ्वी पर एक भी फूल न होगा, उस दिन सूरज ऊगना न चाहेगा। ऊगने का कोई अर्थ न रह जायेगा। किसके लिए?

मैं यहां बोल रहा हूं। तुम अगर समझते हो तो ही बोल सकता हूं। तुम्हारी आंख से, तुम्हारे भाव से, तुम्हारी मुद्रा से अगर समझ को लौटते हुए देखता हूं तो ही बोल सकता हूं। अन्यथा फिर दीवालों से बोलने में और तुमसे बोलने में कोई फर्क न रह जायेगा। फिर दीवालों से ही बोल ले सकता हूं। तुम दीवाल नहीं हो। इसलिए धीरे-धीरे मैंने भीड़ में बोलना बंद कर दिया, क्योंकि मैंने पाया कि वहां बड़ी दीवाल खड़ी है। भीड़ तो खड़ी होती है, लेकिन दीवाल की तरह खड़ी होती है। वहां संवेदनशील चित्त नहीं हैं। तो मैं बोलता हूं,

लेकिन लौटता कुछ भी नहीं। और अगर लौटता न हो, कम से कम समझ न लौटती हो, आंखों की झलक न लौटती हो, जरा-सी रोशनी है, तुम्हारी आंख में कौंध जाती है, अगर वह न लौटती हो, तो बोलना व्यर्थ हो जाता है।

मैं कहता हूं, सूरज नहीं ऊगेगा, जिस दिन फूल नहीं खिलेंगे। यह तो हम जानते हैं कि फूल नहीं खिलेंगे अगर सूरज नहीं ऊगेगा। दूसरी बात भी इतनी ही सुनिश्चित है। फूलों की तरफ से किसी ने अभी बहुत गवाही नहीं दी। फूलों की तरफ से खोज नहीं हुई। फूल छोटे-छोटे हैं, सूरज बड़ा है।

लेकिन आदमी के जगत में उलटी हालत है। आदमी छोटा है और कहता है, हम परमात्मा को खोजते हैं। और परमात्मा बड़ा है, सूरज की भांति। परमात्मा तुम्हें खोज रहा है। तुम छोटे-छोटे फूल हो। वह तुम्हारी तलाश कर रहा है। उसकी किरणें तुम्हें आकर घेर लेना चाहती हैं, तुम्हारे साथ हवाओं में नाचना चाहती हैं। इसे अगर स्मरण रखा तो कोई डर नहीं है, थोड़ी देर रुक जाना। जो छाती तक आ गया है पानी, वह ओंठों तक भी आ जायेगा। वह तुम्हें डुबा लेना चाहता है अपने में। वह डूबकर बड़ा मस्त होगा। वह डुबाकर बड़ा मस्त होगा। वह तुम्हें अपने में आत्मसात कर लेना चाहता है। तुम उसी की ऊर्जा हो—दूर भटक गयी। वह तुम्हें पाकर वैसा ही प्रसन्न होगा जैसे कोई प्रेयसी, उसका पति खोया हुआ वापस लौट आए; या कोई मां, उसका बेटा खोया हुआ वापस लौट आए; या कोई बाप।

यह आनंद एकतरफा होने वाला नहीं है। इस जगत में एकतरफा कुछ भी नहीं है। इसे तुम जीवन का बुनियादी सत्य समझो। यहां जहां भी एक तरफ तुम कुछ देखो, समझना कि दूसरी तरफ भी कुछ हो रहा है। यहां ताली एक हाथ से नहीं बजती।

तो भक्त अकेला ही ताली न बजा पाएगा। और भक्त अकेला भजन न कर पायेगा। और भक्त अकेला कीर्तन न कर पायेगा। अगर पाए न कि भजन में वह भी सम्मिलित है, कहीं पीछे खड़ा वह भी गुनगुना रहा है, और कीर्तन में अगर पाए न कि वह भी नाच रहा है—कितनी देर भक्त अकेला चल पाएगा? ईंधन जल्दी ही चुक जायेगा। वही है जो ईंधन को डाले चला जाता है। इसलिए अगर साधक हो और बड़ी मेहनत से पहुंचे हो जलस्रोत पर, तो अंजुलि भरकर पीना ही पड़ेगा; तुम देर तक प्रतीक्षा नहीं कर सकते। क्योंकि साधक मानता है, मैं ही खोज रहा हूं; परमात्मा मुझे नहीं खोज रहा है। परमात्मा का साधक को कोई बड़ा सवाल ही नहीं है। साधक सत्य खोजता है। सत्य का अर्थ होता है: तटस्थ। भक्त भगवान खोजता है। भगवान का अर्थ होता है: व्यक्ति, प्रेम से लबालब! सत्य रूखा शब्द है। सत्य में तर्क की भनक है, गणित का स्वाद है। सत्य शब्द में कोई रसधार नहीं है, मरुस्थल जैसा है। अब तुम लगाओ सत्य को छाती से, तुमको पता चलेगा! तो तुम तो लगा रहे हो, लेकिन सत्य बिलकुल हाथ नहीं फैला रहा। जैसे तुम किसी खंभे को छाती से लगा रहे हो, ऐसा सत्य छाती से लगेगा।

'भगवान!' भक्त यही कह रहा है कि अस्तित्व तुम्हारे प्रति तटस्थ नहीं है। इतना ही अर्थ है भगवान शब्द का। भगवान से कोई मतलब नहीं है कि कोई बैठा है आकाश में

व्यक्ति की तरह। यह शब्द तो सूचक है। यह तो इतना कह रहा है कि अस्तित्व तुम्हारे प्रति उदासीन नहीं है। अस्तित्व तुम्हारे प्रति प्रेम से लबालब है, भरा हुआ है। यह सत्य नहीं है, बल्कि प्रेम है।

इसलिए जब जीसस ने कहा कि परमात्मा प्रेम है तो उनका यही अर्थ था। कह सकते थे, परमात्मा सत्य है। गांधी ने कहा ही है: ट्रुथ इज गाड; सत्य परमात्मा है। लेकिन सत्य बड़ा रूखा-सूखा शब्द है; जैसे किसी तर्क का, गणित का, हिसाब का शब्द है। इसमें भगवान का रस नहीं। सत्य को परमात्मा कहने का अर्थ है कि परमात्मा नहीं है, सत्य है। फिर सत्य को खोजना पड़ेगा। सत्य तुम्हें नहीं खोजेगा। सत्य को क्या पड़ी है? सत्य में तो कोई प्राण भी नहीं हो सकते। जब सत्य में प्राण होते हैं और भीतर ज्योति का दीया जलता है, तब वह परमात्मा हो जाता है, तब वह सत्य नहीं रह जाता। इसलिए जीसस ज्यादा सही हैं, जब वे कहते हैं परमात्मा प्रेम है या प्रेम परमात्मा है।

तो अगर तुमने भक्त की तरह से छलांग लगायी है तो कोई फिक्र नहीं, रुके रहना, ठहरे रहना—वह बढ़ेगा। तुम जितनी जिद्द करोगे उतनी तीव्रता से बढ़ेगा। तुम्हारी जिद्द भी तुम्हारे भरोसे की अभिव्यक्ति होगी। तुम्हारी जल्दबाजी अधैर्य की, तुम्हारी प्रतीक्षा तुम्हारे धैर्य की!

खुद्दारियां यह मेरे तजस्सुस की देखना
मंजिल पर आकर अपना पता पूछता हूं मैं।

भक्त कहता है, देखो मेरी तलाश का स्वाभिमान कि मंजिल पर आ गया हूं और मंजिल पर आकर अपना पता पूछता हूं।...छिया-छी!

भक्त कभी-कभी बड़े स्वाभिमान से भी बात करता है। भक्त ही कर सकता है स्वाभिमान से बात, क्योंकि जिसका कोई अहंकार नहीं वही स्वाभिमान से बात कर सकता है।

महाराष्ट्र में प्यारी कथा है विठोबा के मंदिर की, कि एक भक्त अपनी मां की सेवा कर रहा है और कृष्ण उसे दर्शन देने आए हैं। उन्होंने द्वार पर दस्तक दी है। तो उसने कहा, अभी गड़बड़ न करो, अभी मैं मां के पैर दाबता हूं। लेकिन कृष्ण ने कहा, सुनो भी मैं कौन हूं! जिसके लिए तुमने सदा प्रार्थना की और सदा पुकारा, वही कृष्ण हूं। इतनी मुश्किल और इतनी प्रार्थनाओं के बाद आया हूं।' तो उसके पास एक ईंट पड़ी थी, उसने ईंट सरका दी, लेकिन उस तरफ देखा नहीं, और कहा, 'इस पर बैठो, विश्राम करो, जब तक मैं मां के पैर दाब लूं।' वह रातभर पैर दाबता रहा और कृष्ण उस ईंट पर खड़े-खड़े थक गये और मूर्ति हो गये होंगे। तो विठोबा की मूर्ति है वह ईंट पर खड़ी है। मगर गजब का भक्त रहा होगा—गजब का भरोसा रहा होगा!

खुद्दारियां यह मेरे तजस्सुस की देखना!

—यह स्वाभिमान मेरी खोज का!

मंजिल पर आकर अपना पता पूछता हूं मैं।

कृष्ण को भी खड़ा रखा। कृष्ण को भी ईंट पर खड़ा कर दिया। भक्त का भरोसा इतना

है, भक्त की श्रद्धा इतनी है कि जल्दी क्या है! बेचैनी क्या है! भक्त को भगवान मिला ही हुआ है। भगवान लौट जायेगा, यह तो सवाल ही नहीं उठता। लौट भी जायेगा तो जायेगा कहां!

इसलिए अगर भक्त की दशा हो और खेल थोड़ी देर और चलाना हो, तो जलस्रोत सामने फूट पड़े, तुम्हें छाती तक डुबा ले, तो भी खड़े रहना, कोई हर्जा नहीं। आएगा! वह भी आ रहा है, तुम्हें खोज रहा है। वह ओंठों तक भी आयेगा। लेकिन अगर बहुत चेष्टा से आए हो तो इतना धैर्य मत करना। क्योंकि जो चेष्टा से मिलता है वह क्षण में खो भी सकता है। मन की किसी भाव-दशा में जलस्रोत दिखाई पड़ता है; भाव-दशा बदल जाये, खो जायेगा। अगर मन की तरंगों पर कब्जा पाकर, ध्यानस्थ होकर, उसके जलस्रोत की झलक मिली हो तो जल्दी पी लेना, क्योंकि तरंगों का क्या पता, विचार फिर आ जायें, फिर चूक जाओ!

साधक कई बार चूक जाता है पहुंच-पहुंच कर; क्योंकि साधक का पहुंचना मन की एक खास दशा पर निर्भर करता है। वह दशा बड़ी संकीर्ण है और बड़ी कठिन है! उसे क्षण भर भी बांधकर रखना बहुत मुश्किल है। महावीर ने कहा है, अड़तालीस सेकेंड तुम ध्यान में रह जाओ तो सत्य की उपलब्धि हो जायेगी। अड़तालीस सेकेंड! अड़तालीस सेकेंड भी मन को ध्यान की अवस्था में रखना कठिन है।

लेकिन भक्त तो चौबीस घंटे भी भगवान के भाव में रह सकता है। वह भूलता भी है तो भी उसी को भूलता है; याद भी करता है तो भी उसी की याद करता है—लेकिन उससे कभी नहीं छूटता। उसका भूलना भी उसी का भूलना है! अगर पीठ भी करता है तो उसी की तरफ करता है और मुंह भी करता है तो उसी की तरफ करता है। भक्त की बड़ी अनूठी स्थिति है!

तो तुम पर निर्भर है, पूछने वाले पर निर्भर है। अगर बामुश्किल खोज पाए हो तो जब पहुंच जाओ पास तो देर मत कर देना, एकदम पी लेना! कौन जाने, कहीं पास आया हुआ स्रोत फिर न खो जाये! हां, अगर भक्त हो तो थोड़ा मजा और खेल का ले सकते हो। और पहुंचकर खेल का जो मजा है वह और ही है! पहले तो हम तड़फते हैं, डरे हुए रहते हैं, परेशान रहते हैं, बेचैन रहते हैं!

इसलिए तुमने अक्सर देखा, मंजिल पर जब लोग पहुंच जाते हैं तो सामने ही बैठ जाते हैं विश्राम के लिए! वैसे चलते रहे, बड़े मीलों चलकर आए होंगे, लेकिन ठीक जब द्वार पर आ जाते हैं तो सोचते हैं ठीक, सीढ़ियों पर बैठ जाते हैं विश्राम करने के लिए। अब कुछ देर नहीं, लेकिन अब पहुंच ही गए तो अब जल्दी भी क्या है!

तीसरा प्रश्न:

ओशो, आपके प्रति इतना प्रेम रहते हुए भी आपको सुनते वक्त कभी-कभी अकुलाहट और क्रोध क्यों उठने लगता है?

प्रेम है—इसीलिए।

तुम्हारा प्रेम क्रोध से मुक्त तो अभी नहीं हो सकता। तुम्हारे प्रेम में तो क्रोध अभी होगा ही। तुम्हारी दोस्ती में तुम्हारी दुश्मनी भी अभी होगी। क्योंकि तुम बंटे-बंटे हो। अभी तुम एकरस नहीं। अभी तो तुम जिससे प्रेम करते हो, उसी को क्रोध भी करते हो। अभी तो तुम जिस पर श्रद्धा करते हो, उसी पर अश्रद्धा भी करते हो। अभी तो तुम विरोधाभासी हो। अभी तो तुम्हारा चित्त एक द्वंद्व की अवस्था में है—जहां विपरीत से छुटकारा नहीं हुआ; जहां विपरीत मौजूद है। तो अगर तुम मुझे प्रेम नहीं करते तो जरूर कोई नाराजगी न होगी।

तुमने देखा, अगर किसी को दुश्मन बनाना हो तो पहले दोस्त बनाना जरूरी है। तुम बिना दोस्त बनाए किसी को दुश्मन बना सकते हो? कैसे बनाओगे? कोई उपाय नहीं। दोस्ती दुश्मनी में बदल सकती है, दुश्मनी दोस्ती में बदल सकती है; लेकिन सीधी दुश्मनी बनाने का कोई उपाय नहीं। हम नाराज उन्हीं पर होते हैं जिनसे हमारा लगाव है। अपनों से हम नाराज होते हैं, परायों से तो हम नाराज नहीं होते।

तो मुझसे अगर तुम्हारा लगाव है तो बहुत बार नाराजगी भी होगी। उससे कुछ घबड़ाने की जरूरत नहीं—वह प्रेम की छाया है। उससे कुछ चिंतित भी मत हो जाना। क्योंकि उससे अगर तुम चिंतित हुए तो खतरा है। खतरा यह है कि तुम अगर उस पर बहुत ज्यादा ध्यान देने लगे चिंतित होकर, तो कहीं वही तुम्हारे ध्यान से मजबूत न होने लगे। स्वीकार कर लेना कि ठीक है, प्रेम है तो कभी-कभी नाराजगी भी हो जाती है। लेकिन उस पर ज्यादा ध्यान मत देना। ध्यान देने से; जिस पर भी हम ध्यान दें वही बढ़ने लगता है। ध्यान भोजन है।

इसीलिए तो हम बहुत रस लेते हैं। अगर कोई तुम्हारे प्रति ध्यान न दे तो तुम कुम्हालने लगते हो। मनोवैज्ञानिक कहते हैं, बच्चे को अगर मां का ध्यान न मिले तो बच्चा, भोजन सब तरह से मिले, चिकित्सा मिले, सुविधा-सुख मिले, तो भी कुम्हला जाता है। ध्यान मिलना चाहिए। ध्यान पाने के लिए बच्चा तड़फता है, रोता है, चीखता है। तुमने देखा, बच्चे को कह दो, 'घर में मेहमान आ रहे हैं, शोरगुल मत करना'! वैसे वह शांति से बैठा था, खेल रहा था अपने खिलौनों से, मेहमान के आते ही वह शोरगुल मचाएगा। क्योंकि इतने लोग घर में मौजूद हैं, इनका ध्यान आकर्षित करने का मौका वह नहीं चूक सकता। और वह एक ही रास्ता जानता है ध्यान आकर्षित करने का कि कुछ उपद्रव खड़ा कर दे।

ध्यान भोजन है। इसीलिए तो लोग इतने आतुर होते हैं कि दूसरों का ध्यान आकर्षित कर लें। कोई राजनेता बनना चाहता है—वह कुछ भी नहीं है, आकांक्षा इतनी है कि हजारों लोगों का ध्यान मेरी तरफ हो। राष्ट्रपति, प्रधानमंत्री...तो करोड़ों लोगों का ध्यान मेरी तरफ हो।

तुमने देखा कि राजनेता जब तक पद पर होते हैं तब तक स्वस्थ रहते हैं; जैसे ही पद से उतरे कि बीमार पड़ जाते हैं! राजनेता जब तक सफल होता रहता है तब तक बिलकुल

स्वस्थ रहता है; असफल हुआ कि मरा, फिर नहीं जी सकता। क्या हो जाता है? जब तक ध्यान मिलता है तब तक भोजन। ध्यान ऊर्जा है। तुम जब भी किसी की तरफ देखते हो गौर से, तब तुम उसे ऊर्जा दे रहे हो। तुम्हारी आंखों से जीवन-स्रोत बहता है।

इसलिए जिन लोगों को ठीक-ठीक रास्ते से ध्यान नहीं मिल पाता वे उलटे उपाय भी करते हैं। मनोवैज्ञानिक कहते हैं कि राजनेताओं में और अपराधियों में कोई फर्क नहीं है। फर्क इतना ही है कि राजनेता समाज-सम्मत उपाय से ध्यान आकर्षित करता है; अपराधी, समाज-असम्मत उपाय से। हत्या कर देता है किसी की, अखबार में फोटो तो छप जाता है, चर्चा तो हो जाती है। लोग कहते हैं, बदनाम हुए तो क्या, कुछ नाम तो होगा! तुम भला सोचते होओ कि अपराधी को कैसा कठिन नहीं मालूम पड़ता होगा जब जंजीरें डालकर पुलिस के आदमी उसे जेलखाने की तरफ ले जाते हैं! तुम गलती में हो, तुम जरा फिर से गौर से देखना! जब किसी आदमी को जंजीर बांधकर पुलिसवाले ले जाते हैं तो तुम उसकी अकड़ देखना—वह किस शान से चलता है! बाजार में वह प्रतिष्ठित है, वह खास आदमी है! बाकी किसी के हाथ में तो जंजीरें नहीं और बाकी की तरफ तो चार-पांच पुलिसवाले आसपास नहीं चल रहे हैं, उसी के पास चल रहे हैं! जैसे राष्ट्रपति के आगे-पीछे पुलिसवाले, ऐसा अपराधी के आगे पीछे भी पुलिसवाले! जैसे राजनेता को भीड़ देखती है, वैसे अपराधी को भी देखती है।

मैंने सुना है, एक राजनेता मरा तो उसकी प्रेतात्मा अपनी अरथी के साथ गयी। एक दूसरी प्रेतात्मा, एक पुराने भूतपूर्व राजनेता, वे भी वहां मौजूद थे मरघट पर। तो उस नये राजनेता की प्रेतात्मा ने उनसे कहा कि अगर मुझे पता होता कि मरने पर इतनी भीड़ इकट्ठी होगी, मैं कभी का मर गया होता। इतनी भीड़ इकट्ठी हुई, जिंदगी में कभी नहीं हुई थी! अगर मुझे पहले पता होता तो मैं कभी का मर गया होता!

भीड़ को इकट्ठा करने का बड़ा शौक है, बड़ा रस है। उसके पीछे मनोवैज्ञानिक सत्य है। अगर कोई भी उपाय न मिले तो आदमी उलटे-सीधे उपाय करता है।

एक आदमी ने अमरीका में इस सदी के प्रारंभ में अपने को प्रसिद्ध करने के लिए आधे बाल काट लिए, आधी दाढ़ी-मूंछ काट ली। न्यूयार्क की सड़कों पर वह तीन दिन घूमता रहा। जहां गया वहीं लोगों ने चौंककर देखा कि क्या हुआ! सब अखबारों में उसका नाम छपा। तीन दिन में वह आदमी हर आदमी की जबान पर था। और जब उससे पूछा गया कि यह तुमने किसलिए किया है, तो उसने कहा कि इसमें क्या कुछ बताने की बात है! मैं मरा जा रहा था, कोई मुझे जानता ही नहीं! हम आए और चले! किसी की नजर भी न पड़ी! यह भी कोई जिंदगी हुई? और मुझमें कोई गुणवत्ता तो है नहीं; मैं कोई बड़ा कवि नहीं हूं, कोई बड़ा चित्रकार नहीं हूं कि लोग मुझे देखेंगे—तो मैंने कहा, कुछ तो करूं! यह मुझे सूझ गया। मगर अब चित्रकार मेरा चित्र उतारने को आ रहे हैं और कवि मेरे संबंध में कविताएं लिख रहे हैं।

खयाल रखना, जिस पर भी तुमने ध्यान दिया वह मजबूत होता चला जाता है। आधुनिक विज्ञान ने जो बड़ी से बड़ी खोजें की हैं उनमें एक खोज बड़ी चमत्कारी है—और

वह यह कि जब वैज्ञानिक निरीक्षण करता है परमाणुओं का, अणुओं का, गहरी खुर्दबीन से, तो एक बहुत अनूठी बात पता चली कि जब वह उनका निरीक्षण करता है तब उनका व्यवहार बदल जाता है। परमाणुओं का निरीक्षण करने से व्यवहार बदल जाता है! यह तो हद्द हो गयी। इसका तो यह अर्थ हुआ कि जब तुम गौर से कुर्सी को देखते हो तो कुर्सी वही नहीं रह जाती, जब वह कोई नहीं देख रहा था, जैसी तब थी! यह आदमी के संबंध में तो समझ में आता है कि रास्ते पर तुम चले जा रहे हो, कोई भी नहीं है, तो तुम एक ढंग के आदमी होते हो। फिर रास्ते पर कोई निकल आया, दो आदमी निकल आए, तो तुम बदल जाते हो, तुम थोड़े सम्हलकर चलने लगते हो। और अगर दो स्त्रियां निकल आएं और अगर सुंदर हुईं, तब तो तुम बिलकुल ही बदल जाते हो। तब तो तुम एकदम झाड़ देते हो अपने को; सब तरह से सुंदर होकर, टाई-वाई ठीक करके चल पड़ते हो! चेहरे पर रौनक आ जाती है, पैर में गति आ जाती है!

तुमने देखा, दस आदमी बैठकर बात कर रहे हों और एक स्त्री वहां आ जाये, बात का पूरा का पूरा रूप बदल जायेगा—तत्क्षण! अब वह दसों के बीच एक होड़ शुरू हो गयी कि इस स्त्री का ध्यान कौन आकर्षित करे!

स्त्री यानी मां! उसी से आंख का पहला संबंध है। उसी से पहला ध्यान मिला था। उसी की आंख से पहली जीवन की ज्योति पायी थी। जैसे ही स्त्री को देखा कि तत्क्षण वही ध्यान की ज्योति पाने की आकांक्षा जगती है। और दसों में प्रतिस्पर्धा हो जायेगी कि कौन इस स्त्री को आकर्षित कर लेता है। जो आकर्षित कर लेगा वह जीत गया, वह नेता हो गया, बाकी नौ हार गये।

वैज्ञानिक कहते हैं कि वस्तुएं तक वही नहीं रह जातीं निरीक्षण करने के साथ, जैसी वह पहले थीं। उनमें भी रूपांतरण हो जाता है। यह तो हद्द हो गयी। परमाणु को देखने के साथ ही व्यवहार बदल जाता है—इससे एक बात सिद्ध होती है कि परमाणु भी आत्मवान हैं। वहां भी चैतन्य है। चैतन्य के अतिरिक्त तो ऐसा नहीं हो सकता।

तो तुम जब वृक्ष को गौर से देखते हो तो तुम यह मत सोचना कि वृक्ष वही रहा—बदल गया। इस पर बहुत प्रयोग हो रहे हैं। अगर तुम एक वृक्ष को चुन लो बगीचे में और रोज उसके पास जाकर उसको ध्यान दो, और ठीक उसके ही मुकाबले वैसा ही दूसरा वृक्ष हो उसको ध्यान मत दो, पानी दो, खाद दो, सब बराबर, सिर्फ ध्यान मत दो और एक वृक्ष को चुनकर तुम उसे रोज ध्यान दो, दुलराओ, पुचकारो, प्यार करो, उससे थोड़ी बात करो, थोड़ी गुफ्तगू अपनी कहो, थोड़ी उसकी सुनो—तुम अचानक हैरान होओगे, जिस वृक्ष को ध्यान दिया वह दुगनी गति से बढ़ता है।

इसके अब तो वैज्ञानिक प्रमाण हैं। उसमें जल्दी फूल आ जाते हैं। और फूल उसके बड़े होंगे। खाद और पानी में कोई फर्क नहीं है। दोनों वृक्ष एक साथ रोपे गए थे, एक ऊंचाई के थे; लेकिन जल्दी ही, जिसको ध्यान दिया गया था वह बढ़ जायेगा, जिसको ध्यान नहीं दिया गया, उपेक्षित, दुर्बल, दीन रह जायेगा।

यही सत्य भीतर के संबंध में भी है। उन्हीं बातों को ध्यान दो जिन्हें तुम बढ़ाना

चाहते हो। मुझसे तुम्हें प्रेम है, प्रेम को ही ध्यान दो। हां, बीच-बीच में छाया पड़ती है क्रोध की, ध्यान मत देना। क्योंकि जिसको तुम ध्यान दोगे वह बढ़ेगा। प्रेम को ही ध्यान देना! ध्यान देते-देते तुम पाओगे, क्रोध कम होने लगा। एक दिन ऐसी घड़ी आयेगी कि क्रोध की सारी ऊर्जा ध्यान में निमज्जित होकर प्रेम बन जायेगी। तब क्रोध की छाया भी न बनेगी। तब प्रेम शुद्ध होगा। और जहां प्रेम शुद्ध है वहीं प्रार्थना का जन्म हो जाता है।

'आपके प्रति इतना प्रेम रहते हुए भी, आपको सुनते वक्त कभी-कभी अकुलाहट और क्रोध क्यों उठने लगता है?'

और भी कारण हैं। मैं जो कह रहा हूं, वह सभी से तुम्हें सांत्वना मिले, ऐसा जरूरी नहीं है। उसमें बहुत है जिससे तुम्हें सांत्वना न मिलेगी। उसमें बहुत है जिससे तुम्हारी धारणाएं टूटेंगी। उसमें बहुत है जिनके कारण तुम्हारे बंधे हुए विचार उखड़ेंगे। उसमें बहुत है जिनसे तुम्हारी अब तक की की गयी व्यवस्था में विघ्न-बाधा पड़ेगी। तो अकुलाहट भी होगी।

अगर तुम एक रास्ते पर चल रहे थे और सोच रहे थे कि सब ठीक है और मुझसे मिलना हो गया, और मैंने कहा कि कुछ भी ठीक नहीं है इसमें—तो अकुलाहट स्वाभाविक है।

एक सूफी मेरे पास लाया गया। तीस साल से निरंतर स्मरण-स्मरण परमात्मा का कर रहा है, जिक्र कर रहा है। और ऐसी घड़ी आ गयी थी कि उसे अब सब जगह परमात्मा दिखायी पड़ता है—वृक्षों में, पहाड़ों में, पत्थरों में। तो मैंने उससे कहा कि तीन दिन मेरे पास रहो और तीन दिन के लिए यह स्मरण बंद कर दो। उसने कहा, क्यों? मैंने कहा, तीस साल हो गए, अब इसका भी तो पता लगाना जरूरी है कि यह कहीं स्मरण ही तो नहीं है! यह कहीं आत्म-सम्मोहन तो नहीं है! क्योंकि बार-बार दोहरा-दोहरा-दोहराकर कहीं ऐसा तो नहीं तुमने खयाल पैदा कर लिया है! तुम्हें दिखायी नहीं पड़ता, सिर्फ भ्रांति हो रही है।

उसने कहा, यह बात तो ठीक है। वह थोड़ा डरा भी। लेकिन फिर भी उसने कहा, मैं कोशिश करूंगा। तीन दिन वह मेरे पास था। उसने परमात्मा का स्मरण छोड़ दिया, नमाज न पढ़ी। तीसरे दिन सुबह वह मुझ पर बहुत नाराज हो गया। उसने कहा, यह तो सब खराब कर दिया। तीस साल की मेरी साधना पर पानी फेर दिया! यह तुमने कैसी दुश्मनी की? मैंने तुम्हारा क्या बिगाड़ा था?

मैंने कहा, मैंने कुछ बिगाड़ा नहीं है, कोई दुश्मनी नहीं की है। एक तथ्य का तुम्हारे सामने उदघाटन हुआ। यह परमात्मा जो तुम सोच रहे हो कि तुम्हें दिखायी पड़ता है, अभी दिखायी नहीं पड़ा है। तुमने सिर्फ अपनी आंख में धुंध खड़ी कर ली है। तीस साल की मेहनत अगर तीन दिन में खो जाये, तो बचाने योग्य ही न थी। तीस साल में अगर वह घड़ी न आयी कि तुम्हारे बिना याद किए परमात्मा याद रहे तो कब आयेगी? तो कहीं कुछ भूल हो रही है। तुम्हारी याददाश्त में कहीं कोई भूल-चूक है। तुम्हारी प्रक्रिया भ्रांत है।

तो स्वाभाविक है कि वह मुझ पर नाराज हुआ। वह नाराज होकर चला गया। फिर कोई पंद्रह दिन बाद वापस लौटा। उसने कहा, क्षमा करना। शायद आप जो कहते हैं, ठीक

है; यद्यपि मैं नाराज हुआ, क्योंकि मेरी सांत्वना छीन ली, मेरी सुरक्षा छीन ली। मैं सोचता था, एक सत्य मिल गया है और वह सत्य छीन लिया! यद्यपि अब मैं समझता हूं कि आपने छीना कुछ भी नहीं। मेरी मुट्ठी खाली थी। मैंने खोलकर न देखी थी। मैंने मान रखा था। अब मैं पूछने आया हूं कि क्या करूं।

तो ऐसा बहुत बार होगा कि सुनते-सुनते तुम्हें अकुलाहट होगी। क्योंकि तुम अपनी सारी मान्यताओं को घर नहीं छोड़कर आ गये हो। तुम उन्हें साथ ले आये हो। जब मैं कुछ बोल रहा हूं तो तुम्हारी मान्यताओं से सतत संघर्ष चल रहा है। एक शब्द तुम्हारे भीतर जाता है तो तुम्हारे हजार शब्दों की भीड़ उसे भीतर घुसने नहीं देती। बेचैनी खड़ी होगी, अकुलाहट खड़ी होगी और क्रोध भी उठेगा। लेकिन इसे समझने की कोशिश करना।

अकुलाहट तभी खड़ी होती है जब मेरे शब्द तुम्हें कुछ दृष्टि देते हैं और वह दृष्टि तुम्हारी धारणाओं के विपरीत पड़ती है। तो जल्दी मत करना। सुनना, समझना। वह अकुलाहट तुम्हारे मन की तरकीब है धुआं खड़ा करने की, ताकि तुम समझ ही न पाओ। उस अकुलाहट में तुम चूक जाओगे। उस वक्त शांत रहकर सुन लेना। मन से कहना, घबड़ा मत, घर चलकर विचार कर लेंगे; पहले समझ लेने दे। तुझे तो हम समझते हैं, वर्षों तेरे साथ रहे हैं; इस बात को भी समझ लेने दे। फिर दोनों पर ठीक-ठीक तौलकर विचार कर लेंगे, तराजू में रख लेंगे, हिसाब-किताब लगा लेंगे। फिर जो ठीक होगा उसे मान लेंगे।

अगर तुमने ठीक से सुना तो फिर कोई अड़चन नहीं है। सत्य की एक खूबी है। तुम उसे ठीक से सुन लो, फिर तुम उससे बचकर भाग न सकोगे। उससे बचने का एक ही उपाय है कि तुम ठीक से सुनो ही न; सुनते वक्त ही तुम गड़बड़ कर दो तो ठीक है। अगर सुन लिया तो फिर असत्य उसके सामने टिक न सकेगा। अगर तुम्हारी धारणा ठीक होगी तो बचेगी; अगर ठीक न होगी तो गिर जायेगी। दोनों हालत में शुभ है।

फिर मेरी बातें सुन-सुनकर तुम्हारे जीवन में रूपांतरण होंगे। वे रूपांतरण समाज को स्वीकृत होंगे, ऐसा नहीं है। समाज को धार्मिक व्यक्ति कभी स्वीकृत नहीं रहा, क्योंकि समाज अभी तक धार्मिक नहीं है। समाज को सांप्रदायिक व्यक्ति स्वीकृत हैं, क्योंकि समाज सांप्रदायिक है। हिंदू स्वीकृत है, मुसलमान स्वीकृत है, ईसाई स्वीकृत है; धार्मिक व्यक्ति किसी को स्वीकृत नहीं है। मैं न तुम्हें हिंदू बना रहा, न ईसाई, न जैन, न बौद्ध। मेरी चेष्टा अनूठी है। मैं तुम्हें सिर्फ धार्मिक बनाना चाहता हूं: विशेषण-शून्य।

तो तुम जब लौटकर जाओगे, अगर मेरी बात तुम्हारे मन में गूंज गई, तुम्हारे हृदय को छू गई, तुम्हारे प्राणों का तार बज गया, तो तुम कुछ अन्यथा होने लगोगे। रूपांतरण शुरू होगा। तुम जहां हो, वहां अड़चन आएगी। तुम मुझ पर क्रोधित भी होओगे।

मुझको तो होश नहीं तुझको खबर हो शायद
लोग कहते हैं कि तुमने मुझे बर्बाद किया।

तो तुम मुझ पर नाराज होओगे। कहोगे कि इस आदमी न बर्बाद किया। भले-चंगे थे! अपना काम-धाम करते थे। यह सब गड़बड़ हो गया। ये गेरुए वस्त्र, यह

माला—लोग कहते हैं, पागल हो गये! लोग कहते हैं, सम्मोहित हो गये! अड़चन होगी दफ्तर में, दुकान में। मैं जानकर ही अड़चन खड़ी कर रहा हूं; क्योंकि उसी अड़चन के माध्यम से तुम बदलोगे, अन्यथा तुम बदल न सकोगे।

सुविधा से कोई बदलता नहीं—चुनौती से बदलता है। चुनौती कष्टपूर्ण होती है। प्रथम चरण में बड़ी पीड़ा होती है; लेकिन पीड़ा के बाद ही नया जन्म है।

तो तुम्हारी नाराजगी, तुम्हारा क्रोध एकदम अकारण है, ऐसा भी नहीं है। फिर जो मेरे प्रेम में पड़ गए हैं, काफी गहरे, जिनको समाज की भी चिंता नहीं है अब, उनको भी अड़चन है। उनको मेरे बिना खाली-खाली लगता है। वह भी नाराजगी का कारण है। वे मुझे न सुनें ज्यादा दिन तक तो बेचैनी होती है। तो जिस आदमी पर हमें निर्भर हो जाना पड़ता है, उस पर नाराजगी होने लगती है कि यह तो बात बुरी हुई। यह तो एक तरह की परतंत्रता हो गयी। अगर वह दो-चार महीने मेरे पास न आएं तो मन बड़ा-बड़ा वीरान हो जाता है; दौड़ होने लगती है आने की; हजार काम छोड़कर आने का मन होने लगता है। यह नशा ऐसा है। इसकी तलफ भी होगी। तो जैसी नाराजगी आनी शुरू होगी कि यह क्या मामला हुआ, यह तो हम जैसे किसी के वश में हो गए, जैसे कोई हमें खींचने लगा, कोई धागे बंध गए, जैसे प्रेम ने कुछ जंजीरें बना लीं! तो भी नाराजगी आती है।

तेरे बगैर किसी चीज की कमी तो नहीं
तेरे बगैर तबियत उदास रहती है।

सब हो तुम्हारे पास लेकिन अगर तुमने अपने हृदय में मुझे थोड़ी-सी जगह दी तो मेरे बिना थोड़ी तबियत उदास रहने लगेगी। तो जो तुम्हें उदास कर रहा है, उससे तुम नाराज न होओगे तो क्या करोगे? यद्यपि यह उदासी संक्रमण काल की है। जल्दी ही यह उदासी भी चली जाएगी। और जल्दी ही ऐसी घड़ी भी आ जायेगी कि यहां भाग-भागकर आने की जरूरत न रहेगी। तुम जहां होओगे वहीं मैं चला आऊंगा। वह घड़ी आने के पहले यह उदासी की घड़ी गुजरेगी।

वीरां है मयकदा खुम-ओ-सागर उदास हैं
तुम क्या गए कि रूठ गये दिन बहार के।

तो अगर मेरे साथ तुमने अपनी बहार का संबंध जोड़ा—जो कि जुड़ ही जाएगा; अगर तुम्हारा नाच मेरे साथ पैदा हुआ, तो संबंध जुड़ ही जायेगा; अगर तुम यहां आकर खुश हुए, प्रसन्न हुए, आनंदित हुए, उत्साह ज़गा, उत्सव हुआ—तो घर लौटकर तुम उदास हो जाओगे। तो मन यहां की तरफ भागा-भागा रहेगा। करोगे कुछ, याद यहां की बनी रहेगी। पत्नी, बच्चे पराए मालूम होने लगेंगे। अपना ही घर धर्मशाला मालूम होने लगेगा। तो नाराजगी बिलकुल स्वाभाविक है। लेकिन यह संक्रमण की बात है। थोड़े और गहरे उतरोगे तो धीरे-धीरे तुम्हें पहली दफा पत्नी-बच्चे अपने मालूम होंगे।

मैं तुम्हें तोड़ने को नहीं हूं, किसी से भी तोड़ने को नहीं हूं! वही मेरी निष्ठा है। तुम्हें मैं किसी से भी तोड़ने की चेष्टा नहीं कर रहा हूं। तुम्हें जोड़ने की ही चेष्टा है। लेकिन इसके पहले कि असली जोड़ घटे, नकली जोड़ टूटेंगे। इसके पहले कि तुम अपने बच्चों

को सच में प्रेम कर पाओ, वह जो झूठा प्रेम है—जो तुमने अब तक समझा है प्रेम है—वह जायेगा। वह जायेगा तो तुम बेचैन होओगे। तुम्हारे हाथ खाली लगने लगेंगे। तुम्हारा हृदय रिक्त होता हुआ मालूम पड़ेगा। लेकिन भरने की वह पहली शर्त है। तुम्हें पहले सूना करूंगा, खाली करूंगा, ताकि तुम भरे जा सको। तुम्हें काटना भी पड़ेगा, छैनी उठाकर तुम्हारे कई टुकड़े अलग भी करने पड़ेंगे—तभी तुम्हारी प्रतिमा निखर सकती है।

तो अकारण नहीं है, स्वाभाविक है। अगर समझ लिया तो बेचैन न होओगे। ये बेचैनी की घड़ियां बीत जायेंगी।

प्रेम कभी भी किसी को दुखी नहीं किया है। और प्रेम कभी किसी के लिए बंधन नहीं बना है। अगर मालूम पड़ता हो तो इतना ही समझना कि नया-नया है। यह स्वाद अभी जबान पर बैठा नहीं; एक दफा बैठ जायेगा तो तुम पाओगे, प्रेम ही स्वतंत्रता है।

प्रेम मुक्ति है। प्रेम से बड़ी कोई मुक्ति नहीं।

आज इतना ही।

३१

सम्यक दर्शन के आठ अंग

सूत्र

निस्संकिय निक्कंखिय निव्वितिगिच्छा अमूढ़दिट्ठी य।
उवबूह थिरीकरणे, वच्छल पभावणे अट्ठ।।78।।

जत्थेव पासे कई दुप्पउत्तं, काएण वाया अदु माणसेण।
तत्थेव धीरो पडिसाहरेज्जा, आइन्नओ खिप्पमिवक्खलीणं।।79।।

तिण्णो हु सि अण्णवं महं, किं पुण चिट्ठसि तीरमागओ।
अभितुर पारं गमित्तए, समयं गोयम्! मा पमायए।।80।।

पहला सूत्र: 'सम्यक दर्शन के आठ अंग हैं: निःशंका, निष्कांक्षा, निर्विचिकित्सा, अमूढ़दृष्टि, उपगूहन, स्थिरीकरण, वात्सल्य और प्रभावना।'

एक-एक अंग को बहुत ध्यान से समझना जरूरी है।

'निःशंका...'

सम्यक दर्शन का पहला अंग, पहला चरण: अभय। मन में कोई शंका न हो, कोई भय न हो।

साहस! क्योंकि जो साहसी हैं वे ही केवल सत्य की खोज पर जा सकेंगे। सत्य की खोज में, समझ से भी ज्यादा मूल्य साहस का है। साहस का अर्थ होता है: जहां कभी न गये हों, जिसे कभी न जाना हो, अपरिचित, अनजान, अज्ञेय—उसमें प्रवेश।

सत्य है अपरिचित। उसे अब तक जाना नहीं। जो जाना-माना है, उससे भय मिट जाता है; उससे हम परिचित हो जाते हैं। जिस रास्ते पर बहुत बार आये-गये, उस रास्ते पर फिर डर नहीं लगता। पहली बार, नये रास्ते पर, भय प्रतीत होता है: पता नहीं, रास्ता कहां ले जाये, और पता नहीं रास्ते पर क्या घटे! और सत्य का रास्ता तो तुम कभी चले नहीं। जिस रास्ते पर तुम चले हो, वह है संसार का रास्ता। साहस के अभाव के कारण ही हम बार-बार संसार के रास्ते पर ही परिभ्रमण करते रहते हैं।

मनस्विद कहते हैं कि आदमी अपरिचित सुख से भी डरता है; परिचित दुख को भी पकड़े रखता है, कम से कम परिचित तो है! कम से कम जाना-माना, अपना तो है! इतने दिनों का नाता तो है! अपरिचित सुख से भी भय लगता है, कि पता नहीं क्या हो, क्या घटे! और जो व्यक्ति सत्य की खोज में चला है, वह तो अत्यंत अपरिचित की खोज में चला है।

अक्सर लोग सत्य की खोज नहीं करते, शास्त्र को पकड़कर बैठ जाते हैं। क्योंकि शास्त्र में कहीं जाना नहीं—शब्द का खेल है; बुद्धि की खुजलाहट है। तोते की तरह रट लेंगे, याद कर लेंगे और सोच लेंगे, पहुंच गये। जैसे कोई हिमालय के नक्शे को लेकर बैठ जाये, छाती से लगाकर रखे और सोचे कि पहुंच गये; लेकिन हिलेरी को या तेनसिंग को जब गौरीशंकर चढ़ना होता है तो यह छाती पर नक्शे लगाने जैसा नहीं है, यह जीवन को दांव पर लगाना है। साहस चाहिये! मृत्यु भी घट सकती है। जो है वह भी खो सकता है। और उसका तो कोई पता नहीं जो मिलने को है।

तो जिसके पास जुआरी जैसा दिल है कि जो है उसे दांव पर लगा दे, उसके लिये जो नहीं है, वही केवल सत्य की खोज में सफल हो पाता है। दुकानदार सफल नहीं हो पाते। हिसाबी-किताबी सफल नहीं हो पाते। इसलिये महावीर सम्यक दर्शन का पहला सूत्र कहते हैं: निःशंका। मन में जरा भी भय न हो, तो ही जा सकोगे। अभय का, वीरों का मार्ग है—कायरों का नहीं, भगोड़ों का नहीं।

अब यहां तो उलटी हालत घटी है। जैन धर्म को स्वीकार करनेवाले, जरा भी साहसी नहीं हैं। साहस से उनका कोई संबंध नहीं रहा है और उन्होंने अपनी कायरता को अच्छे-अच्छे शब्दों में ढांक लिया है...अहिंसा! अक्सर मुझे ऐसा दिखाई पड़ा कि जो आदमी डरता है कि कोई उसकी हिंसा न कर दे, वह अहिंसक हो जाता है। इस भय से कि कहीं दूसरा मेरी हानि न कर दे, वह कहता है हानि किसी को पहुंचाना ही नहीं। वह स्वयं भी हानि नहीं पहुंचाता, क्योंकि हानि पहुंचाने में हानि उठाने का खतरा भी जुड़ा है। वह किसी को मारता भी नहीं है, क्योंकि मारने जाने में अपने मारे जाने की भी संभावना खुलती है। वह अहिंसा की बात करता है।

यहां खयाल रखना, अहिंसा वीरों का वेश है—उनका नहीं जो अभी डर रहे हैं, भयभीत हो रहे हैं, घबड़ा रहे हैं। उनकी अहिंसा किसी काम की नहीं है। वह तो केवल लफ्फाजी है। वह तो ऊपर से थोप लिया आवरण है। वह तो अपने को छिपा लेना है, सुरक्षा है।

महावीर कहते हैं, निःशंका पहला चरण है। और जो संसार से ही घबड़ा गये हैं, वह सत्य की यात्रा पर क्या खाक निकल सकेंगे! जहां डरने जैसा कुछ भी न था, क्योंकि जहां खोने जैसा ही कुछ न था, वहां जो डर गये, वे सत्य की यात्रा पर कैसे निकल सकेंगे? इस भेद को खयाल में लो।

सत्य की खोज के नाम पर तुम कहीं संसार से डरकर तो नहीं बैठ गये हो। जैन मुनियों को मैं देखता हूं तो ऐसा ही प्रतीत होता है। अधिक मौकों पर वे सत्य की खोज में

नहीं गये, सिर्फ संसार की खोज से रुक गये हैं। संसार की खोज से रुक जाना अनिवार्य रूप से सत्य की खोज नहीं है। हां, सत्य का खोजी संसार की खोज से मुक्त हो जाता है, यह जरूर सही है। लेकिन संसार की खोज छोड़ देने वाला सत्य की खोज पर निकल जाता है, यह आवश्यक नहीं है।

ऐसा समझो, एक आदमी गौरीशंकर चढ़ने जाता है—गौरीशंकर चढ़ने जायेगा तो पूना छूटेगा। लेकिन पूना छोड़कर कोई बैठ जाये, इससे गौरीशंकर नहीं पहुंच जायेगा। पूना छोड़कर बैठने के हजार उपाय हैंः पूना की ठीक सीमा पर बाहर बैठा रहे; जहां पूना का कारपोरेशन का क्षेत्र शुरू होता है, बस उसकी सीमा पर बैठा रहे। लेकिन इससे कोई गौरीशंकर पर नहीं पहुंच जायेगा। हां, गौरीशंकर की यात्रा पर जो गया है वह पूना से जरूर मुक्त हो जायेगा; उसे पूना छोड़ना ही पड़ेगा।

महावीर ने संसार छोड़ा, सत्य की यात्रा पर गये, इसलिये। बड़े साहस का कदम उठाया। लेकिन जैन मुनि!...वह संसार से डरकर बैठ गया है। संसार से जो डर गया वह सत्य में तो जायेगा ही कैसे? परिचित से जो डर रहा है वह अपरिचित में तो जायेगा कैसे? दिखाई पड़नेवाले से जो डर रहा है वह अदृश्य की यात्रा पर तो कैसे कदम उठायेगा? जहां भीड़ है, संगी-साथी हैं, परिवार है, मित्र हैं, उस रास्ते पर, राजपथ पर चलने से डर रहा है, तो बीहड़ वनों में और पगडंडियों पर उतरेगा? सत्य की खोज पर तो जाना पड़ता है अकेले। वहां तो कोई साथी न होगा, कोई संगी न होगा। वहां तो शास्त्र भी छोड़ देने होंगे, शब्द भी छोड़ देने होंगे। वहां तो समाज से जो लिया है वह सब छोड़कर जाना होगा। भाषा भी छोड़ देनी होगी। इसलिये महावीर ने अपने संन्यासी को मुनि कहा था, कि वह भाषा का त्याग कर दे। क्योंकि भाषा तो समाज की ही देन है। गौर से देखें तो भाषा ही समाज है। जब तुम बोलते हो तभी समाज बनता है; जब तुम नहीं बोलते तो समाज नहीं बनता। तुम अगर चुप खड़े हो तो तुम अकेले हो; बोले, कि जुड़े।

थोड़ी देर को सोचो! एक गांव तय कर ले कि अब वाणी का त्याग करते हैं, पूरा गांव चुप हो जाये, तो उस गांव में अकेले-अकेले लोग रह जायेंगे। उस गांव में समाज न रहेगा, क्योंकि सेतु गिर जायेंगे। दो आदमियों के बीच जो सेतु हैं वे तो शब्द हैं। अगर सारा गांव तय कर ले कि अब हम चुप होंगे तो गांव मिट जायेगा; व्यक्ति रह जायेंगे, समूह न रह जाएगा। समूह तो जीता है भाषा पर।

महावीर ने कहा कि तुम भाषा भी छोड़ोगे तो ही जा सकोगे सत्य तक। हां, जब सत्य को जान लो, तब चाहे भाषा का उपयोग करके लोगों को समझा देना। लेकिन जानते समय छोड़कर जाना होगा, मौन होना होगा, शून्य होना होगा। और जो भी तुम्हारे पास है उस सबको उसके लिए दांव पर लगा देना होगा, जिसको न तुम जानते, न कोई आश्वासन है जिसका कि पक्का है, मिलेगा। क्योंकि कोई दूसरा तुम्हें आश्वासन नहीं दे सकता। अगर मुझे कुछ मिला तो मैं लाख सिर पटकूं तो भी तुम्हें समझा नहीं सकता कि तुम्हें भी मिलेगा। कोई उपाय नहीं है।

सत्य की अनुभूति आंतरिक है। वस्तुतः नहीं है सत्य, कि तुम्हें दिखा दूं हाथ में

रखकर, कि यह रहा सत्य, ताकि तुम्हें भरोसा आ जाये। तुम छूकर तो न देख सकोगे, आंख से न देख सकोगे, कान से सुना न जा सकेगा। भरोसा करना होगा। उसी भरोसे को महावीर कहते हैं: निःशंका, ट्रस्ट। एक गहन श्रद्धा की जरूरत होगी; एक ऐसी श्रद्धा की, जिसमें जरा भी संदेह न हो, क्योंकि जरा भी संदेह हुआ तो संदेह पैर को पीछे खींच लेता है। संदेह पैर को आगे बढ़ने ही नहीं देता। अगर तुम्हें जरा भी डर रहा और पता, पता नहीं होगा ऐसा, न होगा ऐसा—अगर ऐसी तुम आशंका में घिरे रहे, तो कदम उठेगा नहीं।

इसलिए पहला कदम महावीर कहते हैं: निःशंका। लेकिन हम तो बड़ी आशंका से भरे हैं। और हमारी आशंकाएं बड़ी अदभुत हैं! हमारी आशंकाएं ऐसी हैं कि जैसे कोई नंगा कहे कि मैं नहाऊं कैसे, क्योंकि नहा लूंगा तो फिर कपड़े कहां निचोड़ूंगा, कपड़े कहां सुखाऊंगा! नंगा है, कपड़े हैं नहीं; लेकिन स्नान नहीं करता इस डर से कि कहीं कपड़े भीग न जायें। भिखारी है, डरता है कि कहीं चोर-लुटेरे न मिल जाएं। पास कुछ भी नहीं। लुटेरे मिल भी जाएंगे तो उन्हीं को लुटना पड़ेगा, कुछ देकर जाना पड़ेगा। लेकिन, भिखारी भी डरता है कि कहीं चोर-लुटेरे न मिल जाएं। हमारी दशा ऐसी ही है। हमारे पास कुछ भी नहीं और आशंका बहुत है कि कहीं खो न जाये।

कभी तुमने सोचा, क्या है तुम्हारे पास जो खो जायेगा? हाथ तुम्हारे खाली हैं, हृदय तुम्हारा रिक्त है, संपत्ति के नाम पर कुछ ठीकरे इकट्ठे कर रखे हैं जो मौत तुमसे छीन ही लेगी। तुम लाख उपाय करो तो भी अंततः मौत से तुम हारोगे। कितने ही बचो, इधर बचो उधर बचो, इधर छिपो उधर छिपो, एक न एक दिन मौत तुम्हारी गर्दन पकड़ ही लेगी।

अंततः मौत जीतेगी, तुम न जीत पाओगे—इतनी बात निश्चित है। बीच में कितनी देर तुम धोखा दे लेते हो, मौत को इससे क्या फर्क पड़ता है? अंततोगत्वा मौत तुम्हारी गर्दन पकड़ लेगी और तुम्हारे ठीकरों को उगलवा लेगी। जिसे तुमने इनकमटैक्स आफिस से बचा लिया होगा, उसको तुम मौत से न बचा सकोगे। जिसको तुमने चोरों से, डाकुओं से बचा लिया होगा, उसको तुम मौत से न बचा सकोगे।

यहां, पहली तो बात: तुम्हारे पास कुछ है नहीं, और जो तुम्हारे पास है वह सब मौत छीन लेगी। तो गंवाने का डर क्या है? भय क्या है? लेकिन तुम बड़े भयभीत होते हो।

महावीर कहते हैं, ठीक से अपनी स्थिति को समझो तो आशंका का कोई कारण ही नहीं है। आशंका के लिए जरा भी कोई आधार नहीं है। आशंका कल्पित है और जब आशंका गिर जाये, और तुम देख लो खुली आंख से कि आशंका की तो कोई बात ही नहीं है, मेरे पास कुछ है नहीं...।

मैंने सुना है, मुल्ला नसरुद्दीन के द्वार पर एक भिखारी आया। तो मुल्ला ने उसे देखते ही से कहा कि मालूम होता है गांव में नये-नये आये हो।

उस भिखारी ने कहा, आप कैसे पहचान गए? बिलकुल ठीक कहते हैं। मैं अभी स्टेशन से ही उतरकर चला आ रहा हूं। मगर आप पहचाने कैसे? आप कोई ज्योतिषी हो?

उसने कहा कि मैं कोई ज्योतिषी नहीं, लेकिन गांव के भिखारी जानते हैं कि यहां कुछ मिलेगा नहीं।

भिखारी को भी देने योग्य हमारे पास क्या है! हमारे पास है ही कहां कुछ! लेकिन हम मानकर बैठे हैं, मान्यता है, और मान्यता में हम काफी रस लेते हैं। मान्यता के ढक्कन को उघाड़कर भी भीतर के खाली बर्तन को नहीं देखते। डर लगता है कि कहीं ऐसा न हो कि खाली ही हो! मुट्ठी हम बांधकर रखते हैं, खोलते नहीं, क्योंकि कहीं दिखाई न पड़ जाये कि खाली है। हम अपने को समझाये रखते हैं कि है, बहुत है। हम गुनगुनाते रहते हैं कि बहुत है। और फिर आशंका पैदा होती है कि कहीं छिन न जाये।

महावीर जब तुमसे कहते हैं, आशंका नहीं चाहिये, निःशंका की स्थिति चाहिये, तो वे यह नहीं कह रहे हैं कि तुम निःशंका को आरोपित करो। वे इतना ही कह रहे हैं कि तुम अपनी आशंका को जरा गौर से खोलकर, आंखों के सामने बिछाकर तो देख लोः वहां कोई कारण है? कोई भी कारण नहीं है! जिस दिन तुम्हें ऐसी दृष्टि उपलब्ध होगी कि डरने का कोई भी कारण नहीं है, खोने का कोई उपाय नहीं, क्योंकि है ही नहीं, उसी क्षण तुम्हारे जीवन में एक नई ऊर्जा का आविर्भाव होगा। उस नई ऊर्जा को कहोः श्रद्धा, भरोसा, ट्रस्ट। उस नई ऊर्जा को कहोः निःशंका। तब तुम असंदिग्ध भाव से बिना पीछे लौटकर देखे, सत्य की खोज में निकल जाओगे। वह भाव तुम्हें, यह अनुभव कि मेरे पास कुछ भी नहीं है, ना-कुछ ही दांव पर लगाना है, मिला तो ठीक न मिला तो कुछ खोता नहीं—तो फिर दांव पर लगाने में तुम झिझकोगे नहीं। तुम सभी दांव पर लगा दोगे।

मैंने सुना है, एक आदमी अमरीका की एक कार बेचने वाली दुकान में गया। वह जिस कार को खरीदना चाहता था, उसका मिलना मुश्किल था। दुकानदार ने कहा, 'कम से कम साल भर रुकना पड़ेगा। लंबा क्यू है। और कोई उपाय नहीं अभी देने का।' वह आदमी बड़ा नाराज हो गया। उसने कहा कि सालभर! गुस्से में उसने अपने खीसे से नोटों के बंडल निकाले और जो कचरा फेंकने की टोकरी थी, उसमें डालकर दरवाजे के बाहर हो गया। दुकानदार भी चकित हो गया। और बहुत धनी लोग देखे थे, मगर यह आदमी अदभुत है! हजारों डालर, ऐसे कचरे में डालकर चला गया। उसने जल्दी से नोट निकलवाये, गिनती करवाई; दुगने थे, जितने कि कार के दाम हो सकते थे। उसने फौरन अपने आदमियों को कहा कि जाकर कार उसके घर पहुंचा दो। कार घर पहुंचा दी। दूसरे दिन वह हैरान हुआ। भागा हुआ उस आदमी के घर गया और कहा, 'महानुभाव! वह सब नोट नकली हैं।' उस आदमी ने कहा, नकली न होते तो हम कचराघर में फेंकते?

एक बार तुम्हें दिखाई पड़ जाये कि नोट नकली हैं, तो कचराघर में फेंकना भी आसान है। अड़चन कहां है? वस्तुतः ढोना मुश्किल हो जायेगा। उस बोझ को तुम किसलिये ढोओगे! उस बोझ को किस कारण ढोओगे!

महावीर तुमसे श्रद्धा जन्माने को नहीं कहते। यही महावीर का और अन्य शिक्षकों का भेद है। महावीर कहते हैं, तुम अपनी आशंका को ठीक से पहचान लो, वह गिर जाएगी। जो शेष रह जायेगा, वही श्रद्धा है। इसलिये महावीर श्रद्धा शब्द का उपयोग नहीं

करते। एक-एक शब्द खयाल करना। यहां महावीर श्रद्धा कह सकते थे, लेकिन नहीं कहा; साहस कह सकते थे, नहीं कहा। नकारात्मक शब्द उपयोग कियाः निःशंका। कोई विधायक शब्द उपयोग न किया, क्योंकि विधायक की कोई जरूरत नहीं है। सिर्फ आशंका की समझ आ जाए कि व्यर्थ है, कोरी है, अकारण है—जैसे ही आशंका गिर जाती है तो जो शंकारहित चित्त की दशा है वही श्रद्धा है, वही साहस है, वही अभय है। तुम्हारे भीतर एक अनूठी ऊर्जा का जन्म होगा। वह दबी पड़ी है। तुम्हारी चट्टान ने, आशंका की चट्टान ने उस झरने को फूटने से रोका है। हटा दो चट्टानः झरना अपने से फूट पड़ेगा! झरना तो है ही! झरना तुमने खोया नहीं है।

इसलिए महावीर नहीं कहते कि झरने को खोजो। महावीर नहीं कहते कि श्रद्धा को आरोपित करो। महावीर कहते हैं, सिर्फ आशंका को उघाड़ो।

दूसरा चरण हैः निष्कांक्षा। जो भी तुम करो सत्य की खोज में, उसमें कोई आकांक्षा मत रखना। क्योंकि आकांक्षा ही संसार है। अगर सत्य की खोज पर भी आकांक्षा लेकर गये, तो तुम अपने को धोखा दे रहे हो, तुम संसार में ही दौड़ रहे हो। तुम्हें भ्रांति हो गई है कि तुम सत्य की खोज पर जा रहे हो। सत्य की खोज पर वही जाता है जिसकी आकांक्षा गिर गई।

आकांक्षा को हम समझें। फिर नकारात्मक शब्द हैः निष्कांक्षा। आकांक्षा क्या है? जैसे हम हैं उससे हम राजी नहीं हैं। एक बड़ी गहरी बेचैनी है—कुछ होने की, कुछ पाने की, कहीं और होने की, कहीं और जाने की। जहां हम हैं वहां अतृप्ति! जैसे हम हैं वहां अतृप्ति! जो हम हैं उससे अतृप्ति! कुछ और होना था, कहीं और होना था। किसी और मकान में, किसी और गांव में! किसी और पति के पास, किसी और पत्नी के पास! कोई और बेटे होते! कोई और देह होती! कोई और तिजोड़ी होती! लेकिन कुछ और! 'कुछ और' की दौड़ आकांक्षा है।

तुम थोड़ा सोचो! कहीं भी तुम होते, क्या इससे आकांक्षा की दौड़ रुक जाती? तुम सोचते हो, जिस महल में तुम्हें होना चाहिए था, उसमें कोई है, उससे तो पूछो! वह कहीं और होने की दौड़ में लगा है। तुम जिस पद पर नहीं हो और सोचते हो, होना चाहिए थे, उस पद पर भी कोई है। उससे तो पूछो! वह कहीं और जाने की तैयारी में लगा है। जिस गांव तुम पहुंचना चाहते हो, वहां भी कोई रहता है। उससे तो पूछो! वह बिस्तर-बोरिया बांधे बैठा है कि कब ट्रेन मिल जाये कि वह कहीं और चल पड़े।

यहूदियों में एक कहानी है। एक यहूदी धर्मगुरु ने—गरीब आदमी था—एक रात सपना देखा। सपना देखा कि देश की राजधानी में जो पुल है नदी के ऊपर, उसके एक किनारे बिजली के ठीक खंभे के नीचे बड़ा धन गड़ा है। उसने धन भी देखा—हीरे-जवाहरात चमकते हुए! सुबह उठा, सोचा सपना है। लेकिन दूसरी रात सपना फिर आया, ठीक वैसा का वैसा। दूसरे दिन सुबह जागकर वह एकदम यह न कह सका कि सपना है, क्योंकि सपने इस तरह नहीं दुहरते। फिर भी उसने सोचा कि क्या भरोसा, कहां जाना! लेकिन तीसरी रात सपना फिर आया, तब रुकना मुश्किल हो गया। उसने कहा, कोई

राजधानी इतनी दूर भी नहीं है, जाकर देख तो आऊं मामला क्या है! वह कभी राजधानी गया भी न था। जब वह गया तो चकित हुआ। ठीक जैसा पुल उसने सपने में देखा था वैसा ही पुल राजधानी का है। तब तो उत्साह बढ़ा। तेजी से चलने लगा। दूसरी तरफ पहुंचा। ठीक बिजली का खंभा वहीं है जहां सपने में देखा था। ठीक वैसा ही बिजली का बल्ब लगा है—तब तो भरोसा और बढ़ा। लेकिन एक मुसीबत थी। सपने में उसने यह न देखा था कि एक पुलिसवाला वहां पहरा देता है। तो वह राह देखने लगा कि पुलिसवाला जाये तो मैं खोदकर देखूं। लेकिन पुलिसवाला तभी जाता जब दूसरा आ जाता, ड्यूटी बदलती। वह दो-तीन दिन ऐसे चक्कर मारता रहा। पुलिसवाले ने भी बार-बार इस आदमी को वहां चक्कर मारते देखा। उसे बुलाया पास और कहा कि सुनो, क्या मामला है? आत्महत्या करनी है पुल से कूदकर? क्योंकि इसीलिये वहां वह खड़ा रहता था कि कोई आत्महत्या न कर ले। मामला क्या है?

उस यहूदी धर्मगुरु ने कहा, अब आपसे छिपाना क्या है; एक सपने के चक्कर में पड़ गया हूं। वह पुलिसवाला हंसा और उसने कहा, ठहरो! इसके पहले कि तुम अपना सपना कहो, मैं भी तुम्हें कह दूं। तीन दिन से मैं भी एक सपना देख रहा हूं। मैं एक सपना देख रहा हूं कि फलां-फलां गांव में...। जो उसने नाम लिया तो वह धर्मगुरु बड़ा हैरान हुआ, वह तो उसी के गांव का नाम है! फलां-फलां गांव में फलां-फलां नाम का एक धर्मगुरु है।

उसने कहा, अरे ठहरो! यह मेरा नाम है और मेरे गांव का तुम पता ले रहे हो! मैं ही हूं वह धर्मगुरु।

वह पुलिसवाला बहुत हंसा। उसने कहा कि मैं तीन दिन से एक सपना देखता हूं कि जहां धर्मगुरु सोता है उसके बिस्तर के नीचे एक खजाना गड़ा है। मैं तो एक दिन तो सोचा सपना है, दूसरे दिन कैसे सोचूं कि सपना है! हीरे-जवाहरात सब साफ दिखाई पड़ते हैं। और आज तीसरी रात फिर सपना देखा है। और तुमसे इसलिए कह रहा हूं कि तुम्हारा चेहरा उस सपने में मुझे दिखाई पड़ता है। यह माजरा क्या है? तुम तीन दिन से यहां चक्कर भी लगा रहे हो।

उस धर्मगुरु ने कहा कि अब कुछ माजरा नहीं है। मैं कुछ और ही सपना देखा हूं। लेकिन अब मैं कुछ कहूंगा नहीं, अब मैं जाता हूं गांव अपने वापस।

वह भागा आया। उसने अपनी खाट के नीचे खोदा, पाया, खजाना था!

हसीद फकीर इस कहानी में बड़ा रस लेते हैं। क्योंकि यह कहानी जीवन की कहानी है। तुम सोच रहे हो, कहीं और खजाना गड़ा है, किसी राजधानी में, किसी पुल के पास। वहां जो खड़ा है वह सोच रहा है कि तुम्हारे घर खजाना गड़ा है।

तुमने कभी देखा! कभी-कभी राह से चलते भिखमंगे को देखकर भी धनपति के मन में भी ईर्ष्या आ जाती है। कभी-कभी सम्राटों के मन में ईर्ष्या आ जाती है। क्योंकि जिस मस्ती से भिखारी चल सकते हैं उस मस्ती से सम्राट तो नहीं चल सकते। बोझ भारी है, चिंता बहुत है। रात सो भी नहीं सकते। कौन सम्राट सो सकता है भिखारी की तरह! राह के

किनारे की तो बात दूर; सुंदरतम, सुविधा से सुविधापूर्ण कक्षों में भी, आरामदायक बिस्तरों पर भी नींद नहीं आती। चिंताएं इतनी हैं, मन ऊहापोह में लगा रहता है। और भिखारी राह के किनारे, अखबार को बिछाकर ही सो जाता है और घुर्राटे लेने लगता है। कभी-कभी सम्राटों के मन में भी ईर्ष्या उठती है कि ऐसा स्वास्थ्य, ऐसी निश्चिंतता, ऐसी शांति, ऐसे विश्राम की दशा काश, हमारी भी होती! भिखमंगा भी रोज महल के पास से निकलता है, सोचता है, काश, हमारे पास ऐसा महल होता!

आकांक्षा का अर्थ है: तुम जहां हो वहां राजी नहीं। जो जहां है वहां राजी नहीं। कहीं और दिखाई पड़ता है जीवन का स्वप्न पूरा होता। वहां जो है, उसका भी जीवन का स्वप्न पूरा नहीं हो रहा है। यहां भिखमंगे तो पराजित हैं ही, यहां सिकंदर भी पराजित हैं। यहां भिखमंगे तो खाली हाथ हैं ही, यहां सिकंदर भी खाली हाथ हैं। जिस दिन तुम्हें आकांक्षा की यह व्यर्थता दिखाई पड़ जाती है, उसी दिन निष्कांक्षा पैदा होती है, निष्काम-भाव पैदा होता है।

सत्य के जगत में तुम आकांक्षा से नहीं जा सकोगे। क्योंकि सभी आकांक्षा संसार में लौटा लाती है। तो महावीर कहते हैं, अगर तुम स्वर्ग की आकांक्षा से सत्य की खोज करो, चूक जाओगे। क्योंकि स्वर्ग की खोज फिर संसार की ही खोज है। परिमार्जित, सुधरे हुए संस्कार—संसार का ही संस्करण है वह। यहीं जो सुख नहीं मिल पाये हैं, उनका ही बढ़ा-चढ़ा रूप है, फैला विस्तार है। जो शराब यहां नहीं पी, वहां बहिश्त में उसके झरने बहाये हैं—वह तुम्हारी ही कल्पना है। जो स्त्रियां यहां उपलब्ध नहीं हो सकीं, वहां अप्सराओं की तरह बैठी तुम्हारी प्रतीक्षा कर रही हैं! इतना ही नहीं, अगर तुम किसी वृक्ष के नीचे ध्यान वगैरह करो, तो उर्वशी और मेनका आकर तुमको परेशान करेंगी। तुम्हारी प्रतीक्षा कर रही हैं बिलकुल कि तुम कब करो तपश्चर्या कि वे आयें। यह वासना, अतृप्त वासना ही, नये-नये विक्षेप कर रही है। यह अतृप्त वासना का ही विस्तार है।

तो महावीर कहते हैं, किसी भी तरह के लाभ की आकांक्षा—वह स्वर्ग का ही लाभ क्यों न हो—संसार में लौटा लायेगी, सम्यक दृष्टि पैदा न होगी।

निष्कांक्षा! कैसे निष्कांक्षा पैदा हो? आकांक्षा को समझने से; आकांक्षा की व्यर्थता को देख लेने से। जैसे कोई आदमी रेत से तेल निचोड़ रहा हो, और न निचुड़ता हो और परेशान हो रहा हो और कोई उसे बता दे कि 'पागल, रेत में तेल होता ही नहीं; इसलिए तू लाख उपाय कर, तेरे उपायों का सवाल नहीं है, तेल निकलेगा नहीं; तू लाख सिर मार, तेरा सिर टूटेगा, गिरेगा, रेत से तेल निकलेगा नहीं।'

अकांक्षा से कभी सत्य नहीं निकला, क्योंकि आकांक्षा स्वप्नों की जननी है। आकांक्षा का जिसने सहारा पकड़ा, वह सपनों में खो गया; उसने अपने सपनों का संसार बना लिया। लेकिन सत्य उससे कभी निकला नहीं। वह रेत की तरह है; उससे तेल निकल नहीं सकता। तेल वहां है नहीं।

ध्यान रखना, महावीर की प्रक्रिया का यह अनिवार्य हिस्सा है कि वह जो है उसे देखने को कहते हैं। आकांक्षा है तो आकांक्षा को देखो, पहचानो, परखो, चारों तरफ से

अवलोकन, निरीक्षण करो, विश्लेषण करो। खोज करो कि इससे तुम जो चाह रहे हो वह हो भी सकता है? अगर नहीं हो सकता तो आकांक्षा गिर जायेगी। जो शेष रह जायेगी, चित्त की दशा, निष्कांक्षा, वही दूसरा चरण है सम्यक दृष्टि का।

तीसरा : निर्विचिकित्सा। जुगुप्सा का अभाव। अपने दोषों को तथा दूसरों के गुणों को छिपाने का नाम है जुगुप्सा। प्रत्येक व्यक्ति उलझा है जुगुप्सा में। हम अपने दोष छिपाते हैं और दूसरों के गुण छिपाते हैं।

अगर तुमसे कोई कहे फलां आदमी देखा, कितनी प्यारी बांसुरी बजाता है, तुम फौरन कहते हो : वह क्या बांसुरी बजायेगा! चोर, लुच्चा, लंपट! अब चोर, लुच्चा, लंपट से बांसुरी बजाने का कोई भी संबंध नहीं है। कोई चोर है, इससे बांसुरी बजाने में बाधा नहीं पड़ती। लेकिन तुम तत्क्षण दबा देते हो कि वह चोर है, वह क्या बांसुरी बजायेगा!

और तुम अपने दोषों को छिपाये चले जाते हो। तुम अगर क्रोध भी करते हो तो जिस पर क्रोध करते हो उसी के हित के लिये करते हो, सुधार के लिये, एक तरह की सेवा समझो। अगर तुम बच्चे को पीटते भी हो, तो उसी के भविष्य के लिये। हालांकि कभी पीटने से, किसी का भविष्य बना नहीं, बिगड़ा भला हो। मां अगर बेटे को पीटती है, तो सोचती है, क्योंकि वह कपड़े खराब कर आया, धूल-धवांस में खेला, या गलत बच्चों के साथ खेला। लेकिन अगर भीतर खोज करे तो पायेगी कि वह क्रोध से उबल रही थी। पति से कुछ झंझट हो गई थी। पति पर न फेंक पाई क्रोध को, बच्चे की प्रतीक्षा करती रही। क्योंकि यह बच्चा कल भी उन्हीं बच्चों के साथ खेला था और कल भी यह धूल-धवांस से भरा लौटा था। बच्चे हैं—लौटेंगे ही। बच्चे बूढ़े नहीं हैं। और समय के पहले उन्हें बूढ़ा बनाने की चेष्टा बड़ी खतरनाक है। उनके लिये अभी कपड़ों का कोई मूल्य नहीं है—और शुभ है कि कोई मूल्य नहीं है। क्योंकि जिस दिन कपड़ों का मूल्य हो जाता है उसी दिन अपने भीतर के सब मूल्य खो जाते हैं। अभी भीतर का आनंद पर्याप्त है, कपड़े गंदे भी हो जाते हैं तो चिंता नहीं; लेकिन भीतर का खेल शुद्ध रहता है, स्वच्छ रहता है। अभी भीतर की मौज इतनी बड़ी है कि थोड़ी धूल पड़ जाये तो बर्दाश्त कर लेती है। अभी बच्चे में प्रदर्शन का भाव नहीं जगा है और अभी थोथी वस्तुओं का मूल्य निर्मित नहीं हुआ है। अभी असली का मूल्य है। खेल का आनंद, रस मूल्यवान है। कपड़े इत्यादि अभी निर्मूल्य हैं। अभी इनका कोई, कोई अर्थ नहीं है। लेकिन कल भी वह ऐसा ही आया था, तब मां ने कुछ भी न कहा था। लेकिन आज टूट पड़ती है, पीटने लगती है। पूछो तो कहेगी, सुधार के लिये! लेकिन अगर गौर से निरीक्षण करे तो पायेगी कि पति पर नाराजगी थी। पति पर निकाल न सकी—पति परमात्मा है! ऐसा पतियों ने ही समझाया हुआ है, तो उन पर नाराजगी निकाली भी नहीं जा सकती। वहां द्वार-दरवाजा बंद है।

तो जैसे पानी नीचे की तरफ बहता है, ऐसा ही क्रोध भी अपने से कमजोर की तरफ बहता है। बच्चे से ज्यादा कमजोर और तुम क्या पाओगे? बच्चे से ज्यादा कोमल और तुम क्या पाओगे? पति अगर नाराज हो जाता है दफ्तर में मालिक से, तो घर पत्नी पर निकाल लेता है। पत्नी नाराज हो जाती है, बच्चे पर निकाल लेती है। बच्चे को तुमने देखा! जाकर

अपने कमरे में बैठकर या तो किताब फाड़ डालेगा, या अपनी गुड़िया की टांगें तोड़ देगा, क्योंकि अब और कहां निकाले!

सारा संसार वहां खत्म हो जाता है।

हम अपने दोषों को भी बड़ी सुंदर व्याख्या देते हैं। हम दूसरों के गुणों को भी स्वीकार नहीं करते, अस्वीकार करते हैं। और हम अपने दोषों को भी बचाते हैं।

मुल्ला नसरुद्दीन का बेटा उससे पूछ रहा था। एक आदमी मुसलमान था, हिंदू हो गया था। उसके बेटे ने पूछा कि पिताजी, इसको हम क्या कहें? उसने कहा, 'क्या कहना, गद्दारी है! जो आदमी मुसलमान से हिंदू हो गया, यह गद्दारी है।' पर उसके बेटे ने कहा कि कुछ ही दिन पहले, एक आदमी हिंदू से मुसलमान हुआ था, तब आपने यह न कहा? उसने कहा कि वह धर्म-रूपांतरण था। उस आदमी को बुद्धि आई थी, सदबुद्धि का आविर्भाव हुआ था।

तो जब हिंदू मुसलमान बने, तो मुसलमान कहता है, सदबुद्धि; और जब मुसलमान हिंदू बन जाये तो गद्दार! यही हिंदू के लिए मूल्य है।

मैं एक जैन संत को जानता था। वे हिंदू थे और जैन हो गये। तो जैन उनसे बड़े प्रसन्न थे, हिंदू बड़े नाराज थे। हिंदू उनकी बात भी न करते। लेकिन जैन उन्हें बड़ा सम्मान देते, उतना सम्मान देते, जितना कि उन्होंने कभी जैन संतों को भी नहीं दिया था। क्योंकि इस आदमी का हिंदू से जैन हो जाना, इस बात का सबूत था कि जैन धर्म सही है। तब तो कोई हिंदू जैन होता है, नहीं तो क्यों होगा! तो जैनों से भी ज्यादा आदृत जैनों में वे थे; लेकिन हिंदुओं में उनका बड़ा अनादर था क्योंकि यह गद्दार था। इसने हिंदू धर्म की अवमानना की।

तुम इसे जरा गौर करना। हमारे जीवन में दोहरे मूल्य होते हैं। अपनी भूल को भी हम सोने से ढंक लेते हैं; दूसरे के सौंदर्य को भी हम मिट्टी से पोत देते हैं। इसको महावीर कहते हैं जुगुप्सा।

जुगुप्सा के अभाव का नाम है : निर्विचिकित्सा।

यह बहुत बहुमूल्य सूत्र है। इसे अगर खयाल में रखा तो ही तुम आत्म-रूपांतरण को पा सकोगे, अन्यथा नहीं। क्योंकि जो आदमी अपनी भूलें छिपाता है और दूसरों के गुण दबाता है, वह आदमी कभी गुणवान न हो सकेगा। दूसरे के गुण को देखना, पहचानना, स्वीकार करना; क्योंकि दूसरे में देखकर ही तो तुममें भी उसके जन्म का सूत्रपात होगा। किसी के मधुर कंठ को सुनकर ही तो तुम्हें भी खयाल उठेगा कि मेरा कंठ भी मधुर हो सकता है। किसी कोयल की कुहू-कुहू सुनकर तो तुम्हारे भीतर भी रस का संचार होगा।

लेकिन तुमने कहा, 'यह क्या कुहू-कुहू है? यह सब शोरगुल है! यह सब उत्पात है! यह कोई संगीत है?' अगर तुमने कुहू-कुहू को इनकार किया तो तुमने अपने भीतर भी कुहू-कुहू की संभावना को इनकार कर दिया।

तो दूसरे में जब कोई महिमा दिखाई पड़े तो सम्मान और समादर से, अहोभाव से,

उसे स्वीकार करना। उस स्वीकृति में, तुम्हारे भीतर भी महिमा के जन्म का पहला बीजारोपण होगा। और अपने भीतर जब कोई दोष दिखाई पड़े तो उसे छिपाना मत, क्योंकि छिपाने से दोष मिटते नहीं, छिप जाते हैं, और भीतर-भीतर बढ़ते रहते हैं। जिसे तुमने छिपाया वह बढ़ेगा। अपना दोष हो तो उसे प्रकट कर देना; उसे स्वीकार कर लेना।

तुमने कभी खयाल किया, दोष स्वीकार करते से ही तुम्हारे भीतर क्रांति घटित हो जाती है! उस दोष का तुम्हारे ऊपर कब्जा छूट जाता है।

ईसाइयों में कनफेशन का बड़ा मूल्य है। उसी कनफेशन की तरफ महावीर का इशारा है। कनफेशन का अर्थ होता है: अपनी बड़ी से बड़ी भूल को भी स्वीकार कर लेना। स्वीकार करते ही तुम हलके हो जाते हो। प्रकट करते ही तुम निर्विकार हो जाते हो। छिपाया, दबाया, तो जो आज छिपाया है उसे कल भी छिपाना पड़ेगा। और मजा यह है कि जिसे तुम छिपाओगे, दूसरे उघाड़ने की कोशिश करेंगे। क्योंकि जो तुम उनके साथ कर रहे हो, वही वे तुम्हारे साथ कर रहे हैं। तुम उनके गुणों को दाब रहे हो, उनके दुर्गुणों को उघाड़ रहे हो—वे तुम्हारे गुणों को दाब रहे हैं, तुम्हारे दुर्गुणों को उघाड़ रहे हैं। तो तुम जो छिपाओगे, उसे लोग उघाड़ेंगे। और अगर तुमने छिपाया और न छिपा पाये और लोगों ने उघाड़ा तो भी दुख होगा, पीड़ा होगी, नाराजगी होगी, क्रोध होगा। इससे अंधेरा बढ़ेगा, प्रकाश घटेगा। जो हो गई हो भूल, उसे स्वीकार कर लेना।

चौथा चरण है: अमूढ़दृष्टि। यह बहुत क्रांतिकारी चरण है।

महावीर ने कहा है, दुनिया में तीन तरह की मूढ़ताएं हैं, भ्रांत दृष्टियां हैं। एक मूढ़ता को वे कहते हैं, लोकमूढ़ता। अनेक लोग अनेक कामों में लगे रहते हैं, क्योंकि वे कहते हैं कि समाज ऐसा करता है; क्योंकि और लोग ऐसा करते हैं। उसको महावीर कहते हैं: लोकमूढ़ता। क्योंकि सभी लोग ऐसा करते हैं, इसलिए हम भी करेंगे!...सत्य का कोई हिसाब नहीं है—भीड़ का हिसाब है। तो यह तो भेड़चाल हुई।

एक स्कूल में एक शिक्षक ने पूछा एक छोटे बच्चे से कि तुम्हारे घर भेड़ें हैं, तो अगर तुमने अपने आंगन में दस भेड़ें बंद कर रखी हैं और उनमें से एक छलांग लगाकर बाहर निकल जाये, तो कितनी पीछे बचेंगी? उस बच्चे ने कहा: एक भी नहीं। उस शिक्षक ने कहा, 'तुम्हें कुछ गणित का हिसाब है? मैं कह रहा हूं दस अंदर हैं, और एक छलांग लगाकर निकल जाये तो कितनी बचेंगी?' उसने कहा, 'गणित की तुम समझो, भेड़ों को मैं अच्छी तरह जानता हूं। एक निकल गई तो सब निकल गईं। गणित का मुझे भला पता न हो, लेकिन भेड़ों का मुझे पता है।'

भेड़चाल! भीड़ के पीछे चले चलना! यह भरोसा रखकर कि जहां सब जा रहे हैं ठीक ही जा रहे होंगे! और मजा यह है कि बाकी सबका भी यही भरोसा है। वह जो तुम्हारे पड़ोस में चल रहा है, तुम्हारी वजह से चल रहा है। कि तुम जा रहे हो तो ठीक ही जा रहे होओगे; और तुम जा रहे हो उसकी वजह से कि वह जा रहा है तो ठीक ही जा रहा होगा। इसको महावीर कहते हैं: लोकमूढ़ता।

और सत्य की तरफ केवल वही जा सकता है जो भेड़चाल से ऊपर उठे; जो

धीरे-धीरे अपने को जगाए और देखने की चेष्टा करे कि जो मैं कर रहा हूं, वह करना भी था या सिर्फ इसलिए कर रहा हूं कि और लोग कर रहे हैं!

अक्सर तुम कहते पाये जाते हो कि हमारे घर में तो यह सदा से चला आया है। हमारे पिता भी करते थे, उनके पिता भी करते थे, इसलिए हम भी कर रहे हैं। तुमने कभी यह भी पूछा कि इसके करने का कोई प्रयोजन है, कोई लाभ है? इसके करने से जीवन में कुछ संपदा, शांति, आनंद का अवतरण होता है? नहीं, तुम्हारे पिताजी भी सत्यनारायण की कथा करवाते थे, तुम भी करवा रहे हो; क्योंकि हमारे यहां सदा से होता चला आया है! और सत्यनारायण की कथा में सत्य जैसा कुछ भी नहीं है; मगर हो रही है कथा! क्योंकि न करवायें, तो तुम अकेले पड़ जाते हो, भीड़ से टूटते हो।

और भीड़ के साथ हम जुड़े रहते हैं—भय के कारण। अकेले होने में डर लगता है। मंदिर तुम चले जाते हो—पिताजी भी जाते थे; पिताजी के पिताजी भी जाते थे। उनसे भी अगर पूछा जाता, वे कहते, 'हम क्या करें, हमारे पिताजी जाते थे, उनके पिताजी जाते थे।' ऐसे पंक्तिबद्ध मूढ़ता चलती रहती है।

हिम्मत होनी चाहिए साधक में, कि वह इस पंक्ति के बाहर निकल आये। अगर उसे ठीक लगे तो बराबर करे, लेकिन ठीक लगना चाहिए स्वयं की बुद्धि को। यह उधार नहीं होना चाहिए। और अगर ठीक न लगे, तो चाहे लाख कीमत चुकानी पड़े तो भी करना नहीं चाहिए, हट जाना चाहिए।

तुम झुक जाते हो पत्थर की मूर्ति के सामने जाकर, क्योंकि और सब भी कहते हैं कि भगवान की मूर्ति है। और तुम कभी भी नहीं सोचते कि भगवान की मूर्ति है! भगवान की कोई मूर्ति हो सकती है? क्योंकि समस्त ज्ञानी कहते हैं, वह अमूर्त, निराकार, निर्गुण, अनंत, असीम—उसकी मूर्ति हो सकती है? हां, अगर तुम्हें लगता हो, तुम्हारी अंतरप्रज्ञा कहती हो, हां, हो सकती है, तुम्हारे भाव में लगता हो कि हां, है—तो झुकना। फिर चाहे सारा संसार कहे कि नहीं है तो फिक्र मत करना। तो महावीर यह नहीं कह रहे हैं, वे तुम्हें कोई स्पष्ट निर्देश नहीं दे रहे हैं कि तुम क्या करो। वे इतना ही कह रहे हैं कि जो भी तुम करो वह तुम्हारी अंतःप्रज्ञा की साक्षी से किया गया हो, बस। वे यह नहीं कह रहे हैं कि तुम मस्जिद जाओ कि मंदिर जाओ कि गुरुद्वारा कि चर्च। इससे कोई प्रयोजन नहीं है। जो तुम्हारी अंतःप्रज्ञा कहे, जो तुम्हारा बोध कहे, वही तुम करना; उससे अन्यथा मत करना, अन्यथा वह लोकमूढ़ता होगी।

दूसरी मूढ़ता को उन्होंने कहा—देवमूढ़ता, कि लोग देवताओं की पूजा करते हैं। कोई इंद्र की पूजा कर रहा है कि इंद्र पानी गिरायेगा; कि कोई कालीमाता की पूजा कर रहा है कि बीमारी दूर हो जायेगी। लोग देवताओं की पूजा कर रहे हैं।

महावीर कहते हैं, देवता भी तो तुम्हारे ही जैसे हैं! यही वासनायें, यही जाल, यही जंजाल उनका भी है। यही धन-लोलुपता, यही पद-लोलुपता, यही राजनीति उनकी भी है। तो अपने ही जैसों की पूजा करके, तुम कहां पहुंच जाओगे? जो उन्हें नहीं मिला है वह तुम्हें कैसे दे सकेंगे?

महावीर कहते हैं कि देवता का अर्थ है: होंगे स्वर्ग में, सुख में होंगे, तुमसे ज्यादा सुख में होंगे; लेकिन अभी आकांक्षा से मुक्त नहीं हुए।

महावीर और बुद्ध ने मनुष्य की गरिमा को देवता के ऊपर उठाया। महावीर और बुद्ध ने देवताओं को आदमी के पीछे छोड़ दिया। महावीर और बुद्ध ने कहा कि जो निर्विकार हो गया है, जो निष्कांक्षा से भर गया है, जो निष्काम हो गया है, देवता भी उसके पैर छुएं, देवता भी उसके चरणों में झुकें। हिंदू बहुत नाराज हुए, क्योंकि जैन कथायें हैं, बौद्ध कथायें हैं—ब्रह्मा, विष्णु, महेश को भी बुद्ध और महावीर के चरणों में झुका देती हैं। बुद्ध को जब ज्ञान हुआ, तो खुद ब्रह्मा आकर चरण छुआ। हिंदुओं को बड़ा कष्ट हो जाता है कि यह क्या बात हुई: 'ब्रह्मा से पैर छुआ रहे हो! ब्रह्मा तो जगत का स्रष्टा है। उसने तो बनाया। और ब्रह्मा से पैर छुआ रहे हो!'

लेकिन जैनों और बौद्धों का कारण है।

वे कहते हैं, ब्रह्मा का जीवन तो उठाकर देखो। कथा है, कि उसने पृथ्वी को बनाया, और वह पृथ्वी पर मोहित हो गया, कामातुर हो गया। कामांध होकर पृथ्वी के पीछे भागने लगा। पिता, बेटी के प्रति कामांध हो गया! बेटी घबड़ा गई कि इस पिता से कैसे बचे! तो वह अनेक-अनेक रूपों में छिपने लगी। वह गाय बन गई, तो ब्रह्मा सांड बन गया। और इस तरह सारी सृष्टि हुई।

जैन और बौद्ध कहते हैं कि ये तो देवता भी कामातुर हैं! तो तुम हिंदू देवताओं की कथायें पढ़ो। किसी ऋषि की पत्नी सुंदर है, तो कोई देवता लोलुप हो जाता है, काम-लोलुप हो जाता है, तो षड्यंत्र करके स्त्री के साथ कामभोग कर लेता है।

महावीर और बुद्ध कहते हैं कि यह तो देवमूढ़ता हुई। अगर पूजना है तो उनको पूजो, जिनके जीवन से सारी आकांक्षा चली गई है। अगर पूजना है, तो उनको पूजो, जिनके जीवन से सारे मल-दोष समाप्त हो गए हैं।

इन देवताओं का चरित्र तो देखो, महावीर कहते हैं! हम गौर से कभी देवताओं का चरित्र देखते नहीं, अन्यथा हम बड़े चकित होंगे कि इस चरित्र के रहते हुए, इनको देवता कहे जाने का कारण क्या है! दिव्यता तो कहीं भी मालूम नहीं पड़ती।

इंद्र के संबंध में कितनी कथायें हैं कि जब भी कोई तेजस्वी व्यक्ति, कोई तपस्वी, चैतन्य की ऊंचाइयों पर पहुंचने लगता है, सहस्रार के करीब उसकी ऊर्जा आती है, कि इंद्र का देवासन डोलने लगता है।

क्यों? क्योंकि उसे डर लगता है कि कोई प्रतिद्वंद्वी पैदा हुआ। प्रतिद्वंद्वी! यह तो कोई राजनीतिज्ञ की स्थिति हो गई, कि कोई राष्ट्रपति है, कोई प्रधानमंत्री है, और दूसरा चेष्टा करने लगा, और लोक में उसकी प्रतिष्ठा बढ़ने लगी तो घबड़ाहट पैदा हो जाती है कि यह आदमी कुर्सी छीनने आ रहा है!

यह इंद्र देवता कैसा, जिसको अपने आसन के छिन जाने की इतनी चिंता और घबड़ाहट है; और फिर जो उस आसन को बचाने के लिये सब तरह के उपाय करता है—सही, गलत; भेज देता है मेनका को कि भ्रष्ट करो विश्वामित्र को! यह तो ऐसे ही

हुआ जैसे राजनेता के पास किसी वेश्या को भेज दिया, और फिर चित्र निकलवा लिये और अखबारों में छाप दिये तो लोक में प्रतिष्ठा खत्म हो गई! यह तो कोई सम्यक उपाय भी न हुआ। यह तो शुद्ध राजनीति भी न हुई। यह तो राजनीति का भी बड़ा गर्हित रूप हुआ। यह तो तरकीब बड़े वासनातुर चित्त की हो सकती है।

तो महावीर कहते हैं, पहली मूढ़ता—लोकमूढ़ता; दूसरी मूढ़ता—देवमूढ़ता।

देवताओं से सावधान!

दिव्यत्व की पूजा करो—देवताओं की नहीं। और दिव्यत्व कभी-कभी घटता है—उन मनीषियों में, जिनके भीतर चैतन्य सब तरह से शुद्ध और निर्विकार हुआ। ध्यान की आखिरी ऊंचाई—समाधि—समाधि की पूजा करो! इसलिए जैनों ने महावीर की पूजा की, ऋषभ की पूजा की, नेमि की पूजा की; तीर्थंकरों की पूजा की, देवताओं की पूजा नहीं की। मनुष्यों की पूजा की, जो परमशुद्ध हो गए! बौद्धों ने बुद्ध की पूजा की, बुद्ध को भगवान कहा; लेकिन देवताओं को नहीं पूजा। यह बड़ी क्रांतिकारी घटना थी। यह बड़ी गहरी दृष्टि थी। इस दृष्टि से बड़े रूपांतर हुए। धर्म का नया रूप प्रकट हुआ।

और तीसरी मूढ़ता, महावीर कहते हैं—गुरुमूढ़ता। लोग हर किसी को गुरु बना लेते हैं! जैसे बिना गुरु बनाए रहना ठीक नहीं मालूम पड़ता—गुरु तो होना ही चाहिए! तो किसी को भी गुरु बना लेते हैं। किसी से भी कान फुंकवा लिए! यह भी नहीं सोचते कि जिससे कान फुंकवा रहे हैं उसके पास कान फूंकने योग्य भी कुछ है।

मेरे पास लोग आते हैं, वे कहते हैं कि हम पहले गुरु बना चुके हैं, तो आपका ध्यान करने से कोई अड़चन तो न होगी? मैंने कहा, 'अगर तुम्हें पहले गुरु मिल चुका है तो यहां आने की कोई जरूरत नहीं।' वे कहते हैं, 'मिला कहां!' वह तो गांव में जो ब्राह्मण था, उसी को बना लिया था।

अभी उसको खुद ही कुछ नहीं मिला। तो तुम सोचते तो थोड़ा कि जिसे तुम गुरु बनाने जा रहे हो, वह कम से कम तुमसे एक कदम तो आगे हो! लेकिन गुरु होना चाहिए!...बिना गुरु के कैसे रहें! तो किसी को भी गुरु बना लेते हो! जो मिल गया वही गुरु हो गया। पिता के गुरु थे तो वही तुम्हारे गुरु हो गये, पति के गुरु थे तो वही पत्नी के गुरु हो गये। बिना इस बात का विचार किए कि यह बड़ी महिमापूर्ण बात है, यह जीवन की बड़ी चरम खोज है—गुरु को खोज लेना!

गुरु को खोज लेने का अर्थ, एक ऐसे हृदय को खोज लेना है जिसके साथ तुम धड़क सको और उस लंबी अनंत की यात्रा पर जा सको।

तो महावीर कहते हैं, ये तीन मूढ़ताएं हैं और इन मूढ़ताओं के कारण व्यक्ति सत्य की तरफ नहीं जा पाता। या तो भीड़ को मानता है, या देवी-देवताओं को पूजता रहता है। कितने देवी-देवता हैं! हर जगह मंदिर खड़े हैं। हर कहीं भी झाड़ के नीचे रख दो एक पत्थर और पोत दो लाल रंग उस पर, थोड़ी देर में तुम पाओगे, कोई आकर पूजा कर रहा है! तुम करके देखो! तुम सिर्फ बैठे रहो दूर छिपे हुए, देखते रहो। तुमने ही पत्थर रख दिया है और सिंदूर पोत दिया है; थोड़ी देर में कोई न कोई आकर पूजा करेगा। बड़ी मूढ़ता है।

मैंने सुना है, जिस आदमी ने अमरीका में पहला बैंक खोला, उससे बाद में जब पूछा गया, कि तुमने यह बैंक खोला कैसे? उसने कहा कि कोई काम-धाम न था मेरे पास, कुछ और न सूझा मेरे लिए तो मैंने एक तख्ती लटका दी अपने घर के सामने, 'बैंक' उस पर लिख दिया। थोड़ी देर में देखा कि एक आदमी आकर ढाई सौ डालर जमा करवा गया। तो मैं खुद भी चमत्कृत हुआ। यह मैंने सोचा न था। दूसरे दिन देखा कि एक दूसरा आदमी आया और वह भी कोई सौ डालर जमा करवा गया। फिर तो मेरी इतनी हिम्मत बढ़ गई कि मेरे पास जो पच्चीस डालर थे वे भी मैंने जमा कर दिये। बैंक चल पड़ा!

तुम अगर थोड़ी देर किसी पत्थर पर, सिंदूर पोतकर बैठ जाओ, तो शाम होते-होते तुम खुद ही पूजा करोगे। क्योंकि तुम देखोगे कि इतने लोग पूजा कर रहे हैं, सभी गलत थोड़े ही हो सकते हैं! माना कि तुम्हीं ने रंग पोता था, लेकिन जरूर कुछ बात होगी, कुछ राज होगा। शायद तुमने ठीक पत्थर पर रंग पोत दिया है। अनजाने सही। तुमने परमात्मा की किसी प्रतिमा पर रंग डाल दिया, इतने लोग पूज रहे हैं!

यह मूढ़ता छूटनी चाहिए।

...तो महावीर कहते हैं अमूढ़दृष्टि पैदा होती है।

अमूढ़दृष्टि चौथा चरण है सम्यक दर्शन का।

पांचवां चरण है: उपगूहन।

उपगूहन का अर्थ है: अपने गुणों और दूसरों के दोषों को प्रकट न करना। यह जुगुप्सा के ठीक विपरीत है। अपने गुण प्रकट न करना और दूसरे के दोष प्रकट न करना। हम तो करते हैं उलटा ही: अपने गुण प्रकट करते हैं, जो नहीं हैं वे भी प्रकट कर देते हैं; और दूसरे के दोष प्रकट करते हैं, जो नहीं है वे भी प्रकट कर देते हैं, जो हैं उनकी तो बात ही छोड़ दो।

महावीर कहते हैं, जिसको सत्य की खोज पर जाना है, उसे ये सारे संयम, ये अनुशासन, ये मर्यादाएं, अपने जीवन में उभारनी पड़ेंगी। अपने गुणों को मत कहना, दूसरों के दोषों को मत कहना। तुम्हारा क्या प्रयोजन है? दूसरे का दोष है—दूसरा जाने। और तुम जान भी कैसे सकते हो, क्योंकि तुम दूसरे के स्थान पर खड़े नहीं हो सकते। दूसरे की परिस्थिति का तुम्हें पता नहीं है। दूसरे ने किस परिस्थिति में ऐसा दोष किया, इसका तुम्हें कुछ पता नहीं है। अगर वैसी ही ठीक परिस्थिति तुम्हारे जीवन में भी होती तो शायद तुम भी न बच सकते।

कोई भूखा है, और किसी ने चोरी कर ली; किसी की मां मर रही है और दवा नहीं है, और किसी ने किसी का जेब काट लिया—तुम भी उसकी परिस्थिति में अपने को रखकर देखो, तो शायद तुम भी यही कर लेते।

लेकिन हम परिस्थिति से तोड़ लेते हैं तथ्यों को अलग। हम कहते हैं, यह आदमी चोर है! और हम परिस्थितियों की बात ही भूल जाते हैं। यह किन परिस्थितियों में चोर था?

मनोवैज्ञानिक पश्चिम में बहुत अध्ययन कर रहे हैं अपराध के ऊपर। और उनके जो नतीजे हैं वे बहुत घबड़ानेवाले हैं। आने वाली सदी में, अगर उनके नतीजे स्वीकार किये

गये तो अदालतों को विदा हो जाना पड़ेगा। अदालतों के ज्यादा दिन नहीं हैं—दिन लद गये! क्योंकि अदालतें बुनियादी गलती पर खड़ी हैं। मजिस्ट्रेट इस तरह से बैठकर निर्णय करता है जैसे कि चोर होना कोई सारी परिस्थितियों से टूटा हुआ अलग तथ्य है। उन्हीं परिस्थितियों में यह मजिस्ट्रेट भी चोरी करता।

मनस्विद कहते हैं कि अपराध की जितनी समझ बढ़ती जा रही है, उससे पता चलता है कि लोग मजबूरी में अपराध करते हैं।

दो तरह के अपराधी हैं। एक तो अपराधी हैं जो इस तरह मजबूर हो जाते हैं, इस तरह मजबूर किये जाते हैं, सारी समाज की परिस्थिति उन्हें ऐसी जगह ले आती है, जहां अपराध किये बिना वे जी नहीं सकते। जहां अपराध करना ही उनके बचने का एकमात्र उपाय रह जाता है। अगर अपराध न करना हो तो मरने के सिवा उनके पास कोई सुविधा नहीं है। और मजा यह है कि इस समाज में मरना भी अपराध है। यहां आत्महत्या करना भी अपराध है। अगर करते पकड़े गये तो सजा पाओगे। यहां जीना तो मुश्किल है ही, यहां मरना भी मुश्किल है। यहां जीने भी नहीं देते ठीक से, यहां मरने की भी आज्ञा नहीं है।

तो ऐसी परिस्थिति में कुछ लोग हैं, जो अपराध करते हैं। और कुछ दूसरा एक वर्ग है जो किसी मानसिक रोग के कारण अपराध करता है। उसकी परिस्थिति नहीं थी अपराध करने की। जैसे क्लिप्टोमैनिया है। कुछ लोग हैं जिनको चोरी का रोग होता है। अपराध नहीं। उनको चोरी करने में मजा आता है। उनको कोई कमी नहीं है। वे लखपति हो सकते हैं, और ऐसी चीजों की चोरी कर सकते हैं जिनका कोई मूल्य भी नहीं है; जैसे कि माचिस की डिबिया उन्होंने खीसे में रख ली। कोई कारण नहीं है, क्योंकि उनके पास खूब है। और माचिस की डिबिया का कोई मूल्य नहीं है। लेकिन उनको कुछ मानसिक रोग है।

मैं एक प्रोफेसर को जानता हूं। उनको इस तरह का रोग था। उनकी पत्नी ने मुझे कहा कि आप कुछ करिये। वे कोई ऐसी चीज भी चुराकर नहीं लाते हैं कि कोई अपराध कहा जा सके। किसी के घर बैठे हैं, पैंसिल दिख गई, वह खीसे में सरका ली। किसी के यहां भोजन करने गये हैं, चम्मच ही डाल लिया। पत्नी परेशान कि यह आज नहीं कल, यह झंझट...। और उसने मुझसे कहा कि आपसे उनका लगाव है; शायद...।

तो मैं उनसे धीरे-धीरे बात किया। मैंने उनकी बड़ी प्रशंसा की, क्योंकि मैं समझा कि उनको कोई कमी तो है नहीं। धनपति घर से हैं, अच्छी नौकरी पर हैं। पत्नी भी नौकरी पर है, खुद भी नौकरी पर हैं। सब-कुछ है। तो कोई चम्मच चुराने का कोई परिस्थिति में तो कारण नहीं है। तो जरूर कुछ मन में कारण होगा। तो मैंने कभी उनकी चोरी का विरोध नहीं किया। इस ढंग से उनको फुसलाया कि उनको लगे कि शायद मैं भी उसी रोग का बीमार हूं। उनको मैंने इसी तरह बात की कि जैसे मैं भी चम्मचें उठा लाता हूं। तो उन्होंने कहा, 'अरे! यह तो अच्छा हुआ; आपसे दिल खोल सकते हैं। आपको मैं दिखाऊंगा, घर चलिए।' उन्होंने एक अलमारी में, जितनी चीजें चुराई थीं वे सब सजा रखी थीं। उस पर चिटें भी लगा रखी थीं कि किसके घर से कब लाए। और उन्होंने बड़ी प्रसन्नता से दिखाईं।

उनका इलाज करना पड़ा। वे मानसिक रूप से रोगी थे। चोरी के माध्यम से, वे यह सिद्ध कर रहे थे कि वे दूसरों से ज्यादा कुशल हैं। दूसरे उनकी चोरी नहीं पकड़ पाते, वे कर जाते हैं। यह चोरी में चोरी कारण नहीं थी—अपनी कुशलता, अपनी होशियारी, सिद्ध करने की चेष्टा थी।

मनोवैज्ञानिक कहते हैं, इस तरह का बीमार चिकित्सा चाहता है। उसको मनोचिकित्सा चाहिए। और जिसने परिस्थितिगत रूप से चोरी की हो, उसकी परिस्थिति में रूपांतरण चाहिए। अपराध समाप्त हो जाते हैं। या तो कोई परिस्थिति के कारण चोर है तो परिस्थिति बदलनी चाहिए; और या कोई मानसिक रोग के कारण चोर है, तो मानसिक रोग का इलाज होना चाहिए। जेलखाने खाली हो जाते हैं। जेलखाने में बस दो तरह के लोग पड़े हुए हैं।

महावीर कहते हैं, दूसरे के दोष को बताना ही मत। तुम्हें क्या पता, किस मजबूरी में, किस कठिनाई में उसने किया हो? और तुम्हें क्या पता उसके जन्मों-जन्मों की जीवन-कथा का? लंबी यात्रा है। उस लंबी यात्रा में कहां उसने किसी दोष को अर्जित कर लिया हो, अनजाने सीख लिया हो!

और फिर तुम कौन हो निर्णायक?

जीसस ने भी यही बात कही है। कहा है कि निर्णायक मत बनना, 'जज ई नाट!' दूसरे के न्यायाधीश मत बनना। दूसरा स्वयं जिम्मेवार है अपने कृत्यों के लिए; अपने कृत्यों का फल स्वयं पा लेगा। तुम बीच में निंदा, तुम बीच में विरोध और व्याख्या मत करना। और ध्यान रखना, जैसे दूसरे के गुणों को देखना जरूरी, दुर्गुणों को देखना जरूरी नहीं—अपने दुर्गुणों को देखना जरूरी है, अपने गुणों को देखना जरूरी नहीं है। क्योंकि जो व्यक्ति अपने गुणों को बहुत देखने लगता है, वह फूलने लगात है गुब्बारे जैसा। उसका अहंकार मजबूत होने लगता है। तो अपने गुब्बारे को, अहंकार के गुब्बारे को दोषों को देख-देख कर फोड़ते रहना, ताकि अहंकार बड़ा न हो। और अपने गुणों की कोई चर्चा मत करना। क्योंकि अगर वे हैं तो उनकी सुगंध अपने से पहुंच जाएगी। अगर वे नहीं हैं तो चर्चा करने से कुछ सार नहीं।

'उपगूहन' के बाद छठवां है: स्थिरीकरण। महावीर कहते हैं कि जीवन की, सत्य की इस यात्रा में बहुत बार चूकें होंगी; बहुत बार पांव यहां-वहां पड़ जायेंगे; बहुत बार तुम भटक जाओगे। तो उसके कारण व्यर्थ परेशान मत होना और अपराध-भाव भी मत लाना। यह स्वाभाविक है। जब भी तुम्हें स्मरण आ जाए, फिर अपने को मार्ग पर आरूढ़ कर लेना। उसका नाम है: स्थिरीकरण। फिर अपने को स्थिर कर लेना।

जैसे तुमने तय किया, क्रोध न करेंगे; समझ आई कि क्रोध न करेंगे; देखा, बार-बार क्रोध करके कि सिवाय दुख के कुछ भी न हुआ; देखा क्रोध करके कि अपने लिये भी नरक बना, दूसरे के लिये भी नरक बना—तय किया, अब क्रोध नहीं करेंगे। ऐसी समझपूर्वक एक स्थिति बनी क्रोध न करने की। लेकिन फिर भी चूकें होंगी। किसी आवेश के क्षण में पुनः क्रोध हो जाएगा। लंबी आदत है। जन्मों-जन्मों के संस्कार हैं;

इतनी जल्दी नहीं छूट जाते। फिर-फिर पकड़ लिये जाओगे। तो जब याद आ जाए, जैसे ही याद आ जाए, अगर क्रोध के मध्य में याद आ जाए, तो पुनः अपने को अक्रोध में स्थिर कर लेना। अगर गाली आधी निकल गई थी, तो बस आधी को पूरा भी मत करना। यह भी मत कहना कि अब पूरी तो कर दूं। बीच से ही रोक लेना। वहीं क्षमा मांग लेना। वहीं हाथ जोड़ लेना। कहना, माफ करना, क्षमा करना, भूल हो गई। वापस लौट आना। फिर स्थिर हो जाना।

स्थिरीकरण बहुत उपयोगी सूत्र है। और जिनको जीवन को साधना है, उनके लिए निरंतर उसका उपयोग करना होगा, क्योंकि भूलें तो होंगी ही। फिर भूलों को लेकर मत बैठ जाना और उनमें बहुत रस मत लेने लगना, कि भूल हो गई, अपराध का भाव, और गिल्ट...। क्योंकि वह भी गलत है। वह भी नाहक अपने घाव को कुरेद-कुरेदकर खराब करना है। हो गई भूल, याद आ गई, वापस लौट जाए।

तुम ध्यान करने बैठते हो, थिरता टूट जाती है: किसी विचार के पीछे चल पड़े। कभी-कभी ऐसे विचार, जिनसे तुम्हें जाने का कोई संबंध न था—तुम ध्यान करने बैठे, एक कुत्ता भौंकने लगा; अब कुत्ते के भौंकने से तुम्हारा कोई लेना-देना न था, लेकिन कुत्ते के भौंकने से तुमको अपने मित्र के कुत्ते की याद आ गई। मित्र के कुत्ते की याद आई तो मित्र की याद आ गई। मित्र के साथ कभी दो साल पहले कोई सुंदर दिन बिताया था पहाड़ों पर, वह याद आ गया—चल पड़े!

जब याद आ जाये कि अरे! तब तत्क्षण स्थिर हो जाना। फिर वापस लौट आना। फिर इसको लेकर परेशान मत होना, कि यह मैंने क्या कर लिया, क्योंकि वह परेशानी भी फिर ध्यान में न लगने देगी। तो जैसे ही याद आ जाए, स्मरण हो, चुपचाप अपने को स्थिर कर लेना। नहीं तो लोग क्या करते हैं—पहले गलती करते हैं, फिर गलती के संबंध में पश्चात्ताप करते हैं, फिर रोते हैं, अपराध अनुभव करते हैं—तो गलती से भी ज्यादा गलती हो गई। गलती तो एक जगह होकर पूरी हो गई फिर उसका सिलसिला चल पड़ा। अब उसका पश्चात्ताप करो। अब रोओ। अब कहो कि भूल हो गई, डिग गया अपने पथ से, पापी हो गया!

महावीर कहते हैं, इस सब में पड़ने की इतनी ऊर्जा खराब मत करना। आया स्मरण, कि भूल के रास्ते पर चले गये थे, तत्क्षण चुपचाप वापस लौट आना। ऐसा बार-बार स्थिरीकरण होते-होते, होते-होते, जिसको कृष्ण ने स्थिति भी कहा है, स्थितिप्रज्ञ कहा है—वह स्थिति घटेगी। कभी ऐसी घड़ी आ जाती है कि फिर कोई भूल नहीं होती। तुम्हारी थिरता शाश्वत हो जाती है। तुम्हारी लौ अकंप हो जाती है।

सातवां: वात्सल्य। इसे समझना।

भक्ति के संप्रदाय, प्रार्थना को मूल्य देते हैं। तो तीन शब्द समझ लेना, तो ही वात्सल्य समझ में आयेगा: प्रार्थना, प्रेम, वात्सल्य। प्रार्थना होती है, जो अपने से बड़ा है—परमात्मा, उसके प्रति। प्रार्थना में एक मांग होती है। प्रार्थना शब्द में ही मांग छिपी है। इसलिए मांगने वाले को हम प्रार्थी कहते हैं। मांगा उससे जा सकता है जिसके पास हमसे

ज्यादा हो, अनंत हो। तो प्रार्थना सिर्फ भगवान से की जा सकती है। लेकिन महावीर की व्यवस्था में भगवान की कोई जगह नहीं है—प्रार्थना की कोई जगह नहीं।

फिर दूसरा शब्द है: प्रेम। प्रेम होता है सम अवस्था, सम स्थिति वाले लोगों में—एक स्त्री में, एक पुरुष में; दो मित्रों में, मां में, बेटे में; भाई-भाई में—ऐसा समस्थिति! परमात्मा ऊपर है, प्रार्थी नीचे है। लेकिन प्रेमी साथ-साथ खड़े हैं। परमात्मा से सिर्फ मांगा जा सकता है, उसको दिया तो क्या जा सकता है! देने को हमारे पास कुछ भी नहीं है। उसके सामने हम निपट भिखारी हैं, समग्ररूपेण भिखारी। देंगे क्या? देने को कुछ भी नहीं है। अपने को भी दें तो भी वह देना नहीं है, क्योंकि हम भी उसी के हैं तो देना क्या है? उससे हम सिर्फ मांग सकते हैं, सिर्फ मांग सकते हैं। उसके सामने हम सिर्फ भिखारी हो सकते हैं।

इसलिए महावीर कहते हैं, परमात्मा की कोई जरूरत नहीं, क्योंकि परमात्मा के कारण सारा संसार भिखारी हो जाता है।

प्रेम में हम लेते हैं, देते हैं, क्योंकि दोनों समान हैं। जिसको तुम प्रेम करते हो, तुम देते भी हो; लेकिन देते तुम इसीलिए हो कि मिले। जो तुम्हें प्रेम करता है, वह भी देता है; लेकिन देता इसीलिए है कि मिले, वापस हो। तो प्रेम में लेन-देन है। परमात्मा की तरफ से इकतरफा है; सिर्फ मिलता है; देने को हमारे पास कुछ भी नहीं है। प्रेमी लेते-देते हैं।

वात्सल्य ठीक प्रार्थना का उलटा है। वात्सल्य का अर्थ है: तुम दो। इसलिए हम कहते हैं, मां का वात्सल्य होता है बेटे की तरफ। बेटा क्या दे सकता है? छोटा-सा बेटा है, अभी पैदा हुआ, चल भी नहीं सकता, बोल भी नहीं सकता, कुछ लाया भी नहीं, बिलकुल नंग-धड़ंग चला आया है। हाथ खाली है। वह देगा क्या? इसलिए समान तल तो है नहीं मां का और बेटे का। और मांग भी नहीं सकता, क्योंकि मांगने के लिए भी अभी उसके पास बुद्धि नहीं है। तो मां का वात्सल्य है। मां उसे जो प्रेम करती है वह सिर्फ देने-देने का है। मां देती है, वह लौटा भी नहीं सकता। उसको अभी होश ही नहीं लौटाने का।

वात्सल्य का अर्थ है: तुम दो जैसे मां देती है।

तो महावीर कहते हैं, प्रार्थना नहीं, प्रेम नहीं—वात्सल्य। तुम तो लुटाओ, जो तुम्हारे पास है दिये चले जाओ। इसकी फिक्र ही मत करो कि किसको दिया। बस इसकी फिक्र करो कि दिया। तो जो तुम्हारे पास हो, वह तुम देते चले जाओ। कुछ तुम्हारे पास बाहर का देने का न हो तो भीतर का दो। वस्तुएं न हों तो अपना प्राण बांटो, अपना अस्तित्व बांटो, पर दो और देते रहो!

तो जैसे भक्ति के रास्ते पर प्रार्थना सूत्र है, ठीक उससे विपरीत, ध्यान के रास्ते पर वात्सल्य सूत्र है। भक्ति के रास्ते पर तुम भिखारी होकर भगवान के मंदिर पर जाते हो: ध्यान के रास्ते पर तुम सम्राट होकर, तुम बांटते हुए जाते हो, तुम देते हुए जाते हो! तुम मांगते नहीं। क्योंकि मांग में तो आकांक्षा है—वह तो पहले ही चरण में समाप्त हो गई।

अब तुम्हारे पास कुछ है, तुम उसे बांटते हो—और जब तुम बांटते हो, तब तुम

पाते होः और आने लगा! अनंत ऊर्जा उठने लगी! तुम्हारे सब जलस्त्रोत खुल जाते हैं। तुम्हारे झरने सब फूट पड़ते हैं। जितना तुम्हारे कुएं से पानी उलीचा जाता है, तुम पाते होः उतना ही नया पानी आ रहा है। सागर तुममें अपने को उंड़ेलने लगता है।

तो लुटाओ! दोनों हाथ उलीचिए, यही सज्जन को काम। कबीर ने कहा हैः उलीचो! महावीर का वात्सल्य वही है जिसको कबीर कहते हैंः उलीचना।

और प्रभावना!

और आठवां चरण है सम्यक दर्शन काः प्रभावना। यह महावीर का अपना शब्द है। इसके लिए कहीं तुम्हें पर्याय न मिलेगा। प्रभावना का अर्थ होता हैः इस भांति जीयो कि तुम्हारे जीने से धर्म की प्रभावना हो। इस ढंग से उठो-बैठो कि तुम्हारे उठने-बैठने से धर्म झरे। और जिनके जीवन में धर्म की कोई रोशनी नहीं है, उनको भी प्यास पैदा हो। तुम्हारा चलना, तुम्हारा व्यवहार, तुम्हारे जीवन की शैली—सभी प्रभावना बन जाए। प्रभावना—धर्म की, सत्य की।

तुम एक ज्योतिर्मय व्यक्तित्व बन जाओ कि जिनके भी पास ज्योति नहीं है, उनको भी ज्योति होनी चाहिए! और यह जीवन—अंधेरे का भी क्या कोई जीवन है, ऐसा भाव उठे! तुम जहां से गुजर जाओ, वही लोगों के हृदय में एक लहर दौड़ जाए। और लोगों का जीवन सत्य की तरफ उन्मुख हो।

महावीर कहते हैं, इस सत्य की खोज का आठवां अंग हैः प्रभावना। क्योंकि तुम जब सत्य को खोजने चले हो, तो अकेले नहीं। उसमें भी कंजूसी मत कर बैठना। नहीं तो वह भी स्वार्थ हो जायेगा। तो जिसकी खोज पर तुम चले हो और जो तुम्हें मिलने लगा है, उसकी खोज पर औरों को भी लगा देना। लेकिन खयाल रखना, महावीर बड़े अनूठे शब्दों का उपयोग करते हैं। वे यह नहीं कहते, तुम लोगों को उपदेश देना। वे यह नहीं कहते, तुम लोगों को आदेश देना। वे कहते हैं, प्रभावना!

तुम्हारे होने के ढंग से ही उनको उपदेश मिल जाए। तुम्हारे होने के ढंग से उनको आदेश मिल जाए। तुम्हारा होने का ढंग ही उनको पकड़ ले और एक नये नृत्य में डुबा दे और एक, एक नई मस्ती से भर दे! तुम्हारा होना ही, तुम्हार अस्तित्व मात्र, तुम्हारा उनके पास से गुजर जानाः एक नये जगत का प्रवेश हो जाए उनके जीवन में! तुम्हारा उनके पास आ जाना, तुम्हारा सत्संग, तुम्हारी मौजूदगी, उन्हें रूपांतरित कर दे! उनकी आंखें उस तरफ उठ जायें जहां कभी न उठी थीं। लेकिन इसके लिए वे जो शब्द उपयोग करते हैं, वह बड़ा अनूठा हैः प्रभावना! तुम उन्हें प्रभावित भी करने की चेष्टा मत करना। तुम्हारा होना प्रभावना बने! वे प्रभावित होंः तुमसे नहीं—धर्म से; तुमसे नहीं—सत्य से; जो तुममें घटा है—उससे; वह जो पारलौकिक तुममें उतरा है—उससे।

ये आठ अंग स्मरण हों तो सम्यक दर्शन निर्मित होता है।

यह पहला सूत्र हैः

निस्संकिय निक्कंखिय निव्वितिगिच्छा अमूढ़दिट्ठी य।
उवबूह थिरीकरणे, वच्छल पभावणे अट्ठ।।

ये आठ बातें सम्यक दर्शन के आठ अंग हैं।

दूसरा सूत्र: 'जब कभी अपने में दुष्प्रयोग की प्रवृत्ति दिखाई दे तो उसे तत्काल मन, वचन, काया से धीर (सम्यक दृष्टि) समेट ले; जैसे कि जातिवंत घोड़ा रास के द्वारा शीघ्र ही सीधे रास्ते पर आ जाता है।'

और महावीर इस बात को बार-बार दोहराते हैं कि तुम कभी ऐसा मत समझ लेना कि सिद्ध हो गये। क्योंकि इस अनंत की खोज के मार्ग पर बहुत ऐसे पड़ाव आते हैं जहां यह भ्रम पैदा होता है कि हो गये सिद्ध। सिद्ध होने का भ्रम बड़ा आसान है, क्योंकि अहंकार को बड़ा भाता है, कि हो गये सिद्ध, पहुंच गये!

तुम ध्यान रखना कि ऐसा भाव जब भी तुम्हें आएगा कि पहुंच गए, तभी तुम तत्क्षण पाओगे कि कुछ विकृति घटी, कुछ दुष्प्रयोग हुआ, कहीं कोई भूल हुई।

तो स्मरण रखना कि भूल होती रहेंगी अंतिम क्षण तक। निर्वाण के आखिरी क्षण तक भूल होती रहेंगी। समाधि के परम फूल के खिलने तक भूल होती रहेंगी।

भूल मनुष्य का स्वभाव है। और भूलों का जन्मों-जन्मों का इतिहास है। इसलिए जहां भी कहीं ऐसा लगे, कि दुष्प्रयोग में प्रवृत्ति दिखाई दे, उसे तत्काल मन, वचन और काया से (सम्यक दृष्टि) धीरपुरुष समेट ले; जैसे कि जातिवंत घोड़ा रास के द्वारा शीघ्र ही सीधे रास्ते पर आ जाता है।

तो अपनी लगाम को कभी भी छोड़ मत देना। जब तक घोड़ा है, तब तक लगाम को हाथ में रखना। घोड़ा यानी मन। जब तक मन है, तब तक लगाम मत छोड़ देना। मन पर भरोसा मत कर लेना। क्योंकि बहुत बार घोड़ा बिलकुल ठीक-ठीक चल रहा है, घंटों तक ठीक-ठीक चल रहा है और तुम्हारा मन होता है, अब लगाम की क्या जरूरत है, रख दो ताक पर; अब तो सब ठीक चल रहा है, अब होश की क्या जरूरत है, अब निरंतर स्मरण की क्या जरूरत है, घोड़ा तो ठीक अपने आप ही चल रहा है! ऐसा भरोसा मत करना। लगाम के रखते ही तत्क्षण घोड़ा अपने स्वभाव के अनुकूल बरतने लगेगा। लगाम तो हाथ में रखनी पड़ेगी जब तक घोड़ा है। जब तक मन न मर जाए, जब तक कि मन से परिपूर्ण मुक्ति न हो जाए, जब तक तुम्हारे भीतर विचारों की तरंगें उठती हैं—तब तक लगाम का खयाल रखना। और जैसे ही तुम्हें लगे कि कहीं घोड़ा गलत रास्ते पर जाने लगा, मार्ग से च्युत हुआ, दुष्प्रयोग में लगा, कहीं कोई प्रवृत्ति उठने लगी, फिर आंख गलत पर पड़ी, फिर कान ने गलत को सुना, फिर हाथ गलत की तरफ बढ़े, फिर विचार में गलत की छाया पड़ी—तत्क्षण मन, वचन, काया से धीरपुरुष अपने को फिर ऐसे समेट ले...मन, वचन, काया से—शरीर को तत्क्षण हटा ले वहां से।

शरीर को हटाने का अर्थ समझना। जब भी तुम्हारे मन में कोई तरंग उठती है, तत्क्षण शरीर में भी समानांतर तरंग उठती है। अगर तुम्हारे मन में कामवासना उठी, तो तत्क्षण शरीर कामवासना के लिये तत्पर होने लगता है, तरंग उठती है। और जब भी तुम्हारे मन में कोई तरंग उठती है, और शरीर में तरंग उठती है, तो तुम्हारे भीतर भाषा और वचन निर्मित होता है। रूप बनता है विकार का। प्रतिमायें उठती हैं। स्वप्न निर्मित होता है।

वचन से अर्थ है: विचार; मन की कल्पना का जाल। और मन, शरीर, वचन, तीनों में एक साथ लहर आती है। तीनों को एक साथ खींच लेना! किसी एक को खींच लेने से काम न चलेगा। तुम, हो सकता है शरीर को खींचकर दरवाजा बंद करके बैठ जाओ, इससे कुछ फर्क न पड़ेगा। बहुत-से जैन मुनि शरीर को खींचकर बैठ गए हैं, लेकिन मन और वचन में तरंगें उठती रहती हैं। शरीर को खींच लेना बहुत आसान है। शरीर को खींच लेने में बहुत कठिनाई नहीं है। शरीर बहुत स्थूल है। उससे भी गहरा वचन है। विचार में भी तरंग न उठे।

लेकिन बहुत-से लोग विचार को भी खींचकर बैठ जाते हैं। फिर भी मन में तरंग उठती है। मन यानी अचेतन। तो दिन भर याद नहीं आते, लेकिन रात सपने में याद आ जाते हैं। दिन भर तुम सम्हाले रहते हो। कोई विचार नहीं उठने देते। लेकिन स्वप्न में विचार आ जाते हैं। तो भी, दुष्प्रवृत्ति हो गई। तो भी, तुम च्युत हुए। इन सबसे धीरपुरुष अपने को खींचता रहता है।

'तू महासागर को तो पार कर गया है, अब तट के निकट पहुंचकर क्यों खड़ा है? उसे पार करने में शीघ्रता कर हे गौतम, क्षण भर का भी प्रमाद मतकर!'

यह तीसरा सूत्र है आज के लिए। यह महावीर ने अपने महानिर्वाण के क्षण भर पहले कहा था। यह अपने पट्ट शिष्य गौतम के लिये कहा था।

गौतम महावीर का प्रथम गणधर है—उनका सबसे ज्यादा निकट का शिष्य। लेकिन विडंबना भाग्य की, कि वह आया था सबसे पहले, लेकिन मुक्ति का स्वाद न ले सका। वह महावीर के पास वर्षों रहा, फिर भी उस परम दशा को न पहुंच सका, जिसको हम कैवल्य कहें, समाधि कहें। मन मिट न सका। और उसने कुछ छोड़ा हो करने में, ऐसा भी नहीं है। उसने सब किया जो महावीर ने कहा। लेकिन एक छोटा-सा राग पैदा हो गया—वह राग था महावीर के प्रति। वह राग था महावीर के चरणों का। उतने ही राग ने रोक लिया। एक प्रेम लग गया महावीर से। महावीर के बिना उसे तकलीफ होने लगी। दिन को भी कहीं जाता तो बस महावीर की ही याद आती रहती। महावीर ने उसे कई बार कहा कि तूने सब छोड़ दिया, अब मुझे क्यों पकड़ लिया है? क्योंकि असली सवाल छोड़ने का नहीं—असली सवाल तो पकड़ ही छोड़ देने का है।

तुमने कुछ पकड़ा, किसी ने कुछ और पकड़ा, किसी ने कुछ और पकड़ा—लेकिन पकड़ तो जारी रहती है। किसी ने धन पकड़ा, किसी ने धर्म पकड़ा। किसी ने पत्नी पकड़ी, किसी ने गुरु पकड़ा—लेकिन पकड़ तो जारी रहती है।

और महावीर बड़े कठोर हैं इस दृष्टि से। क्योंकि उनका पूरा राग से ही विरोध है। वह पूरा रास्ता ही वीतराग का है। तो यह गौतम सब छोड़ आया। पत्नी होगी, बच्चे होंगे, घर-द्वार होगा, मित्र-परिजन होंगे, धन-संपत्ति होगी, पद-प्रतिष्ठा होगी—सब छोड़ आया! यह बड़ा पंडित था, ब्राह्मण था। इसने सब शास्त्र वेद, उपनिषद, सब छोड़ दिये। लेकिन उस सबको छोड़कर महावीर के चरणों को पकड़कर बैठ गया। यह अब महावीर का दीवाना बन गया। तो महावीर उससे बार-बार कहते रहे कि तू मुझे भी छोड़। यह बात ही

सुनकर उसको कष्ट होता। यह बात ही कल्पना के बाहर थी: महावीर को छोड़ो! वह सब छोड़ने को तैयार था महावीर के लिए। सब छोड़ा ही महावीर के लिए था। अब यह तो बात जरा ज्यादा हो गई कि महावीर को भी छोड़ो। तो फिर सब छोड़ा ही किसलिए था! वह महावीर के लिए ही छोड़ा था। वह मुक्त न हो सका।

महावीर ने जिस दिन देह छोड़ी, उसे सुबह ही दूसरे गांव में उपदेश के लिए भेजा। शायद जानकर ही भेजा हो। क्योंकि वह पास रहेगा तो बहुत दुखी होगा। यह मृत्यु उसके सामने, कहीं उसे विक्षिप्त न कर दे। उसका लगाव बहुत था। फिर पीछे से खबर मिलेगी तो बात आई-गई हो जाएगी। फिर धीरे-धीरे सम्हल जाएगा। आघात मृत्यु का सीधे, महावीर को अपने सामने ही, मरा हुआ देखना, देह से छूट जाना देखना—शायद उसके प्राणों को तोड़ दे, शायद वह सह न पाये! तो उसे दूसरे गांव भेज दिया। जब वह सांझ को लौट रहा था दूसरे गांव से तो राहगीरों ने रास्ते में उससे कहा कि गौतम, तुम्हें कुछ पता है, महावीर जा चुके! अब तुम कहां जा रहे हो? अब वह सत्पुरुष न रहा!

तो वह वहीं रोने लगा। वहीं छाती पीटकर चिल्लाने लगा। भरी आंखों से, टपकते आंसुओं से, उसने उन लोगों से पूछा कि 'एक बात मुझे पूछनी है कि यह कैसा हुआ? यह उन्होंने कैसा अन्याय किया? जीवनभर मैं उनके साथ रहा। तो आज तो कम से कम मुझे बाहर न भेजते, दूर न भेजते! यह उन्होंने कौन-सा बदला लिया! एक ही बात पूछनी है मुझे: मरते समय मुझे याद किया था? मरने के पहले मेरे लिये कोई इशारा छोड़ा? क्योंकि मैं तो अभी भी अंधेरे में भटक रहा हूं। मेरा क्या होगा? दीया बुझ गया—अब मेरा क्या होगा?' तो उन लोगों ने...यह सूत्र महावीर ने गौतम के लिए कहा है, इसलिए गौतम का नाम इस सूत्र में आता है...उन लोगों ने गौतम को कहा, महावीर ने तुझे याद किया था। वे यह सूत्र तेरे लिये छोड़ गए हैं: 'तू महासागर को तो पार कर गया है, अब तट के निकट पहुंचकर क्यों खड़ा है? उसे पार करने में शीघ्रता कर! हे गौतम, क्षण भर का भी प्रमाद मत कर!'

तिण्णो हु सि अण्णवं महं, कि पुण चिट्ठसि तीरमागओ।
अभितुर पारं गमित्तए, समयं गोयम्! मा पमायए।।

'हे गौतम! तू पूरा भवसागर पार कर गया, सारा संसार छोड़ दिया, सब तरफ से राग की जड़ें उखाड़ लीं—और अब तू किनारे को पकड़कर क्यों रुका है?'

किनारा यानी महावीर। ऐसा समझो कि तुम उस दूर के किनारे को पाने के लिए सारी नदी पार करते हो, निश्चित ही उस किनारे जाने के लिए ही नदी पार करते हो। फिर इस नदी के सारे कष्ट उठाते हो—तूफान, झंझावात, धार के उपद्रव, मृत्यु का डर, डूब जाने का भय—यह सबको तुम पार कर जाते हो। फिर उस दूसरे किनारे को पकड़कर रुक जाते हो। रुके हो नदी में ही। किनारे को पकड़कर रुके हो! तुम कहते हो, इसी किनारे के लिए तो सारी नदी पार की, वह किनारा छोड़ा, नदी छोड़ी, इतना संघर्ष झेला—अब इस किनारे को न छोड़ेंगे!

तो महावीर कहते हैं, यह तो कुछ लाभ न हुआ। रुके तुम अब भी नदी में हो।

अब इस किनारे को भी छोड़ो, बाहर निकलो! अब पार हो गए, नदी छूट गई, किनारे को भी छोड़ो!

तो गुरु का उपयोग दूर के किनारे की तरह है। नदी को पार करने में निमित्त बना लेना, लेकिन जब नदी पार हो जाए, तो गुरु को पकड़कर मत रुक जाना। महावीर कहते हैं, क्षण भर का भी प्रमाद मत कर, और इसमें क्षण भर की देर मत कर, आलस्य मत कर—क्योंकि समय बीता जाता है, फिर लौटकर न आएगा!

और जो महावीर के जीते-जी न हो सका, वह महावीर की मृत्यु के कारण हो गया। गौतम को वह चोट भारी पड़ी। किनारा उसने नहीं छोड़ा, किनारा खुद ही जा चुका था अब। अब पकड़ने को कुछ था भी नहीं। जो जीवनभर महावीर के साथ रहकर बोध न हुआ, वह महावीर के मरने के एक दिन बाद...गौतम समाधि को उपलब्ध हो गया। उसने जान लियाः संसार ही असार नहीं है, यहां सदगुरु के चरण भी छूट जाते हैं! यहां संपत्ति ही नहीं छूटती, सदगुरु भी छूट जाता है। यहां सभी कुछ असार है। यहां अपने में ही लौट आने में सार है।

ऐसा समझ कर...और तो सब छोड़ ही चुका था, यह महावीर के प्रति लगाव था, यह भी छूट गया और यह लगाव बिलकुल मानवीय है, समझ में आता है। महावीर जैसा प्यारा पुरुष हो तो किसे लगाव न हो! गौतम की अड़चन समझ में आती है। महावीर ही कठोर मालूम होते हैं। गौतम का भाव तो ठीक ही है; समझ में पड़ता है। इतना प्यारा पुरुष कभी-कभी होता है। और ऐसे प्यारे पुरुष के पास पकड़ लेने का मन किसके मन में न होगा! और एकबारगी ऐसा भी होता है कि छोड़ो मोक्ष, छोड़ो बैकुंठ—यही चरण काफी है! ऐसा ही गौतम को हुआ होगा। सब संसार छोड़ने की हिम्मत की थी, लेकिन ये चरण न छोड़ सका। लेकिन फिर ये चरण एक दिन छूट गए। जो भी बाहर है, वह छूट ही जाएगा।

इसलिए महावीर कहते हैंः आत्मा में ही रमण करो। सब तरफ से अपने में ही लौट आओ! अपने में ही लीन हो जाओ! उस आत्मलीनता को ही महावीर ने मोक्ष कहा है।

यह जो निमंत्रण गौतम के लिए है, यही निमंत्रण तुम्हारे लिए भी है।

पोत अगणित इन तरंगों ने
डुबाए, मानता मैं
पार भी पहुंचे बहुत से
बात यह भी जानता मैं
किंतु होता सत्य यदि यह
भी, सभी जलयान डूबे
पार जाने की प्रतिज्ञा
आज बरबस ठानता मैं
डूबता मैं, किंतु उतराता
सदा व्यक्तित्व मेरा

हों युवक डूबे भले ही
है कभी डूबा न यौवन
तीर पर कैसे रुकूं मैं
आज लहरों में निमंत्रण!

महावीर दूर अनंत के सागर की लहरों का निमंत्रण हैं। और निमंत्रण ही नहीं, उस दूर के सागर तक पहुंचने का एक-एक कदम भी स्पष्ट कर गए हैं। महावीर ने अध्यात्म के विज्ञान में कुछ भी अधूरा नहीं छोड़ा, खाली जगह नहीं है। नक्शा पूरा है। एक-एक इंच भूमि को ठीक से माप गए हैं और जगह-जगह मील के पत्थर खड़े कर गए हैं।

ये आठ सूत्र सम्यक दर्शन के सध जाएं तो सब सध गया। ये आठ सध जाएं तो समाधि सध गई, क्योंकि इन आठ के सधते ही सारी समस्याएं तिरोहित हो जाती हैं। जो शेष रह जाता है, वही समाधान है।

महावीर के निमंत्रण को अनुभव करो! उनकी पुकार को सुनो! ऐसे खाली नाममात्र को जैन होकर बैठे रहने से कुछ भी न होगा। ऐसी नपुंसक स्थिति से कुछ लाभ नहीं। उठो! अपने का जगाओ! बहुत बड़ी संभावना तुम्हारी प्रतीक्षा कर रही है। खतरा है! इसलिए महावीर कहते हैं: अभय, साहस चाहिए!

खतरा यही है:

पोत अगणित इन तरंगों ने
डुबाए, मानता मैं

—बड़ा है, विराट है सागर! और न मालूम कितने पोत डूब चुके हैं!

पोत अगणित इन तरंगों ने
डुबाए, मानता मैं
पार भी पहुंचे बहुत से
बात यह भी जानता मैं।

लेकिन कुछ हैं जो पार भी पहुंच गए हैं। कोई महावीर, कोई बुद्ध, कोई कृष्ण, कोई क्राइस्ट, कोई मोहम्मद पार भी पहुंच गये हैं। बहुत-से खो भी गये हैं। अनंत खो गए हैं।

कहते हैं, हजार बुलाए जाते तो सौ पहुंचते हैं। सौ जो पहुंचते हैं, उनमें से दस चलते हैं। और दस चलते हैं, एक कहीं सिद्धावस्था को उपलब्ध हो पाता है।

किंतु होता सत्य यदि यह
भी, सभी जलयान डूबे
पार जाने की प्रतिज्ञा
आज बरबस ठानता मैं

लेकिन, अगर यह भी सत्य होता कि जो भी गया, सभी डूब गए, तो भी—

पार जाने की प्रतिज्ञा,
आज बरबस ठानता मैं

—क्योंकि यहां इस किनारे कुछ भी तो नहीं है। यहां बचे भी, तो भी तो कुछ बचने

जैसा नहीं है। और सागर में अगर डूबे भी तो डूबकर भी कुछ मिलता है।

डूबता मैं किंतु उतराता
सदा व्यक्तित्व मेरा।

तुम तो डूब जाओगे, लेकिन आत्मा उतराएगी। तुम तो डूबोगे तभी आत्मा उतराएगी। तुम तो आत्मा में पत्थर की तरह हो। तुम्हारी वजह से आत्मा तैर नहीं पाती, तिर नहीं पाती।

हों युवक डूबे भले ही
है कभी डूबा न यौवन
तीर पर कैसे रुकूं मैं
आज लहरों में निमंत्रण।

सुनो इस निमंत्रण को! करो हिम्मत! चलो थोड़े कदम महावीर के साथ! थोड़े ही कदम चलकर तुम पाओगे कि जीवन की रसधार बहने लगेगी। थोड़े ही कदम चलकर तुम पाओगे, संपदा करीब आने लगगी। आने लगीं शीतल हवाएं—शांति की, मुक्ति की! फिर तुम रुक न पाओगे। फिर तुम्हें कोई भी रोक न सकेगा। थोड़ा लेकिन स्वाद जरूरी है। दो कदम चलो, स्वाद मिल जाए; फिर तुम अपने स्वाद के बल ही चल पड़ोगे।

लाओत्सु ने कहा है, एक कदम तुम उठा लो, फिर फिक्र नहीं। बस एक कदम तुम न उठाओ तो बड़ी फिक्र है। पहला कदम तुम उठा लो तो बस, दूसरा तुम उठाओगे ही। क्योंकि पहले को उठाने में ही ऐसा रस बरस जाता है, फिर कौन पागल होगा जो दूसरा कदम न उठाए! और एक-एक कदम चलकर हजारों मील की यात्रा भी अंततः पूरी हो जाती है! दो कदम तो कोई एकसाथ चल भी नहीं सकता। एक कदम! छोटा कदम! जितनी तुम्हारी सामर्थ्य में आता हो, इतना बड़ा कदम! लेकिन उठाओ! बैठे-बैठे बहुत जन्म खोए—और मत खोओ!

धम्मपद में बुद्ध ने कहा है: 'उत्तिट्ठे!' उठो! 'न पमज्जेय्य!' उठो! प्रमाद मत करो! सोये मत रहो! आलसी मत रहो! जो उठता है, वही पाता है। जो सोया रहता, वह सभी कुछ खो देता है।

आज इतना ही।

ओशो—एक परिचय

ओशो किसी कोटि में नहीं रखे जा सकते। उनके हजारों प्रवचन अर्थवत्ता की व्यक्तिगत तलाश से लेकर आज समाज के समक्ष उपस्थित सर्वाधिक ज्वलंत सामाजिक व राजनैतिक समस्याओं तक सब-कुछ पर प्रकाश डालते हैं। ओशो की पुस्तकें लिखी नहीं गई हैं, वे अंतर्राष्ट्रीय श्रोताओं के समक्ष उनकी तत्क्षण दी गई ध्वनिमुद्रित ऑडियो/वीडियो वार्ताओं के संकलन हैं। जैसा कि वे कहते हैं: ''तो याद रहे, मैं जो भी कह रहा हूं वह केवल तुम्हारे लिए ही नहीं...मैं भविष्य की पीढ़ियों के लिए भी बोल रहा हूं।''

ओशो को लंदन के *दॅ संडे टाइम्स* ने ''बीसवीं सदी के 1000 निर्माताओं'' में से एक कह कर वर्णित किया है। सुप्रसिद्ध अमरीकी लेखक टॉम राबिन्स ने ''जीसस क्राइस्ट के बाद सर्वाधिक खतरनाक व्यक्ति'' कह कर वर्णित किया है। भारत के *संडे मिड-डे* ने ओशो को गांधी, नेहरू और बुद्ध के साथ उन दस लोगों में चुना है जिन्होंने भारत का भाग्य बदल दिया।

अपने कार्य के बारे में ओशो ने कहा है कि वे एक नये मनुष्य के जन्म के लिए भूमि तैयार कर रहे हैं। इस नये मनुष्य को वे 'ज़ोरबा दॅ बुद्धा' कहते हैं—जो ज़ोरबा दॅ ग्रीक की तरह पृथ्वी के समस्त सुखों को भोगने की क्षमता रखता हो और गौतम बुद्ध की तरह प्रशांत सौम्यता में जीता हो। ओशो के हर आयाम में एक धारा की तरह बहता हुआ वह जीवन-दर्शन है जो पूरब की समयातीत प्रज्ञा और पश्चिम के विज्ञान और तकनीकी की सर्वोच्च संभावनाओं को एक साथ समाहित करता है।

वे आंतरिक रूपांतरण के विज्ञान में क्रांतिकारी देशना के पर्याय हैं और ध्यान की उन विधियों के प्रस्तोता हैं जो आज के गतिशील जीवन को ध्यान में रख कर रची गई हैं।

अनूठे ओशो सक्रिय ध्यान इस तरह रचे गए हैं कि पहले शरीर और मन में एकत्रित तनावों का रेचन हो सके, जिससे रोजमर्रा के जीवन में सहज स्थिरता फलित हो व विचार-रहित दशा की प्रशांति अनुभव की जा सके।

ओशो की दो आत्मकथात्मक कृतियां:
ऑटोबायोग्राफी ऑफ ए स्प्रिचुअली इनकरेक्ट मिस्टिक,
(सेंट मार्टिंस प्रेस, यू एस ए)
ग्लिम्प्सेस ऑफ ए गोल्डन चाइल्डहुड,
(ओशो मीडिया इंटरनेशनल, पुणे, भारत)

ओशो इंटरनेशनल मेडिटेशन रिज़ॉर्ट

स्थान

मुंबई से सौ मील दक्षिणपूर्व में फलते-फूलते आधुनिक शहर पुणे में स्थित ओशो इंटरनेशनल मेडिटेशन रिज़ॉर्ट छुट्टियां बिताने का एक ऐसा स्थल है जो औरों से सर्वथा भिन्न है। वृक्षों की कतारों से घिरे आवासीय क्षेत्र में मेडिटेशन रिज़ॉर्ट 28 एकड़ के दर्शनीय बगीचों में फैला हुआ है।

अनूठापन

हर वर्ष मेडिटेशन रिज़ॉर्ट 100 से भी अधिक देशों से आने वाले हजारों मित्रों का स्वागत करता है। रिज़ॉर्ट का अनूठा परिसर अधिक होशपूर्ण, विश्रांत, उत्सवमय व सृजनात्मक जीवन जीने के एक नये ढंग का प्रत्यक्ष अनुभव करने के लिए अवसर प्रदान करता है। चौबीसों घंटे और पूरे वर्ष चलने वाले कार्यक्रमों का भव्य, विविधतापूर्ण चुनाव उपलब्ध है—कुछ भी न करना व केवल विश्राम उनमें से एक है!

यहां के सभी कार्यक्रमों की पृष्ठभूमि में ओशो की 'ज़ोरबा दॅ बुद्धा' की अंतर्दृष्टि निहित है जो गुणात्मक रूप से एक नये ढंग का मनुष्य है जो दैनंदिन जीवन को सृजनात्मक ढंग से जीने के साथ ही मौन और ध्यान में ठहर जाने की क्षमता रखता है।

विवरण

ध्यान

हर तरह के व्यक्ति के अनुरूप दिन भर चलने वाले ध्यान-कार्यक्रमों में सक्रिय और निष्क्रिय, परंपरागत और क्रांतिकारी, तथा खासकर ओशो डाइनैमिक मेडिटेशन जैसी ध्यान-विधियां उपलब्ध हैं। ये सभी ध्यान-विधियां विश्व के संभवतः सर्वाधिक भव्य व विशाल ध्यान-सभागार 'ओशो ऑडिटोरियम' में होती हैं।

मल्टीवर्सिटी

यहां होने वाले विभिन्न व्यक्तिगत सेशन, कोर्स और वर्कशॉप अपने आप में सृजनात्मक कला से लेकर समग्र स्वास्थ्य तक, व्यक्तिगत रूपांतरण, संबंध एवं जीवन-अग्रसरण, कार्य-ध्यान, गुह्य-विज्ञान, तथा खेलों व मनोरंजन में ''झेन'' ढंग तक सब-कुछ समाहित करते हैं। मल्टीवर्सिटी की सफलता का राज इस तथ्य में है कि इसके समस्त कार्यक्रम ध्यान से जुड़े होते हैं, जो इस समझ को बढ़ावा देता है कि मनुष्य केवल अंगों का जोड़ मात्र नहीं है, वरन उससे बढ़ कर बहुत कुछ है।

बाशो स्पा

वैभवमय बाशो स्पा में उपलब्ध है हरे-भरे पेड़ों व हरियाली भरे वातावरण के बीच खुली हवा में तैरने का आनंद विशालकाय स्विमिंग-पूल में। अनूठे ढंग से बनी विस्तृत ज़कूजी, सौना, जिम, टेनिस कोर्ट...मनमोहक सुंदर पृष्ठभूमि में उभर-उभर आते हैं।

भोजन

अलग-अलग ढंग के विभिन्न भोजन-स्थलों पर परोसे जाने वाले सुस्वादु व शाकाहारी पाश्चात्य, एशियायी व भारतीय भोजन में मेडिटेशन रिज़ॉर्ट के लिए विशेष रूप से उगाई गई आर्गैनिक सब्जियों का ही उपयोग होता है। ब्रेड और केक इत्यादि रिज़ॉर्ट की अपनी बेकरी में ही तैयार किए जाते हैं।

सांध्य गतिविधियां

चुनने के लिए सांध्य-गतिविधियों की लिस्ट लंबी है जिसमें नृत्य करना सबसे ऊपर है। अन्य गतिविधियों में तारों की छांव में फुलमून-ध्यान, वैरायटी शो, संगीत-कार्यक्रम तथा दैनिक जीवन के लिए ध्यान शामिल हैं।

इसके अलावा आप प्लाज़ा कैफे में मित्रों से मिलने-जुलने से लेकर रात की शांति से घिरे इस परीकथा जैसे वातावरण के बगीचों में चहलकदमी का आनंद ले सकते हैं।

सुविधाएं

आप प्रतिदिन उपयोग में आने वाली बुनियादी चीजें मेडिटेशन रिज़ॉर्ट पर गैलेरिया से खरीद सकते हैं। मल्टीमीडिया गैलरी में ओशो की सभी मीडिया सामग्री उपलब्ध है। बैंक, ट्रैवल एजेंसी तथा साइबर कैफे की सुविधाएं भी परिसर के भीतर ही उपलब्ध हैं। खरीददारी के शौकीन मित्रों के लिए पुणे में सभी चुनाव उपलब्ध हैं—परंपरागत भारतीय वस्तुओं से लेकर अंतर्राष्ट्रीय ब्रैंड्स के स्टोर्स तक।

आवास

आप ओशो गेस्टहाउस के सुरुचिपूर्ण कमरों में ठरहने का चुनाव कर सकते हैं। अगर आप लंबे समय तक रुकना चाहते हैं तो 'लिविंग-इन' कार्यक्रम के पैकेज भी चुन सकते हैं। इसके अतिरिक्त नजदीक ही बहुत प्रकार के होटल व सर्विस्ड अपार्टमेंट भी उपलब्ध हैं।

www.OSHO.com/meditationresort
www.OSHO.com/guesthouse
www.OSHO.com/livingin

ओशो का हिंदी साहित्य

उपनिषद
सर्वसार उपनिषद
कैवल्य उपनिषद
अध्यात्म उपनिषद
कठोपनिषद
ईशावास्य उपनिषद
निर्वाण उपनिषद
आत्म-पूजा उपनिषद
केनोपनिषद

महावीर
महावीर-वाणी (दो भागों में)
जिन-सूत्र (दो भागों में)
महावीर या महाविनाश
महावीर : मेरी दृष्टि में
ज्यों की त्यों धरि दीन्हीं चदरिया

कृष्ण
गीता-दर्शन (आठ भागों में अठारह अध्याय)
कृष्ण-स्मृति

बुद्ध
एस धम्मो सनंतनो (बारह भागों में)

अष्टावक्र
अष्टावक्र महागीता (नौ भागों में)

लाओत्से
ताओ उपनिषद (छह भागों में)

च्वांगत्सु
संसार और मार्ग
सत्य असत्य

मीरा
मैंने राम रतन धन पायो
झुक आई बदरिया सावन की

कबीर
सुनो भई साधो
- सुनो भई साधो
- कस्तूरी कुंडल बसै

कहै कबीर दीवाना
- कहै कबीर दीवाना
- मेरा मुझमें कुछ नहीं

कहै कबीर मैं पूरा पाया
- गूंगे केरी सरकरा
- कहै कबीर मैं पूरा पाया

न कानों सुना न आंखों देखा
- होनी होय सो होय (कबीर)
- अकथ कहानी प्रेम की (फरीद)

जगजीवन
नाम सुमिर मन बावरे
अरी, मैं तो नाम के रंग छकी

दादू
सबै सयाने एक मत
पिव पिव लागी प्यास

बोध-कथा

मिट्टी के दीये

तंत्र

संभोग से समाधि की ओर
- संभोग से समाधि की ओर
- युवक और यौन
- क्रांति-सूत्र

तंत्र-सूत्र (पांच भागों में)

योग

पतंजलि: योग-सूत्र (पांच भागों में)

योग: नये आयाम

ध्यान, साधना

ध्यान विज्ञान

ध्यानयोग: प्रथम और अंतिम मुक्ति

मैं कौन हूं

समाधि के द्वार पर

तृषा गई एक बूंद से
- तृषा गई एक बूंद से
- जीवन सत्य की खोज

माटी कहै कुम्हार सूं
- माटी कहै कुम्हार सूं
- जीवन रस गंगा

अमृत की दिशा
- अमृत की दिशा
- समाधि के तीन चरण

चित चकमक लागे नाहिं

साधना-शिविर

साधना-पथ
- साधना-पथ
- अंतर्यात्रा
- प्रभु की पगडंडियां

मैं मृत्यु सिखाता हूं

जिन खोजा तिन पाइयां

समाधि के सप्त द्वार (ब्लावट्स्की)

साधना-सूत्र (मेबिल कॉलिन्स)

ध्यान-सूत्र

जीवन ही है प्रभु

असंभव क्रांति

ध्यान दर्शन

ध्यान के कमल

नेति-नेति
- शून्य की नाव
- शून्य के पार
- सत्य की खोज
- संभावनाओं की आहट

साक्षी की साधना
- साक्षी की साधना
- साक्षी का बोध

समाधि कमल

जो घर बारे आपना

प्रेम दर्शन

गिरह हमारा सुन्न में

अपने माहिं टटोल

जीवन संगीत

रोम-रोम रस पीजिए

राष्ट्रीय और सामाजिक समस्याएं

देख कबीरा रोया
- देख कबीरा रोया
- अस्वीकृति में उठा हाथ

भारत के जलते प्रश्न
- भारत के जलते प्रश्न
- समाजवाद से सावधान
- समाजवाद अर्थात आत्मघात
- स्वर्ण पाखी था जो कभी

नये समाज की खोज

नये भारत की खोज
नये भारत का जन्म
भारत का भविष्य
फिर अमरित की बूंद पड़ी
एक एक कदम

अंतरंग वार्ताएं
संबोधि के क्षण
प्रेम नदी के तीरा
सहज मिले अविनाशी
उपासना के क्षण
अनंत की पुकार

प्रश्नोत्तर
नहिं राम बिन ठांव
प्रेम-पंथ ऐसो कठिन
उत्सव आमार जाति, आनंद आमार गोत्र
मृत्योर्मा अमृतं गमय
प्रीतम छवि नैनन बसी
रहिमन धागा प्रेम का
उड़ियो पंख पसार
सुमिरन मेरा हरि करैं
पिय को खोजन मैं चली
साहेब मिल साहेब भये
जो बोलैं तो हरिकथा
बहुरि न ऐसा दांव
ज्यूं था त्यूं ठहराया
ज्यूं मछली बिन नीर
दीपक बारा नाम का
अनहद में बिसराम
लगन महूरत झूठ सब
सहज आसिकी नाहिं
पीवत रामरस लगी खुमारी
रामनाम जान्यो नहीं
सांच सांच सो सांच
आपुई गई हिराय
बहुतेरे हैं घाट
कोंपलें फिर फूट आईं
क्या सोवै तू बावरी
कहा कहूं उस देस की
पंथ प्रेम को अटपटो
फिर पत्तों की पांजेब बजी
मैं धार्मिकता सिखाता हूं, धर्म नहीं
ओशो उपनिषद
एक नई मनुष्यता का जन्म
भविष्य की आधारशिलाएं

विविध
अमृत-कण
अमृत वाणी
कुछ ज्योर्तिमय क्षण
नये संकेत
चेति सकै तो चेति
हसिबा, खेलिबा, धरिबा ध्यानम्
धर्म साधना के सूत्र
मैं कहता आंखन देखी
जीवन क्रांति के सूत्र
जीवन रहस्य
करुणा और क्रांति
विज्ञान, धर्म और कला
प्रभु मंदिर के द्वार पर
तमसो मा ज्योतिर्गमय
प्रेम है द्वार प्रभु का
अंतर की खोज
अमृत वर्षा
अमृत द्वार
एक नया द्वार
प्रेम गंगा
समुंद समाना बुंद में
सत्य की प्यास

शून्य समाधि
व्यस्त जीवन में ईश्वर की खोज
अज्ञात की ओर
धर्म और आनंद
जीवन-दर्शन
जीवन की खोज
क्या ईश्वर मर गया है
क्या मनुष्य एक यंत्र है
नानक दुखिया सब संसार
नये मनुष्य का धर्म
धर्म की यात्रा
स्वयं की सत्ता
सुख और शांति
नारी और क्रांति
सम्यक शिक्षा
शिक्षा में क्रांति
गहरे पानी पैठ
ज्योतिष विज्ञान
नव संन्यास क्या
सत्य का अन्वेषण
सत्य का दर्शन
घाट भुलाना बाट बिनु
पथ की खोज
जीवन अलोक
जीवन की कला
जीवन क्रांति की दिशा
जीवन गीत
मन का दर्पण
आंखों देखी सांच
आनंद की खोज
स्वर्णिम बचपन

ओशो के साहित्य के संबंध में समस्त जानकारी एवं ऑर्डर हेतु संपर्क सूत्र:
ओशो मीडिया इंटरनेशनल,
17 कोरेगांव पार्क, पुणे-411001, महाराष्ट्र, इंडिया
Tel: +91 (20) 6601 9981. email: distribution@osho.net

ओशो के ऑडियो-वीडियो प्रवचन के संबंध में समस्त जानकारी एवं ऑर्डर हेतु संपर्क सूत्र:
ओशो मल्टीमीडिया एंड रिजॉर्ट्स प्रा. लि.,
17 कोरेगांव पार्क, पुणे-411001, महाराष्ट्र, इंडिया
Tel: +91 (20) 6601 9981. email: distribution@osho.net

ओशो की पुस्तकें उनके द्वारा श्रोताओं के समक्ष दिए गए तात्कालिक प्रवचनों से अभिलिखित हैं। सभी ओशो प्रवचन संपूर्ण रूप से पुस्तकों में प्रकाशित हुए हैं और ऑडियो रिकॉर्डिंग के रूप में भी उपलब्ध हैं। ऑडियो रिकॉर्डिंग व संपूर्ण लिखित संग्रह के बारे में जानकारी www.osho.com/library से प्राप्त की जा सकती है।